Management of Obstructive Sleep Apnea

수면무호흡

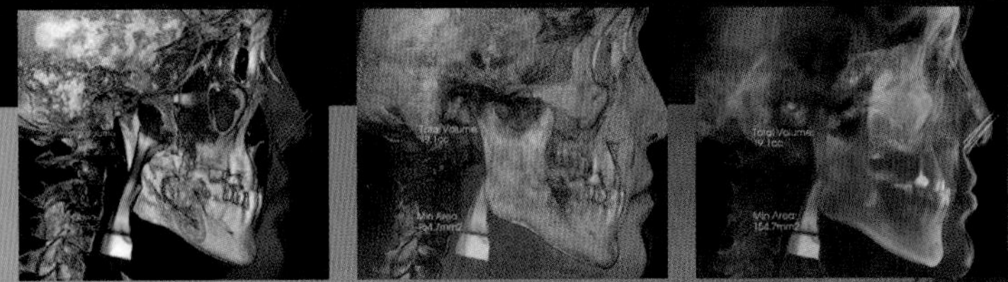

An Evidence-Based, Multidisciplinary Textbook

수면무호흡

1판 1쇄 인쇄 | 2022년 08월 16일
1판 1쇄 발행 | 2022년 08월 30일

지 은 이 Ki Beom Kim, Reza Movahed, Raman K. Malhotra, Jeffrey J. Stanley
역 자 정도민
감 수 김성훈
발 행 인 장주연
출 판 기 획 김도성
출 판 편 집 이민지
편집디자인 양은정
표지디자인 김재욱
제 작 담 당 이순호
발 행 처 군자출판사(주)
등록 제4-139호(1991. 6. 24)
본사 (10881) 파주출판단지 경기도 파주시 회동길 338(서패동 474-1)
전화 (031) 943-1888 팩스 (031) 955-9545
홈페이지 | www.koonja.co.kr

First published in English under the title
Management of Obstructive Sleep Apnea; An Evidence -Based, Multidisciplinary Textbook
edited by Ki Beom Kim, Reza Movahed, Raman K. Malhotra and Jeffrey J. Stanley, edition: 1

ISBN 979-11-5955-907-5
정가 90,000원

목차

III Non-surgical Management of OSA

IV Surgical Management of OSA

V Maxillomandibular Advancement for OSA

역자 서문

김기범 교수님을 비롯한 세계 유수의 대표 연자들이 참여한 이번 수면무호흡의 진단과 치료 영어판 서적을 처음 접했을 때 의과와 치과분야에 걸쳐 있었던 복잡함이 혼재된 폐쇄성 수면무호흡(obstructive sleep apnea, OSA)에 대한 종합적인 평가와 진단 치료 분야를 총 망라한 진정한 교과서의 탄생을 직감하고, 그 어느 때보다 적극적으로 국문 교과서 번역에 참여하였습니다.

본 저서는 폐쇄성 수면무호흡의 정의와 개념, 진단적 고려, 비수술/수술 수면무호흡 치료법, 그리고 양악 전방이동 수술 치료법을 총 5장에 걸쳐서 설명하고 있습니다. 첫 장은 수면호흡 장애의 분류를 통해 OSA의 병태생리와 건강, 신경인지 및 신경심리적인 영향은 물론 그와 관련된 대사성 질환에 대한 영향을 다루고 있습니다. 두 번째 장은 OSA 환자를 진단할 때 고려사항을 다루고 있습니다. 병력조사와 임상 평가를 통해 파악할 수 있는 OSA 환자 정보, 구체적인 진단 방법, 가정에서 진행하는 수면무호흡 검사 및 수면다원검사법, Cone-Beam CT를 이용한 기도 영상 분석을 자세하게 설명하고 있습니다. OSA 환자에 많이 나타나는 두개안면골 및 부정교합과의 관련성을 명확히 정리하고 상황별 교정치료를 통해 OSA 치료효과를 증명하였으며, 하악과두 흡수 소견을 보이는 경우와 OSA 관계에 대해 설명하였습니다. 세 번째 장은 OSA 치료를 위한 비수술 접근 방법입니다. 가장 일반적인 의과 접근이 기도양압기 치료입니다. 양압기 치료 적응증, 지속적 양압기와 자동-지속 양압기의 차이점, 양압기 적용 시의 부작용과 그에 대한 대처법을 다루고 있습니다. 다양한 종류의 OSA개선 구강장치를 OA라고 칭하며 대표적으로 적용하는 하악골 전방이동 장치를 비롯한 OA 장치 치료법을 설명하고, 장치 치료 외에 대안으로 소개되는 비수술 접근법에 대한 치료효과 여부를 정확히 평가하였습니다. 네 번째 장은 수술적인 고려사항입니다. 대표적인 연조직 수술법인 아데노편도 절제술, 구개인두 수술, 하인두 수술을 소개하고, 요즘 대중적으로 널리 알려진 OSA 치료를 위한 미니스크류-이용 견인성 골절단 상악 확장술을 다뤘습니다. 악교정 수술 시에 OSA 방지를 위한 고려와 수술 디자인 결정 등을 다루었습니다. 마지막 6장에서는 현재 OSA 환자에게 가장 안정적인 치료결과를 나타내는 상하악 전진 수술에 대하여 진단과 수술계획, 인공악관절(TMJ) 치환을 동반한 특징적 상하악 전진 수술법과 술후 관리법까지 자세히 소개하였습니다.

임상에서 매일매일 부딪치는 폐쇄성수면무호흡과 관련된 여러 이슈를 극복하는 데 과학적이고 객관적인 내용을 통합하여 제시한 이 역서를 통해 조금이나마 도움이 되기를 바랍니다. 또한 관련 진료를 행하는 의사선생님들과 치과의사 선생님들이 추구하는 공동 최종 목표를 달성하는 데 유용한 도구로 자리매김하기를 기대해 봅니다.

정도민, 김성훈

추천사

폐쇄성 수면무호흡에 대한 관심이 지난 몇 년 동안 많이 증가하였습니다. 이 질환이 사회적으로 끼치는 영향은 졸림에 따른 교통사고, 돌연사까지 상상을 초월할 정도로 크다고 할 수 있습니다. 세계적인 대재앙인 체르노빌 원전사고와 미국의 원전사고 등도 수면장애와 관련되었다고 밝혀지면서 충격을 주었으며, 그 원인과 치료방법에 대한 여러 의견들이 제시되어 왔습니다.

기존에 발간되었던 교과서들은 폐쇄성 수면 무호흡증을 다루는 전문분야에 따라 종합적인 내용보다는 해당 전문 분야의 치료 방법에 따른 세부 내용을 주로 다루는 경우가 많았습니다.

폐쇄성 수면무호흡은 의학이나 치의학의 특정 분야의 지식으로 진단과 치료계획을 세우기보다는 종합적으로 다양한 전문의들이 협진을 해야 한다는 것이 최근의 추세입니다.

따라서 이 책은 특정 분야의 내용보다는 여러 전문가들의 의견을 종합하여 한 권에 담아내고자 했습니다.

이 책은 세계적으로 저명한 여러 전문가들을 초빙하여 폐쇄성 수면무호흡의 이해, 진단 시 고려 사항, 비수술적인 치료, 수술적인 치료, 상하악전방이동 수술과 관련된 다양한 고려사항 등 네 부분으로 나누어 기술하고 있습니다.

특히 치과교정학과 구강악안면외과와 더불어 치의학 분야에서 최근 이 분야에 대한 관심이 늘어났지만 과학적인 근거에 기반한 치료방법에 대한 깊이 있는 고찰이 없이 비과학적인 일방적인 주장이 많았습니다. 무조건적인 상악골의 확장이나 꼭 필요한 경우에도 교정치료를 위한 발치를 거부하는 것과 같은 내용들이 그 예라고 하겠습니다. 이 책은 이러한 논란에 대한 과학적인 근거를 제시하여 해당 환자의 진료와 치료계획 수립 시 도움이 되리라 생각합니다.

김기범 교수
세인트루이스대학교 치과교정과 과장

저자

Will R. Allen Kentuckiana Oral and Maxillofacial Surgery, Louisville, KY, USA
wallen@gmail.com

Seung-Hak Baek Department of Orthodontics, School of Dentistry, Dental Research Insti-tute, Seoul National University, Seoul, South Korea
drwhite@snu.ac.kr

Raymond E. Bourey Division of Endocrinology, Diabetes, and Metabolism, Saint Louis University, St. Louis, MO, USA
Raymond.Bourey@SLU.edu

Lee K. Brown Division of Pulmonary, Critical Care, and Sleep Medicine, Department of Internal Medicine, University of New Mexico School of Medicine, Albuquerque, NM, USA
LKBrown@salud.unm.edu

Lisa Cutchen Division of Pulmonary, Critical Care, and Sleep Medicine, Department of Internal Medicine, University of New Mexico School of Medicine, Albuquerque, NM, USA
Program in Sleep Medicine, University of New Mexico Health Sciences Center, Albuquerque, NM, USA
Zachary Brown Department of Oral and Maxillofacial Surgery, University of Texas Health Science Center at San Antonio, San Antonio, TX, USA
Brownz@uthscsa.edu

Chandra M. Cherukuri Department of Family Medicine, University of Minnesota, Minneapo-lis, MN, USA
Cherukuri2006@gmail.com

Jin-Young Choi Department of Oral and Maxillofacial Surgery, School of Dentistry, Dental Research Institute, Seoul National University, Seoul, South Korea
jinychoi@snu.ac.kr

Mikhail Daya Movahed OMS, Chesterfield, MO, USA
Mikhail.daya@gmail.com

Frank Delatour Department of Oral and Maxillofacial Surgery, William Beaumont Army Medical Center, El Paso, TX, USA
delatour.frank@gmail.com

Abbey Dunn Clinical Instructor in Neurology, The University of Michigan, Ann Arbor, MI, USA
alecso@med.umich.edu

Edward Ellis III Department of Oral and Maxillofacial Surgery, University of Texas Health Science Center at San Antonio, San Antonio, TX, USA
ellise3@uthscsa.edu

Tarek Elshebiny Case Western Reserve University, School of Dental Medicine – Department of Orthodontics, Cleveland, OH, USA
tme18@case.edu

Joseph Roland D. Espiritu SLUCare Sleep Disorders Center, Division of Pulmonary, Critical Care, and Sleep Medicine, Saint Louis University School of Medicine, St. Louis, MO, USA
joseph.espiritu@health.slu.edu

Thomas J. Farrer Department of Psychiatry and Behavioral Sciences, Duke University Medical Center, Durham, NC, USA
Thomas.Farrer@duke.edu

W. Jonathan Fillmore Division of Oral and Maxillofacial Surgery, Department of Surgery, Mayo Clinic, Rochester, MI, USA
fillmore.jonathan@mayo.edu

Christian Guilleminault Sleep Medicine Program, Stanford University Sleep Disorders Clinic, Stanford, CA, USA

Paul T. Hoff Department of Otolaryngology, University of Michigan, Ann Arbor, MI, USA
phoff@umich.edu

Sung Ok Hong Department of Dentistry (Oral and Maxillofacial Surgery), School of Medicine, Catholic Kwandong University, International St. Mary's Hospital, Incheon, South Korea
Catherine.so.hong.sleepdoc@gmail.com

Joseph W. IvoryM Department of Oral and Maxillofacial Surgery, William Beaumont Army Medical Cen-ter, El Paso, TX, USA
sgtdabney@gmail.com

Neeraj Kaplish Department of Neurology, Michigan Medicine Sleep Disorders Laboratories, Michigan Medicine, University of Michigan, Ann Arbor, MI, USA
neerajka@med.umich.edu
neerajka@umich.edu

David T. Kent Department of Otolaryngology, Vanderbilt University, Nashville, TN, USA
david.kent@vanderbilt.edu

Ki Beom Kim Department of Orthodontics, Saint Louis University, St. Louis, MO, USA
kibeom.kim@health.slu.edu

Su-Jung Kim Department of Orthodontics, Kyung Hee University School of Dentistry, Seoul, South Korea
ksj113@khu.ac.kr

Yong-Il Kim Department of Orthodontics, School of Dentistry, Pusan National University, Busan, South Korea
kimyongil@pusan.ac.kr

Bhanu Prakash Kolla Center for Sleep Medicine, Mayo Clinic, Rochester, MN, USA
Department of Psychiatry and Psychology, Mayo Clinic, Rochester, MN, USA
kolla.bhanuprakash@mayo.edu

Stanley Yung-Chuan Liu Department of Otolaryngology – Head and Neck Surgery, Stanford University School of Medicine, Stanford, CA, USA
Ycliu@stanford.edu

Matt J. Madsen North County Oral and Facial Surgery Center, Escondido, CA, USA
madsen.matt@gmail.com

Raman K. Malhotra Sleep Medicine Section, Department of Neurology, Washington University in St. Louis, St. Louis, MO, USA
raman.malhotra@wustl.edu

Meghna P. Mansukhani Center for Sleep Medicine, Mayo Clinic, Rochester, MN, USA
Mansukhani.Meghna@mayo.edu

M. Marklund Department of Odontology, Medical Faculty, Umeå University, Umeå, Sweden
marie.marklund@umu.se
marie.marklund@me.com

Mark McQuilling Aerospace and Mechanical Engineering, Parks College of Engineering, Aviation, and Technology, Saint Louis University, St. Louis, MO, USA
Mark.mcquilling@slu.edu

Louis G. Mercuri Department of Orthopedic Surgery, Rush University Medical Center, Chicago, IL, USA
TMJ Concepts, Ventura, CA, USA
Adjunct Professor, Department of Bioengineering, University of Illinois Chicago, Chicago, IL, USA
lgm@tmjconcepts.com

Ron B. Mitchell Department of Otolaryngology, Head and Neck Surgery, UT Southwestern and Children's Medical Center Dallas, Dallas, TX, USA
Ron.mitchell@utsouthwestern.edu

Joy L. Moeller University of Southern California, Dental Hygiene Department, Private Practice of Myo-functional Therapy, Los Angeles, CA, USA
joyleamoeller@aol.com

Reza Movahed Department of Orthodontics, Saint Louis University, St. Louis, MO, USA
Private Practice, St. Louis, MO, USA
movaheddmd@gmail.com

Allison G. Ordemann University of Texas Southwestern Medical Center, Children's Medical Center, Dallas, TX, USA
Aordermann@gmail.com

Juan Martin Palomo Case Western Reserve University, School of Dental Medicine – Department of Ortho-dontics, Cleveland, OH, USA
jmp5@case.edu

Shalini Paruthi Sleep Medicine and Research Center, Saint Luke's Hospital, St. Louis, MO, USA
Department of Pediatrics, Saint Louis University School of Medicine, St. Louis, MO, USA
smparuthi@gmail.com

Licia Coceani Paskay Academy of Orofacial Myofunctional Therapy, Academy of Applied Myofunctional Sciences, Los Angeles, CA, USA
lcpaskay@gmail.com

Daniel E. Perez Department of Oral and Maxillofacial Surgery, University of Texas Health Science Center at San Antonio, San Antonio, TX, USA
perezd5@uthscsa.edu
Cynthia Peterson Research Associate with the Breathe Institute, Private Practice, Salt Lake City, UT, USA
tmjhealingplan@gmail.com

Jason E. Portnof Department of Oral and Maxillofacial Surgery, Nova Southeastern University, Fort Lau-derdale, FL, USA
jeportnof@gmail.com

Frank Ralls Division of Pulmonary, Critical Care, and Sleep Medicine, Department of Internal Medicine, University of New Mexico School of Internal Medicine, Albuquerque, NM, USA
FRalls@salud.unm.edu

Kannan Ramar Center for Sleep Medicine, Mayo Clinic, Rochester, MN, USA
Department of Pulmonary and Critical Care Medicine, Mayo Clinic, Rochester, MN, USA
Ramar.Kannan@mayo.edu

William C. Scott Department of Otolaryngology, Vanderbilt University, Nashville, TN, USA
Katelyn Smith Geisinger Health System Sleep Medicine Clinic, Port Matilda, PA, USA
katelyngr@gmail.com

Andrew R. Spector Department of Neurology, Duke University Medical Center, Durham, NC, USA
andrew.spector@duke.edu

Jeffrey J. Stanley Departments of Otolaryngology and Neurology, University of Michigan, Ann Arbor, MI, USA
jjst@med.umich.edu

Kingman Strohl Case Western Reserve University, School of Medicine, University Hospitals Cleveland Medical Center, Cleveland, OH, USA
kingman.strohl@case.edu

Christopher Viozzi Division of Oral Diagnosis and Oral and Maxillofacial Surgery, Mayo Clinic, Rochester, MN, USA
Viozzi.christopher@mayo.edu

Samantha D. Weaver Academy of Orofacial Myofunctional Therapy, Academy of Applied Myofunctional Sciences, Los Angeles, CA, USA
samanthadweaver@gmail.com

Larry Wolford Texas A&M University College of Dentistry, Baylor University Medical Center, Dallas, TX, USA
lwolford@drlarrywolford.com

Pratyusha Yalamanchi Department of Otolaryngology, University of Michigan, Ann Arbor, MI, USA
ypratyus@umich.edu

Audrey Jung-Sun Yoon Stanford Sleep Medicine Center, Department of Psychiatry and Behavioral Sciences, Stanford University School of Medicine, Stanford, CA, USA
Department of Orthodontics, University of the Pacific Arthur A. Dogoni School of Dentistry, Stanford, CA, USA
jungdds@gmail.com

Soroush Zaghi The Breathe Institute, Los Angeles, CA, USA
Academy of Orofacial Myofunctional Therapy, Los Angeles, CA, USA
UCLA Health, Los Angeles, CA, USA
zaghimd@gmail.com

Rocio Zeballos-Chave Division of Pediatric Pulmonology, Department of Pediatrics, Saint Louis Univer-sity School of Medicine, St. Louis, MO, USA
Rocio.zeballoschavez@health.slu.edu

Principles and Fundamentals of OSA

목차

수면 호흡 장애의 분류

Katelyn Smith

목차

1.1 개요

수면 호흡 장애는 수면 중 전체적 혹은 부분적으로 호흡 이상을 경험하는 사람의 여러 가지 상태를 설명하는 데 전반적으로 사용되는 용어이다. 이 장애는 수면 장애 국제 분류 제3판에서 몇 가지 범주로 세분화되었다. 기본적으로 폐쇄성 수면 무호흡 장애, 중추성 수면 무호흡 증후군, 수면 저환기 장애, 수면 저산소증 장애로 분류된다.[2] 참고로, 수면과 관련 현상 평가에 대한 미국 수면의학 아카데미 매뉴얼은 수면 호흡 장애를 포함하는 특정 호흡 현상의 세부 사항을 설명하는데, 그 중 일부는 여기에서 논의되지 않을 것이다. 종합적으로, 이번 본문에서는 수면 호흡 장애의 보다 넓은 범주에 초점을 맞추게 될 것이다.

1.2 폐쇄성 수면 무호흡(Obstructive Sleep Apnea, OSA)

1.2.1 폐쇄성 수면 무호흡, 성인

수면 호흡 장애 중에서 폐쇄성 수면 무호흡(OSA)이 가장 많다.[9] OSA는 수면 중에 상기도의 부분 혹은 완전 폐쇄로 발생한다. 폐쇄성 저호흡은 불완전한 기류 감소를 보이나(그림 1.1), 이에 반해 폐쇄성 무호흡은 완전한 기류 감소로 여겨진다(그림 1.2). 저호흡은 (사용된 개념에 따라) 최소 3% 또는 4%의 산소 헤모글로빈 불포화 및/또는 현상 종료 시의 각성과 연관된다. 추가적으로, 호흡 노력 각성은 흡기 신호의 평탄화를 보이는 기도 폐쇄 및/또는 증폭된 호흡 노력 후에 저호흡이나 무호흡으로 이어지지 않는 각성이 일어나는 것이다.

이 세 가지 폐쇄성 현상(무호흡, 저호흡, 호흡 노력 각성)은 모두 성인에서는 최소 10초 이상 지속되고 연속적인 호흡 노력이 동시 발생해야 한다.[4] 이런 폐쇄성 현상은 근본적인 병태생리학을 공유하고, 모두 OSA의 증상 및 후유증의 원인으로 판단된다. 폐쇄는 R 수면 단계에서 더 심해지는 경향이 있고, 바로 누운 앙와위에서 더 심해진다. 수면 중 무호흡, 저호흡, 호흡 노력 각성을 집계하고 시간당 평균값을 구하여 수면 중 호흡 장애 지수(Respiratory Disturbance Index, RDI)를 산출한다.[2] 특정 보험 회사는 호흡 노력 각성을 제외하고, 저호흡 기준도 보다 엄격하다. 이런 경우, 호흡 노력 각성을 제외하고 무호흡 저호흡 지수(Apnea Hypopnea Index, AHI)를 계산한다.

$$\text{호흡 장애 지수(RDI)} = \frac{(\text{무호흡} + \text{저호흡} + \text{호흡 노력 각성}) \times 60}{\text{총 수면 시간}}$$

$$\text{무호흡 저호흡 지수 (AHI)} = \frac{(\text{무호흡} + \text{저호흡}) \times 60}{\text{총 수면 시간}}$$

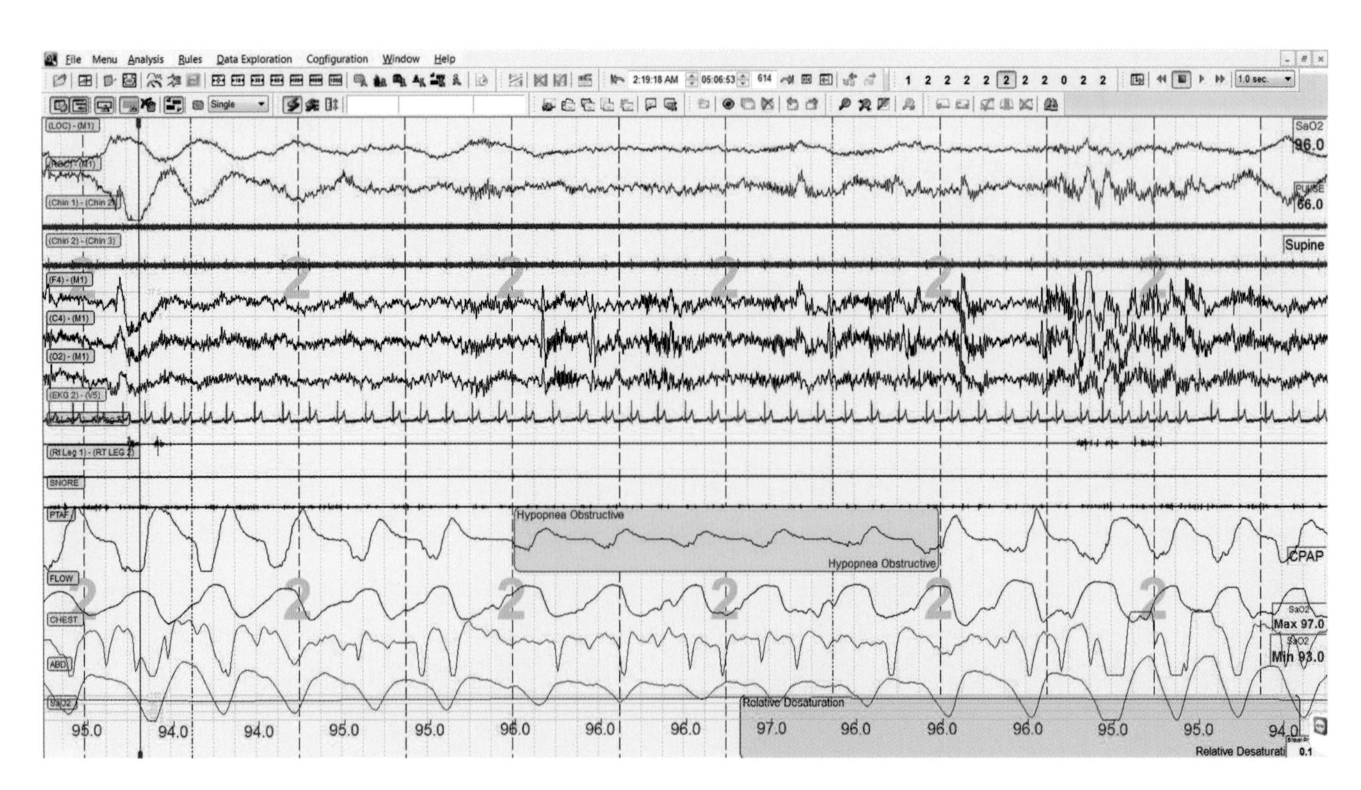

그림 1.1 불포화 3%를 기준으로 한 폐쇄성 저호흡으로 최소 10초 동안 기준선에서 최소 30%의 압력 신호 감소를 보여준다.

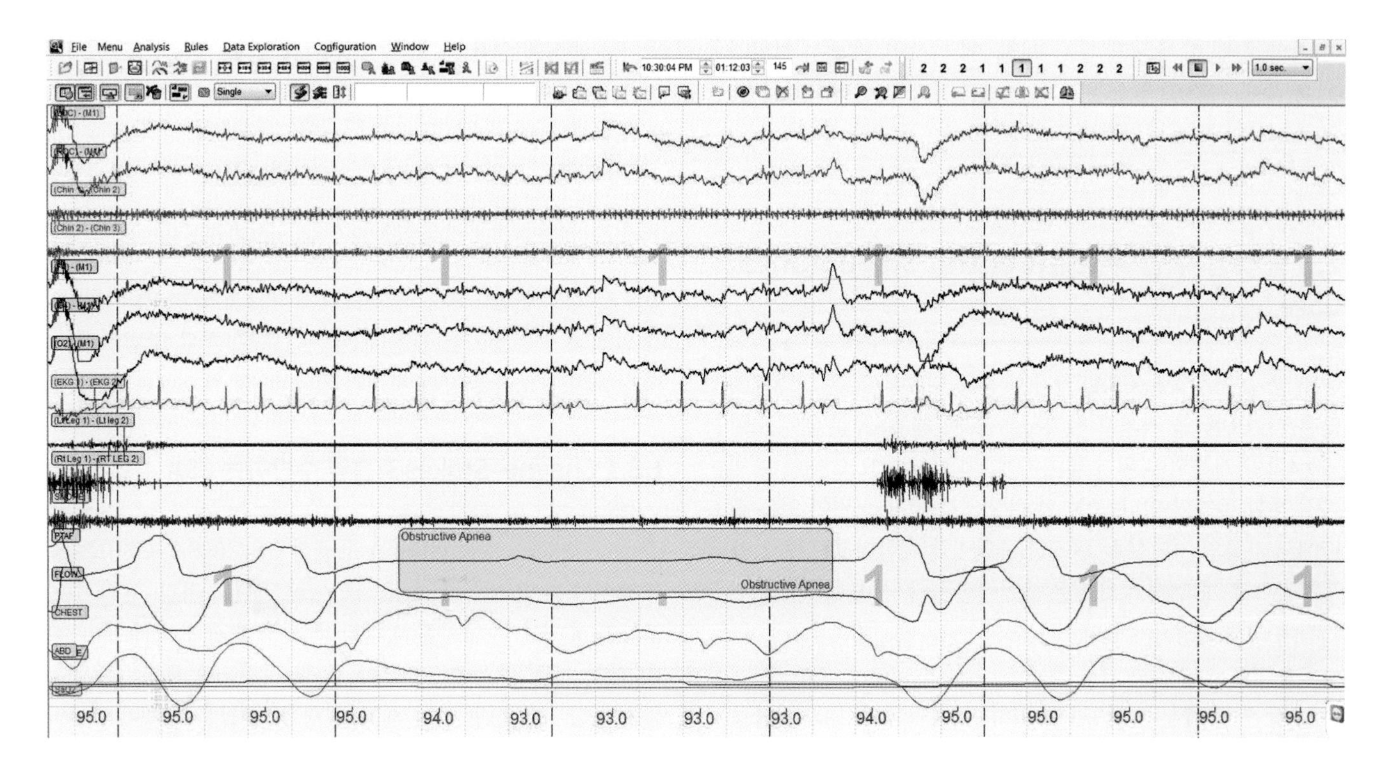

◘ 그림 1.2 **폐쇄성 무호흡으로 최소 10초 동안 기준선에서 최소 90%의 기류 신호 감소를 보여준다.**

RDI이나 AHI를 사용하여 OSA의 중증도를 판단한다. 성인에서의 중증도 분류는 다음과 같다:

- 경증: 5 ≤ RDI, AHI < 15
- 중등증: 15 ≤ RDI, AHI < 30
- 중증: 30 ≤ RDI, AHI[9]

RDI이나 AHI가 경증의 범주라면(시간당 15 미만), OSA 진단을 위해 수면 다원 검사 소견 외에 다른 진단 기준이 필요하다. 이런 경우 다음 내용 중 하나 이상이 포함된다:

1. 숨참, 질식, 호흡 정지와 연관된 잠깨기
2. 다른 사람이 코골이나 호흡 중단을 반복적으로 목격
3. 기분 장애, 인지 장애, 고혈압, 관상 동맥 질환, 울혈성 심부전, 심방세동, 뇌졸중, 제2형 당뇨의 동반 질환의 존재
4. 피로, 졸음, 불면증, 상쾌하지 않은 수면 호소

하지만, RDI나 AHI가 15 이상이면, 추가적인 징후, 증상, 동반 질환이 없어도 진단이 내려진다.[2]

OSA를 평가하기 위한 수면 다원 검사는 검사실이나 가정에서 시행될 수 있다. 검사실에서 시행하는 경우 수면 장애 평가를 위한 최적 표준이 수립되어 있지만, 가정에서 하는 검사도 OSA 평가에 적절하다. 가정 수면 다원 검사에 적당한 환자에 관한 중요한 규정이 있다(8단원 참조).

산소 헤모글로빈 불포화는 폐쇄에 의한 결과이고 일반적으로 폐쇄 현상이 끝나면 해소된다. 그러나 길어지거나 특히 반복적인 무호흡과 저호흡이 있거나 호흡기에 기저 질환이 있다면, 이런 불포화가 지속될 것이다. 예를 들어, OSA와 만성 폐쇄성 폐질환이 동반되는 것이 드물지 않고, 이런 경우 다양한 병리적 기여로 수면 중 불포화가 더 분명해지고 깨어난 후 과탄산혈증이 유발될 수 있다. 폐쇄 현상에 이어 각성이 나타날 수 있는데, 이것은 저호흡과 호흡 노력 각성의 진단 기준에 포함된다. 폐쇄의 빈도는 술이나 진정제 복용, 몸무게 증가와 연관되어 증가할 수 있다.[2]

1.2.2 폐쇄성 수면 무호흡, 소아

소아의 경우 OSA의 진단과 분류 및 폐쇄 현상의 정의에서 몇 가지 차이점이 있다. 10초 이상의 폐쇄 지속보다는, 폐쇄 현상이 최소 2회의 숨 길이만큼 지속되어야 한다.[4] 가정 수면 무호흡 검사는 어린이에게 적당하지 않다.[14] 코골이, 비정상적 호흡(예: 역설 호흡), 졸음이나 행동 문제 같은 낮 증상이 수반되어야 진단이 가능하다.

추가적으로, 아동은 폐쇄성 현상이 수면 중 시간당 최소 1회 있거나 관련 특징(예: 역설 호흡, 코골이, 비강 압력 파형의 흡기 부분 평탄화) 외에 폐쇄성 저환기에 대한 기준을 충족시켜

야 한다. 수면 장애 국제 분류 제3판에 의하면, 폐쇄성 저환기는 총 수면 시간의 최소 25% 이상에서 동맥 이산화탄소가 50 mmHg 보다 크게 나타난다.

1.3 중추성 수면 무호흡(Central Sleep Apnea, CSA)

중추성 수면 무호흡(CSA) 환자는 종종 다수의 혹은 알려지지 않은 기여 원인을 가지고 있어서, 이로 인해 CSA 분류에 포함되는 질병 개체의 범위가 넓어지게 된다. 기본 요소 내에는 몇 가지 통합 주제가 있다. 중추성 현상에서, 호흡 노력이 없는 상태에서 기류의 거의 또는 완전한 중단이 존재한다(◘ 그림 1.3). 부가적으로, 중추성 무호흡은 불안정한 중추 신경계 호흡 조절 기전에 의해 발생하기 쉽다.[8]

수면 장애 국제 분류 제3판에 의하면, 성인에서 CSA는 다음의 범주로 세분화된다: Cheyne–Stokes 호흡(CSB), CSB가 없는 의학적 상태에서 CSA, 고지대 주기적 호흡에 의한 CSA, 약물이나 물질에 의한 CSA, 원발성 CSA, 약물 치료 후 일시적인 CSA. 소아 인구군에서 이 목록은 조숙 및 유아의 원발성 CSA를 포함한다.

위의 성인을 진단하기 위해, 임상적 특징이 존재해야 한다. 고지대 주기적 호흡과 소아 진단의 CSA를 제외한 모두에서 평균 중추성 호흡 현상이 시간 당 최소 5회이고 호흡 현상의 대다수가 완전히 중추성이어야 한다. 일반적으로, 치료 방법으로 기저 상태의 치료와 양압기 치료가 있다.[2]

1.3.1 Cheyne–Stokes 호흡을 수반하는 CSA

Cheyne–Stokes 호흡(CBS)을 수반한 CSA (CSA–CSB)는 중추성 무호흡 및/또는 저호흡 사이에서 일련의 점강–점약 수면 일화를 통해 주기적 호흡이 나타난다. 수면 장애 국제 분류 제3판에는 특정 증상(예: 코골이, 졸음, 목격된 무호흡) 및/또는 울혈성 심부전, 심방 조동/세동, 신경 장애 같은 질환이 있어야 한다고 기술되어 있다.[2,16] 추가적으로, 진단을 위해 다른 수면 장애 또는 약물이나 물질 사용으로는 설명할 수 없는 무질서

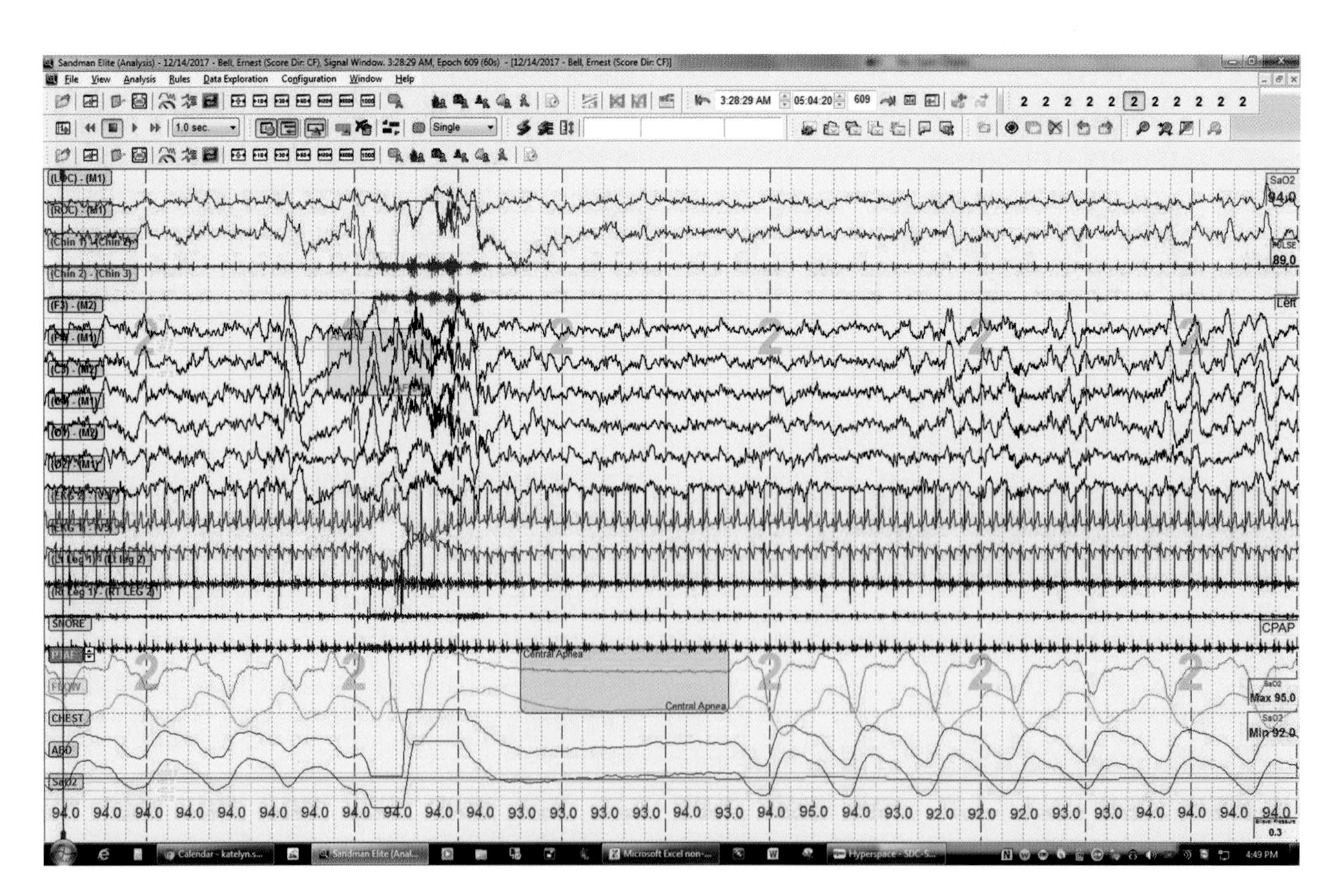

◘ 그림 1.3 중추성 무호흡을 보여주는 60초 그래프로 호흡 노력의 완전한 정지가 흉부와 복부 신호의 편평화로 표시되고(청색 파형) 최소 10초 동안 기류 신호의 최소 90%의 감소를 보여준다(주황색 파형).

한 호흡이 있어야 한다. 수면 다원도에서 중추성 호흡 현상이 시간 당 최소 5회 이상 있어야 하고, CBS 환기 양상과 함께 총 무호흡/저호흡 현상이 > 50% 나타나야 한다. 심장마비와 뇌졸중이 근본적인 원인일 수 있으므로, CSA-CSB 환자에 대한 평가를 시행해야 한다.[3,12]

1.3.2 Cheyne-Stokes 호흡이 없는 의학적 장애에 의한 CSA (CSA w/o CSB)

이것은 성인에서 CSB 양상의 호흡은 없으나, 의학적 장애에 의해 유발되는 것으로 판단되는 CSA의 다른 모든 형태를 보이는 것이다. 이런 의학적 진단은 호흡기부터 심혈관과 신경학까지의 범위를 가지는데, 신경학적 원인이 대부분의 병인을 포함한다. 일반적인 신경학적 원인으로 뇌간 병변, 뇌졸중, Chiari 기형이 대부분을 차지한다.[7] 환자가 성인이고 수면 다원도에서 CSB가 없다면, 코골이, 졸음, 호흡곤란으로 깨어남, 수면 장애, 목격된 무호흡 등의 증상이 진단 기준이 된다. 수면 다원도에서 중추성 호흡 현상이 시간 당 최소 5회 이상 있어야 하고, 총 무호흡/저호흡 현상이 > 50% 나타나야 한다. 추가적으로, 호흡 장애의 원인이 물질이나 약물 복용이 아니어야 한다. 수면-관련 저환기가 있을 수 있으나 필수적이지는 않다.[2]

1.3.3 고지대 주기적 호흡에 의한 CSA

이것은 수면 중 증상 발현과 주기적 호흡으로 급격한 고도 상승에 반응하는 CSA의 분류로, 최소 2,500 m 이상의 고도에서 전형적으로 보이지만 1,500 m 정도의 낮은 고도에서도 나타난다. 호흡 양상은 주기 길이 12-40초 사이로 중추성 무호흡과 교대하는 과호흡으로 구성된다.[2,5]

1.3.4 약물 혹은 물질에 의한 CSA

약물이나 물질에 의한 CSA는 호흡 억제 약물 사용으로 발생하는 2차적 형태로 아편유사제에서 가장 흔하게 나타난다. morphine, oxycodone, fentanyl 패치, 마약 투약, suboxone도 원인이 될 수 있다.[2] 아편유사제는 수면 중 중추 수준에서 환자의 호흡을 억제하고 기도를 이완시켜 OSA의 가능성을 증가시키고 저환기를 유도하여, 호흡에 여러 유해한 영향을 미친다.[10]

1.3.5 원발성 CSA

이것은 드물게 발생하고 다른 차별화된 특성이 없다는 특징을 가진다. 진단을 내리기 위해서 CSB, 주간이나 야간 저환기, 인과적 의학 상태의 존재나 약물 사용이 없어야 한다.

1.3.6 약물 치료 후 일시적인 CSA (TE-CSA)

TE-CSA와 복잡 수면 무호흡은 모두 같은 임상적 현상을 설명한다; 환자가 확립된 OSA를 치료하기 위한 백업 비율없이 양압기를 사용할 때 CSA를 보이는 경우에 나타난다. AHI가 REM보다 NREM 동안 더 높게 나타나면서 양압기 치료에 다수의 각성이 지속된다. 아편유사제를 사용한 환자는 그렇지 않은 환자보다 TE-CSA가 크게 나타날 수 있다.[13] 일부에서는 TE-CSA를 OSA의 단순한 징후로 간주하기도 하지만, 수면 장애 국제 분류 제3판에서는 진단 기준에 TE-CSA를 CSA의 이산 형태로 포함한다. 어떤 문헌에 의하면, TE-CSA가 양압기 치료를 시작한 OSA 환자의 20%에서 발견된다. 다행히도 양압기 치료를 계속 진행하면 이 비율이 2%까지 떨어진다.[2]

1.4 수면 저환기(Sleep-Related Hypoventilation, SRHV) 장애

SFHV 장애 진단의 필수 요소는 수면 중 이산화탄소의 비정상적인 동맥 분압의 지속적 상승이다. 성인에서는 2가지의 시나리오가 있는데, 먼저 수면 중 동맥 이산화탄소가 최소 10분 동안 55 mmHg보다 크다는 것이다. 두 번째 가능한 시나리오는, 최소 10분 동안 50 mmHg를 초과하고, 앙와위 기상에 비해 수면 중 최소 10 mmHg가 증가하는 것이다. 아동에서, SRHV는 동맥 이산화탄소가 총 수면시간의 25% 이상에서 50 mmHg보다 높게 나타난다.[2] 이산화탄소는 호흡-종말 CO_2, 경피성 PCO_2, ABG를 통해 모니터링 할 수 있다.[4]

수면 장애 국제 분류 제3판에서는 6가지 하위 분류로 구분하였다. 성인 하위 유형에는 비만성 저환기 증후군, 특발성 중추성 폐포 저환기, 다른 의학적 장애에 의한 장애, 약물이나 물질에 의한 장애를 포함한다. 아동에서 선천성 중추성 폐포 저환기 증후군, 시상하부 기능 장애를 동반한 후발성 중추성 저환기가 있다.[2] 모든 SRHV 장애에서 기상 동안 저환기가 있을 수 있지만, 비만성 저환기 장애 진단에서만 이것이 필요하다.[15] 기상 시에 저환기가 있다면, 수면 중에는 더 악화될 것이다. 간단하게 말해서 SRHV 장애 치료의 기본은 특정한 기저 원인에 관한 것이고 종종 양압기 치료가 중요하다.

1

1.5 수면 저산소증 장애

이 분류의 특징은 저환기에 의한 것이 아닌 무질서한 전신 저산소혈증이다. 저산소혈증은 수면 중 수면 다원 검사, 가정 수면 무호흡 검사, 연속 산소 측정을 통해 진단된다. 수면 저환기와 수면 저산소혈의 차이는 이산화탄소를 모니터링 하여 야간 저환기를 평가하는 능력에 달려있다. 수면 저산소혈 장애로 진단되기 위해서는 성인에서 최소 5분 동안 동맥 산소 포화도가 88% 이하여야 한다. 소아에서는 최소 5분 동안 동맥 산소 포화도가 90% 이하여야 한다. 저산소혈증이 전적으로 OSA나 CSA에서만 기인할 수 있는 경우, 수면 저산소혈증이나 저환기의 진단을 제외해야 한다. 반대로, OSA나 CSA가 존재할 수 있지만, 저산소혈증이 존재하는 대부분의 수면 시간과 관련이 없다면 수면 저산소증 장애의 진단을 반드시 배제하지는 않는다. 수면 저산소증의 원인이 될 수 있는 상태에는 정맥 단락, 환기-관류 불균형, 확산 이상, 대기 중 낮은 PO_2, 사강(dead space) 증가 등이 있다.[2,6]

1.6 혼합 장애

중추성 무호흡 및 저호흡은 폐쇄성 현상과 같이 나타날 수 있다. 일반적으로 중추성 현상이 낮고 폐쇄성 현상이 상대적으로 우세하다면 OSA가 있는 것으로 판단된다. 그러나 수면 다원도에서 폐쇄성 및 중추성 수면 무호흡 양쪽의 요건을 충족시키는 경우가 있다; 그러므로, 이런 경우는 혼합 장애로 간주된다.[2]

1.7 단독 증상

1.7.1 코골이

기본적으로 코골이는 수면 동안 호흡기에서 만들어지는 소리로, 대부분 흡기 단계에서 발생한다. 단순하거나 원발적인 코골이는 무호흡이나 저환기가 없고, 수면 방해나 주간 졸음과 연관되지 않는다. 산발적인 코골이는 매우 흔하나, 지속적인 야간 코골이는 흔하지 않으므로 OSA의 가능성을 염두해야 한다. 부가적으로 수면 장애 국제 분류 제3판에서는 코를 고는 심혈관 질환 환자 모두에게 수면 다원 검사나 가정 수면 무호흡 검사를 권고한다.[2] 성인 남성에서 코골이가 가장 많이 발생하는데, 이것은 코골이와 비만이 밀접한 연관성을 가지기 때문이다.[11] 코를 고는 아동은 편도선 비대와 커다란 연관성이 있다. 흡연, 음주, 아편, 근이완제가 코골이 가능성을 증가시킬 수 있다.[2]

1.7.2 Catathrenia

카타트레니아는 일반적으로 REM 수면에서 장기간 호기 동안의 발성을 설명하는 데 사용되는 용어이다. 또한 수면 신음이라고도 한다. 문헌에서 임상적 중요성이 논의되고 있고, 최근에는 의학적 문제보다는 사회적 문제로 주요하게 여겨진다.[1,2]

1.8 요약

수면 호흡 장애는 여러 상태의 모음이고, 이 모두는 수면 중 호흡 부전을 포함한다. 기본적으로 폐쇄성 수면 무호흡 장애, 중추성 수면 증후군, 수면 저환기 장애, 수면 저산소증 장애로 분류된다. 이 분류는 하위 분류로 더 나뉠 수 있다. 수면 저산소증과 여러 중추성 수면 무호흡 장애 및 수면 저환기 장애의 초기 치료는 기저 질환에 대한 치료가 필요하다. 다수의 수면 호흡 장애를 가지고 있는 환자에게는 각 장애에 대한 해결이 필요하다.

참고문헌

1. Abbasi AA, Morgenthaler TI, Slocumb NL, et al. Nocturnal moaning and groaning catathrenia or nocturnal vocalizations. Sleep Breath. 2012;16(2):367–73.
2. American Academy of Sleep Medicine. The international classification of sleep disorders, Third edition. Darien: American Academy of Sleep Medicine; 2014.
3. Anker SD, von Haehling S, Germany R. Sleep–disordered breathing and cardiovascular disease. Indian Heart J. 2016;68(Suppl 1):S69–76.
4. Berry RB, Albertario CL, Harding SM, for the American Academy of Sleep Medicine, et al. The AASM manual for the scoring of sleep and associated events: rules, terminology and technical specifications, version 2.5. Darien: American Academy of Sleep Medicine; 2018, www. aasmnet. org.
5. Burgess KR, Lucas SJ, Shepherd K, et al. Worsening of central sleep apnea at high altitude: a role for cerebrovascular function. J Appl Physiol (1985). 2013;114(8):1021–8.
6. Casey KR, Cantillo KO, Brown LK. Sleeprelated hypoventilation/hypoxemic syndromes. Chest. 2007;131(6):1936–48.
7. Dauvilliers Y, Stal V, Abril B, et al. Chiari malformation and sleep related breathing disorders. J Neurol Neurosurg Psychiatry. 2007;78(12):1344–8.
8. Eckert DJ, Jordan AS, Merchia P, et al. Central sleep apnea: pathophysiology and treatment. Chest. 2007;131(2):595–607.
9. Epstein LJ, Kristo D, Strollo PJ Jr, et al. Clinical guideline for the evaluation, management and long–term care of obstructive sleep apnea in adults. J Clin Sleep Med. 2009;5(3):263–276.
10. Guilleminault C1, Cao M, Yue HJ, et al. Obstructive sleep apnea and chronic opioid use. Lung. 2010;188(6):459–68. https://doi. org/10.1007/s00408–010–9254–3. Epub 24 Jul 2010.
11. Kezirian EJ, Chang JL. Snoring without OSA and health consequences: the jury is still out. Sleep. 2013;36(4):613.
12. Lanfranchi PA, Braghiroli A, Bosimini E, et al. Prognostic value of noc-

turnal Cheyne–Stokes respiration in chronic heart failure. Circulation. 1999;99(11):1435–40.

13. Lehman S, Antic NA, Thompson C, et al. Central sleep apnea on commencement of continuous positive airway pressure in patients with a primary diagnosis of obstructive sleep apnea–hypopnea. J Clin Sleep Med. 2007;3(5):462–6.

14. Marcus CL, Brooks LJ, Draper KA, et al. Diagnosis and management of childhood obstructive sleep apnea syndrome. Pediatrics. 2012;130(3):e714–55.

15. Mokhlesi B. Obesity hypoventilation syndrome: a state of the art review. Respir Care. 2010;55(10):1347–62; discussion 1363–5.

16. Yumino D, Bradley TD. Central sleep apnea and Cheyne–Stokes respiration. Proc Am Thorac Soc. 2008;5(2):226–236.

OSA의 병태생리학

Frank Ralls, Lisa Cutchen, and Lee K. Brown

목차

2

2.1 배경 및 개요

1978년 이전, 폐쇄성 수면 무호흡(OSA) 병인에 관련된 연구는 비만-저환기 증후군(Obesity-Hypoventilation Syndrome, OHS)에 집중되었다. 그 당시, OHS는 병인의 많은 이론과 연관된 장애였으나, 그것을 강하게 뒷받침하지는 못했다. 1960년대 초중반, Gastaut 등이 최초로 이런 환자를 OSA으로 설명하였고[16,17], 그 후 몇 년 동안 OSA 치료 후 OHS의 성공적인 전환을 보여주는 여러 보고가 있었다(이후에 OSA는 수면-관련 폐쇄성 현상의 전체 스펙트럼 표현에 사용된다: 무호흡, 저환기, 호흡 노력 각성).[50,51,66] 1978년 Remmers 등이 발표한 획기적인 연구에서 OSA 현상은 폐쇄된 상기도를 동반하고 설후 인두의 음압이 혀의 전방 운동을 방해하여, 본질적으로 질식이 형성된다고 하였다. 이것은 기도 확장 근육의 각성-매개 동원으로 기도가 열릴 때까지 지속되고, 각성과 관련된 전방 혀 활동이 급증하게 된다.[52] 이 발견으로 OHS의 유무와 관계없이 OSA의 병인을 연구하기 위해 생물학적 연구의 초점이 바뀌게 되었다. 인두가 좁아지는 이유, 이것이 공기 흐름에 미치는 영향, 인두 근육 활성화의 정황, 각성의 기전을 이해하기 위해 노력하게 되었다.[72]

OSA는 기도의 부분적 또는 완전한 허탈 상태가 특징이며, 이와 관련된 산소 헤모글로빈 포화도의 감소 및/또는 기도를 다시 열게 하는 각성, 정상적(또는 과호흡) 환기, 그리고 (OHS가 없는 환자에서) 정상 이산화탄소혈증 및 기본 산소 공급이 이루어진다. 이런 허탈을 유발하는 기전을 이해하는 것이 OSA를 예방하고 치료하는 핵심이 된다. 더욱이, 기도 폐쇄와 각성의 주기로 수면의 질이 저하되고 종종 시끄럽거나 방해가 되는 코골이를 유발하며, 많은 경우에서 주간 졸음이 과다하게 발생한다.

2.2 기도 허탈성과 P_{crit} (그림 2.1)

OSA의 병태생리에 대한 이해는 Starling 저항 모델-다양한 압력을 특징으로 하는 환경으로 둘러싸이고, 양쪽으로 다양한 압력을 받기 쉬운 단단한 관에 근심 및 원심으로 연결되는 접을 수 있는 관(일반적으로, 접을 수 있는 부분이 있는 상자로 표현되는)의 물리학-으로 알려진 흐름 제한 이론이 적용되면서 크게 발전했다.[12] 흐름 제한은 낮은 폐 용량에서 강제 호기 호흡 곡선(spirogram)의 모양[14] 및 West가 정의한 3개의 폐 영역에서 폐 혈관계를 통한 흐름에 대한 질량과 중력의 영향[47,68]을 설명하는데 사용되었다. 폐쇄성 수면 호흡 장애 현상-무호흡, 저호흡, 호흡 노력 각성, 원발적 코골이-에 관하여, 상기도의 해부학 및 불안정한 환기 조절과 결합된 상기도의 Starling 모델은 OSA 발병과 치료의 전부는 아니더라도 대부분을 훌륭하게 설명한다. 이것을 OSA에 적용해 보면, 구인두는 목의 나머지 조직의 복잡한 환경에 의해 둘러싸인 접을 수 있는 관의 모형이다. 근심부의 단단한 관은 코와 입으로 구성되고, 원심부의 단단한 관은 성문 상부, 성문, 성문 하부(집합적으로, 후두), 기관으로 간주된다. 후두덮개와 성대의 존재를 고려할 때 후두를 단단한 관으로 간주하는 것은 명백한 함정이 있지만, 이러한 구조가 가져올 경직성의 잠재적인 변화에도 불구하고, 이 모형은 대부분의 경우에 적합하다. 심각한 비강 폐쇄가 없거나 기도에 양압이 적용되면, 근심부 혹은 “상류” 부분 내의 압력은 거의 또는 전혀 역할을 하지 않고, 원심부 또는 “하류” 압력과 인두 허탈에 대한 저항 또한 주변 조직에 의해 인두에 가해지는 압력(“상자” 내의 압력)이 인두의 개통을 결정하는 중요한 역할을 하게 된다. 접히는 부분을 둘러싸는 “상자”에 의해 가해지는 압력은 일반적으로 해부학적인 문제이고, 상기도 근육 활동의 복잡한 조합이 인두 허탈에의 저항을 결정하는 인두 확장근으로 역할을 하게 된다. 모델을 완성하는 과정에서 하류 부분 내의 압력도 중요한 역할을 한다. 흡기 동안, 이 압력은 주변 압력에 비해 비교적 음의 값이 되어 공기를 폐로 끌어들이지만, 동시에 접을 수 있는 인두 부분에도 음압을 가하게 된다. 수면 중 어느 정도의 폐쇄성 수면 호흡 장애(코골이 포함)가 없는 경우, 상기도 확장근의 활동은 흡기와 조화를 이루고 인두를 허탈시키기 위해 작용하는 힘(하류 음압 및 주변 조직에 의해 가해지는 압력)과 완벽하게 상쇄하여 호흡이 방해받지 않게 된다. 이런 정교하게 조정된 시스템의 일부분이 무너지면, 폐쇄성 수면 호흡 장애에서 보이는 비정상적 호흡의 스펙트럼을 야기할 수 있게 된다.

생리학적 기능을 모델링하는 모든 시도의 경우와 마찬가지로, 상기도의 Starling 모델은 완벽하지 않다. 이미 언급된 것처럼, 후두덮개나 성대는 흡기 동안 경우에 따라 단단한 도관으로 작용하지 않을 수 있다. 실제로 후두덮개 수준의 폐쇄가 있는 OSA[62]와 흡기 동안 성대가 외전되지 않아 발생하는 OSA를 야기하는 다수의 시스템 위축 같은 장애[29]의 예가 있다. 더욱이, Owens와 동료들은 일부 환자에서 음의 노력 의존성(증가하는 하류 음압)이 Starling 모델에 대한 엄격한 준수에 의해 예측된 편평한 흡기 흐름 양상에서 작은 초기 피크를 생성할 수 있다고 하였다.[43]

기도 허탈성은 인두 임계 폐쇄 압력(P_{crit})이 특징이다.[2,24,48] Gleadhill 등은 초기 연구에서 비강 기도에 음압이나 양압

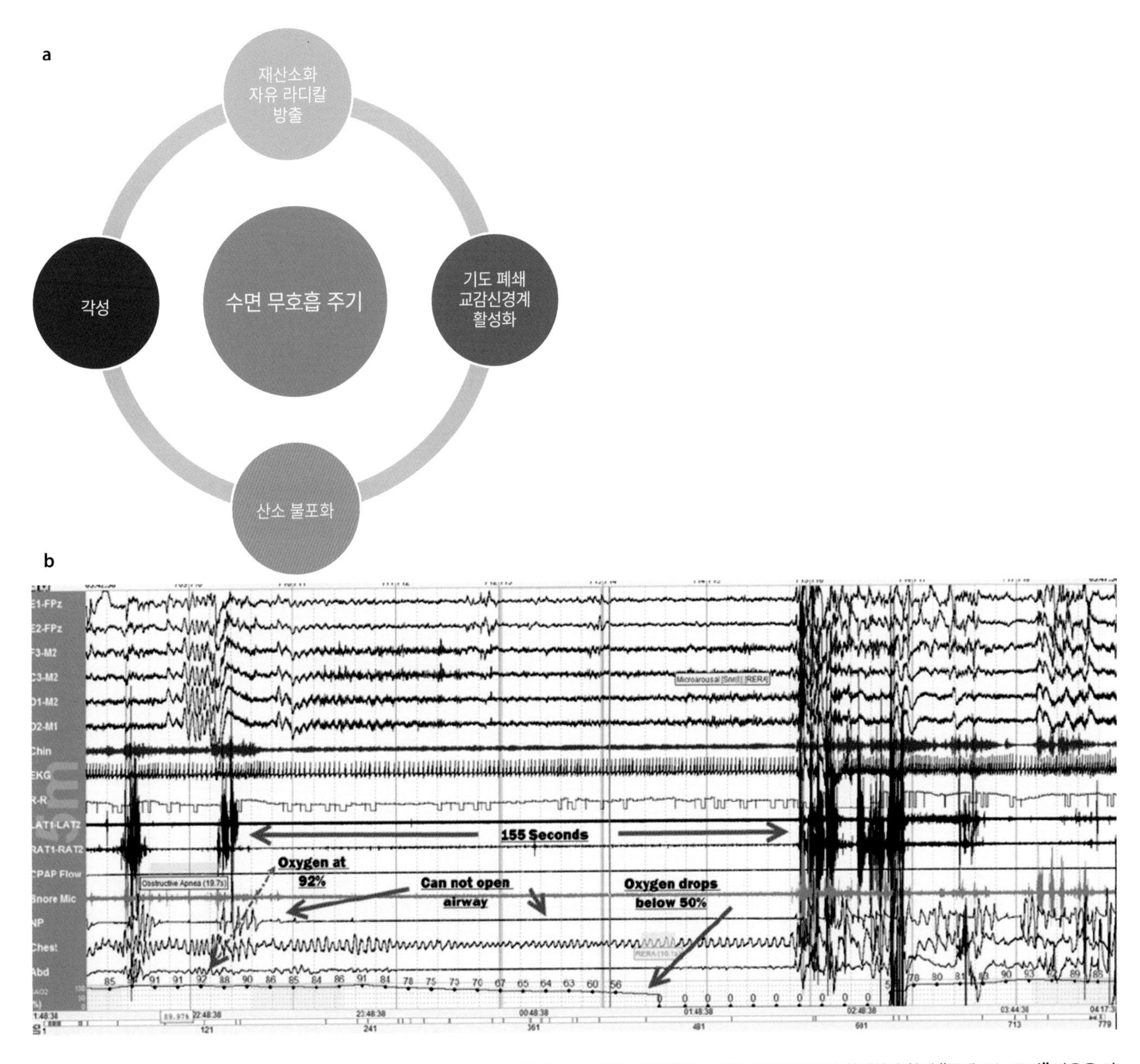

■ 그림 2.1 **a** 수면 무호흡은 폐쇄, 산소 불포화, 각성, 재산소화의 주기를 따른다. 기도 폐쇄가 발생하면, 신체는 교감신경계의 활성화와 함께 "투쟁 또는 도피" 반응을 시작하여, 코티솔, 혈압, 심박수가 증가된다. 수면으로 인한 빈번한 각성은 수면 조화를 손상시키고 많은 환자들이 과다한 주간 졸음이나 피로를 호소하게 된다. **b** 무호흡이나 저호흡으로 점수를 매기기 위해서는 이런 호흡이 최소 10초 이상 지속되어야 한다. 무호흡 현상의 지속 시간은 개인마다 크게 다르다. 그림에서 무호흡 현상이 155초간 지속되고 산소 포화도가 92%에서 시작하여 무호흡 후에 50% 아래로 떨어진다. 결국 각성이 발생하여 환자가 숨을 쉬고 재산소화가 일어난다.

을 적용하면 무증상 코골이와 폐쇄성 저호흡이나 무호흡 우세 환자를 구분할 수 있다고 하였다. 이 실험에서, −6.5 ± −2.7, −1.6 ± 1.4, 2.5 ± 1.5 cmH_2O의 압력(평균 ± 표준편차, $p < 0.001$)은 각각 흡기 기류가 완전히 멈춘 지점과 상관관계가 있고, P_{crit} 값을 식별하게 된다.[19] 이전에 같은 그룹에 더 큰 값의 음압을 적용하여 정상인에서 OSA를 유도할 수 있음을 보여주었다.[56] 그러므로, P_{crit} 값을 결정하는 모든 요인은, 개인이 수면과 코골이 중 정상적으로 호흡하는지 또는 폐쇄성 저호흡 및 무호흡의 비율과 관련하여 OSA의 다양한 심각도를 나타낼지를 판단하는 데 도움이 된다고 결론지을 수 있다. 다양한 요인이 해부학적 상기도의 협착 및 환기 불안정/확장 근육 긴장도 이상으로 P_{crit}을 증가시키는 것으로 입증되었다. 여기에는 두개안면 특징[54,60], 비만[18], 연령[13], 두부 자세[67], 구호흡[38], 수면 분절[57]이 포함된다. 하지만, 이 요인들 중 단독으로 OSA 병인의 열쇠로 나타나는 것은 없다. 뒤에서 논의되겠지만, OSA 병인과 연관 가능성이 있는 추가적인 고려사항은 해부학(비만 포함) 및/또는 환기 조절의 불안정성과 연관된 것으로 분류될 수 있다.

2.3 수면 중 환기 조절의 불안정성

호흡 조절은 음성 피드백 제어 시스템의 한 예를 나타내며, James Clerk Maxwell의 일반적인 기계적 시스템의 불안정성 분석을 시작으로 공학자와 다른 물리학자들에 의해 많은 지식 개발이 이루어졌다.[36] 사람에서 이런 시스템의 주요 목적은 원하는 수준에서 혈액 가스의 편차를 최소화하는 것이다. 뇌간의 호흡 중추는 더 많은 두부 중추신경계 부위로부터의 입력과 함께 유기체의 최적 기능과 일치하는 값(설정값)과는 다른 $PaCO_2$와 PaO_2의 변화에 비례하지만 방향은 반대인 흡기 근육(예: 횡격막)으로의 구동을 변경한다.[11] 이러한 변수의 최적 값과 주어진 시점의 실제 값 간의 차이는 "오류 신호"로 알려져 있고, 호흡 근육에 대한 추진력의 크기를 제어하는 시스템의 전반적인 이득에 의해 영향받는 제어 장치에 의해 사용된다. 시스템 이론은 호흡 음성 피드백 제어 시스템이 특정 조건에서 불안정해지고 출력 범위를 전후로 추적하며, 최대 완전한 정지(무호흡)를 포함하여 환기의 주기적인 변화를 결정한다고 구술한다. 이러한 제어 시스템의 중요한 속성은 전체 시스템이나 그 일부의 "이득"으로 설명된다:

1. 제어 장치 이득, $PaCO_2$와 PaO_2의 단위 변화당 제어 장치의 출력에 대한 반응
2. 플랜트 이득, 환기에서 단위 변화당 $PaCO_2$와 PaO_2의 변화
3. 루프 이득, 제어 장치 및 플랜트 이득의 결과물을 표현

제어 시스템은 다음의 상황이 하나라도 존재하면 불안정해진다(설정값 상하에서 전후로 사냥하며, 주기적인 호흡을 야기한다):

1. 제어 장치나 플랜트 이득이 과다 또는 비선형
2. 제어 장치 이득이 주기적으로 변화
3. 제어 매개변수가 변경되는 시점과 제어 장치가 해당 정보를 수신하는 시점 사이의 지나친 시간 지연
4. 설정값의 주기적 변화
5. 제동 부족(underdamping). 제동은 교란될 때 시스템이 진동하는 경향에 대응하는 기전이다. 물리적 예는 자동차 서스펜션의 완충기의 감쇠 작용으로, 서스펜션으로 전달된 에너지를 흡수하여 포트홀을 횡단한 후에도 자동차가 계속 튀는 경향을 상쇄한다.

이런 요인의 하나 이상이 중추성 수면 무호흡(CSA)과 Hunter-Cheyne-Stokes 환기의 병인과 연관되었다고 알려져 있다. 그러나 환기 조절 불안정성과 OSA의 병인에 관련된 상황은 현저히 더 복잡하다. 환기 조절은 다중 입력/다중 출력(MIMO) 시스템의 한 예이다. 이 개념이 중요성은 OSA의 경우에 확대된다. CNS 제어 장치와 반드시 관련이 있지는 않은 제어 기능, 상기도 확장 근육 긴장도의 국소 반사 조절의 제어, 상기도 확장 근육에 대한 제어 장치의 추가 출력 때문에 이 개념의 중요성이 확대된다. 결론적으로 CSA 병인과 관련된 핵심적인 위에 정리된 요인은 OSA 발병과 관련하여 기여 역할만 한다.

White와 Younes는 상기도 탄력과 직경에 관여하는 상기도 근육의 다수를 포괄적으로 (그리고 철저하게) 검토했고, 그 세부적인 사항은 여기에 제시하기는 너무 광범위하다.[69] 여기에서는 근육이나 근육군이 혀의 위치와 모양, 구개의 위치와 모양, 설골 위치, 인두 수축을 책임진다고 해두자. 이 근육들이 상기도의 직경에 영향을 미칠 뿐만 아니라, 인두의 순응도를 변경시킬 수 있으므로 앞서 언급한 Starling 모델에서 설명한 P_{crit}에 영향을 미칠 수 있다. 환기 제어 장애의 한 측면은 폐색에 대한 상기도 확장 근육 반사 반응과 연관된다. OSA가 있는 환자는 무호흡과 저호흡 동안 이설근의 활동이 상당히 증가하여 일반적으로 정상적인 기류를 복원하지 못한다. OSA 환자에서 이설근과 다른 근육(경상설근, 이설골근, 흉쇄설골근, 흉쇄유돌근)의 EMG 활성을 비교한 연구에서, 깨어 있는 동안의 흐름 제한은 이설근과 다른 근육의 증가를 비슷한 정도로 유발했다. 그러나 수면 동안 흐름 제한은 다른 근육보다 이설근 EMG에 훨씬 더 많은 영향을 미친다: 흐름 제한은 이설근 EMG 값을 깨어 있는 동안 나타나는 값의 2배 이상으로 증가시키지만, 다른 근육들은 깨어있을 때의 2/3 정도만 증가시킨다.[42] 이것에 대한 설명과 흐름 제한에 대한 많은 상기도 확장근의 반응에 대한 각성에서 수면으로의 전환 효과에 대한 설명은 주로 음압에 대응하는 국소적 반사를 포함한다. Starling 모델에서 설명한 것처럼 음압이 흐름을 증가시키지 못할 때 흐름 제한이 발생한다; 흡기 동안 발생하는 음압은 일반적으로 상기도 확장근 긴장을 증가시키는 반사를 일으키지만 짐작컨대, OSA 환자의 전부가 아닌 일부에서는 수면 중에 둔해진다. 그러나 Younes의 최근 논평에서 우아하게 설명된 것처럼 이것은 폐쇄성 사건 동안 상기도가 완전히 열리지 않는 것에 대한 유일한 설명이 될 수 없으며, 따라서 OSA의 표현형과 치료에 대한 향후 접근 방식에 어느 정도의 이질성이 존재하게 된다.[72]

반사 조절 외에도 상기도 확장근은 부분적으로 뇌간 호흡 제어 장치에서 파생되는 신경 지배를 받는다. 예를 들어, 간접적 증거에 의하면(개에서), 이설근에 의한 혀의 전방 운동을 담당하는 설하핵에 위치하는 신경 세포가 흡기와 동시에 활성화되면, 이 활성화는 국소 반사가 아닌 중앙 제어 하에 있음을 강력하게 시사한다.[65,69] 사실, 연구자들은 횡격막이 활성화되고 흡기 기류가 시작되기 전에 이설근 긴장을 50–100 msec 만큼 증

가시켜, 앞의 소견이 국소 반사와 관련될 가능성이 없음을 입증하였다. 더욱이, 이설근 긴장은 과탄산혈증 및 저산소증에 반응하여 증가한다.[45,65,69] 수면이 상기도 근육 긴장에 미치는 영향은 구개범장근 같은 다른 근육과 관련하여 더 잘 입증되었지만, 중요하게도 이설근 긴장은 수면 시작 시 초기에 감소하고 이 효과는 OSA 환자에서 더 크게 나타날 수 있다.[39] 이설근 긴장에 대한 수면의 영향은 수면이 진행되면서 감소한다.[3] 정상인의 수면 동안 이설근 긴장의 회복은 음압에 대한 국소 반사 반응의 지연된 개시 및 수면 중에 발생하는 것으로 알려진 $PaCO_2$ 설정값의 상향 이동으로 인한 $PaCO_2$의 증가와 관련된다는 가설이 세워졌다.[69] 앞서 설명한 것처럼, OSA 환자의 수면 중 이 반사의 실패는 병인의 또 다른 방법을 나타낸다. 마지막으로 이 논의는 주로 이설근에 초점을 맞추었지만 상기도 확장근 활동과 관련된 다른 근육에 관한 유사한 발표가 매우 적지만 있었다.[69]

흥미롭게도 (적어도 고양이의 경우) 횡격막으로의 신경 구동과 상기도 확장근에의 특정 자극이 동시에 그리고 병렬로 반응하지 않을 수 있다는 것은 오랫동안 알려져 왔다. 예를 들어, Haxhiu 등은 $FICO_2$ 임계값에 도달할 때까지 이설근과 후방 윤상피열근의 EMG 활동은 횡격막 EMG에 비해 $FICO_2$의 증가에 비례하여 증가하지 않는다고 하였다.[22] 아마도 이것은 혼합성 무호흡증 발생에 관한 가능한 기전을 설명하는 Iber 등의 발견과 부분적으로 연관될 수 있다.[27]

마지막으로 환기 조절을 불안정하게 하고 OSA 병인으로 작용하는 각성의 역할을 다룰 필요가 있다. 각성–종결 폐쇄 현상은 주어진 환자의 각성 역치와 함께 인두의 음압 정도와 관련이 있다.[20] 각성은 (실제로 각성의 발생 여부가 의심스러울 정도로 피질하이거나 너무 미묘할 수 있으며 수면 다원 검사에서 분명하지 않을 수도 있다) 상기도를 확장하는 근육을 동원하고 보상적 환기나 과호흡을 유발한 다음에 수면으로 복귀한다. 수면과 각성 사이의 전환은 그 자체로 호흡 조절 불안정성의 징후이다. 그러나 각성 역치 외에도 각성의 발생 시기를 결정하는 많은 요인이 있고, 대부분 피드백 제어 시스템을 불안정하게 하는 것으로 알려진 요소(예: 순환 시간의 일탈, 플랜트 이득, 제어 장치 이득)들과 무관하다. Younes의 설명처럼, 폐쇄 현상 종료는 다음에 의해 결정된다: 명백한 각성 없이 상기도 확장근을 동원하기에 충분한 음압(이는 주로 상기도 근육 반사 조절이나 뇌간 제어 장치 출력에 의존할 수 있다) 또는 상기도 확장근의 동원과 함께 감지할 수 있는 각성을 자극하기에 충분한 호흡 제어 장치 출력의 양.[72] 폐경 동맥 순환 시간이 사건 종료 직전에 존재했던 동맥혈 가스 값의 전달을 초래하고 이 값이 상기도 개통이 회복된 후에도 중앙 제어 장치가 인식하는 한 계속 악화될 수 있다는 사실로 더 복잡해진다. 그 결과, 루프 이득에 의해 통제되는 불필요하고 환기 조절을 더욱 불안정하게 만드는 정도의 과호흡이 뒤따를 수 있다.

2.4 해부학적 요인(◘ 그림 2.2)

몇 가지 소인되는 해부학적 요인이 P_{crit}에 영향을 미치며, 수면 중 상기도 폐쇄를 촉진하여 OSA로 이어진다. 해부학적 요인에는 비만, 현저한 목젖/연구개, 편도 비대, 거대설증, 하악후퇴증, 인두 외측근의 두께, 인두 길이, 혀 기저부, 인두 주변 지방 패드 등이 있다. OSA가 있는 비만 환자에서, 인두 주변 지방 패드의 부피가 확대되어 동심원 유형의 구개후부 폐쇄가 발생한다.[18,31] 게다가, 비만은 총 폐활량을 감소시키고 결과적으로 상기도가 열린 상태로 유지되는 기전인 "기관 견인(tracheal tug)"을 감소시키는 것으로 나타났다.[63] 소아 환자에서, 특히 인두 내강의 전체 크기에 비해 편도 크기가 큰 초등학생 연령의 환자에서 기도의 편도/아데노이드 폐쇄에 의해 OSA가 주로 발생한다는 점이 특이하다.

OSA의 일반적인 위험 요소로는 비만, 연령, 부위별 지방 분포, 피부–지방 주름 두께, 남성, 목둘레(남성 43 cm, 여성 41 cm 이상)를 들 수 있다. OSA가 있는 중년 환자에서 목둘레의 예측값이 가장 높다. 목둘레는 허리 둘레나 허리–엉덩이 비율 혹은 체질량 지수(BMI)보다 OSA를 더 강력하게 예측한다. 목둘레 예측값은 OSA가 있는 젊거나 고령의 환자에서 유의하게 낮았다.[34] 많은 비만 청소년들은 수면 중 활발한 상기도 신경근 반응 덕분에 OSA가 발생하지 않는다. 청소년 발달 과정 동안 상기도 반사가 일반적으로 감소하게 된다.[26] 과체중과 비만 아동에서, 경부–복부–지방 비율(NAF% 비율)로 설명된 체지방 분포로 OSA를 예측할 수 있다. 3차 아동 병원의 횡단 후향적 연구에서 6–18세 아동 30명을 평가하였는데, 이들 중 24명의 BMI는 99백분위수를 초과하였고, 그 중 10명은 무호흡 저호흡 지수(AHI)가 5를 초과하여 중등증 OSA를 보였다. 경부–복부–지방 비율은, 극도의 비만(BMI > 99백분위수)이 있는 어린이를 제외하고, 과체중과 비만 어린이의 OSA 중증도를 독립적으로 예측할 수 있는 인자였다.[21] OSA가 없는 비만 환자 30명을 평균 AHI가 43인 비만 환자 90명과 혀의 지방을 비교한 연구에서 대조군에 비해 수면 무호흡이 있는 경우에 혀 기저부에 지방 축적이 상당히 증가된 것으로 나타났다.[34] 허탈이나 무호흡을 촉발하기 쉬운 기도의 일반적인 부위는 연구개의 끝과 혀의 기저부이다. 비만 환자에서, 이 부위에 지방 침착

2

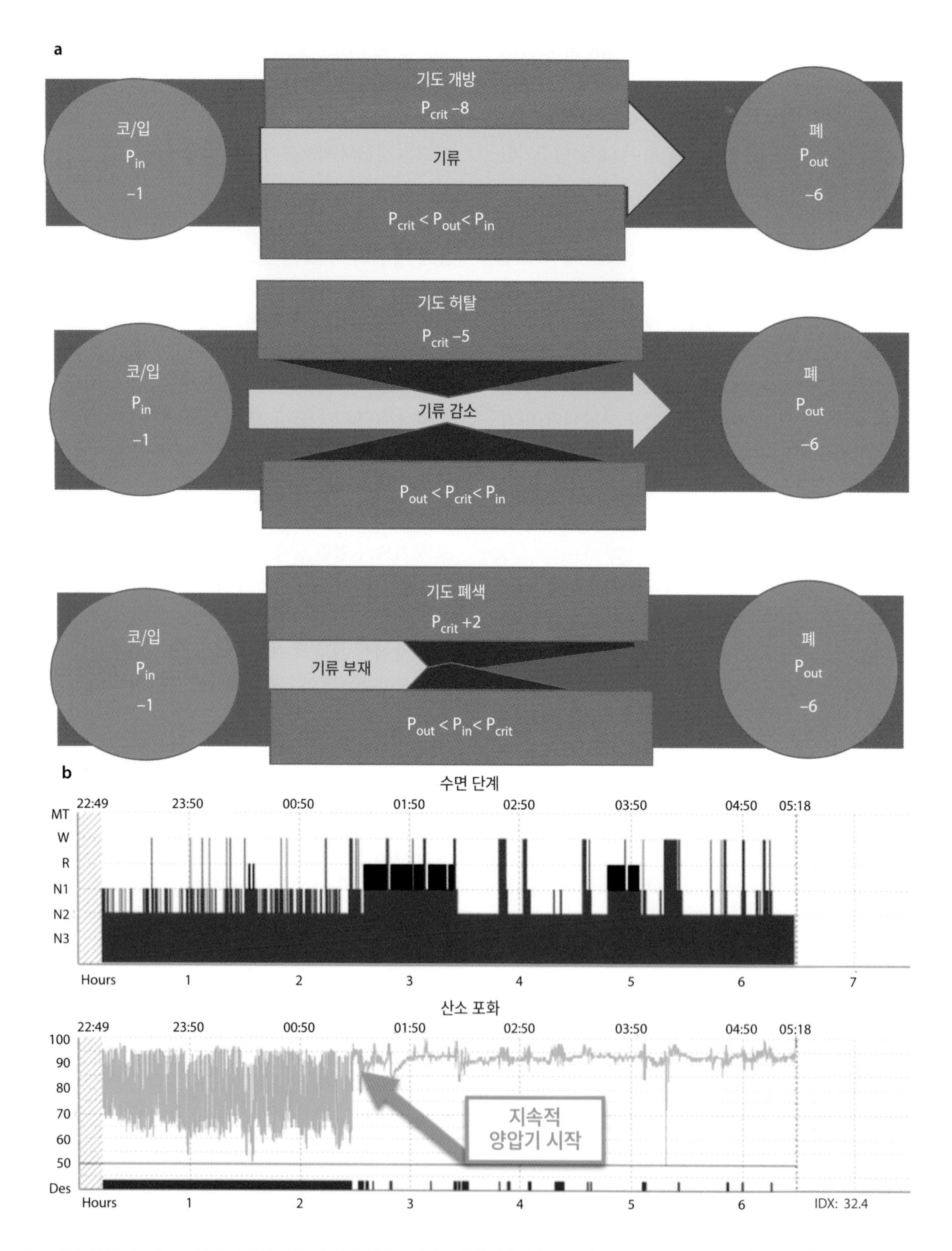

■ 그림 2.2 **a** 위 그림은 기류와 P_{crit} 값을 보여주는 것으로 임의적이고 표현용으로만 사용된다. P_{crit} 값이 음수일수록 중심에서 "끌어당겨" 기도를 안정화시키는 인두의 능력이 더 강해진다. P_{in}과 P_{out}에 관련하여 인두의 P_{crit} 값이 양수일수록, 인두 조직이 중앙을 향해 더 "밀어내어" 기도가 닫히게 된다.

위 증례에서 P_{in}의 대기압은 1 cwp의 값을 갖고, 인두의 P_{crit}은 −8 cwp의 값을 가지며 P_{out}은 −6 cwp의 값을 가진다. 인두는 가장 큰 음의 P_{crit}을 가지고 중심에서 "끌어낼" 수 있고, 허탈되지 않고 안정적이면서 기류가 방해를 받지 않는다.

중간 증례는 접힘성의 기도를 나타내며, 이는 저호흡을 유발할 수 있다. P_{in}은 −1, P_{out}은 −6, 인두의 P_{crit}은 −5로 기도가 부분적으로 붕괴되어 기류가 제한된다. 이 환자들은 종종 심각한 코골이를 보인다.

아래 증례는 폐쇄된 기도를 나타내며, 이는 무호흡을 유발한다. P_{in}은 −1, P_{out}은 −6, 인두의 P_{crit}은 +2이다. 인두의 P_{crit}이 가장 큰 양의 값을 가지므로, 인두 조직이 완전히 허탈되어 폐색을 유발한다.

b 심하게 허탈되는 기도와 P_{crit}을 극복하는 기도 양압에 대한 즉각적인 반응의 예

이 증가하면 중증 OSA의 가능성이 크게 증가하게 된다.[8,35] 뿐만 아니라 과도한 중앙부 지방 침착으로 인한 폐 용적 감소는 앞에서 언급한 바와 같이 기관의 종적 견인력을 감소시켜 상기도 직경을 감소시키고 인두벽 장력에도 영향을 미칠 수 있다.[30]

해부학적으로 비정상적인 상기도는 OSA의 발병에서도 역할을 할 가능성이 가장 높은 것으로 설명되고 있다. 여기에는 상기도 조직의 손상과 상기도 부종이 있다. 전자와 관련하여 여러 연구에서 코골이로 인한 진동 손상과 기도의 반복적인 개폐로 인한 상기도 확장근과 기도 점막의 손상 양상을 입증하였다. 여기에는 백혈구 동원에 따른 염증성 변화[46] 및 이설근 근섬유의 type I 대 type IIa와 IIb 비율 변화가 포함되며, OSA 환자와 단순 코골이 환자의 결과가 약간 다르게 나타난다[58]; 고유판의 인두벽 부종, 점액선 비대, 국소 편평 상피 이형성, 근섬유 위축, 점액선 침윤[70]; 상기도 근육 염증과 신경 제거[6]; MRI로 측정한 상기도 근육 부종 증가[55]; 상기도 감각 장애[41]; 부상이나 신경 제거의 결과로 짐작되는 상기도 근육의 기계적 결합 부전.[59]

상기도 부종은 심부전과 만성 신장 질환을 동반한 OSA에 관한 문헌에서 가장 흔하게 쟁점화된다. 대부분의 경우, 밤이 깊어짐에 따라 이런 환자의 수면 장애 호흡의 표현형이 점진적으로 변화하는 형태를 취하게 된다. 일반적으로 이 환자들의 체액은 과부하되고, 누워서 잘 때 하지에 모인 세포외액이 머리쪽으로 흘러들어가 상기도 부종을 유발하고 주로 CSA 표현형이 혼합성 CSA나 OSA로 전환되거나 기존의 OSA가 악화된다.[7,15,53] 또한 이 현상은 말기 신장 질환이 있는 환자에서 야간 가정 투석을 포함하여 보다 집중적인 투석을 정당화하는 데 사용되었다.[4]

2.5 성별, 유전 그리고 병인(▣ 그림 2.3)

OSA는 남성과 여성 사이에 상당한 차이가 존재한다. 180명의 성인 OSA 환자(남성 144명, 여성 36명)를 대상으로 한 연구에서, 남성의 OSA 중증도 증가가 BMI, 목둘레로 측정한 상체 지방 조직 축적 증가, 피부–지방 주름의 어깨 두께가 유의한 상관관계를 보이는 반면, 여성의 경우 중증도는 오직 BMI만이 상관 관계가 있는 것으로 나타났다.[71] 858명의 남성과 174명의 여성을 대상으로 한 연구에서 BMI, 허리 둘레, 전체 체지방은 남성에서 OSA의 중증도와 유의한 관계를 보였다; 여성에서 전체 체지방은 OSA의 중증도와 관련이 없었다. 여성에서 엉덩이

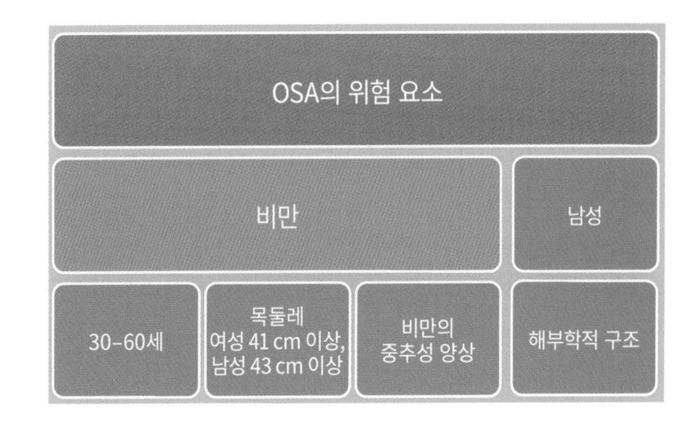

▣ 그림 2.3 **폐쇄성 수면 무호흡의 위험 요소**

둘레 및 높이로 표준화된 목 둘레는 OSA 중증도와 관련이 있었다.[5,37] 남성은 전형적으로 무호흡이 더 많이 목격되고 여성은 두통, 피로, 불면증, 기분 장애, 야뇨증을 호소한다. 1,370명의 OSA 남성 환자를 조사한 결과, 확장기 혈압의 증가가 AHI 상승과 관련된 독립 변수였다.[25]

OSA는 유전성으로, 그 감수성에 대한 직접적인 유전적 기여와 비만, 두개안면 구조, 상기도 근육의 신경학적 조절, 24시간 주기 리듬과 같은 중간 표현형을 통한 간접적 기여가 있다.[40] 최근 몇 년 동안, 유전 가능한 병태생리학적 기전을 정의하고 OSA 발병에 기여하는 유전자 자리를 찾는 데 많은 관심이 쏠리고 있다. 유전적 마커의 연관성에 대한 더 나은 이해로 진단과 치료에 대한 설명을 구할 수 있다. 단일 염기 다형성을 활용하는 유럽 혈통의 751명 참가자를 대상으로 한 연구에서, OSA와 연관된 몇 가지 지표를 입증하였다.[33] 아프리카, 아시아, 유럽, 히스패닉/라틴계 미국인 혈통의 19,733명에게 전장 유전체 연관 분석 테스트를 수행하였다. 17번 염색체의 RAI1은 남성의 경우 NREM AHI에 대한 가능한 양적 형질 유전자 자리로 확인되었지만, 여성에서는 확인되지 않았다.[10] 유럽 혈통 1,475명을 대상으로 한 메타 분석에서, 수면 무호흡 증상의 연관성을 확인하는 염색체 19q13의 ERCC1과 ED3EAP 유전자의 희귀 3'–비해석 영역을 확인하였다.[64] 두 유전자 모두 혀, 근육, 연골, 기관과 같은 경부 부위의 조직에서 발현된다. 86명의 중증 OSA 환자와 86명의 대조군에 대한 연구에서 중증 OSA 환자에서 카베올린–1 다형성이 더 높은 비율로 나타났다.[1] 48명의 환자에 대한 하위 그룹 분석에서 OSA에 대한 중증도 지수가 높은 환자에서 AMOT 유전자의 과발현이 나타났다.[9] 텔로미어(telomere) 단축은 고혈압, 당뇨, 심혈관 질환과 같은 OSA에 많이 나타나는 상태와 관련이 있다. 그러나 106명의 OSA 환자와 104명의 일반인을 비교한 연구에서 텔로미어

2

길이(TL)와 OSA 중증도 사이에 J자형의 관계가 나타났다. 가장 긴 TL은 중증의 OSA를 가진 사람들에서 발견되었으며, 대조군에 대해 유의하게 길었다. 가장 짧은 TL은 경증의 OSA에서 나타났다.[49] 이러한 발견은 텔로미어 단축이 연령 및 질병과 관련된 일방적인 과정이 아님을 의미한다. 텔로미어는 염색체 끝이 "닳아 해어지는" 것을 방지한다는 점에서 신발끈의 플라스틱 팁과 유사하다. 세포가 분열함에 따라 텔로미어는 일반적으로 짧아지고 어느 시점에서 세포는 더 이상 분열할 수 없게 된다. 이 단축 과정은 노화와 높은 사망 위험과 연관된다. 암세포에서 텔로미어는 생존에 매우 중요하고, 더 긴 텔로미어는 암세포의 "불멸"의 핵심이다. 더 긴 텔로미어와 중증의 OSA의 연관성은 OSA의 가족적 영속화를 수행하기 때문에 매우 흥미롭다.

2.6 렙틴(leptin)의 가능한 역할

렙틴은 주로 백색 지방 조직에서 생성되는 호르몬으로, 전체 호흡계에 존재한다. 렙틴은 에너지 항상성, 염증, 대사, 교감신경 활동의 조절에 기여한다. 렙틴과 그렐린(ghrelin) 수치는 OSA 환자에서 비정상적으로 높다. 처음에 렙틴은 포만감을 주어 식욕을 억제하는 호르몬으로 여겨졌다. 그렐린은 식욕을 촉진하는 배고픔의 호르몬으로 간주된다. 최근의 동물 연구에 의하면 렙틴은 수면 구조, 상기도 개통, 인공호흡기 기능, 과탄산 호흡기 구동 조절에도 관여하는 것으로 나타났다. 렙틴은 체온, 산-염기 균형, 지방 조직 질량의 변화를 통해 간접적으로 호흡 조절에 기여할 수 있다. 그러나 비만의 경우, 아직은 적절하게 설명할 수 없는 기전을 통해 렙틴의 보호 효과에 대한 내성이 쉽게 발달한다. 렙틴 수치는 비만 및 비-비만 대조군보다 OSA가 있는 비만 환자에서 더 높다. OSA가 있는 비-비만 환자에서 렙틴 수치는 종종 정상이다. OSA 치료는 BMI의 변화와 상관없이 렙틴 수치를 감소시킨다. 렙틴은 상기도 폐쇄에 대한 반응으로 신경 보상 기전을 증가시키고 상기도 허탈을 최소화할 수 있다.[28,32,44,61]

2.7 요약

OSA가 발생할 수 있는 다양한 길을 둘러싸고 있는 증거의 표본을 제공하는 데 거의 4,000단어가 필요하다는 사실은 우리가 실제로 어떤 요인 또는 요인의 조합이 가장 중요한지 정확히 모른다는 사실을 의미한다. 실제로 Younes가 언급한 것처럼, OSA에는 다양한 표현형이 있고, 다른 기전이나 기전의 조합으로 인해 다른 표현형이 나타날 가능성이 있다.[72] 각 표현형의 기저에 있는 병인을 식별하는 것이(또는 다른 표현형을 명확하게 묘사하는 것조차) 불가능하기 때문에, OSA 치료는 "일률적인" 제안이 남아있다: 적응 가능하다면, 양압기 치료; 경증 또는 중등증 OSA를 위한 하악 전진 보철물, 또는 양압기에 적응 못하는 환자의 2차 치료; 불확실한 역할과 함께 가장 덜 매력적인 선택지로 남아 있는 외과적 접근. 대안책으로, 설하 신경 자극은 신중하게 선택된 환자에서 유행하는 것으로 보이고, 가장 최적의 결과는 마른 환자와 역설적으로 더 고령의 환자와 연관성을 가진다.[23] 위에서 검토한 광범위한 자료를 고려할 때, 이것이 특정 표현형을 설명하는지는 거의 알 수 없다. 모든 의학적 주제에 대한 대부분의 리뷰와 마찬가지로 OSA의 발병기전, 특히 다른 기전이 다른 표현형에 적용되는지 여부를 명확히 하기 위해 추가 연구가 필요하다는 것을 인정하지 않을 수 없다.

이해 상충 Dr. Ralls는 상충되지 않는다.
Dr. Cutchen은 상충되지 않는다.
Dr. Brown은 Philips Respironics(필립스 호흡법)에 자문 패널로 참가하였고, Considine & Associates, Inc.의 보험 청구 검토자였다. 그는 Current Opinion in Pulmonary Medicine의 수면 및 호흡 신경생물학 섹션을 공동 편집하고, UpToDate에서 OSA에 대한 지속적 양압기 치료에 대해, Clinical Decision Support에서 OSA에 대해 저술했다: Pulmonary Medicine and Sleep Disorders. 그는 양압기 치료에 대한 수면 의학 클리닉의 문제를 공동 편집했다. 뉴멕시코 의학위원회의 수면 다원검사 시행 자문 위원회에서 활동하고 있고, 뉴멕시코 호흡 조절 자문 위원회의 의장을 맡고 있다.

참고문헌

1. Asker S, Taspinar M, Koyun H, Ozbay B, Arisoy A. Caveolin-1 polymorphisms in patients with severe obstructive sleep apnea. Biomarkers. 2017;22:77-80.

2. Azarbarzin A, Sands SA, Taranto-Montemurro L, Oliveira Marques MD, Genta PR, Edwards BA, Butler J, White DP, Wellman A. Estimation of pharyngeal collapsibility during sleep by peak inspiratory airflow. Sleep. 2017;40:zsw005.

3. Basner RC, Ringler J, Schwartzstein RM, Weinberger SE, Weiss JW. Phasic electromyographic activity of the genioglossus increases in normals during slow-wave sleep. Respir Physiol. 1991;83:189-200.

4. Beecroft JM, Hoffstein V, Pierratos A, Chan CT, Mcfarlane P, Hanly PJ. Nocturnal haemodialysis increases pharyngeal size in patients with sleep apnoea and endstage renal disease. Nephrol Dial Transplant. 2008;23:673-9.

5. Borges Pde T, Silva BB, Moita Neto JM, Borges NE, Li LM. Cephalometric and anthropometric data of obstructive

6. Boyd JH, Petrof BJ, Hamid Q, Fraser R, Kimoff RJ. Upper airway muscle inflammation and denervation changes in obstructive sleep apnea. Am J Respir Crit Care Med. 2004;170:541-6.

7. Carlisle T, Ward NR, Atalla A, Cowie MR, Simonds AK, Morrell MJ. Investigation of the link between fluid shift and airway collapsibility as a mechanism for obstructive sleep apnea in congestive heart failure. Physiol Rep. 2017;5:e12956. https://doi. org/10.14814/phy2.12956 (e-publication).

8. Castro D, Freeman LA. Airway, oropharyngeal. Treasure Island: StatPearls; 2018.

9. Chen YC, Chen KD, Su MC, Chin CH, Chen CJ, Liou CW, Chen TW, Chang YC, Huang KT, Wang CC, Wang TY, Chang JC, Lin YY, Zheng YX, Lin MC, Hsiao CC. Genome-wide gene expression array identifies novel genes related to disease severity and excessive daytime sleepiness in patients with obstructive sleep apnea. PLoS One. 2017;12:e0176575.

10. Chen H, Cade BE, Gleason KJ, Bjonnes AC, Stilp AM, Sofer T, Conomos MP, AncoliIsrael S, Arens R, Azarbarzin A, Bell GI, Below JE, Chun S, Evans DS, Ewert R, FrazierWood AC, Gharib SA, HabaRubio J, Hagen EW, Heinzer R, Hillman DR, Johnson WC, Kutalik Z, Lane JM, Larkin EK, Lee SK, Liang J, Loredo JS, Mukherjee S, Palmer LJ, Papanicolaou GJ, Penzel T, Peppard PE, Post WS, Ramos AR, Rice K, Rotter JI, Sands SA, Shah NA, Shin C, Stone KL, Stubbe B, Sul JH, Tafti M, Taylor KD, Teumer A, Thornton TA, Tranah GJ, Wang C, Wang H, Warby SC, Wellman DA, Zee PC, Hanis CL, Laurie CC, Gottlieb DJ, Patel SR, Zhu X, Sunyaev SR, Saxena R, Lin X, Redline S. Multiethnic metaanalysis identifies Rail as a possible obstructive sleep apnea-related quantitative trait locus in men. Am J Respir Cell Mol Biol. 2018;58:391–401.

11. Cherniack NS, Longobardo GS. Mathematical models of periodic breathing and their usefulness in understanding cardiovascular and respiratory disorders. Exp Physiol. 2006;91:295–305.

12. Conrad WA. Pressure-flow relationships in collapsible tubes. IEEE Trans Biomed Eng. 1969;16:284–95.

13. Eikermann M, Jordan AS, Chamberlin NL, Gautam S, Wellman A, Lo YL, White DP, Malhotra A. The influence of aging on pharyngeal collapsibility during sleep. Chest. 2007;131:1702–9.

14. Elad D, Kamm RD, Shapiro AH. Choking phenomena in a lung like model. J Biomech Eng. 1987;109:1–9.

15. Elias RM, Bradley TD, Kasai T, Motwani SS, Chan CT. Rostral overnight fluid shift in endstage renal disease: relationship with obstructive sleep apnea. Nephrol Dial Transplant. 2012;27:1569–73.

16. Gastaut H, Tassinari CA, Duron B. Polygraphic study of the episodic diurnal and nocturnal (hypnic and respiratory) manifestations of the Pickwick syndrome. Brain Res. 1966;1:167–86.

17. Gastaut H, Duron B, Tassinari CA, Lyagoubi S, Saier J. Mechanism of the respiratory pauses accompanying slumber in the Pickwickian syndrome. Act Nerv Super (Praha). 1969;11:209–15.

18. Genta PR, Schorr F, Eckert DJ, Gebrim E, Kayamori F, Moriya HT, Malhotra A, LorenziFilho G. Upper airway collapsibility is associated with obesity and hyoid position. Sleep. 2014;37:1673–8.

19. Gleadhill IC, Schwartz AR, Schubert N, Wise RA, Permutt S, Smith PL. Upper airway collapsibility in snorers and in patients with obstructive hypopnea and apnea. Am Rev Respir Dis. 1991;143:1300–3.

20. Gleeson K, Zwillich CW, White DP. The influence of increasing ventilatory effort on arousal from sleep. Am Rev Respir Dis. 1990;142:295–300.

21. Glicksman A, Hadjiyannakis S, Barrowman N, Walker S, Hoey L, Katz SL. Body fat distribution ratios and obstructive sleep apnea severity in youth with obesity. J Clin Sleep Med. 2017;13:545–50.

22. Haxhiu MA, Van Lunteren E, Mitra J, Cherniack NS. Comparison of the response of diaphragm and upper airway dilating muscle activity in sleeping cats. Respir Physiol. 1987;70:183–93.

23. Heiser C, Steffen A, Boon M, Hofauer B, Doghramji K, Maurer JT, Sommer JU, Soose R, Strollo PJ Jr, Schwab R, Thaler E, Withrow K, Kominsky A, Larsen C, Kezirian EJ, Hsia J, Chia S, Harwick J, Strohl K, Mehra R, Investigators, A. R. Post-approval upper airway stimulation predictors of treatment effectiveness in the ADHERE registry. Eur Respir J. 2019;53:1801405.

24. Hirata RP, Schorr F, Kayamori F, Moriya HT, Romano S, Insalaco G, Gebrim EM, de Oliveira LV, Genta PR, LorenziFilho G. Upper airway collapsibility assessed by negative expiratory pressure while awake is associated with upper airway anatomy. J Clin Sleep Med. 2016;12:1339–46.

25. Hu W, Jin X, Chen C, Zhang P, Li D, Su Q, Yin G, Hang Y. Diastolic blood pressure rises with the exacerbation of obstructive sleep apnea in males. Obesity (Silver Spring). 2017;25:1980–7.

26. Huang J, Pinto SJ, Yuan H, Katz ES, Karamessinis LR, Bradford RM, Gallagher PR, Hannigan JT, Nixon T, Ward MB, Lee YN, Marcus CL. Upper airway collapsibility and genioglossus activity in adolescents during sleep. Sleep. 2012;35:1345–52.

27. Iber C, Davies SF, Chapman RC, Mahowald MM. A possible mechanism for mixed apnea in obstructive sleep apnea. Chest. 1986;89:800–5.

28. Imayama I, Prasad B. Role of leptin in obstructive sleep apnea. Ann Am Thorac Soc. 2017;14:1607–21.

29. Iranzo A. Sleep and breathing in multiple system atrophy. Curr Treat Options Neurol. 2007;9:347–53.

30. Isono S. Obesity and obstructive sleep apnoea: mechanisms for increased collapsibility of the passive pharyngeal airway. Respirology. 2012;17:32–42.

31. Jang MS, Kim HY, Dhong HJ, Chung SK, Hong SD, Cho HJ, Jung TY. Effect of parapharyngeal fat on dynamic obstruction of the upper airway in patients with obstructive sleep apnea. Am J Respir Crit Care Med. 2014;190:1318–21.

32. Kaczynska K, Zajac D, Wojciechowski P, Kogut E, Szereda-Przestaszewska M. Neuropeptides and breathing in health and disease. Pulm Pharmacol Ther. 2018;48:217–24.

33. Kripke DF, Kline LE, Nievergelt CM, Murray SS, Shadan FF, Dawson A, Poceta JS, Cronin J, Jamil SM, Tranah GJ, Loving RT, Grizas AP, Hahn EK. Genetic variants associated with sleep disorders. Sleep Med. 2015;16:217–24.

34. Lee YG, Lee YJ, Jeong DU. Differential effects of obesity on obstructive sleep apnea syndrome according to age. Psychiatry Investig. 2017;14:656–61.

35. Liu Y, Mitchell J, Chen Y, Yim W, Chu W, Wang RC. Study of the upper airway of obstructive sleep apnea patient using fluid structure interaction. Respir Physiol Neurobiol. 2018;249:54–61.

36. Maxwell JC. On governors. Proc R Soc Lond. 1868;16:270–83.

37. Mazzuca E, Battaglia S, Marrone O, Marotta AM, Castrogiovanni A, Esquinas C, Barcelo A, Barbe F, Bonsignore MR. Genderspecific anthropometric markers of adiposity, metabolic syndrome and visceral adiposity index (VAI) in patients with obstructive sleep apnea. J Sleep Res. 2014;23:13–21.

38. Meurice JC, Marc I, Carrier G, Series F. Effects of mouth opening on upper airway collapsibility in normal sleeping subjects. Am J Respir Crit Care Med. 1996;153:255–9.

39. Mezzanotte WS, Tangel DJ, White DP. Influence of sleep onset on uperairway muscle activity in apnea patients versus normal controls. Am J Respir Crit Care Med. 1996;153:1880–7.

40. Mukherjee S, Saxena R, Palmer LJ. The genetics of obstructive sleep apnoea. Respirology. 2018;23:18–27.

41. Nguyen AT, Jobin V, Payne R, Beauregard J, Naor N, Kimoff RJ. Laryngeal and velopharyngeal sensory impairment in obstructive sleep apnea. Sleep. 2005;28:585–93.

42. Oliven R, Cohen G, Dotan Y, Somri M, Schwartz AR, Oliven A. Alteration in upper airway dilator muscle coactivation during sleep: comparison of patients with OSA and healthy subjects. J Appl Physiol (1985). 2017, jap 01067. 2016.

43. Owens RL, Edwards BA, Sands SA, Butler JP, Eckert DJ, White DP, Malhotra A, Wellman A. The classical Starling resistor model often does not predict inspiratory airflow patterns in the human upper airway. J Appl Physiol (1985). 2014;116:1105-12.

44. Pamuk AE, Suslu AE, Yalcinkaya A, Oztas YE, Pamuk G, Ozer S, Onerci M. The serum leptin level in nonobese patients with obstructive sleep apnea. Auris Nasus Larynx. 2018;45(4):796-800.

45. Patrick GB, Strohl KP, Rubin SB, Altose MD. Upper airway and diaphragm muscle responses to chemical stimulation and loading. J Appl Physiol Respir Environ Exerc Physiol. 1982;53:1133-7.

46. Paulsen FP, Steven P, Tsokos M, Jungmann K, Muller A, Verse T, Pirsig W. Upper airway epithelial structural changes in obstructive sleepdisordered breathing. Am J Respir Crit Care Med. 2002;166:501-9.

47. Permutt S, Bromberger-Barnea B, Bane HN. Alveolar pressure, pulmonary venous pressure, and the vascular waterfall. Med Thorac. 1962;19:239-60.

48. Pien GW, Keenan BT, Marcus CL, Staley B, Ratcliffe SJ, Jackson NJ, Wieland W, Sun Y, Schwab RJ. An examination of methodological paradigms for calculating upper airway critical pressures during sleep. Sleep. 2016;39:977-87.

49. Polonis K, Somers VK, Becari C, Covassin N, Schulte PJ, Druliner BR, Johnson RA, Narkiewicz K, Boardman LA, Singh P. Moderate-to-severe obstructive sleep apnea is associated with telomere lengthening. Am J Physiol Heart Circ Physiol. 2017;313:H1022-30.

50. Rapoport DM, Sorkin B, Garay SM, Goldring RM. Reversal of the "Pickwickian syndrome" by longterm use of nocturnal nasalairway pressure. N Engl J Med. 1982;307:931-3.

51. Rapoport DM, Garay SM, Epstein H, Goldring RM. Hypercapnia in the obstructive sleep apnea syndrome. A reevaluation of the "Pickwickian syndrome". Chest. 1986;89:627-35.

52. Remmers JE, Degroot WJ, Sauerland EK, Anch AM. Pathogenesis of upper airway occlusion during sleep. J Appl Physiol Respir Environ Exerc Physiol. 1978;44:931-8.

53. Roumelioti ME, Brown LK, Unruh ML. The relationship between volume overload in endstage renal disease and obstructive sleep apnea. Semin Dial. 2015;28:508-13.

54. Schorr F, Kayamori F, Hirata RP, Danzi-Soares NJ, Gebrim EM, Moriya HT, Malhotra A, Lorenzi-Filho G, Genta PR. Different craniofacial characteristics predict upper airway collapsibility in Japanese-Brazilian and white men. Chest. 2016;149:737-46.

55. Schotland HM, Insko EK, Schwab RJ. Quantitative magnetic resonance imaging demonstrates alterations of the lingual musculature in obstructive sleep apnea. Sleep. 1999;22:605-13.

56. Schwartz AR, Smith PL, Wise RA, Gold AR, Permutt S. Induction of upper airway occlusion in sleeping individuals with subatmospheric nasal pressure. J Appl Physiol (1985). 1988;64:535-42.

57. Sérès F, Roy N, Marc I. Effects of sleep deprivation and sleep fragmentation on upper airway collapsibility in normal subjects. Am J Respir Crit Care Med. 1994;150:481-5.

58. Sériès FJ, Simoneau SA, St Pierre S, Marc I. Characteristics of the genioglossus and musculus uvulae in sleep apnea hypopnea syndrome and in snorers. Am J Respir Crit Care Med. 1996;153:1870-4.

59. Sériès F, Cote C, St Pierre S. Dysfunctional mechanical coupling of upper airway tissues in sleep apnea syndrome. Am J Respir Crit Care Med. 1999;159:1551-5.

60. Sforza E, Bacon W, Weiss T, Thibault A, Petiau C, Krieger J. Upper airway collapsibility and cephalometric variables in patients with obstructive sleep apnea. Am J Respir Crit Care Med. 2000;161:347-52.

61. Shapiro SD, Chin CH, Kirkness JP, Mcginley BM, Patil SP, Polotsky VY, Biselli PJ, Smith PL, Schneider H, Schwartz AR. Leptin and the control of pharyngeal patency during sleep in severe obesity. J Appl Physiol (1985). 2014;116:1334-41.

62. Torre C, Camacho M, Liu SY, Huon LK, Capasso R. Epiglottis collapse in adult obstructive sleep apnea: a systematic review. Laryngoscope. 2016;126:515-23.

63. Van de Graaff WB. Thoracic traction on the trachea: mechanisms and magnitude. J Appl Physiol (1985). 1991;70:1328-36.

64. van der Spek A, Luik AI, Kocevska D, Liu C, Brouwer RWW, van Rooij JGJ, van den Hout M, Kraaij R, Hofman A, Uitterlinden AG, Van IWFJ, Gottlieb DJ, Tiemeier H, van Duijn CM, Amin N. Exomewide meta-analysis identifies rare 3'-UTR variant in ERCC1/CD3EAP associated with symptoms of sleep apnea. Front Genet. 2017;8:151.

65. van Lunteren E, van de Graaff WB, Parker DM, Mitra J, Haxhiu MA, Strohl KP, Cherniack NS. Nasal and laryngeal reflex responses to negative upper airway pressure. J Appl Physiol Respir Environ Exerc Physiol. 1984;56:746-52.

66. Walsh RE, Michaelson ED, Harkleroad LE, Zighelboim A, Sackner MA. Upper airway obstruction in obese patients with sleep disturbance and somnolence. Ann Intern Med. 1972;76:185-92.

67. Walsh JH, Maddison KJ, Platt PR, Hillman DR, Eastwood PR. Influence of head extension, flexion, and rotation on collapsibility of the passive upper airway. Sleep. 2008;31:1440-7.

68. West JB, Jones NL. Effects of changes in topographical distribution of lung blood flow on gas exchange. J Appl Physiol. 1965;20:825-35.

69. White DP, Younes MK. Obstructive sleep apnea. Compr Physiol. 2012;2: 2541-94.

70. Woodson BT, Garancis JC, Toohill RJ. Histopathologic changes in snoring and obstructive sleep apnea syndrome. Laryngoscope. 1991;101:1318-22.

71. Wysocki J, Charuta A, Kowalcze K, Ptaszynska-Sarosiek I. Anthropometric and physiologic assessment in sleep apnoea patients regarding body fat distribution. Folia Morphol (Warsz). 2016;75:393-9.

72. Younes M. Fifty years of physiology in obstructive sleep apnea. Am J Respir Crit Care Med. 2017;196:954-7.

OSA의 건강 영향

Joseph Roland D. Espiritu

목차

핵심 내용

- 폐쇄성 수면 무호흡(OSA)은 거의 모든 기관계에 영향을 미쳐 건강에 좋지 않은 결과를 초래한다:
  - 신경 인지 영향에는 주간 각성, 주의력/경계, 장기 시각 및 언어 기억 지연, 시공간/구성 능력, 실행 기능의 손상이 포함되는 반면, 신경 심리학적 영향에는 우울증, 신체 증후군, 불안, 주의력 결핍/과잉행동 장애가 포함된다.
  - 심혈관 영향에는 만성 심부전, 전신성 고혈압, 허혈성 심질환, 심방 세동, 심실 부정맥, 뇌졸중이 포함된다.
  - 호흡기 영향에는 천식의 불량한 증상 조절, 만성 폐쇄성 폐질환(COPD)의 폐기능 악화, 천식과 COPD 모두에서 악화 빈도 증가, 폐 색전증의 유병률 및 재발의 증가, 폐고혈압 유병률 증가가 포함된다.
  - 내분비계 영향에는 당뇨, 대사 증후군, 남성 및 여성에서 성기능 장애가 있다.
  - 위장관계에는 위식도 역류 질환 및 비알코올성 지방간 질환과 연관된다.
  - 산과적 영향에는 산모의 심혈관, 폐, 수술 합병증 외에도 임신 관련 고혈압 장애, 임신성 당뇨병이 포함된다.
  - 주산기 결과에는 저체중 출산, 조산, NICU 입원, 고빌리루빈 빈혈이 있다.
  - 수술 전후 영향에는 술후 ICU 이송, 호흡기 합병증, 심혈관계 사건, 신경학적 합병증이 포함된다.
  - 사고 관련으로는 자동차 사고와 업무 관련 부상이 포함된다.
  - 종양학적 결과에는 유방암과 결장직장암을 포함하는 암 증가가 있다.
  - 사망률과 관련해서, 전반적으로 더 높은 사망률과 심혈관, 비-심혈관성, COPD 관련 유발이 포함된다.
- 야간 호흡 기능 장애(즉, 저산소혈증 재산소화, 과탄산혈증), 열악한 수면의 질(즉, 각성 증가, 수면 효율 저하, 수면 구조 변경), 흉부 내압 변화는 공유되는 동반이환 위험 요인에 더하여 산화 스트레스, 염증, 교감 신경 활성화, 내피 기능 장애, 신경 호르몬 변화, 혈전증, 혈역학적 변화가 유발되고, 이런 것들이 불리한 임상 결과에 대한 병태생리학적 기전이 된다.

OSA가 영향을 미치는 유해한 건강 결과의 수가 증가하고 있다(◘ 그림 3.1). 이번 단원에서는 위험을 수량화하고 OSA와 다양한 심혈관, 뇌혈관, 호흡기, 내분비 및 대사, 위장, 산부인과, 주산기, 수술 전후, 사고 관련, 종양, 생존 결과 사이의 연관성 뒤에 있는 기전을 설명할 것이다. 이번 문헌 고찰은 OSA에 국한되고, 코골이, 중추성 수면 무호흡, 수면 저환기, 저산소증 장애와 같은 수면 호흡 장애의 다른 유형의 건강 영향이나 이런 결과에 대한 다양한 OSA 치료(예: 양압기)의 효과는 포함하지 않는다. OSA에 의한 신경 인지(즉, 과다수면, 피로, 주의력/경계 장애, 장기 시작 및 언어 기억 지연, 시각 공간/구성 능력, 실행 기능)[13] 및 신경 심리학 장애(예: 우울증, 신체 증후군, 불안, 주의력 결핍/과잉행동 장애)는 7단원에서 자세히 논의될 것이다.

3.1 심혈관 영향

가정 수면 다원 검사를 활용한 인구 기반 역학 연구인 수면 심장 건강 연구회는 미국의 지역사회 거주 중년 성인에서 OSA와 심혈관 질환 사이의 연관성을 설명하였다.[92] 수면 심장 연구회는 무호흡 저호흡 지수(AHI)나 야간 저산소혈증(SpO_2 < 90%) 기간에 기반한 OSA의 중증도와 심혈관 질환의 유병률 사이에 연령, 성별, 체질량 지수(BMI), 전신성 고혈압, 고밀도 지단백과 같은 알려진 위험 요소를 조정한 후에도, 명백한 용량-반응 관계가 성립함을 밝혔다.[100] 수면 심장 건강 연구회의 발표 이후 여러 메타 분석을 통해 OSA와 심혈관 질환 사이의 연관성이 확증되었다(◘ 표 3.1).

3.1.1 만성 심부전

수면 심장 건강 연구회는 모든 심혈관 질환 중 만성 심부전이 OSA와 가장 강한 연관성을 가진다고 발표하였다.[100] AHI 중증도의 최고 사분위수(시간당 11 초과)는 심부전과 가장 강한 관계를 보였다. 현재까지 OSA 환자에서 만성 심부전 발생률을 대조군과 비교한 전향적 코호트 연구는 없다.

3.1.2 전신성 고혈압

수면 심장 건강 연구회는 OSA(시간당 AHI 5 이상)이나 야간 저산소혈증(SpO_2 90% 미만이 전체 수면시간의 12% 이상)을 가진 참가자가 대조군과 비교하여 더 높은 고혈압 유병률을 보인다고 보고하였다.[82] 이와 대조적으로, 수면 심장 건강 연구회의 데이터 전향적 코호트 분석에서 BMI를 조절한 후 고혈압 발병률이 증가하지 않았음을 발견하였다.[83] 그럼에도 불구하고 20,637명의 참가자를 대상으로 한 6건의 연구에 대한 메타 분석은 중증도에 관계없이 OSA에서 전신성 고혈압 발병률이 통계적으로 유의하게 증가한다는 것을 확인하였다.[71] 보다 최근의 메타 분석에서는 OSA의 중증도가 악화됨에 따라 고혈압의 승산비(odds ratio)가 증가하였다.[36]

3

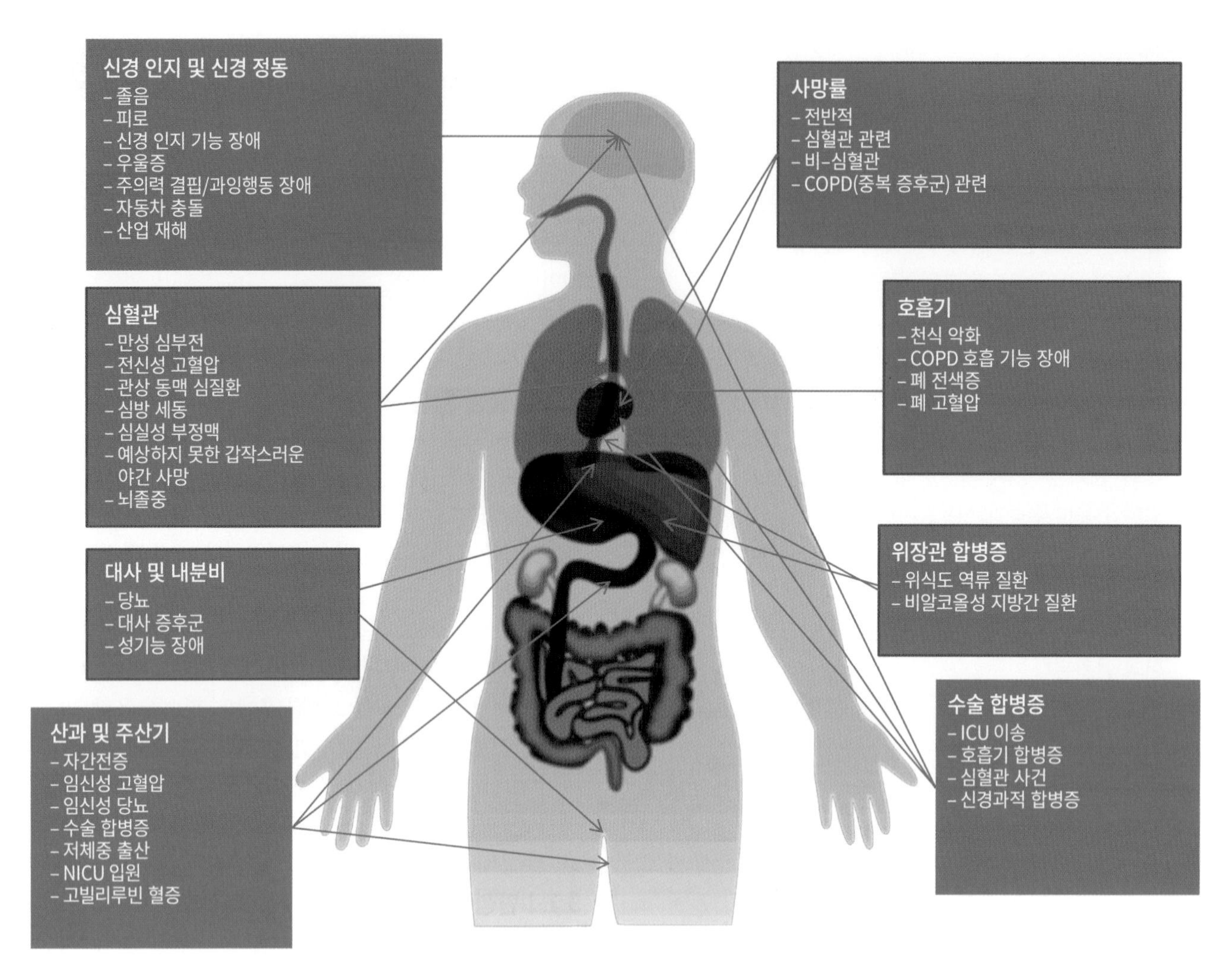

그림 3.1 **폐쇄성 수면 무호흡이 기관에 미치는 악영향**

또한 OSA는 만성 신장 질환의 난치성 고혈압과 강한 연관성을 가진다. Sleep-SCORE 연구는 투석을 받고 있지 않은 88명의 말기 신질환 환자를 대상으로 무인 가정 수면 다원 검사를 시행하고 자동 혈압계를 모니터링했는데, 투석 중인 말기 신질환 환자들에서 수면 무호흡의 중증도와 내성 고혈압(3가지 이상의 혈압약에서 140/90 mmHg 이상의 고혈압) 사이에 유의한 연관성을 발견하였다(그러나 만성 신부전이 없거나 투석 중인 만성 신부전 환자에서는 그렇지 않다).[1] Hou 등이 시행한 최근 메타 분석에서 OSA와 내성-고혈압 사이에 통계적으로 유의한 연관성이 나타났다.[36]

3.1.3 관상 동맥 심질환

수면 심장 건강 연구회의 횡단면 분석에 의하면, OSA에서 자가 보고된 관상 동맥 심질환의 유병률은 증가하지 않았다.[100] 후속 메타 분석은 OSA와 관상 동맥 심질환 사이의 연관성에 대해 상충되는 결과를 보고하였다. Loke와 Dong이 시행한 전향적 연구에서 첫 번째 2개의 메타 분석에서는 OSA와 새로 발병한 관상 동맥 심질환 사이의 연관성을 찾지 못하였다.[20,64] 이와 대조적으로, 한 메타 분석에서는 OSA 환자에서 재발성 허혈성 사건[121] 및 비치명적 심혈관 사건의 위험이 2배로 증가한다고 보고하였다.[23] OSA 환자에서 경피적 관상동맥 중재술 후 급성 관상 동맥 사건의 발생률이 증가하였다.[128] 무증상 심혈관 질환을 조사한 비침습적 연구는 OSA 환자에서 죽상 동맥 경화증의 발생(즉, 관상 동맥 석회화, 경동맥 내피 두께, 상완 동맥 흐름 매개 확장, 맥파 속도)이 증가한다고 하였다.[2]

3.1.4 부정맥

부정맥은 OSA 환자에서 더 흔히 발생하는 것으로 인식된다. 브라질의 한 인구 연구에서는 수면 다원 검사에서 야간 심방 및 심실 부정맥의 발생이 증가했다고 보고하였다.[17] 5년간의

■ 표 3.1 폐쇄성 수면 무호흡과 심혈관 결과 사이의 연관성의 강도

심혈관 결과	연관 강도, 점 추정(95% 신뢰 구간)	참고문헌	연구 디자인
울혈성 심부전	aOR = 2.38 (1.22, 4.62) 총 aOR = 1.19 (0.56, 2.53) AHI가 1.3–4.3/hr에서 aOR = 1.96 (0.99, 3.90) AHI가 4.4–10.9/hr에서 aOR = 2.20 (1.11, 4.37) AHI가 11/hr 이상에서	[100]	횡단
전신성 고혈압	OR = 1.37 (1.03, 1.83) 최고(AHI ≥ 30/hr) 대 최저(AHI < 1.5/hr) 범주의 비교에서 OR = 1.41 (1.29, 1.89) 산소 포화도 90% 이하의 수면 시간 비율에서 최고(≥ 12%) 대 최저(0.05%) 범주 비교에서 aOR = 1.51 (0.93–2.47) AHI > 30/hr에 대해 OR = 1.26 (1.17, 1.35) 경증 OSA에 대해 OR = 1.50 (1.27, 1.76) 중등증 OSA에 대해 OR = 1.47 (1.33, 1.64) 중증 OSA에 대해 OR = 1.18 (1.09, 1.27) 경증 OSA에 대해 OR = 1.32 (0.86, 1.20) 중등증 OSA에 대해 OR = 1.56 (1.29, 1.83) 중증 OSA에 대해	[36] [71] [82] [83]	체계적 고찰 및 메타 분석 메타 분석 횡단 전향적 코호트
내성 고혈압	aOR 3.5 (0.8, 15.4) 비–만성 신부전에서 aOR = 1.2 (0.4, 3.7) 비–투석 만성 신부전에서 aOR = 7.1 (2.2, 23.2) 투석 말기 신장 질환에서 OR = 2.84 (1.7, 3.98) 모든 OSA 환자에서	[1] [36]	전향적 코호트 체계적 고찰 및 메타 분석
관상 동맥 심질환	aOR = 1.27 (0.99, 1.62) OR = 1.56 (0.83, 2.91) OR = 1.92 (1.06, 3.4) 5개의 남성–우세 연구에서 RR = 1.37 (0.95–1.98) RR = 2.06 (1.13, 3.77) 재발성 허혈성 심질환에서	[20] [64] [100] [121]	메타 분석 메타 분석 횡단 메타 분석
심혈관 질환	RR = 2.48 (1.98, 3.10) RR = 1.79 (1.47, 2.18) 중증 OSA에서	[20] [115]	메타 분석 메타 분석
비치명적 심혈관 사건	OR = 2.46 (1.80, 3.36)	[23]	메타 분석
경피적 관상 동맥 중재술 후 심혈관 사건	RR = 1.59 (1.22, 2.06)	[128]	메타 분석
무증상 심혈관 질환	aOR range = 1.036–2.21 관상 동맥 칼슘에 대해	[2]	체계적 고찰
야간 심방 및 심실 부정맥	유병률 = 1.04 (1.01, 1.07)	[17]	전향적 코호트
만연한 심방 세동	aOR = 4.02 (1.03, 15.74) OR = 2.15 (1.19, 3.89) RDI가 가장 높은 사분위수에 속하는 노인에서	[69] [70]	횡단 횡단
사고성 심방 세동	HR = 2.18 (1.34, 3.54)	[27]	후향적 코호트
카테터 절제 후 심방 세동 재발	RR = 1.25 (1.08, 1.45) OR = 1.70 (1.40, 2.06)	[18] [79]	메타 분석 메타 분석
관상 동맥 우회술 후 심방 세동	OR = 2.38 (1.57, 3.62)	[90]	체계적 고찰 및 메타 분석
비지속적 심실성 빈맥	OR = 3.40 (1.03, 11.20) aOR = 1.07 (1.02, 1.12) 비후성 폐쇄성 심근병증 환자에서	[69] [113]	횡단 코호트 연구
복합 심실 절제술	OR = 1.74 (1.11, 2.74)	[69]	횡단
심실성 부정맥	OR = 5.6 (2.0, 15.6) 제세동기가 있는 환자에서 aOR = 1.02 (0.98, 1.07) 전국 입원 환자 표본에서	[96] [126]	횡단 연구 전향적 코호트
뇌졸중	aOR = 1.42 (1.13, 1.78) OR = 2.24 (1.57, 3.19) RR = 2.02 (1.40, 2.90) RR = 2.15 (1.42, 3.24) 중증 OSA에 대해 OR = 1.94 (1.29, 2.92) RR = 2.15 (1.42, 3.24) 중증 OSA에 대해 aHR = 1.94 (1.31, 2.89)	[20] [58] [64] [100] [115] [118] [121]	메타 분석 메타 분석 메타 분석 횡단 메타 분석 메타 분석 메타 분석

약어: aOR 보정된 승산비, OR 승산비, RR 상대 위험 또는 위험 비율, HR 위험 비율, aHR 보정된 위험 비율

후향적 코호트 연구에 따르면, 심혈관이 위험 요인을 통제한 후에도 OSA 피험자, 특히 65세 미만의 피험자에서 심방세동의 발생 위험이 2배 증가하였다.[27] 야간 저산소혈증은 새로 발병한 심방 세동의 중요한 예측 인자인 것으로 밝혀졌다. 관상 동맥 우회술 후 심방 세동의 위험 또한 OSA에서 유의하게 증가하였다.[90] 게다가 카테터 절제술 후 심방 세동도 OSA에서 더 높은 것으로 나타났다.[18,79]

Raghuram 등이 시행한 22개 연구에 대한 체계적 고찰에서 심실 절제술과 부정맥의 위험성이 다소 높은 것으로 나타났다.[93] OSA는 비지속적 심실 빈맥의 더 높은 유병률과 관련된다.[69] AHI의 중증도는 비대성 폐쇄성 심근병증 환자에서 비지속적 심실 빈맥의 유병률과 상관 관계를 가진다.[113] 반면, 전국 입원 환자 표본의 횡단면 분석에서 입원한 OSA 환자에서 심실 부정맥의 유병률이 더 높게 나타났지만, 심혈관 위험 인자를 보정한 후 유의한 연관성은 확인되지 않았다.[96]

3.1.5 뇌혈관 질환

뇌혈관 질환으로 진단된 환자에서 수면 호흡 장애의 유병률이 증가하였는데, 시간당 AHI 5 초과에 대해 71–72%, AHI 20 초과에 대해 20–30%로 추정되었다.[42,98] 수면 호흡 장애의 주된 유형은 OSA였으며, 7%만이 원발성 중추성 무호흡으로 나타났다.[42] 뇌졸중에서 수면 호흡 장애와 관련된 요인은 남성, 재발성 뇌졸중, 특발성 병인이었지만, 사건 유형(허혈 대 출혈), 뇌졸중 후 시기, 모니터링 유형과는 연관성이 없었다.[42] 수면 심장 건강 연구회의 데이터 횡단면 분석에서 뇌졸중과 OSA 사이에 강한 연관성도 보고되었다.[100] 반대로 그 뒤의 4개의 메타 분석에서 OSA 환자의 뇌졸중 발병률이 더 높다는 것이 확인되었다. Li와 동료들은 OSA 환자에서 치명적 및 비치명적 뇌졸중의 발생 위험이 2배로 증가한다고 보고하였다.[58] Loke 등은 이 연관성을 확증했지만, 대부분의 연구는 주로 남성을 대상으로 한다고 보고하였다.[64] Xie와 동료들은 뇌혈관 질환이나 관상동맥 심질환의 병력이 있는 OSA 환자에서 뇌졸중의 위험이 상당히 높다는 것을 확인하였다.[121] 300만 명의 참가자를 대상으로 한 전향적 코호트 연구의 메타 분석은 알려진 위험 요인을 통제한 후에도 뇌혈관 질환의 발병률 증가를 확증했다.[118] 뇌졸중의 위험은 OSA의 중증도와 관련이 있는 것으로 나타났다. 즉, 중등증에서 중증의 OSA에서는 뇌졸중의 위험이 더 높지만, 경증에서는 그렇지 않다.[115]

3.2 호흡기 영향

3.2.1 천식

천식 환자에서 OSA의 발병 확률은 2배 이상으로 BMI가 높은 경우에 특히 그러하다(◘ 표 3.2).[51,59] OSA는 천식 조절을 약화시키고 천식 악화 빈도를 증가시킬 수 있다.[110,116]

3.2.2 만성 폐쇄성 폐질환

만성 폐쇄성 폐질환(COPD) 환자에서 OSA의 유병률은 인구 표본에 따라 10–66%로 나타난다.[22] 전향적 코호트 연구에서 COPD 환자에게 OSA가 동반되면, 심각한 악화로 인해 입원 빈도가 상당히 증가한다.[67] OSA와 COPD의 중복은 주간 및

◘ 표 3.2 폐쇄성 수면 무호흡과 호흡기 결과 사이의 연관성 강도

호흡기 결과	연관 강도, 점 추정(95% 신뢰 구간)	참고문헌	연구 디자인
천식	OR = 1.92 (1.34, 2.76) OR = 3.73 (2.90, 4.57)	[51] [59]	메타 분석 메타 분석
천식 악화	aOR = 1.322 (1.148, 1.523) AHI에서 aOR = 3.4 (1.2, 10.4)	[110] [116]	증례 조절 후향적 코호트
입원이 필요한 COPD 악화	RR = 1.70 (1.21, 2.38)	[67]	전향적 코호트
심부 정맥 혈전증	HR = 3.50 (1.83, 6.69)	[88]	종단, 전국적 인구–기반 코호트
폐 색전증	aOR = 3.7 (1.3, 10.5) HR = 3.97 (1.85, 8.51) aOR = 1.44 (1.07, 1.90)	[3] [88] [97]	전향적 코호트 인구–기반 코호트 후향적 코호트
재발성 폐 색전증	aHR = 20.73 (1.71, 251.28) aOR = 2.21 (1.05, 4.68)	[4] [97]	전향적 코호트 후향적 코호트

약어: aOR 보정된 승산비, AHI 무호흡–저호흡 지수, COPD 만성 폐쇄성 폐질환, RR 상대 위험 또는 위험 비율, HR 위험 비율, aHR 보정된 위험 비율

야간의 폐 기능 악화(즉, 저산소혈증, 과탄산혈증, 6분 도보 거리) 및 수면 다원 검사 소견[즉, 악화된 AHI 및 산소 불포화 지수(ODI), 야간 저산소증, 수면 효율, 각성 지수, 수면 구조]과 관련이 있다.

3.2.3 폐 색전증

정맥 혈전 색전증을 진단받은 환자는 OSA의 유병률이 상당히 높다. 형성된 증례-대조군 연구에서 정맥 혈전 색전증 환자, 특히 여성에서 혈전성 위험을 보정한 후에도 OSA에 걸릴 확률이 2배 이상이었다.[5] 급성 폐 색전증 생존자의 절반 이상이 OSA를 가지고 있다.[8,52] OSA가 혈전 유발 조건으로 간주될 수 있다. 209명의 환자를 대상으로 한 증례-대조군 연구에서, OSA 환자에서 폐 색전증의 유병률이 더 높은 것으로 나타났다.[3] 동일 연구자들이 5–8년 동안 항응고제를 중단한 120명의 폐 색전증 환자를 추적하였는데, 재발성 폐 색전증이 발생률이 20배 더 높았다.[4] 인구 기반 후향적 코호트 연구에서, OSA 환자가 심부 정맥 혈전증 및 폐 색전증으로 고통받을 가능성이 더 높다고 보고했다.[88] Mayo Clinic의 후향적 코호트 연구에서는 OSA 환자에서 폐 색전증의 발생 및 재발 위험이 높아진다고 보고하였다.[97] 더욱이 고위험의 폐 색전증은 중등증에서 중증의 OSA를 가진 사람에서 발생 가능성이 더 높다.[8,52] OSA의 진단은 급성 폐 색전증에서 폐동맥 혈전 부하와 질병 중증도를 악화시킬 수 있다.[31] 그러나 급성 폐 색전증 후 중심 정맥압의 일시적 증가는 일단 환자가 수면 다원 검사를 받기에 임상적으로 안정되면 OSA의 중증도에 영향을 미치지 않는 것으로 보인다.[7] AHI에 기반한 OSA의 중증도 및 90% 미만의 SpO_2로 보낸 시간은 재발성 폐 색전증 위험의 독립적인 예측 인자였다. 이 증가된 심부 정맥 혈전증과 폐 색전증 위험에 대해 제안된 기전에는 증가된 혈액 점도, 응고 인자, 조직 인자, 혈소판 활성, 전혈 응고 가능성, OSA에서의 약화된 섬유소 용해가 포함된다.[60]

3.2.4 폐 고혈압

수면 호흡 장애의 유병률은 폐 고혈압 환자에서 훨씬 더 높은 경향이 있다. 한 연구의 의하면 폐동맥 고혈압 환자의 수면 호흡 장애 유병률은 71%이고, OSA는 56%이다.[72] 반대로 OSA 환자에서 폐 고혈압 유병률은 17–67%에 이르는 것으로 추정된다.[47,95] 220회 연속 OSA에서 우심장 도관법을 사용한 연구는 폐 고혈압의 유병률을 17%로 계산했다.[15] 이 우심장 도관법 연구에서 폐 고혈압 발생은 OSA의 중증도보다는 관련된 저산소혈증 및 고탄산혈증과 동반된 폐쇄성 환기 이상에서 기인했다. 이와 대조적으로 심장초음파 연구는 AHI보다 최저 70% 미만의 SpO_2가 폐 고혈압의 좋은 예측 인자가 된다고 하였다.[117] 심초음파를 사용한 연구의 메타 분석은 OSA에서 RV 확장, 비대, 기능 장애의 더 높은 유병률을 보여주었다.[68]

3.3 내분비 및 대사 영향

3.3.1 당뇨

수면 심장 건강 연구회 및 지역사회 연구회는 13년 동안 심각한 OSA 환자에서 당뇨병 발병률이 상당히 증가함을 확증했다(표 3.3).[77] 6개의 전향적 코호트 연구에 대한 메타 분석은

표 3.3 폐쇄성 수면 무호흡과 당뇨 및 내분비 결과 사이의 연관성 강도

대사 질환 결과	연관 강도, 점 추정(95% 신뢰 구간)	참고문헌	연구 디자인
2형 당뇨	RR = 1.22 (0.91, 1.63) 경증 OSA RR = 1.63 (1.09, 2.45) 중등증에서 중증의 OSA HR = 1.71 (1.08, 2.71)	[77] [114]	전향적 코호트 메타 분석
당뇨성 신장 질환	OR = 1.73 (1.13, 2.64)	[57]	메타 분석
당뇨성 망막병증	OR = 0.91 (0.87–0.95) 최소 산소 포화도를 수반하는	[56]	메타 분석
대사 증후군	OR = 2.87 (2.41, 3.42) OR = 2.56 (1.98, 3.31) aOR = 1.97 (1.34, 2.88)	[91] [122]	증례-조절 연구의 메타 분석 횡단 연구의 메타 분석
발기 부전	RR = 1.82 (1.12, 2.97) OR = 2.22 (1.41, 5.55)	[45] [62]	체계적 고찰 및 메타 분석 메타 분석
여성 성기능 장애	RR = 2.00 (1.29, 3.08)	[62]	메타 분석

약어: RR 상대 위험 또는 위험 비율, HR 위험 비율, OR 승산비, aOR 보정된 승산비

3

중증 OSA와 당뇨 간의 연관성을 확인했다.[114] 당뇨성 미세혈관병증은 OSA에 의해 악화되는 것으로 나타났다. 종단 및 횡단 연구에 대한 메타 분석에서 OSA를 수반하는 당뇨성 신장병의 위험이 73% 더 높은 것으로 나타났다.[57] 같은 연구자의 후속 메타 분석에서도 당뇨성 망막증과 황반 변성의 발생이 더 높았고, 이것은 야간 저산소혈증의 기간과 관련되는 것으로 나타났다.[56]

3.3.2 대사 증후군

대사 증후군은 고혈압, 당뇨, 고콜레스테롤혈증, 복부 비만의 군집체로 정의된다. 2개의 메타 분석에서는 OSA에서 대사 증후군의 위험이 2–3배 증가하는 것으로 추정하였다.[91,122] Nadeem 등은 AHI를 고콜레스테롤혈증 및 고중성지방혈증의 중요한 독립적 예측 인자로 선정하였다.[75] 또한 OSA는 BMI와 무관하게 렙틴 수치 상승, 야간 저산소혈증, 내당증 장애, C–반응성 단백질 수치 증가와 관련된다.[6,43]

3.3.3 성기능 장애

OSA와 성 기능의 연관성에 대한 메타 분석은 남성의 발기 부전과 여성의 성기능 장애의 위험성을 각각 2배로 계산하였다.[45,62] Steinke와 동료들의 체계적 고찰에 의하면, 야간 저산소혈증 기간은 여성의 성기능 장애를 암시적으로 예측한 반면, 남성에서는 BMI와 염증 지표가 중요한 예측 변수였다.[109]

3.4 위장관 결과

3.4.1 위식도 역류 질환

OSA 환자는 위식도 역류 질환의 위험이 1.75–2배 더 높고[32,119] 야간 위식도 역류 질환은 3배 높다(◘ 표 3.4).[125] 야간 위식도 역류 질환은 OSA의 중증도와 상관관계가 있다.[106] You 등이 시행한 내시경 기반 연구에서 OSA에서 비–미란성 식도염의 더 높은 발생을 관찰했지만, 미란성 식도염에서는 그렇지 않았다.[125] OSA는 AHI 중증도와 관련된 위험성과 함께 Barrett의 식도염과도 관련이 있는 것으로 나타났다.[33,55]

반대로 위식도 역류 질환 증상은 수면 호흡 장애를 악화시켜 AHI가 높아지고 최대 무호흡 기간이 길어지며, 최소 산소 포화도가 낮아지고 ODI가 높아지면서 수면 효율이 낮아질 수 있다.[48] 위식도 역류 현상은 일반적으로 호흡 곤란 현상 이후보다는 오히려 자발적 기상과 각성 후에 발생한다.[39,124] 고해상

◘ 표 3.4 폐쇄성 수면 무호흡과 위장관 결과 사이의 연관성 강도

위장관 질환 결과	연관 강도, 점 추정(95% 신뢰 구간)	참고문헌	연구 디자인
위식도 역류성 질환	aOR = 2.13 (1.17, 3.88) OR = 1.75 (1.18, 2.59)	[32] [119]	횡단 인구–수준 분석 메타 분석
비–미만성 위식도 역류 미만성 위식도 역류	aOR = 1.82 (1.15, 2.90) aOR = 0.93 (0.56, 1.55)	[125]	횡단
야간 위식도 역류성 질환	aOR = 2.97 (1.19, 7.84) aOR = 1.84 (1.28, 2.63) 중등증 OSA에 대해 aOR = 2.39 (1.71, 3.33) 중증 OSA에 대해	[106] [125]	횡단 횡단
Barrett의 식도염	aOR = 1.2 (1.0, 1.3) AHI의 10단위 증가마다 OR = 3.26 (1.72, 6.85) AHI의 10단위 증가마다	[33] [55]	횡단 후향적 코호트
비알코올성 지방간 질환: 지방간 염증 섬유화	 OR = 2.556 (1.184, 5.515) OR = 1.800 (0.905, 3.579) OR = 2.586 (1.289, 5.189)	[107]	메타 분석
비알코올성 지방간 질환: 조직학 영상학 AST나 ALT 상승 NASH, 각 단계 섬유화 중증 섬유화	 OR = 2.01 (1.36, 2.97) OR = 2.34 (1.71, 3.18) OR = 2.53 (1.93, 3.31) OR = 2.37 (1.59, 3.51) OR = 2.16 (1.45, 3.20) OR = 2.30 (1.21, 4.38)	[74]	메타 분석

약어: aOR 보정된 승산비, OR 승산비, AST 아스파테이트 아미노전이효소, ALT 알라닌 아미노전이효소, NASH 비알코올성 지방간증

도 식도 압력계와 24시간 식도 pH-임피던스 모니터링을 활용하여, Shepherd 등은 OSA에서 역류 현상의 매개체로 비만을 확인하였다.[105]

3.4.2 비알코올성 지방간 질환

OSA가 있으면, 비알코올성 지방간증, 지방간염, 간 섬유증의 조직학적, 화학적, 영상학적 진단의 가능성이 약 2배 증가한다.[74,107] AST가 아닌 ALT의 상승은 AHI와 유의한 상관관계가 있었다.[41] OSA 환자에서 비알코올성 지방간에 대한 소인으로 공유된 위험 요소(예: 비만) 및 동반 질환(예: 당뇨 및 대사증후군)이 예상된다.

3.5 산과적 영향

3.5.1 임신성 고혈압 장애

임신성 고혈압 장애(예: 자간전증, 임신성 고혈압, 자간증)는 OSA가 있는 임산부에서 더 자주 발생한다.[63] 여러 연구에서 OSA가 있는 임산부의 자간전증 위험이 2–3배 증가한다는 사실이 입증되었다(◘ 표 3.5).[10,19,38,63,123] 거의 모든 연구에서 OSA와 임신성 고혈압 사이의 중요한 연관성이 발견되었다. 전국 코호트 연구에서는 OSA가 있는 임산부에서 자간증 발병률이 3배 증가하는 것을 관찰했다.[10]

3.5.2 임신성 당뇨

임신성 당뇨 발병 확률은 OSA에서 1.5–4.7배 더 높았다.[10,19,37] Reutrakul 등은 OSA가 있는 임신부에서 내당능 장애의 중요한 독립 예측 인자로 각성 지수와 산소 포화 지수를 확인했다.[94] OSA 환자의 임신성 당뇨 이면의 병태생리학적 기전에는 산모의 수면 장애, 간헐적 저산소혈증, 산화 스트레스, 염증, 카테콜라민 활성화, 말초 혈관 수축, 내피 기능 장애 등이 있다.

3.5.3 산모의 심혈관 및 폐 합병증

미국에서 1,577,632명의 임산부를 대상으로 한 전국 코호트 연구에서는 OSA가 있는 임산부에서 폐부종, 만성 심부전, 심근병증과 같은 심혈관계 부작용 발생이 상당히 더 높은 것으로 나타났다.[10] OSA가 있는 임산부에서 폐 색전증이나 폐경색의 확률이 5배 증가했지만, 그 차이는 통계적으로 유의하지 않았다.[10] 주산기 뇌졸중의 발병률도 증가하지 않았다.[10]

3.5.4 산모 수술 합병증

소규모 전향적 코호트 연구에서 베를린 설문지를 사용하여 OSA을 선별할 때 제왕절개의 필요성에 차이가 없음을 발견했지만[50], 후속 전향적 연구[65,108] 및 코호트 연구의 메타 분석[123]에서 OSA가 있는 임신부에서 선택 및 응급 제왕절개 분만의 비율이 상당히 더 높은 것으로 관찰되었다.

분만 후 상처 합병증에 대한 두 연구가 상충되는 결과를 보여주었는데, 전향적 코호트 연구에서는 증가가 없는 반면[65], 대규모 후향적 국가 코호트 연구에서는 상당한 증가를 보고하였다.[10] 동일한 국가 코호트 연구에서 산모의 자궁 적출술 및 ICU 입원율이 더 높고 입원 기간이 더 길었지만, 수혈 요구량에는 차이가 없는 것으로 나타났다.[10]

3.6 주산기 영향

3.6.1 태아 성장 장애

OSA가 태아 성장에 미치는 영향에 대한 연구는 상충되는 결과를 가지고 있다. OSA의 고위험 임산부 26명과 저위험 임산부 15명에 대한 전향적 코호트 연구에서, BMI를 보정한 후 OSA와 태아 성장 사이에 유의한 연관성을 찾지 못했다(◘ 표 3.6).[25] 이와 대조적으로, 증례-대조군 연구와 24개 연구에 대한 메타 분석에서는 산모의 OSA와 태아 성장 장애 사이에 상당한 연관성이 있음을 발견했다.[19,49] 그러나 150만 개 이상의 임산부에 대한 전국 코호트 연구는 산모 OSA와 태아 성장 사이의 연관성을 확증하지 못했다.[10]

3.6.2 조기 출산

175명의 비만 임산부를 대상으로 한 초기 전향적 코호트 연구에서는 OSA가 있는 여성의 신생아에서 OSA와 조산 사이에 연관성이 없다고 하였다.[65] 대조적으로 3개의 후속 메타 분석에서는 OSA가 있는 임산부에서 조산의 위험이 2배로 현저한 증가를 보인다고 하였다.[12,19,123]

3.6.3 임신 기간과 저체중 출산

한국 임산부에 대한 전향적 코호트 연구에서 의심되는 산모의 OSA(베를린 설문지 기반)와 임신 기간에 비해 작게 태어난 영아 사이에는 연관성이 없다고 보고했지만[50], 2개의 메타 분석

3

표 3.5 폐쇄성 수면 무호흡과 산과적 결과 사이의 연관성 강도

산과적 결과	연관 강도, 점 추정(95% 신뢰 구간)	참고문헌	연구 디자인
자간전증–자간증	OR = 2.72 (1.33, 5.57)	[38]	전향적 코호트
자간전증	OR = 2.19 (1.71, 2.80) RR = 1.96 (1.34, 2.86) aOR = 2.22 (1.94, 2.54)	[10] [19] [123]	후향적 전국 코호트 체계적 고찰 및 정량적 분석 메타 분석
임신성 고혈압	OR = 2.38 (1.63, 3.47) RR = 1.40 (0.62, 3.19) aOR = 1.67 (1.42, 1.97)	[10] [19] [123]	후향적 전국 코호트 체계적 고찰 및 정량적 분석 메타 분석
자간증	aOR = 2.95 (1.08, 8.02)	[10]	후향적 전국 코호트
임신성 당뇨	OR = 1.78 (1.29, 2.46) aOR = 1.52 (1.34, 1.72) OR = 4.71 (1.05, 21.04)	[10] [19] [37]	후향적 전국 코호트 체계적 고찰 및 정량적 분석 증례–조절
폐 부종	aOR = 5.06 (2.29, 11.1)	[10]	후향적 전국 코호트
울혈성 심부전	aOR = 3.63 (2.33, 5.66)	[10]	후향적 전국 코호트
심근병증	aOR = 3.59 (2.31, 5.58)	[10]	후향적 전국 코호트
폐 색전증 및 경색	aOR = 5.25 (0.64, 42.9)	[10]	후향적 전국 코호트
뇌졸중	aOR = 3.12 (0.41, 23.9)	[10]	후향적 전국 코호트
보조적 질식 분만	OR = 1.88 (1.10, 3.21)	[12]	메타 분석
제왕 절개	aOR = 1.53 (0.79, 2.96) for BMI < 30 aOR = 3.48 (0.90, 13.37) for BMI ≥ 30 aOR = 3.04 (1.14–8.1) RR = 1.87 (1.52, 2.29) aOR = 1.60 (1.06, 2.40) OR = 1.81 (1.55, 2.11) OR = 1.38 (1.09, 1.76) 선택적 OR = 2.52 (1.20, 5.29) 응급	[12] [50] [65] [108] [123]	메타 분석 전향적 코호트 후향적 코호트 후향적 코호트 메타 분석
상처 합병증	aOR = 3.44 (0.7–16.93) aOR = 1.77 (1.24, 2.54)	[10] [65]	후향적 전국 코호트 전향적 코호트
자궁 적출술	aOR = 2.26 (1.29, 3.98)	[10]	후향적 전국 코호트
수혈	aOR = 0.81 (0.11, 5.85)	[10]	후향적 전국 코호트
입원 기간	aOR = 1.18 (1.05, 1.32)	[10]	후향적 전국 코호트
중환자실 이송	aOR = 2.74 (2.36, 3.18)	[10]	후향적 전국 코호트

약어: OR 승산비, RR 상대 위험 또는 위험 비율, aOR 보정된 승산비, BMI 체질량 지수

에서는 OSA의 산모에서 저체중 신생아 가능성이 67–75% 증가한다고 하였다.[12,19,36]

3.6.4 사산

대규모 전국 코호트 연구에서 사산과 산모 OSA 사이의 연관성이 없다고 했지만[10], 최근의 메타 분석은 사산의 위험성이 2배 증가한다고 보고하였다.[12]

3.6.5 NICU 이송

여러 연구(전향적 코호트 연구 1개와 정량적/메타 분석 3개)에서 OSA 산모의 신생아에서 NICU 입원 위험이 2–3배 유의하게 증가한다는 사실이 만장일치로 확인되었다.[12,29,65,123] 호흡 이환은 아니지만, 고빌리루빈혈증의 가능성은 OSA 여성의 신생아에서 더 높았다.[65]

■ 표 3.6 폐쇄성 수면 무호흡과 주산기 결과 사이의 연관성 강도

주산기 결과	연관 강도, 점 추정(95% 신뢰 구간)	참고문헌	연구 디자인
태아 성장 장애	aOR = 5.3 (0.93, 30.34) OR = 1.44 (1.22, 1.71) aOR = 1.05 (0.84, 1.31) aOR = 3.9 (1.2, 12.6)	[10] [19] [25] [49]	후향적 전국 코호트 체계적 고찰 및 정량적 분석 전향적 관찰 증례-조절
조산	aOR = 0.63 (0.18, 2.24) 37주 미만에서 aOR = 0.94 (0.10, 8.92) 32주 미만에서 OR = 1.98 (1.59, 2.48) RR = 1.90 (1.24, 2.91) OR = 1.86 (1.50, 2.31)	[12] [19] [65] [123]	메타 분석 체계적 고찰 및 정량적 분석 전향적 코호트 메타 분석
재태 연령 <10번째 백분위수	OR = 2.56 (0.56, 11.68) BMI 30 미만에서 OR = 0.83 (0.04, 19.4) BMI 30 이상에서	[50]	전향적 코호트
저체중 출산	OR = 1.75 (1.33, 2.32) OR = 1.67 (1.00, 2.78)	[12] [19]	메타 분석 체계적 고찰 및 정량적 분석
사산 또는 주산기 사망	aOR = 1.17 (0.79, 1.73) aOR = 2.02 (1.25, 3.28)	[9] [12]	후향적 전국 코호트 메타 분석
APGAR 점수 <7	OR = 2.14 (1.24, 3.71)	[12]	메타 분석
NICU 이송 신생아 간호 이송	aOR = 3.39 (1.23, 9.32) OR = 2.43 (1.61, 3.68) RR = 2.65 (1.68, 3.76) OR = 1.90 (1.32, 2.61)	[12] [19] [65] [123]	메타 분석 체계적 고찰 및 정량적 분석 전향적 코호트 메타 분석
고빌리루빈혈증	aOR = 3.63 (1.35–9.76)	[65]	전향적 코호트
호흡기 이환율	aOR = 1.56 (0.5–4.59)	[65]	전향적 코호트

약어: aOR 보정된 승산비, OR 승산비, BMI 체질량 지수, NICU 신생아 중환자실, RR 상대 위험 또는 위험 비율

3.7 수술 전후 영향

여러 메타 분석과 후향적 전국 코호트 분석을 통해 ICU 이송, 호흡기 합병증(예: 수술 후 저산소혈증, 급성 호흡 부전, 응급 삽관, 양압기나 비침습적 환기의 필요), 주요 심장 또는 뇌혈관 질환, 심방 세동, 신경학적 합병증과 같은 대부분의 수술 전후 결과에 대해 OSA가 미치는 건강에 유해한 영향이 확인되었다(■ 표 3.7).[26,34,44,73,76,90] 그러나 OSA는 입원 기간 연장과 관련 없었다.[76] 2016년 수면 호흡 장애 환자의 술전 준비에 대한 마취 및 수면 의학 태스크포스 협회의 정성적 체계적 검토에서, 폐와 복합 합병증의 위험이 더 크다고 하였다.[84]

3.8 사고 관련 결과

OSA는 자동차 사고[111], 산업 재해[29], 직업 손상[35] 확률을 2배 증가시켰다(■ 표 3.8). Hirsch Allen 등은 OSA가 있는 근로자의 경계가 감소하여 직업적 부상의 빈도가 더 높다고 보고했지만, 이 연관성은 교란 요인을 보정한 후 통계적으로 무의미해졌다.[35] 한 메타 분석은 BMI, AHI, 야간 저산소혈증, 주간 졸음을 자동차 사고의 예측 인자로 나열하였다.[111] 또 다른 메타 분석에서는 OSA 근로자의 고위험 활동으로 직업적 운전을 지목하였다.[29]

3.9 암 관련 영향

OSA 환자에서 암 발병률이 높다는 증거가 증가하고 있다. 암 발병률과 OSA 사이의 연관성에 대한 2개의 메타 분석을 상반된 결과를 보였다(■ 표 3.9).[86,127] 보다 최근의 연구에서는 OSA의 젊은 성인(45세 미만)[11]과 제대군인[40]에서 더 높은 암 발병률을 확인했다. OSA가 있는 경우, 유방암[16] 및 결장직장암[54]을 포함한 특정 악성 종양의 발병률 증가에 대한 초기 보고가 있었다. 한편, Zhang 등에 의한 메타 분석에서는 OSA와 암 사망률 사이의 연관성을 찾지 못했다.[127] OSA에서 증가된 암 발병률의 이면에 있는 기전을 검증하고 설명하기 위해 추가 연구가 필요하다.

■ 표 3.7 폐쇄성 수면 무호흡과 수술 전후 결과 사이의 연관성 강도

수술 전후 결과	연관 강도, 점 추정(95% 신뢰 구간)	참고문헌	연구 디자인
수술 전후 합병증	OR = 3.93 (1.85, 7.77)	[76]	메타 분석
중환자실 이송	OR = 2.81 (1.46, 5.43) OR = 2.97 (1.90, 4.64) OR = 2.46 (1.29, 4.68)	[26] [34] [44]	메타 분석 메타 분석 메타 분석
술후 저산소증	OR = 2.27 (1.20, 4.26) OR = 3.06 (2.35, 3.97)	[26] [44]	메타 분석 메타 분석
호흡기 합병증	OR = 2.77 (1.73, 4.43)	[26]	메타 분석
급성 호흡기 부전	OR = 2.43 (1.34, 4.39) OR = 2.42 (1.53, 3.84)	[34] [44]	메타 분석 메타 분석
술후 기관 삽관 및 기계적 환기	OR = 2.67 (1.0, 6.89)	[76]	메타 분석
MACCE	OR = 2.4 (1.38, 4.2)	[76]	메타 분석
심장 사건	OR = 2.07 (1.23, 3.50) OR = 1.63, (1.16, 2.29) OR = 1.76 (1.16, 2.67)	[26] [34] [44]	메타 분석 메타 분석 메타 분석
새로운 술후 심방 세동	OR = 1.94 (1.13, 3.33)	[76]	메타 분석
CABG 후 심방 세동	aOR = 2.38 (1.57, 3.62)	[90]	메타 분석
입원 기간	평균 차이 = +2.01 (0.77, 3.24)일	[76]	메타 분석
신경학적 합병증	OR = 2.65 (1.43, 4.92)	[26]	메타 분석

약어: OR 승산비, MACCE 주요 심장 또는 뇌 혈관 부작용, aOR 보정된 승산비, CABG 관상 동맥 우회술

■ 표 3.8 폐쇄성 수면 무호흡과 사고–관련 결과 사이의 연관성 강도

사고의 종류	연관 강도, 점 추정(95% 신뢰 구간)	참고문헌	연구 디자인
자동차 충돌	OR = 2.427 (1.205, 4.890)	[111]	체계적 고찰
산업 재해	OR = 2.18 (1.53, 3.10)	[29]	메타 분석
직업 손상	aOR = 1.76 (0.86, 3.59)	[35]	전향적 코호트

약어: OR 승산비, aOR 보정된 승산비

■ 표 3.9 폐쇄성 수면 무호흡과 암 결과 사이의 연관성 강도

암 결과	연관 강도, 점 추정(95% 신뢰 구간)	참고문헌	연구 디자인
암 발병	aRR = 1.40 (1.01, 1.95) aHR = 0.91 (0.74, 1.13) 경증 OSA에 대해 aHR = 1.07 (0.86,1.33) 중등증 OSA에 대해 aHR = 1.03 (0.85, 1.26) 중증 OSA에 대해 aHR = 3.7 (1.12, 12.45) 45세 미만 OSA 환자에 대해 aHR = 1.97 (1.94, 2.00)	[11] [40] [86] [127]	후향적 일치 코호트 전향적 코호트 메타 분석 메타 분석
유방암 발병	RR = 1.20 (1.04, 2.71) RR = 1.72 (1.10, 2.71)	[16]	후향적 코호트
결장직장암 발병	aHR = 1.80 (1.28, 2.52) aOR = 3.03 (1.44, 6.34)	[54]	전국 인구–기반 코호트
암 사망률	aHR = 0.79 (0.46, 1.34) 경증 OSA에 대해 aHR = 1.92 (0.63, 5.88) 중등증 OSA에 대해 aHR = 2.09 (0.45, 9.81) 중증 OSA에 대해	[127]	메타 분석

약어: aRR 보정된 상대 위험, aHR 보정된 위험 비율, RR 상대 위험, aOR 보정된 승산비

3.10 생존 결과

3.10.1 전체 사망률

여러 메타 분석들이 OSA가 전체 사망률을, 특히 중증 질환자에서 증가시켰다고 만장일치로 결론지었다(◘ 표 3.10).[23,24,30,87,115,120,121] 수면 무호흡증의 사망 및 장애에 대한 메타 분석에서는 심혈관계 사망뿐만 아니라 비-심혈관계 사망에서도 유의한 증가를 확인했다.[23] 야간 호흡 기능 장애(즉, 저산소혈증 재산소화, 과탄산혈증), 낮은 수면의 질(즉, 각성 증가, 수면 효율 저하, N3기 및 REM기 감소), 흉강 내 압력 변화, 공유된 동반 질환 위험 요소(예: BMI, 대사 증후군) 외에 산화 스트레스, 염증, 교감 신경 활성화, 내피 기능 장애, 신경 호르몬 변화, 혈전 성향, 혈역학적 변화는 OSA 부작용의 전신적 영향에 대해 알려진 병태생리학적 기전이다(◘ 그림 3.2).[101]

3.10.2 심혈관 사망

Wang과 동료들의 메타 분석에서는 치명적 및 비치명적 관상동맥 심질환의 증가된 발병률을 발견하지 못했지만[115], 다른 메타 분석에서는 중증의 OSA와 심혈관 사망 사이에 상당한 연관성이 있다고 보고했다.[23,24,30,64] 만성 심부전 사망률에 대한 메타 분석은 OSA가 아닌 중추성 수면 무호흡이 있는 사람에서만 사망률이 증가했다고 보고했다.[78] 후향적 코호트 연구는 고령(60세 초과), 중등증에서 중증의 질환(시간당 AHI 20 초과), 야간 저산소혈증(평균 93% 미만 및 최소 78% 미만)의 OSA 환자에서 급성 심장사 발생이 증가한다고 보고하였다.[28] OSA의 중증도는 선천성 QT 연장 증후군 환자에서 QT 연장

◘ 표 3.10 OSA와 생존 결과 사이의 연관성 강도

생존 결과	연관 강도, 점 추정(95% 신뢰 구간)	참고문헌	연구 디자인
모든 원인에 의한 사망	HR = 1.19 (1.00, 1.41) 경증 OSA에 대해 HR = 1.90 (1.29, 2.81) 중등증 OSA에 대해 RR = 1.92 (1.38, 2.69) 중증 OSA에 대해 RR = 1.66 (1.19, 2.31) OR = 1.61 (1.43,1.81) RR = 1.59 (1.33, 1.89) 모든 원인 사망률에 대해 HR = 1.262 (1.093, 1.431) HR = 0.945 (0.810, 1.081) 경증 OSA에 대해 HR = 1.178 (0.978, 1.378) 중등증 OSA에 대해 HR = 1.601 (1.298, 1.902) 중증 OSA에 대해 HR = 1.19 (0.86, 1.65) 경증 OSA에 대해 HR = 1.28 (0.96, 1.69) 중등증 OSA에 대해 HR = 2.13 (1.68, 2.68) 중증 OSA에 대해 RR = 1.54 (1.21, 1.97)	[23] [24] [30] [87] [115] [120] [121]	메타 분석 메타 분석 메타 분석 메타 분석 메타 분석 메타 분석 메타 분석
심혈관 사망	OR = 2.09 (1.20, 3.65) HR = 1.40 (0.77, 2.53) 중등증 OSA에 대해 HR = 2.65 (1.82, 3.85) 중증 OSA에 대해 OR = 2.52 (1.80, 3.52) HR = 1.24 (0.53, 2.55) 경증 OSA에 대해 HR = 2.05 (0.57, 5.47) 중등증 OSA에 대해 HR = 2.73 (1.68, 2.68) 중증 OSA에 대해	[23] [24] [30] [64]	메타 분석 메타 분석 메타 분석 메타 분석
울혈성 심부전 사망	RR = 1.09 (0.83, 1.42)	[78]	메타 분석
비-심혈관 사망	OR = 1.68 (1.08, 2.61)	[23]	메타 분석
갑작스러운 심장 사망	HR = 1.60 (1.14, 2.24) AHI 20/hr 초과에 대해	[28]	후향적 코호트
COPD 사망률	RR = 1.79 (1.16, 2.77) aHR = 1.5 (0.28, 2.80) HR = 2.01 (1.55, 2.62) 중증 OSA에 대해	[21] [46] [67]	전향적 코호트 횡단 전향적 코호트
술후 사망률 정형외과적 복부 심혈관	 OR = 0.65 (0.45,0.95) OR = 0.38 (0.22–0.65) OR = 0.54 (0.40–0.73)	[73]	전국 입원 표본의 후향적 코호트 분석

약어: HR 위험 비율, RR 상대 위험, OR 승산비, aRR 보정된 상대 위험, COPD 만성 폐쇄성 폐질환, aHR 보정된 위험 비율

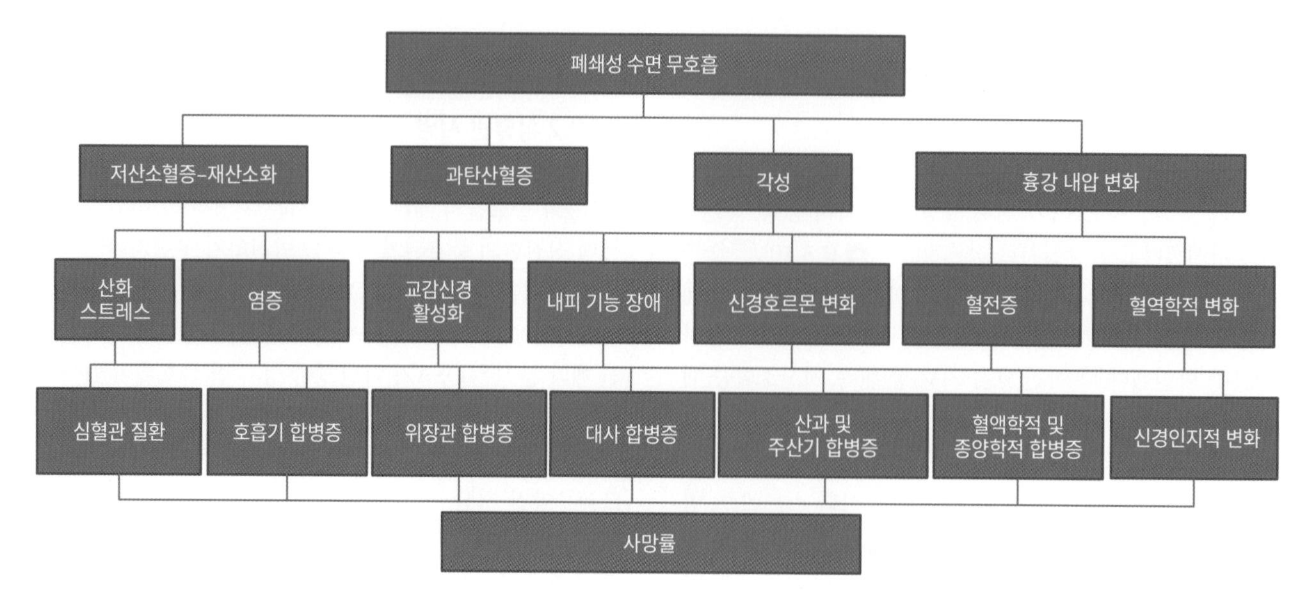

그림 3.2 OSA의 전신적 건강 부작용의 병태생리학

을 악화시키는 것으로 보이며, 따라서 이 상태에서 급성 심장사의 위험을 높인다.[102]

3.10.3 만성 폐쇄성 폐질환 사망률

국민 건강과 영양 검진 조사 데이터의 횡단면 분석에 의하면, OSA 유무와 관계없이 COPD 환자의 사망률은 비슷하였다.[46] 이와 대조적으로, 2개의 전향적 코호트 연구에서는 중첩 증후군에서, 특히 중증의 OSA가 있는 COPD 환자에서, 사망률이 유의하게 높다고 하였다.[67] 사망의 주요 원인은 COPD의 악화였다.

3.10.4 수술 전후 사망률

전국적 코호트 연구에서, 정형외과, 복부, 심혈관 수술을 받은 OSA 환자에서 술후 사망률이 직관적이지 않게 감소하는 것으로 나타났다.[73] OSA 환자의 술후 사망률 감소에 대해 제안된 기전 중 하나는 비만 역설, 즉, 울혈성 심부전[61,85,103], 급성 관상 동맥 증후군[81,112], 심혈관 중재술[14,61,66], 심방 세동[89], 폐렴[80], 폐암[104], 당뇨[53]가 있는 과체중이나 비만 환자에서 사망률이 낮게 관찰된다(▶ 박스 3.1). 또 다른 기전이 제안되었는데, OSA로 인한 간헐적 저산소혈증이 광범위한 말단 기관 보호 효과를 제공한다는 것이다(▶ 박스 3.2). 관찰 코호트 연구는 급성 심근경색을 앓고 있는 OSA 환자에서 troponin T 수치가 낮고 결과적으로 심근을 덜 손상시킨다는 허혈성 전처치의 개념에 대한 몇 가지 증거를 제공하였다(▶ 박스 3.3).[99]

> 박스 3.1 비만 역설
>
> **정의**
>
> 비만 역설은 울혈성 심부전[61,85,103], 급성 관상 동맥 증후군[81,112], 심혈관 중재술[14,61,66], 심방 세동[89], 폐렴[80], 폐암[104], 당뇨[53]가 있는 과체중이나 비만 환자에서 관찰되는 사망률의 반직관적 감소이다.

> 박스 3.2 허혈성 전처치
>
> **정의**
>
> 허혈성 전처치는 급성 심근 경색으로 고통받는 OSA 환자에서 OSA로 인한 간헐적 저산소혈증(예: troponin T 수치 감소)에 의해 결과적으로 심근 손상이 적게 나타나는 것으로 알려진 광범위한 말단 기관 보호 효과의 넓은 집합체이다.[99]

결론

건강에의 악영향에 대한 발표는 OSA가 사실상 모든 기관계에 영향을 미쳐 신경 인지(예: 과수면, 피로, 주의력/경계, 장기 시각 및 언어 기억 지연, 공간/구성 능력, 실행 기능), 신경 심리학(예: 우울증, 신체 증후군, 불안, 주의력 결핍/과잉행동 장애), 심혈관(예: 울혈성 심부전, 전신성 고혈압, 허혈성 심질환, 심방 세동, 심실 부정맥, 뇌졸중), 호흡기(예: 천식 및 COPD 악화, 폐 색전증, 폐 고혈압), 내분비(예: 당뇨, 대사 증후군, 성기능 장애), 위장관(예: 위식도 역류 질환, 비알코올성 지방간 질환), 산과(예: 임신성 고혈압, 임신성 당뇨, 산모 심혈관, 폐, 외과적 합병증), 주산기(예: 저체중 출산, 조산, NICU 입원, 고빌리루빈혈

박스 3.3 설문지

질문

1. 다음 중 폐쇄성 수면 무호흡의 영향을 받지 않는 생존 결과는 무엇입니까?
   (1) 전체 생존
   (2) 심혈관계 사망
   (3) 심혈관 이외의 사망
   (4) 수술 후 사망률
   (5) 만성 폐쇄성 폐질환과 관련 사망률
2. 다음 수술 결과 중 폐쇄성 수면 무호흡에 의한 부작용이 아닌 것은 무엇입니까?
   (1) 호흡기 합병증(예: 저산소혈증, 호흡 부전, 삽관 필요, 기계적 환기)
   (2) 심혈관 합병증(예: 주요 심장 사건, 심방 세동)
   (3) 신경학적 합병증(예: 뇌졸중)
   (4) 중환자실 이송
   (5) 입원 기간

대답

1. (4) 수술 후 사망률
2. (5) 입원 기간

증), 수술(예: 수술 후 ICU 이송, 호흡기 합병증, 심혈관 사건, 신경학적 합병증), 사고 관련(예: 자동차 사고, 업무 관련 부상), 종양학적(예: 암 발병률), 생존(즉, 심혈관, 비심혈관, COPD, 전체 사망률)의 결과를 야기한다고 확신한다. 야간의 호흡 기능과 수면의 질 손상은 동반 질환 외에도 산화 스트레스, 염증, 교감신경 활성화, 내피 기능 장애, 신경 호르몬 변화, 혈전증, 혈역학적 변화를 일으켜 OSA 환자의 이환율과 사망률을 증가시킨다. 다른 한편, 수술 전후 사망률 위험은 OSA에서 더 낮은 것으로 보이는데, 이는 소위 비만 역설과 허혈성 전처치로 인한 것으로 알려져 있다. 추가적 연구를 통해 OSA의 아직 발견되지 않은 건강에의 악영향을 식별하고 병태생리학적 기전을 설명하며, 이런 좋지 않은 영향을 개선하기 위한 예방과 치료 접근법을 제안하는 데 도움이 되어야 할 것이다.

참고문헌

1. Abdel-Kader K, Dohar S, Shah N, Jhamb M, Reis SE, Strollo P, Buysse D, Unruh ML. Resistant hypertension and obstructive sleep apnea in the setting of kidney disease. J Hypertens. 2012;30:960-6.
2. Ali SS, Oni ET, Warraich HJ, Blaha MJ, Blumenthal RS, Karim A, Shaharyar S, Jamal O, Fialkow J, Cury R, Budoff MJ, Agatston AS, Nasir K. Systematic review on noninvasive assessment of subclinical cardiovascular disease in obstructive sleep apnea: new kid on the block! Sleep Med Rev. 2014;18:379-91.
3. Alonso-Fernandez A, De La Pena M, Romero D, Pierola J, Carrera M, Barcelo A, Soriano JB, Garcia Suquia A, Fernandez- Capitan C, Lorenzo A, Garcia-Rio F. Association between obstructive sleep apnea and pulmonary embolism. Mayo Clin Proc. 2013;88:579-87.
4. Alonso-Fernandez A, Suquia AG, De La Pena M, Casitas R, Pierola J, Barcelo A, Soriano JB, Fernandez-Capitan C, Martinez-Ceron E, Carrera M, Garcia-Rio F. OSA is a risk fac-tor for recurrent VTE. Chest. 2016;150:1291-301.
5. Arzt M, Luigart R, Schum C, Luthje L, Stein A, Koper I, Hecker C, Dumitrascu R, Schulz R. Sleep-disordered breathing in deep vein thrombosis and acute pulmonary embolism. Eur Respir J. 2012;40:919-24.
6. Basoglu OK, Sarac F, Sarac S, Uluer H, Yilmaz C. Metabolic syndrome, insulin resistance, fibrinogen, homocysteine, leptin, and C-reactive protein in obese patients with obstructive sleep apnea syndrome. Ann Thorac Med. 2011;6:120-5.
7. Berghaus TM, Faul C, Unterer F, Thilo C, Von Scheidt W, Schwaiblmair M. Acute pulmonary embolism in patients with obstructive sleep apnoea: does it affect the severity of sleep-disordered breathing? Sleep Breath. 2012;16:1267-9.
8. Berghaus TM, Faul C, Von Scheidt W, Schwaiblmair M. The prevalence of sleep-disordered breathing among survivors of acute pulmonary embolism. Sleep Breath. 2016;20:213-8.
9. Bourjeily G, Barbara N, Larson L, He M. Clinical manifestations of obstructive sleep apnoea in pregnancy: more than snoring and witnessed apnoeas. J Obstet Gynaecol. 2012;32:434-8.
10. Bourjeily G, Danilack VA, Bublitz MH, Lipkind H, Muri J, Caldwell D, Tong I, Rosene-Montella K. Obstructive sleep apnea in pregnancy is associated with adverse maternal outcomes: a national cohort. Sleep Med. 2017;38:50-7.
11. Brenner R, Kivity S, Peker M, Reinhorn D, Keinan-Boker L, Silverman B, Liphsitz I, Kolitz T, Levy C, Shlomi D, Pillar G, Peled N. Increased risk for Cancer in Young patients with severe obstructive sleep apnea. Respiration. 2019;97:15-23.
12. Brown NT, Turner JM, Kumar S. The intrapartum and perinatal risks of sleep-disordered breathing in pregnancy: a systematic review and metaanalysis. Am J Obstet Gynecol. 2018;219:147-161. e1.
13. Bucks RS, Olaithe M, Eastwood P. Neurocognitive function in obstructive sleep apnoea: a metareview. Respirology. 2013;18: 61-70.
14. Bundhun PK, Li N, Chen MH. Does an obesity paradox really exist after cardiovascular intervention?: A systematic review and metaanalysis of randomized controlled trials and observational studies. Medicine (Baltimore). 2015;94:e1910.
15. Chaouat A, Weitzenblum E, Krieger J, Oswald M, Kessler R. Pulmonary hemodynamics in the obstructive sleep apnea syndrome. Results in 220 consecutive patients. Chest. 1996;109:380-6.
16. Choi JH, Lee JY, Han KD, Lim YC, Cho JH. Association between obstructive sleep apnoea and breast cancer: the Korean National Health Insurance Service data 2007-2014. Sci Rep. 2019;9:19044.
17. Cintra FD, Leite RP, Storti LJ, Bittencourt LA, Poyares D, Castro LD, Tufik S, Paola AD. Sleep apnea and nocturnal cardiac arrhythmia: A Populational study. Arq Bras Cardiol. 2014;103:368-74.
18. Congrete S, Bintvihok M, Thongprayoon C, Bathini T, Boonpheng B, Sharma K, Chokesuwattanaskul R, Srivali N, Tanawuttiwat T, Cheungpasitporn W. Effect of obstructive sleep apnea and its treatment of atrial fibrillation recurrence after radiofrequency catheter ablation: A metaanalysis. J Evid Based Med. 2018;11:145-51.
19. Ding XX, Wu YL, Xu SJ, Zhang SF, Jia XM, Zhu RP, Hao JH, Tao FB. A systematic review and quantitative assessment of sleep disordered breathing during pregnancy and perinatal outcomes. Sleep Breath. 2014;18:703-13.

20. Dong JY, Zhang YH, Qin LQ. Obstructive sleep apnea and cardiovascular risk: metaanalysis of prospective cohort studies. Atherosclerosis. 2013;229:489–95.

21. Du W, Liu J, Zhou J, Ye D, Ouyang Y, Deng Q. Obstructive sleep apnea, COPD, the overlap syndrome, and mortality: results from the 2005–2008 National Health and nutrition examination survey. Int J Chron Obstruct Pulmon Dis. 2018;13:665–74.

22. Espiritu J. Overlap syndrome. Curr Pulmonol Rep. 2017;6: 102–12.

23. Fonseca MI, Pereira T, Caseiro P. Death and disability in patients with sleep apnea–a metaanalysis. Arq Bras Cardiol. 2015;104:58–66.

24. Fu Y, Xia Y, Yi H, Xu H, Guan J, Yin S. Metaanalysis of allcause and cardiovascular mortality in obstructive sleep apnea with or without continuous positive airway pressure treatment. Sleep Breath. 2017;21:181–9.

25. Fung AM, Wilson DL, Lappas M, Howard M, Barnes M, O'donoghue F, Tong S, Esdale H, Fleming G, Walker SP. Effects of maternal obstructive sleep apnoea on fetal growth: a prospective cohort study. PLoS One. 2013;8:e68057.

26. Gaddam S, Gunukula SK, Mador MJ. Post–operative outcomes in adult obstructive sleep apnea patients undergoing non–upper airway surgery: a systematic review and metaanalysis. Sleep Breath. 2014;18:615–33.

27. Gami AS, Hodge DO, Herges RM, Olson EJ, Nykodym J, Kara T, Somers VK. Obstructive sleep apnea, obesity, and the risk of incident atrial fibrillation. J Am Coll Cardiol. 2007;49:565–71.

28. Gami AS, Olson EJ, Shen WK, Wright RS, Ballman KV, Hodge DO, Herges RM, Howard DE, Somers VK. Obstructive sleep apnea and the risk of sudden cardiac death: a longitudinal study of 10,701 adults. J Am Coll Cardiol. 2013;62:610–6.

29. Garbarino S, Guglielmi O, Sanna A, Mancardi GL, Magnavita N. Risk of occupational accidents in workers with obstructive sleep apnea: systematic review and metaanalysis. Sleep. 2016;39:1211–8.

30. Ge X, Han F, Huang Y, Zhang Y, Yang T, Bai C, Guo X. Is obstructive sleep apnea associated with cardiovascular and allcause mortality? PLoS One. 2013;8:e69432.

31. Geissenberger F, Schwarz F, Probst M, Haberl S, Parkhe A, Faul C, Von Lewinski D, Kroencke T, Schwaiblmair M, Von Scheidt W, Berghaus TM. Obstructive sleep apnea is associated with pulmonary artery thrombus load, disease severity, and survival in acute pulmonary embolism. Clin Res Cardiol. 2020;109:13–21.

32. Gilani S, Quan SF, Pynnonen MA, Shin JJ. Obstructive sleep apnea and gastroesophageal reflux: A multivariate population– level analysis. Otolaryngol Head Neck Surg. 2016;154:390–5.

33. Hadi YB, Khan AA, Naqvi SFZ, Kupec JT. Independent association of obstructive sleep apnea with Barrett's esophagus. J Gastroenterol Hepatol. 2020;35:408–11.

34. Hai F, Porhomayon J, Vermont L, Frydrych L, Jaoude P, El–Solh AA. Postoperative complications in patients with obstructive sleep apnea: a metaanalysis. J Clin Anesth. 2014;26:591–600.

35. Hirsch Allen AJ, Park JE, Daniele PR, Fleetham J, Ryan CF, Ayas NT. Obstructive sleep apnoea and frequency of occupa–tional injury. Thorax. 2016;71:664–6.

36. Hou H, Zhao Y, Yu W, Dong H, Xue X, Ding J, Xing W, Wang W. Association of obstructive sleep apnea with hypertension: A systematic review and metaanalysis. J Glob Health. 2018;8:010405.

37. Izci Balserak B, Pien GW, Prasad B, Mastrogiannis D, Park C, Quinn LT, Herdegen J, Carley DW. Obstructive sleep apnea is associated with newly–diagnosed gestational diabetes mellitus. Ann Am Thorac Soc. 2020.

38. Jaimchariyatam N, Na–Rungsri K, Tungsanga S, Lertmaharit S, Lohsoonthorn V, Totienchai S. Obstructive sleep apnea as a risk factor for preeclampsia–eclampsia. Sleep Breath. 2019;23: 687–93.

39. Jaimchariyatam N, Tantipornsinchai W, Desudchit T, Gonlachanvit S. Association between respiratory events and nocturnal gastroesophageal reflux events in patients with coexisting obstructive sleep apnea and gastroesophageal reflux disease. Sleep Med. 2016;22:33–8.

40. Jara SM, Phipps AI, Maynard C, Weaver EM. The association of sleep apnea and cancer in veterans. Otolaryngol Head Neck Surg. 2020; 194599819900487.

41. Jin S, Jiang S, Hu A. Association between obstructive sleep apnea and non–alcoholic fatty liver disease: a systematic review and metaanalysis. Sleep Breath. 2018;22:841–51.

42. Johnson KG, Johnson DC. Frequency of sleep apnea in stroke and TIA patients: a metaanalysis. J Clin Sleep Med. 2010;6: 131–7.

43. Kapsimalis F, Varouchakis G, Manousaki A, Daskas S, Nikita D, Kryger M, Gourgoulianis K. Association of sleep apnea severity and obesity with insulin resistance, C–reactive protein, and leptin levels in male patients with obstructive sleep apnea. Lung. 2008;186:209–17.

44. Kaw R, Chung F, Pasupuleti V, Mehta J, Gay PC, Hernandez AV. Metaanalysis of the association between obstructive sleep apnoea and postoperative outcome. Br J Anaesth. 2012;109: 897–906.

45. Kellesarian SV, Malignaggi VR, Feng C, Javed F. Association between obstructive sleep apnea and erectile dysfunction: a systematic review and metaanalysis. Int J Impot Res. 2018;30: 129–40.

46. Kendzerska T, Leung RS, Aaron SD, Ayas N, Sandoz JS, Gershon AS. Cardiovascular outcomes and all–cause mortality in patients with obstructive sleep apnea and chronic obstructive pulmonary disease (overlap syndrome). Ann Am Thorac Soc. 2019;16:71–81.

47. Kessler R, Chaouat A, Weitzenblum E, Oswald M, Ehrhart M, Apprill M, Krieger J. Pulmonary hypertension in the obstructive sleep apnoea syndrome: prevalence, causes and therapeutic con–sequences. Eur Respir J. 1996;9:787–94.

48. Kim Y, Lee YJ, Park JS, Cho YJ, Yoon HI, Lee JH, Lee CT, Kim SJ. Associations between obstructive sleep apnea severity and endoscopically proven gastroesophageal reflux disease. Sleep Breath. 2017.

49. Kneitel AW, Treadwell MC, O'brien LM. Effects of maternal obstructive sleep apnea on fetal growth: a case–control study. J Perinatol. 2018;38: 982–8.

50. Ko HS, Kim MY, Kim YH, Lee J, Park YG, Moon HB, Kil KC, Lee G, Kim SJ, Shin JC. Obstructive sleep apnea screening and perinatal outcomes in Korean pregnant women. Arch Gynecol Obstet. 2013;287:429–33.

51. Kong DL, Qin Z, Shen H, Jin HY, Wang W, Wang ZF. Association of obstructive sleep apnea with asthma: A metaanalysis. Sci Rep. 2017;7:4088.

52. Kosovali D, Uyar M, Elbek O, Bayram N, Ozsarac I, Yarar E, Filiz A. Obstructive sleep apnea is prevalent in patients with pul–monary embolism. Clin Invest Med. 2013;36:E277–81.

53. Kwon Y, Kim HJ, Park S, Park YG, Cho KH. Body mass indexrelated mortality in patients with type 2 diabetes and heterogenity in obesity paradox studies: A dose–response metaanalysis. PLoS One. 2017;12:e0168247.

54. Lee S, Kim BG, Kim JW, Lee KL, KOO DL, Nam H, Im JP, Kim JS, Koh SJ. Obstructive sleep apnea is associated with an increased risk of colorectal neoplasia. Gastrointest Endosc. 2017;85:568–573.e1.

55. Leggett CL, Gorospe EC, Calvin AD, Harmsen WS, Zinsmeister AR, Caples S, Somers VK, Dunagan K, Lutzke L, Wang KK, Iyer PG. Obstructive sleep apnea is a risk factor for Barrett's esophagus. Clin Gastroenterol Hepatol. 2014;12:583–8.e1.

56. Leong WB, Jadhakhan F, Taheri S, Chen YF, Adab P, Thomas GN. Effect of obstructive sleep apnoea on diabetic retinopathy and maculopathy: a systematic review and metaanalysis. Diabet Med. 2016a;33:158–68.

57. Leong WB, Jadhakhan F, Taheri S, Thomas GN, Adab P. The association between obstructive sleep apnea on diabetic kidney disease: A systematic

review and metaanalysis. Sleep. 2016b;39:301-8.

58. Li D, Liu D, Wang X, He D. Self-reported habitual snoring and risk of cardiovascular disease and all-cause mortality. Atherosclerosis. 2014;235:189-95.

59. Li L, Xu Z, Jin X, Yan C, Jiang F, Tong S, Shen X, Li S. Sleep-disordered breathing and asthma: evidence from a large multicentric epidemiological study in China. Respir Res. 2015;16:56.

60. Liak C, Fitzpatrick M. Coagulability in obstructive sleep apnea. Can Respir J. 2011;18:338-48.

61. Lin GM, Li YH, Yin WH, Wu YW, Chu PH, Wu CC, Hsu CH, Wen MS, Voon WC, Wang CC, Yeh SJ, Lin WS. The obesity-mortality paradox in patients with heart failure in Taiwan and a collaborative metaanalysis for east Asian patients. Am J Cardiol. 2016;118:1011-8.

62. Liu L, Kang R, Zhao S, Zhang T, Zhu W, Li E, Li F, Wan S, Zhao Z. Sexual dysfunction in patients with obstructive sleep apnea: A systematic review and metaanalysis. J Sex Med. 2015;12:1992-2003.

63. Liu L, Su G, Wang S, Zhu B. The prevalence of obstructive sleep apnea and its association with pregnancy-related health out-comes: a systematic review and metaanalysis. Sleep Breath. 2019;23:399-412.

64. Loke YK, Brown JW, Kwok CS, Niruban A, Myint PK. Association of obstructive sleep apnea with risk of serious cardiovascular events: a systematic review and metaanalysis. Circ Cardiovasc Qual Outcomes. 2012;5:720-8.

65. Louis J, Auckley D, Miladinovic B, Shepherd A, Mencin P, Kumar D, Mercer B, Redline S. Perinatal outcomes associated with obstructive sleep apnea in obese pregnant women. Obstet Gynecol. 2012;120:1085-92.

66. Lv W, Li S, Liao Y, Zhao Z, Che G, Chen M, Feng Y. The 'obesity paradox' does exist in patients undergoing transcatheter aortic valve implantation for aortic stenosis: a systematic review and metaanalysis. Interact Cardiovasc Thorac Surg. 2017;25: 633-42.

67. Marin JM, Soriano JB, Carrizo SJ, Boldova A, Celli BR. Outcomes in patients with chronic obstructive pulmonary disease and obstructive sleep apnea: the overlap syndrome. Am J Respir Crit Care Med. 2010;182:325-31.

68. Maripov A, Mamazhakypov A, Sartmyrzaeva M, Akunov A, Muratali Uulu K, Duishobaev M, Cholponbaeva M, Sydykov A, Sarybaev A. Right ventricular remodeling and dysfunction in obstructive sleep apnea: A systematic review of the literature and metaanalysis. Can Respir J. 2017;2017:1587865.

69. Mehra R, Benjamin EJ, Shahar E, Gottlieb DJ, Nawabit R, Kirchner HL, Sahadevan J, Redline S. Association of nocturnal arrhythmias with sleep-disordered breathing: the sleep heart health study. Am J Respir Crit Care Med. 2006;173:910-6.

70. Mehra R, Stone KL, Varosy PD, Hoffman AR, Marcus GM, Blackwell T, Ibrahim OA, Salem R, Redline S. Nocturnal arrhythmias across a spectrum of obstructive and central sleep-disordered breathing in older men: outcomes of sleep disorders in older men (MrOS sleep) study. Arch Intern Med. 2009;169:1147-55.

71. Meng F, Ma J, Wang W, Lin B. Obstructive sleep apnea syndrome is a risk factor of hypertension. Minerva Med. 2016;107:294-9.

72. Minic M, Granton JT, Ryan CM. Sleep disordered breathing in group 1 pulmonary arterial hypertension. J Clin Sleep Med. 2014;10:277-83.

73. Mokhlesi B, Hovda MD, Vekhter B, Arora VM, Chung F, Meltzer DO. Sleep-disordered breathing and postoperative out-comes after elective surgery: analysis of the nationwide inpatient sample. Chest. 2013;144:903-14.

74. Musso G, Cassader M, Olivetti C, Rosina F, Carbone G, Gambino R. Association of obstructive sleep apnoea with the presence and severity of non-alcoholic fatty liver disease. A systematic review and metaanalysis. Obes Rev. 2013;14:417-31.

75. Nadeem R, Singh M, Nida M, Waheed I, Khan A, Ahmed S, Naseem J, Champeau D. Effect of obstructive sleep apnea hypopnea syndrome on lipid profile: a meta-regression analysis. J Clin Sleep Med. 2014;10:475-89.

76. Nagappa M, Ho G, Patra J, Wong J, Singh M, Kaw R, Cheng D, Chung F. Postoperative outcomes in obstructive sleep apnea patients undergoing cardiac surgery: A systematic review and metaanalysis of comparative studies. Anesth Analg. 2017.

77. Nagayoshi M, Punjabi NM, Selvin E, Pankow JS, Shahar E, Iso H, Folsom AR, Lutsey PL. Obstructive sleep apnea and incident type 2 diabetes. Sleep Med. 2016;25:156-61.

78. Nakamura S, Asai K, Kubota Y, Murai K, Takano H, Tsukada YT, Shimizu W. Impact of sleep-disordered breathing and effi-cacy of positive airway pressure on mortality in patients with chronic heart failure and sleep-disordered breathing: a metaanalysis. Clin Res Cardiol. 2015;104:208-16.

79. Ng CY, Liu T, Shehata M, Stevens S, Chugh SS, Wang X. Metaanalysis of obstructive sleep apnea as predictor of atrial fibrillation recurrence after catheter ablation. Am J Cardiol. 2011;108:47-51.

80. Nie W, Zhang Y, Jee SH, Jung KJ, Li B, Xiu Q. Obesity survival paradox in pneumonia: a metaanalysis. BMC Med. 2014;12:61.

81. Niedziela J, Hudzik B, Niedziela N, Gasior M, Gierlotka M, Wasilewski J, Myrda K, Lekston A, Polonski L, Rozentryt P. The obesity paradox in acute coronary syndrome: a metaanalysis. Eur J Epidemiol. 2014;29:801-12.

82. Nieto FJ, Young TB, Lind BK, Shahar E, Samet JM, Redline S, D'agostino RB, Newman AB, Lebowitz MD, Pickering TG. Association of sleep-disordered breathing, sleep apnea, and hypertension in a large community-based study. Sleep Heart Health Study Jama. 2000;283:1829-36.

83. O'connor GT, Caffo B, Newman AB, Quan SF, Rapoport DM, Redline S, Resnick HE, Samet J, Shahar E. Prospective study of sleep-disordered breathing and hypertension: the sleep heart health study. Am J Respir Crit Care Med. 2009;179: 1159-64.

84. Opperer M, Cozowicz C, Bugada D, Mokhlesi B, Kaw R, Auckley D, Chung F, Memtsoudis SG. Does obstructive sleep apnea influence perioperative outcome? A qualitative systematic review for the Society of Anesthesia and Sleep Medicine Task Force on preoperative preparation of patients with sleep-disor-dered breathing. Anesth Analg. 2016;122:1321-34.

85. Oreopoulos A, Padwal R, Kalantar-Zadeh K, Fonarow GC, Norris CM, Mcalister FA. Body mass index and mortality in heart failure: a metaanalysis. Am Heart J. 2008;156:13-22.

86. Palamaner Subash Shantha G, Kumar AA, Cheskin LJ, Pancholy SB. Association between sleep-disordered breathing, obstructive sleep apnea, and cancer incidence: a systematic review and metaanalysis. Sleep Med. 2015;16:1289-94.

87. Pan L, Xie X, Liu D, Ren D, Guo Y. Obstructive sleep apnoea and risks of all-cause mortality: preliminary evidence from prospective cohort studies. Sleep Breath. 2016;20:345-53.

88. Peng YH, Liao WC, Chung WS, Muo CH, Chu CC, Liu CJ, Kao CH. Association between obstructive sleep apnea and deep vein thrombosis/pulmonary embolism: a population-based retrospective cohort study. Thromb Res. 2014;134:340-5.

89. Proietti M, Guiducci E, Cheli P, Lip GY. Is there an obesity paradox for outcomes in atrial fibrillation? A systematic review and metaanalysis of non-vitamin K antagonist Oral anticoagulant trials. Stroke. 2017;48:857-66.

90. Qaddoura A, Kabali C, Drew D, Van Oosten EM, Michael KA, Redfearn DP, Simpson CS, Baranchuk A. Obstructive sleep apnea as a predictor of atrial fibrillation after coronary artery bypass grafting: a systematic review and metaanalysis. Can J Cardiol. 2014;30:1516-22.

91. Qian Y, Xu H, Wang Y, Yi H, Guan J, Yin S. Obstructive sleep apnea predicts risk of metabolic syndrome independently of obe-sity: a metaanalysis. Arch Med Sci. 2016;12:1077-87.

92. Quan SF, Howard BV, Iber C, Kiley JP, Nieto FJ, O'connor GT, Rapoport DM, Redline S, Robbins J, Samet JM, Wahl PW. The sleep heart health

3

study: design, rationale, and methods. Sleep. 1997;20:1077-85.

93. Raghuram A, Clay R, Kumbam A, Tereshchenko LG, Khan A. A systematic review of the association between obstructive sleep apnea and ventricular arrhythmias. J Clin Sleep Med. 2014;10:1155-60.

94. Reutrakul S, Zaidi N, Wroblewski K, Kay HH, Ismail M, Ehrmann DA, Van Cauter E. Interactions between pregnancy, obstructive sleep apnea, and gestational diabetes mellitus. J Clin Endocrinol Metab. 2013;98:4195-202.

95. Sajkov D, Mcevoy RD. Obstructive sleep apnea and pulmonary hypertension. Prog Cardiovasc Dis. 2009;51:363-70.

96. Salama A, Abdullah A, Wahab A, Eigbire G, Hoefen R, Kouides R, Ritter N, Mieszczanska H, Alweis R. Is obstructive sleep apnea associated with ventricular tachycardia? A retrospective study from the National Inpatient Sample and a literature review on the pathogenesis of obstructive sleep apnea. Clin Cardiol. 2018;41:1543-7.

97. Seckin ZI, Helmi H, Weister TJ, Lee A, Festic E. Acute pulmo-nary embolism in patients with obstructive sleep apnea: frequency, Hospital Outcomes and Recurrence. J Clin Sleep Med. 2020.

98. Seiler A, Camilo M, Korostovtseva L, Haynes AG, Brill AK, Horvath T, Egger M, Bassetti CL. Prevalence of sleep-disordered breathing after stroke and TIA: A metaanalysis. Neurology. 2019;92:e648-54.

99. Shah N, Redline S, Yaggi HK, Wu R, Zhao CG, Ostfeld R, Menegus M, Tracy D, Brush E, Appel WD, Kaplan RC. Obstructive sleep apnea and acute myocardial infarction severity: ischemic pre-conditioning? Sleep Breath. 2013;17:819-26.

100. Shahar E, Whitney CW, Redline S, Lee ET, Newman AB, Nieto FJ, O'connor GT, Boland LL, Schwartz JE, Samet JM. Sleep-disordered breathing and cardiovascular disease: cross-sectional results of the sleep heart health study. Am J Respir Crit Care Med. 2001;163:19-25.

101. Shamsuzzaman AS, Gersh BJ, Somers VK. Obstructive sleep apnea: implications for cardiac and vascular disease. JAMA. 2003;290:1906-14.

102. Shamsuzzaman AS, Somers VK, Knilans TK, Ackerman MJ, Wang Y, Amin RS. Obstructive sleep apnea in patients with con-genital long QT syndrome: implications for increased risk of sud-den cardiac death. Sleep. 2015;38:1113-9.

103. Sharma A, Lavie CJ, Borer JS, Vallakati A, Goel S, Lopez-Jimenez F, Arbab-Zadeh A, Mukherjee D, Lazar JM. Metaanalysis of the relation of body mass index to all-cause and cardiovascular mortality and hospitalization in patients with chronic heart failure. Am J Cardiol. 2015;115:1428-34.

104. Shen N, Fu P, Cui B, Bu CY, Bi JW. Associations between body mass index and the risk of mortality from lung cancer: A dose-response PRISMA-compliant metaanalysis of prospective cohort studies. Medicine (Baltimore). 2017;96:e7721.

105. Shepherd K, Orr W. Mechanism of gastroesophageal reflux in obstructive sleep apnea: airway obstruction or obesity? J Clin Sleep Med. 2016;12:87-94.

106. Shepherd KL, James AL, Musk AW, Hunter ML, Hillman DR, Eastwood PR. Gastrooesophageal reflux symptoms are related to the presence and severity of obstructive sleep apnoea. J Sleep Res. 2011;20:241-9.

107. Sookoian S, Pirola CJ. Obstructive sleep apnea is associated with fatty liver and abnormal liver enzymes: a metaanalysis. Obes Surg. 2013;23:1815-25.

108. Spence DL, Allen RC, Lutgendorf MA, Gary VR, Richard JD, Gonzalez SC. Association of obstructive sleep apnea with adverse pregnancy-related outcomes in military hospitals. Eur J Obstet Gynecol Reprod Biol. 2017;210:166-72.

109. Steinke E, Palm Johansen P, Fridlund B, Brostrom A. Determinants of sexual dysfunction and interventions for patients with obstructive sleep apnoea: a systematic review. Int J Clin Pract. 2016;70:5-19.

110. Ten Brinke A, Sterk PJ, Masclee AA, Spinhoven P, Schmidt JT, Zwinderman AH, Rabe KF, Bel EH. Risk factors of frequent exacerbations in difficult-to-treat asthma. Eur Respir J. 2005;26:812-8.

111. Tregear S, Reston J, Schoelles K, Phillips B. Obstructive sleep apnea and risk of motor vehicle crash: systematic review and metaanalysis. J Clin Sleep Med. 2009;5:573-81.

112. Wang L, Liu W, He X, Chen Y, Lu J, Liu K, Cao K, Yin P. Association of overweight and obesity with patient mortality after acute myocardial infarction: a metaanalysis of prospective studies. Int J Obes. 2016a;40:220-8.

113. Wang S, Cui H, Song C, Zhu C, Wu R, Meng L, Yu Q, Huang X, Wang S. Obstructive sleep apnea is associated with nonsustained ventricular tachycardia in patients with hypertrophic obstructive cardiomyopathy. Heart Rhythm. 2019;16:694-701.

114. Wang X, Bi Y, Zhang Q, Pan F. Obstructive sleep apnoea and the risk of type 2 diabetes: a metaanalysis of prospective cohort studies. Respirology. 2013a;18:140-6.

115. Wang X, Ouyang Y, Wang Z, Zhao G, Liu L, Bi Y. Obstructive sleep apnea and risk of cardiovascular disease and all-cause mortality: a metaanalysis of prospective cohort studies. Int J Cardiol. 2013b;169:207-14.

116. Wang Y, Liu K, Hu K, Yang J, Li Z, Nie M, Dong Y, Huang H, Chen J. Impact of obstructive sleep apnea on severe asthma exac-erbations. Sleep Med. 2016b;26:1-5.

117. Wong HT, Chee KH, Chong AW. Pulmonary hypertension and echocardiogram parameters in obstructive sleep apnea. Eur Arch Otorhinolaryngol. 2017;274:2601-6.

118. Wu Z, Chen F, Yu F, Wang Y, Guo Z. A metaanalysis of obstructive sleep apnea in patients with cerebrovascular disease. Sleep Breath. 2018;22:729-42.

119. Wu ZH, Yang XP, Niu X, Xiao XY, Chen X. The relationship between obstructive sleep apnea hypopnea syndrome and gastro-esophageal reflux disease: a metaanalysis. Sleep Breath. 2019;23:389-97.

120. Xie C, Zhu R, Tian Y, Wang K. Association of obstructive sleep apnoea with the risk of vascular outcomes and all-cause mortality: a metaanalysis. BMJ Open. 2017;7:e013983.

121. Xie W, Zheng F, Song X. Obstructive sleep apnea and serious adverse outcomes in patients with cardiovascular or cerebrovas-cular disease: a PRISMA-compliant systematic review and meta- analysis. Medicine (Baltimore). 2014;93:e336.

122. Xu S, Wan Y, Xu M, Ming J, Xing Y, An F, Ji Q. The association between obstructive sleep apnea and metabolic syndrome: a sys-tematic review and metaanalysis. BMC Pulm Med. 2015;15:105.

123. Xu T, Feng Y, Peng H, Guo D, Li T. Obstructive sleep apnea and the risk of perinatal outcomes: a metaanalysis of cohort studies. Sci Rep. 2014;4:6982.

124. Yang YX, Spencer G, Schutte-Rodin S, Brensinger C, Metz DC. Gastroesophageal reflux and sleep events in obstructive sleep apnea. Eur J Gastroenterol Hepatol. 2013;25:1017-23.

125. You CR, Oh JH, Seo M, Lee HY, Joo H, Jung SH, Lee SH, Choi MG. Association between non-erosive reflux disease and high risk of obstructive sleep apnea in Korean population. J Neurogastroenterol Motil. 2014;20:197-204.

126. Zeidan-Shwiri T, Aronson D, Atalla K, Blich M, Suleiman M, Marai I, Gepstein L, Lavie L, Lavie P, Boulos M. Circadian pattern of life-threatening ventricular arrhythmia in patients with sleep-disordered breathing and implantable cardioverterdefibrillators. Heart Rhythm. 2011;8:657-62.

127. Zhang XB, Peng LH, Lyu Z, Jiang XT, Du YP. Obstructive sleep apnoea and the incidence and mortality of cancer: a metaanalysis. Eur J Cancer Care (Engl). 2017;26.

128. Zhao Y, Yu BY, Liu Y, Liu Y. Metaanalysis of the effect of obstructive sleep apnea on cardiovascular events after percutaneous coronary intervention. Am J Cardiol. 2017;120:1026-30.

Check for updates

OSA의 신경 인지 및 신경 심리적 영향

Andrew R. Spector and Thomas J. Farrer

목차

4

4.1 환자 증례

S.B.는 57세 여성으로, 기억 상실과 전반적인 인지 저하에 대한 평가를 위해 일반 신경과를 방문하였다. 문제를 처음 발견한 것은 6개월 전이었으며, 최근 3개월에 증상이 악화되었다. 직업은 간호사였지만 실수가 잦아지면서 교사로 전환하였다. 친구들의 이름을 잊어버리고 집중하는 데 어려움을 겪었으며, 대화 중 의역적인 오류를 범했다고 진술했다. 기분이 우울하고 과민하지만 정신과 질환의 병력은 없다고 진술하였다. 아침 두통, 주간 피로, 수면 유지의 어려움이 있다고 호소하였다. 뇌 MRI에서 뇌하수체종 의심 소견이 있었다; 뇌하수체 호르몬 수치는 정상으로 확인되었다. 뇌실질은 정상이었다. 가정 수면 무호흡 검사를 실시하였고, 무호흡 저호흡 지수(AHI)가 시간당 26으로 나왔다. 양압기만 사용하기로 결정하였다. 양압기 사용 한 달 후, 그녀는 주의력과 인지력이 정상화되었다고 했고, 우울증과 짜증이 해소되었으며 원래의 직업을 다시 시작할 수 있었다.

4.2 개요

폐쇄성 수면 무호흡(OSA)은 수백 년간 관찰되었고, 1837년에 출판된 디킨즈의 The Pickwick Papers[1]에 있는 고전적인 묘사보다 앞선 것이었지만, OSA의 영향에 대한 전체 스펙트럼이 인식되기 시작한 것은 1970년대 후반에서 1980년대 중반을 지나면서이다. 18, 19세기의 보고에서는 OSA로 고통받는 사람들을 뚱뚱하고 졸린 코골이로 묘사하고 있지만, 이제는 이 상태가 단순히 과도한 졸음보다 훨씬 더 위험한 것으로 알려져 있다. 치료되지 않은 OSA의 심혈관과 뇌혈관 영향 중에서 신경 심리적 효과와 인지 장애가 간혹 간과된다. 이번 단원에서는 OSA가 인지에 해로운 영향을 미칠 수 있는 다양한 기전을 탐구하고 치료되지 않은 OSA와 관련된 인지 장애 영역을 검토한다.

4.3 배경

Guilleminault 등은 OSA의 인지 기능 장애에 대한 초기 연구를 시행하였다.[2] 25명의 대상자(모두 남성) 중 15명이 주의력 부족과 집중력 저하를 포함하는 지적 악화를 보고하였다. 이 연구는 상기도 폐쇄와 관련된 증상 결정에서 자가 진술에 의존하였다. 대상자의 부인에게 얻은 진술을 통한 지적 기능 확인 외에 공식적인 신경 인지 테스트를 시행하지 않았다.

Yesavage 등이 처음으로 공식적으로 OSA의 인지적 영향을 연구하였다.[3] 그들은 41명의 치매가 없는 노인 남성에게 신경 심리 배터리를 부여하고 야간 수면 다원 검사를 시행하였다. 11가지 테스트 측정 중 5가지에서 수면 호흡 장애가 있는 남성이 그렇지 않은 남성에 비해 통계적으로 유의한 장애를 보였다. 다른 6개 측정값은 모두 유의미한 수준에 도달하지 못한 채 같은 경향을 보였다. 결론은 OSA가 광범위하고 부정적인 인지 결과를 가지고는 있지만 그 기전은 아직 알려지지 않았다는 것이다. 저자들은 주간 졸음이나 저산소증으로 인한 피질 손상이 원인이라고 제안하였다. 그러나 저산소증은 시한적 및 비시한적 조치 모두에 대한 손상으로 인해 가능성이 더 큰 것으로 간주되었으며, 비시한적 조치는 졸음의 영향에 덜 민감하다. 또한, 폐질환에 2차적으로 발생하는 가벼운 저산소증도 신경 심리적 장애를 일으킨다는 것은 그 당시 이미 알려져 있었다.[4]

같은 시기에 Kales 등은 기관절개술을 의뢰받은 중증의 OSA 환자 50명을 관찰하였다.[5] 이 환자의 92%가 '사고, 지각, 기억'에 결함을 보였다. 이러한 초기 연구는 OSA에서 신경 인지 장애의 정도를 확립하는 토대를 마련했지만, 기전을 확립하지는 못했다.

4.4 행동 기전

4.4.1 산소

OSA는 광범위한 생리학적 변화와 연관된다. 가장 두드러진 영향 중 하나는 반복적인 산소 불포화이다. 낮은 산소 및 불포화 주기의 존재 모두 인지에 대한 역할을 결정하기 위해 연구되었다.

Findley 등은 야간 수면 다원 검사를 받고 신경 심리 검사를 경험한 OSA 환자 26명을 연구하였다.[6] OSA 환자를 저산소혈증이 있는 그룹과 없는 그룹으로 나눴다. 저산소혈증은 평균 SaO_2와 수면 시간당 4% 초과의 불포화 횟수를 이용하여 결정하였다. 8가지 테스트 중 4가지 테스트에서 OSA와 저산소혈증이 있는 사람들은 유의하게 좋지 않은 결과가 나왔다. 또한 저산소혈증의 정도는 손상 정도와 상관관계를 가진다. 수면 중 저산소혈증이 있는 사람들도 각성 기준선 SaO_2가 낮은 것으로 나타났지만, OSA가 없는 폐질환으로 인한 낮은 기준선 SaO_2의 환자와 비교되지 않았다. 저산소증 그룹은 또한 더 많은 수면 단편화와 더 적은 서파 수면을 가졌지만, 이러한 요인들은 장애와 상관관계가 없었다.

Greenberg 등은 OSA에서 관찰된 인지 결핍에 대한 졸음과 저산소증의 상대적인 기여를 조사하기 위해 38명의 대상자(OSA 14명, 수면 과다증의 다른 원인이 있는 10명, 건강한 대조군 14명)를 연구했다.[7] 깨어있을 때 정상의 SaO_2 수준을 가진 사람만 포함되었다. 연령 관련 인지 변화는 55세 초과의 피험자를 제외하여 조절되었다. 저산소혈증은 기록된 불포화도 최저와 호흡하지 않는 총 시간을 사용하여 결정되었다. 수면 과다증이 없는 OSA가 있는 경우, 건강한 대조군에 비해 결핍을 보였다. 또한 저산소혈증의 심각도가 관찰된 일부 결핍과 유의한 상관관계를 가지는 것도 확인하였다.

그 후, Roehrs 등은 OSA가 있는 25명의 남성과 만성 폐쇄성 폐질환(COPD)이 있는 24명의 남성을 비교하였다.[8] 두 그룹 모두 밤새 저산소 상태였지만, OSA 그룹은 더 큰 수면 방해와 주간 졸음이 더 많이 나타났다. 대부분의 테스트에서 신경 심리적 수행도 똑같이 손상되었지만 OSA 그룹은 주의력 지속 테스트에서 더 나쁜 성과를 보였으며, 이것은 아마도 졸음 증가와 관련이 있을 것으로 추정된다. COPD 그룹에 대한 OSA 그룹의 유사성은 인지 기능 장애의 주요 동인으로서 수면 장애보다 저산소증의 더 큰 역할을 시사했다.

이 발견은 Gozal 등에 의한 동물 모델에 의해 추가적인 지지를 받았다.[9] 교란 요인으로 수면 장애를 제거하기 위해 쥐는 수면 기간 동안 간헐적으로 저산소 환경에 14일 동안 노출되었다. 이런 조건에서 수면 양상은 단 하루만에 정상화되었다. 행동적으로 쥐는 대조군보다 수중 미로 실험에서 더 나쁜 성과를 보였다. 이 효과는 일시적인 저산소증 노출이 완료된 후 최소 2주 동안 지속되었다. 그 후 쥐를 조사하여 일시적인 저산소증이 뇌에 미치는 영향을 확인하였고, 다양한 이상을 발견했다. 예를 들어, 해마 CA_1 세포 배열은 실험 조건에서 8마리의 쥐 모두에서 c-fos 발현이 증가하면서 파괴되었다. 단일 가닥 DNA는 CA_1과 신피질의 현저한 증가를 보여 향상된 세포 자멸사를 나타낸다. 쥐의 행동 변화는 정상 산소 상태로 돌아온 후 14일 뒤에도 관찰되었다.

OSA의 결과인 밤새 반복되는 저산소혈증은 산화 스트레스를 담당하는 활성 산소종을 생성하는 것으로 나타났다.[10] 또한 OSA는 호중구로부터 과산소 dismutase의 증가된 방출을 통해 활성 산소종을 유도하는 것으로 보인다.[11] 산화 스트레스는 알츠하이머병 및 혈관성 치매와 연관성이 있다.[12] 산화 스트레스가 인지에 미치는 영향에 대한 다양한 가설이 있다. 여기에는 뇌 혈류 감소로 인한 혈관 수축, 베타-아밀로이드 생성(알츠하이머병 플라크에서 발견되는 단백질)의 상향 조절, 저밀도 지단백질(LDL)의 산화를 통한 죽상 동맥 경화증이 포함된다.

OSA로 인한 인지 장애 발달에서 저산소증의 역할을 입증하는 광범위한 증거가 수집되었다. 저산소혈증은 신경 독성과 산화 스트레스 경로를 통한 인지 장애의 가장 직접적인 경로일 수 있지만, OSA 환자의 인지에 영향을 미치는 한 가지 요인일 뿐이다. 간접적인 기여 인자도 많을 것이다.

4.4.2 혈관계

고혈압과 고지혈증을 포함한 혈관 위험 인자는 인지 장애의 위험을 증가시키는 것으로 나타났으며[13,14], OSA는 이러한 조건의 발전에 상당한 기여를 한다. 혈관 위험 요인에서 인지 장애로 이어지는 신경생물학적 변화는 잘 정의되어 있지 않다. 한 가지 가설은 이러한 요인으로 인한 미세혈관 손상이 미세혈관 수준에서 뇌 관류에 영향을 미치는 모세혈관 변화를 가속화한다는 것이다.[15] 차례대로 백질 질환이 피질 연결을 방해한다. 특히, 고혈압은 뇌졸중, 뇌 위축, 뇌 혈류 감소, 세포 기능 장애와 관련이 있으며, 이들은 각각 인지에 영향을 미칠 수 있다.[14] Lavie 등은 20-85세 성인에서, 연령, 성별, 체질량 지수(BMI)와 무관하게, 수축기와 이완기 혈압이 OSA의 중증도와 선형적 관계가 있음을 보여주었다.[16] Nieto 등은 인종 통제로 유사한 효과를 발견하였다.[17] 그들의 연구에서 최고 및 최저 AHI(시간당 30 초과 및 1.5 미만)를 비교할 때 고혈압을 가지는 승산비가 2.27이었다. 따라서, OSA에서 혈압을 높임으로써 상당한 인지 장애를 유발할 수 있다.

HDL 콜레스테롤 또한 여러 기전을 통해 인지 손상에 중요한 역할을 할 수 있다.[14] 높은 HDL은 심혈관 질환 감소 및 더 낮은 플라크 부담과 관련된다. 이것은 콜레스테롤 역수송에 관여하고 항산화 특성을 비롯한 여러 이점이 있다.[18] 따라서 HDL은 혈류 감소와 자유 라디칼로 인한 손상을 방지하여 뇌 건강을 개선할 수 있다. 추가적으로, Wolf 등은 86명의 노인 남성과 여성에서 HDL 수치와 치매 위험이 반비례하는 것을 보여주었다(HDL의 가장 낮은 사분위수에 대한 상태 위험도 1.9).[19] 또한 낮은 HDL (LDL이나 총 콜레스테롤은 아님)이 해마 부피 감소와 상관관계가 있음을 발견하였다.

흥미롭게도, LDL, 총 콜레스테롤, 중성지방보다 특히 HDL이 OSA의 영향을 받는다.[20] Tan 등은 82명의 대조군과 비교하여 OSA가 있는 128명을 대상으로 LDL 산화를 억제하는 HDL의 능력을 측정함으로써, OSA가 HDL의 기능 장애에 기여했음을 입증하였다.[21] OSA가 있는 피험자들은 산화된 LDL 수치가 더 높았으며, 이것은 AHI와 가장 밀접하게 관련되어 있었다. HDL에 대한 OSA의 효과는 인지 저하를 촉진하는 또 하나의 메커니즘이 될 수 있다.

4.4.3 내분비

OSA 환자에서 인슐린 저항성의 위험이 증가한다.[22] Ip 등은 당뇨가 없는 수면 다원 검사자 270명(남성 197명)을 연구했다.[23] OSA가 있는 것으로 밝혀진 사람들은 공복 혈청 인슐린 수치가 상당히 높은 것으로 나타났다. 비만도 OSA와 인슐린 수치를 모두 예측하였지만, OSA의 존재는 인슐린의 독립적인 예측 인자로 밝혀졌다. Peled 등에 의한 후속 연구에서 OSA의 중증도와 인슐린 저항성 정도 사이의 상관관계가 확인되었다.[24] 모든 연구자가 OSA의 인슐린 저항성에 대해 동일한 결론에 도달한 것은 아니지만[25], 이는 사용된 인슐린 저항성의 정의 때문인 것으로 보인다.

OSA가 인슐린 저항성을 유발하는 기전이 전적으로 명확하지 않지만, Iiyori 등은 핵심 요인이 간헐적 저산소혈증이라고 제안하였다.[26] 그들은 쥐 실험에서 마른 건강한 실험쥐에서 간헐적 저산소 상태 노출로 인슐린 저항성을 입증할 수 있었다. 그러나 Polotsky 등은 인슐린 저항성이 간헐적 저산소증에 노출된 렙틴 결핍 비만 실험쥐에서만 발생하고, 건강한 실험쥐 대조군에서는 발생하지 않는다는 것을 발견하였다.[27] 그들은 포만 호르몬인 렙틴의 파괴가 OSA에서 인슐린 저항성을 발달시키는 열쇠라고 결론내렸다.

인슐린은 세포 내 베타-아밀로이드의 분리를 증가시키고 원형질막으로의 밀거래를 가속화하는 것으로 보인다[28]; 이와 같이, 인슐린 저항성은 잠재적으로 독성 영향과 함께 뉴런에 베타-아밀로이드의 축적을 야기할 수 있다. 인슐린 수용체는 해마에서 많이 발견되며[29], 비강 내 인슐린으로 인지 장애 환자를 치료하는 것은 인지, 특히 언어 기억과 주의력에 긍정적인 영향을 미치는 것으로 나타났다.[30] 이런 기전이 OSA에서 볼 수 있는 인지 장애를 일부 설명할 수 있다.

인슐린 저항성으로 인한 고혈당은 미세혈관 질환에도 기여하고, 인지 저하에 기여하는 OSA의 유발 요인 목록에 최종 당화 생성물과 산화 스트레스를 추가한다.[31] 또한 고혈당은 베타-아밀로이드 응집에 기여하는 것으로도 보인다.[32] 쥐 실험에서 고혈당 없이 아밀로이드양이 증가해도 응집이 보이지 않았는데, 이것은 OSA의 직접적인 하류 결과일 수 있는 아밀로이드 침착에서 고혈당의 병원성 역할을 의미한다.

다른 내분비 이상도 치료되지 않은 OSA에서 볼 수 있는 인지 장애에 기여한다. OSA의 흔한 동반 질환인 비만은 고코티솔증과 관련이 있으며[33], 이는 차례로 해마에 영향을 미치고 학습과 기억력을 손상시킬 수 있다.[34] 그러나 고코티솔증이 OSA의 직접적인 영향인지 아닌지는 분명하지 않다.[35] 일반적으로 섭식 행동 조절과 관련된 호르몬인 렙틴은 기억에도 중요한 역할을 하는 것으로 보인다. 렙틴 수용체가 결핍된 실험쥐는 모리스 수중 미로 실험에서 더 긴 시간 수영했고 해마의 CA1 영역에서 장기 강화 작용 손상과 장기 우울증을 보였다.[36] OSA에서 혈청 렙틴이 증가하는데[37], 이는 렙틴 저항성의 결과로 생각된다. 따라서 렙틴, 코티솔, 인슐린과 포도당 대사에 대한 해당 효과는 인지 장애를 지원하는 환경을 만든다.

낮은 테스토스테론은 OSA 및 인지 장애와 관련이 있다. 노화에 대한 볼티모어 종단 연구의 일환으로, Moffat 등은 평균 10년 동안 407명의 남성을 추적한 결과 테스토스테론 수치가 낮을수록 기억력과 시공간/시각 운동 과제 점수가 낮을 뿐만 아니라 더 빠른 감소율을 예측한다는 것을 발견했다.[38] 그 후 Beer 등의 연구에서 전립선암에 대한 안드로겐 고갈 요법을 받은 남성은 연령이 일치하는 건강한 대조군보다 기억력 실험에서 유의하게 더 나쁜 수행을 보였다.[39] 이와 유사하게 OSA는 테스토스테론 수치를 낮추는 것으로 생각된다. 30명의 비만 남성을 대상으로 한 소규모 연구에서(OSA가 있는 15명과 없는 15명) OSA의 존재는 낮은 총 테스토스테론 및 유리 테스토스테론과 상관관계가 있었다.[40] 또한 이 연구는 저산소증의 중증도와 낮은 테스토스테론의 상관관계를 발견하였다. 다른 소규모 연구들이 이러한 발견을 지지했다.[41,42]

테스토스테론은 뇌의 안드로겐 수용체를 통해 인지에 영향을 미치는 것으로 보인다.[43] 안드로겐 수용체는 특정 뇌 영역에서만 발견되지만, 여기에는 해마를 포함하여 학습에 중요한 영역이 포함된다.[44] Leranth 등은 원숭이 해마에서 생식선 호르몬의 역할을 연구했는데, 난소 절제술을 받은 암컷 원숭이에서 CA1 척수 시냅스의 밀도가 낮다는 것과[45] 고환 절제술 후에 수컷 원숭이에서의 밀도가 훨씬 더 낮다는 것을 발견했다.[46] 이러한 결과는 기억에 대한 성 호르몬의 역할을 뒷받침한다.

OSA가 여성의 성 호르몬에 미치는 영향에 대해서는 잘 알려져 있지 않다. OSA가 있는 여성은 나이와 월경 상태를 고려한 후에도 에스트라디올과 프로게스테론 수치가 더 낮다는 근거가 있다.[47] 그러나 낮은 여성 성 호르몬이 원인이 아니라 OSA의 결과인지는 분명하지 않다. 테스토스테론 요법이 OSA를 악화시키는 것으로 의심되지만(확립되지는 않음)[48], 에스트로

겐과 프로게스테론 요법은 OSA를 감소시키는 것으로 나타났다.[49] 게다가 규칙적인 월경 주기를 가진 여성에서 OSA의 비율은 에스트로겐이 가장 높은 난포기 동안 가장 낮았으며, 이는 여성 호르몬 변동이 OSA를 유도할 수 있음을 시사한다.[50] 낮은 여성 성 호르몬이 인지에 영향을 미칠 수 있지만, OSA가 기여 요인이라고 결론지을 수는 없다.

4.4.4 염증

염증성 사이토카인은 호르몬 외에도 인지 장애에 기여하는 것으로 나타났다.[51] 평균 연령 74세의 3,031명을 대상으로 한 연구에서 IL-6, TNF-α, CRP를 기준선과 2년의 추적 관찰을 통해 측정하였다. IL-6와 CRP의 최고 삼분위에 있는 피험자는 인지 감소의 가능성이 가장 높았다(각각, 1.34와 1.31의 승산비). TNF-α의 감소는 예측하지 않았다(승산비 1.1).

OSA에서 염증성 사이토카인의 상승을 뒷받침하는 충분한 증거가 있다.[52] Vgontzas 등은 수면 무호흡 환자를 다른 수면장애 및 정상 대조군 환자와 비교하고 수면 무호흡 환자에서 TNF-α와 IL-6가 상승하는 것을 발견했다.[53] CRP에서도 유사한 효과가 발견되었다.[54,55]

추가로, 세포내 및 혈관 세포 접착 분자 sICAM-1과 sVCAM-1은 OSA가 있는 대상체에서 상승된 것으로 나타났으며, 이것은 OSA와 이러한 염증 매개체를 통한 혈관 질환 사이의 연관성을 시사한다. Rotterdam 연구에서[56] sICAM-1과 sVCAM-1이 치매와 직접적인 관련이 있는 것으로 나타나지 않았지만, 다른 연구에서는 이러한 마커와 인지 저하[57], 또는 MRI에서 무증상 뇌경색 및 백질 병변으로 인한 정신 운동 기능 장애 사이의 연관성을 보여주었다.[58]

증거는 이러한 염증성 변화를 유발하는 것이 간헐적 저산소증임을 다시 한번 시사한다. Lam 등은 간헐적으로 저산소 상태에 노출된 쥐의 경동맥에서 IL-1β, IL-1r1, IL-6, gp130, TNF-α, TNFr1의 양이 증가됨을 입증했다.[59] 마찬가지로 HeLa 세포를 사용하여 간헐적 저산소증이 친염증성 전사 인자인 NF-kB의 상승을 초래했다.[52] He 등은 다양한 정도의 간헐적이고 지속적인 저산소 상태에서 세포와 쥐를 연구했다.[60] 그들은 NF-kB가 간헐적 저산소증의 중증도와 유의한 상관관계를 가짐을 발견했다. 간헐적 저산소증은 지속성 저산소증이나 정상 산소 상태보다 더 염증성이었다. TNF-α, IL-6, 렙틴 수치는 가장 심각한 간헐적 저산소증 그룹에서 가장 높았다.

4.5 신경 영상 연구 및 인지

OSA는 신경 인지 장애로 이어지는 많은 생리적 변화를 일으킨다. 이러한 변화 중 일부는 신경 영상으로 볼 수 있다. OSA 환자의 신경 영상 소견에 대한 현재 문헌은 설득력이 있으며, 뇌병리학, 형태학, 기능 사이의 관계에 대한 추가적인 이해를 제공한다. 최근 문헌은 회백질과 백질의 구조적, 기능적, 대사적 구성을 분석하기 위한 여러 방법론에 걸쳐 있다. 수많은 연구에서 OSA 현상과 관련된 잠재적 패러다임과 함께 정량적 뇌파 검사를 탐구했다. OSA에서 신경 영상에 대한 포괄적인 검토는 이번 단원의 범위를 벗어나지만, 인지 결과와 신경 영상 분석이 신경 심리학적 결과와 상관관계를 가지기 때문에 몇 가지 연구를 인용한다(OSA에서 신경 영상에 대한 보다 포괄적인 고찰은 2013년 Ferini-Strami 등의 발표 참조).[61] 예를 들어, Canessa 등은 치료 경험이 없는 OSA 환자 및 대조군에서 기본 신경 인지 평가와 정량적 MRI(복셀 기반 형태측정법)를 수행했으며, 양압기 치료 3개월 후 추적 측정을 수행했다.[62] 기준선에서 OSA를 가진 사람은 상당히 더 나쁜 신경 인지 기능을 보여주었다. 또한, 이 연구는 치료 전에 OSA 환자가 왼쪽 해마 회백질, 오른쪽 상전두회, 왼쪽 후두정 피질에 대한 초점 부피 감소를 보여주었다. 양압기 치료 3개월 후 OSA 그룹은 전두엽과 해마 영역 모두가 증가하면서 뇌 영역에 상당한 변화를 보였다.

Torelli 등은 치료를 받지 않은 중등증에서 중증의 OSA와 일치하는 대조군을 대상으로 복셀 기반 형태측정을 통해 인지와 구조적 뇌 용적 또한 조사했다.[63] 신경 인지 평가는 OSA 환자가 모든 계정에서 더 나쁜 수행과 함께 광범위한 인지 영역에서 상당한 그룹 차이를 보여주었다. 또한, 복셀 기반 형태측정 분석은 OSA 환자가 총 회백질 부피, 우측 해마 부피, 양측 미상 부피, 좌측 시상 부피가 유의하게 더 적음을 입증했다. 예상대로 이 연구는 인지 테스트에 대한 지역적 뇌량과 수행 사이의 여러 연관성 또한 확인했다.

Joo 등은 건강한 대조군과 비교하여 치료받지 않은 OSA를 가진 개인의 여러 관심 영역에서 인지와 구조적 뇌 부피(피질 두께)를 분석했다.[64] 이 연구에서는 OSA의 피질 얇아짐과 관련된 뇌의 여러 영역을 확인했다. 여기에는 배외측 전전두엽 피질, 복내측 전전두엽 피질, 전중심/후중심 이랑 양측 동맥, 전방 대상, 좌측 섬, 외측 측두엽, 우측 상후두이랑, 우측 전두엽, 좌측 하두정 피질, 양측 uncas, 좌측 해마곁이랑, 우측 방추형 이랑이 포함된다. 시각적 기억 회상은 우측 해마주위 및 우측 구상이랑 피질 두께와 상관관계가 있었다. 이 저자들은 이러한 피질 부피 변화가 OSA 환자에서 흔히 관찰되는 인지 변화, 특히 주의력 및 집행 기능 측면과 관련이 있을 가능성이 있다고 제안했다.

해마와 내후각 피질 부피의 변화와 관련 기억 변화 외에도 추가 연구에서는 치료되지 않은 경증에서 중증의 OSA를 가진 사람에서 유두체 체적의 감소를 확인했고, 저자들은 유두체 체적이 OSA와 기억 기능 사이의 관계에 중요할 수 있다고 제안했다.[65]

추가 연구는 확산 텐서 영상을 사용하여 백질 무결성을 구체적으로 조사했다.[66] 특히 흥미로운 종단 연구 중 하나는 중증 OSA 환자의 치료 전과 치료 후 3개월 및 12개월에 다시 조사했다. 치료 전에 OSA 환자는 대부분의 테스트 영역에서 인지 기능, 특히 실행 기능이 감소한 것으로 나타났다. 또한 OSA 그룹은 좌우측 반구 영역을 포함한 여러 뇌 영역에서 백질 무결성이 감소한 것으로 나타났다. 중요한 것은 양압기 치료 3개월 후에 백질 변화가 더 적게 나타났고 12개월에는 백질 변화가 거의 완전히 역전되었으며, 인지 기능, 특히 실행 기능도 어느 정도 개선되었다.

신경 영상 연구는 구조적 뇌 변화가 OSA와 관련이 있고, 이러한 환자에서 일어나는 신경 심리학적 변화에 기여할 가능성이 있다는 개념을 뒷받침한다. 다음에서 OSA의 영향을 받는 수많은 신경 심리학적 영역에 대해 설명한다. 관찰된 다양한 효과는 위에서 논의한 기전과 관련이 있을 수 있다. 뇌의 구조적 변화에 영향을 미치는 뇌혈관 질환, 호르몬 변화, 저산소혈증, 염증의 기여는 OSA와 관련된 광범위한 신경 심리학적 손상을 설명할 수 있다.

4.6 OSA의 신경 심리학적 기능

OSA는 신경 심리학적 기능에 광범위한 영향을 미친다. 광범위한 연구에서 기능 약화에 대한 객관적인 증거[67]와 OSA 환자 사이에서 자주 발생하는 주관적인 인지 불만이 나타났다.[68] 다음에는 언어, 주의력 및 실행 기능, 시각 공간, 기억 및 정서적 기능을 포함한 광범위한 인지 영역에 대한 OSA의 효과에 대해 알려진 내용을 검토한다.

4.6.1 주의 및 집행 기능

OSA가 집행 기능에 미치는 영향에 대한 광범위한 문헌을 통해 이것이 특히 취약한 인지 영역이라는 증거가 대체로 결정적이며, 출판된 연구의 60%가 OSA 환자의 주의력/경계 손상과 실행 기술을 식별한다고 제안하는 포괄적인 검토가 있다.[69] 실행 기능의 여러 하위 영역이 있지만, 일반 영역은 뇌의 전두엽 및 피질하 영역과 기능적으로 관련이 있는 것으로 생각된다. 따라서, 집행 기능에 대한 논의는 광범위한 집행 업무와 주의력, 처리 속도, 그리고 경계를 포함한다.

15년에 걸친 대규모 종단 연구에서 OSA 중증도에 대해 계층화된 개인 대 정상 수면을 가진 개인 간의 신경 인지 성능의 여러 측면을 조사했다.[70] 이 연구는 여러 영역에서 그룹 간의 신경 인지적 차이를 식별하지 못했지만, OSA가 심한 사람들은 시각적 검색과 주의 측정에서 처리 속도가 감소한 것으로 나타났다.

치료받지 않은 중등증에서 중증 OSA 환자의 표본에서는 OSA 환자가 대조군에 비해 주의력 조절이 약하고 반응 시간이 감소한 것으로 나타났다.[71] 치료받지 않은 OSA 환자와 일치하는 대조군의 유사한 표본에서 OSA 환자는 훨씬 더 나쁜 의사 결정 능력을 보였다.[72] 또한 Arli 등은 OSA 환자는 저산소증이 없는 단순 코골이 환자에 비해 작업 기억, 처리 속도, 억제 조절이 감소한 것으로 나타났다.[73]

OSA를 대조군과 비교하는 이런 연구 외에도 추가 문헌에서 OSA가 인지에 미치는 영향을 조사했으며 공통 질환이 추가되었다. 예를 들어, OSA가 인지에 미치는 영향을 조사한 연구에서 Bajaj 등은 OSA 그룹, OSA와 간경변 그룹, 간경변 그룹의 3가지 환자 그룹에 대해 대조군을 조사했다.[74] 이 연구는 표본 크기가 작았지만 치료 경험이 없는 OSA 환자에서 치료 후 다시 인지를 측정할 수 있다는 장점이 있었다. 간경변증 환자 중 간성뇌증이나 복수는 없었다. 이 연구는 특히 OSA와 간경변증 사이에 상호작용이 있는지 여부를 기술하는 특정 목표로 처리 속도, 주의력, 집행 기능의 측정에 초점을 맞췄다. 정신운동 속도는 OSA에만 있는 그룹에 비해 간경변이 있는 그룹에서 더 나빴다. 그러나 OSA가 있는 그룹은 억제, 다중 작업, 복잡한 코딩 수행을 포함하여 OSA가 없는 그룹에 비해 실행 기능이 약화됨을 보여주었다. 또한 OSA와 간경변증 환자의 경우 성능이 훨씬 더 나빴다. 양압기로 치료한 후(평균 2.5개월 치료) OSA 환자 그룹은 실행 기능이 개선된 것으로 나타났다.

다음으로 OSA가 뇌졸중 환자에서 흔하다는 점을 감안하여, Aaronson 등이 실시한 증례-대조군 연구는 뇌졸중 후 환자 그룹에서 광범위한 신경 인지 기능 능력을 조사하고 OSA가 있는 사람과 없는 사람 간의 그룹 차이를 측정했다.[75] 이 연구에는 건강한 대조군이 포함되지 않았지만, OSA의 영향을 조사하면서 뇌졸중 후 환자의 신경 인지 기능의 상대적 차이를 조사하는 것은 흥미롭다. 이 연구는 OSA가 있는 뇌졸중 후 환자가 OSA 없는 뇌졸중 후 환자에 비해 정신 유연성, 문제 해결(d = 0.42), 지속적인 선택적 주의(d = 0.48) 측정에서 실행 기능이 약화된 것으로 나타났다고 하였다. 이 수치는 중간 크기의 효과를 나타낸다.

대조군과 관련된 OSA의 광범위한 신경 인지 기능에 대한 포괄적인 메타 분석은 실행 기능(d = 0.73)과 경계(d = 1.40)에 대한 효과 크기가 중간에서 큰 것으로 확인되었다.[76] 후속 메타 분석은 OSA가 처리 속도, 개념 형성, 광범위한 집행 기능, 주의력, 작업 기억, 언어 추론에 대해 중소 규모의 효과를 가져온 것으로 나타났다.[77]

Olaithe와 Bucks는 메타 분석을 이용하여 양압기 치료 전후에 OSA 환자의 광범위한 집행 기능 측정을 조사하였다.[78] 예상대로 이 연구는 OSA 전-치료를 받은 환자가 중등증에서 강력한 효과 크기를 보였고, 실행 기능의 모든 측면에서 기능이 더 나빴지만 치료 후 실행 기능은 개선되었음을 발견했다. 이와 유사하게, Kylstra 등은 OSA의 주의력 결핍 또한 양압기 치료로 약간 개선된다는 것을 발견했다.[79] 다른 한편, 중등증에서 중증의 OSA에서 흔히 발생하는 집행 결함은 양압기 치료로 호전되는 데 상대적으로 저항력이 있을 수 있다고 가정했다.[80]

위의 연구에서 혼재된 결과가 있지만, 작은 표본, 부족한 치료 조절, 부적절한 대조군을 포함하여 많은 OSA의 인지 연구에서 방법론적 약점에 주목하는 것이 중요하다. Kushida 등은 6개월간의 이중 맹검, 무작위, 허위 제어, 다기관 시험 연구를 통해 이러한 방법론적 단점을 극복하려 했다.[81] 약간의 소모가 있었지만, 이 연구는 각 그룹에 최소 400명의 피험자를 포함하여 대부분의 다른 연구보다 표본이 더 많았다. 인지 결과도 OSA의 중증도에 따라 계층화되었다. 전반적으로, 이 연구는 허위 치료 그룹에서 적극 치료 그룹에 비해 연구 2개월 후 복합 작업 기억이 상당히 감소되었음을 보여주었다. 그러나 4개월과 6개월에는 그룹 간에 유의한 차이가 없었다.

요약하면, 여러 개별 연구, 고찰, 메타 분석들은 OSA가 종종 집행 기능, 주의, 경계 약화와 관련된다고 제안한다. 또한 양압기 치료가 시간이 지남에 따라 실행 작업 수행에 최소 부분적 개선을 가져온다는 증거도 있다.

4.6.2 학습과 기억

OSA 환자의 학습과 기억에 대한 문헌은 다양하고, 일부 연구에서는 대조군에 비해 OSA 환자 간의 기억력 차이가 거의 또는 전혀 없다고 제안하고, 다른 연구에서는 큰 차이를 지적한다.

예를 들어 , Aaronson 등은 OSA가 없는 뇌졸중 후 환자와 OSA가 동반된 뇌졸중 후 환자를 포함하여 두 그룹에서 OSA가 기억에 미치는 영향을 조사했다.[75] 연구자들은 공통 목록 학습 과제로 기능하는 언어 기억을 조사했다. 참가자가 실어증을 보이면 위치 학습 실험이 포함된 비언어적 작업으로 대체되었다. OSA 유무에 관계없이 뇌졸중 후 환자에서 이러한 기억 실험에서 유의미한 차이가 없었다. 유사하게 Lutsey 등은 OSA의 중증도가 지연된 언어 기억을 포함한 신경 인지 상태를 예측할 수 있는지 여부를 조사하기 위해 15년 길이의 디자인을 사용했다.[70] 이 연구는 정상적인 수면 상태를 가진 개인과 모든 중증도의 OSA를 가진 개인 간의 언어 기억의 차이를 식별하는 데 실패했다. 이 연구는 몇 가지 방법론적 결함이 있지만, 15년의 연구 기간 동안 OSA 환자의 언어 기억 지연에는 변화가 없음을 시사하였다.

위의 결과는 다른 여러 조사와 상이한데, Twigg 등은 2010년 연구에서 대조군에 비해 OSA에서 손상된 즉각적이고 지연된 문맥 언어 기억을 보여준다고 하였다.[82] 또 다른 인구 기반 비교 연구에서 연구자들은 OSA의 위험이 높은 사람과 낮은 사람 사이에서 지연된 언어 기억 성능을 조사했다.[83] 이 연구는 OSA의 고위험 사람들이 저위험 사람들에 비해 약간 낮은 언어 기억 기능을 나타냄을 보여주었다. 그러나 위에서 언급한 바와 같이 이 연구는 그룹 분류의 방법론적 약점인 실험실 검사가 아닌 설문지를 통해 OSA를 평가했다.

수년간의 연구 결과가 서로 다르게 나왔다는 것이 분명하다. 그러나 총체적으로 인지 기능과 OSA에 대한 포괄적인 고찰에 의하면, 연구 논문의 60%가 OSA 환자의 기억 장애를 식별하므로 메타 분석 기술을 통해 결과를 체계적으로 분석하는 것이 중요해진다.[69] OSA와 대조군의 기억 기능에 대한 한 메타 분석 고찰은 단기 언어 학습에 대한 작지만 중요한 효과와 장기 언어 기억 회상에 대한 중소 크기의 효과(d = 0.27–0.52)를 보여주었다. 시각적 학습과 회상에 대한 효과 크기는 무시할 수 있고 중요하지 않다.[76] 보다 최근의 방법론적으로 엄격한 메타 분석에서 저자들은 OSA가 언어와 비언어 기억 모두에 대해 중소 규모의 효과를 초래했음을 입증했지만, 연구는 장기 회상과 즉각적 학습을 구별하지 않았다.[77]

또한, OSA의 신경 심리학적 결과를 평가할 때 기억력 결핍 양상을 고려하는 것도 중요하다. 즉, 기억의 고장은 종종 전두엽 시스템, 내측 측두 시스템, 시상 시스템을 포함하는 것으로 생각되며, 이러한 시스템은 각각 일반적으로 테스트에서 고유한 패턴을 나타낸다. OSA의 특정 기억 특성을 조사한 연구는 거의 없다. 그러나 Naëgelé 등은 초기 연구에서 OSA 환자에서 기억력 약화가 불량한 습득 및 검색 불량과 관련된 것으로 보이지만 상대적인 인식 차별이 보존되어 있다고 제안했다.[84] 이것은 OSA의 기억에 대한 실행력의 영향을 적어도 일부 시사하고 OSA의 기억 기능을 이해하는데 저장(즉, 내측두엽 기능)이 실행 기능보다 적게 영향을 미칠 수 있음을 시사한다. 기억 손상의 이러한 실행 양상은 OSA 환자가 언어 기억 과제에 대한 반복 학습 시도에서 불량한 즉각적 회상(즉, 인코딩)을 나타내고, 단어 목록의 의미 클러스터링은 줄였지만 기억과 인식은 그대로 유지되는 추가 연구에 의해 뒷받침된다.[85] 다시 말하지만, 이러한 결과는 OSA가 기억에 미치는 영향이 적어도 부분적으로 실행 기능과 관련이 있다는 전제를 옹호한다.

요약하면, OSA 환자의 기억 영향에 대한 다양한 결과는 환자 모집단의 이질성과 연구 사이의 일관되지 않은 실험 매개변수의 요인일 수 있다. 그러나 OSA 환자에서 학습과 회상이 약화되었다는 강력한 누적 증거가 있으며, 습득 감소나 학습 전략 불량 및 검색 불량을 포함하여 작업의 실행 측면에서 최소한 약간의 영향을 주지만 신호를 사용하면 더 나은 성능을 보인다.

4.6.3 언어[1]

언어 유창성에 대한 OSA의 효과에 관한 연구 문헌에서 다양한 결과가 보고되었다. 예를 들어, Aaronson 등은 OSA가 있는 경우와 없는 경우의 뇌졸중 후 환자의 의미론적 언어 능력을 비교했다.[75] 의미론적 언어 능력 검사의 수행을 조사할 때, OSA가 있는 뇌졸중 환자와 그렇지 않은 뇌졸중 환자 사이에 유의한 통계적 차이가 없었다.

Addison-Brown 등은 인구 기반 데이터를 사용하여 의미와 음운 언어 능력에 대한 OSA의 고위험과 저위험을 조사했다.[83] 여기서 의미론적 유창성은 OSA 고위험군에서 현저히 나빴지만, OSA의 위험은 음소 언어 능력 수행을 예측하지는 못했다. 이 연구는 OSA과 인지 기능에 대한 다른 연구에 비해 방법론적 약점을 분명히 가진다. 첫째, 코골이, 주간 졸음, 고혈압/BMI 지수를 평가하는 설문지를 통해 OSA의 위험도를 측정하였다. 추가적으로, 표본의 11.6%만이 OSA의 이전 진단을 보고했으며 10%만이 치료를 받고 있다고 보고했다. 저자는 사용된 설문지가 호흡 곤란을 예측할 수 있다고 제안하지만 이것은 의학적으로 확인된 OSA 진단과는 질적으로 다르다.

Lutsey 등은 15년 종단 디자인을 사용하여 OSA의 중증도가 신경 인지 상태에 대한 예측 여부를 조사했다.[70] 이 연구는 정상 수면 상태를 가진 사람들과 모든 중증도의 OSA가 있는 사람들 사이에서 언어 능력의 차이를 확인하지는 못했다. 또한 OSA를 가진 사람들 사이에서 연구 기간 동안 언어 유창성에 변화가 없었다고 지적했다. 그러나 이 연구의 한 가지 한계점은 OSA를 단 한 번 측정하고 OSA 환자의 치료 상태를 조절하지 못했다는 것이다. 전반적으로 OSA 환자의 언어 유창성과 관련된 결과에 일관성이 없는 것으로 보인다.

다음으로 메타 분석에서 언어의 비효율적 측면이 또 다시 이질적인 결론을 도출하였다. 어휘와 수용/표현의 기초를 조사하는 한 메타 분석에서는 그룹 간에 언어와 언어 기능에 유의한 차이가 없었다.[76] 그러나 보다 최근의 방법론적으로 엄격한 메타 분석에서 저자는 OSA가 언어/언어 기능 영역에서 작지만 유의한 효과 크기를 초래했으며, OSA 환자는 대조군보다 더 나쁜 성과를 냈다는 것을 입증했다.[77] 효과 크기가 대립적인 시각적 명명, 어휘 지식, 많은 정보 지식을 포함하여 언어 측정과 함께 3가지 연구의 합성이라는 점은 주목할 만하다. 따라서 이 검사는 언어적 유창성을 검사하는 것과 특징적으로 다를 수 있다.

요약하면, 언어적 유창성 수행이라는 면에서 발표 상에 이질적인 소견이 있다. 보다 엄격한 연구가 작지만 상당한 효과를 보여주긴 했지만, 언어 기능의 어눌한 측면에 대한 2개의 메타 분석도 상충된다. 즉, 초기 메타 분석에서는 OSA가 언어/언어 기능에 미치는 영향이 거의 또는 전혀 없다고 제안했지만, 보다 최근의 메타 분석에서는 어휘와 시각적 대립 명명 영역에서 작지만 유의한 차이가 있다고 시사했다. 전반적으로 OSA에서 언어 변화의 발견은 주의력 및 집행 기능과 관련된 것보다 덜 매력적이다.

---

1 일부 연구원과 임상의가 종종 본질적으로 집행자라고 분류하는 언어 측정이 있음을 인식하는 것이 중요하다. 특히, 언어 유창성 과제는 뇌의 언어 영역의 관여를 필요로 하고 언어 장애가 있는 환자 그룹에서 종종 현저하게 손상되지만, 이러한 과제는 전두엽 영역도, 특히 음소 유창성을 관여시킨다. 사실 일부 연구자들은 언어 기능 범주에만 언어 유창성 작업을 배치하는 반면, 다른 연구자들은 이러한 테스트를 집행 기능 측정으로 분류한다. 단순화를 위해 이번 단원에서는 언어 기반 측정으로 언어 유창성 작업을 분류할 것이다. 언어의 다른 측정에는 대결적 명명 과제, 어휘 지식, 정보 지식의 기금, 이해 과제, 읽기와 쓰기 과제가 포함될 수 있다. 측정된 모든 영역은 언어로 그룹화할 수 있지만 특정 언어 작업은 신경 심리학에서 “유지 기능”으로 간주되는데, 다시 말하면, 신경 질환이나 부상에 직면했을 때 상대적으로 안정적이다. 어휘 지식은, 예를 들어 종종 체류 기능으로 간주된다.

4.6.4 시각적-공간적

Aaronson 등은 OSA가 있는 뇌졸중 환자에 대한 위에서 언급한 증례-대조군 연구에서 시각적 인지도 연구했다.[75] 환자들은 일련의 산만한 항목에서 대상 항목을 검색하고 식별하는 능력을 검사하는 2개의 시각적 지각 작업을 완료하도록 요청받았다. OSA 병력이 없는 사람과 비교하여 OSA가 있는 사람들은 시각적 인지 능력이 현저히 감소했다($d = 0.35$).

2개의 대규모 메타 분석은 OSA가 시각적 공간과 구성 능력에 미치는 영향에 대한 일관된 결과를 제공했다. 첫째, 광범위한 시각적 인지, 그래프 운동 재생, 구성 작업으로 구성된 메타 분석은 그룹 간에 중간 크기 정도의 효과를 보여주었으며 OSA 환자는 더 나쁜 수행을 보였다.[76] 이것은 유사한 중간 효과를 입증한 추가 문헌에 대한 이후의 메타 분석에 의해 지지된다.[77]

요약하면, 건강한 상대에 비해 OSA가 적어도 어느 정도의 시각적 공간적 결함과 관련되어 있다는 강력한 증거가 있다. 그러나 임상적으로, 신경 심리학자는 고립된 작업에서 감소된 시각적-공간적 기능이 시각적 인지의 심각한 결함 때문인지 아니면 단순히 실행 기능의 감소 때문인지를 설명해야 한다. 다시 말해서, 열악한 계획, 조직화 감소, 충동성은 온전한 시각적 인지와 무관하게 작업 수행을 약화시킬 수 있다. 위에서 언급한 메타 분석은 이러한 차이점을 논의하지 못했지만, 임상 환경과 기능적 신경 해부학적 관점에서 중요한 차이점이 된다.

4.6.5 정동 기능(Affective Functioning)

임상 치료에서 OSA와 기분 사이의 관계를 이해하는 것이 중요하다. 연구에 의하면, OSA는 특히 전반적인 정동 장애의 증가, 삶의 질 감소, 주간 졸음과 피로 증가, 탈진과 연관성을 가진다. 또한 우울증도 OSA 환자의 치료 순응도 감소와 관련된다.[86,87] OSA와 이러한 요인 사이의 관계는 당뇨, 비만, 심혈관 질환의 높은 비율, 인지 기능 감소를 포함하여 OSA 환자들 사이에 흔한 동반 질환의 존재로 인해 혼동될 수 있다.[87] 따라서, OSA에서 우울증이 흔하게 나타나지만, 이런 환자군에서 우울증의 특성을 이해하려면 주어진 환자의 전체 임상 증상을 고려해야 한다.

지역 사회 및 임상 인구에서 OSA 환자 사이의 우울증 비율이 여러 연구를 통해 조사되었다.[88] 5개 유럽 국가를 대상으로 한 대규모 인구 기반 연구($n = 19,980$)는 OSA 환자 857명의 표본을 포함하였다. 이 그룹 중 17%가 우울증을 앓고 있는 것으로 확인되었다.[89] 미국 참전 용사들로 구성된 또 다른 대규모 표본에서[90] OSA를 가진 사람들의 21.8%가 우울증을 앓고 있는 것으로 확인되었다. 추가적으로, 불안 장애가 16.7%, 외상 후 스트레스 장애가 11.9%로 나타났다. 이 연구는 OSA가 있는 재향 군인과 없는 재향 군인을 비교했지만, 재향 군인이 이미 정동 장애의 비율이 더 높을 수 있다는 점을 감안할 때 선택 편향이 이 그룹에서 약간 더 높은 비율의 이유가 될 것이다. 따라서, 21%는 지역 사회 표본에서 우울증 유병률의 상한선을 반영할 수 있다. 더 높은 비율의 우울증의 임상 표본이 보고됐다. 예를 들어, Acker 등은 수면 센터에 의뢰된 447명의 잠재적 환자의 대규모 임상 표본을 모집했다.[91] 이 중에서 322명은 AHI가 9를 초과했고, 이 그룹의 전체 우울증 비율은 21.5%였다. 여기에서 재향 군인의 21%에서 발견되는 것과 유사하다는 점에 주목해야 한다. 그러나 한 임상 기반 연구에 따르면 네덜란드 OSA 표본의 41%가 최소한 경증의 우울증에 대한 기준을 충족했다.[92]

여러 횡단면 연구에서 OSA의 우울증 발생을 조사했다. Canessa 등은 치료 경험이 없는 OSA 환자가 건강한 대조군에 비해 기준선에서 자가-보고 기분 측정에서 유의하게 더 높은 우울증 점수를 보였고, 지속적 양압기 치료 3개월 후에 기분이 유의하게 개선되었음을 보여주었다.[79] 이것은 치료되지 않은 OSA 환자 대 대조군에 대한 또 다른 연구와 유사하고, 기준선에서 치료되지 않은 OSA의 환자는 상대적으로 더 높은 수준의 우울증과 불안을 보였다.[69] 마찬가지로 Jackson 등은 OSA 환자는 그렇지 않은 환자에 비해 우울증 수준이 더 높다고 보고했지만, OSA와 우울증 사이의 연관성은 졸음과 피로에 의해 매개된다고 제안했다.[93]

이런 연구의 단면적인 특성을 감안할 때, OSA와 우울증 사이에 단순한 상관관계가 확인되고 이 관계의 방향성은 불분명하다. 몇 가지 종단 연구는 인과 관계를 확립하기 위해 OSA와 우울증을 조사했다. 한 연구는 광범위한 AHI 빈도를 가진 노동 연령 성인의 대규모 코호트를 추적하고 4년마다 우울증을 측정했다. 분석 결과, AHI로 측정한 수면 호흡 장애가 증가함에 따라 우울증 발병의 보정 확률도 증가함을 보여주었다.[94]

추가 연구에서는 OSA가 1년 동안 우울증 발생에 미치는 영향이 조사되었다. 추적 관찰에서 우울증 발병률이 OSA가 없는 환자에 비해 OSA 환자에서 2배 더 높았으며, Cox 비례 위험 모델은 OSA 환자에서 우울증 발병 위험이 1년까지 2.18배 증가하고 여성의 위험이 약간 더 높은 위험도를 보인다고 하였다.[95]

4

요약하면, OSA와 우울증 사이에는 분명한 연관성이 존재하며 일부 연구에서는 인과 관계를 보여준다. 임상 표본은 지역 사회 표본에 비해, 보고된 우울증 비율이 더 높은 것으로 보인다. 또한 연구에 따르면, 이 연관성에는 상당한 동반 질환의 존재와 같은 조절 변수가 있다. 피로와 주간 졸음은 OSA 환자의 우울증 정도에 중요한 역할을 하는 것으로 알려져 있으며, 임상의는 우울증 증상과 일반적인 OSA 증상을 구별하는 데 주의를 기울여야 한다.

4.7 요약

OSA는 수많은 후속 효과를 가지는데, 여기에는 주의력과 집행 기능 장애, 학습과 기억 장애, 시각적 공간 기능 장애, 우울증, 경증의 언어 장애 등이 포함된다. 이러한 효과는 OSA가 다음의 조합을 유발하기 때문일 것이다: 주기적 산소 불포화, 자유라디칼 형성, 고혈압, 이상지질혈증, 인슐린 저항성, 낮은 테스토스테론, 렙틴 저항성, 염증성 사이토카인의 상승. 이런 변화는 실직, 주요 우울 장애, 알츠하이머 병을 포함하여 환자에게 실질적인 실제 결과를 초래한다.[96] 적절한 치료가 제공될 수 있게 이러한 OSA의 간과된 영향에 주의를 기울여야 한다.

참고문헌

1. Ferriss JB. Obstructive sleep apnoea syndrome: the first picture? JR Soc Med. 2009;102:201-2.
2. Guilleminault C, Eldridge FL, Tilkian A, et al. Sleep apnea syndrome due to upper airway obstruction: a review of 25 cases. Arch Intern Med. 1977;137:296-300.
3. Yesavage J, Bliwise D, Guilleminault C, et al. Preliminary communication: intellectual deficit and sleep-related respiratory dis-turbance in the elderly. Sleep. 1985;8:30-3.
4. Prigatano GP, Parsons O, Levin DC, et al. Neuropsycho-logical test performance in mildly hypoxemic patients with chronic obstructive pulmonary disease. J Consult Clin Psychol. 1983;51:108-16.
5. Kales A, Caldwell AB, Cadieux RJ, et al. Severe obstructive sleep apnea—II: associated psychopathology and psychosocial consequences. J Chronic Dis. 1985;38:427-34.
6. Findley LJ, Barth JT, Powers DC, et al. Cognitive impairment in patients with obstructive sleep apnea and associated hypoxemia. Chest. 1986;90:686-90.
7. Greenberg GD, Watson RK, Deptula D. Neuropsychological dysfunction in sleep Apnea. Sleep. 1987;10:254-62.
8. Roehrs T, Merrion M, Pedrosi B, et al. Neuropsychological function in obstructive sleep Apnea syndrome (OSAS) compared to chronic obstructive pulmonary disease (COPD). Sleep. 1995;18:382-8.
9. Gozal D, Daniel JM, Dohanich GP. Behavioral and anatomical correlates of chronic episodic hypoxia during sleep in the rat. J Neurosci. 2001;21:2442-50.
10. Lavie L. Oxidative stress a unifying paradigm in obstructive sleep Apnea and comorbidities. Prog Cardiovasc Dis. 2009;51:303-12.
11. Schulz R, Mahmoudi S, Hattar K, et al. Enhanced release of superoxide from polymorphonuclear neutrophils in obstructive sleep apnea. Impact of continuous positive airway pressure ther-apy. Am J Respir Crit Care Med. 2000;162:566-70.
12. Bennett S, Grant MM, Aldred S. Oxidative stress in vascular dementia and Alzheimer's disease: a common pathology. J Alzheimers Dis. 2009;17:245-57.
13. Kilander L, Nyman H, Boberg M, et al. Hypertension is related to cognitive impairment. A 20 Year Follow-up of 999 Men. 1998;31:780-6.
14. Panza F, Frisardi V, Capurso C, et al. Metabolic syndrome and cognitive impairment: current epidemiology and possible underlying mechanisms. J Alzheimers Dis. 2010;21:691-724.
15. Farkas E, De Jong GI, Apró E, et al. Calcium antagonists decrease capillary wall damage in aging hypertensive rat brain. Neurobiol Aging. 2001;22:299-309.
16. Lavie P, Herer P, Hoffstein V. Obstructive sleep apnoea syndrome as a risk factor for hypertension: population study. BMJ. 2000;320:479-82.
17. Nieto F, Young TB, Lind BK, et al. Association of sleep disordered breathing, sleep apnea, and hypertension in a large community based study. JAMA. 2000;283:1829-36.
18. Viles-Gonzalez JF, Fuster V, Corti R, et al. Emerging importance of HDL cholesterol in developing high risk coronary plaques in acute coronary syndromes. Curr Opin Cardiol. 2003;18: 286-94.
19. Wolf H, Hensel A, Arendt T, et al. Serum lipids and hippo campal volume: the link to Alzheimer's disease? Ann Neurol. 2004;56:745-9.
20. Börgel J, Sanner BM, Bittlinsky A, et al. Obstructive sleep apnoea and its therapy influence high-density lipoprotein cho-lesterol serum levels. Eur Respir J. 2006;27:121-7.
21. Tan KCB, Chow W-S, Lam JCM, et al. HDL dysfunction in obstructive sleep apnea. Atherosclerosis. 2006;184:377-82.
22. Strohl KP, Novak RD, Singer W, et al. Insulin levels, blood pres-sure and sleep apnea. Sleep. 1994;17:614-8.
23. IP MSM, LAM B, NG MMT, et al. Obstructive sleep apnea is independently associated with insulin resistance. Am J Respir Crit Care Med. 2002;165:670-6.
24. Peled N, Kassirer M, Shitrit D, et al. The association of OSA with insulin resistance, inflammation and metabolic syndrome. Respir Med. 2007;101:1696-701.
25. Gruber A, Horwood F, Sithole J, et al. Obstructive sleep apnoea is independently associated with the metabolic syndrome but not insulin resistance state. Cardiovasc Diabetol. 2006;5:22.
26. Iiyori N, Alonso LC, Li J, et al. Intermittent hypoxia causes insu-lin resistance in lean mice independent of autonomic activity. Am J Respir Crit Care Med. 2007;175:851-7.
27. Polotsky VY, Li J, Punjabi NM, et al. Intermittent hypoxia increases insulin resistance in genetically obese mice. J Physiol. 2003;552:253-64.
28. Gasparini L, Gouras GK, Wang R, et al. Stimulation of β-amyloid precursor protein trafficking by insulin reduces Intra-neuronal β-amyloid and requires mitogen-activated protein kinase Signaling. J Neurosci. 2001;21:2561-70.
29. Zhao W-Q, Townsend M. Insulin resistance and amyloidogen-esis as common molecular foundation for type 2 diabetes and Alzheimer's disease. Biochim Biophys Acta (BBA) - Mol Basis Dis. 2009;1792:482-96.
30. Reger MA, Watson GS, Green PS, et al. Intranasal insulin improves cognition and modulates β-amyloid in early AD. Neu-rology. 2008;70:440-8.
31. Srikanth V, Maczurek A, Phan T, et al. Advanced glycation endproducts and their receptor RAGE in Alzheimer's disease. Neurobiol Aging.

2011;32:763-77.

32. de Koning EJ, Morris ER, Hofhuis FM, et al. Intra- and extra-cellular amyloid fibrils are formed in cultured pancreatic islets of transgenic mice expressing human islet amyloid polypeptide. Proc Natl Acad Sci. 1994;91:8467-71.

33. Bjorntorp P, Rosmond R. Neuroendocrine abnormalities in visceral obesity. Int J Obes Relat Metab Disord. 2000;24(Suppl 2):S80-5.

34. Sapolsky RM. Glucocorticoids, stress, and their adverse neuro-logical effects: relevance to aging. Exp Gerontol. 1999;34:721-32.

35. Tomfohr LM, Edwards KM, Dimsdale JE. Is obstructive sleep apnea associated with cortisol levels? A systematic review of the research evidence. Sleep Med Rev. 2012;16:243-9.

36. Li XL, Aou S, Oomura Y, et al. Impairment of long-term potentiation and spatial memory in leptin receptor-deficient rodents. Neuroscience. 2002;113:607-15.

37. Ip MSM, Lam KSL, Cm H, et al. Serum leptin and vascular risk factors in obstructive sleep Apnea. Chest. 2000;118:580-6.

38. Moffat SD, Zonderman AB, Metter EJ, et al. Longitudinal assessment of serum free testosterone concentration predicts memory performance and cognitive status in elderly men. J Clin Endocrinol Metabol. 2002;87:5001-7.

39. Beer TM, Bland LB, Bussiere JR, et al. Testosterone loss and Estradiol administration modify memory in men. J Urol. 2006;175:130-5.

40. Gambineri A, Pelusi C, Pasquali R. Testosterone levels in obese male patients with obstructive sleep apnea syndrome: relation to oxygen desaturation, body weight, fat distribution and the metabolic parameters. J Endocrinol Investig. 2003;26:493-8.

41. Luboshitzky R, Lavie L, Shen-Orr Z, et al. Altered luteinizing hormone and testosterone secretion in middle-aged obese men with obstructive sleep Apnea. Obes Res. 2005;13:780-6.

42. Luboshitzky R, Aviv A, Hefetz A, et al. Decreased pituitary- gonadal secretion in men with obstructive sleep Apnea. J Clin Endocrinol Metabol. 2002;87:3394-8.

43. Atwi S, McMahon D, Scharfman H, et al. Androgen modulation of hippocampal structure and function. Neurosci Rev J Bringing Neurobiol Neurol Psychiat. 2016;22:46-60.

44. Janowsky JS. Thinking with your gonads: testosterone and cognition. Trends Cogn Sci. 2006;10:77-82.

45. Leranth C, Shanabrough M, Redmond DE. Gonadal hormones are responsible for maintaining the integrity of spine synapses in the CA1 hippocampal subfield of female nonhuman primates. J Comp Neurol. 2002;447:34-42.

46. Leranth C, Prange-Kiel J, Frick KM, et al. Low CA1 spine syn-apse density is further reduced by castration in male nonhuman primates. Cereb Cortex. 2004;14:503-10.

47. Netzer NC, Eliasson AH, Strohl KP. Women with sleep apnea have lower levels of sex hormones. Sleep Breath. 2003;7:25-9.

48. Hoyos CM, Killick R, Yee BJ, et al. Effects of testosterone ther-apy on sleep and breathing in obese men with severe obstructive sleep apnoea: a randomized placebo-controlled trial. Clin Endocrinol. 2012;77:599-607.

49. Bixler EO, Vgontzas AN, Lin HM, et al. Prevalence of sleep- disordered breathing in women: effects of gender. Am J Respir Crit Care Med. 2001;163:608-13.

50. Spector AR, Loriaux D, Alexandru D, et al. The influence of the menstrual phases on Polysomnography. Cureus. 2016;8:e871.

51. Yaffe K, Lindquist K, Penninx BW, et al. Inflammatory markers and cognition in well-functioning African-American and white elders. Neurology. 2003;61:76-80.

52. Ryan S, Taylor CT, McNicholas WT. Selective activation of inflammatory pathways by intermittent hypoxia in obstructive sleep apnea syndrome. Circulation. 2005;112:2660-7.

53. Vgontzas AN, Papanicolaou DA, Bixler EO, et al. Elevation of plasma cytokines in disorders of excessive daytime sleepiness: role of sleep disturbance and obesity. J Clin Endocrinol Metab. 1997;82:1313-6.

54. Shamsuzzaman ASM, Winnicki M, Lanfranchi P, et al. Elevated C-reactive protein in patients with obstructive sleep Apnea. Cir-culation. 2002;105:2462-4.

55. Kokturk O, Ciftci TU, Mollarecep E, et al. Elevated Creactive protein levels and increased cardiovascular risk in patients with obstructive sleep apnea syndrom. Inter Heart J. 2005;46:801-9.

56. Engelhart MJ, Geerlings MI, Meijer J, et al. Inflammatory proteins in plasma and the risk of dementia: the Rotterdam study. Arch Neurol. 2004;61:668-72.

57. Dimopoulos N, Piperi C, Salonicioti A, et al. Indices of low- grade chronic inflammation correlate with early cognitive deterioration in an elderly Greek population. Neurosci Lett. 2006;398:118-23.

58. Umemura T, Kawamura T, Umegaki H, et al. Endothelial and inflammatory markers in relation to progression of ischaemic cerebral small-vessel disease and cognitive impairment: a 6-year longitudinal study in patients with type 2 diabetes mellitus. J Neurol Neurosurg Amp Psychiat. 2011.

59. Lam S-Y, Liu Y, Ng KM, et al. Chronic intermittent hypoxia induces local inflammation of the rat carotid body via functional upregulation of proinflammatory cytokine pathways. Histochem Cell Biol. 2012;137:303-17.

60. He Q, Yang QC, Zhou Q, et al. Effects of varying degrees of intermittent hypoxia on proinflammatory cytokines and adipokines in rats and 3T3-L1 adipocytes. PLoS One. 2014;9 :e86326.

61. Ferini-Strambi L, Marelli S, Galbiati A, et al. Effects of continuous positive airway pressure on cognition and neuroimaging data in sleep apnea. Int J Psychophysiol. 2013;89:203-12.

62. Canessa N, Castronovo V, Cappa SF, et al. Obstructive sleep apnea: brain structural changes and neurocognitive function before and after treatment. Am J Respir Crit Care Med. 2011;183:1419-26.

63. Torelli F, Moscufo N, Garreffa G, et al. Cognitive profile and brain morphological changes in obstructive sleep apnea. Neuro-Image. 2011;54: 787-93.

64. Joo EY, Jeon S, Kim ST, et al. Localized cortical thinning in patients with obstructive sleep apnea syndrome. Sleep. 2013;36:1153-62.

65. Kumar R, Birrer BV, Macey PM, et al. Reduced mammillary body volume in patients with obstructive sleep apnea. Neurosci Lett. 2008;438:330-4.

66. Castronovo V, Scifo P, Castellano A, et al. White matter integrity in obstructive sleep apnea before and after treatment. Sleep. 2014;37:1465-75.

67. Bucks RS, Olaithe M, Eastwood P. Neurocognitive function in obstructive sleep apnoea: a meta-review. Respirology. 2013;18:61-70.

68. Vaessen TJ, Overeem S, Sitskoorn MM. Cognitive complaints in obstructive sleep apnea. Sleep Med Rev. 2015;19:51-8.

69. Aloia MS, Arnedt JT, Davis JD, et al. Neuropsychological sequelae of obstructive sleep apnea-hypopnea syndrome: a critical review. J Int Neuropsychol Soc. 2004;10:772-85.

70. Lutsey PL, Bengtson LG, Punjabi NM, et al. Obstructive sleep Apnea and 15-year cognitive decline: the atherosclerosis risk in communities (ARIC) study. Sleep. 2016;39:309-16.

71. Tulek B, Atalay NB, Kanat F, et al. Attentional control is partially impaired in obstructive sleep apnea syndrome. J Sleep Res. 2013;22:422-9.

72. Daurat A, Ricarrere M, Tiberge M. Decision making is affected in obstructive sleep apnoea syndrome. J Neuropsychol. 2013;7:139-44.

73. Arli B, Bilen S, Titiz AP, et al. Comparison of cognitive functions between obstructive sleep Apnea syndrome and simple snoring patients: OSAS may

4

be a modifiable risk factor for cognitive decline. Appl Neuropsychol Adult. 2015;22:282-6.

74. Bajaj JS, Thacker LR, Leszczyszyn D, et al. Effects of obstructive sleep apnea on sleep quality, cognition, and driving perfor-mance in patients with cirrhosis. Clin Gastroenterol Hepatol. 2015;13:390-7. e391.

75. Aaronson JA, van Bennekom CA, Hofman WF, et al. Obstructive sleep apnea is related to impaired cognitive and functional status after stroke. Sleep. 2015;38:1431-7.

76. Beebe DW, Groesz L, Wells C, et al. The neuropsychological effects of obstructive sleep apnea: a meta-analysis of norm reference and case controlled data. Sleep. 2003;26:298-307.

77. Stranks EK, Crowe SF. The cognitive effects of obstructive sleep apnea: an updated meta-analysis. Arch Clin Neuropsychol. 2016;31:186-93.

78. Olaithe M, Bucks RS. Executive dysfunction in OSA before and after treatment: a meta-analysis. Sleep. 2013;36:1297-305.

79. Kylstra WA, Aaronson JA, Hofman WF, et al. Neuropsychological functioning after CPAP treatment in obstructive sleep apnea: a meta analysis. Sleep Med Rev. 2013;17:341-7.

80. Lau EY, Eskes GA, Morrison DL, et al. Executive function in patients with obstructive sleep apnea treated with continuous positive airway pressure. J Int Neuropsychol Soc. 2010;16:1077-88.

81. Kushida CA, Nichols DA, Holmes TH, et al. Effects of continuous positive airway pressure on neurocognitive function in obstructive sleep apnea patients: the Apnea positive pressure long-term efficacy study (APPLES). Sleep. 2012;35:1593-602.

82. Twigg GL, Papaioannou I, Jackson M, et al. Obstructive sleep apnea syndrome is associated with deficits in verbal but not visual memory. Am J Respir Crit Care Med. 2010;182:98-103.

83. Addison-Brown KJ, Letter AJ, Yaggi K, et al. Age differences in the association of obstructive sleep apnea risk with cognition and quality of life. J Sleep Res. 2014;23:69-76.

84. Naegele B, Launois SH, Mazza S, et al. Which memory processes are affected in patients with obstructive sleep apnea? An evaluation of 3 types of memory. Sleep. 2006;29:533-44.

85. Salorio CF, White DA, Piccirillo J, et al. Learning, memory, and executive control in individuals with obstructive sleep apnea syndrome. J Clin Exp Neuropsychol. 2002;24:93-100.

86. Baran AS, Richert AC. Obstructive sleep apnea and depression. CNS Spectr. 2003;8:128-34.

87. Sateia MJ. Neuropsychological impairment and quality of life in obstructive sleep apnea. Clin Chest Med. 2003;24:249-59.

88. Harris M, Glozier N, Ratnavadivel R, et al. Obstructive sleep apnea and depression. Sleep Med Rev. 2009;13:437-44.

89. Ohayon MM. The effects of breathing-related sleep disorders on mood disturbances in the general population. J Clin Psychiat. 2003;64:1195-200; quiz, 1274-196.

90. Sharafkhaneh A, Giray N, Richardson P, et al. Association of psychiatric disorders and sleep apnea in a large cohort. Sleep. 2005;28:1405-11.

91. Acker J, Richter K, Piehl A, et al. Obstructive sleep apnea (OSA) and clinical depression-prevalence in a sleep center. Sleep Breath. 2017;21:311-8.

92. Vandeputte M, de Weerd A. Sleep disorders and depressive feelings: a global survey with the Beck depression scale. Sleep Med. 2003;4:343-5.

93. Jackson ML, Stough C, Howard ME, et al. The contribution of fatigue and sleepiness to depression in patients attending the sleep laboratory for evaluation of obstructive sleep apnea. Sleep Breath. 2011;15:439-45.

94. Peppard PE, Szklo-Coxe M, Hla KM, et al. Longitudinal asso-ciation of sleep-related breathing disorder and depression. Arch Intern Med. 2006;166:1709-15.

95. Chen YH, Keller JK, Kang JH, et al. Obstructive sleep apnea and the subsequent risk of depressive disorder: a population- based follow-up study. J Clin Sleep Med JCSM Off Publicat Am Acad Sleep Med. 2013;9:417-23.

96. Pan W, Kastin AJ. Can sleep apnea cause Alzheimer's disease?Neurosci Biobehav Rev. 2014;47:656-69.

OSA와 연관된 대사성 질환에서의 진단적 고려 사항

Raymond E. Bourey

목차

5

핵심 내용

- 수면 무호흡과 관련된 대사성 질환을 인지하고 진단하는 것은 치료의 부작용을 예방하기 위해 중요하다.
- 폐쇄성 수면 무호흡(OSA)의 수술 전후 관리에서 대사성 질환은 심혈관 사건의 위험을 증가시킬 뿐만 아니라 수술 중 출혈, 감염, 상처 치유 지연의 위험을 증가시킨다.
- 대사성 질환의 인지와 진단을 돕기 위해, 비만, 고혈압, 당뇨, 간 질환을 포함하는 수면 무호흡과 관련된 대사 질환에 대한 최신 진단 기준을 사용할 것을 권장한다.
- 대사성 질환의 인식과 치료는 전자식 건강 기록의 맥락으로 진단 및 치료 프로토콜을 최적으로 사용하는 종합 수면 장애 센터에서 가장 효율적으로 처리된다.

5.1 개요

폐쇄성 수면 무호흡(OSA)의 정확한 진단은 진단 고려 사항에 대한 이 부분의 핵심 목표로 남아 있지만, 수면 무호흡증과 관련된 잠재적 위험 대사성 질환을 간과하고 싶지 않다. 특히 치료에 전신 마취와 수술 등의 생리적 스트레스가 포함된 경우, 대사성 질환의 인식과 진단은 치료의 부작용을 피하기 위해 중요하다.

대사 조절은 다양한 기관과 신호 전달 경로 간의 응수(cross-talk)를 필요로 한다. OSA와 대사성 질환 사이의 관계는 기관과 조직간의 복잡한 상호 작용을 나타낸다(▣ 그림 5.1).

이번 단원에서는 비만, 고혈압, 당뇨, 지방간 질환을 포함하여 OSA와 관련된 주요 대사 질환의 진단에 대한 현재 권장 사항을 고려한다. 이러한 밀접하게 관련된 질병의 존재와 중증도는 심혈관 상태, 응고병증, 감염, 상처 치유 지연에 대한 위험 증가를 통해 운동과 수술 전후 치료 결정에 영향을 미칠 것이다.

이 책의 실용적인 특성을 고려하여 생성된 진단 기준에 대한 철저한 검토는 하지 않고, 여러 조직에 의해 이루어지지만 대신 수면 의학 종사자에게 적절해 보이는 대사 질환의 가장 최근 정의에 초점을 맞춘다. 중복을 피하기 위해, 질병이 아니라 이번 단원에서 다루는 모든 대사 질환을 다양하게 포함하는 증후군인 대사 증후군은 다루지 않을 것이다.

또한 이번 단원은 관련 대사 질환의 개선이 충분한 시간에 걸친 치료의 충분한 효과를 반영한다는 점을 단순히 언급하는 것 외에, 현재 수천 개의 출간물에 의해 촉진되고 있는 수면 무호흡증의 대사 영향 개선을 위한 수면 무호흡 치료의 효과에 대한 논쟁으로 들어가지 않을 것이다. 수면 무호흡의 치료는 이 책의 III, IV부에서 다루어진다.

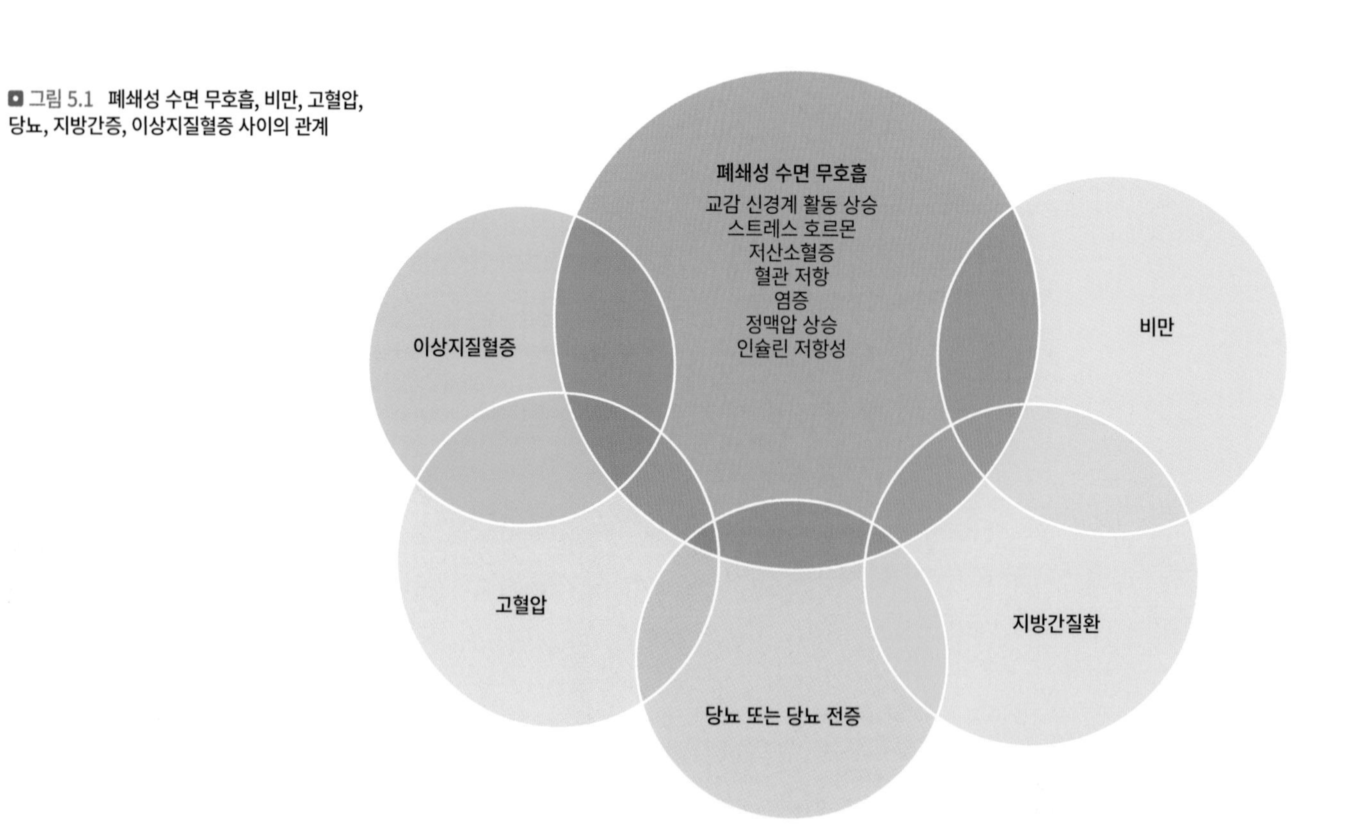

▣ 그림 5.1 폐쇄성 수면 무호흡, 비만, 고혈압, 당뇨, 지방간증, 이상지질혈증 사이의 관계

이번 단원에서는 OSA 환자의 진단과 치료에 있어 다학제 팀에 대한 권장 사항이 강조된다. 관련 대사 질환의 잠재적 결과는 치료 계획의 개발과 실행에 영향을 미치며, 팀에는 해당 질환의 진단과 치료에 익숙한 개인이 포함되어야 한다.

5.2 비만

미국과 기타 선진국에서 유행하는 질병인 비만은 수면 무호흡 및 기타 대사 질환과 밀접한 관련이 있다. 비만은 수면 무호흡을 유발하거나 악화시킬 수 있다. 강화 주기에서, 수면 무호흡(또는 모든 원인)으로 인한 수면 장애는 체중 증가와 비만으로 연결될 수 있다.[1-3] 당연하게도, 비만 치료는 수면 무호흡증의 개선으로 이어질 수 있고[4-6], 반대로 수면 무호흡의 치료는 지방 조직의 총량이 아닐지라도 복강 내 지방량의 조기 개선과 관련된다.[7,8] 지속적 양압기 요법이 처음에는 아마도 혈관 이완과 혈액량 확장으로 인해 당혹스러운 체중 증가와 관련될 수 있지만, 이 치료는 이후의 체중 감량 성공에 중요한 것으로 보인다.[9] 수면 무호흡과 관련된 다른 대사 질환과 마찬가지로 수면 무호흡 환자의 비만 유병률이 높을 뿐만 아니라 비만 환자의 수면 무호흡 유병률도 높다는 사실을 인지해야 한다.

비만은 현재 일반적으로 질병으로 인식되고 있지만[10], 일부 비만의 정의에는 비만이 관절염, 당뇨병, 수면 무호흡증과 같은 이차 질환 과정을 유발해야 한다는 약간의 순환적 정의를 포함한다. 동반 질환에 대한 이러한 요건은 종종 비만의 진단을 다른 대사 질환에 비해 다소 중복되게 만들지만, 비만과 비만의 중증도가 저환기와 전신 마취의 위험 지표로 사용될 수 있기 때문에, 비만 진단은 수면 무호흡증 환자를 관리하는 데 중요하다고 생각된다. 또한 진단과 진료 절차에 대한 지불을 정당화하기 위해 제3의 지불인에 의해 사용되는 경우가 많다.

일반적으로 체질량 지수(BMI)가 30 kg/m^2 이상인 환자는 비만으로, 40 이상인 환자는 병적 비만으로 간주된다. 이것이 제3자 지불인의 현재 요구 사항에 필요한 전부일 수 있지만, 진단과 잠재적 치료법을 재정의하려면 중심 지방증과 동반 질환의 마커를 포함하는 보다 생리학적 정의가 필요하다.

미국 임상 내분비학회는 치료가 필요한 환자의 비만을 보다 잘 정의하기 위해 상당한 자원을 투입했다. 최근 발표된 지침에는 치료 혜택을 받을 환자를 더 잘 식별하기 위해 인체 측정 요소와 임상 (관련 질병) 요소가 모두 포함되어 있다.[11] 이 정의에서 비만 진단의 인체 측정 요소는 일반적으로 BMI 30 초과이고, 허리 둘레가 남성에서 102 cm (40 inch) 이상, 여성에서 88 cm (35 inch) 이상인 경우 비만으로 판단한다. 이 저자는 훈련받지 않은 직원들 사이에서 허리 둘레 측정이 문제가 될 수 있다는 점에 주목한다. 중심 비만이 있는 대부분의 환자는 가슴과 엉덩이 사이가 좁아지면서 기본적으로 허리가 없어지기 때문이다. 이러한 맥락에서 비만 진단이 적절하지 않고 허리나 잘록함이 쉽게 확인되는 운동선수를 제외하고는 허리 둘레를 측정하지 않을 것을 권고한다.

Tip

허리가 구분되지 않거나 가슴과 엉덩이 사이가 좁아지는 환자의 허리 둘레 측정은 문제가 있으므로 피해야 한다. 식별 가능한 허리의 부재는 비만에 대한 충분한 증거이어야 한다.

이 지침을 기반으로 한 비만 및 비만 병기의 작업 정의는 **표 5.1**을 참조하라.

비만의 병기 결정에 필요한 임상적 요소는 **표 5.2**에 나열된 것처럼 관련된 대사나 기전적 문제의 식별로 구성된다.

비만 진단이 내려지면, 중증도에 따라 등급을 매기고 문제 목록에 포함하여 폐 기능 검사와 휴식이나 수면 중 호흡 저하 검사에 대한 결정을 안내해야 한다. 이 정의에 따르면, 중증의 수

표 5.1 미국 임상 내분비학회 정의에 기반한 지방증과 비만의 진단[11]

진단 카테고리	정상	0기	1기	2기
위험 계층화		없음	경증에서 중등증	중증
인체 측정 진단	BMI $<$ 25 kg/m^2	BMI = 25–29.9 kg/m^2 ≡ 과체중 BMI ≥ 30 kg/m^2 ≡ 비만 과도한 지방증에 대한 증거		
임상적 진단(합병증 목록)		합병증 없음	하나 이상의 경증에서 중등증의 합병증	하나의 중증 합병증 또는 치료를 위해 상당한 체중 감소가 필요

5

표 5.2 비만의 진단

인체 측정 요소	임상 요소
BMI ≥ 25 kg/m^2 (또는 일부 인종에서 BMI ≥ 23 kg/m^2) 그리고 과다한 지방증	폐쇄성 수면 무호흡
	위식도 역류
	천식/호흡기 기도 질환
	저환기
	고혈압
	당뇨 전증
	2형 당뇨
	지방간 질환
	이상지혈증
	심혈관 질환
	다낭성 난소 증후군
	여성 불임
	남성 생식선저하증
	골관절염
	우울증/불안

면 무호흡이 있는 BMI가 35 초과인 모든 환자는 비만 2기이며, 수면 무호흡 치료에서 다루어야 할 관련 문제 목록에 이 진단을 추가하기 위해 더 이상의 평가가 필요하지 않다는 것에 주목해야 한다.

5.3 고혈압

고혈압은 OSA와 함께 발생하는 여러 대사, 후속 호르몬, 신경계 변화의 결과이다. 수면 무호흡 환자를 평가하는 동안 고혈압을 인식하는 것은 심혈관 사건의 위험을 줄이기 위해 치료 중에 중요해지고, 이것은 비만, 전신 마취, 수술 중 스트레스에 대한 일부 약물에 의해 더욱 증가될 수 있다. 고혈압의 정확한 진단과 병기는 특정 치료 계획을 통해 이러한 위험을 줄일 수 있다.

고혈압과 수면 무호흡 사이의 강한 관계는 1970년대 초부터 오랫동안 인식되고 공식적으로 보고되었다.[12,13] 수면 무호흡과 관련된 다른 대사 질환과 마찬가지로 수면 무호흡 환자의 고혈압 유병률이 높을 뿐만 아니라[14-16], 고혈압 환자의 수면 무호흡 유병률도 높다.[17,18]

이번 단원의 준비 과정 동안, 미국 심장학회는 업데이트된 임상 진료 지침 혈압을 발표했다.[19] 2014년 국가 공동 위원회 지침에서 고혈압 관리와 관련하여 수면 무호흡이나 기타 수면 장애에 대한 언급을 중단한 것과 달리, 이번 지침에서는 수면 무호흡의 평가와 치료에 대한 권고사항을 복원했고, 데이터 연구는 혼합된 결과를 보여주었으며, 수면 무호흡의 치료가 심혈관 질환의 위험을 감소시키지 않을 수 있음을 보여주었다.

모든 대사성 질환과 마찬가지로, 조기 발견 및 치료 진행으로 비가역적인 합병증을 예방할 수 있다. 과체중 및 당뇨 전증과 유사하게, 고혈압에 대한 권고 사항이 치료가 권장되는 혈압을 낮추었다. 현재 분류는 표 5.3에 있다.

진단은 수축기와 이완기 혈압을 설정하기 위해 1번째와 5번째 Korotkoff를 사용한 사무실의 혈압 측정 및/또는 자동화되고 검증 및 보정된 가정용 장치를 사용한 혈압의 정확한 측정을 기반으로 한다.

Tip

OSA가 있는 모든 환자에서 24시간 혈압 모니터링을 고려해야 하지만, 특히 다양한 정상, 상승, 1기 고혈압 환자, 설명할 수 없는 좌심실 비대가 있는 환자의 경우 24시간 혈압 모니터링을 고려해야 한다는 것이 우리의 견해다.

혈압 상승이나 고혈압이 있는 모든 환자에게 OSA와 같은 2차성 고혈압에 대한 선별 검사와 비약물적 중재가 권고된다. OSA 외에도 칼륨 측정 및 신장 혈관 질환, 알도스테론증, 대동맥 협착, 내분비 질환에 대한 선별 검사도 고려되어야 한다. 진단 팀에 내분비전문의나 2차성 고혈압 전문의가 포함되어 있지 않다면 의뢰를 고려해야 한다.

고혈압을 유발하는 약물은 OSA 환자에게 흔하게 사용된다; 여기에는 알코올, 카페인, NSAID, methamphetamine과 같은 비처방 각성제를 사용한 자가 약물뿐만 아니라 주의력 결핍 장애 치료를 위한 amphetamine, 충혈 완화제로서의 pseudoephedrine, 항정신병제 또는 고용량 serotonin noradrenaline 재흡수 억제제(SNRI)를 포함하는 항우울제를 포함하는 처방약이 포함된다.

고혈압의 평가는 좋은 병력과 신체뿐만 아니라 포도당, 대사 패널, 지질 프로필, creatinine, 전해질, 갑상선 자극 호르몬(TSH), 소변 검사, 심전도와 심초음파를 포함하는 기본적인 혈액 검사로 구성된다.

■ 표 5.3 정상 혈압, 상승된 혈압 및 고혈압 1, 2, 3기에 대한 미국 심장학회의 정의 ([19] 참조)

이완기 혈압 mmHg \ 수축기 혈압 mmHg	< 120	120–129	130–139	140–159	> 160
> 100	2기	2기	2기	2기	2기
90–99	2기	2기	2기	2기	2기
80–89	1기	1기	1기	2기	2기
< 80	정상	상승	1기	2기	1기
0					

■ 심혈관 질환 또는 심혈관 질환에 대한 10년 위험이 10% 초과로 추정되는 약리학적 치료
■ 심혈관 질환에 대한 10년 위험이 10% 미만으로 추정되는 약리학적 치료

고혈압의 약리학적 치료는 일반적으로 환자가 평균 혈압의 상승과 심혈관 위험의 척도가 조합될 때 합리적으로 간주된다 (■ 표 5.3).

고혈압 진단과 치료를 위한 최근 지침에는 신장내과, 내분비내과, 심장전문의, 약사 등을 포함하는 다학제 팀 구성원의 협진을 받는 것이 포함된다. 컴퓨터 시대에, 수면 장애 센터는 이 전문가들과의 협진을 통해 고혈압과 대사 질환을 위한 전자식 건강 기록 기반 테스트와 치료 프로토콜을 쉽게 연구할 수 있다. 이것은 하나의 대사 질환 치료가 종종 다른 것들의 개선을 유도하기 때문에 중요하다. 예를 들어, 고혈압 치료는 혈류와 인슐린 저항성을 향상시키고, 일반적으로 혈압에 대한 모든 치료법(포도당-자극 인슐린 분비를 감소시키는 thiazide 이뇨제 및 β-adrenergic 수용체 길항제 이외의)은 인슐린 작용을 향상시키고 당뇨 전증에서 당뇨로의 진행을 감소시키는 것으로 알려져 있다.

5.4 당뇨병

인슐린 저항성, 당뇨, OSA 간의 관계는 잘 알려져 있다. 수면 무호흡 환자 중 당뇨의 유병률은 수면 무호흡의 중증도와 비례하며, 최근 보고에 의하면 6,442명의 OSA 유럽 환자군의 16%[20]와 미국의 도시 의료 센터에서 745명의 OSA 다민족 환자군의 30%[21]에서 당뇨와 연관된다고 하였다. 당뇨 환자의 수면 무호흡 유병률은 덜 연구되어 왔고, 가정 무호흡 테스트, 낮은 무호흡 저호흡 지수(AHI)에서 특정성이 낮은 테스트에만 국한되었다. 결과는 La Jolla의 36% (AHI 15 초과)[22]부터 다기관 수면 센터(AHI 5 초과)[23]에서 87%까지의 범위를 보였다. 당뇨 환자 중 수면 무호흡의 유병률의 인종적 차이가 당뇨병보다 비만에 의해 더 많이 설명된 것으로 보인다.[24]

OSA는 고혈압을 포함하는 당뇨, 교감 신경계 활성화, 코티솔 증식에 기여할 수 있는 대사 변화의 연속 단계를 활성화시켜 인슐린 작용에 대한 저항력을 일으키고 포도당 신합성을 가속화한다. 감수성 있는 개인에서 이것이 대사 작용으로 2형 당뇨(T2DM)를 일으키는 것이다.

성공적인 치료를 위해서 수면의학과 대사 질환 모두에 대한 전담 센터 사이의 조정이 필요하다. 최근의 한 연구에서[25], 2형 당뇨 환자에서 진단되지 않은 수면 무호흡 유병률이 높을 뿐만 아니라 수면 전문가가 없을 때 문제가 발생할 수 있음을 분명히 하였다. 수면 무호흡에 대한 설문지로 2형 당뇨 환자를 선별 진료한 결과 90%가 무호흡에 대해 고위험으로 나타났지만, 29%만이 광범위한 1차 진료소에서 접촉한 후 테스트에 동의하였다. 이 그룹의 약 22%는 주로 가정 검사(AHI 5 초과)를 기반으로 한 OSA이었지만, 2/3만이 시험 치료에 합의하였고, 다시 말해서, 6명 중에 1명만 치료 시도에 동의하는 수면 무호흡

이 있다고 생각하였다.[25] 수면의학에서 훈련되고 경험있는 팀이 환자와 결과를 논의하고 환자의 결정에 대한 위험성과 이점에 대한 교육을 시행해야 한다.

여기에서는 대사로 매개되는 2형 당뇨를 다루지만, 저자는 비만, 수면 무호흡, 자가 면역 매개의 1형 당뇨(T1DM)에 대한 잠재적인 관계에도 주의할 것이다. 1형 당뇨의 발생률은 전 세계적으로 증가하고 있다.[26] 이러한 발병률 증가가 잠복기의 자가 면역 발생률 증가나 자가 면역 발달 이후 당뇨로의 더 빠른 진행과 연관성을 가지는 지는 분명하지 않다. 1형 당뇨의 증가는 인슐린 저항성과 비만이 자가 면역을 조절할 수 있다는 추측을 자극한다. 최근의 메타 분석은 소아 비만과 이후 1형 당뇨의 연관성을 지지한다.[27]

당뇨와 관련 고혈당증의 진단은 치료를 복잡하게 할 수 있는 미세 혈관 및 거대 혈관 합병증에 대한 평가를 위해 중요하다. 외과적 관점에서, 당뇨의 술후 진단으로 환자의 감염 위험이 높아지고 상처 치유가 늦어지며 즉각적인 포도당 조절과 집에서의 고강도 보살핌이 필요한 술후 환자 훈련의 혼잡을 피하기 위해서, 당뇨 진단이 누락되어서는 안 된다.

미국 당뇨협회에 의한 당뇨 진단에 사용된 기준은[28] 상대적으로 간단하지만(◘ 표 5.4 참조), 실무자들이 종종 절차를 무시하고 당뇨의 진단을 놓친다. 예를 들어, HbA1C에 대한 과도한 의존도로 당뇨 환자의 20–50%를 놓치기도 한다.[29,30]

◘ 표 5.4 당뇨 진단을 위한 미국 당뇨협회 기준[28]

당뇨 진단을 확립하기 위한 검사 검사를 반복하거나 다른 검사를 사용하여 확인		노트
경구 포도당 내성 검사	2-h PG ≥ 200 mg/dL (11 mM)	공복 후 아침, 물에 75 g 포도당을 사용하여 0, 60, 120분에 포도당을 측정한 경구 포도당 내성 검사
HbA1C	≥ 6.5% (48 mmol glc/mol hb)	NGSP 인증을 받고 DCCT 분석에 표준화된 방법을 사용하여 실험실에서 수행해야 하는 검사
공복 혈당	≥ 126 mg/dL (7.0 mM)	단식은 8시간 동안 칼로리를 섭취하지 않는 것으로 정의되지만, 모의 섭식은 인슐린 분비를 유발할 수 있고 카페인은 포도당 신합성을 유발할 수 있다는 점에 유의해야 한다.
고혈당 위기	무작위 혈당 ≥ 200 mg/dL (11 mM)	고혈당 또는 고혈당 위기의 전형적인 증상과 관련되어야 한다.

당뇨 진단에의 A1C 사용은 몇 가지 장점을 가진다. 이런 검사는 환자가 금식이 필요하지 않으며 2시간 경구 포도당 내성 검사보다 편리하고 검사 당시 환자의 건강 상태에 덜 의존적이다. 다음의 주의 사항을 확인해야 한다.[30]

Tip

- HbA1C가 당뇨 진단의 주요 기준으로 간주되어서는 안된다. 다른 검사로 확인하는 것이 좋다.
- HbA1C는 여러 인종에서 오해의 소지가 있다(예: 아프리카계 미국인 환자).
- HbA1C는 다양한 혈색소병, 철 결핍, 용혈성 빈혈, 지중해 빈혈, 구상 적혈구 증가증, 중증 간 및 신장 질환의 상황에서 오해의 소지가 있을 수 있다.

다른 대사성 질환과 마찬가지로 당뇨나 당뇨 전증 진단이 확정되면 환자를 다학제 전문 클리닉에 의뢰하여 환자별 및 계획별로 교육해야 한다. 미국 당뇨협회나 미국 당뇨 교육자 협회의 인증을 받은 센터는 이러한 서비스에 대해 Medicare와 같은 제3자 지불자로부터 비용을 지불할 수 있는 추가 이점이 있다. 이러한 센터에는 교육 간호사, 영양사, 운동생리학자, 물리치료사, 약사, 심리학자, 사회복지사, 의사가 포함될 수 있다. 관리자는 기관의 관점에서 인증된 당뇨병 교육 센터가 비만, 고혈압, 지방간염, 이상지질혈증, 기타 대사 질환의 포괄적이고 효율적인 치료에도 사용될 수 있음을 인식해야 한다.

5.5 지방간 질환

지방간 질환은 간에 지방이 병적으로 축적되어 대사 기능 장애, 염증, 섬유증, 간경변을 유발할 때 발생한다. 잠복성 간경변증의 주요 원인으로 부상했으며 현재 미국에서 이식 대기자 명단에 추가되는 두 번째로 흔한 적응증이다.[31] 만성 간질환의 주요 원인이며 비만 환자의 최소 2/3에서 발생한다.[32] 다른 대사성 질환과 마찬가지로 수면 무호흡의 유병률과 중증도는 악화된다.[33-35] 우리는 비만이나 대사 증후군이 없는 환자에서도 수면 무호흡의 중증도가 비알코올성 지방간 질환(NAFLD)의 중증도와 관련이 있음을 주목한다.[36]

NAFLD이라고도 하는 지방간 질환은 양성의 가역성 간지방증에서 만성 비알코올성 지방간염(NASH) 및 간경변증에 이르는 다양한 질병을 구성한다. 지방 침착은 간의 염증(지방간염), 후속적 섬유증, 간경변증에 기여한다. 이 과정은 간 인슐린 저항성에 의해 가속화된다.[37]

■ 표 5.5 간 지방증(지방간)과 섬유증을 동반한 지방간염(간경변증) 진단 – 자세한 내용은 텍스트 참조

	인용	구분	민감도(%)	특이성(%)
간 지방증				
선별 검사				
지방간 지수(FLI)	[41]	≥ 30	87	64
NAFLD 간지방 점수(5.6% 초과 간지방에서)	[39]	≥ -0.64	86	71
최종 검사				
자기 공명 양성자 밀도 지방 분획	[42] 비교			
섬유증을 동반한 지방간염				
선별 검사				
섬유화-4 (FIB-4)	[43, 44]	< 1.3	85	65
NAFLD의 진동 제어 순간 탄성측정법(kPa)	[45] 비교	≥ 10.3	90	87
최종 검사				
간 생검				

많은 문헌이 OSA와 NAFLD의 관계에 초점을 맞추고 있지만, 수면 장애 센터에서 볼 수 있는 많은 지방간은 과거나 현재 알코올 소비와 연관된다는 인상을 받았다. 알코올 소비는 낮은 수준에서도 NAFLD를 악화시킬 수 있음을 기억해야 한다.[38] OSA가 있는 많은 환자들은 불면증을 동시에 가지고 있으며, 알코올로 자가 치료하기도 한다. 알코올 소비에 대한 과거력 조사는 지방간 진단과 치료 고려 사항에서 중요한 단계이다.

알코올 소비는 특히 수술 중 마취제의 대사에 미치는 영향과 응고 인자 합성 감소, 혈소판 감소증 및 혈소판 기능에 대한 알코올성 질환의 영향과 관련된 출혈 위험을 고려할 때 중요한 진단 고려 사항이다. 저자의 병원에서는 모든 수면 무호흡 환자에게 알코올, 수면 무호흡, 대사성 질환의 관계에 대해 교육하고 이러한 문제가 완전히 해결될 때까지 금주하도록 상기시킨다.

Tip

수면 무호흡의 지방간 질환은 종종 알코올 소비의 과거력과 관련된다. 환자는 대사 문제와 수면 무호흡이 완전히 해결될 때까지 금주하도록 교육받아야 한다.

섬유증과 간경변을 동반한 NAFLD 및 NASH의 조기 발생에 대한 진단 도구의 개발이 빠르게 발전하고 있다. MR 양성자 밀도 지방 분획(PDFF)은 간 지방 정량화의 표준이 되었으며 간 생검은 섬유증의 표준으로 남아 있다. 그러나 일반적으로 aspartate amino 전이효소(AST), γ-glutamyl 전이효소(GGT), alanine amino 전이효소(ALT), 혈소판 함량(PLT)을 포함하는 인체 측정과 혈청학적 변수를 기반으로 지방간이나 섬유증의 가능성을 선별 진단하는 상당히 좋은 검사가 있다(■ 표 5.5).

양성자 밀도 지방 분획과 간 생검은 보편적으로 수행될 수 없기 때문에, 우리는 NAFLD나 NASH에 대한 위험을 산출하기 위해 간단한 필드 코드를 사용하여 전자 건강 기록에 쉽게 프로그래밍 할 수 있는 몇 가지 선별 검사를 선택하고 이러한 진단을 치료에서 해결해야 할 문제 목록에 추가한다. 간의 지방양이 간-관련 결과와 관련이 없기 때문에 간 지방을 정량화하는 데 중점을 두지 않았음에도 불구하고, 우리는 수면 무호흡과 관련 대사성 질환의 맥락에서 계속해서 간 지방증 또는 NAFLD의 위험에 대한 검진을 권장하는데, 이것은 잠재적으로 가역적인 문제이고 치료는 비가역적 근종 및 간경변의 예방으로 이어질 수 있기 때문이다.

우리는 지방간 위험 평가에 지방간 지수(FLI)나 NAFLD 간지방 점수(NAFLD-LFS)를 추천한다. FLI는 다음과 같이 계산된다:

$$FLI = \frac{\left(e^{0.953*\log e(\text{triglycerides})+0.139*BMI+0.718*\log e(GGT)+0.053*\text{waist circumference}-15.745}\right)}{\left(1+e^{0.953*\log e(\text{triglycerides})+0.139*BMI+0.718*\log e(ggt)+0.053*\text{waist circumference}-15.745}\right)}*100$$

NAFLD 간 지방 점수(5.6% 초과로 정의된 지방간)는 다음과 같이 계산된다[39]:

NAFLD-LFS =
- 2.89 + 1.18 [대사성 증후군(예 = 1 / 아니오 = 0)]
+ 0.45 [2형 당뇨(예 = 2 / 아니오 = 0)]
+ 0.15 [공복 혈장 인슐린(mU/L)]
+ 0.04 [AST (U/L)] - 0.94 (AST/ALT)

FLI는 허리 둘레를 측정해야 하는 단점이 있어 허리가 없는 환자의 경우 측정이 번거로울 수 있다. NAFLD 간 지방 점수는 이런 측정을 하지 않지만, 대사 증후군의 평가와 2형 당뇨의 정확한 진단에 의존한다. 이 계산에서 대사 증후군은 국제 당뇨 연맹의 기준에 따라 정의되었다[40]: 중심성 비만(허리 둘레 남성 94 cm, 여성 80 cm 이상)과 다음 요인 중 적어도 2가지: (1) 혈청 triglyceride 1.70 mmol/L 이상 또는 이 지질 이상에 대한 특정 치료; (2) 남성 1.03 mmol/L, 여성 1.29 mmol/L 미만의 혈청 고밀도 지단백 콜레스테롤 또는 이 지질 이상에 대한 특정 치료; (3) 수축기 혈압 130 mmHg 이상 또는 이완기 혈압 85 mmHg 이상 또는 이전에 진단된 고혈압에 대한 치료; (4) 공복 혈당 5.6 mmol/L 이상 또는 이전에 진단된 2형 당뇨. 대사 증후군의 구성 요소에 대한 선별 검사 요구 사항이 계산에 약간의 복잡성을 추가하는 것처럼 보이지만, 선별 검사를 위한 데이터는 전자 건강 기록 내 자동 분석을 위한 표준 순서 세트에서 사용할 수 있어야 한다.

NAFLD의 맥락에서 간 섬유증 및 간경변의 위험에 대한 검증된 평가를 위해 진동 제어 순간 탄성 측정법이나 생검에 의한 후속 연구와 함께 섬유증-4 (FIB-4)의 추가 계산을 권장한다.

섬유증-4는 다음 방정식에 의해 계산된다(McPherson, Stewart, Henderson, Burt, & Day, 2010; Sterling 등, 2006):

$$\text{FIB-4} = \frac{[\text{연령(년)}]\,[\text{AST (U/L)}]}{[\{\text{PLT}\,[10(9)/\text{L}]\}\,(\text{ALT})^{1/2}]}$$

간 지방증의 맥락에서 섬유증이 있는 환자는 비가역적 간 기능 장애의 요소를 가질 것으로 예상할 수 있다. 진행을 억제하고 간의 지방 함량을 줄이기 위한 치료는 공격적이어야 한다. 마취과의는 간경변의 가능성을 인식하고 필요에 따라 마취와 수술 전후 프로토콜을 조정해야 한다. 의심스러운 경우 신중하게 간 질환과 위험을 완전히 정의하기 위해 간 전문의과 상담하고 간 생검을 진행해야 한다.

5.6 결론

- OSA와 관련된 대사성 질환의 인식으로, 환자의 부상 위험을 피하고 성공적인 결과를 위한 기회를 개선하기 위해 수면 무호흡 치료를 수정할 수 있다. 관리를 위한 특정 전략은 이 책의 III부와 IV부에서 다룬다.
- 관련 질병과 치료 복잡성의 기록은 서비스의 충분한 상환을 위해 급속하게 중요해졌다.
- 비만과 관련 질병의 진단은 당뇨나 지방간과 같은 추가적인 대사 질환의 탐지를 가능하게 할 뿐만 아니라 관절염과 지방 조직에 의한 상기도의 해부학적 손상과 같은 기계적 문제의 인식을 필요로 하며 이는 순차적으로 비만에 대한 특정 치료를 정당화한다.
- 고혈압의 진단과 치료는 식이요법과 운동을 위한 치료 프로그램을 설계하고 수술 요법과 관련된 수술 전후의 위험을 줄이는 데 중요하다.
- 당뇨 전증과 당뇨의 인식은 대사 질환을 구체적으로 다루는 다학제 클리닉을 통한 치료 협진을 허용하고 운동이나 외과적 개입과 관련된 심혈관 위험의 보다 정확한 계산을 허용한다.
- 단순 지방증의 인식으로 지방간염, 비가역적 섬유증, 간 기능 장애의 역전과 예방을 목표로 하는 치료를 수행할 수 있다.
- 혈소판증과 간경변증을 동반한 지방간염을 인식하면 심혈관 질환, 대사 기능 장애, 응고 장애, 혈소판 감소증의 위험을 인식하여 수술 전후 위험을 더 잘 관리할 수 있다.
- 대사성 질환의 진단과 치료는 전자 건강 기록, 문제 생성 주문 세트, 다학제 팀을 효율적으로 사용하여 쉽게 해결할 수 있다.

참고문헌

1. St-Onge MP, Shechter A. Sleep disturbances, body fat distribution, food intake and/or energy expenditure: pathophysiological aspects. Horm Mol Biol Clin Investig. 2014;17(1):29-37. https://doi.org/10.1515/hmbci-2013-0066.
2. Depner CM, Stothard ER, Wright KP Jr. Metabolic consequences of sleep and circadian disorders. Curr Diab Rep. 2014;14(7):507. https://doi.org/10.1007/s11892-014-0507-z.
3. Liu A, Kushida CA, Reaven GM. Habitual shortened sleep and insulin resistance: an independent relationship in obese individuals. Metabolism. 2013;62(11):1553-6. https://doi.org/10.1016/j. metabol.2013.06.003.
4. Auclair A, Biertho L, Marceau S, Hould FS, Biron S, Lebel S, Julien F, Lescelleur O, Lacasse Y, Piche ME, Cianflone K, Parlee SD, Goralski K, Martin J, Bastien M, St-Pierre DH, Poirier P. Bariatric surgery-induced resolution of hypertension and obstructive sleep apnea: impact of modulation of body fat, ectopic fat, autonomic nervous activity, inflammatory and adipokine profiles. Obes Surg. 2017; https://doi.org/10.1007/s11695-017-2737-z.

5. Rasheid S, Banasiak M, Gallagher SF, Lipska A, Kaba S, Ven-timiglia D, Anderson WM, Murr MM. Gastric bypass is an effective treatment for obstructive sleep apnea in patients with clinically significant obesity. Obes Surg. 2003;13(1):58–61.

6. Foster GD, Borradaile KE, Sanders MH, Millman R, Zammit G, Newman AB, Wadden TA, Kelley D, Wing RR, Pi-Sunyer FX, Reboussin D, Kuna ST, Sleep ARGLARG. A randomized study on the effect of weight loss on obstructive sleep apnea among obese patients with type 2 diabetes: the Sleep AHEAD study. Arch Intern Med. 2009;169(17):1619–26. https://doi. org/10.1001/archinternmed.2009.266.

7. Trenell MI, Ward JA, Yee BJ, Phillips CL, Kemp GJ, Grunstein RR, Thompson CH. Influence of constant positive airway pressure therapy on lipid storage, muscle metabolism and insulin action in obese patients with severe obstructive sleep apnoea syndrome. Diabetes Obes Metab. 2007;9(5):679–87. https://doi. org/10.1111/j.1463-1326.2006.00649.x.

8. Chin K, Shimizu K, Nakamura T, Narai N, Masuzaki H, Ogawa Y, Mishima M, Nakamura T, Nakao K, Ohi M. Changes in intraabdominal visceral fat and serum leptin levels in patients with obstructive sleep apnea syndrome following nasal continuous positive airway pressure therapy. Circulation. 1999;100(7):706–12.

9. Bourey RE, Bourey JR, Habbal N, Balaa A. Early gain in body mass with continuous positive airway pressure therapy for obstructive sleep apnea (Anfängliche Gewichtszunahme bei kontinuierlicher Positivdruck-Therapie wegen obstruktiver Schlafapnoe. Anfängliche Gewichtszunahme bei CPAP-Therapie). Somnologie. 2010;14(3):207–12. https://doi.org/10.1007/s11818-010-0483-8.

10. American Medical Association (2013) H440.842 Recognition of Obesity as a Disease. Available at: https://www. amaassn. org/ssl3/ecomm/PolicyFinderForm. pl?site=www. ama-assn. org&uri=/resources/html/PolicyFinder/policyfiles/HnE/H-440. 842. HTM.

11. Garvey WT, Mechanick JI, Brett EM, Garber AJ, Hurley DL, Jastreboff AM, Nadolsky K, Pessah-Pollack R, Plodkowski R, Reviewers of the AACEOCPG. American Association of Clinical Endocrinologists and American College of Endocrinology comprehensive clinical practice guidelines for medical care of patients with obesity. Endocr Pract. 2016;22(Suppl 3):1–203. https://doi.org/10.4158/EP161365.GL.

12. Tilkian AG, Guilleminault C, Schroeder JS, Lehrman KL, Simmons FB, Dement WC. Hemodynamics in sleep-induced apnea. Studies during wakefulness and sleep. Ann Intern Med. 1976;85(6):714–9.

13. Coccagna G, Mantovani M, Brignani F, Parchi C, Lugaresi E. Continuous recording of the pulmonary and systemic arterial pressure during sleep in syndromes of hypersomnia with periodic breathing. Bull Physiopathol Respir (Nancy). 1972;8(5):1159–72.

14. Carlson JT, Hedner JA, Ejnell H, Peterson LE. High prevalence of hypertension in sleep apnea patients independent of obesity. Am J Respir Crit Care Med. 1994;150(1):72–7. https://doi. org/10.1164/ajrccm.150.1.8025776.

15. Millman RP, Redline S, Carlisle CC, Assaf AR, Levinson PD. Daytime hypertension in obstructive sleep apnea. Preva-lence and contributing risk factors. Chest. 1991;99(4):861–6.

16. Levinson PD, Millman RP. Causes and consequences of blood pressure alterations in obstructive sleep apnea. Arch Intern Med. 1991;151(3):455–62.

17. Min HJ, Cho YJ, Kim CH, Kim DH, Kim HY, Choi JI, Lee JG, Park S, Cho HJ. Clinical features of obstructive sleep apnea that determine its high prevalence in resistant hypertension. Yonsei Med J. 2015;56(5):1258–65. https://doi.org/10.3349/ymj.2015.56.5.1258.

18. Muxfeldt ES, Margallo VS, Guimaraes GM, Salles GF. Prevalence and associated factors of obstructive sleep apnea in patients with resistant hypertension. Am J Hypertens. 2014;27(8):1069–78. https://doi.org/10.1093/ajh/hpu023.

19. Whelton PK, Carey RM, Aronow WS, Casey DE, Jr., Collins KJ, Dennison Himmelfarb C, DePalma SM, Gidding S, Jamerson KA, Jones DW, MacLaughlin EJ, Muntner P, Ovbiagele B, Smith SC, Jr., Spencer CC, Stafford RS, Taler SJ, Thomas RJ, Williams KA, Sr., Williamson JD, Wright JT, Jr. 2017 ACC/AHA/AAPA/ABC/ACPM/AGS/APhA/ASH/ASPC/NMA/PCNA guideline for the prevention, detection, evaluation, and management of high blood pressure in adults: a report of the American College of Cardiology/American Heart Association Task Force on Clinical Practice Guidelines. Hypertension. 2017. https://doi.org/10.1161/HYP.0000000000000065.

20. Kent BD, Grote L, Ryan S, Pepin JL, Bonsignore MR, Tkacova R, Saaresranta T, Verbraecken J, Levy P, Hedner J, McNicholas WT. Diabetes mellitus prevalence and control in sleepdisordered breathing: the European Sleep Apnea Cohort (ESADA) study. Chest. 2014;146(4):982–90. https://doi.org/10.1378/chest.13-2403.

21. Mahmood K, Akhter N, Eldeirawi K, Onal E, Christman JW, Carley DW, Herdegen JJ. Prevalence of type 2 diabetes in patients with obstructive sleep apnea in a multi-ethnic sample. J Clin Sleep Med. 2009;5(3):215–21.

22. Einhorn D, Stewart DA, Erman MK, Gordon N, Philis-Tsimikas A, Casal E. Prevalence of sleep apnea in a population of adults with type 2 diabetes mellitus. Endocr Pract. 2007;13(4):355–62. https://doi.org/10.4158/EP.13.4.355.

23. Foster GD, Sanders MH, Millman R, Zammit G, Borradaile KE, Newman AB, Wadden TA, Kelley D, Wing RR, Sunyer FX, Darcey V, Kuna ST, Sleep ARG. Obstructive sleep apnea among obese patients with type 2 diabetes. Diabetes Care. 2009;32(6):1017–9. https://doi.org/10.2337/dc08-1776.

24. Amin A, Ali A, Altaf QA, Piya MK, Barnett AH, Raymond NT, Tahrani AA. Prevalence and associations of obstructive sleep apnea in South Asians and White Europeans with type 2 diabetes: a cross-sectional study. J Clin Sleep Med. 2017;13(4):583–9. https://doi.org/10.5664/jcsm.6548.

25. Donovan LM, Rueschman M, Weng J, Basu N, Dudley KA, Bakker JP, Wang R, Bertisch SM, Patel SR. The effectiveness of an obstructive sleep apnea screening and treatment program in patients with type 2 diabetes. Diabetes Res Clin Pract. 2017;134:145–52. https://doi.org/10.1016/j.diabres.2017.10.013.

26. Ziegler AG, Pflueger M, Winkler C, Achenbach P, Akolkar B, Krischer JP, Bonifacio E. Accelerated progression from islet autoimmunity to diabetes is causing the escalating incidence of type 1 diabetes in young children. J Autoimmun. 2011;37(1):3–7. https://doi.org/10.1016/j.jaut.2011.02.004.

27. Verbeeten KC, Elks CE, Daneman D, Ong KK. Association between childhood obesity and subsequent Type 1 diabetes: a sys-tematic review and meta-analysis. Diabet Med. 2011;28(1):10–8. https://doi.org/10.1111/j.1464-5491.2010.03160.x.

28. American Diabetes Association. Standards of medical care in diabetes - 2017. Diabetes Care. 2017;40(Suppl 1):S1–S135. https://doi.org/10.2337/dc17-S001.

29. Gallagher EJ, Le Roith D, Bloomgarden Z. Review of hemoglo-bin A(1c) in the management of diabetes. J Diabetes. 2009;1(1):9–17. https://doi.org/10.1111/j.1753-0407.2009.00009.x.

30. American Association of Clinical Endocrinologists Board of D, American College of Endocrinologists Board of T. American Association of Clinical Endocrinologists/American College of Endocrinology statement on the use of hemoglobin A1c for the diagnosis of diabetes. Endocr Pract. 2010;16(2):155–6. https://doi.org/10.4158/EP.16.2.155.

31. Kim WR, et al. (2015) OPTN/SRTR 2015 Annual data report: liver. http://srtr. transplant. hrsa. gov/annual_reports/Default. aspx.

32. Younossi ZM, Stepanova M, Afendy M, Fang Y, Younossi Y, Mir H, Srishord M. Changes in the prevalence of the most common causes of chronic liver diseases in the United States from 1988 to 2008. Clin Gastroenterol Hepatol. 2011;9(6):524–30. e521; quiz e560. https://doi.org/10.1016/j.cgh.2011.03.020.

33. Benotti P, Wood GC, Argyropoulos G, Pack A, Keenan BT, Gao X, Gerhard G, Still C. The impact of obstructive sleep apnea on nonalcoholic fatty liver disease in patients with severe obesity. Obesity (Silver Spring). 2016;24(4):871–7. https://doi. org/10.1002/oby.21409.

34. Musso G, Olivetti C, Cassader M, Gambino R. Obstructive sleep apnea–hypopnea syndrome and nonalcoholic fatty liver disease: emerging evidence and mechanisms. Semin Liver Dis. 2012;32(1):49–64. https://doi.org/10.1055/s–0032–1306426.

35. Aron–Wisnewsky J, Minville C, Tordjman J, Levy P, Bouillot JL, Basdevant A, Bedossa P, Clement K, Pepin JL. Chronic intermittent hypoxia is a major trigger for non–alcoholic fatty liver disease in morbid obese. J Hepatol. 2012;56(1):225–33. https://doi.org/10.1016/j.jhep.2011.04.022.

36. Qi JC, Huang JC, Lin QC, Zhao JM, Lin X, Chen LD, Huang JF, Chen X. Relationship between obstructive sleep apnea and nonalcoholic fatty liver disease in nonobese adults. Sleep Breath. 2016;20(2):529–35. https://doi.org/10.1007/s11325–015–1232–9.

37. Ghosh S, Kaw M, Patel PR, Ledford KJ, Bowman TA, McInerney MF, Erickson SK, Bourey RE, Najjar SM. Mice with null mutation of Ceacam I develop nonalcoholic steatohepa–titis. Hepat Med. 2010;2010(2):69–78. https://doi.org/10.2147/HMER.S8902.

38. Aberg F, Helenius–Hietala J, Puukka P, Farkkila M, Jula A. Interaction between alcohol consumption and metabolic syndrome in predicting severe liver disease in the general population. Hepatology. 2017. https://doi.org/10.1002/hep.29631.

39. Kotronen A, Peltonen M, Hakkarainen A, Sevastianova K, Bergholm R, Johansson LM, Lundbom N, Rissanen A, Ridderstrale M, Groop L, Orho–Melander M, Yki–Jarvinen H. Prediction of non–alcoholic fatty liver disease and liver fat using metabolic and genetic factors. Gastroenterology. 2009;137(3):865–72. https://doi.org/10.1053/j.gastro.2009.06.005.

40. Alberti KG, Zimmet P, Shaw J, Group IDFETFC. The metabolic syndrome–a new worldwide definition. Lancet. 2005;366(9491):1059–62. https://doi.org/10.1016/S0140–6736(05)67402–8.

41. Bedogni G, Bellentani S, Miglioli L, Masutti F, Passalacqua M, Castiglione A, Tiribelli C. The Fatty Liver Index: a simple and accurate predictor of hepatic steatosis in the general population. BMC Gastroenterol. 2006;6:33. https://doi.org/10.1186/1471–230X–6–33.

42. Unal E, Idilman IS, Karcaaltincaba M. Multiparametric or practical quantitative liver MRI: towards millisecond, fat fraction, kilopascal and function era. Expert Rev Gastroenterol Hepatol. 2017;11(2):167–82. https://doi.org/10.1080/17474124.2 017.1271710.

43. Sterling RK, Lissen E, Clumeck N, Sola R, Correa MC, Mon–taner J, M SS, Torriani FJ, Dieterich DT, Thomas DL, Messinger D, Nelson M, Investigators AC. Development of a simple noninvasive index to predict significant fibrosis in patients with HIV/HCV coinfection. Hepatology. 2006;43(6):1317–25. https://doi.org/10.1002/hep.21178.

44. McPherson S, Stewart SF, Henderson E, Burt AD, Day CP. Simple non–invasive fibrosis scoring systems can reliably exclude advanced fibrosis in patients with nonalcoholic fatty liver disease. Gut. 2010;59(9):1265–9. https://doi.org/10.1136/gut.2010.216077.

45. Singh S, Muir AJ, Dieterich DT, Falck–Ytter YT. American Gastroenterological Association Institute technical review on the role of elastography in chronic liver diseases. Gastroenterology. 2017;152(6):1544–77. https://doi.org/10.1053/j.gas–tro.2017.03.016.

Diagnostic Considerations for OSA

목차

OSA 환자의 임상 평가

Raman K. Malhotra and Rocio Zeballos-Chavez

목차

6

6.1 배경

폐쇄성 수면 무호흡(OSA)이 있는 사람은 일반적으로 과도한 주간 졸음, 코골이, 수면 중 무호흡증을 주호소로 임상 치료를 받는다. 과도한 주간 졸음은 하루 중 주로 깨어 있는 시간 동안 각성 상태를 유지하거나 정신이 초롱초롱하지 못해서 의도하지 않은 졸음이나 수면에 빠지는 것으로 정의된다.[1] 이 증상은 흔하게 나타나는데, 미국 인구의 30% 이상이 삶의 질을 방해하는 주간 졸음을 앓고 있는 것으로 추정된다.[2] 주간 졸음은 일이나 육아와 같은 중요한 활동에 영향을 미치거나 차량 운전과 같은 위험한 순간에 발생할 수 있다. OSA가 의심되는 환자를 평가하는 가장 좋은 초기 단계는 자세한 병력 청취와 신체검사를 포함한다.[3]

6.2 병력 청취

OSA 평가를 위해 내원하는 많은 환자들이 과다한 주간 졸음을 얘기하기 때문에, 과다한 주간 졸음의 존재와 심각도를 더 자세히 조사하는 것이 중요하다. Epworth 졸음 척도(ESS)(◘ 그림 6.1)와 같은 주관적 척도는 환자의 진술대로 하루 동안의 졸음 수준을 빠르게 측정할 수 있다. 이것은 졸음이 발생하거나 영향을 미치는 다양한 상황에 대해 직접 문의하여 추가로(몇 배 더 효과적으로) 평가할 수 있다. 제공자는 졸음이 운전, 직장, 학교, 사회 활동과 같은 활동에 영향을 미치는지 환자에게 질문할 수 있다. 많은 경우 환자는 주간 졸음의 심각성 또는 심지어 존재를 과소평가할 수 있다. 이것은 증상의 만성적 특성 때문일 수 있는데, 증상이 수년 동안 지속된 환자의 경우 낮 동안의 정상적인 각성 상태를 알기 어려울 수 있기 때문이다. 또한 졸음은 뇌가 수행 능력을 자가 평가하는 능력에 영향을 미치므로 환자가 깨어 있는 능력에 대해 부정확한 판단을 내리게 된다. 가족, 친구, 동료들은 환자의 졸음에 대해 다양하고 보다 정확한 시각을 가질 수 있기 때문에, 환자의 졸음 수준에 대해 그들에게 물어보는 것이 도움이 될 수 있다. 특히 감별 진단에서 고려해야 할 과도한 주간 졸음의 질환을 나타내는 원인이 많기 때문에, 주간 졸음이 언제, 얼마나 자주 발생하는지 묻는 것도 평가에 도움이 될 수 있다(◘ 표 6.1). 불충분한 수면(하루 평균 7시간 미만)은 미국에서 과도한 주간 졸음의 가장 흔한 원인이다.

환자나 임상의가 구별하기 어려울 수 있는 이러한 증상의 다른 가능한 원인이 있기 때문에 환자의 졸음이 피로나 에너지 감소와 더 일치하는지 묻는 것도 도움이 될 수 있다. 기분 장애, 내분비 장애, 특정 류마티스 장애는 일반적으로 피로를 유발한다. 특히 환자에게 앉아 있는 상황에서 실제로 졸거나 잠드는지 묻고, 일어나서 활동적인 것을 원하지 않는 것은 환자가 원발성 수면 장애로 인한 과수면이나 다른 의학적 원인으로 인한 피로가 있는지 확인하는 데 도움이 될 수 있다. 참고로, 좋은 과거력에도 불구하고 많은 수면 장애 환자들이 여전히 피로나 기력 부족의 증상을 나타내는 수면 장애를 진술할 것이기 때문에,

◘ 그림 6.1 **Epworth 졸음 척도**

다음에서 각 상황에 가장 적절한 숫자에 동그라미를 치시오.

0 = 깜빡 졸, 한 달에 한 번 미만
1 = 졸음이 올 가능성 약간
2 = 졸음이 올 가능성 보통
3 = 졸음이 올 확률 높음

졸음이 올 확률				
앉아서 읽기	0	1	2	3
TV 시청	0	1	2	3
공공 장소에서 가만히 앉아 있기(극장, 회의 중)	0	1	2	3
한 시간 동안 계속 차 안에 승객으로 있기	0	1	2	3
오후에 누워있기	0	1	2	3
앉아서 누군가와 이야기하기	0	1	2	3
술 없이 점심 식사 후 조용히 앉아 있기	0	1	2	3
차 안에서, 교통 체증으로 몇 분 동안 정차하는 동안	0	1	2	3
동그라미 친 8개의 숫자	총 = ______			

인용: Johns MW. A new method for measuring daytime sleepiness: Epworth sleepiness scale. Sleep 1991;14(6):5400–545.

표 6.1 고려해야 할 과도한 주간 졸음의 주요 원인

수면 부족
폐쇄성 수면 무호흡
중추성 수면 무호흡
기면증
특발성 과다 수면
일주기 리듬 장애
하지 불안 증후군
약물
약물 남용
외상성 뇌 손상
신경 퇴행성 장애(예: 치매, 파킨슨 병)

이러한 증상은 여전히 수면 무호흡의 평가에서 진중하게 받아들여야 한다.[4] OSA는 주의력 감소, 인지 능력, 기억력 저하의 증상도 유발할 수 있다. 과잉행동과 부주의는 특히 소아에서 OSA의 흔한 증상이다.[5]

졸음에 대한 질문 외에도, OSA의 다른 일반적인 임상 증상을 조사하는 것이 중요하다. 코골이의 유무, 빈도, 강도는 OSA 환자의 주요 특징이다. 코골이는 환자에게 분명하지 않을 수 있으며, 같이 자는 사람이나 방을 같이 사용하는 사람이 코골이나 시끄러운 호흡의 유무와 수면 중 무호흡이나 호흡 정지를 봤다고 보고할 수 있다. OSA로 인한 다른 증상으로는 야간 각성, 야간 발한, 야간 빈뇨, 위산 역류, 아침 두통이 있다. 이러한 증상은 수면 무호흡 환자에서 더 흔하게 나타나지만, 구체적이지 않으며 수많은 다른 병인과 관련될 수 있다. 마지막으로 OSA가 있는 많은 환자들은 불면증이나 수면 장애를 나타낼 수 있다.

특히 OSA가 있는 환자는 수면의 질 저하를 초래하는 다른 기여 수면 장애가 있을 수 있기 때문에 과다 수면의 다른 원인에 대한 평가를 고려하는 것이 중요하다(표 6.1). 취침 시간, 기상 시간, 수면 시간 등을 질문하여 수면 부족에 대해 반드시 평가해야 한다. 최적의 건강을 위해 성인은 최소 7시간의 수면이 필요하며, 수면 부족은 졸림의 가장 흔한 원인이다.[6] 하지 불안 증후군은 야간 수면 장애를 일으켜 과다한 주간 졸음의 원인이 될 수 있다. 이 진단은 사지의 불편감이나 밤에 더 심해지는 다리를 움직이고 싶은 충동에 대해 환자에게 질문하여 평가할 수 있다. 증상은 움직임과 함께 개선되고 수면 장애를 유발한다. 드물기는 하지만 탈력 발작, 수면 관련 환각, 수면 마비와 같은 기면 증상에 대한 선별 검사는 적절한 임상 시나리오에서 도움이 될 수 있다. 탈력 발작은 감정, 일반적으로 웃음과 같은 긍정적인 감정에 의해 유발되는 일시적인 근육 약화의 짧은 에피소드이다. 수면 마비는 깨어 있지만 움직일 수 없는 일시적인 느낌으로, 일반적으로 넘어지거나 잠에서 깨어날 때 발생한다. 발작은 기면증의 진단 외에는 거의 나타나지 않지만 수면 마비와 수면 관련 환각은 수면 무호흡과 수면 부족을 비롯한 다양한 수면 장애에서 볼 수 있다.

특정 의학적 진단을 가진 환자는 OSA에 대한 위험이 더 높아진다. 여기에는 만성 폐쇄성 폐질환이나 천식 같은 폐 질환뿐만 아니라 뇌졸중이나 신경근 장애와 같은 신경계 질환이 포함된다. 구개열이나 다운 증후군 환자와 같이 두개안면 장애나 중안면 형성부전이 있는 환자는 수면 장애 호흡의 위험이 더 높다. 심부전 및 심장 부정맥(심방 세동)과 같은 심장 질환이 있는 환자는 중추 및 폐쇄성 수면 무호흡의 비율이 매우 높다.[7] 환자가 이전에 수면 무호흡이나 기도 장애 진단을 받았을 수 있으므로, 이전의 상기도 수술 경험에 대해 확인하는 것도 중요하다.

환자는 카페인이나 담배를 이용하여 졸음의 증상을 숨기려고 할 수 있다. 사회력을 작성하는 동안, 카페인, 담배, 주간 졸음, 야간 불면증을 유발할 수 있는 기타 기분 전환 약물의 사용에 대한 질문이 이루어져야 한다. 흡연력도 환자를 수면 무호흡의 위험에 빠뜨린다.

어떤 직업에는 졸음과 OSA 진단에 관한 특정 규정이 있으므로, 환자의 직장에 대해 더 많이 알아야 한다. 일반적으로 여기에는 조종사나 상업용 운전 면허증이 있는 운전자와 같은 직업이 포함된다. 연방 기관에서는 이런 증상들이 근로자나 사회를 위험에 빠뜨릴 수 있다는 위험이 인식되어 있는 경우 수면 무호흡을 평가하는 동안 치료 준수나 가능한 근무 시간에 관한 규정을 지정하였다. OSA는 특히 두개안면이나 상기도의 해부학적 이상과 관련이 있는 경우 가족 내에서 발생할 수 있으므로 OSA(또는 수면 무호흡이 의심되는 증상)의 병력이 있는 가족이 있는지 묻는 것도 도움이 될 수 있다.

6.3 신체 검사

위에서 설명한 임상 병력은 OSA 가능성 평가에 중요하다. 신체 검사의 주요 특징은 임상 평가에서도 매우 유용하다. 가장 도움이 되는 객관적인 측정 방법 중 하나는 체질량 지수(BMI)의 상승이나 비만의 발견이다. BMI가 높을수록 OSA의 위험이 높아진다(혀를 포함한 구인두 구조의 지방 조직 증가로 인해). 남성의 경우 목둘레가 17 inch 이상, 여성에서 16 inch 이상으로 증가하는 것도 위험인자로 간주되어 초기 임상 평가에 포함되어야 하므로 목둘레를 측정하는 것도 중요하다.[8] 혈압 상(또는 고혈압 병력), 비정상적인 호흡 징후, 낮은 산소 포화도는 수면 장애 호흡과 연관될 수 있다.

상세한 상기도와 두개안면 검사는 좁은 기도에 취약할 수 있는 환자의 특징을 찾는 데 도움이 될 것이다. 임상의는 육안 검사에서 편도 조직의 존재와 크기뿐만 아니라 기도가 얼마나 혼잡한지를 측정해야 한다. 한 가지 일반적인 방법은 기도를 1(최소 혼잡)에서 4(최대 혼잡)까지로 등급을 매기는 Mallampati 분류이다. 이 분류 또는 점수는 처음에 임상의가 삽관의 용이성을 결정하기 위해 사용했지만, 나중에 OSA의 위험과 상관 관계가 있는 것으로 밝혀졌다. 점수는 환자에게 앉은 상태에서 입을 벌리고 혀를 완전히 내밀게 하여(발음 없음) 기도를 검사하여 얻는다. Mallampati 분류 1은 연구개, 경구개, 목젖, 편도를 볼 수 있다. 분류 2는 다른 3구조물은 볼 수 있지만, 편도는 볼 수 없는 경우이다. 분류 3에서는 연구개와 목젖의 기저부만 보인다. 분류 4는 연구개만 관찰되면 기도가 밀집되어 환자가 수면 무호흡에 걸릴 위험이 가장 높다.[9]

상기도의 보다 상세한 시각화는 비내시경으로 수행할 수 있지만, 외과적 개입을 고려하지 않는 한 대부분의 수면 센터에서 일상적으로 수행되지 않는다. 하악후퇴증, 소하악증, 거대설증, 부채꼴 혀, 현저한 수평 피개 교합과 같은 두개안면 기형도 환자의 OSA 위험을 높인다. 비인두의 이학적 검사는 비갑개 비대, 중격 편위, 비용종, 기타 폐쇄 병변으로 인한 비폐색에 대한 평가를 포함해야 한다.

심장질환과 수면 무호흡이 흔하게 발생하므로 심잡음, 비정상적 심장박동, 심부전 징후(하지 부종이나 경정맥 팽창 상승)에 대한 자세한 심혈관 검사를 수행해야 한다. 비정상적인 폐 검사는 환자를 OSA, 수면 저환기, 저산소혈증과 같은 기타 수면 장애 호흡의 위험에 처하게 하는 심부전(청진기의 수포음이나 딱딱거리는 소리) 또는 기타 폐 장애(천명)를 시사할 수도 있다. 말단에 곤봉 모양이나 청색증이 있는지 평가하는 것도 심혈관이나 폐 질환의 여부를 확인하는 데 도움이 된다.

특히 뇌신경과 운동 기능에 초점을 맞춘 상세한 신경학적 검사는 OSA의 평가에 도움이 될 수 있다. 환자가 심각한 운동 약화나 중추 신경계 손상의 징후가 있는 경우, OSA뿐만 아니라 더 복잡한 평가와 치료가 필요할 수 있는 수면 저환기나 중추성 수면 무호흡과 같은 더 복잡한 수면 호흡 장애의 위험에 처하게 한다.

6.4 결론

OSA의 진단을 위해서는 객관적인 검사가 필요하지만, 수면 무호흡 의심 환자를 종합적으로 평가하기 위해서는 병력 청취와 신체 검사가 중요하다. 병력과 신체 검사는 다음 단계로 어떤 검사가 필요한지 안내하는 데 도움이 될 뿐만 아니라 수면 증상을 나타내는 환자의 다른 가능한 원인을 평가하는 데에도 도움이 된다.

참고문헌

1. American Academy of Sleep Medicine. International classification of sleep disorders. 3rd ed. Darien, IL: American Academy of Sleep Medicine; 2014.
2. Young TB. Epidemiology of daytime sleepiness: definitions, symptomatology, and prevalence. J Clin Psychiatry. 2004;65(Suppl 16):12.
3. Kapur VK, Auckley DH, Chowdhuri S, Kuhlmann DC, Mehra R, Ramar K, Harrod CG. Clinical practice guideline for diagnostic testing for adult obstructive sleep apnea: an American Academy of sleep medicine clinical practice guideline. J Clin Sleep Med. 2017;13(3):479–504.
4. Chervin RD. Sleepiness, fatigue, tiredness, and lack of energy in obstructive sleep apnea. Chest. 2000;118(2):372–9.
5. Chervin RD, Archbold KH, Dillon JE, Panahi P, Pituch KJ, Dahl RE, Guilleminault C. Inattention, hyperactivity, and symptoms of sleep-disordered breathing. Pediatr March. 2002;109(3): 449–56.
6. Watson NF, Badr MS, Belenky G, Bliwise DL, Buxton OM, Buysse D, Dinges DF, Gangwisch J, Grandner MA, Kushida C, Malhotra RK, Martin JL, Patel SR, Quan SF, Tasali E. Joint consensus statement of the American Academy of sleep medicine and Sleep Research Society on the recommended amount of sleep for a healthy adult: methodology and discussion. J Clin Sleep Med. 2015;11(8):931–52.
7. Mehra R, Benjamin EJ, Shahar E, Gottlieb DJ, Nawabit R, Kirchner HL, et al. Association of nocturnal arrhythmias with sleep-disordered breathing: the sleep heart health study. Am J Respir Crit Care Med. 2006;173(8):910–6.
8. Epstein LJ, Kristo D, Strollo PJ Jr, Friedman N, Malhotra A, Patil SP, Ramar K, Rogers R, Schwab RJ, Weaver EM, Weinstein MD. Clinical guideline for the evaluation, management and long-term care of obstructive sleep apnea in adults. J Clin Sleep Med. 2009;5(3):263.
9. Nuckton TJ, Glidden DV, Browner WS, Claman DM. Physical examination: mallampati socre as an independent predictor of obstructive sleep apnea. Sleep. 2006;29(7):903–8.

더 읽을 거리

1. Kapur VK, Auckley DH, Chowdhuri S, Kuhlmann DC, Mehra R, Ramar K, Harrod CG. Clinical practice guideline for diagnostic testing for adult obstructive sleep apnea: an American Academy of sleep medicine clinical practice guideline. J Clin Sleep Med. 2017;13(3):479–504.

OSA 진단 검사

Meghna P. Mansukhani, Bhanu Prakash Kolla, and Kannan Ramar

목차

7

7.1 배경

폐쇄성 수면 무호흡(OSA)은 수면 중 상기도가 완전히 또는 부분적으로 폐쇄되는 것을 특징으로 하는 수면 호흡 장애의 가장 흔한 형태이다. OSA는 지역 사회에서 널리 퍼져 있다; 최근의 역학 데이터에 따르면, 일반 인구에서 남성 14%와 여성 5%가 과도한 주간 졸음과 관련된 OSA를 가지고 있다. 저항성 고혈압, 폐고혈압, 관상동맥 질환, 울혈성 심부전, 심장 부정맥, 뇌졸중, 2형 당뇨와 같은 특정 고위험 인구에서 OSA 발병률이 상당히 높다.

OSA는 몇 가지 부정적인 개인 및 인구 건강 결과와 연관된다. 저산소혈증, 과탄산혈증, 교감신경 조절 장애, 흉곽 내 압력 변동, 수면으로 인한 각성 증가가 이러한 위험 증가의 기저에 깔린 병태생리학적 기전으로 생각된다. OSA는 부정적인 신경 인지, 심혈관, 대사 후유증과 관련된 것으로 나타났다. 여기에는 과도한 주간 졸음, 자동차 및 작업장 사고 위험 증가, 기분 장애, 치매가 포함된다. 전신 및 폐 고혈압, 관상동맥 질환, 울혈성 심부전, 부정맥, 뇌졸중의 위험이 높아진다. OSA는 대사 조절 장애와 당뇨병의 위험 증가와 관련된다. 또한 의료 이용 증가와도 관련된다.

일반적으로 지속적 양압기는 OSA를 잘 치료하고, 증상, 자동차 사고율, 위에서 언급한 불리한 의학적 결과, 의료 이용을 감소시키고 삶의 질을 향상시키는 것으로 나타났다. 그러나 지속적 양압기는 번거롭고 많은 환자가 견디기 어려울 수 있다. 구강 장치 치료는 대체 치료 선택지로 사용된다. 일반적으로 이것은 호흡 장애 제거의 관점에서 지속적 양압기보다 덜 효과적이지만 일부 환자에게는 더 적합할 수 있다. 구강 장치 치료는 지속적 양압기와 동등한 수준으로 주간 졸음과 혈압을 줄이는 데 유용하다.

따라서 OSA는 상당히 건강에 해로운 결과 및 의료 비용 증가와 관련된 일반적인 의학적 장애이다. 위음성 검사 결과는 증상이 있는 환자를 치료하지 않고 삶의 질에 부정적인 영향을 미치며 건강에 좋지 않은 결과의 위험을 증가시킬 수 있다. 반면에 OSA의 치료는 많은 환자들이 견디기 어려울 수 있다. 위양성 결과는 환자를 불필요한 불편과 비용에 노출시킬 수 있다. 그러므로, OSA의 진단은 가능한 한 정확하게 확립하는 것이 필수적이다. 검사에 대한 접근성, 진단 절차의 용이성과 비용은 환자의 관점에서 고려해야 할 중요한 기타 관련 요소이다.

이번 단원에서는 현재 성인 OSA 진단에 사용할 수 있는 검사 방법을 설명한다. 아동 OSA 진단, 중추성 수면 무호흡 증후군, 수면 저산소혈증/저환기와 같은 기타 수면 호흡 장애는 이 단원의 범위를 벗어난다.

7.2 OSA의 진단

7.2.1 병력 및 조사

OSA 평가는 OSA를 암시하는 증상에 대한 자세한 병력과 다른 수면 장애의 가능성 및 동반 질환의 존재 여부를 평가하는 포괄적인 수면 평가로 시작된다. 신체 검사에는 체질량 지수(BMI), 목 둘레, 혈압, 집중된 귀, 코 및 인후 검사(예: 비중격 편위, 비갑개 비대, 비점막 홍반/분비물, 비강 폴립, 코 판막 붕괴, 소하악증이나 하악 후퇴증, 상악 저형성증, 고궁 구개, 수직 피개 교합, 반대 교합, 수평 피개 교합, Friedman 구개 위치, 구인두의 전후방 및 측면 크기 감소, 거대설, 단설소대, 혀의 치아 자국, 편도 비대)뿐만 아니라 심혈관 및 호흡기 계통의 검사가 포함된다. OSA의 임상 평가에 대한 추가 정보는 6단원을 참조하라.

7.2.2 선별 검사 도구

선별 검사 설문지와 예측 알고리즘은 여러 연구에서 전통적인 진단 검사와 비교할 때 정확도가 낮은 것으로 밝혀졌기 때문에 OSA를 진단하기에 충분하지 않다. 이러한 연구의 대부분은 노인, 비만 수술 대상자, 상업용 차량 운전자와 같은 OSA에 대한 고위험 집단에서 수행되었으므로 다른 환자군으로 일반화할 수 없다. 일반적으로 이러한 선별 검사 도구의 특이성은 낮은 것으로 나타났으며, 그 결과 다수의 위양성이 발생했다. 더욱이, 예측된 위음성 비율은 1/10 이상이었고, 이는 OSA 진단 목적으로 이런 측정을 수용할 수 없는 것으로 만들 것이다. 미국 수면의학회의 최신 성인 OSA 진단 검사 지침에서는 이러한 도구를 임상 환경에서 사용할 수 있지만, 객관적인 수면 검사를 대신할 수는 없다고 권고했다. OSA 선별에 사용되는 설문지와 알고리즘의 예로는 Epworth 수면 척도(ESS), 베를린 설문지, Stop-BANG, 수면 무호흡 임상 점수, Kushida 지수, OSAS 점수, OSA50, 다변수 무호흡 예측 설문지, 형태 측정 모형이 있다.

7.2.3 진단 검사

OSA 진단은 수면 중 호흡 매개변수 측정을 포함한다. 검사실 내 수면 다원 검사는 OSA 진단을 위한 표준 검사로 간주되며, 수면 중 뇌파, 안전위도, 근전도, 심전도, 기류(비구강 thermistor와 비강 압력 변환기 사용), 흉부/복부 근육 노력(일반적으로 호흡 유도 혈량 측정법 사용), 맥박 산소 측정기, 심박수, 코골이(마이크 사용), 신체 자세를 포함한 8개 이상의 생리학적 매개변수를 동시에 측정해야 한다. 시간-동기화 오디오나 비디오 녹화도 일반적으로 사용할 수 있다. 숙련된 인력과 관련 비용이 필요한 검사실 내 수면 다원 검사에 대한 접근 문제로 인해 가정 수면 무호흡 검사가 잘 선택된 환자에서 OSA 진단을 위한 실행 가능한 선택지로 떠올랐다.

7.2.4 수면 검사의 유형

수면 검사는 전통적으로 유형 I–IV로 분류된다(◘ 표 7.1). 유형 I은 검사실 수면 다원 검사에 참가한다. 무인 수면 검사는 유형 II–IV로 분류된다. 유형 II는 무인 검사이며, 수면 검사실 외부에서 수행할 수 있다는 점을 제외하고 유형 I과 유사하다. 유형 III 검사는 산소 측정, 2개의 호흡 및 1개의 심장 채널을 사용한다. 유형 IV 검사는 기류나 산소 측정 및 맥박수와 같은 1, 2개의 센서만 사용한다. 동일한 수면 검사 범주 내에서도 상당한 장치 변형이 있다. 또한, 이러한 독창적인 분류가 고안된 이후 OSA를 진단하기 위해 말초 동맥 혈압계를 통합하는 것과 같은 새로운 기술이 등장했다. 미국 수면의학회가 종합적인 기술 평가를 거쳐 최근에 제안한 SCOPER(수면, 심혈관, 산소 측정, 자세, 노력, 호흡 매개변수) 분류는 이러한 새로운 기술을 포함하는 대안적이고 보다 복잡한 분류 시스템이다.

7.2.5 OSA의 정의

국제 수면 장애 분류 제3판에서는, 수면 다원 검사나 가정 수면 무호흡 검사에서 시간당 호흡 장애 지수(RDI)가 5 이상인 경우 OSA가 존재하는 것으로 정의하고, 이는 OSA의 전형적인 증상, 즉 큰 코골이, 질식/헐떡거림, 목격된 무호흡, 상쾌하지 않은 수면, 졸음, 피로, 불면증 및/또는 기분 장애, 인지 기능 장애, 고혈압, 관상 동맥 질환, 울혈성 심부전, 심방 세동, 뇌졸중, 2형 당뇨와 연관된다. 대체적으로, 수면 다원 검사나 가정 수면 무호흡 검사에서 시간당 RDI가 15 이상인 경우 이러한 증상이나 동반이환된 의학적 상태가 없으면 OSA를 진단하기에 충분하다.

7.2.6 호흡 사건 점수

RDI는 시간당 수면 무호흡, 저호흡, 호흡 노력 각성으로 구성되는 반면, 무호흡 저호흡 지수(AHI)는 시간당 수면 무호흡과 저호흡만을 포함한다. 저호흡을 정의하는 기준은 수년에 걸쳐 변경되어 OSA의 진단과 결과에 관한 의학 문헌의 평가를 어렵게 만든다. AHI(및 RDI)는 사용되는 저호흡의 정의에 따라 개인마다 상당히 다를 수 있다. 2017년 수면과 관련 사건 점수에 대한 최신 미국 수면의학회 설명서 2.4판에서, 비압 신호 변동(이를 사용할 수 없는 경우 대체 저호흡 센서)이 30% 이상 감소하거나 3% 이상의 산소 헤모글로빈 탈포화나 각성이 동반된 기도 양압기 유량이 10초 이상인 경우 성인의 저호흡을 채점하도록 권장한다. 그러나 많은 검사실에서는 현재 채점 매뉴얼에서 저호흡의 "허용 가능한" 정의와 설명서 이전 판의 정의에 따라 4% 이상의 불포화 기준(각성 기준 없음)과 함께 비강 압력 편위의 30% 이상 또는 50% 이상 감소하는 것을 사용하고 있다. 이는 주로 최신 권장 점수 기준에 따라 진단된 OSA에 대해 특정 의료 보험 회사(주로 Centers for Medicare, Medicaid Services)의 보상이 부족하고 사용 중인 기준에 따라 장기 임상 결과의 차이를 보여주는 데이터가 부족하기 때문이다.

7.2.7 임상 지침

미국 수면의학회는 2005년 수면 다원 검사의 적응증에 대한 수행 매개변수와 2007년 가정 수면 무호흡 검사 사용에 대한

◘ 표 7.1 수면 검사의 유형

	Tech	EEG	EOC	EMG	ECG	Airflow	Resp effort	SpO_2
유형 1	×	×	×	×	×	×	×	×
유형 2		×	×	×	×	×	×	×
유형 3					×	×	×	×
유형 4								×

약어: tech 기술자, EEG 뇌파 검사, EOG 안전도 검사, EMG 근전도 검사, ECG 심전도 검사, airflow 기류, resp effort 호흡 노력, SpO_2 맥박 산소 측정기

초기 임상 지침을 발표했다. 일부 지역에서는 OSA 진단을 위해 수면 다원 검사에 비해 가정 수면 무호흡 검사 수행 건수가 크게 증가했다. 여기에는 지불인 정책의 변경을 포함하여 여러 가지 잠재적인 이유가 있다. 위에서 언급한 바와 같이 미국 수면의학회는 2005년부터 2016년까지 관련 임상 결과 측정뿐만 아니라 임상 예상 규칙, 가정 수면 무호흡 검사, 수면 다원 검사를 이용하여 OSA 진단의 정확성을 평가한 87건의 무작위 대조 시험과 관찰 연구 메타 분석을 통합하여 2017년 성인 OSA 진단 검사에 대한 업데이트된 임상 진료 지침을 발표했다. 이 지침의 4가지 권장 사항은 근거의 질, 이익 대 손해, 환자 가치와 선호도, 자원 활용도를 기준으로 "강력" 등급을 받았다. 나머지 2가지 권장 사항은 "약함"으로 평가되었다. 이런 권장 사항은 단원 전체에서 논의된다.

7.3 가정 수면 무호흡 검사

이 유형의 수면 연구는 기록 기간 동안 훈련된 수면 기술자가 없는 상태에서 수면 검사실 밖에서 수행할 수 있는 것이다.

7.3.1 장점

가정에서 수면 연구를 수행함으로써 얻을 수 있는 잠재적인 이점은 환자에게 더 큰 편의성과 편안함을 제공하고 검사에 대한 접근성을 높이고 비용을 절감할 수 있다는 것이다. 가정 수면 무호흡 검사는 과정의 복잡성으로 인해 환자가 집이나 의료 환경을 떠나기 어려운 일부 상황에서 특히 유리할 수 있다. 익숙한 환경에서 잠을 잘 수 있다는 점 외에도 일반적으로 가정 수면 무호흡 검사 중에 적용되는 센서 수가 적어 환자의 편안함을 향상시킬 수 있다. 동일한 환자에서 가정 수면 무호흡 검사와 수면 다원 검사가 모두 수행된 무작위 대조 시험에서 피험자의 3/4 이상이 가정 수면 무호흡 검사를 선호했다.

7.3.2 단점

OSA 진단에서 가정 수면 무호흡 검사는 수면 다원 검사에 비해 덜 정확하고 중증도를 과소 평가하는 경향이 있다. 일반적으로, 뇌파검사는 기록되지 않는다; 그러므로, OSA의 2차적인 수면 단편화 정도를 결정할 수 없다. 다른 수면 장애는 가정 수면 무호흡 검사에서 평가할 수 없다. 뿐만 아니라, 중추성 수면 호흡 장애 현상은 폐쇄 현상과 잘 구별되지 않을 수 있으며 대부분의 경우 호흡 노력 각성을 감지할 수 없다. 양압기를 적정하고 이에 대한 반응을 평가하거나 가정 세팅상의 문제를 해결할 기회가 없다. 관찰 대상자가 검사 중인 환자인지 확인하는데 있어 관리 감독의 연쇄 문제가 발생할 수 있는데, 상업용 차량 운전자나 조종사가 그런 예가 될 것이다. 마지막으로 가정 수면 무호흡 검사가 OSA에 대해 음성이면(가정 수면 무호흡 검사에 대해 적절하게 선택되었다고 가정하에) 중등증에서 중증 OSA가 의심되는 환자의 추가 평가를 위해 수면 다원 검사의 적응증이 된다. 이 상황에서 한 연구는 수면 다원 검사 이후 권장되는 2차 검사를 따르지 않은 환자의 비율이 상당히 높아 OSA가 잠재적으로 수반되는 장기적 위험으로 치료되지 않은 상태로 남아 있다고 제안했다.

7.3.3 환자 선택

미국 수면의학회는 중등증에서 중증 OSA의 임상 검사-전 확률이 높은 합병증이 없는 환자에게 가정 수면 무호흡 검사를 수행할 것을 권장한다.

합병증이 없는 환자는 중추성 수면 무호흡, 수면 저산소증, 저환기(예: 심폐 질환, 신경근 상태로 인한 잠재적 호흡 근육 약화, 뇌졸중 병력, 현재 아편유사제의 만성 사용)와 같은 비폐쇄성 수면 호흡 장애의 더 큰 위험에 처하게 하는 상태가 없는 경우이다. 졸음으로 인한 운전이나 작업장 사고와 같은 중요한 안전 관련 문제가 있는 환자도 수면 다원 검사에서 가장 잘 연구될 수 있다. 선별 검사 산소 측정에서 현저한 저산소혈증 및/또는 저환기의 존재를 시사하거나 환자에게 40 kg/m^2를 초과하는 BMI 등과 같은 저환기에 대한 다른 위험 인자가 있는 경우 수면 다원 검사가 바람직할 것이다. 일부 지역에서는 제3자 지급인이 가정 수면 무호흡 검사와 수면 다원 검사의 적용 범위에 대한 자체 기준을 가지고 있다. 평가가 필요하거나(예: 과수면의 중추 장애, 사건 수면, 수면 관련 운동 장애) 가정 수면 무호흡 검사의 수행이나 정확성을 방해할 수 있는(예: 불면증) 다른 수면 장애가 의심되는 환자에게 수면 다원 검사가 권장된다. 가정 수면 무호흡 검사 수행을 방해할 수 있는 다른 상황에는 데이터의 수집이나 해석을 제한할 수 있는 개인적(예: 인지 기능 장애, 신체적 제한) 또는 환경적(부적절한 생활 조건) 요인이 포함될 수 있다.

심각한 심폐/신경근 상태, 불면증, 아편유사제를 복용 중인 환자나 저환기 위험이 높은 환자에서 가정 수면 무호흡 검사의 유효성을 평가하는 의학 문헌은 매우 제한적이다. 이 검사는 이러한 상황에서 수면 호흡 장애에 대한 부정확한 평가를 초래할 수 있으므로 수면 다원 검사가 권장되는 선택 검사이다. 병원이나 집을 떠날 수 없는 것과 같이 참작할 수 있는 다른 상황이 있는 경우, 검사를 전혀 수행하지 않는 것보다 가정 수면 무호흡 검사를 진행하는 것이 합리적일 것이다.

성인 OSA 진단 검사를 위한 최근 미국 수면의학회의 임상 실습 지침에 따르면, 중등증에서 중증 OSA의 검사-전 확률 증가는 다음 3가지 요인 중 적어도 2가지와 함께 과도한 주간 졸음이 있는 것으로 나타난다: (1) 습관적 큰 코골이, (2) 목격된 무호흡, (3) 고혈압.

7.3.4 데이터 획득

경로 기록은 일반적으로 호흡(산소 측정 포함)과 맥박 매개변수의 조합으로 구성된다. 최신 기술은 호흡 장애를 결정하고 수면 시간/단계를 추정하기 위해 말초 동맥 압력 측정법을 사용할 수 있다. 이러한 모든 기술에는 보통 코골이와 신체 위치 센서도 포함된다.

미국 수면의학회 지침에 따라 기술적으로 적절한 장치는 최소한 비강압(기류용), 흉부와 복부 호흡 유도 혈량 측정법(노력용), 산소 측정기가 있는 장치이다. 말초 동맥 혈압계를 사용하는 장치의 경우 활동 검사와 함께 이런 측정이 필요하다. 센서에 대한 자세한 요구 사항은 최신 버전의 수면과 관련 사건 채점을 위한 미국 수면의학회 지침서에 설명되어 있다.

전형적으로 뇌파, 안전위도, 근전도 검사와 같은 수면 단계 경로는 가정 수면 무호흡 검사에 포함되지 않으므로, 호흡 장애 사건의 수는 수면 시간이 아니라 기록 기간의 시간당으로 계산된다. 이런 차이를 반영하기 위해 가정 수면 무호흡 검사는 일반적으로 수면 호흡 장애의 중증도를 RDI나 AHI가 아닌 "호흡 사건 지수(REI)"로 보고한다. REI는 수면 다원 검사에서 계산될 수 있는 사건의 잠재적 과소평가를 나타낸다. 둘째, 수면 단계가 없기 때문에 현재 권장되는 점수 기준에 따라 피질 각성을 유발하는 호흡 사건을 결정할 수 없으며, 이는 수면 다원 검사에서 측정한 것보다 수면 호흡 장애의 중증도가 더 낮을 수도 있다.

7.3.5 검사의 수행과 해석

미국 수면의학회는 가정 수면 무호흡 검사가 위원회에서 인증하거나 자격을 갖춘 수면의학 전문의의 감독 하에 공인된 수면 센터에서 관리할 것을 권장한다(그리고 대부분의 제3자 지불자들이 요구한다). 마찬가지로 검사는 공인된 또는 자격을 갖춘 수면의학 전문의가 해석해야 한다.

단일 가정 수면 무호흡 검사는 하룻밤 동안 수행된다. 하룻밤 대 여러 날의 기록에 대한 연구에서, 단일 데이터와 비교하여 다수의 기록에서 정확도에 미미한 증가를 보이고 불충분한 정보의 가능성이 증가하는 것으로 나타났다. 이 연구의 기록은 단일 경로(비강 압력 변환기나 산소 측정기)만을 사용했으며 치료의 효율성과 장기적인 임상 결과는 평가되지 않았다.

이용 가능한 연구에 의하면, 기술적으로 적절한 가정 수면 무호흡 검사는 환자의 습관적인 수면 기간을 포함하는 기간 동안 최소 4시간의 기록 데이터를 필요로 한다. 여기에는 최소 3시간의 산소 측정 데이터와 2시간의 기류 정보가 포함된다. 수면 다원 검사와 비교하여 가정 수면 무호흡 검사에서 4시간 미만의 기록으로 얻은 결과의 정확도와 기록 시간이 장기간의 임상 결과에 미치는 영향에 관한 문헌은 없다.

7.3.6 결과의 정확도

가정 수면 무호흡 검사 대 수면 다원 검사의 정확도를 평가한 27개의 연구에서 어느 방향에서든 수면 호흡 장애의 중증도를 잘못 분류할 가능성에 대한 적당한 증거가 있다. 이것은 부분적으로 OSA의 야간 변동성 때문이며 아마도 2가지 검사 유형에 사용된 다른 저호흡 정의 때문일 수 있다.

OSA의 고위험군으로 생각되는 환자의 경우 수면 다원 검사(AHI 기준 시간당 5 이상 또는 15 이상)와 비교한 유형 II와 III 검사의 정확도는 80–90% 범위이다. 저위험군에서는 정확도가 떨어진다. 단일 경로 산소 측정기의 사용은 수면 다원 검사와 비교할 때 위양성과 위음성 비율이 상당히 높다(1/5 이상). 3개의 연구는 수면 다원 검사에 대한 말초 동맥 혈압계와 활동 검사를 사용하여 가정 수면 무호흡 검사를 평가했다. 이 연구는 고위험군과 저위험군에서 약 1/10의 오진율을 보여주었고, 시간당 5 이상의 AHI에 대해 약 0.45의 낮은 특이도와 15 이상 또는 30 이상의 기준에 대해 0.77–1.0 범위이다.

7.3.7 결과의 논의

가정 수면 무호흡 검사 양성 반응 후, 치료 제공자가 적절하다고 생각하는 경우 환자는 자동 적정 양압기를 시작할 수 있다. 대안적으로, 관리 경로는 검사 양성 반응 후 적정 수면 다원 검사를 포함할 수 있다. 결과가 복잡한 경우 개별 환자에 따라 검사실 내 야간-분할 수면 다원 검사(아래 설명)나 적정 수면 다원 검사가 필요할 수 있다.

현재 이용 가능한 문헌에 근거하면, 기술적으로 불충분한 연구의 가능성이 약 20%이다. 검사 전 OSA 확률이 높은 환자에서 가정 수면 무호흡 검사가 음성이거나, 결론이 나지 않거나, 기술적으로 부적합한 경우에는 가정 수면 무호흡 검사를 반복하는 것보다 다음 단계로 검사실 수면 다원 검사가 권유된다. 한 연구 증거에 따르면, 두 번째도 결론이 나지 않거나 기술적으로 부적절할 가능성은 약 40%이다. 또한, 이 연구에서 권장되는 수면 다원 검사의 다음 단계에 대한 불순응 비율이 높았다(약 20%); 첫 번째 검사에 실패한 상황에서 최종 진단의 비율을 최대화하기 위해 수면 다원 검사가 권장된다. 그러나 개별 환자에서 이러한 결정을 내리기 전에 환자 선호도, 사용 가능한 자원, 두 번째 가정 수면 무호흡 검사 실패 가능성에 대한 임상의의 판단이 고려될 필요가 있다.

7.3.8 권장 추적 관찰

가정 수면 무호흡 검사 후 자동-적정 양압기의 시작에 대한 조기 추적 관찰이 권장된다. 이 진행을 조사하는 대부분의 무작위 대조 시험에는 숙련된 기술자와 함께 가정 수면 무호흡 검사 후 2–7일 이내의 추적 자동-적정 양압기 방문이 포함되었다. 이런 무작위 대조 시험에는 고도로 숙련된 의료와 기술 인력 팀으로 구성된 3차 진료나 학업 환경에서 수행되었다는 점에 유의해야 한다.

7.3.9 임상적 결과

7개의 무작위 대조 시험에서 지속적 양압기를 시작한 이후 환자가 보고한 결과(수면, 삶의 질, 양압기 준수)는 가정 수면 무호흡 검사군과 수면 다원 검사군 사이에 차이가 없었다. 심혈관과 기타 결과에 대한 정보는 현재 이용할 수 없다.

7.3.10 비용 효율성

OSA의 관리 진행에서 가정 수면 무호흡 검사 대 수면 다원 검사의 총체적인 비용 효율성은 완전히 명확하지 않다. 장기적으로 수면 다원 검사 진행이 이 그룹의 환자에서 OSA 치료의 유리한 비용 효율성으로 인해 일부 연구에서 중등증에서 중증 폐쇄성 수면 무호흡 환자에게 더 유익한 것으로 나타났다. 가정 수면 무호흡 검사의 위음성은 건강에의 역결과와 의료 이용에 연관된 후속 비용, 부정적이고 부적절하며 결정적이지 않거나 복잡한 가정 수면 무호흡 검사 결과 설정에서 수면 다원 검사로 재검사하는 비용, 그리고 불필요한 치료로 인한 위양성의 가능성으로 인해 환자가 치료받지 못한 상태로 남게 되어 수면 다원 검사로 유리하게 균형이 기울어질 수 있다. 반대로, 수면 가정 무호흡 검사와 관련된 비용을 수면 다원 검사와 비교하여 평가한 한 무작위 대조 검사에서는 수면 가정 무호흡 검사의 비용이 25% 더 낮았다.

만약 가정 수면 무호흡 검사가 위에서 설명한 치료 관리 진행 내에서 적절하게 선택된 환자에게 활용된다면 권장 지침을 따르지 않을 때보다 비용 효율적일 수 있다. 제공자 관점에서 OSA에 대한 가정 수면 무호흡 검사 과정 중재 치료의 품질이 수면 다원 검사 과정과 유사하도록 하려면 많은 수의 구성요소가 필요하기 때문에 가정 수면 무호흡 검사 과정의 비용이 항상 낮은 것은 아니다.

7.3.11 가정 수면 무호흡 검사의 요약

중등증에서 중증 OSA의 높은 검사-전 확률을 가진 복잡하지 않은 환자에게 필요한 전문 지식과 명확한 관리 과정을 갖춘 직원의 감독 하에 기술적으로 적절한 장치와 기록 기간을 이용하여 가정 수면 무호흡 검사를 시행하면, OSA 진단에 사용된 수면 다원 검사와 유사한 임상 결과를 얻을 수 있다.

7.4 수면 다원 검사(PSG)

숙련된 기술자가 있는 상태에서 수면 중 여러 생리학적 매개변수를 동시에 모니터링하는 검사실 내 수면 다원 검사는 OSA를 검출하기 위해 현재 권장되는 표준 검사이다.

7.4.1 환자 선택

현재 이용 가능한 증거에는 동반이환 심부전 및 만성 폐쇄성 폐질환이 있는 환자만 포함된다. 검사에 영향을 줄 수 있는 다른 동반 질환, 환경 및 개인적 요인이 있는 환자에서 가정 수면 무호흡 검사의 유용성과 유효성은 체계적으로 연구되지 않았다. 지금까지 수행된 연구에서 중추성 수면 호흡 장애나 저환기를 식별하는 가정 수면 무호흡 검사의 특이도가 낮거나 평가되지 않았다. 이러한 호흡기 기형은 잠재적으로 이환율과 사망률 위험을 유의하게 증가시키는 것과 연관되고, 가정 수면 무호흡 검사에 의해 적절하게 평가되지 않거나 양압기 이외의 다른 치료 양식이 필요할 수 있기 때문에 수면 다원 검사는 위에서 설명한 동반 질환이나 합병증 요인이 있는 환자의 수면 호흡 장애 진단에 권장된다.

7.4.2 검사 횟수와 기간

야간-분할 프로토콜(검사의 진단 부분 이후 양압기 적용)이 일반적으로 적절하며 OSA를 검출하기 위한 목적으로 야간 진단 연구 대신 사용될 수 있다. 야간-분할 검사에서 수면 다원 검사의 진단 부분에 대해 최소 2시간의 기록 시간 동안 중등증에서 중증 정도의 OSA가 관찰되어야 하며 양압기 적정을 위해 최소 3시간이 더 있어야 한다.

야간-분할 수면 다원 검사의 정확도는 OSA의 정도가 더 약한 경우에도 야간 진단 수면 다원 검사와 유사한 것으로 밝혀졌다. 이런 조사의 대부분은 무작위 대조 시험이 아니었으며 사용된 센서 유형이 연구 전반에 걸쳐 일관되지 않았다. 현재, 수면 다원 검사의 진단 부분 후에 양압기를 시작하는 최적의 AHI 임계수치에 대한 확실한 데이터는 없다.

야간-분할 프로토콜은 이론적으로 하룻밤 동안 OSA의 진단과 치료를 용이하게 하여 비용을 절감하고 치료 효율성을 높인다. 한 연구에서는 1년 동안 얻는 삶의 질당 비용을 기준으로 야간 경로에 비해 야간-분할 수면 다원 검사 프로토콜 비용이 더 낮음을 입증했다. 그러나 비용 효율성에 대한 추가 연구가 필요하다. 야간 대 야간-분할 진단 수면 다원 검사를 평가하는 연구에서 중증의 불면증, 밀실 공포증, 기타 의심되는 수면 장애가 있는 환자와 같은 특정 환자군을 제외했다는 점은 주목할 가치가 있다. 따라서, 야간-분할 과정에 대한 적격성을 결정하는 개별 환자 요인은 현재 완전히 알려져 있지 않다. 부가적으로 연구의 진단 및/혹은 적정 부분이 부적절하거나 결정적이지 않은 경우, 이것을 반복해야 할 수 있다; 그 대신, 부적절하거나 결정적이지 않은 적정의 경우, 치료하는 임상의가 적절하다고 생각하는 자동-적정 양압기를 사용해야 할 수도 있다.

대부분의 연구에서 야간이나 야간-분할 진단 수면 다원 검사를 받은 피험자에서 지속적 양압기 이행 준수나 양압기 치료에 대한 잔류 AHI와 같은 환자 관련 결과에 유의한 차이가 없다고 나타났다.

7.4.3 연구의 수행과 해석

가정 수면 무호흡 검사처럼 수면 다원 검사는 적절하게 훈련된 직원과 함께 미국 수면의학회 인증 시설에서 관리하고 수면의학 자격증을 인증 받았거나 자격 있는 의사가 연구를 해석하는 것이 권장된다.

7.4.4 추적 관찰

OSA 진단을 위해 수면 다원 검사를 받은 후 결과에 대한 논의가 적절한 기간 내에 이루어져야 하며 적절하다면 환자가 치료를 시작해야 한다.

7.4.5 결과의 논의

수면 다원 검사 결과가 OSA에 대해 음성이나 여전히 임상적으로 OSA가 의심되는 경우, 이의 진단을 위해 두 번째 수면 다원 검사를 고려하는 것이 좋다. 1박 대 2박 검사에 대한 몇 가지 연구에서, 일부 환자에서 AHI에서 상당한 야간 변동성을 보여주었지만 그룹 간에 AHI에 전반적인 차이는 없었다. 최대 1/3에 해당하는 개인에서 두 번째 검사 이후 어느 방향으로든 OSA 중증도 분류에 변화가 나타났다. 이런 연구 중 하나에서 신체 자세는 언급되지 않았지만 두 번째 수면 다원 검사에서 빠른 안구 운동 수면의 비율이 증가되었다. 이용 가능한 증거에 의하면, 초기 수면 다원 검사 음성인 유증상 환자의 8-25%는 두 번째 수면 다원 검사 후에 OSA 진단을 받는다.

위음성 결과는 환자를 치료에서 제외시키고 장기적으로 이환율 증가로 나타날 수 있다. 반면에 초기 음성 후 수면 다원 검사를 반복하면 비용이 증가하고 환자에게 불편을 줄 수 있으며 위양성 검사의 가능성이 있다. 환자가 증상이 있는 경우, 이런 접근 방식의 잠재적인 이점이 위험을 능가할 수 있지만 이 권장 사항을 지지하는 증거는 약하다. 환자가 두 번째 수면 다원 검사를 받는 것에 대해 정보에 기반한 선택을 할 수 있도록 이 상황에서 환자와 충분한 상담이 필요하다.

7.4.6 장기간의 반복 검사

양압기를 준수하는 안정적인 증상과 체중 및 동반 질환을 가진 OSA 환자에서 반복적인 수면 다원 검사의 수행과 관련하여 이것이 개별 환자의 수면 호흡 장애 유형이나 중증도 분류나 장기적인 임상 결과에 영향을 미치는지에 대한 증거는 일반적으로 부족하다. 현재 미국의 Centers for Medicare & Medicaid Services (CMS) 보장 기준에 따르면, 시간당 AHI 5 이상을 나타내는 수면 다원 검사의 반복 진단 및/또는 적정은 원래 진단 연구 시간 이후 10년 이상이 경과하고 환자가 이 기간 동안 새 양압기 장치를 얻지 못한 경우에 필요하다.

동반 질환에 중대한 변화가 있거나(수면 호흡 장애의 유형/중증도, 양압기 장치 유형/압력 요구사항에 변화가 의심되는 경

7

우) 진단 또는 적정 검사 시점으로부터 체중의 10% 이상 변화가 있는 경우 반복적인 수면 다원 검사를 고려할 수 있다. 야간 산소 보충 치료가 지속적인 저산소혈증에 처방되기 전에 CMS는 양압기 적정 수면 다원 검사에 대한 수면 호흡 장애의 적절한 제어(시간당 AHI 10 미만)를 입증하는 적정 수면 다원 검사를 요구한다.

7.4.7 수면 다원 검사의 요약

수면 다원 검사는 OSA 진단을 위한 표준 검사로 간주된다. 특정 상황에서는 가정 수면 무호흡 검사가 적절할 수 있지만, 수면 다원 검사는 심폐/신경근 동반 질환 및/또는 기타 복잡한 의학적, 환경적, 개인적 요인이 있거나 기타 수면 장애가 의심되는 환자에서 OSA 평가에 권장된다.

7.5 결론

보다 정확한 선별 검사 도구는 OSA 진단을 위한 가정 수면 무호흡 검사나 수면 다원 검사에 적합한 환자를 식별하는 데 도움이 될 수 있다. OSA의 선별 검사 및/또는 불리한 결과에 대한 고위험 환자를 식별할 수 있는 바이오마커의 출현은 OSA에 대한 검사와 치료의 우선 순위 지정과 개별화에 도움이 될 수 있다. 검사-전 OSA의 중등증에서 중증 확률이 높은 환자에서 가정 수면 무호흡 검사의 부적절/미결/음성/복합적인 ("실패") 결과에 영향을 미치는 요인과, 검사 방식에 대한 환자 선호도에 대한 연구가 필요하다. 더 많은 여성과 인종적/민족적으로 다양한 인구 집단, 심각한 동반이환 심폐 및 신경근 질환 환자, 기타 복잡한 환경적/개인적 요인이 있는 환자를 포함하여 더 다양한 환자 집단에서 수면 다원 검사에 비해 가정 수면 무호흡 검사의 정확성과 장기적 결과에 관한 추가 연구가 필요하다. 휴대용 모니터링이나 가정 수면 무호흡 검사 대 병원에서 수행되는 수면 다원 검사, 하룻밤 대 여러 밤 수면 다원 검사, 수면 다원 검사 실패 시 가정 수면 무호흡 검사 대 반복 수면 다원 검사, 야간 대 분할-야간 수면 다원 검사, 첫 번째 검사가 음성일 때 재검사 대 무검사, 만성 질환 조절에서 반복적 수면 다원 검사의 역할에 대한 정확성, 임상적 영향과 비용 효율성은 설명이 필요하다.

7.6 요약 박스

성인 OSA의 진단 검사를 위한 미국 수면의학회 임상 수행 지침에 기반

번호	추천	증거 강도
1	설문지, 임상 예측 도구, 알고리즘을 사용해서는 안 된다(수면 다원 검사나 가정 수면 무호흡 검사를 하지 않은 경우).	강
2	임상 검사전 OSA의 중등증에서 중증 확률이 증가된 단순 환자에서 수면 다원 검사를 사용하거나 기술적으로 적절할 장치와 함께 가정 수면 무호흡 검사를 사용해야 한다.	강
3	수면 다원 검사는 단일 음성/불확실/기술적으로 부적절한 가정 수면 무호흡 검사의 경우에 수행되어야 한다.	강
4	심각한 심폐/신경근 질환, 저환기 의심, 만성 아편유사제 사용, 뇌졸중 병력, 중증 불면증이 있는 환자에서는 가정 수면 무호흡 검사 대신 수면 다원 검사를 수행해야 한다.	강
5	임상적으로 적절하다면 야간 수면 다원 검사보다는 야간-분할 검사를 수행해야 한다.	약
6	초기 수면 다원 검사가 음성이고 여전히 OSA에 대한 임상적 의심이 있는 경우 두 번째 수면 다원 검사를 고려할 수 있다.	약

더 읽을 거리

1. Kapur VK, Auckley DH, Chowdhuri S, Kuhlmann DC, Mehra R, Ramar K, Harrod CG. Clinical Practice Guideline for Diagnostic Testing for Adult Obstructive Sleep Apnea: An American Academy of Sleep Medicine Clinical Practice Guideline. J Clin Sleep Med. 2017;13(3):479–504. Most recent and comprehensive update from the American Academy of Sleep Medicine regard-ing diagnostic testing for OSA.
2. Collop NA, Tracy SL, Kapur V, Mehra R, Kuhlmann D, Fleishman SA, Ojile JM. Obstructive sleep apnea devices for out-of-center (OOC) testing: technology evaluation. J Clin Sleep Med. 2011;7(5):531–48. A comprehensive review and classification of home sleep apnea test device technologies.
3. Kushida CA, Littner MR, Morgenthaler T, Alessi CA, Bailey D, Coleman J Jr, Friedman L, Hirshkowitz M, Kapen S, Kramer M, Lee-Chiong T, Loube DL, Owens J, Pancer JP, Wise M. Practice Parameters for the Indications for Polysomnography and Related Procedures: An Update for 2005. Sleep. 2005;28(4):499–521. Clinical practice guidelines for the indications and conduc-tion of polysomnography.
4. Berry RB, Brooks R, Gamaldo CE, et al. For the American Academy of sleep medicine. The AASM manual for the scoring of sleep and associated events: rules, terminology and technical specifications version 2.4. Darien, IL: American Academy of Sleep Medicine; 2017. Most recent version of the American Academy of Sleep Medicine manual for the scoring of events on polysomnography and home sleep apnea tests.
5. Duce B, Milosavljevic J, Hukins C. The 2012 AASM respiratory event criteria increase the incidence of hypopneas in an adult sleep center population. J Clin Sleep Med. 2015;11(12):1425–31. Article discussing the impact of varying hypopnea definitions on the diagnosis of OSA.
6. Flemons WW, Littner MR, Rowley JA, Gay P, Anderson WM, Hudgel DW, McEvoy RD, Loube DI. Home diagnosis of sleep apnea: a systematic review of the literature. An evidence review cosponsored by the American Academy of Sleep Medicine, the American College of Chest Physicians, and the American Thoracic Society. Chest. 2003;124(4):1543–79. Review article discussing the feasibility and utility of home sleep apnea testing for the diagnosis of OSA.

기도 영상화를 위한 Cone-Beam CT 사용

Juan Martin Palomo, Tarek Elshebiny, and Kingman Strohl

목차

8

8.1 개요

항상 그러하듯이 영상은 두개안면 진단과 치료 계획 수립의 핵심 개념이었다. 폐쇄성 수면 무호흡(OSA) 진단에 사용되는 기도 영상 기술은 특히 OSA 병태생리학을 이해하면서 크게 향상되었다.[1] 특정 장애 영역을 대상으로 하는 외과적 및 비외과적 요법의 치료 계획 수립과 평가가 이제는 새로운 영상 방식으로 가능하다. 기도 영상은 비인두경 검사, 두부계측 영상, 형광투시 검사, 재래식 및 전자빔 CT, 음향 반사, MRI, Cone-Beam CT (CBCT)와 같은 다양한 기술을 사용하여 수행할 수 있다.[2]

기도 평가를 위한 3차원의 중요성은 2차원 연구의 중요한 한계점을 강조하였다. 기존 CT의 고선량은 그 사용에 제약 요인이 되었을 수 있지만, CBCT라는 신기술의 발전으로 중요한 전환점을 맞이하게 되었다. CBCT는 저선량 방사선으로 두경부의 경조직과 연조직을 3차원적으로 볼 수 있는 구강악안면 진단 영상으로 널리 인정받고 있다. CBCT 연구를 통해 기도 통로를 포함한 면적, 용적, 복잡한 중공 구조를 조사할 수 있다 (◘ 그림 8.1).[3-5] 여러 CBCT 제조업체는 현재 영상을 촬영할 때만 방사선이 발생하는 펄스 기술을 사용하여 환자에게 파노라마 방사선 사진보다 적은 방사선으로 3차원 영상을 생성할 수 있다.[6]

이번 단원의 목표는 OSA 환자의 기도 평가를 위한 CBCT 기술의 가능한 사용에 대해 설명하는 것이다. CBCT는 신경근 긴장도, 허탈 민감성, 기도의 실제 기능에 대한 정보를 제공하지 않기 때문에 이를 통해 수면 무호흡을 진단할 수는 없다. CBCT는 상태를 모니터링하거나 최대 수축 위치와 같은 치료 고려 사항을 위해 사용할 수 있으므로, 임상의의 선택에서 예를 들어 비강 부위가 문제인 경우 확장을 선택하고 구인두가 문제인 경우 하악 전진 장치를 결정할 수 있을 것이다.

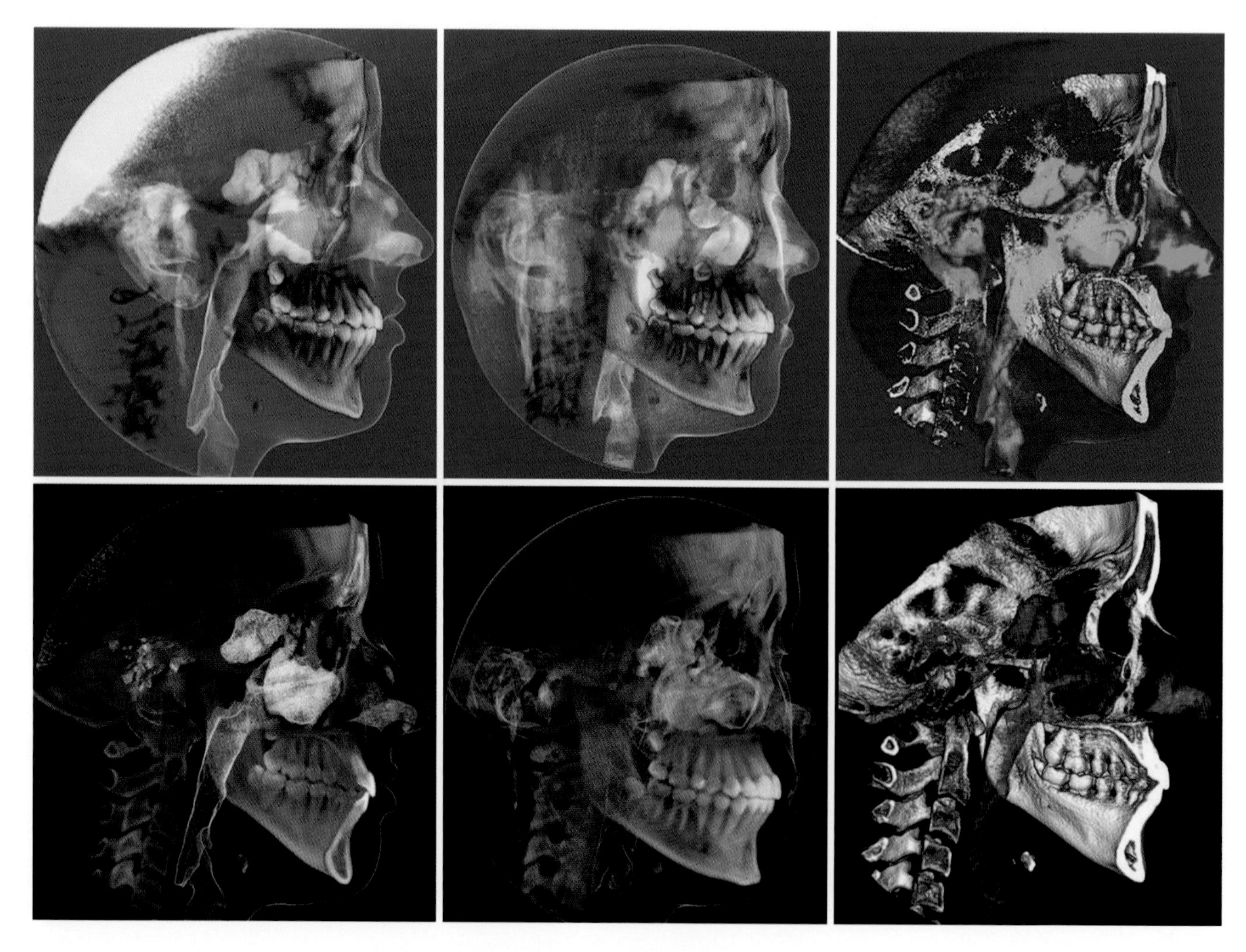

◘ 그림 8.1 두 가지 다른 소프트웨어 패키지를 사용하여 상기도를 보여주는 CBCT 용적의 다양한 보기

8.2 CBCT를 사용한 기도 측정의 정확성과 신뢰성

기도 측정을 위한 CBCT 기술의 검증은 여러 연구를 통해 평가되었다[3,7-11] 기도 모형의 수동 측정과 비교하여 CBCT의 기도 용적 디지털 측정의 정확도와 신뢰도는 기도 통로의 자연스러운 위치에서 인간의 건조 두개골에 부착하여 아크릴 기도 모형을 구축하여 조사되었다.[7] 전체 및 내부 기도 용적과 최대 수축된 기도 면적은 모형상에서 그리고 두개골에 모형을 부착한 후 촬영한 CBCT에서 수동으로 측정하였다. 결과는 기도 용적과 기도의 최대 수축 영역에 대한 CBCT 디지털 측정이 신뢰할 수 있고 정확함을 시사했다.[7] 또 다른 논문에서는 CBCT 영상에 대한 측정의 정확도를 3차원 측정 장치에서 측정한 황금 표준과 비교하여 평가하였다.[8] 저자들은 3–3D CBCT 영상과 좌표 측정 장치 측정값 사이에서 좌표 상관 계수가 거의 동일하다는 것을 발견했다.[8] 기도 인체 모형을 사용한 상기도 평가는 기도 측정에서 CBCT의 높은 정확도와 신뢰도를 보고한다.[9] Amirlak 등은 용적 측정의 CBCT 영상과 인공 결함의 정확도와 신뢰도를 평가하기 위해 수동 세분화 프로그램을 사용한 후, polyvinyl siloxane (PVS)으로 채웠다. 그들은 CBCT 용적과 실제 용적을 비교하기 위해 물 치환성 방법을 사용했고, 수동으로 분할된 용적은 황금 표준으로 간주되는 물 치환성 방법에 비해 매우 정확하다는 것을 발견했다.[10] Tsolakis 등은 기도의 용적과 면적 계산에 대한 CBCT와 음향 반사 영상 기술의 차이점을 조사했다. CBCT 영상을 처방받은 피험자에게도 음향 반사를 수행하도록 요청했다. 총 59명의 피험자들이 CBCT 영상, 음향 비강 측정, 음향 인두 측정법을 통해 상기도를 측정했다. CBCT는 전비강 용적, 비강 최소 단면적, 인두 용적, 인두 최소 단면적을 측정하는 정확한 방법임이 밝혀졌다.[11] 상기도 용적을 측정하기 위해 시판되는 DICOM (Digital Imaging and Communications in Medicine) 뷰어를 비교한 결과, 수동 분할이 반자동 분할보다 정확하지만 모두 높은 상관관계를 보였는데, 이는 기도 용적 유도에 계통적 오류가 있음을 시사한다.[3]

8.3 CBCT를 이용한 상기도 평가

여기에서는 기도 분석에 대한 단계별 지침을 제공한다.

(a) 방향 지정

CBCT 영상을 사용하여 표준화된 방식으로 다양한 보기를 생성하고 일관된 측정값을 얻기 위해서, 먼저 소프트웨어 내에서 영상의 방향을 설정해야 한다. 용적의 방향을 지정하는 간단한 방법은 안면의 골격 정중선에서 정중시상면을 조정한 다음 Frankfort 수평면 상단의 축면을 조정한 후 관상면을 조정하여 우측 상악 제1대구치의 분지부를 통과하도록 한다(◘ 그림 8.2).[12] Case Western Reserve University의 방향 지정 방법은 더 복잡한 방법으로, 생물학적으로 관련된 5개의 해부학적 구조물과 하나의 평면을 사용한다.[13]

(b) 분할

상기도 분할은 시간이 많이 소요되는 수동법이나 매우 빠른 반자동법으로 정확하게 수행할 수 있다. 반자동 접근법에서 소프트웨어는 이러한 구조의 밀도 값 차이를 이용하여 공기와 주변 연조직을 자동으로 구분한다. 이것은 공기 공간이 주변 연조직보다 밀도가 더 높은 음의 Hounsfield 단위이기 때문이다. 상용 소프트웨어 제품의 새로운 도구를 사용하면 방사선 투과도 측정에 따라 다양한 생물학적 구조를 식별하는 데 도움이 되는 Hounsfield Unit Color Mapping의 도움으로 두개안면 복합체의 다양한 조직에서 다양한 밀도를 시각화할 수 있다. 그래프는 Hounsfield Scale을 참조로 그에 해당하는 색상을 표시하고, 화면의 영상은 그에 따라 색상이 지정된다(◘ 그림 8.3). 또한, 자동 분할은 단순한 수평 조각 대신 곡선 경로를 따라 기도를 측정할 수 있고, 수축으로 코드화된 기도 색상이 표시된다. 기도를 측정하는 또 다른 방법은 특정 해부학적 랜드마크를 기반으로 관심 영역에 경계를 설정하는 것이다. 주로 자동이지만, 일부 상용 소프트웨어 제품에서는 정확한 분할을 허용하기 위해 기도 민감도 척도를 조정하고 관심 영역에 시드를 배치하는 과정이 필요하다. 그림 8.4–6은 상기도를 측정하는 다양한 방법을 보여준다.

관심 영역의 분할. 아래의 관심 영역은 적절한 신뢰성을 위해 제안된 해부학적 한계와 함께 일반적으로 연구되는 영역이다. 다른 연구에서 약간의 변형이 발견될 수 있으며 그러한 영역의 실제 해부학적 정의에 따라 약간의 변형이 있을 수 있다.

1. 비강 통로 용적: 인두 후벽과 융합된 비중격 앞의 마지막 축단면을 통과하는 평행면과 구개 평면 사이에 위치한 인두 용적으로 정의된다. 시상면에 경계의 윤곽이 지정되면, 각 기도의 윤곽을 나타내는 추가 경계가 축면과 관상면에 만들어진다(◘ 그림 8.7–8).
2. 구인두 용적: 구개면(PNS–ANS)을 통과하는 평면과 2번 경추의 최전하점을 통과하는 평행면 사이에 위치한 인두 용적으로 정의된다(◘ 그림 8.9).
3. 하인두 용적: 용적은 구인두 용적의 하한과 설골의 최전상점을 통과하는 평행면 사이에 위치한 인두 용적으로 정의된다(◘ 그림 8.10).

8

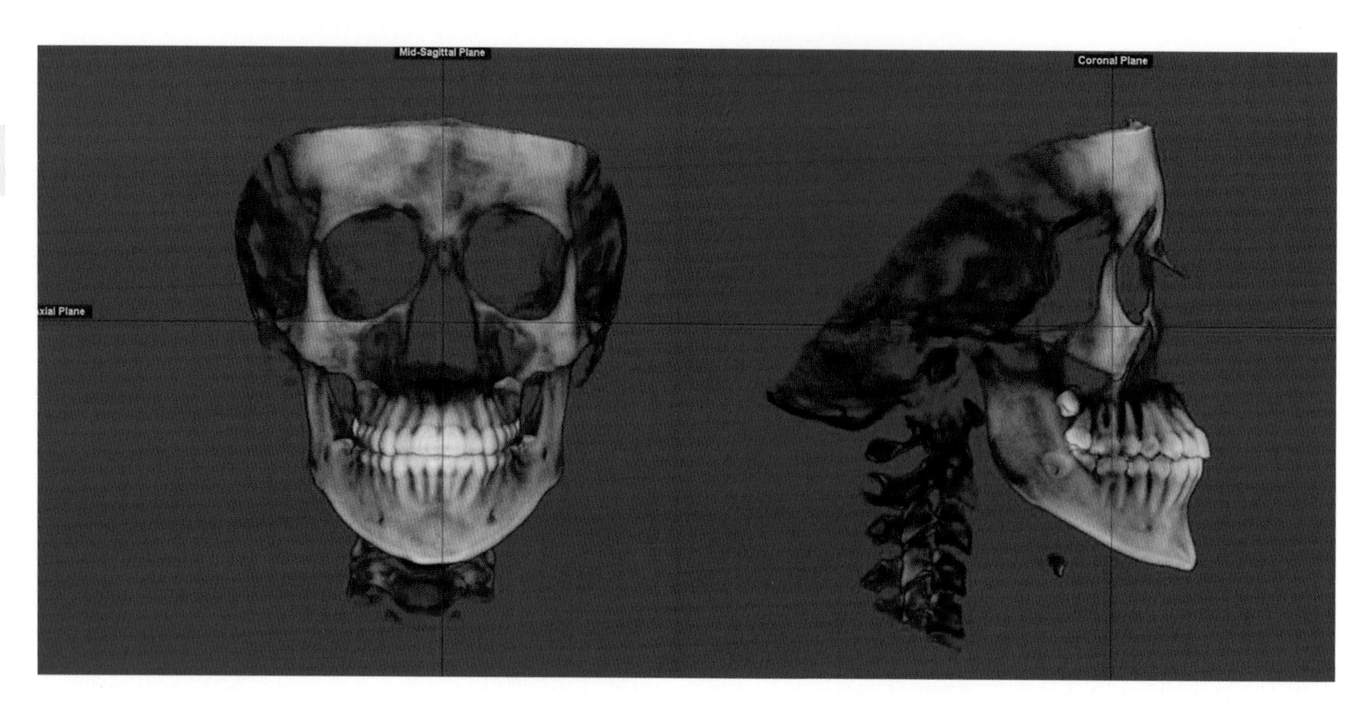

그림 8.2 용적의 방향 설정은 안면의 골격 정중선에서 정중시상면을 조정한 다음 Frankfort 수평면 상단의 축면을 조정한 후 관상면을 조정하여 우측 상악 제1대구치의 분지부를 통과하도록 한다.

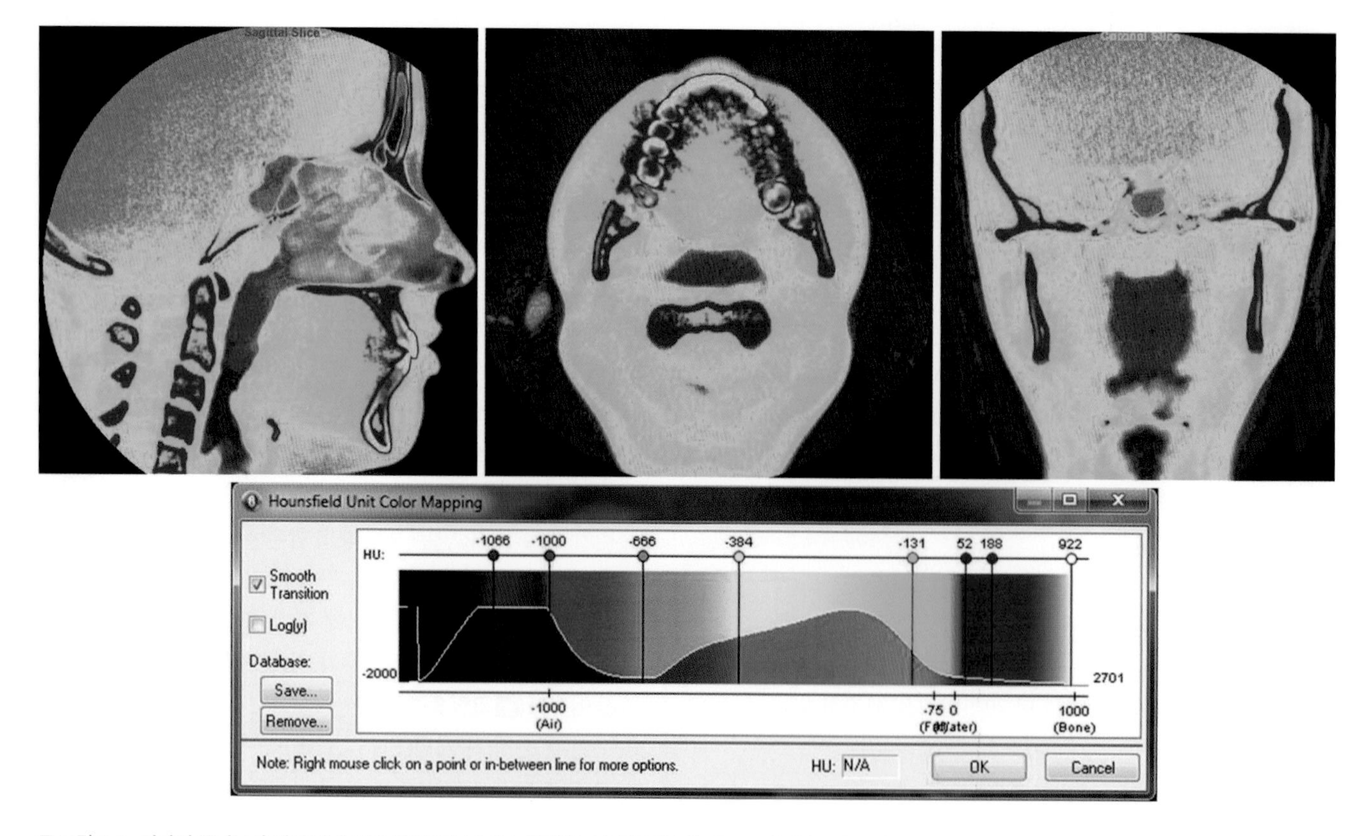

그림 8.3 방사선 투과도 측정에 따라 다른 생물학적 구조를 식별하는 데 도움이 되는 Hounsfield Unit Color Mapping 도구를 사용하여 두개안면 복합체의 다양한 조직에서 다른 밀도를 보여주는 공간의 다른 평면에서 3차원으로 재구성된 영상. 그래프는 Hounsfield Scale을 참조로 그에 해당하는 색상을 표시하고, 화면의 영상은 그에 따라 색상이 지정된다.

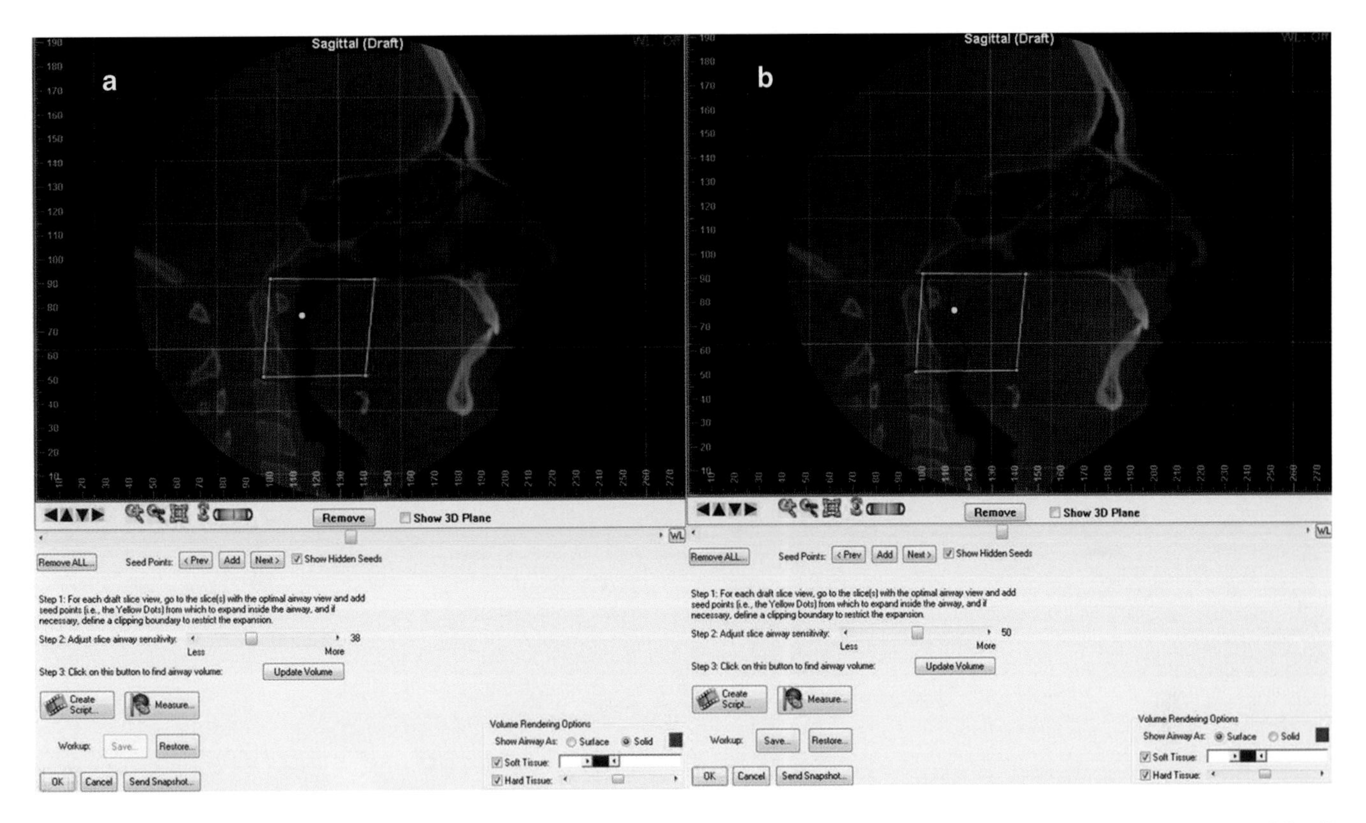

■ 그림 8.4 **특정 해부학적 랜드마크를 기반으로 관심 영역에 경계 설정. 주로 자동이지만, 일부 상용 소프트웨어 제품에서는 정확한 분할을 허용하기 위해 기도 민감도 척도를 조정하고 관심 영역에 시드를 배치하는 과정이 필요하다.**

4. 구개후부 용적: 후비극(PNS)의 높이에서 연구개 하연까지(■ 그림 8.11a)
5. 설후부 용적: 연구개 하연부터 설골까지(■ 그림 8.11b)
6. 최대 수축부의 면적이라고도 알려진 최소 축 면적(mm^2)은 전체 기도 용적이나 특정 관심 영역에서 결정할 수 있다. 최대 수축 영역은 용적 측정과 함께 자동 설정으로 표시되거나 다른 소프트웨어 패키지의 기능을 통해 활성화될 수 있다(■ 그림 8.12).

8.4 CBCT와 OSA

OSA는 수면 중 상기도의 허탈을 특징으로 하는 흔한 장애로 저산소혈증과 각성을 유발한다.[14] OSA 환자의 폐쇄 위치를 평가하는 데 CBCT를 사용할 수 있다. 한 연구에서 CBCT 영상을 이용하여 OSA 환자와 대조군의 상기도 구조를 비교하였다.[15] OSA에서 총 기도 용적이 더 낮고, 최소 단면 분할의 전후방 용적과 최소 단면적이 더 작게 나타났다. 또한 기도가 타원형인데 반해, 대조군의 기도는 원형이나 사각형으로 나타났다.[15] 또 다른 연구는 CBCT 영상과 베를린 설문지를 기반으로 OSA에 대한 예측 모형을 개발하기 위해 OSA 환자와 코골이 사이의 CBCT 스캔 측정을 비교했다. OSA 환자에서 상기도 치수가 유의하게 더 작은 것으로 밝혀졌다.[16] 최근의 한 연구에서는 CBCT를 사용하여 OSA와 대조군의 상기도 치수를 평가했다. 그 결과, OSA군에서 평균 기도 면적, 평균 기도 용적, 총 기도 용적, 평균 기도 너비가 상당히 더 작은 것으로 나타났다. 또한 기도 길이 측정값이 유의하게 길게 나타났다.[17]

기도 폐쇄의 예측 인자인 설골은 기도 개통에 중요한 역할을 한다. 설골의 위치와 기도 저항 사이의 연관성은 문헌에서 입증되었다.[18-20] 문헌에서 하악 평면에 대한 설골의 거리 증가가 OSA와 상관관계가 있는 것으로 나타났다. 15 mm 이상은 비정상으로 간주되며, OSA와 관련성이 있다.[21] 한 연구는 상기도 저항과 후기도 공간 및 설골의 수직/수평 위치의 상관 관계를 입증했다. 대조군에 비해 OSA군에서 설골이 더 낮게 위치하였다.[22]

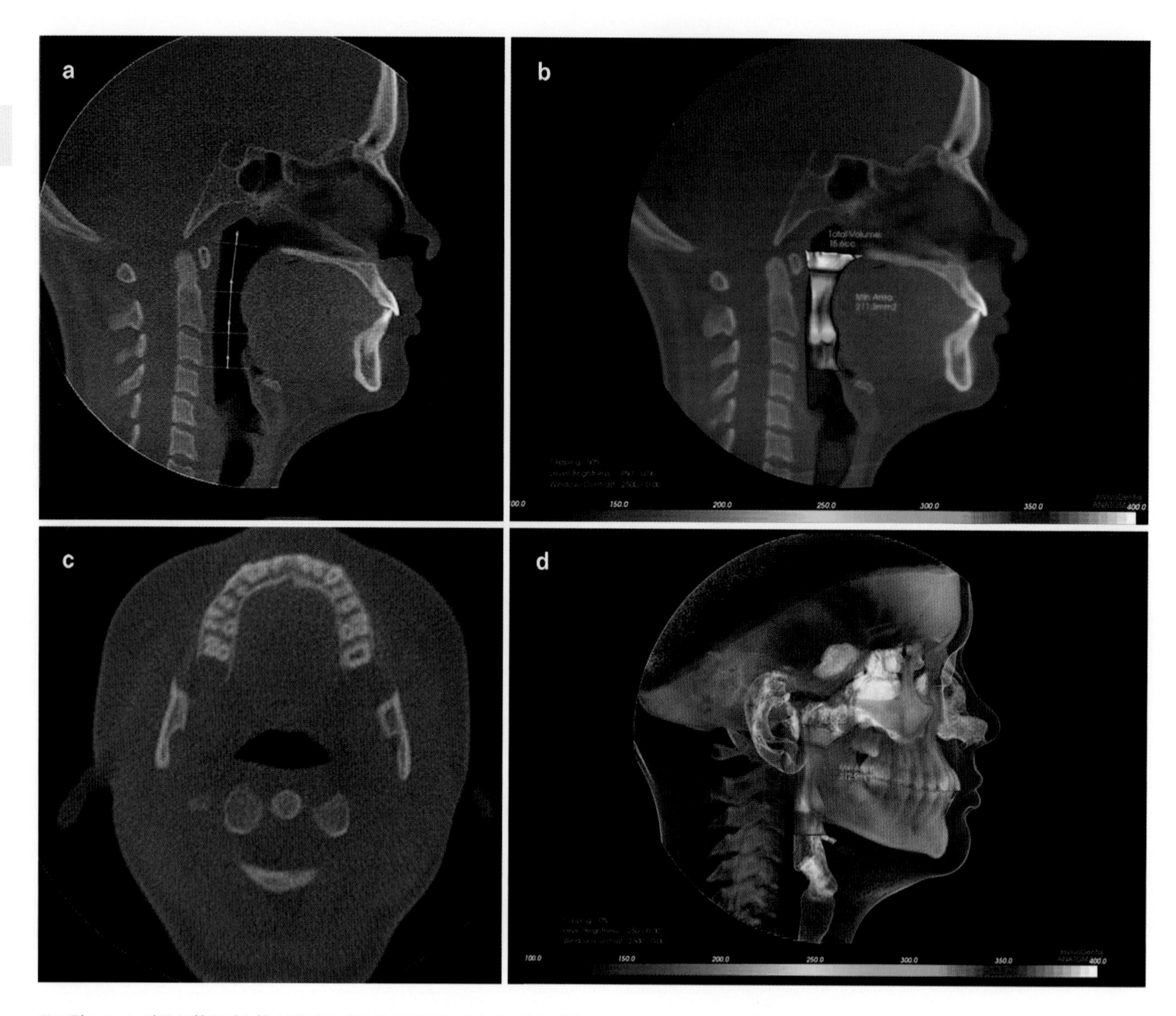

■ 그림 8.5-6 자동 분할은 단순한 수평 단면 대신 곡선 경로를 따라 기도를 측정할 수 있고, 수축으로 코드화된 기도 색상이 표시된다.

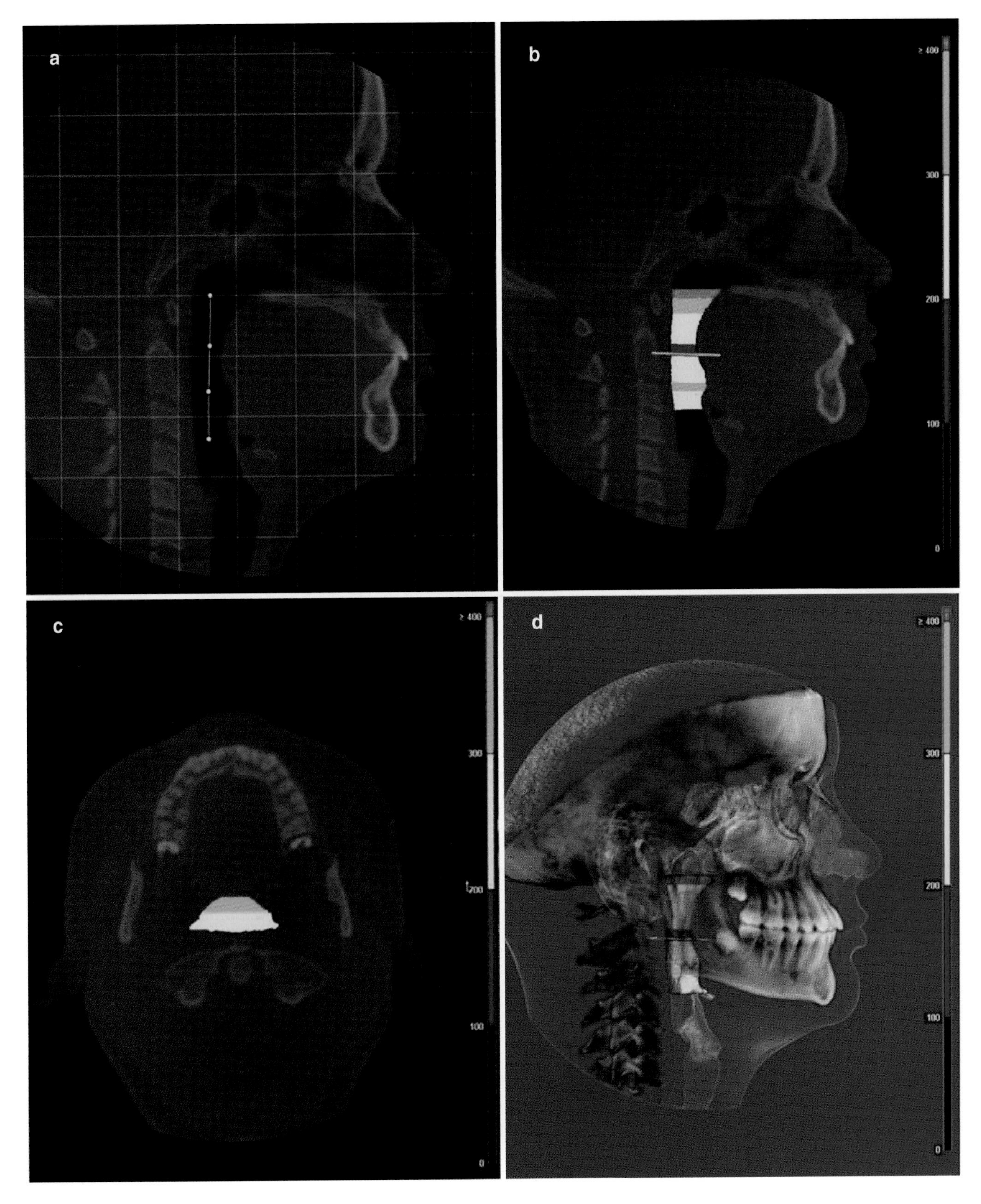

■ 그림 8.5-6(계속)

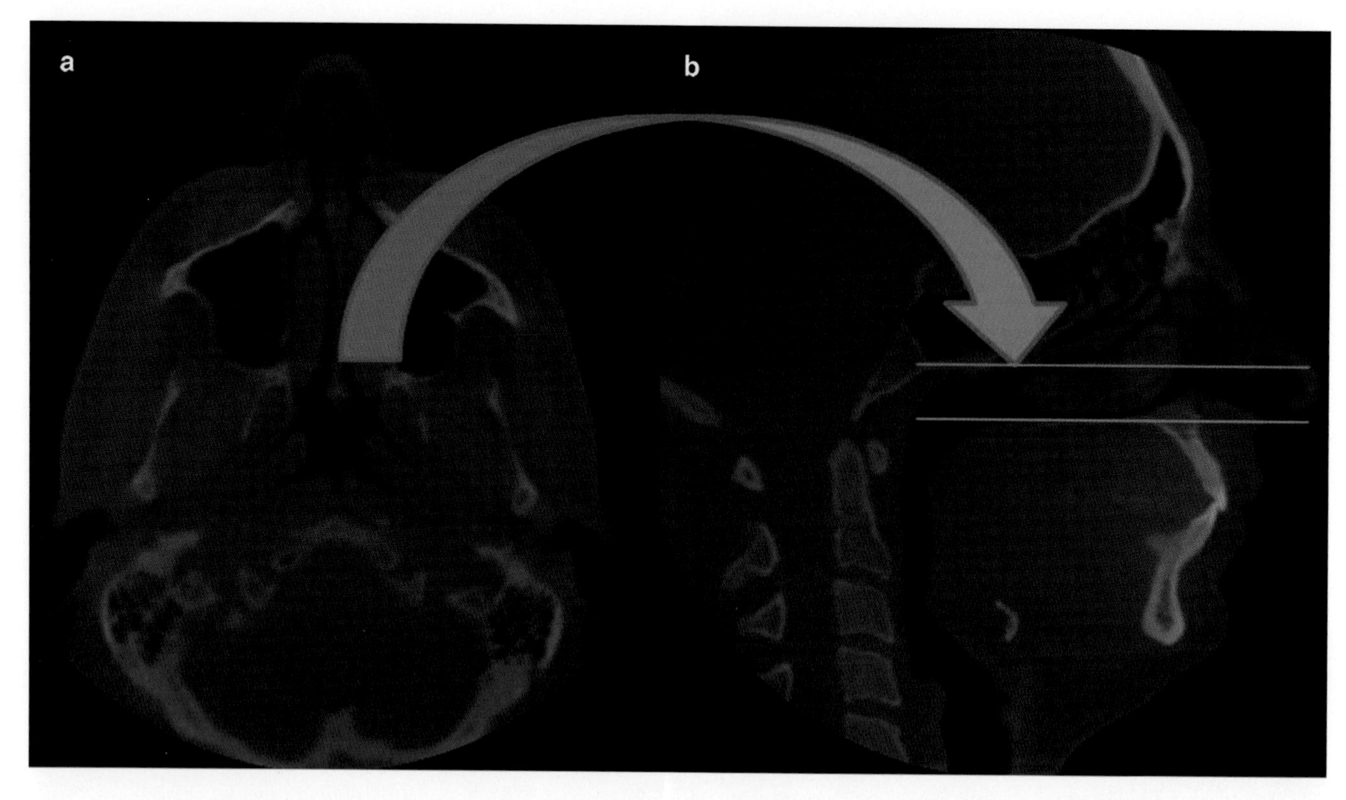

그림 8.7 비강 통로 용적은 인두 후벽과 융합된 비중격 전방의 마지막 축 단면을 통과하는 평행면과 구개 평면 사이에 위치한 인두 용적으로 정의된다.

8.5 CBCT를 이용한 OSA 치료 접근의 평가

지속적 양압기는 OSA 치료를 위한 표준화된 1차 요법이다; 그러나 지속적 양압기 치료의 초기 효과는 환자의 수용도와 치료 순응도에 달려 있는 것이 일반적이다.[23] 기타 선택지에는 구강 장치, 신경 자극, 기도 기능의 해부학적 개선을 위한 수술 과정 등이 있다.

8.5.1 지속적 양압기

지속적 양압기는 OSA를 관리하는 가장 효과적인 방법이다. 이것은 졸음에 대한 주관적, 객관적 조치를 향상시킨다.[24] 가장 중요한 효과는 인두 외벽의 용적 변화로 인한 기도의 확대이다. 1980년에 시행한 연구를 통해 우리는 지속적 양압기가 폐쇄성 무호흡을 방지하기 위해 상기도를 수동적으로 열고 공압 부목의 역할을 하는 것을 보여주었다.[14] 최근 연구는 OSA 환자를 평가하기 위해 의식하에 앉아있는 동안 호흡계에 양압과 음압을 적용하면서 CBCT를 촬영하였다.[25] 첫 번째 스캔은 휴식 호흡의 주기에 얻어졌다. 의식하 상태의 앉아있는 자세로 완전 안면마스크를 쓰고 압력을 적용하여 2개의 다른 영상을 획득했다. 마스크는 양압/음압 소스에 연결되었다. 한번은 +10 cmH_2O의 마스크 압력하에, 그리고 다른 한번은 –2 cmH_2O의 마스크 압력하에 호흡하면서 스캔하였다(그림 8.13–14). +10 cmH_2O의 양압 적용 시 모든 영역에서 유의하게 기도 용적이 증가되었다(36%). 하인두 용적 증가가 50%로 가장 크게 나타났고, 구인도에서 23%, 비인두에서 17.7%의 증가를 보였다. 최소 단면적은 100.57 ± 38.74 mm^2에서 130.64 ± 64.01 mm^2로 변화하였다. 양압 적용 시 혀 길이의 유의한 변화는 없었다. 두개 기저부 중첩에서 설골 위치의 수직적, 수평적 변화는 없었다. 음압은 모든 영역에서 유의한 기도 용적 감소를 보였다(–28%). 상기도 용적은 음압으로 거의 붕괴되었다. 구인두가 –31%로 가장 많이 감소되었고, 하인두 –30%, 비인두 –19%를 보였다. 평균 최소 단면적은 설골 위치와 혀 길이의 변화없이 100.57 ± 38.74 mm^2에서 52.00 ± 23.01 mm^2로 감소하였다. 결론적으로 관내 압력의 증감은 기도 구조를 변경시키지만, 설골의 위치는 변하지 않았다.

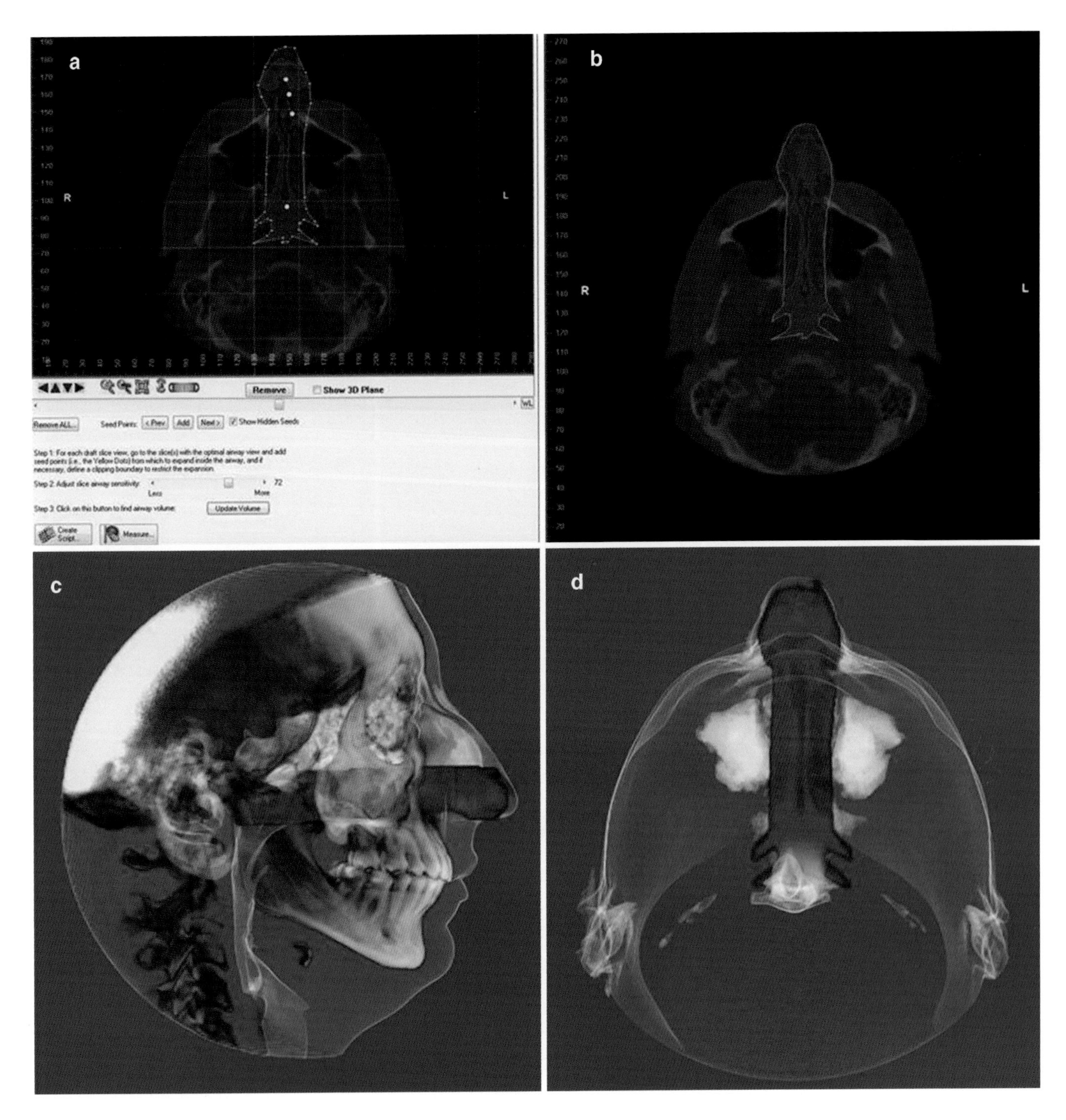

■ 그림 8.8 **비강 통로 용적 분할 및 결과**

8

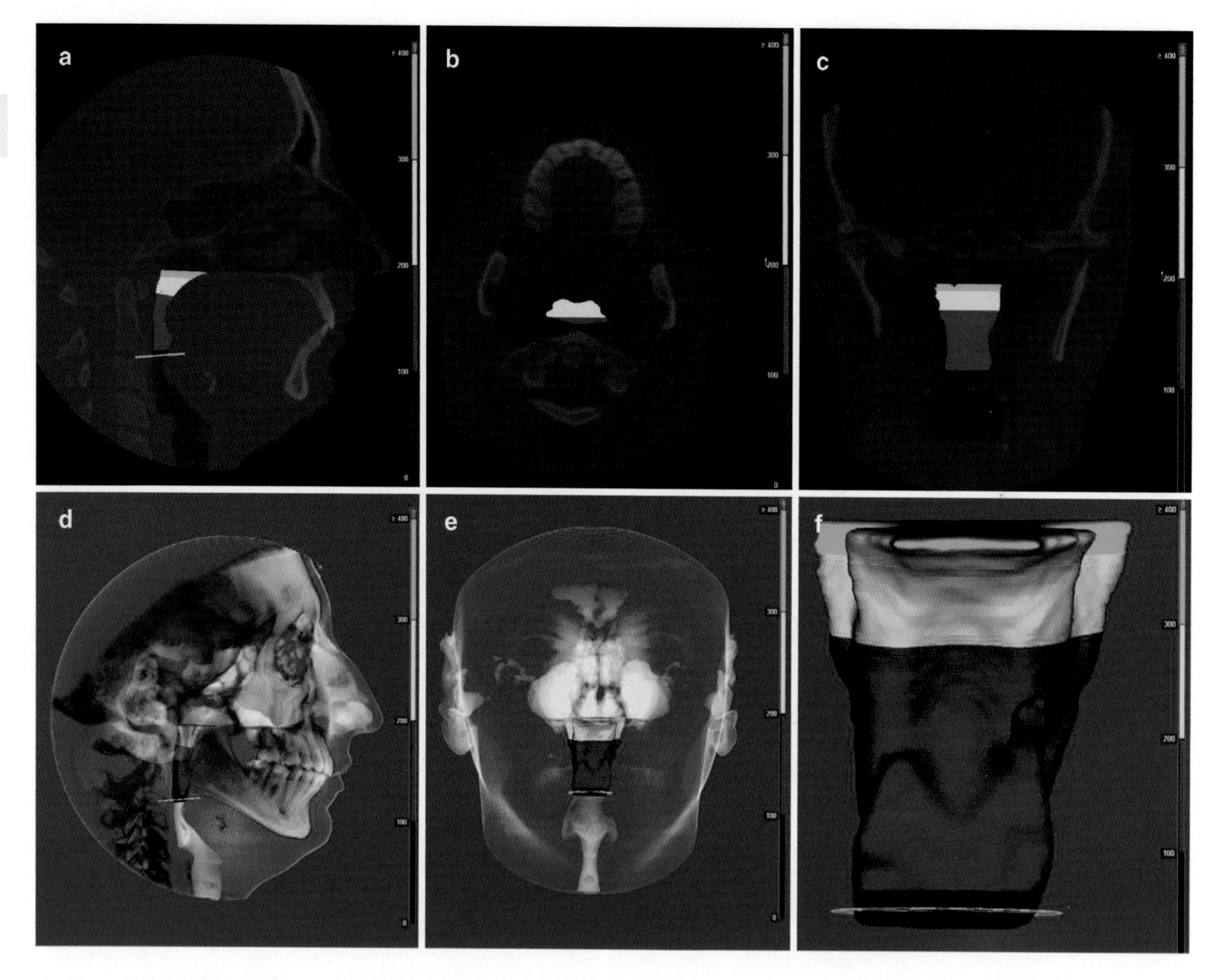

그림 8.9 구인두 용적은 구개면(PNS–ANS)을 통과하는 평면과 2번 경추의 최전하점을 통과하는 평행면 사이에 위치한 인두 용적으로 정의된다.

8.5.2 구강 장치

구강 장치는 상악이나 하악에 장착되며 하악을 고정 및/또는 전방에 위치시키고 혀의 붕괴 방지 및/또는 구인두 후방의 기도 공간을 증가시킴으로써, 수면 동안 상기도 허탈을 감소시키도록 고안되었다.[26] 구강 장치는 최우선 요법이 될 수 있지만, 지속적 양압기를 준수하지 않고 경증과 중등증의 OSA로 진단된 환자에게 보다 일반적으로 사용된다; 단순 코골이 치료에도 사용된다. 최근 미국 수면의학회에서는 경증에서 중등증 OSA 환자의 1차 요법으로 구강 장치를 권장했다. 무작위 임상시험에서 OSA 환자의 구강 장치와 지속적 양압기 치료 결과가 경증에서 중등증의 OSA 환자에서 구강 장치가 지속적 양압기의 대안으로 고려되어야 한다는 것을 보여주었다. 반면, 중증의 OSA 환자의 경우는 지속적 양압기가 최우선 치료법으로 남아야 한다.[26] 가장 보편적으로 사용되는 구강 장치는 하악, 혀, 설골을 전방으로 재배치하여 상기도의 용적을 증가시키는 하악 전진 장치이다.[27,28] 구강 장치가 있거나 없는 OSA 환자의 상기도 구조를 MRI을 이용하여 평가하였다. 이를 통해 주로 구개범인두의 용적 증가에 의해 상기도 용적이 증가함을 볼 수 있었다.[29]

그림 8.15는 한 환자에서 구강 장치가 있을 때와 없을 때의 기도 용적 차이를 보여준다.

구강 장치와 지속적 양압기와 연관된 치과적 부작용을 무작위 임상 시험으로 평가하였는데, 지속적 양압기와 비교하여 구강 장치 사용시 작지만 유의한 치과적 변화가 있었다. 수평 피개와 수직 피개, 하악 전치의 전방 경사, 상악 전치의 후방 경사가 감

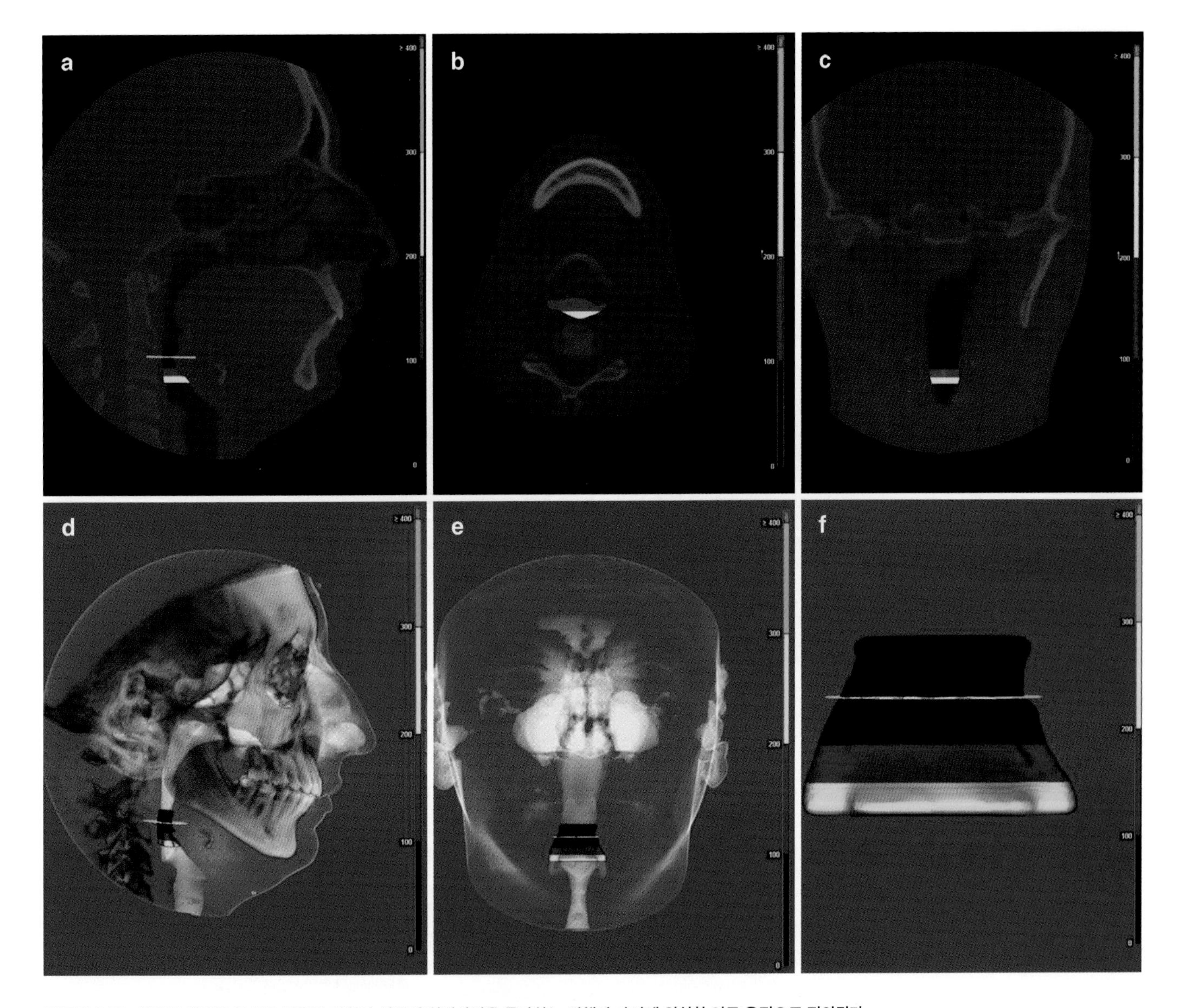

▣ 그림 8.10 하인두 용적은 구인두 용적의 하한과 설골의 최전상점을 통과하는 평행면 사이에 위치한 인두 용적으로 정의된다.

소한 것으로 나타났다.[30-35]

8.5.3 상하악 전진술(Maxillomandibular Advancement)

상하악 전진(MMA) 수술은 OSA의 잘 정립된 치료법이다.[36] MMA의 이론적 근거는 상기도의 다층에서 전후방 및 측면 용적을 증가시키고[37], 설골의 전상방 이동으로 상기도 허탈가능성을 감소시키는 것이다.[38] OSA 치료를 위한 MMA에 관한 데이터를 체계적으로 고찰한 결과, MMA가 OSA에 대한 가장 성공적인 외과적 치료인 것으로 드러났다.[39] Schendel 등은 수술 전후 CBCT 촬영과 수면 다원 검사로 MMA 수술을 받은 중등증과 중증 OSA 환자 10명을 평가했다. MMA 결과 상기도의 용적이 237% 증가하였다. 구개후부 용적은 361%, 설후부는 165% 증가하였다.[21] CBCT를 이용하여 OSA 환자에 대한 MMA 후 상기도의 선형 및 용적의 형태학적 변화를 평가했다. MMA는 기도 총 용적, 최소 단면적, 전후방 및 측방 용적, 기도 지수, 기도 길이, 기도 후방 공간 형태, AHI, Epworth 졸음 척도(ESS)를 개선시켰다.[36] OSA 증후군의 치료에서 기도와 연조직의 3차원적 평가를 위해 CBCT 영상이 추천된다(▣ 그림 8.16).[40]

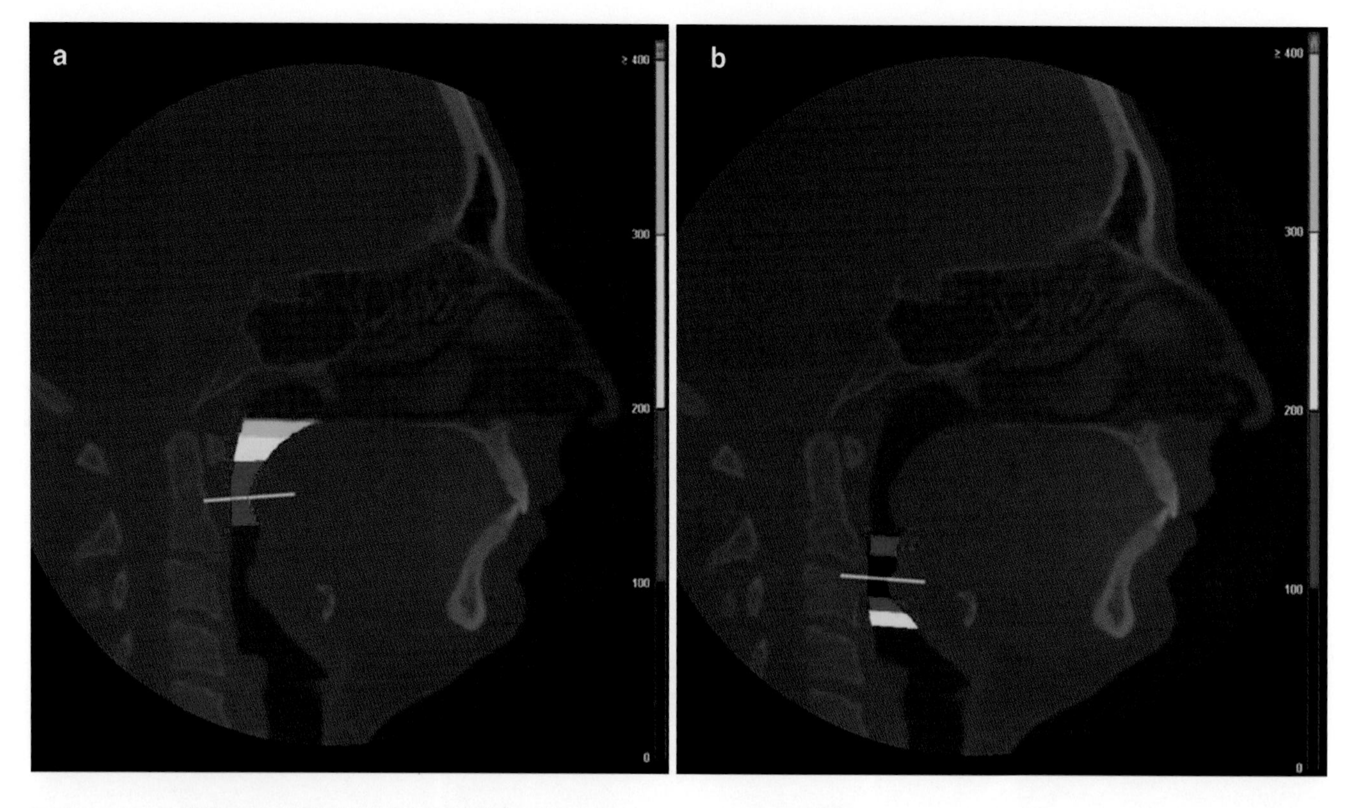

■ 그림 8.11 **a** 구개후부 용적: 후비극의 높이에서 연구개 하연까지. **b** 설후부 용적: 연구개 하연부터 설골까지

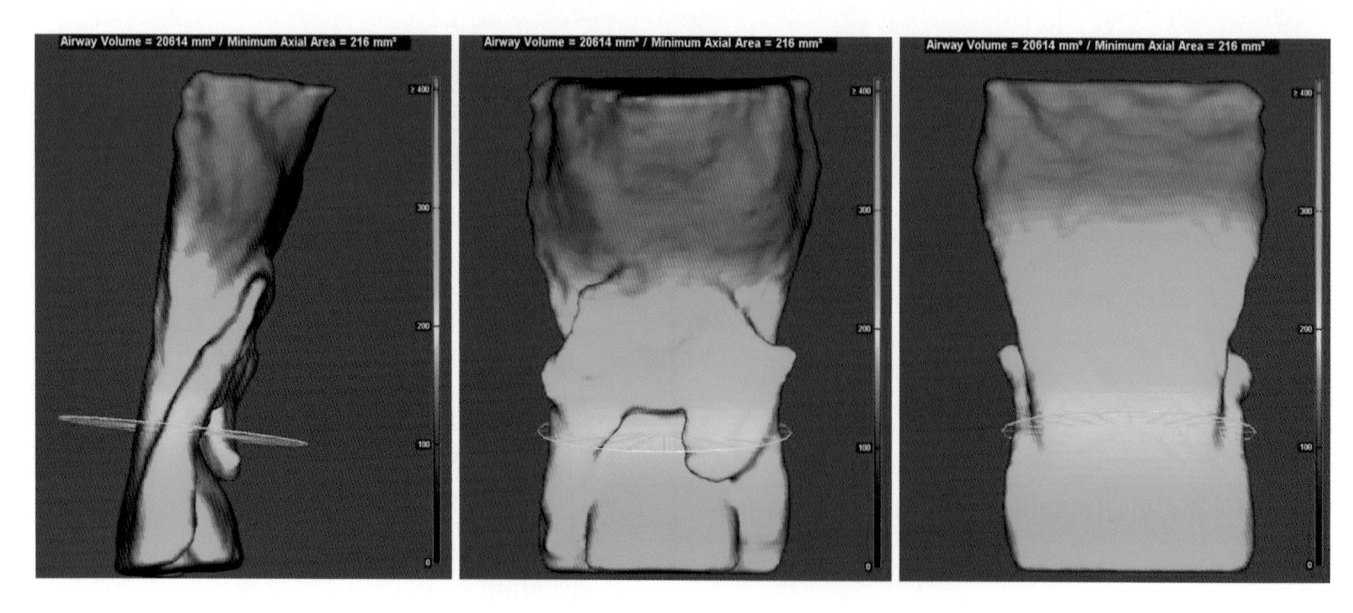

■ 그림 8.12 최대 수축부의 면적이라고도 알려진 최소 축 면적(mm^2)은 전체 기도 용적이나 특정 관심 영역에서 결정할 수 있다.

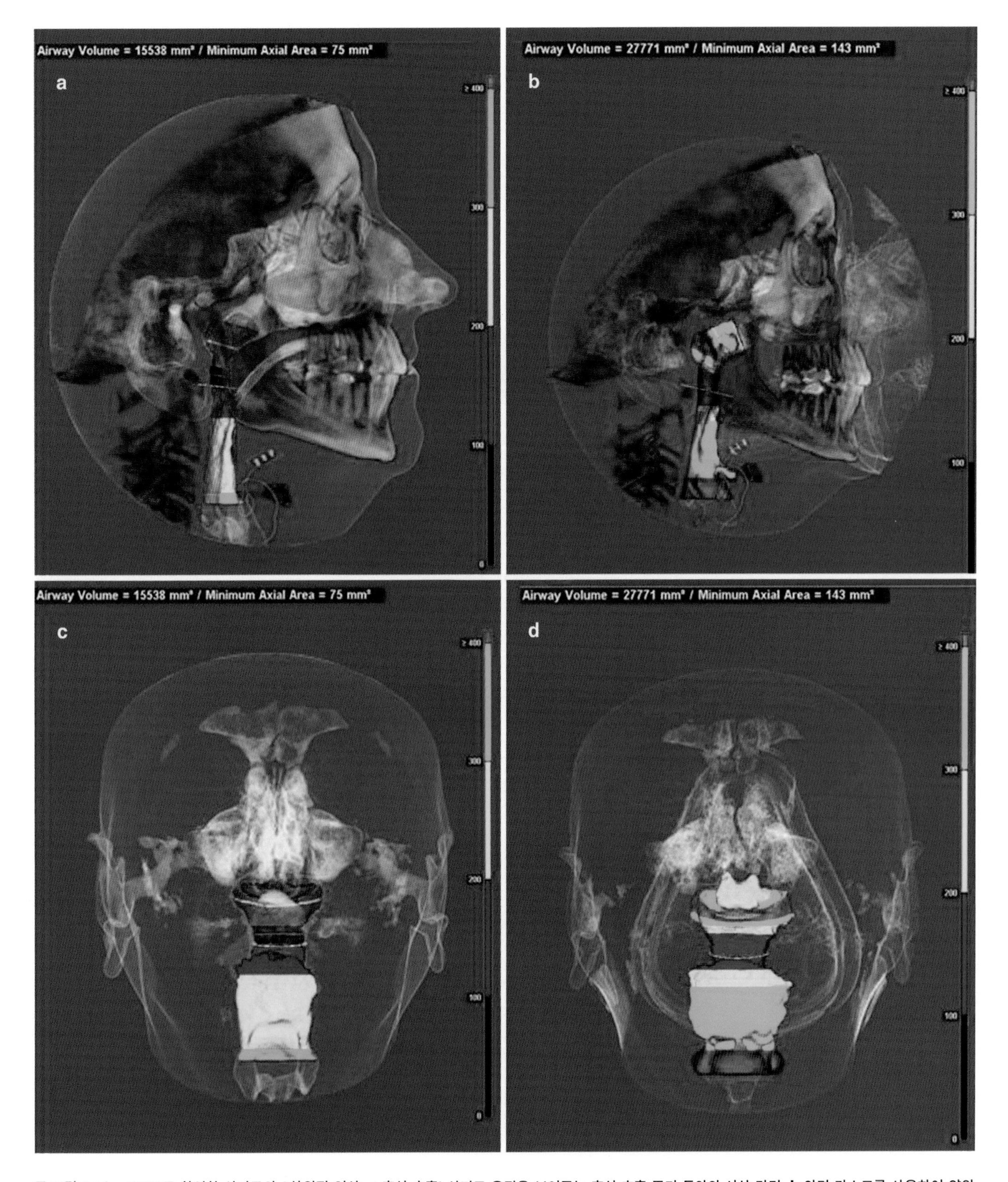

◘ 그림 8.13 CBCT로 촬영한 상기도의 3차원적 영상. **a** 휴식 호흡: 상기도 용적을 보여주는 휴식 호흡 주기 동안의 시상 단면. **b** 안면 마스크를 사용하여 양압(+10 cmH_2O) 적용. +10 cmH_2O 적용 동안 기도 용적 증가를 보여주는 시상 단면. **c** 휴식 호흡 동안 정면 모습. **d** +10 cmH_2O 양압 적용 시 정면 모습

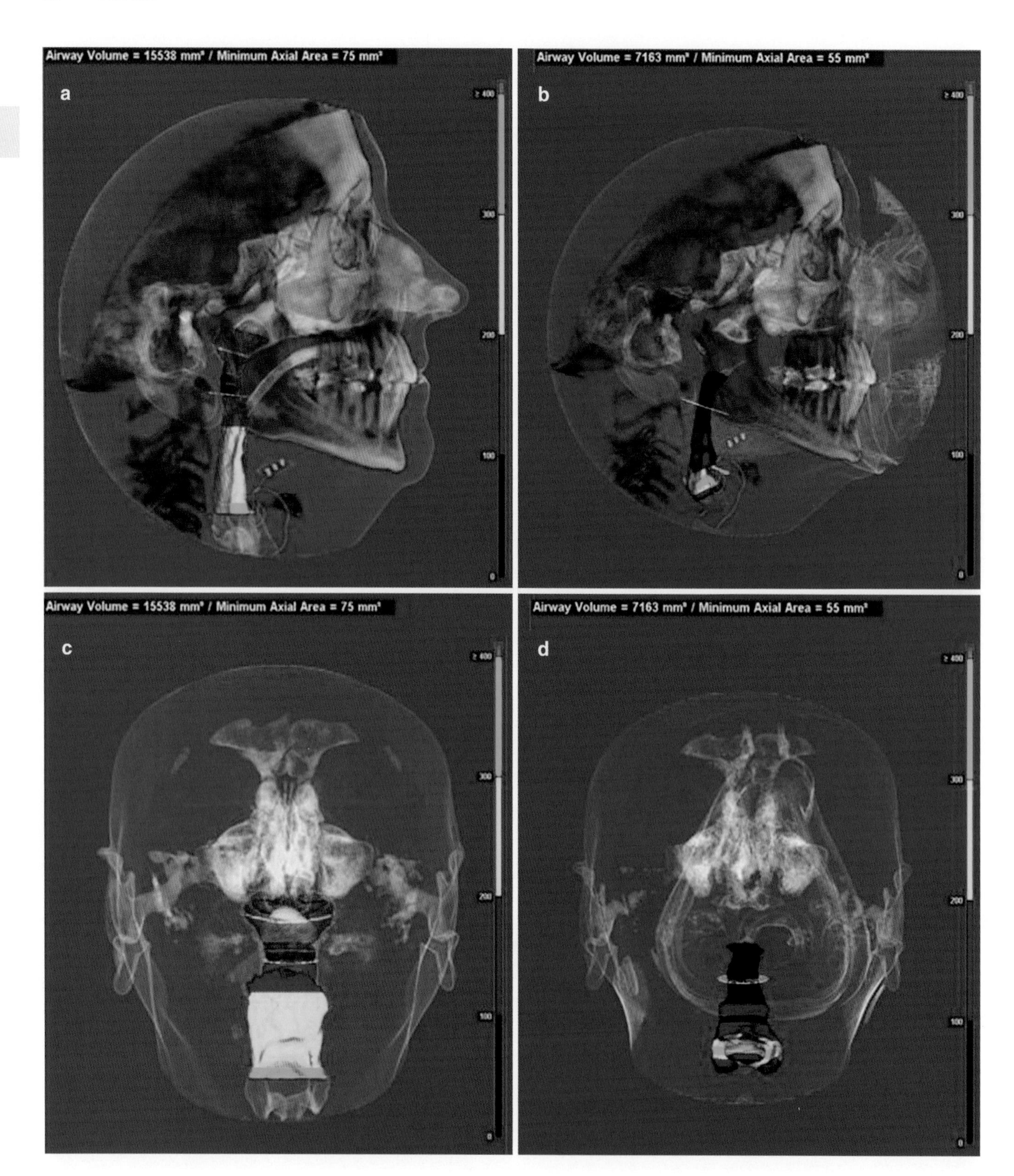

■ 그림 8.14 CBCT로 촬영한 상기도의 3차원적 영상. **a** 휴식 호흡: 상기도 용적을 보여주는 휴식 호흡 주기 동안의 시상 단면. **b** 안면 마스크를 사용하여 음압 (–2 cmH_2O) 적용. –2 cmH_2O 적용 동안 기도 용적 감소를 보여주는 시상 단면. **c** 휴식 호흡 동안 정면 모습. **d** –2 cmH_2O 음압 적용 시 정면 모습

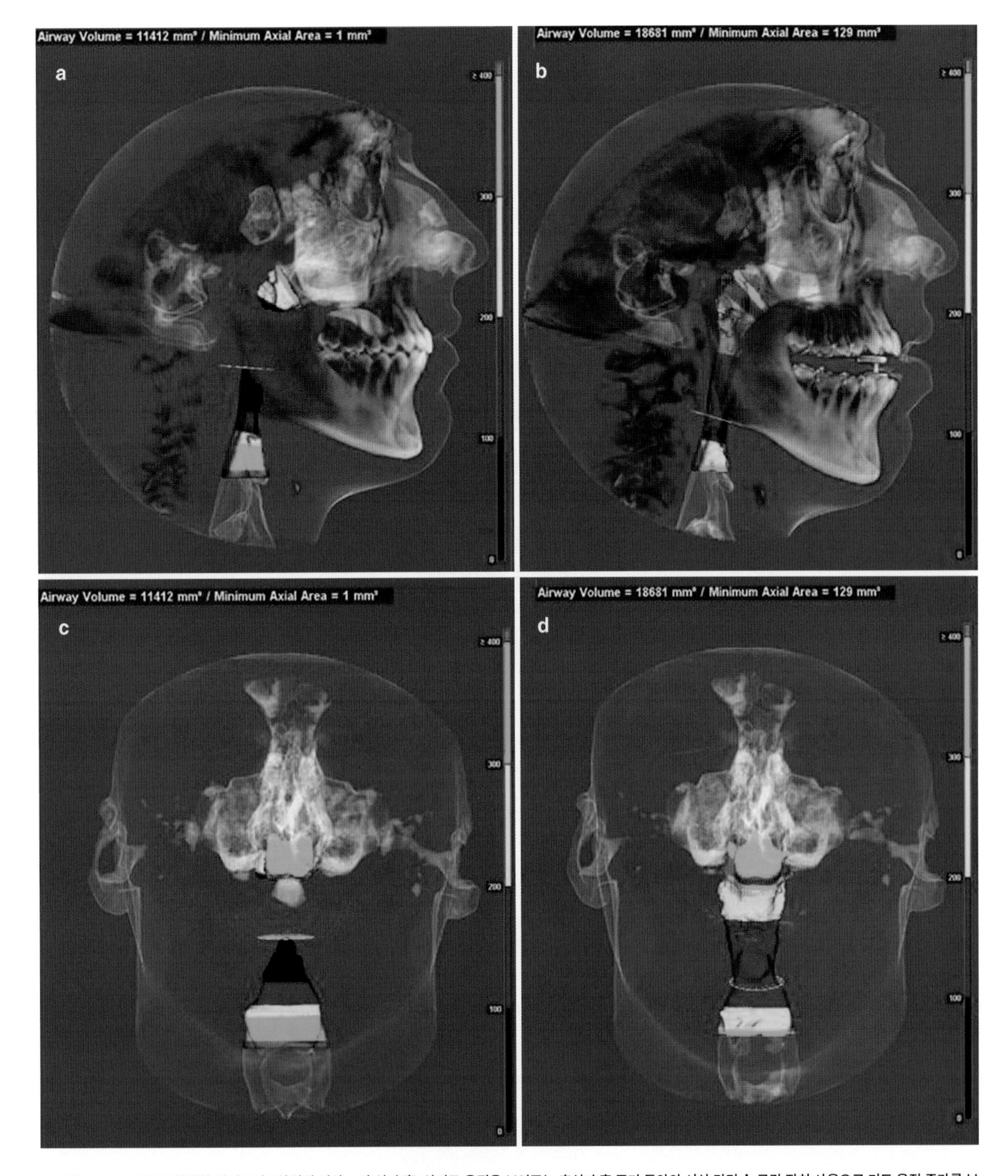

◘ 그림 8.15 CBCT로 촬영한 상기도의 3차원적 영상. **a** 휴식 호흡: 상기도 용적을 보여주는 휴식 호흡 주기 동안의 시상 단면. **b** 구강 장치 사용으로 기도 용적 증가를 보여주는 시상 단면. **c** 휴식 호흡 동안 정면 모습. **d** 구강 장치를 장착한 정면 모습

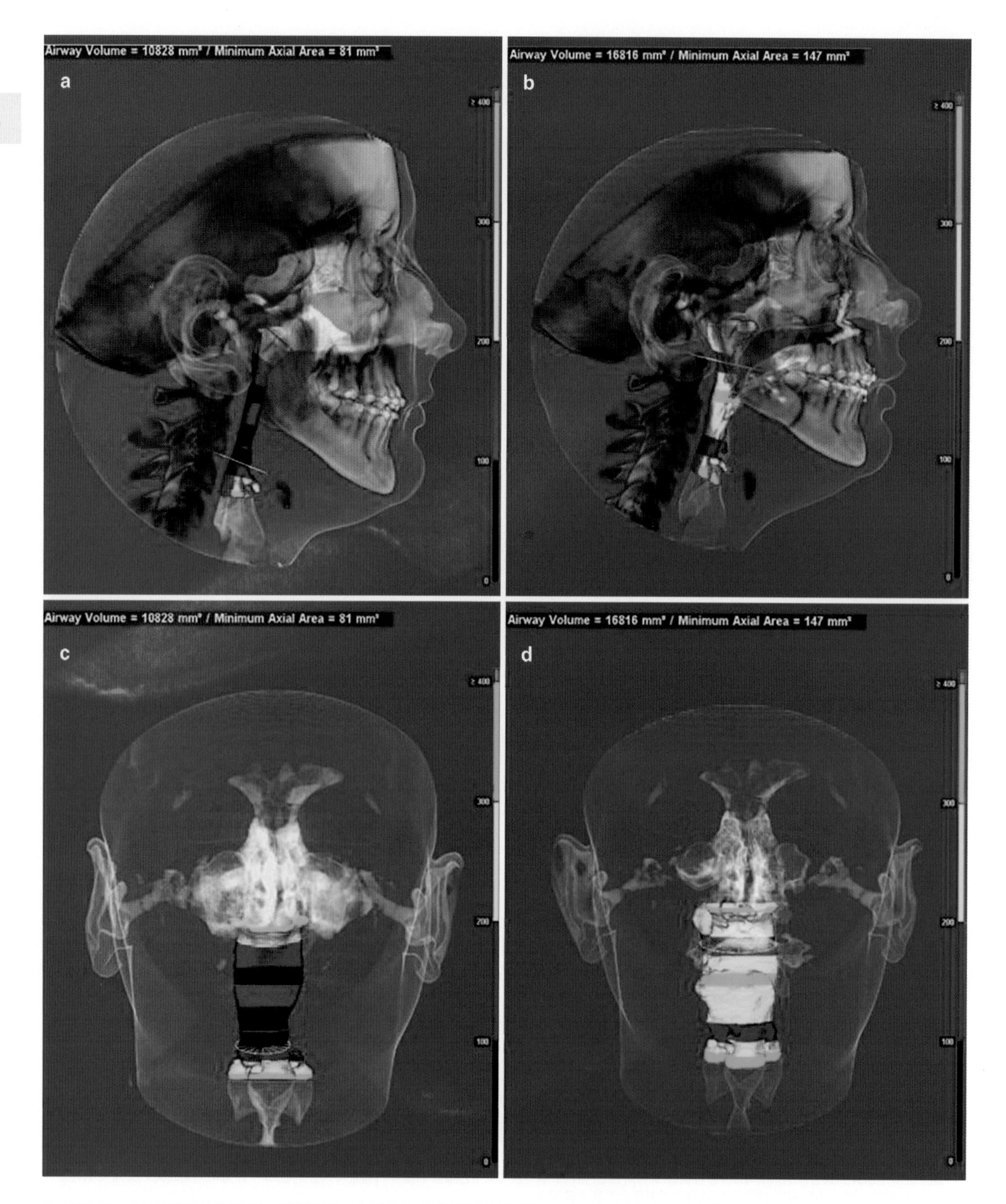

◘ 그림 8.16 CBCT로 촬영한 상기도의 3차원적 영상. **a** 휴식 호흡: 상기도 용적을 보여주는 휴식 호흡 주기 동안의 시상 단면. **b** MMA 수술 후 기도 용적 증가를 보여주는 시상 단면. **c** 휴식 호흡 동안 정면 모습. **d** MMA 후 정면 모습

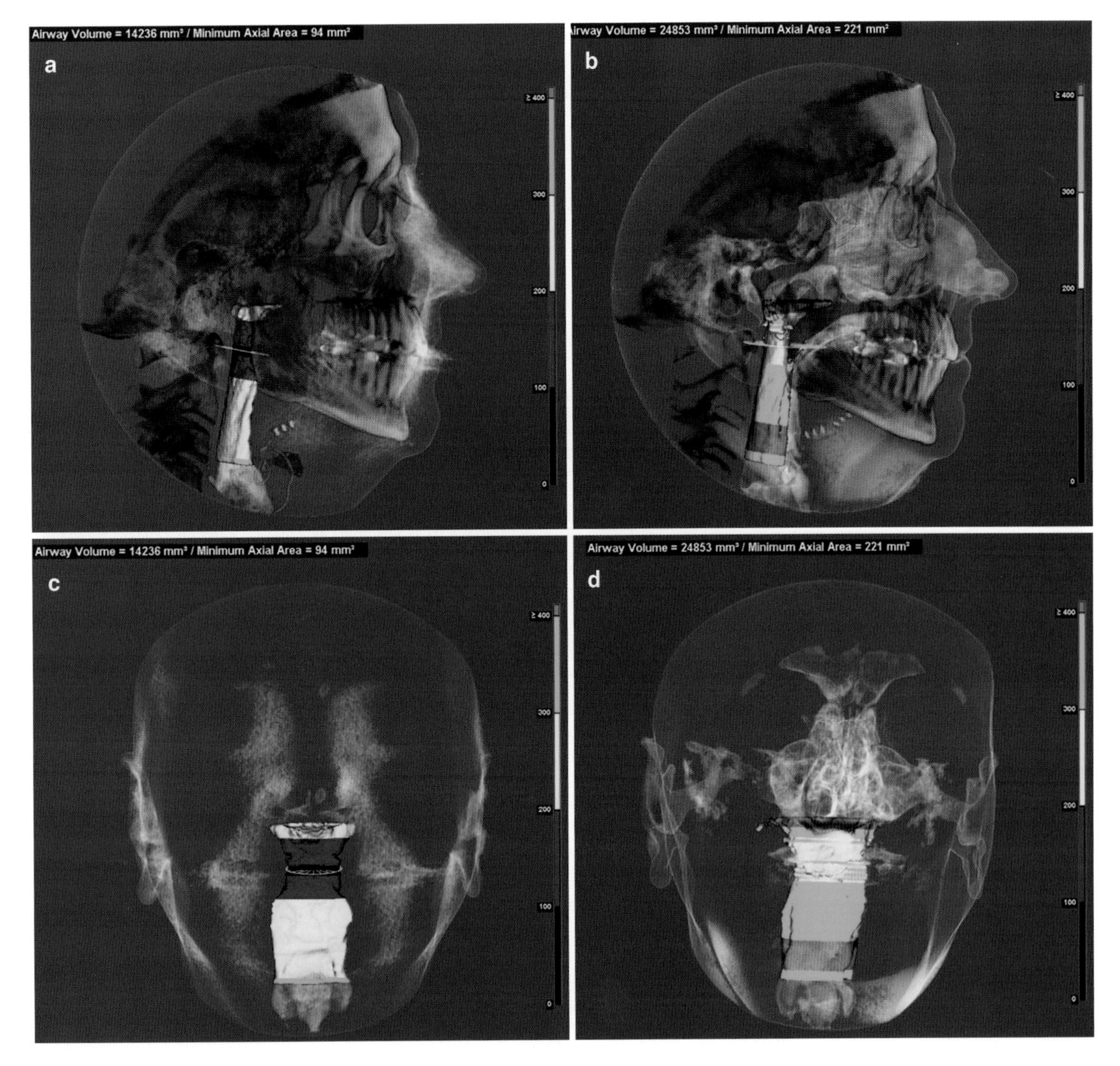

그림 8.17 CBCT로 촬영한 상기도의 3차원적 영상. **a** 휴식 호흡: 상기도 용적을 보여주는 휴식 호흡 주기 동안의 시상 단면. **b** 설하 신경 자극으로 기도 용적 증가를 보여주는 시상 단면. **c** 휴식 호흡 동안 정면 모습. **d** 설하 신경 자극 동안의 정면 모습

8.6 상기도 자극

비교적 새롭고 최첨단의 치료법으로 임플란트의 완전한 이식 시스템을 이용하는 상기도 전기 자극(UAS) 요법이 있다. Inspire 임플란트(Inspire Medical Systems, Inc., Maple Grove, MN, FDA 2014년 4월 승인)가 중등증에서 중증의 치료를 위해 제공된다. 지속적 양압기 요법을 사용할 수 없는 환자의 일부에서 OSA의 중증도와 증상을 감소시키는 것으로 알려져 있다.[41-44] 치료적 접근은 초기에 설명한 것처럼 호흡 노력과 동기화되어 설하 신경에 자극을 전달하는 것이다.[45] 환자는 리모컨을 사용하여 취침 전에 장치를 켜고 아침에 끌 수 있다. 장치가 활성화되면 사람의 호흡 양상을 감지하여 약한 자극을 전달하여 기도를 개방하고, 심장 박동기와 유사한 방식으로 작동한다. 자극 수준은 환자의 고유한 BMI와 AHI에 따라 각 환자에게 맞춤화 될 수 있다. 전신 마취 상태에서 3개의 수술 절개를 통해 환자의 우측에 UAS 시스템을 이식한다. 이식에 소요되는 시간의 중앙값은 평균 140분으로 보고되었고, 대부분의 환자는 병원에서 밤을 보낸다.[43] 최근 한 연구는 University

8

Hospitals Case Medical Center (Cleveland, OH)에서 이전에 UAS 요법을 위해 외과적 이식을 받은 7명의 환자를 평가하였다; 모두 정기적으로 치료기를 사용하고 있었다. 각각은 (a) 지속적 양압기 적응 실패, (b) 일반적으로 시간당 20-60의 AHI, (c) AHI가 75를 초과하는 폐쇄성 무호흡 및 저호흡, (d) 약물 유도 진정 내시경동안 구개범인두 수준에서 우세한 전후 허탈을 보여준다. UAS 치료 중 규칙적인 호흡에서 CBCT와 측면 두부계측 사진을 촬영하여 대상자들을 평가하였다. 먼저 휴식 호흡 주기 동안 촬영을 시행하였다. 그 다음 해당 환자의 수면 중에 치료적으로 사용되는 전압 진폭이나 비슷한 수준의 자극을 주면서 촬영을 시행하였다. 설하 신경의 UAS 하에서 촬영한 CBCT 용적은 상기도를 따라 유의하게 증가하였다(+48%). 하인두 63%, 구인두 54%, 비인구에서 15%의 증가를 보였다(■ 그림 8.17). 7명 중 6명에서 최소 단면적이 구개후 기도에서 발견되었으며, 나머지 한명에서는 비인두에서 발견되었다. 자극 전 평균 최소 단면적은 100.5 mm^2였고, 자극 후 139.2 mm^2였다.[25]

8.7 요약

이번 단원에서는 진단과 치료 결과 평가를 위한 기도 평가에 CBCT를 사용할 수 있는 방법에 대해 설명하였다. CBCT만으로는 수면 무호흡을 진단할 수 없지만, 모니터링과 치료 고려사항을 돕는 용도에 특별히 사용된다. 측면 두부계측 영상은 내외측 정보나 변화를 묘사하지 않기 때문에 기도 평가에 사용하지 않아야 한다.

참고문헌

1. Strauss RA, Burgoyne CC. Diagnostic imaging and sleep medicine. Dent Clin N Am. 2008;52(4):891–915, viii.
2. Schwab RJ, Goldberg AN. Upper airway assessment: radiographic and other imaging techniques. Otolaryngol Clin N Am. 1998;31(6):931–68.
3. El H, Palomo JM. Measuring the airway in 3 dimensions: a reliability and accuracy study. Am J Orthod Dentofac Orthop. 2010;137(4 Suppl):S50 e1–9; discussion S50–2.
4. Palomo JM, Rao PS, Hans MG. Influence of CBCT exposure conditions on radiation dose. Oral Surg Oral Med Oral Pathol Oral Radiol Endod. 2008;105(6):773–82.
5. Osorio F, et al. Cone beam computed tomography: an innovative tool for airway assessment. Anesth Analg. 2008;106(6):1803–7.
6. Ludlow JB, Walker C. Assessment of phantom dosimetry and image quality of iCAT FLX cone-beam computed tomography. Am J Orthod Dentofac Orthop. 2013;144(6):802–17.
7. Ghoneima A, Kula K. Accuracy and reliability of cone-beam computed tomography for airway volume analysis. Eur J Orthod. 2013;35(2):256–61.
8. Lagravere MO, et al. Three-dimensional accuracy of measurements made with software on cone-beam computed tomography images. Am J Orthod Dentofac Orthop. 2008;134(1):112–6.
9. Schendel SA, Hatcher D. Automated 3-dimensional airway analysis from cone-beam computed tomography data. J Oral Maxil-lofac Surg. 2010;68(3):696–701.
10. Amirlak B, et al. Volumetric analysis of simulated alveolar cleft defects and bone grafts using cone beam computed tomography. Plast Reconstr Surg. 2013;131(4):854–9.
11. Tsolakis IA, et al. When static meets dynamic: comparing cone-beam computed tomography and acoustic reflection for upper airway analysis. Am J Orthod Dentofac Orthop. 2016;150(4):643–50.
12. Smith T, et al. Three-dimensional computed tomography analysis of airway volume changes after rapid maxillary expansion. Am J Orthod Dentofac Orthop. 2012;141(5):618–26.
13. RPJ W, Landers M, Hans MG. Anatomically based cranial landmarks for three dimensional superimposition. In: Orthodontic department: Case Western Reserve University; 2011.
14. Strohl KP, Redline S. Nasal CPAP therapy, upper airway muscle activation, and obstructive sleep apnea. Am Rev Respir Dis. 1986;134(3):555–8.
15. Ogawa T, et al. Evaluation of crosssection airway configuration of obstructive sleep apnea. Oral Surg Oral Med Oral Pathol Oral Radiol Endod. 2007; 103(1):102–8.
16. Enciso R, et al. Comparison of cone-beam CT parameters and sleep questionnaires in sleep apnea patients and control subjects. Oral Surg Oral Med Oral Pathol Oral Radiol Endod. 2010;109(2):285–93.
17. Buchanan A, et al. Cone-beam CT analysis of patients with obstructive sleep apnea compared to normal controls. Imaging Sci Dent. 2016;46(1): 9–16.
18. Cohen AM, Vig PS. A serial growth study of the tongue and intermaxillary space. Angle Orthod. 1976;46(4):332–7.
19. Nelson S, Cakirer B, Lai YY. Longitudinal changes in craniofacial factors among snoring and nonsnoring Bolton-Brush study participants. Am J Orthod Dentofac Orthop. 2003;123(3):338–44.
20. Sforza E, et al. Upper airway collapsibility and cephalometric variables in patients with obstructive sleep apnea. Am J Respir Crit Care Med. 2000;161(2 Pt 1):347–52.
21. Schendel SA, Broujerdi JA, Jacobson RL. Three-dimensional upperairway changes with maxillomandibular advancement for obstructive sleep apnea treatment. Am J Orthod Dentofac Orthop. 2014;146(3):385–93.
22. Verin E, et al. Comparison between anatomy and resistance of upper airway in normal subjects, snorers and OSAS patients. Respir Physiol. 2002;129(3):335–43.
23. Hevener B, Hevener W. Continuous positive airway pressure therapy for obstructive sleep apnea: maximizing adherence including using novel information technology-based systems. Sleep Med Clin. 2016;11(3):323–9.
24. Patel SR, et al. Continuous positive airway pressure therapy for treating sleepiness in a diverse population with obstructive sleep apnea: results of a metaanalysis. Arch Intern Med. 2003;163(5):565–71.
25. ElShebiny T, et al. Hyoid arch displacement with hypoglossal nerve stimulation. Am J Respir Crit Care Med. 2017;196(6):790–2.
26. Ng AT, et al. Effect of oral appliance therapy on upper airway collapsibility in obstructive sleep apnea. Am J Respir Crit Care Med. 2003;168(2):238–41.
27. Kushida CA, et al. Practice parameters for the indications for polysomnography and related procedures: an update for 2005. Sleep. 2005;28(4): 499–521.
28. Doff MH, et al. Oral appliance versus continuous positive air-way pressure in obstructive sleep apnea syndrome: a 2-year fol-low-up. Sleep. 2013;36(9):1289–96.

29. George PT. Selecting sleep-disordered-breathing appliances. Bio-mechanical considerations. J Am Dent Assoc. 2001;132(3):339-47.

30. Doff MH, et al. Long-term oral-appliance therapy in obstructive sleep apnea: a cephalometric study of craniofacial changes. J Dent. 2010;38(12):1010-8.

31. Doff MH, et al. Long-term oral appliance therapy in obstructive sleep apnea syndrome: a controlled study on dental side effects. Clin Oral Investig. 2013;17(2):475-82.

32. Chan AS, et al. The effect of mandibular advancement on upper airway structure in obstructive sleep apnoea. Thorax. 2010;65(8):726-32.

33. Almeida FR, et al. Long-term sequellae of oral appliance therapy in obstructive sleep apnea patients: part 2. Study-model analysis. Am J Orthod Dentofac Orthop. 2006;129(2):205-13.

34. Hammond RJ, et al. A follow-up study of dental and skeletal changes associated with mandibular advancement splint use in obstructive sleep apnea. Am J Orthod Dentofac Orthop. 2007;132(6):806-14.

35. Robertson C, Herbison P, Harkness M. Dental and occlusal changes during mandibular advancement splint therapy in sleep disordered patients. Eur J Orthod. 2003;25(4):371-6.

36. Butterfield KJ, et al. Linear and volumetric airway changes after maxillomandibular advancement for obstructive sleep apnea. J Oral Maxillofac Surg. 2015;73(6):1133-42.

37. Fairburn SC, et al. Three-dimensional changes in upper airways of patients with obstructive sleep apnea following maxilloman-dibular advancement. J Oral Maxillofac Surg. 2007;65(1):6-12.

38. Gale A, Kilpelainen PV, Laine-Alava MT. Hyoid bone posi-tion after surgical mandibular advancement. Eur J Orthod. 2001;23(6):695-701.

39. Pirklbauer K, et al. Maxillomandibular advancement for treatment of obstructive sleep apnea syndrome: a systematic review. J Oral Maxillofac Surg. 2011;69(6):e165-76.

40. El AS, et al. A 3-dimensional airway analysis of an obstructive sleep apnea surgical correction with cone beam computed tomography. J Oral Maxillofac Surg. 2011;69(9):2424-36.

41. Woodson BT, et al. Three-year outcomes of cranial nerve stimulation for obstructive sleep apnea: the STAR trial. Otolaryngol Head Neck Surg. 2016;154(1):181-8.

42. Woodson BT, et al. Randomized controlled withdrawal study of upper airway stimulation on OSA: short-and long-term effect. Otolaryngol Head Neck Surg. 2014;151(5):880-7.

43. Strollo PJ Jr, et al. Upper-airway stimulation for obstructive sleep apnea. N Engl J Med. 2014;370(2):139-49.

44. Soose RJ, et al. Upper airway stimulation for obstructive sleep apnea: self-reported outcomes at 24 months. J Clin Sleep Med. 2016;12(1):43-8.

45. Eisele DW, Schwartz AR, Smith PL. Tongue neuromuscular and direct hypoglossal nerve stimulation for obstructive sleep apnea. Otolaryngol Clin N Am. 2003;36(3):501-10.

OSA와 연관된 두개안면 형태학 – 두개안면골과 상기도의 성장

Su-Jung Kim and Ki Beom Kim

목차

9.1 정상 두개안면 성장에서의 상기도 발달

9

비강, 인두, 후두로 구성된 상기도는 하기도보다 두개안면 구조적 환경과 더 관련이 있다. 인두는 두개골 기저부에서 6번 경추의 하부면 높이까지 연장되는 관 모양의 구조물이다.[1] 그것은 비강과 구강의 등쪽에 놓이며, 식도, 후두, 기관의 상방에 위치한다. 인두는 해부학적으로 3부분으로 나누어 진다: 비인두, 구인두, 하인두. 정중 시상면 영상에서 비인두는 비갑개에서 구개부까지 연장된다. 구인두는 구개후 인두(경구개에서 연구개 꼬리끝까지)와 설후 인두(연구개 꼬리끝에서 후두개 기저부까지)로 세분될 수 있다(◘ 그림 9.1).[2]

상기도는 두개골 기저부 하방과 안면 후방에 위치하기 때문에, 두개안면 구조물의 성장과 발달 변화가 상기도 발달에 영향을 미치고 이로 인해 상기도의 용적과 기능도 달라진다. 정상과의 유의한 변화를 평가하기 위해서는 해마다 달라지는 건강한 소아 상기도의 정상적인 성장 양상과 그 용량에 대한 이해가 필요하다.

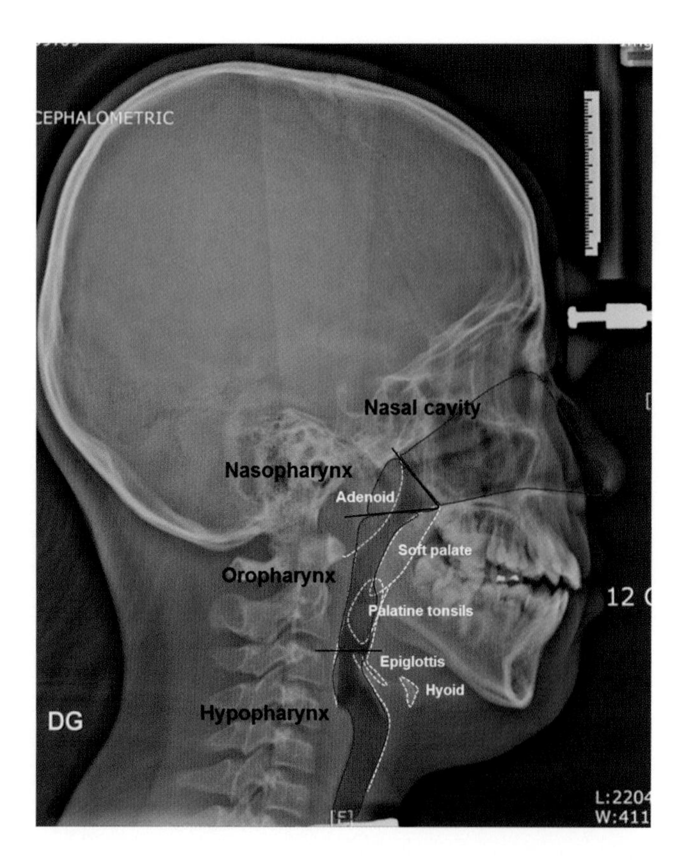

◘ 그림 9.1 **비강, 비인두, 구인두, 하인두를 포함하는 측면 두부계측 영상에서의 상기도**

Nasal cavity; 비강/Nasopharynx; 비인두/oropharyns; 구인두/hypopharynx; 하인두/Adenoid; 아데노이드/soft palate; 연구개/palatine tonsils; 구개편도/epiglottis; 후두덮개/hyoid; 설골

9.1.1 두개골 기저부의 생후 성장

안면 성장과 상기도 발달을 이끄는 두개골 기저부 내부의 힘을 이해하는 것이 중요하다. 두개저는 비상악 복합체와 하악골이 발달하는 기반을 제공하며, 둘 다 두개안면 형태와 기능에 영향을 미친다.

두개골과 두개저 상의 봉합 성장은 두개저의 다방향 확장을 설명하지만, 전반적인 두개저의 생후 성장은 연골 결합에 대한 연골 내 성장, 두개관 벽의 차등적 봉합 성장, 그리고 대뇌엽과 부비동 성장에 대한 반응으로 두개 내저의 표면 피질 이동에 의존한다. 이러한 기전 중 2가지 주요 연골 결합의 연골내 성장은 출생 후 두개저의 성장을 직접적으로 결정한다. 접형사골 연골 결합이 약 7–8세 동안 전방 두개저 성장과 관련하여 가장 활동적이다. 사춘기 직후(여성 16–17세, 남성 18–19세) 융합되는 접형후두 연골 결합은 활동적인 두개안면 성장 기간 동안 가장 두드러진다. 일단 유합이 발생하여 전후방 방향으로의 두개저 길이 성장이 대부분 완료되면, 이후 두개저의 형태 변화는 골 재형성에 기인할 수 있다. 두개저는 출생 후 첫 2–3년 동안 성장 양상에서 극적인 변화를 겪으며, 그 이후에는 성장 변화가 더 작고 안정적이다. 두개저 신장과 굴곡 모두 중요한 성장 기전이다.

9.1.1.1 두개저 신장

생후 1년이 끝날 때까지 접형골 내 연골 결합은 전방과 후방 두개저의 접합부를 결정한다. 전방 두개저는 주로 뇌의 전두엽과 협력하여 접형사골 연골 결합의 성장으로 인해 6세까지 성장하고 7–8세에 융합이 이루어진 후에도 계속 증가한다. 이것은 전두동의 발달과 관련된 전두골의 외부 표면에 골이 침착되기 때문이다. 후방 두개저는 주로 접형후두 연골 결합의 성장으로 인해 신장되며, 이것은 전방 두개저로부터의 차등적 성숙을 나타낸다. 전방 두개저는 출생에서 17세까지의 생후 성장 전반에 걸쳐 후방 두개저보다 더 많이 자라고 더 성숙한다. 종단 분석에 따르면, 전방 두개저는 4.5세까지 성인 크기의 거의 90%에 도달하는 반면, 후방 두개저는 약 80%에 도달한다.[3] 결과적으로, 두개저 길이의 전후방 성장은 생후 6년 동안 거의 완료된다. 그 후, 골 침착에 의한 어떤 신장이 추가적으로 발생하면 비상악 복합체의 전방 변위에 영향을 끼치게 된다.

9.1.1.2 두개저 굴곡

신생아와 유아의 두개저는 상당히 편평하다. 어린이로 성장하면서, 더 볼록한 상부 또는 굴곡된 모양이 나타난다. 두개저 각도는 2세에서 17세 사이보다 첫 2년 동안 2배 이상 감소하는

데, 이는 주로 접형후두 연골 결합의 차등 성장으로 인해 발생한다. 2세에서 6세 사이에는 접형골이 시계 방향으로 회전하고 후두골이 반시계 방향으로 회전하는 골 재형성으로 인해 두개저 굴곡이 발생하며, 이는 두개저의 단축과 확장을 수반한다. 골의 회전 정도와 방향은 생후 첫 6년 동안 안면 역학이 두개골 역학과 경쟁하기 시작하는 동안 결정되는 경향이 있다.

두개저 굴곡이 손상된 경우, 두개저가 좁고 길게 유지되는 경향이 있고(장두 양상) 얼굴이 좁고 길어진다(◘ 그림 9.2). 접형골의 반시계 방향 및 후두골의 시계 방향 회전이 조합되어 깊고 좁은 상악궁을 가진 상악 돌출을 발달시킬 수 있으며, 하악 과두를 후방으로 위치시켜 골격성 II급 부정교합이 될 수 있다. 대조적으로 두개저 굴곡이 큰 개인에서 접형골의 반시계 방향 및 후두골의 시계 방향 회전이 병행되면, 중안면이 결핍된 넓고 짧은 두개저(단두 양상)가 되고 하악 과두가 전방으로 위치하면서 골격성 III급 부정교합이 된다.

반면에 Brulington Growth Center에서 매년 실시한 백인 표본을 대상으로 한 종단 연구[4]는 아동에서 가장 개방된 두개저 각도를 가진 10%와 가장 폐쇄된 각도를 가진 10% 사이의 두개골 길이, 두개골 너비, 두부 지수, 전방 두개저 길이에서 유의한 차이가 없음을 발견했다. 가장 편평한 두개저를 가진 아동은 후방 두개저가 약간 짧고 하악 과두가 보다 후상방에 위치하며 하악 후퇴를 보이는데, 이것은 Bjork[5], Enlow 및 McNamara[6]와 일치하는 강한 II급 부정교합 관계를 보인다. 이 집단에서 큰 두개저 각도는 접형골의 시계 방향 회전과 후두골의 훨씬 더 큰 시계 방향 회전에 의해 발생한다. 대조적으로, 가장 작은 두개저 각도를 가진 아이들은 과두가 보다 전하방에 위치함에도 불구하고, III급 교합은 없고 대부분이 I급 교합을 보였다(Enlow[7]와 Lavelle[8]의 결과와 일치하지 않는다). 이것을 설명할 가능성 있는 이론은 접형골의 시계 방향 회전이 보다 적게 발생하는 동시에 후두골의 반시계 방향 회전이 더 크게 일어남으로써 두개저 각도가 작아졌다는 것이다.

마찬가지로, 두개저의 개별 골 단위는 서로 독립적으로 개조되거나 회전할 수 있으며, 그 결과 두개저 굴곡의 다양한 기전과 다양한 유형의 두개안면 형태가 결정된다는 점에 유의해야 한다. 이런 형태학적 다양성은 주로 유전에 의해 조절되지만, 6세

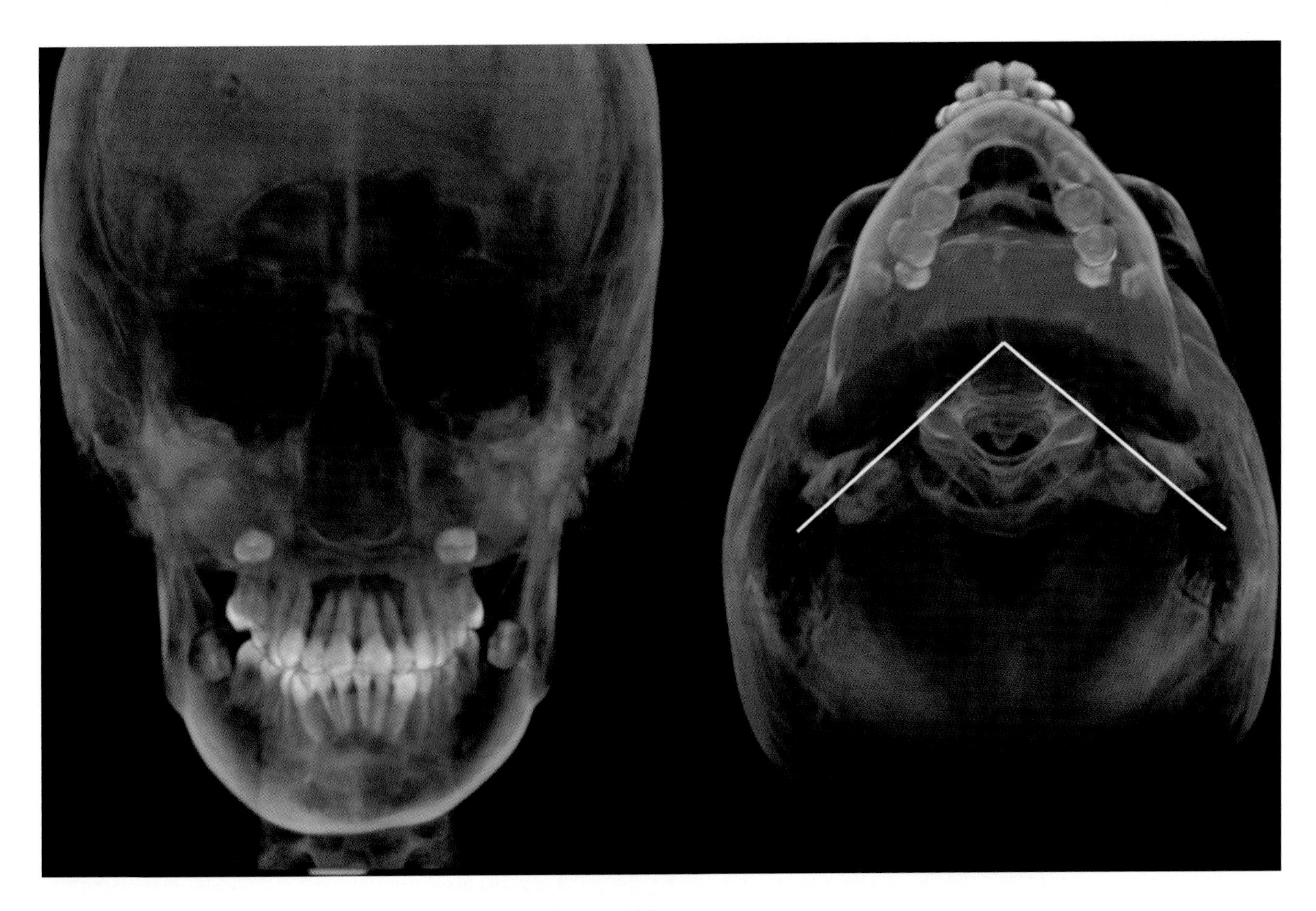

◘ 그림 9.2 **장두 양상과 장안모를 보이는 손상된 두개저 굴곡을 보이는 CBCT 영상**

이전에는 머리 자세와 호흡 기능 등과 같은 환경 요인의 영향도 받는다.

9.1.1.3 상기도에 영향을 미치는 두개저의 성장

유전적 영향으로 뇌, 두개골, 두개저의 성장은 상악과 하악 사이의 관계를 결정지음으로써 상기도의 크기에 영향을 미칠 수 있다. 두개저의 신장과 굴곡은 상악의 깊이와 높이를 결정하는 비상악 복합체의 전하방 변위에 필수적이며, 추가적으로 상악 폭의 발달에 기여한다. 비상악 복합체의 전하방 변위와 용적 증가로 상기도의 용적이 증가할 것이고, 인두 주변 연조직의 성장 변화에도 불구하고 상대적 기도 공간과 통로를 유지하면서 (대부분 두개저의 초기 성장에 의해 결정되는) 하악도 적절하게 위치하게 된다.

두개안면 성장의 건막 장력 모델에 의하면, 뇌성장과 두개 회전은 두부와 안면의 상호연관된 두개안면 근건막신경 시스템(CFMAS) 내에서 두부 장력을 생성하여 상악 회전, 측두하악 관절 발달과 위치, 기도 발달의 기전을 분명히 한다(◘ 그림 9.3).[9] 후두골 과두에서의 두개골 회전과 접형후두 연골 결합에서의 비대칭 성장은 얼굴을 반시계 방향으로 회전시켜 정상적인 악골 회전과 설편도 및 피막(velum)과 같은 조직의 확장으로 기도를 개방하도록 한다. 전방 증가에 비해 후방이 더 큰 상악과 비강의 횡적 발달은 더 큰 CFMAS 장력으로 이어지는 근육 질량 증가의 결과로 믿어지며, 이에 따라 횡단 기도 용적이 증가하고 혀를 위한 공간이 제공된다.

9.1.2 비상악 복합체의 생후 성장

9.1.2.1 비상악 복합체의 성장 기전

비상악 복합체 또는 중안면은 신경두개에 연결하는 상악주위 봉합계와 중구개, 횡구개, 악간, 비강 봉합으로 구성된 악간 봉합계를 포함한다. 비상악 복합체의 생후 발달은 주로 상악과 악간 봉합의 막내 골화에 의해 발생하지만, 비중격은 특히 첫 3–4년 동안 연골성 골 성장에 의해 중안면의 전하방 변위에 기여한다.[10] 주변 연조직의 성장에 의한 중안면 변위에 대한 보상적 봉합 성장은 첫 6세 동안 전방 두개저의 신장으로 아동기와 청소년기 모두 중안면의 수직, 시상, 횡단 변화의 대부분을 야기한다. 또한, 비상악 복합체의 후상면을 따라 전체 비상악 복합체에 걸쳐 광범위한 표면 형성이 이루어진다.

9.1.2.2 비상악 복합체의 차등적 성장

중안면은 너비, 길이, 높이에서 차등적으로 성장한다. 높이가 가장 많이 증가하고, 깊이, 너비 순으로 증가한다. 역으로, 너비가 가장 먼저 끝나고, 깊이, 높이 순으로 이어진다.

비골, 상악골, 구개골의 두 반쪽 사이의 상악간 봉합을 분리하

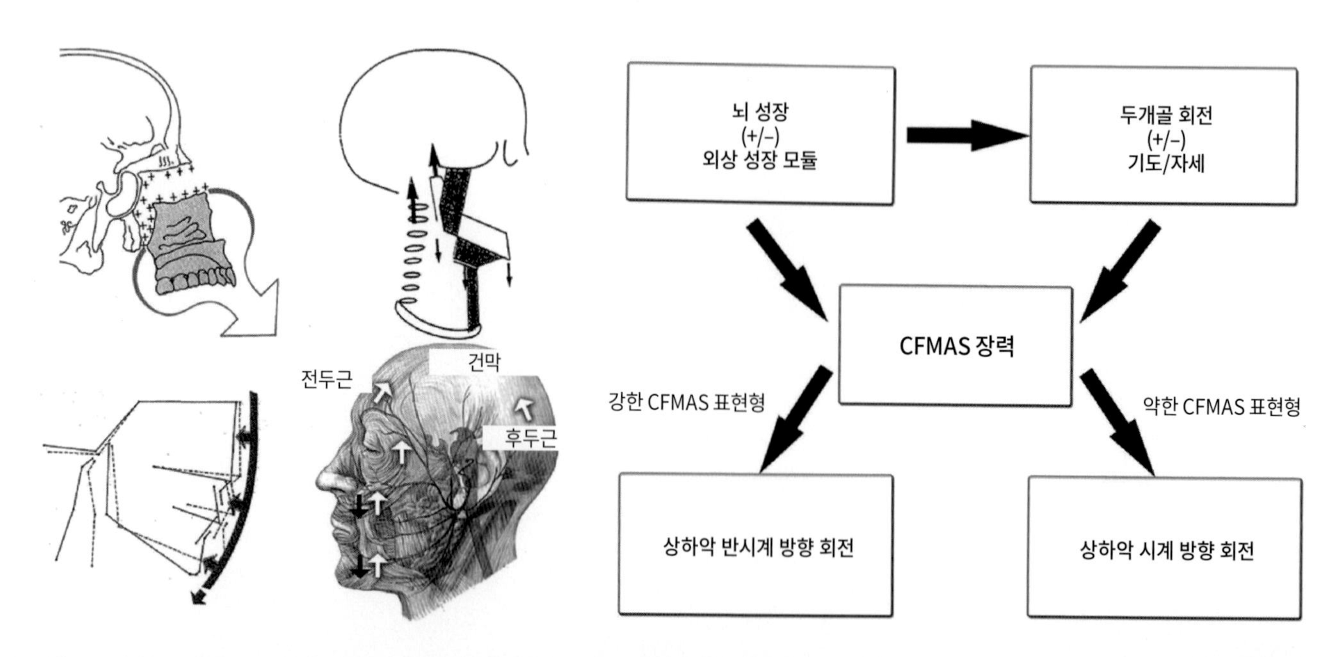

◘ 그림 9.3 제안된 두개안면 성장 모형의 알고리즘 적용. 두개골 회전과 CFMAS 장력의 뇌 성장 조절이 표시된다. 뇌 성장은 정상적인 발달과 외상(예: 뇌진탕, 약물 사용)의 결과로 인한 일시적인 국소적 성장과 유수화(myelinization)가 야기될 수 있다. 두개골 회전은 CFMAS 장력을 조절하며 그 자체는 뇌 발달과 자세 조절에 의해 영향을 받는다. CFMAS 장력은 강하거나 약한 표현형으로 나타난다. 강한 CFMAS 표현형은 상하악 반시계 방향/전방 회전을 발생시킬 것으로 예상되는 반면, 약한 CFMAS 표현형은 상하악 시계 방향/후방 회전 양상을 일으킬 것으로 예상된다(Standerwick과 Roberts[9]).

는 뇌와 눈의 확장과 주로 관련되는 너비의 성장은 중추 신경계가 성장을 완료하는 약 7세에 본질적으로 감소한다. 그 후 7세부터 16세까지는 중구개 봉합의 성장과 협측 골 침착 및 상악 치조돌기의 성장 확대에 의해 상악 기저폭이 서서히 증가한다. 중구개와 경구개 봉합 상의 성장 활성은 약 15–16세에 감소하지만[11], 이들 봉합의 생물학적 융합 연령은 연구마다 다르다.[12-14]

한편, 전방 두개저에 비해 중안면의 전형적인 전하방 성장의 지속이 중요하기 때문에 중안면은 깊이와 높이에서 더 극적으로 증가하고, 부수적으로 전후방 두개저에 비해 수직 성장 잠재력이 훨씬 커진다(◘ 그림 9.4). 중안면이 전하방으로 변위되면서 상악 전방면에 대한 흡수성 표면 골 모델링에도 불구하고 상악 결절의 후면을 따라 보상적 골 침착이 발생하여 상악 길이가 증가한다. 골 흡수는 전비극(ANS)의 하방 이동 및 A–point의 후하방 이동과 연관된다. 구개 천장에서 침착이 일어나고 비강저에서 흡수가 일어나면서, 비상악 복합체의 수직적 변위와 비강 용적이 증가한다. 수직적 상악 성장률은 키와 마찬가지로 청소년기 동안 최고조에 이르지만, 전후방 상악 성장은 뚜렷한 사춘기 급성장 없이 다소 일정하게 유지된다.

9.1.2.3 상기도에 영향을 미치는 비상악 복합체의 성장

비상악 복합체의 3차원적 변화는 비강 용적의 증가와 경구개에서 후비극(PNS)의 전하방 변위를 보여준다. 이것은 골성 비인두의 크기를 증가시키고 비인두와 구개범인두 기도 발달에 기여하여 아데노이드, 연구개 조직, 비인두 벽의 성장을 보상한다(◘ 그림 9.5).

9.1.3 하악의 생후 성장

9.1.3.1 하악의 성장 기전

하악은 모든 두개안면 복합 구조물 중에서 가장 큰 생후 성장 잠재력을 가진다. 비상악 복합체와 대조적으로 연골내 및 골막 활성화가 하악 성장에 현저한 영향을 미치고, 두개저 성장에 의해 생성된 변위(하악 과두 이동)는 미미하다. 하악골의 전체적인 성장 양상은 두개골을 기준으로 턱이 전하방으로 이동하는 것으로 표현될 수 있고(◘ 그림 9.6), 하악골의 몸체와 몸통은 점점 더 길어지고 넓어진다. 실제적인 성장은 하악 과두의 2차 연골에서 연골내 골형성에 의해 발생하고, 하악 전체 표면을 따라 차등적 형성과 흡수가 일어난다. 동시에 하악은 실질적인 수직 회전을 경험하지만 횡적 회전은 제한적이다. 전형적인 양상은 하악의 전방 측면보다 후방의 더 큰 하방 변위에 의한 전방 회전으로, 궁극적으로 하악 평면 각도가 감소된다.

9.1.3.2 하악의 차등적 성장

하악 성장의 가장 큰 변화는 유아기에 인두 기도를 확보하고 빠르게 발달하는 치열을 위한 공간을 만들기 위해 처음 몇 년 동안 발생한다. 하악 몸통 길이는 가장 일관되게 성숙한 부위(중안모 높이의 성숙도에 거의 근접)이고, 그 다음이 전체 길이이며, 하악지가 가장 덜 성숙하다.[16] 하악 길이(과두 머리에서 턱까지)의 가장 큰 증가는 4세에서 17세 사이에 발생하며 몸통 길이와 하악지 높이가 뒤따른다. 5세가 되면 하악지의 높이는 남성에서 성인 크기의 약 70%, 여성에서 74%까지 자란다.

상악과 마찬가지로 하악 너비의 성장은 일반적으로 청소년기의 급격한 성장 이전에 완료된다. 길이와 높이의 증가는 사춘기 내내 계속된다. 과두는 후기 아동기와 청소년기에 후방에 비해 상방으로 가장 큰 성장을 보인다. 특히 여성의 경우 교정 치료 시기를 결정하기 위해 생리학적 연령을 신중하게 평가해야 하는데, 이는 사춘기 성장에 앞서 급성장기가 있기 때문이다. 치료 계획은 하악 성장의 차이가 특히 청소년기에 가장 두드러지기 때문에, 성장이 빠른 여아와 느리게 성숙하는 남아 간의 차이도 고려해야 한다.

특히 6–7세의 초기 혼합 치열기로의 이행기에는 그 이후에 비해 청소년기보다 아동기에 진성 하악 회전이 더 많이 발생한다. 또한, 하악의 전방 측면에 비해 후방 확장이 더 크기 때문에, 하악은 횡방향으로 회전한다. 횡적 회전은 나이와도 관련이 있다. 후방 상악이 정중 구개 봉합에서 확장하는 만큼, 하악의 후방 측면은 65–70%까지 확장된다. 따라서, 하악의 성장은 중안면의 성장을 밀접하게 따르게 된다. 중안면이 반시계 방향으로 회전하면서 전하방으로 이동하면서 시간의 흐름에 따라 상악과 하악의 상대적인 성장 속도와 성장량이 다르기 때문에 하악은 정상적으로 성장하는 얼굴의 속도를 유지한다.

9.1.3.3 상기도에 영향을 미치는 하악의 성장

상기도 크기에 영향을 미치는 가장 중요한 두개안면 골구조는 관련 근육과 연조직이 부착되는 하악골과 설골이다. 하악의 전하방 변위에 따라, 구인두와 하인두 기도 공간을 개방하기 위해 정상적인 하악 회전은 이결절(하악 정중 결합부의 내부 표면)에서 근육 부착을 통해 혀를 전방으로 향하게 하여 설골과 관련 근육군의 위치에 균형을 잡는다.

9.1.4 설골의 생후 성장과 위치 변화

설골은 하악 결합부와 목 앞쪽의 후두 사이에 위치하며 두개저, 혀, 하악골, 흉골, 견갑골, 갑상선 연골, 인두를 연결한다.[17]

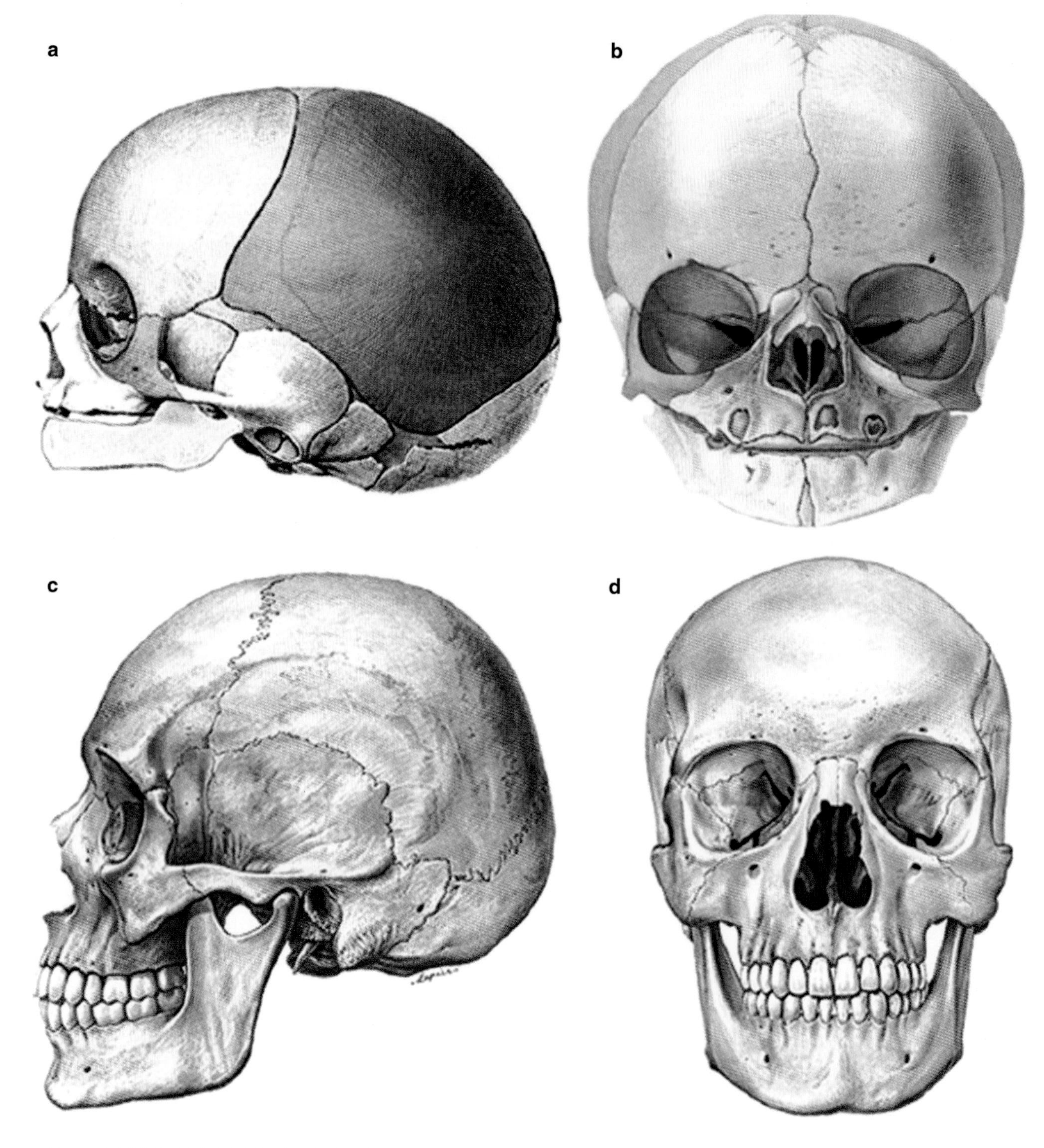

그림 9.4 신생아에서 성인까지 비상악 복합체의 너비, 길이, 높이의 차등적 성장의 결과

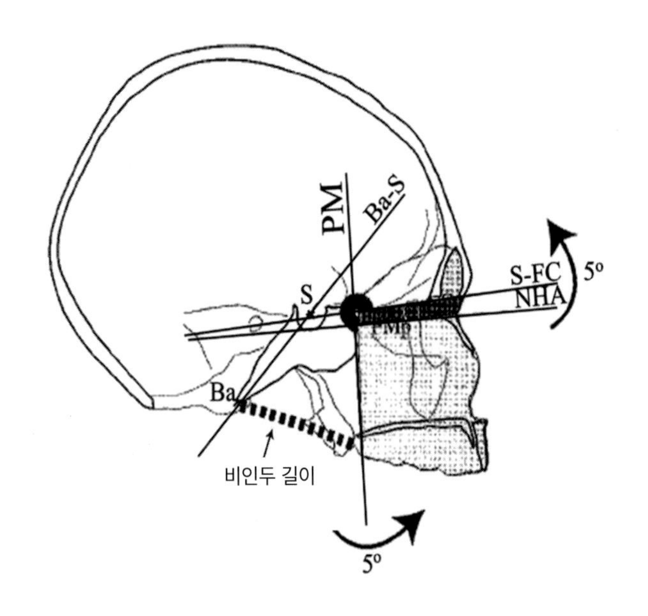

■ 그림 9.5 건막 장력 모델은 안면 후방(PM 평면 뒤)과 전방 두개저(S-FC)의 바닥이기도 한 얼굴 위쪽 사이의 각도 불변의 효과를 설명한다. 두개저 각도 변화로 인해 안면이 PM point를 통해 가상의 축을 중심으로 함께 회전한다. 중안면의 반시계 방향 회전은 비인두 기도 길이에 영향을 미치는 골성 비인두를 증가시킨다(Standerwick과 Roberts[9]).

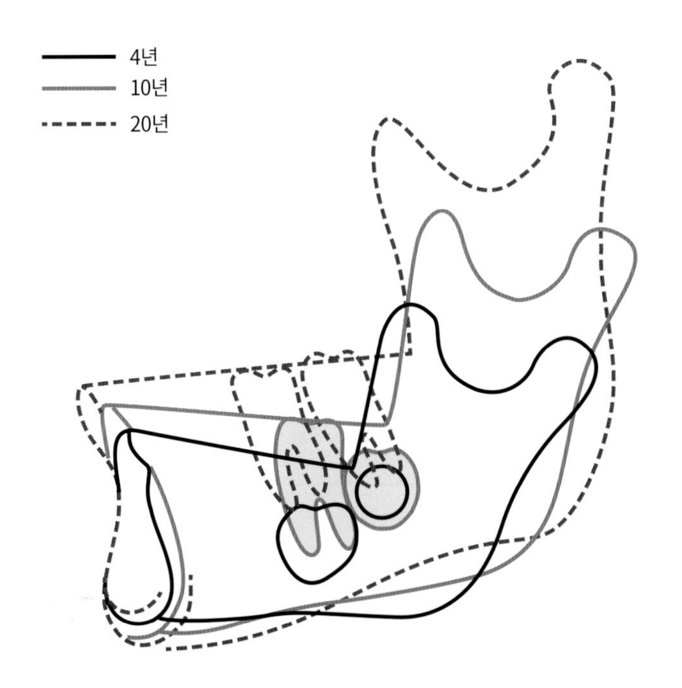

■ 그림 9.6 4세에서 20세 사이에 하악의 표면 변화를 보여주는 정상적인 성장 양상을 가진 개인을 위한 식립물의 중첩. 개인에 따른 편차로 하악 평면각이 2도에서 –4도로의 변화로 표현되는 것처럼, 약 –10도에서 –15도의 내회전은 표면 재형성으로 외회전에 의해 보상되고 가려진다(Bjork와 Skieller[15]).

설골은 골성 관절 없이 연조직에 매달려 있다.[18] 설골의 위치는 설골상근, 설골하근, 인두 확장근의 복합적인 활성화와 두부 자세, 신체 위치, 구강 기능의 변화에 의해 결정된다. 설골은 혀의 활동과 관련하여 상기도 개통의 위치적 균형과 두부 직립 자세를 유지한다.[18]

9.1.4.1 설골의 성장

설골은 임신 3기 말에 골화되기 시작하여 말년까지 완전히 융합되지 않을 수 있다.[19] 설골의 다른 구성 요소의 성장 경향은 생후 첫 몇 년 동안 유사하지만, 다른 골구조는 사춘기 동안 급속 성장의 두 번째 단계를 갖는 것으로 보인다. Cotter 등은[20] 생후 첫 몇 년 동안 급속 성장 기간을 보여주었고, 약 6–8세 이후에는 설골의 다른 부분 성장에 있어서 성별의 차이를 포함한 뚜렷한 차이를 보여주었다(■ 그림 9.7).

9.1.4.2 하악, 혀, 상기도와 연관된 설골의 위치 변화

설골은 18세까지 하강하고 약간 전방으로 이동하지만[21], 설골의 상대적 위치는 성장기를 통해 개인 내에서 일정하다. 정상적인 조건에서 설골의 전방 변위는 하악의 전방 이동과 관련된 반면, 설골의 하강은 주로 경추의 수직 성장에 의해 발생하는 것으로 보고된다.[22] Cotter 등의 종단적 연구에 따르면[20] 설골은 하악 정중 결합부의 가장 낮은 지점보다 더 빠른 속도로 하강하는데, 이것은 2세에서 7세 사이의 성장 증가에 있어서 4번 경추의 움직임과 거의 평행하여, 설골의 상대적인 위치는 크기 증가 이후에도 3번과 4번 경추 사이에서 유지된다(■ 그림 9.8).

다른 측면에서 Sheng 등[23]은 설골의 수직 위치가 하악지 길이와 강한 관계가 있음을 발견하였다. 그들은 설골상근이 설골의 위치 및 하악의 형태나 위치 사이의 관계에서 중요한 역할을 한다고 추론했다. 또한 구강에 대한 혀 크기의 성장 증가는 혀의 하향 운동을 유발하여 설골의 전하방 운동을 유발할 수 있다.[24] 이에 따라 설골은 혀의 위치가 일반적으로 경추와 연관될 때 혀의 기능을 조절하며, 안정적인 설골–경추 관계는 상기도, 특히 설후 기도의 개통을 보존하는 데 중요하다.

9.1.5 인두 연조직의 생후 성장

인두를 둘러싸고 있는 림프 조직 복합체는 발다이어의 고리(Waldeyer's ring)라고 하며, 여기에는 (1) 인두편도(아데노이드), (2) 측방 인두밴드, (3) 구개편도, (4) 설편도가 포함된다(■ 그림 9.9). 아데노이드와 편도의 성장은 모든 연령대에서 상당한 크기의 차이를 보여주며, 이는 이러한 조직인 Scammon 등[26]에 의해 발표된 고전적 림프구 성장 곡선보다 환경 스트레스에 더

9

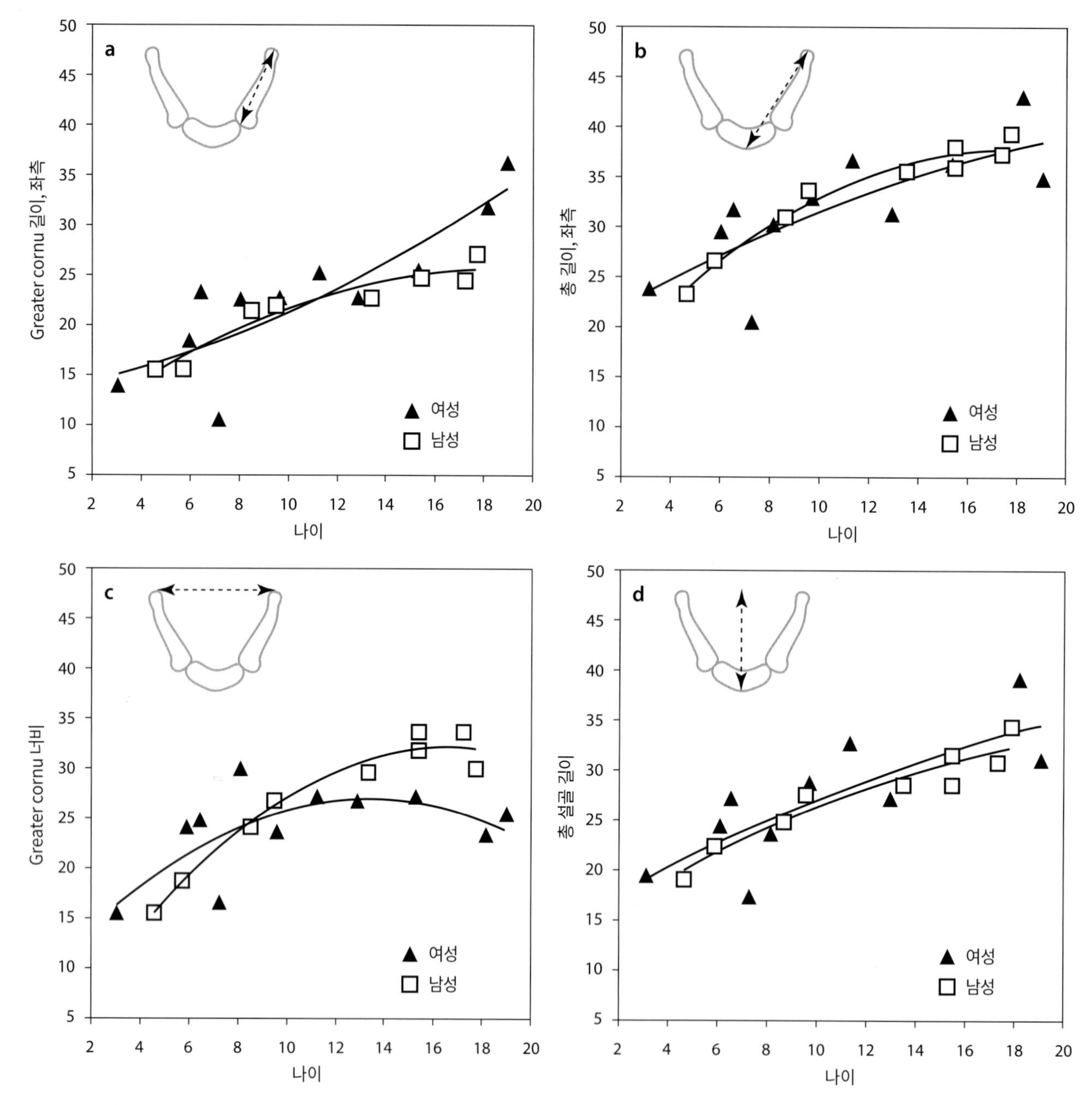

▣ 그림 9.7 **생체 내 CT 스캔에서 2세에서 20세 사이의 발달 성장 파일럿 데이터. 다른 측정치의 성장 경향의 가변성에도 불구하고, 모든 변수는 알려진 성별 성장 차이와 함께 6–8세 이후 성장에 개별적인 차이와 함께 생후 첫 몇 년 동안 급속 성장 기간을 보여준다(Cotter 등[20]).**

민감함을 시사하는데, 여기에는 아데노이드와 편도의 측정이 포함되지 않았다.[25]

9.1.5.1 인두편도(아데노이드)의 성장

1954년 두부계측 연구에서, Subtelny[27]는 아데노이드 조직이 뚜렷한 성별 차이 없이 명확한 성장 양상을 따른다는 것을 발견했다(▣ 그림 9.10). 아데노이드는 생후 6개월에서 1년까지 영상학적으로 분명하지 않다. 경사진 비인두 지붕은 연구개의 상부 표면을 향하기 때문에 직선이나 오목한 형태로 보인다. 윤곽은 비인두강의 절반을 차지하는 2–3세에 아데노이드의 급속한 성장에 볼록한 돌출로 대체된다. 이 단계에서 아데노이드의 성장은 주로 전하방에서 발생하며 아마도 상안면의 성장에 의해 영향을 받을 수 있다. 그 후, 아데노이드는 하방으로 우세하게 계속 성장하지만, 빠르면 10–11세 또는 늦게 14–15세에 최대 부피에 도달할 때까지 느린 속도로 성장한다. 아데노이드 성장 정점 이후 크기가 점진적으로 감소하면서 역성장이 일어나며 일반적으로 성인에서 완전하게 위축된다.

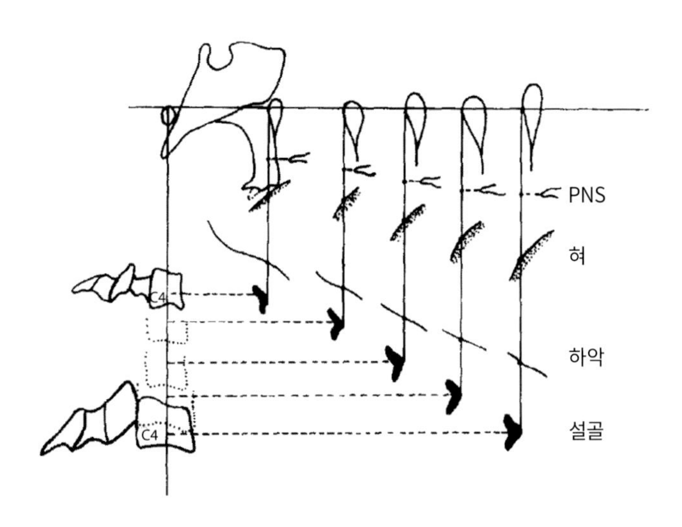

■ 그림 9.8 다양한 연령대에서 4번 경추의 수직 성장을 설골, 하악연, 혀, 후비극(PNS)의 하강과 비교했다. 설골은 4번 경추에 대해 비교적 안정적으로 유지되었지만, 하악연에서 멀어졌다. 그러나 모든 영역에서 일관된 수직 증가를 보였다(Bench 등[25]).

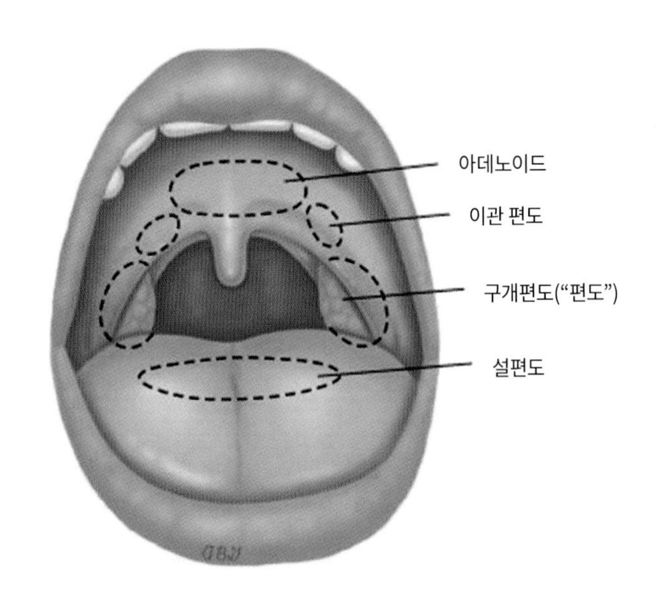

■ 그림 9.9 아데노이드, 측방 인두밴드, 구개편도, 설편도로 구성되는 Waldeyer's ring의 구강 내 모습

9.1.5.2 구개와 설편도의 성장 변화

Arens 등은 편도선 크기가 생후 10년 동안 선형적으로 증가하고 7세에서 10세 사이에 최대 크기에 도달한다고 보고했다.[28] 구개편도는 15세까지 계속 성장할 수 있으며 그 이후에는 나선형으로 변하는 경향이 있다.[29] 그러나 최근 Oztürk[30]는 1세에서 17세 사이의 건강한 소아 680명을 대상으로 경부 초음파를 이용하여 구개편도 크기를 평가하고 소아 인구에서 편도선 크기와 연령 사이에 양의 상관관계가 있다고 제안했다. 객관적인 편도의 크기는 체질량 지수(비만 정도)와 연령의 영향을 많이

아데노이드 조직의 성장–유아기에서 청소년기까지

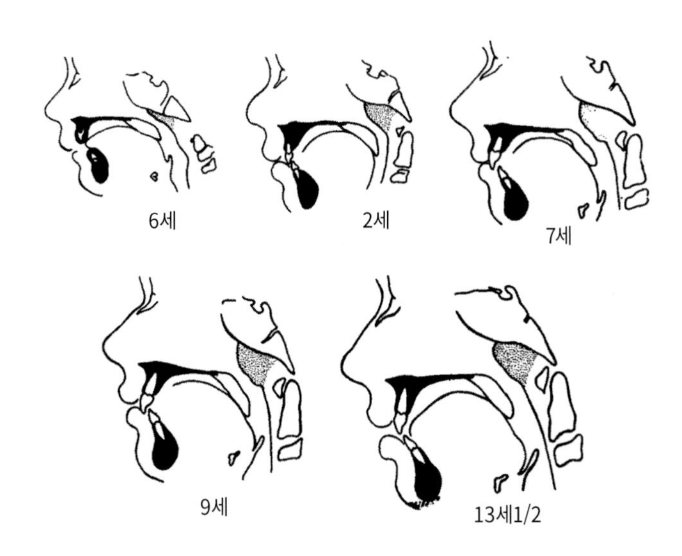

■ 그림 9.10 나이에 따른 아데노이드 조직 질량의 변화를 나타내는 두부계측 두부 플레이트의 연속 트레이싱. 점묘의 부분은 골성 인두의 지붕 아래에 있는 연조직뿐만 아니라 아데노이드 조직을 나타낸다(Subtelny[27]).

받는 편차가 크다는 데 의견이 일치한다.[31]

설맹공과 말단 고랑 위 혀 기저부의 배면에 위치한 설편도는 인두의 다른 림프 조직보다 늦게 발달하여 성인기까지 지속된다. 비대해진 설편도는 비만 아동이 설편도 확대의 유병률이 더 높다는 보고에 기초하여 지속성 폐쇄성 수면 무호흡(OSA)의 중요한 원인으로 확인되었다.[32]

9.1.5.3 혀 성장

신생아의 혀는 작은 구강에 비해 상대적으로 크다. 태어날 때 혀 전체가 구강 내에서 전방에 위치하고 있다. 생후 5년 동안 구강이 하악 성장과 함께 확장되고 후두가 하강함에 따라 혀의 기저부는 결국 후방으로 이동하여 구인두에 자리하게 된다. 이 하강 후에, 혀의 기저부는 구인두의 전방 벽이 된다. 혀는 설골 하강과 보조를 맞추면서 유치열기와 혼합치열기를 거치면서 크기가 증가한다. 혀의 전체 크기는 출생부터 청소년기에 이르기까지 두께, 길이, 너비가 2배로 늘어난다. 3–12세 동안에는 위치가 유지되거나 약간 낮아진다.[25]

혀의 부피와 설골상근 그룹은 하악 정중결합부의 전방 성장에 영향을 준다. 생후 첫 2년 동안 혀는 더 둥근 모양으로 변하고, 설골상근을 하방으로 밀어 이부 설측면에서의 설골상근 함입 위치를 하방으로 변경한다. 이에 따라, 하악 정중결합부가 후방으로 기울어져 턱의 돌출이 증가하고 설골은 정중결합부 하연을 기준으로 전하방으로 재위치된다.[33]

9.1.6 인두 기도의 생후 발달

신생아의 인두는 성인의 약 1/3 크기이며[34] 지속적으로 성장하여 6세에 성인의 크기가 된다.[35] 성인에 비해 소아의 비인두와 구인두는 기도로 연장되는 림프 조직이 더 많이 포함되어 있다.[36]

9.1.6.1 비인두의 발달 변화

골성 비인두의 크기에 대한 연조직 비인두 벽과 아데노이드 크기가 비인두 기도의 용적을 결정한다. Jeans 등[36]은 3세에서 19세 사이의 정상 소아 41명을 대상으로 측면 두부계측법을 이용하여 비인두 연조직, 비인두 면적, 비인두 기도의 성장에 따른 종단적 변화를 평가하였다. 이 기간 동안 비인두 골조의 면적은 꾸준히 증가하였으나, 비인두 연조직(아데노이드)은 3세에서 5세까지 성장하다가 19세까지 변화가 없었다. 따라서 이러한 동일한 양상에 따라 비인두 기도 용적은 감소한다. 그러나 현재 의견은 두개안면 성장에 의해 영향을 받는 골성 비인두의 성장 변화가 연조직의 연령-의존 차이를 상쇄할 수 있기 때문에 성장 중 비인두 기도 용적의 전반적인 변화는 중요하지 않다는 것이다. 경구개 PNS의 전하방 변위와 비강 하강은 인두 기도 용적을 보상하기 위해 연구개를 전방으로 이동(구개 평면에 대한 연구개 경사각의 감소)시킬 것이다.[37]

9.1.6.2 구인두의 발달 변화

생후 첫 몇 년 직립 자세가 발달하는 동안 구인두와 하인두는 두개저 굴곡의 영향으로 대공과 함께 경추의 전방 위치 지정 사이의 교차로에 있다. 따라서 출생 후 초기 성장 동안에는 하악골, 혀, 설골상근이 상방의 사골상악 복합체와 후방의 경추에 의해 단단히 둘러싸이기 때문에 구인두 기도가 크게 증가하지 않을 것이다.

Bolton–Brush Growth Study[38]는 구인두의 골격과 연조직 성장의 양상을 연구하기 위해 32명의 건강한 어린이를 조사했다. 6, 9, 12, 15, 18세에 치료를 받지 않은 정상 대상자의 측면 두부계측학적 분석은 인두 연조직이 2번의 가속화된 성장 기간(6–9세와 12–15세)과 2번의 휴지기(9–12세와 15–18세)를 가지는 것으로 나타났다. 구인두 너비의 증가는 인두 영역의 지속적인 성장과 구개편도의 자연 퇴화로 인해 발생하는 것으로 생각된다. 한편, Arens 등[28]은 1세에서 11세 사이의 정상 소아 92명을 대상으로 MRI를 이용하여 상기도 구조의 선형 용적을 평가했는데, 구인두 기도의 연조직(즉, 혀, 연구개, 편도) 성장이 두개안면 골격 성장에 비례하여 유지된다는 것을 발견했다. 이러한 관계의 선형성에 대한 편차는 아동기의 OSA에 대한 주요 위험 요소를 나타낸다.

Mislik 등[39]은 880명의 건강한 백인 어린이 대규모 표본 보고에서(◘ 그림 9.11), 인두 기도의 용적이 유아기에 형성되고 6세에서 17세까지 안정적으로 유지된다고 발표했다. 평균 구개후방 너비(p)는 6세(8.12 mm)에서 17세(9.15 mm)까지 지속적으로 증가했는데, 아마도 이것은 이 성장 기간 동안 아데노이드의 크기 감소와 관련될 것이다.[40] 평균 설후방 너비(t)는 6세(10.61 mm)에서 10세(9.31 mm)까지는 감소했으나, 이후 17세(11.19 mm)까지 증가하여 선행 연구와 유사한 결과를 보였다.[41–43] "t"의 초기 감소는 신경 성장 양상과 유사한 혀의 뚜렷한 성장에 기인할 수 있다. 따라서 유년기에 혀의 성장은 내장 성장 양상을 따른 모든 주변 구조의 성장에 비해 더 강렬할 것이다.

작지만 통계적으로 유의한 연령–관련 증가를 해석할 때는 큰 개인 간 분포가 명백하기 때문에 주의해야 한다. 성별 간에 차이는 발견되지 않았으며 정상 성장을 가진 개체군에서 상하악 관계를 나타내는 Point A–Nasion–Point B (ANB) 각도와 거리 "p" 및 "t"의 상관관계는 없다.

9.2 비정상적 두개안면 성장과 상기도 손상

여전히 다소 논란의 여지가 있지만, 턱의 비정상적 위치가 기도 공간에 영향을 줄 수 있다는 것은 이치에 맞는다. 짧은 두개저, 하악 및/또는 상악 후퇴, 짧은 하악체, 하악의 후하방 회전, 수축된 상악 너비와 같은 성장 기간 동안 발달하는 두개안면 부조화 모두는 인두 기도 용적 감소를 초래할 수 있다.[44] 하악골과 경추 사이의 공간이 감소하면, 혀와 연구개의 후방 자세에 변화를 일으켜 주간의 호흡 장애뿐만 아니라 코골이, 상기도 저항 증후군, OSA와 같은 야간 문제도 유발할 수 있다.[45]

마찬가지로 상기도의 비정상적 발달은 비정상적 두개안면 성장 및 비정상적 호흡 기능과 밀접하게 관련된다. 유전과 환경적 요인이 상기도의 두개안면 성장과 상기도 용적에 유사한 영향을 미친다는 점을 고려해야 한다; 그러나 비정상적인 두개안면 발달이 발생하더라도 상기도의 발달 장애가 유전에 의한 것인지, 아니면 이상을 초래하는 환경적 기능에 의한 것인지를 분별하는 것은 쉽지 않다. 두개안면과 인두의 발달을 평가할 때 인종과 성별의 차이가 고려되어야 한다. 논란에도 불구하고, 소아의 비정상적인 두개안면 성장과 발달에 의해 영향을 받은 인두 용적의 성별 차이에 유의성이 없다는 의견이 우세하다.[46–49]

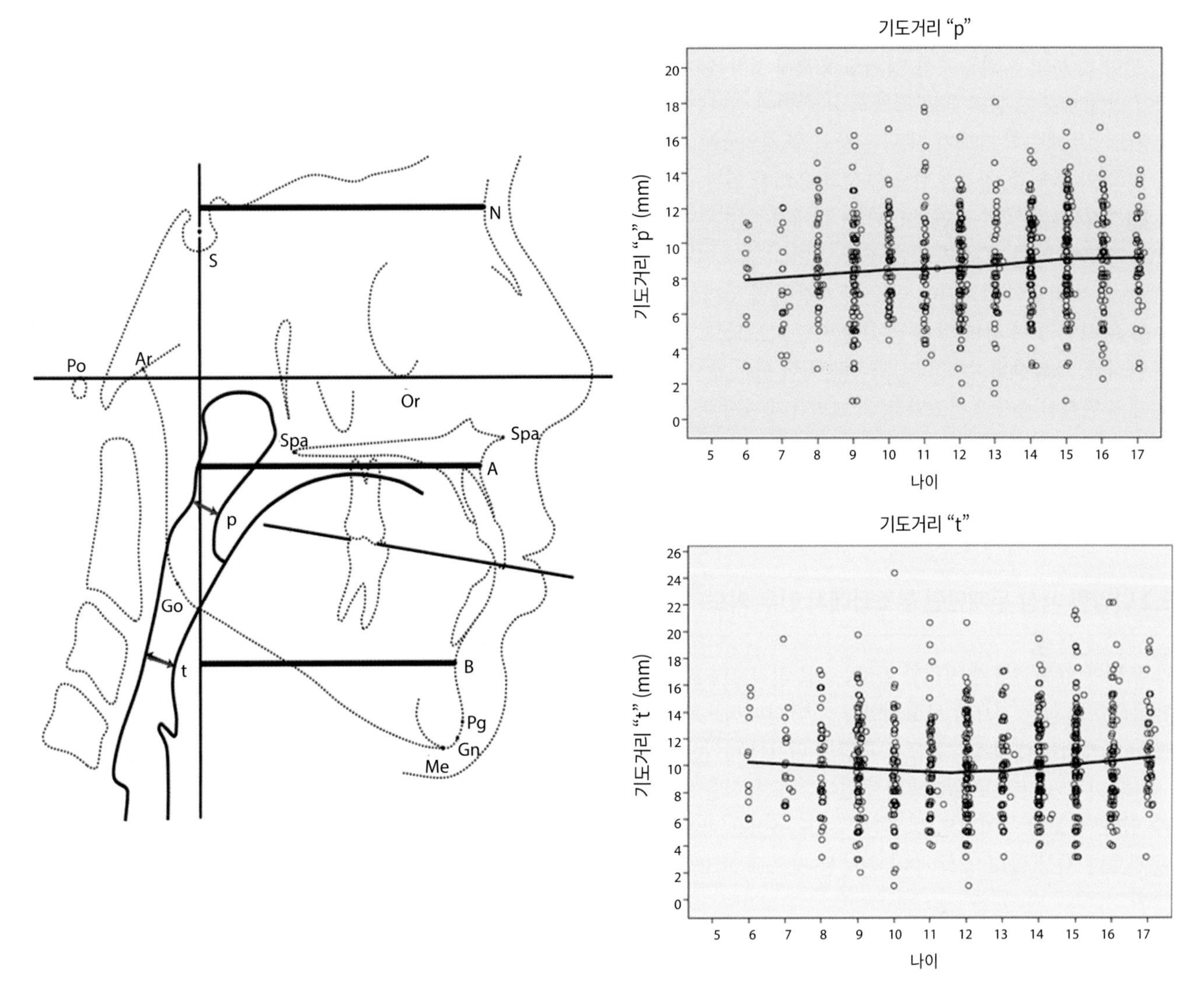

■ 그림 9.11 피험자(n=880)의 연령과 Loess 보간선에 해당하는 기도 거리(p)와 (t)의 그래픽 분포. 작지만 통계적으로 유의한 연령 관련 증가가 발견되었지만 큰 개인 간 분포가 분명했다(Mislik 등[39]).

게다가, 피험자의 키[50]와 체중[51,52]은 인두 기도 용적과 양의 상관관계를 가지는 다른 요소이다.

더욱이, 두개안면 변형과 상기도 이상 발달 사이의 인과 관계를 명확히 하는 것은 불가능하다. 그럼에도 불구하고, 지연된 성장 수정 치료나 근기능 요법에 의한 두개안면 구조의 추가적인 비정상 발달이 상기도 수축과 수면 호흡 장애의 2차 발달을 유도하는 핵심 요소임을 아는 것이 중요하다.

9.2.1 두개안면 변형에 영향을 미치는 두부 전방 자세

구강악계의 형태 및 기능적 장애의 진단과 치료를 위해 정상 또는 비정상 두개안면 발달에 대한 자세 기전의 기여를 이해하는 것이 근본적으로 중요하다. Solow와 Siersbaek-Nielsen의 "연조직 스트레칭" 가설[53]은 연조직 안면증의 자세-유발 스트레칭, 두개안면 형태, 기도 적절성을 두개안면 형태형성과 연관된 요인의 순환에 연결한다. 두부 전방 자세가 되면, 얼굴 피부와 근육의 연조직 층이 수동적으로 늘어나 골격 구조에 가해지는 힘을 증가시켜, 상악과 하악의 전방 성장을 제한하고 꼬리쪽으로 방향을 전환한다.

2개의 종단 연구는 구조적 중첩 방법으로 결정된 두개안면 성장과 두부 및 경부 자세 사이의 연관성의 명확한 양상을 발견했다[54,55] 더 큰 경추 수평과 더 작은 두개경부 각도를 가진 피험자는 하악 과두의 후방 변위 감소, 상악 길이 성장 증가, 상악 및 하악 돌출 증가, 평균보다 큰 하악의 전방 진성 회전을 특징으로 하는 수평 안면 성장 양상과 연관되어 있다. 대조적으로, 경추 수평이 낮고 두개경추 각도가 큰 피험자는 수직 안면 발달과 관련이 있고, 하악 과두의 큰 후방 변위, 상악 길이의 성장 감소, 상악 및 하악 후퇴증 증가, 상기도 용적에 영향을 미칠 가능성이 있다. Gomes 등의 최근 체계적 고찰[56]에 의하면 더 큰 두개경추와 두개수직 각도가 더 짧은 상악 및 하악 길이, 더 큰 상악 및 하악 후퇴증, 골격성 II급 양상과 유의한 연관성을 가진다(◘ 그림 9.12).[57] 수직면에서 더 큰 두개경추 및 두개수직 각도는 큰 전방 안면 고경 및 작은 후방 안면 고경과 연관되어 안면-대-고경 비율이 감소된다. 더 큰 두개경추 및 두개수직 각도는 높은 하악 평면 각도 및 높은 교합 평면 각도와도 연관될 뿐만 아니라, 과확산된 수직 양상과 연관되어 인두 수축과 호흡 문제의 위험성 증가의 전조가 된다. 그러나 상관계수의 범위가 낮음에서 보통이므로 저자는 이러한 연관성에 대한 신중한 해석을 주의했다.[56] 자세가 안면 발달에 영향을 미치는 것처럼 보이지만, 다른 많은 요인들도 이 기전에 영향을 주어야 한다.

9.2.2 다양한 시상 두개안면 부조화에서 인두 기도

하악 후퇴가 있는 II급 부정교합 환자는 I급 환자보다 기도 용적이 유의하게 작은 것으로 보고되었다.[58,59] 상대적으로 짧고 및/또는 두개저에 대해 상대적으로 후방에 위치한 하악은 혀와 연구개를 인두 공간 뒤로 밀어넣어 구인두 기도 용적을 감소시킬 수 있다.[60] 보다 구체적으로, 구인두 기도 용적은 비인두 기도 공간보다 시상 골격 양상에 더 취약한 것으로 보고되었다[47,61,62]

Zhong 등[61]은 골격 부조화가 상기도 폐쇄를 유발할 수 있다는 개념을 지지했다. 그들은 370명의 건강한 중국 어린이

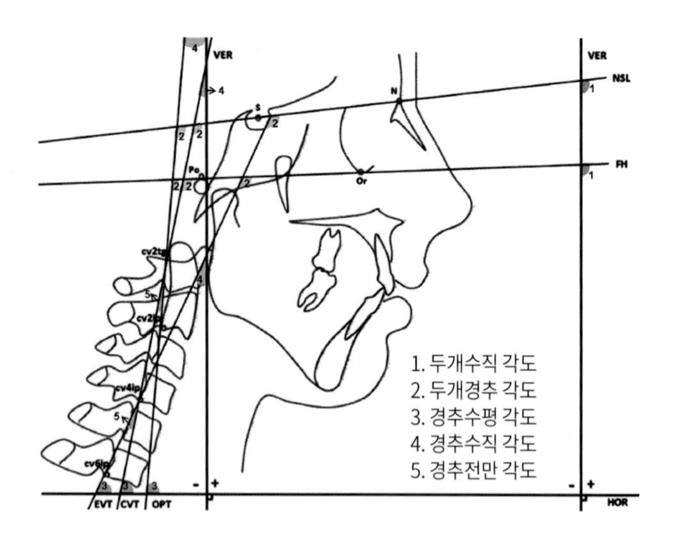

◘ 그림 9.12 **두부계측 자세 변수. 진성 수직과 연관된 각도에 사용된 규칙은 진성 수직(VER) 후방에 형성된 하방 개방 각도는 음수로, 전방에 형성된 각도는 양수로 표시한다(Gomes 등[56]).**

(11-16세)를 분석하였는데, 비인두 수준에서 차이가 발견되지 않았지만 III급 대 I급 및 II급 환자에서 구인두와 하인구 기도의 너비가 더 크다는 것을 발견했다. Uslu-Akcam[63]은 골격성 I급 군과의 비교를 위해, 급성장 전, 중, 후의 성장 기간 동안 II급 1류 및 2류 양상을 가진 124명의 인두 기도 용적을 평가했다. 그들은 비인두와 구인두 기도 공간이 성장기 전반에 걸쳐 그룹 간에 유의한 차이를 보였고, 사춘기 이전 기간에는 골격성 II급 2류 군에서 가장 작은 용적을 보였다고 했다.

Alves 등은 CBCT를 사용하여 골격성 I급이나 II급 양상을 가진 50명의 건강한 백인 어린이(평균 연령 9.16세, 범위 8-10세)의 인두 기도 용적을 평가했다. 그들은 하악 결핍이 있는 II급 아동이 I급 아동에 비해 기도 용적과 최소 축 면적이 작고 구개후 기도 너비가 좁다고 보고했다. Zheng 등[64]은 다양한 시상 부조화 중에서 상기도의 최소 단면적(Min-CSA) 부위의 중요성을 제안했다(◘ 그림 9.13). 그들은 시상 골격 양상이 다른 60명의 일본 환자(14-18세)의 인두 기도 3차원적 용적과 Min-CSA를 분석했다. II급 환자군은 일반적으로 상부 구인두 부위에서 가장 작은 평균 Min-CSA를 보인 반면, III급 환자군은 일반적으로 하인두 하부 영역에서 가장 큰 평균 Min-CSA를 보였다. 일반적으로 I급 피험자는 구인두 하부나 하인두 상부에서 Min-CSA를 갖는 경향이 있다.

Iwasaki 등[65]은 III급 부정교합의 구인두 기도에 초점을 맞추고, 45명의 I급(평균 연령 8.8세)과 45명의 III급(평균 연령 8.4세)의 일본 아동을 대상으로 클러스터 분석을 통해 3개의 구인구 기도 모양을 얻었다. 그들은 I급 아동의 84%가 사각형의 구인두 기도를 가지고 있지만, III급 아동의 70%가 좌우(55% 광폭형)나 전후방(15% 장형)의 상대적으로 편평한 모양을 가지고 있다는 것을 발견하였다(◘ 그림 9.14). 사각형 유형에서 단면적이 가장 작게 관찰되었다. 이 결과는 구인두 기도의 용적과 형태가 혀의 자세, 구개편도의 크기, 하악의 전후방 위치에 의해 영향을 받는다는 것을 시사한다.

두개안면과 인두 측정값 사이의 상관관계 분석은 Sella-Nasion-Point B (SNB; 하악의 전후방 위치 표시) 각도의 유의한 양의 상관관계를 보여주었고, 이는 두개저와 인두 기도 공간에 대한 하악의 전후 위치를 나타낸다.[41] Ceylan과 Oktay[47]는 측면 두부계측 분석에서 ANB 각도가 증가함에 따라 구인두 기도 용적이 감소한다고 보고하였다. El과 Palomo[62]는 CBCT에서 측정된 구인두 기도 용적이 ANB 각도와 유의하게 음의 상관관계가 있고 SNB 각도와 양의 상관관계가 있음을 관찰했다. Hwang 등[66]은 수축된 비인두 기도가 하악과 상악을 밀어낸다

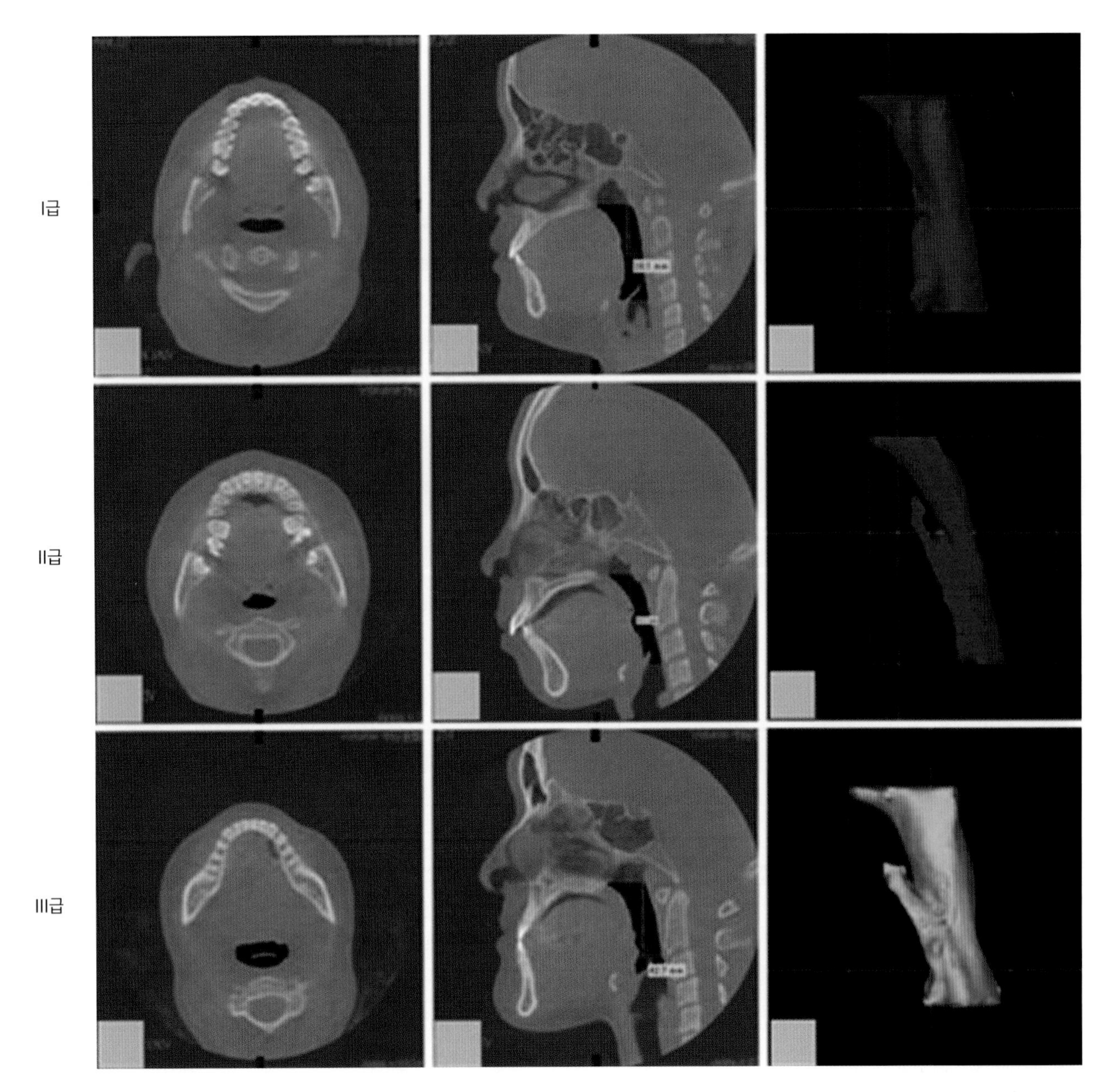

그림 9.13 **골격 양상이 다른 환자의 최소 단면적(Min-CSA). II급은 전후방 및 횡단 용적 모두에서 최소의 Min-CSA를 보였지만, III급은 최대 Min-CSA를 보였다 (Zheng 등[64]).**

고 보고하였다. 뿐만 아니라 Trenouth와 Timms[67]는 구인두 기도 너비가 하악골 길이(gonion과 menton 사이)와 양의 상관관계가 있음을 발견했다. 이것은 Kim 등[68]에 의해 이루어진 청소년기전 한국 어린이에 대한 3D CBCT 분석을 통해 하악체 길이가 총 기도 용적과 유의한 양의 상관관계를 가진다는 것이 드러났다.

하악안면 골형성 부전의 증례들은 모두 소아 OSA의 원인으로 알려진 Treacher Collins 증후군, Pierre Robins 시퀀스와 같은 저형성되고 후방 위치된 혀를 수반하는 중안면과 하악의 양측성 및 대칭성 저발달이 특징이다.[69] Pierre Robin 시퀀스는 하악 저형성증을 포함하여 혀가 후방으로 위치하도록 하여, 혀 위로 성장하여 정중선에서 만나야 하는 구개 선반의 폐쇄를 손상시켜 U자형 구개열을 초래한다. 혀의 후방 변위는 기도 폐쇄에 기여하는 것으로 알려진 중요한 인두 주위 확장근인 이설근의 활성을 손상시킬 수 있다.

연구에서는 두개경추 각도와 관련하여 다양한 골격 양상 중 용적 외의 인두 기도 형태를 비교했다. Grauer 등[70]은 서로 다른 두개안면 유형을 가진 62명의 백인 청소년기 피험자

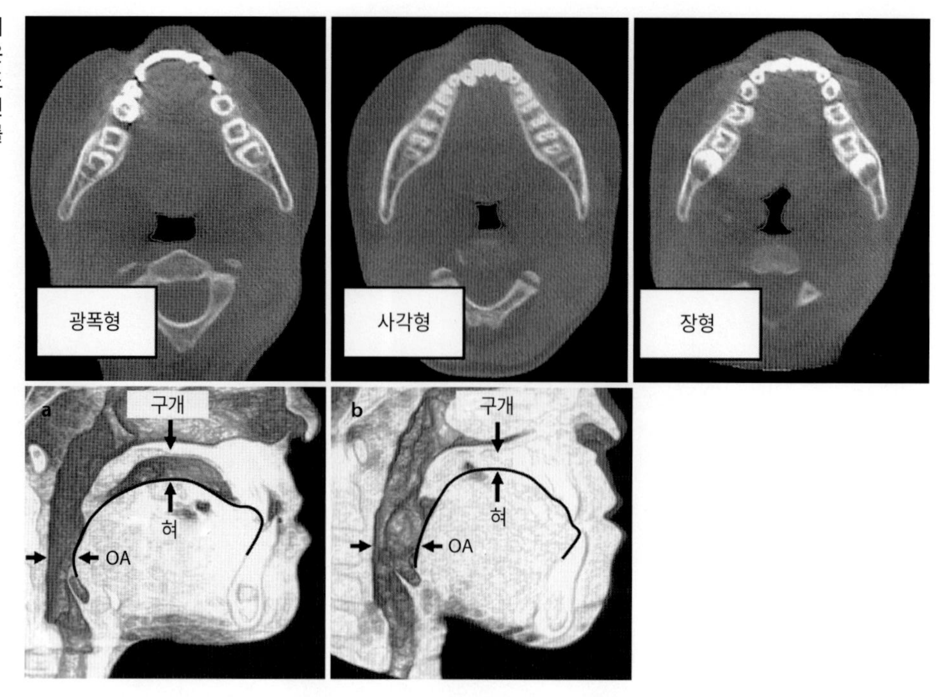

■ 그림 9.14 구개와 구인두 기도에 대한 혀 위치에서 3가지 기도-모양 유형의 예: **a** 광폭형은 편평한 모양의 혀가 낮게 위치하여 구인두 기도가 감소한다; **b** 장형은 비대한 구개편도를 가진다. 혀는 보다 전방으로 위치하여 구인도 기도를 유지한다(Iwasaki 등[65]).

(17-46세)의 인두 기도 형태와 용적을 평가했다. 그들은 골격성 II급 환자가 더 적은 용적으로 인두 기도의 전방 경사를 갖는 반면, III급 환자는 더 큰 부피의 수직 방향의 인두 기도를 갖는다고 설명했다(■ 그림 9.15). 이런 데이터와 일치해서, Oh 등[71]은 60명의 건강한 한국 어린이(평균 연령 11.79세, 범위 10-13세)에서 두개안면 형태와 인두 기도 형태의 상관관계 분석에 기초하여 두개경추 각도가 클수록 인두각이 커지고, 구인두각의 후방 방향성이 더 뚜렷하다고 보고했다(■ 그림 9.16). 시상면에서 FH 평면에 대한 구인두 기도의 기울기(ang-orophayngeal airway)는 II급에서 III급보다 인두의 후방 형태가 더 컸다. Ang-oropharyngeal airway는 성장기 주변에서 ANB 각도와 Pog-N 수선과 유의한 상관관계를 보였다.

그러나 현재 상기도 용적은 다양한 시상 골격 양상에서 다르며 논란의 여지가 남아있다. 일부 연구들은 성장 양상, 두개안면 형태, 인두 기도 사이에 약한 관계가 있다고 하였다.[59,72-74] Allhaija 등[46]은 시상 골격 양상이 혀 및 하인두 용적과 상관관계는 약하지만 여전히 통계적으로 유의하다고 보고했다. De Freitas 등[75]은 시상 골격 양상이 구개후 기도 너비에 영향을 미치지 않는다고 했다; 또한, 시상 및 수직 성장 양상 모두 설후 기도 너비에 영향을 미치지 않았다.

다양한 시상 두개안면 양상에서 상기도 용적에 대한 최근의 체계적 고찰은 그들의 최종 고찰에 확인된 연구 758개 중 11개만 포함했다.[76] 연구의 약 75%에서 두개안면 양상 간의 비인두 용적의 차이를 보고하지 않았다. 11건의 연구 중 5건이 II급 환자에서 더 작은 것으로 나타났고 11건 중 6개에서 III급 환자의 구인두 용적이 더 크다고 결론지었기 때문에, 구인두 용적에 대한 소견은 논란의 여지가 있다. 또한 대상자의 수직 성장 유형은 연구 중 5개에서 고려되지 않았으며, 포함된 연구의 45%가 기도 용적을 평가하기 위한 유일한 도구로 측면 두부계측법을 사용했다. SNB 각도와 ANB 각도의 임상적 의의와 신뢰도는 문헌에서 논의되고 있다.[77]

비록 이것이 전후방 치아안면 부조화를 설명하는 데 여전히 널리 사용되는 매개변수이지만, 비근부의 형태, 안면의 수직적 크기, 전방 두개저의 기울기와 같은 많은 변수에 의해 영향을 받는 한계가 있다는 것을 인식해야 한다. 따라서 상기도 용적과 형태에 대한 골격 부조화 발달의 영향을 해석할 때, 시상적, 수직적, 횡적 골격 양상의 영향을 동시에 아우르는 3차원적 평가가 권장된다.

9.2.3 다양한 수직 두개안면 부조화에서 인두 기도

수직 두개안면 부조화는 상악과 하악, 치아치조 발달, 혀 기능의 비정상적 성장을 포함하는 몇 가지 병인학적 요인으로 인해 사춘기 동안 발생할 수 있다.[78] Schudy[79]와 Isaacson[80]에 의하면, 하악의 후방 회전과 개방 교합은 과두의 수직 성장이 두개안면 봉합과 치조 돌기의 성장보다 작을 때 발생한다. 수직 성장 양상을 가진 I급 피험자는 수평 성장 양상을 가진 피험자보

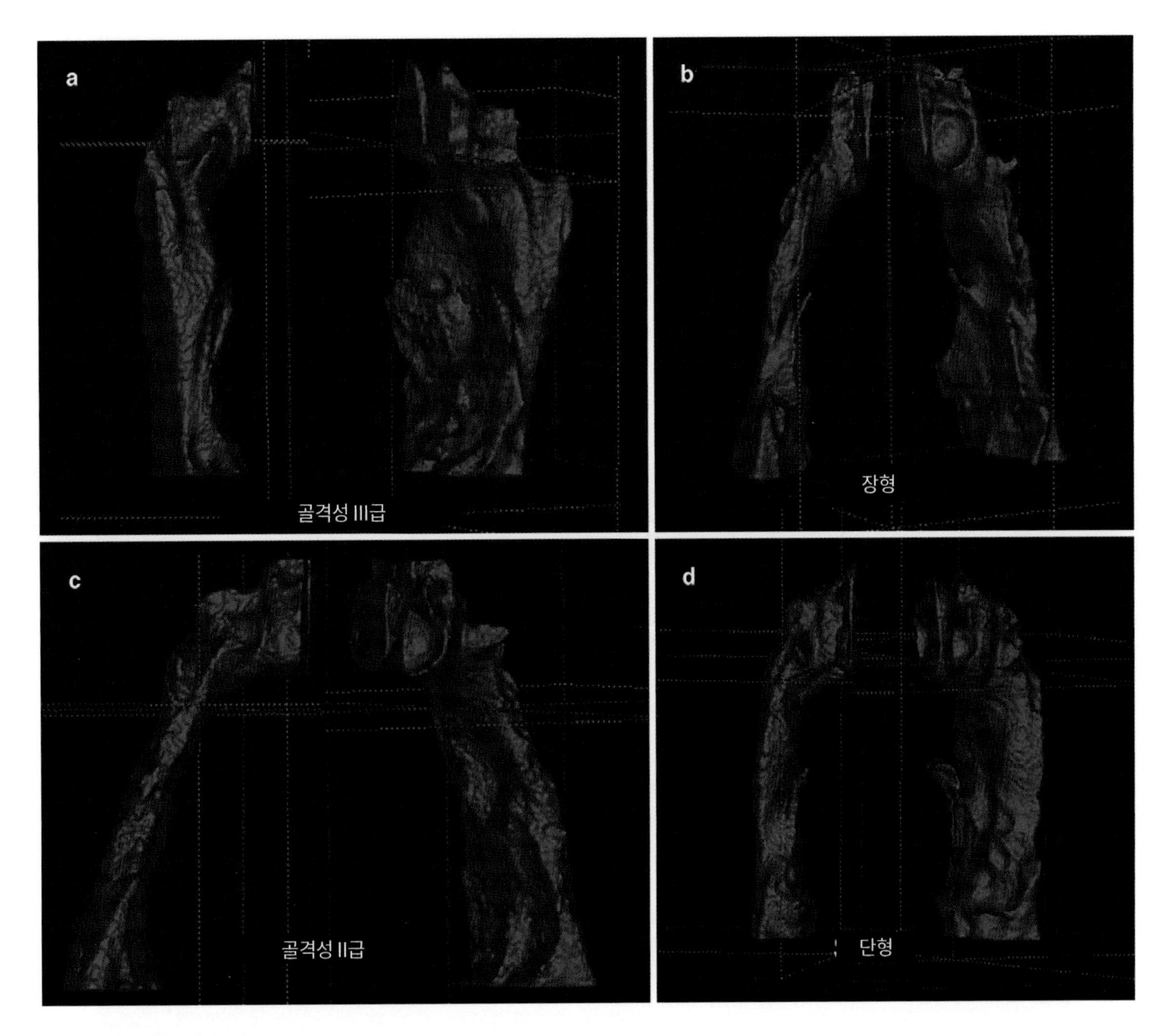

◘ 그림 9.15 **골격성 II급 및 III급 피험자의 다른 기도 모양으로, III급에서 기도의 수직성이 더 크게 나타난다. a, c 이 결과는 통계적으로 유의했다. b, d 수직 군에서 피험자 사이의 차이가 덜 분명하다; 차이는 통계적으로 유의하지 않다(Grauer 등[70]).**

다 더 좁은 기도 통로를 보일 것이라고 제안되었다.

Ucar 등[81]은 측면 두부계측 분석을 수행하고 I급 피험자에서 수직 골격 양상과 기도 용적 사이의 유의한 차이를 확인했다. I급 부정교합을 가진 환자 중에서 low-angle 31명(평균 14.0세), high-angle 40명(평균 12.7세), normal-angle 33명(평균 13.9세)을 대상으로 조사했는데, 비인두 기두 공간, 구개 혀 공간, 후상방 기도 공간, 혀 간격 수준에서 low-angle과 high-angle 그룹 간에 유의한 차이가 발견되었다. 또한, 저자들은 비인두 기도 공간과 후상방 기도 공간이 low-angle에서 normal-, high-angle로 감소했고 혀 간격 거리는 high-angle보다 normal-, low-angle에서 더 컸다고 보고했다. 이러한 결과는 100명의 건강한 터키 청년 환자(18–30세)의 다양한 수직 골격 양상 중 인두 기도 용적을 정상 시상 골격 양상과 비교한 CBCT 연구에 의해 확인되었다.[82] 따라서 개인의 비인두와 구인두 용적뿐만 아니라, 총 기도 용적은 high-angle군(평균 23.9세)에서 가장 낮았고 low-angle군(평균 24.3세)에서 가장 높았다.

Park 등[83]은 다양한 수직 두개안면 특징에서 아데노이드의 발달과 관련하여 비인두 공간의 형태학적 성장 변화를 조사했다. 저자들은 측면 두부계측 영상을 사용하여 백인 어린이(4–13세)의 종단 표본을 평가했다(◘ 그림 9.17). 그들은 과발산형 유형이 저발산형 유형보다 더 큰 비인두 기도 영역으로 시작했지만, 이 관계는 시간이 지남에 따라 역전되었다고 보고했다. 비록 (아마도 PNS의 전하방 이동으로 인해) 모든 연령대에서 과발산형 유형에서 아데노이드 조직의 최상점에서 PNS까지의 거리가 일관되게 더 컸지만, 비인두 기도 영역은 8세 이후에 저발산군보다 작아졌다. 이것은 과발산형 유형에서 더 오래 지속되는 더 뚜렷한 아데노이드 비대에서 기인한다고 가정되었다. 그러나 본 연구의 한 가지 한계점은 인과관계를 확립할 결정적

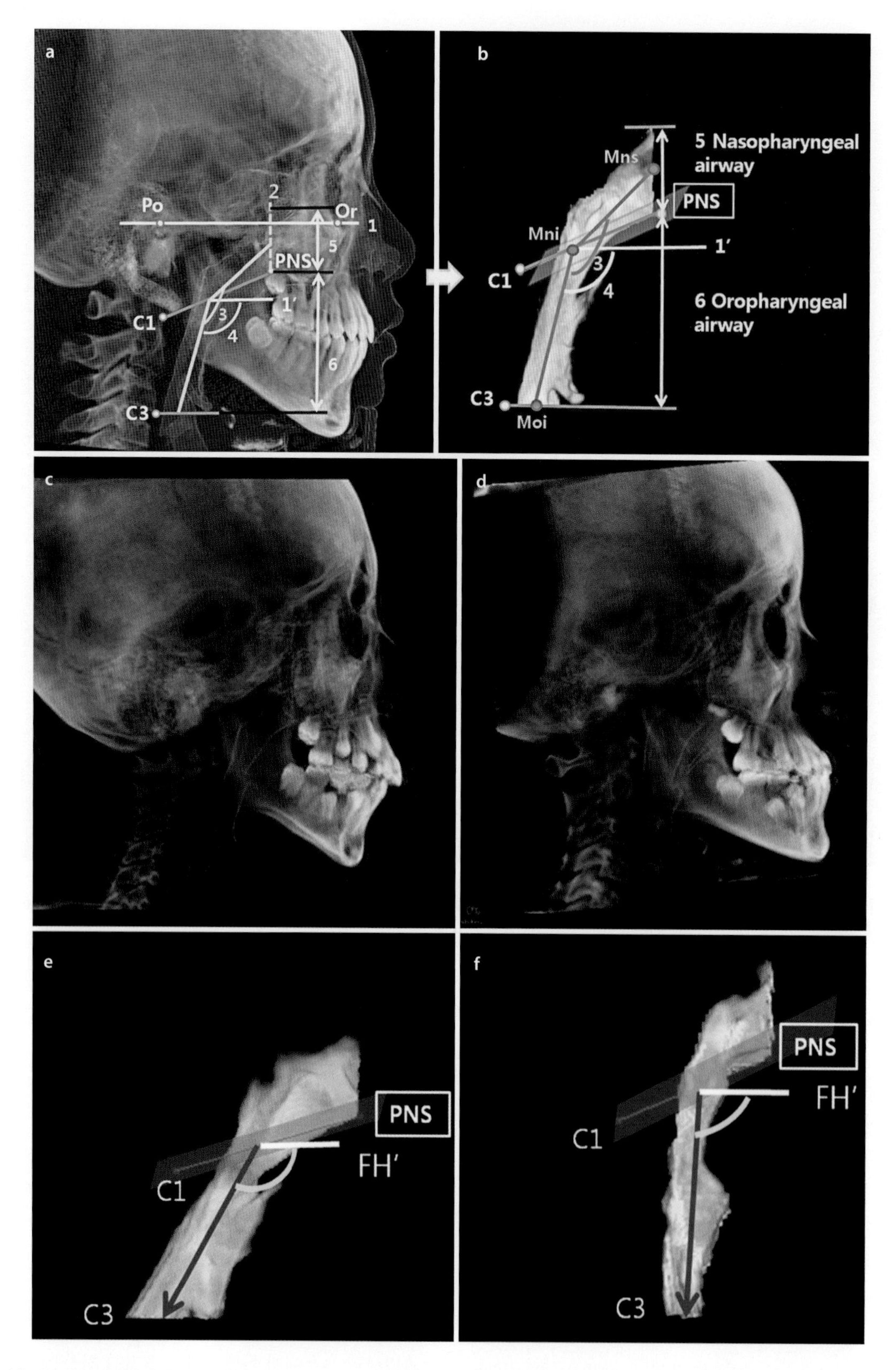

◘ 그림 9.16 전후 안모 양상에 따른 인두 기도 형태의 유형. **a, c** 골격성 II급 군의 FH 평면에 대한 구인두 기도의 더 큰 후방 방향성. **b, d** 골격성 III급 군에서 구인두 기도의 더 수직적인 방향. 후비극(PNS)과 비인두의 상부 첨을 통과하는 관상면인 비인두 기도의 전연: (1) ang-PA, (2) ang-oropharyngeal airway, (3) Vol-NA, (4) Vol-oropharyngeal airway (Oh 등[71])

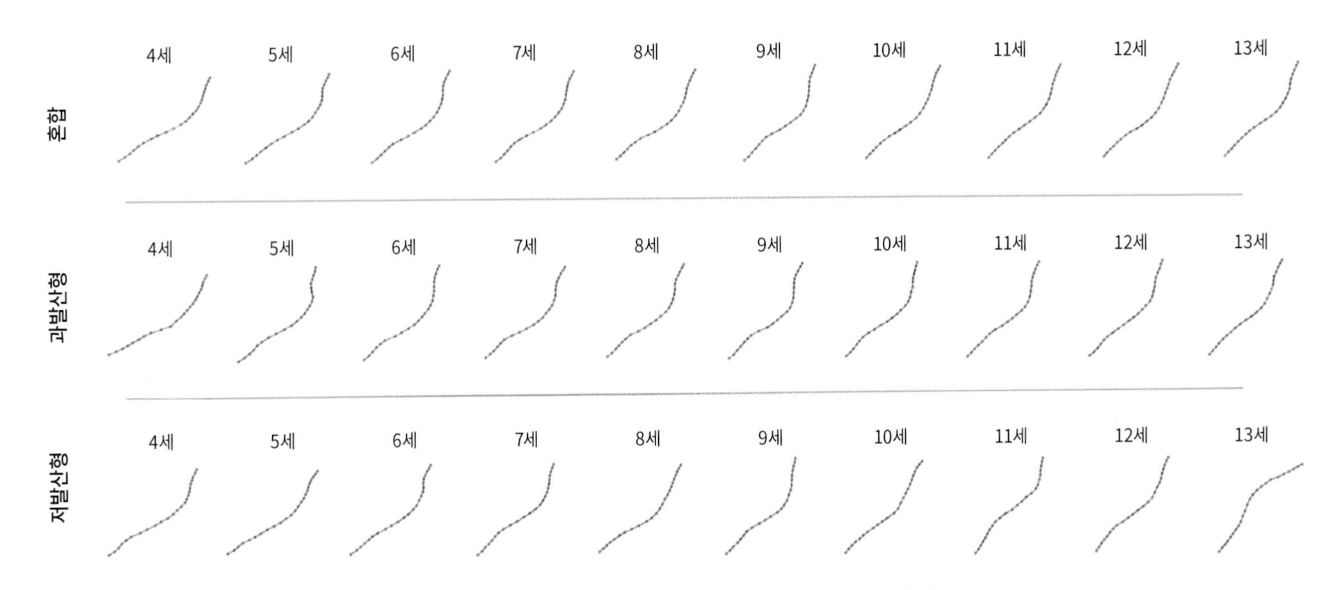

그림 9.17 함께 및 따로 표시한 과발산과 저발산 피험자의 연대별 연령에 따른 아데노이드의 평균 형태(Park 등[83])

인 증거가 부족하다는 것이었다.

이와는 반대로, Grauer 등[70]은 그들의 연구에서 장안모, 정상안모, 단안모 그룹 사이에 인두 기도 용적에 유의한 차이가 없음을 보여주었다. 한 가지 한계점은 각 피험자가 시상군과 수직군에 모두 속해 있음에도 불구하고, 표본을 단순히 안면 고경으로 나누어 수직 그룹화를 수행했다는 점이었다. 장안모의 피험자들은 골격성 II군이나 III군으로 분류되는 반면, 단안모의 피험자는 골격성 I군으로 분류되는 경향이 있다. 이런 편견은 수직 그룹 간의 기도 용적의 잘못된 차이를 초래하거나 실제 차이를 은폐하는 원인이 될 수 있다.

9.2.4 횡적 두개안면 부조화에서 상기도

횡적 용적에서 비상악 복합체의 저발달(특히, 비강, 상악, 경구개의 저발달)은 기류 감소와 OSA의 병인학적 요인으로 분명하게 설명되지 않았다. Guilleminault 등[84]은 상악 수축과 OSA 병인 사이의 관계를 연구했는데, OSA 환자의 친척들에서 좁고 높은 구개의 가족적 경향을 제안했다. Cistulli와 Sullivan[85]은 상악 수축과 높은 구개궁을 가진 Marfan 증후군 환자에서 비강 기도 저항이 높고 동시에 OSA의 유병률이 높은 것을 보여주었다. Zhao 등[86]은 구인두 기도 용적에 대한 CBCT 분석에서 상악 수축이 있는 성장기 환자에서 수축이 없는 환자보다 구인두 기도 용적이 유의하게 작았다고 보고했다. 한편, Johal 등[87]은 OSA 병인에서 상악의 역할을 조사했는데, OSA 군과 정상 대조군 사이에, 구개 각도(ANS–PNS–목젖)의 유의한 차이를 제외하고, 유의한 상악 형태학적 차이는 없음을 발견했다.

횡적 골격성 부조화가 기도 수축과 소아 수면 호흡 장애의 병인학적 요인에 해당하는지 문헌을 통해 판단하는 것은 불가능하다. 상악 수축이 OSA의 1차적 원인이나 결과적 요인이 될 수 있는지, 그리고 더 중요한 것은 상악 확장에 대한 치료가 충분한 증거에 의해 지지되는지 여부에 대해서는 여전히 의문의 여지가 있다.

요약하면, 상기도 용적에 대한 전후방이나 횡적 골격 관계의 영향은 완전히 이해되지 않았다. 하악 후퇴나 상악 수축이 있는 모든 어린이에게 기도 문제가 있는 것은 아니다; 그러나 과발산 성장 양상이 있는 하악 후퇴증 어린이의 상기도는 특별한 주의가 필요할 수 있고, 잠재적으로 조기 치료 개입이 필요할 수 있다.

9.3 비정상적 호흡 기능에 의한 두개안면 변화

일부 연구자들은 기도 기능과 치아안면 형태 사이의 연관성을 발견하지 못했지만[88-92], 적절한 인두 개통을 갖는 건강한 비호흡이 치아안면 복합체의 유리한 발달에 역할을 한다는 데 동의하는 것 같다. 어떠한 비호흡 폐쇄라도 초기 발달 동안 다양한 근본적 구강안면 기능에 영향을 미치며 수면 호흡 장애를 유발하고 유전적 골격 양상을 넘어 두개안면 변형의 위험 요소가 될 수 있다.

9

9.3.1 수면 호흡 장애 아동에서 두개안면 기형의 유병률

Ameli 등[93]은 편도선 절제술을 받기 전의 소아 OSA가 의심되는 118명의 코호트를 교정적으로 평가한 결과 65%에서 부정교합이 있는 것으로 나타났다. Kim과 Guilleminault[94]에 따르면, 수면 호흡 장애로 진단된 400명의 뚱뚱하지 않은 아동(2–17세) 중 93.3%가 좁은 비상악 복합체와 관련된 작고 후퇴된 하악과 높고 좁은 경구개를 포함하여 수면 호흡 장애의 위험 인자로 간주되는 두개안면 특징을 가지고 있었다. OSA가 있는 정상이나 약간 비만인 환자의 두개안면 이형성은 일반적으로 알려져 있는데, 이것은 유전, 후생적 소인, 어린 시절의 성장 장애와 연관될 수 있다.[95] 반면, OSA가 있는 중증 비만 아동(평균 체질량 지수 48 kg/m^2)은 심각한 두개안면 이상이 없는 것으로 관찰되었다.[96] 대신, 기능 장애는 비만으로 인한 상기도 연조직 주변의 변화, 두부 자세, 설골의 위치와 관련있는 것으로 보인다.[97,98] 따라서 OSA 환자에서 두개안면 기형의 유병률은 비만, OSA 중증도, 연령, 성별, 연구 표본의 인종에 따라 달라질 수 있다.

9.3.2 소아의 물리적 상기도 폐쇄에 의한 두개안면 변형

이전에는 확대된 아데노이드와 구개편도가 유아기 수면 호흡 장애의 주요 원인이라고 추정되었다. 안면 형태학에서 편도선 확대에 의해 비인도 폐쇄의 장기간 영향을 미치는 것을 "아데노이드 안모" 또는 "장안모 증후군"이라고 한다.[99] 물리적인 상기도 폐쇄는 구호흡과 구안면 근육 활동의 환경적 손상을 유발하며, 특히 이설골근, 혀의 이설근, 설골상 설배측 섬유, 상순 거상근, 이복근이 영향을 받는다. 비호흡 장애는 전방 두부 자세와 관련하여 비상악 복합체의 발달과 2차적으로 하악 위치에 영향을 미친다. 관절에서 과두 위치는 연골 생성을 보다 후방으로 이동시킨다.[100] 이것은 골 성장 각도를 변경시켜, 하악을 후방 회전시키고 역으로 상기도를 좁힌다. 이로써 상악 수직 과다, 상악 수축, 높은 구개궁, 하악 후퇴, 과다하게 낮은 안면 고경 등의 두개안면 변형을 유발하여, 기도 용적을 감소시키고, 특히 수면 중 구호흡을 악화시킨다(◘ 그림 9.18).[101] McNamara[102]는 치료받지 않은 비인두 폐쇄 환자와 아데노편도 절제술을 선택한 환자의 임상 증례 비교를 근거로, 호흡 폐쇄와 수직 성장 양상 사이에 잠재적인 상호작용이 있다고 주장했다(◘ 그림 9.19). 정상적인 시상 골격 관계에서도, 구호흡은 전방 안면 고경 증가와 상악 복합체의 상대적인 후방 변위를 나타내어, 안면이 좀더 후퇴하였다(◘ 그림 9.20).

설골 위치의 측면에서, 구인두에 충돌하는 비대해진 편도를 가진 아동은 하악 평면을 기준으로 한 설골의 위치(H-MP)가 더 하방으로 위치하는 것으로 나타났다.[103] 그러나 설골의 시상 위치를 경추나 gnathion(정중 결합부의 최전하방점)과 관련하여 비교했을 때 편도 비대군과 정상 아동 사이에 유의한 차이는 관찰되지 않았다. Nelson 등[104]은 코를 고는 경우에 사춘기

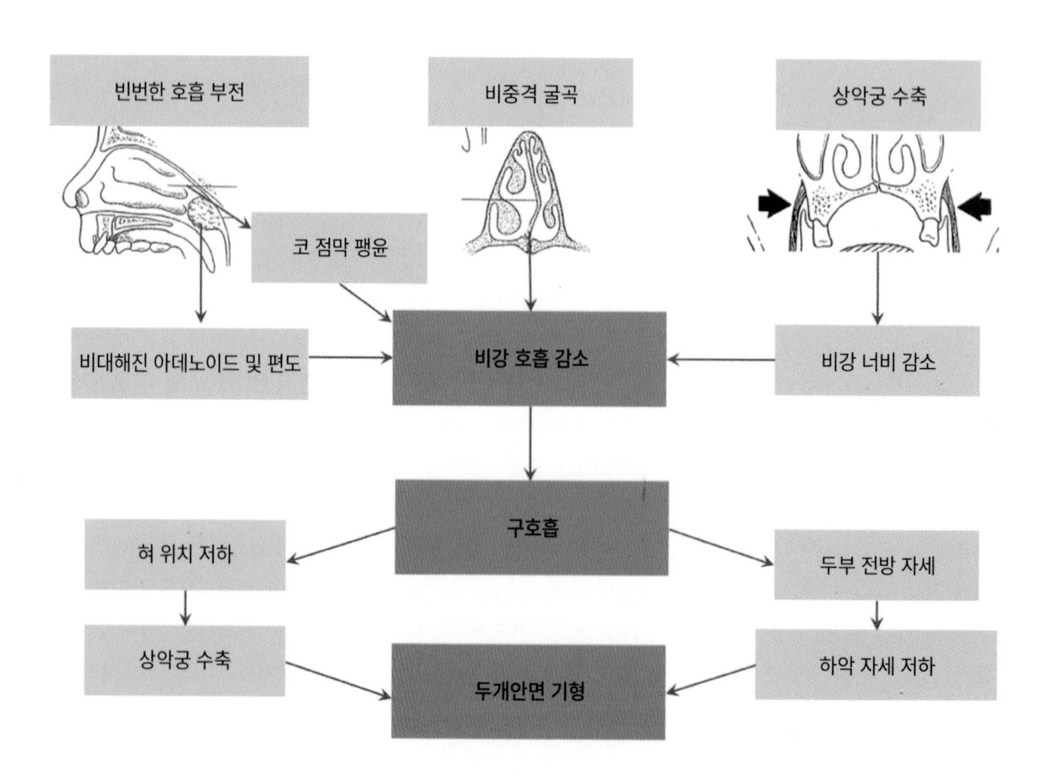

◘ 그림 9.18 **수면 호흡 장애가 구강안면 성장에 미치는 영향** (Guilleminault 등[101])

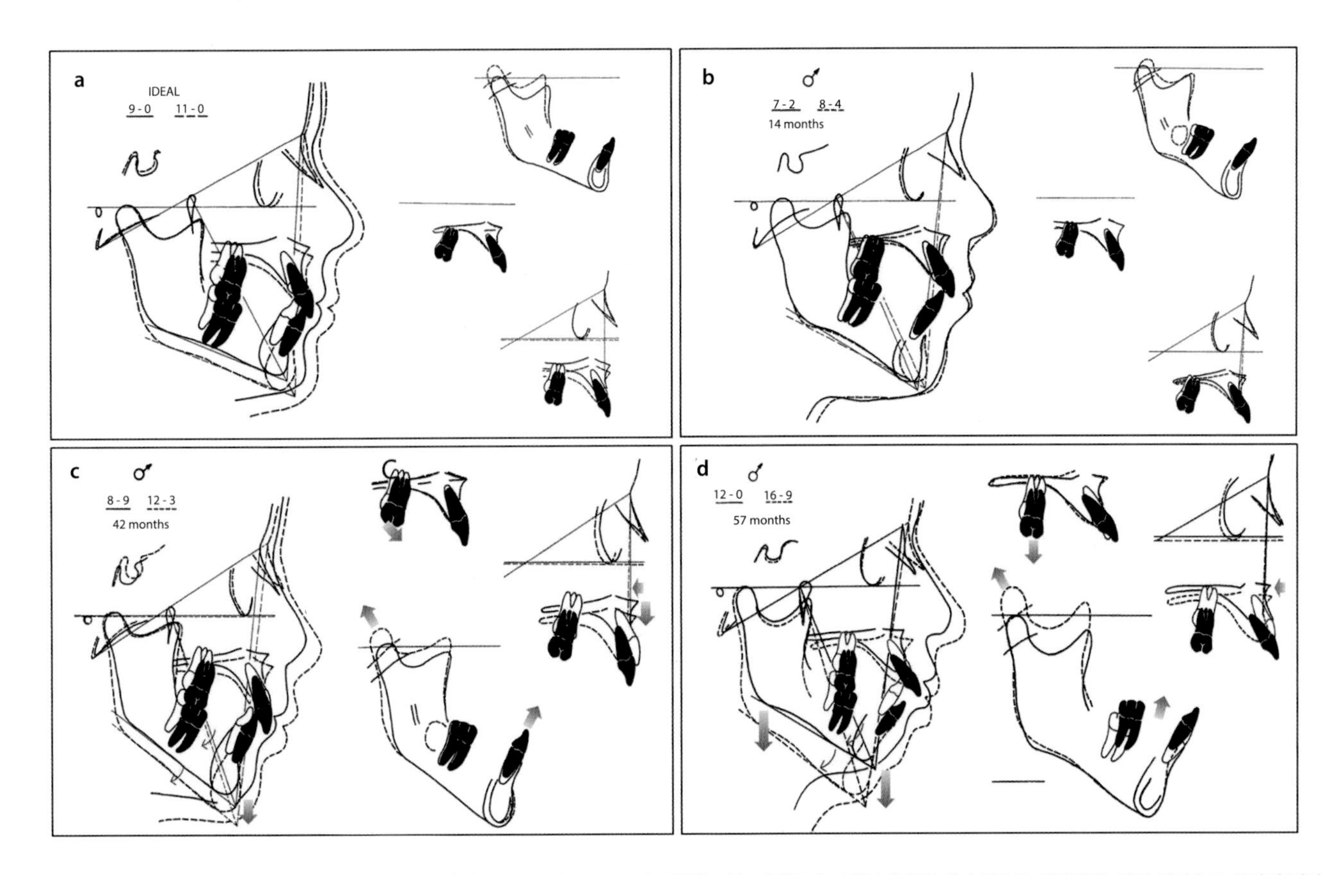

◘ 그림 9.19 **a** 9세에서 11세 사이의 이상적인 안모 성장: nasion과 point A가 동일한 전후 관계를 유지하면서 상악이 수직으로 하강한다. 과두 성장으로 하악이 전방 변위되고, 하악 평면이 약간 감소하였다. **b** 7세 2개월에서 8세 4개월 사이 아데노편도 절제술을 받은 소아의 성장: 교정 개입 없이 하악 평면 각도의 극적인 폐쇄와 수직 성장 양상의 감소가 발생하였다. **c** 8세 9개월에서 12세 3개월까지 치료되지 않은 비인두 폐쇄가 있는 소아의 성장: 전방 안면 고경이 증가하고 상하악의 후방 회전 변위로 인해 안면이 좀더 후퇴하였다. **d** 12세부터 16세 9개월까지 연구개의 점막하 구개열 수술로 완전한 인두 기도 폐쇄가 있는 소아의 성장: 신경근 기능의 변화와 구강 호흡 유지에 필요한 후속적 적응을 일으킬 수 있는 인두 판막 수술로 인해 안면 양상에 심한 왜곡이 진행된 것으로 추정되었다.

이전과 사춘기 기간 동안 하악 평면에 대해 설골의 위치가 더 낮다(H-MP 거리 증가)고 하였다. 성인에서도 코를 고는 사람은 코를 골지 않는 사람에 비해 설골 위치가 더 낮았다.

두개안면 변화의 기전과 관련하여 아데노이드와 편도의 절대적인 크기 때문이 아니라 인두의 가용 공간에 대한 상대적 크기로 인해 기능에 영향을 미친다.[105] 아데노편도의 비대로 인해 상대적으로 작은 공간에 갇히기 때문에 인두 연조직도 기능적으로 손상된다. 이 손상이 혀와 안면 근육 활동의 증가로 상쇄된다면 연조직 기능 결함은 없을 것이다. 그러나 연조직 손상에 대처하기 위한 혀와 안면 근육 강화가 불충분한 환자는 아데노편도 절제술이나 비강 알레르기 치료를 받은 후에도 정상 호흡으로 돌아가지 않을 것이다. Harvold[106]는 실험 원숭이에서 비강 폐쇄에 의해 생성된 구조적 변화의 특성은 신경근 적응을 달성하는 고유하고 개별적인 능력에 달려 있다고 추측했다. 비폐색과 두개안면 변형 과정 사이에 직접적인 형태와 기능 관계가 있는 경우, 원인이 되는 폐색을 제거하면 기능적 변화의 역전이 시작되어 이전에 변경된 두개안면 구성의 점진적인 수정 변화가 발생한다고 가정할 수 있다. 하지만 항상 그러한 것은 아니다. 두개안면 구조의 기능과 성장 사이의 이러한 관계에 대한 이해는 비정상적인 성장 양상으로 인한 결손을 수정하기 위한 근기능 치료의 필요성을 야기했다.

Macari 등[107]은 비가역적 성장 이형성 변화의 연대별 연령을 고려하여 조기 아데노절제술의 최적 시기를 결정하는 데 임상적 의의가 큰 연구를 수행하였다. 그들은 어린이(평균 6세)를 6세 미만과 6세 이상으로 그룹화하여 아데노이드 비대와 안면 형태의 관계를 평가했다. 안면 기형 발달은 상악에서 시작하여 구개 평면의 역경사(약 –8°)로 측정되며 후하방으로 기울어졌고, 아데노이드와 연구개 사이의 거리가 6세 미만 그룹(평균 4.37세)에서 최단 거리를 보였다. 이 결과는 가장 심하게 영향받은 어린이의 안면 변화를 저지하거나 역전하기 위해 조기에 비강 통로를 확보해야 함을 의미한다.

그러나 다시 한번 말하면, 항상 그런 것은 아니다. 다양한 임상 집단에 대한 연구에 따르면 호흡 폐쇄에 의한 구호흡은 다양한

9

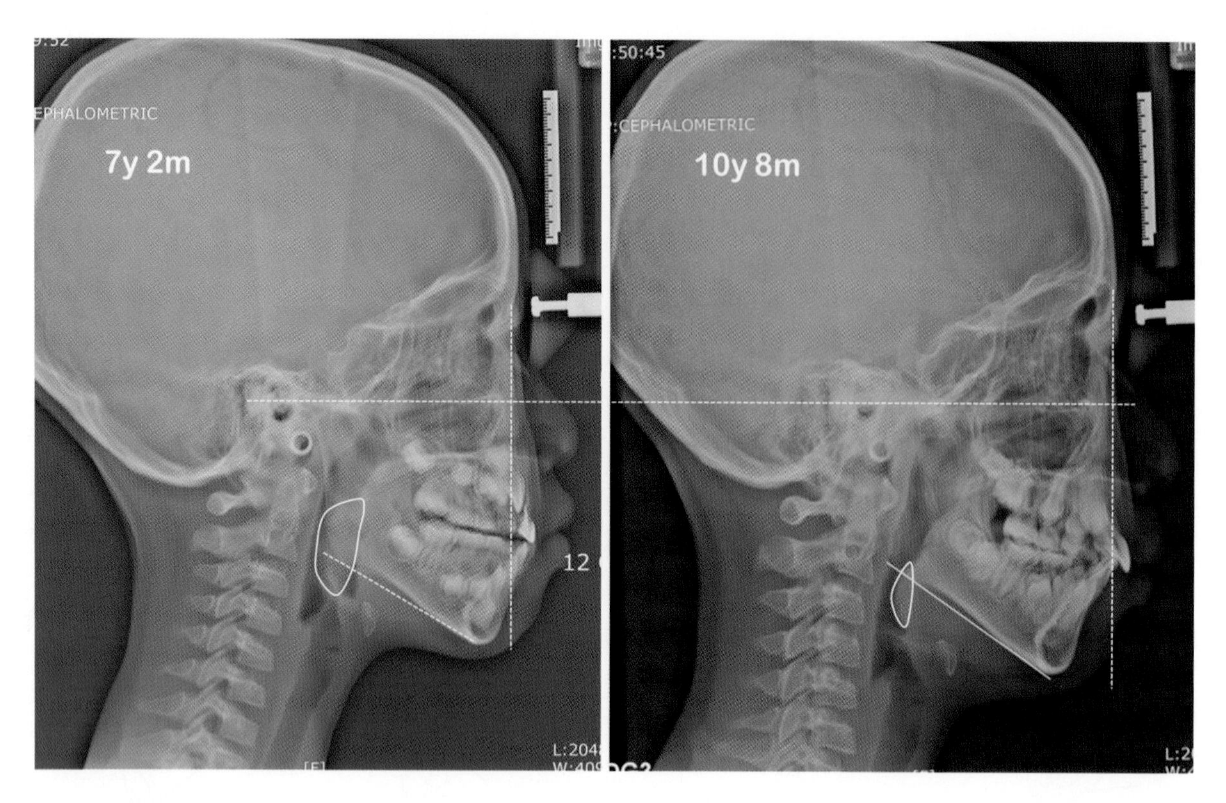

■ 그림 9.20 편도 절제술 3.5년 후 수직 고경 증가와 턱 후퇴의 변화를 보인 환자. 설편도가 남아있는 좁은 설후 기도와 관련하여 낮은 혀 자세로 구호흡을 지속하면 II급 과발산 골격 양상이 악화될 수 있다.

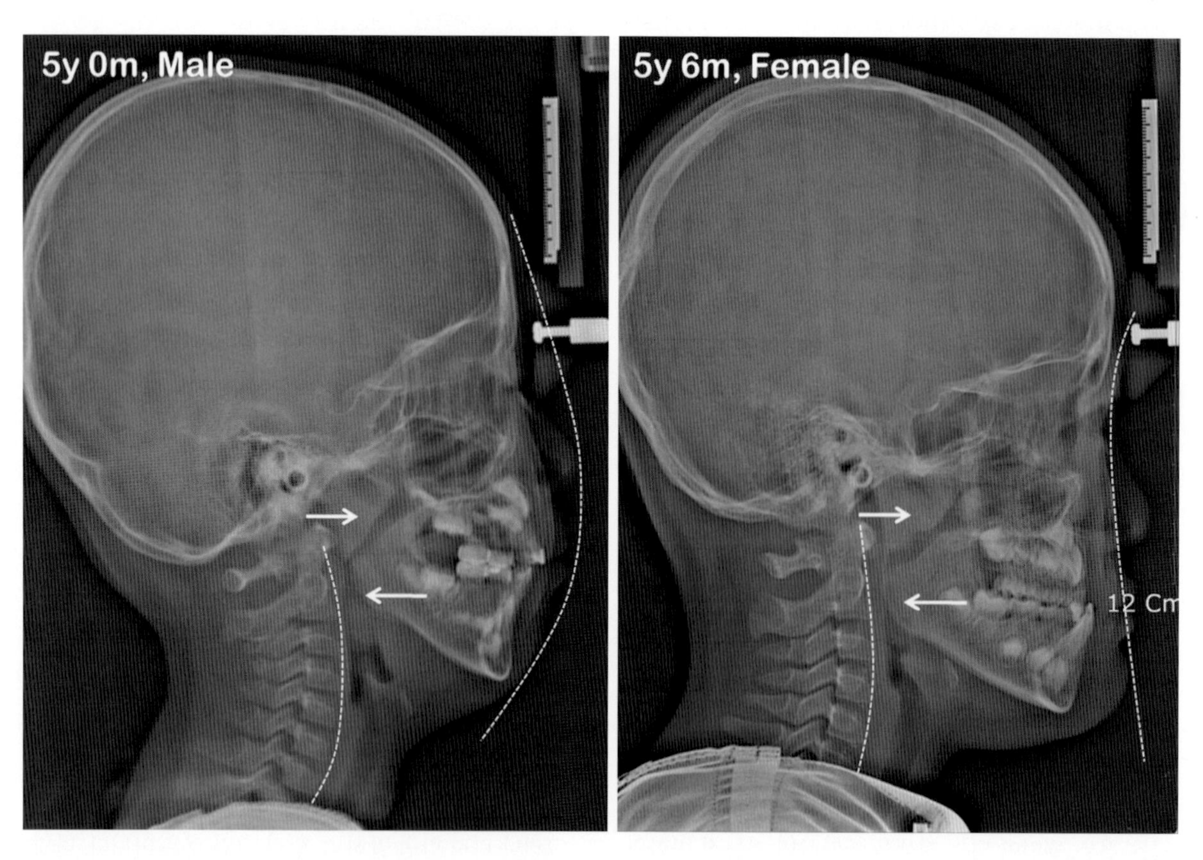

■ 그림 9.21 편도선 비대가 있는 어린 아이들의 다양한 안면 성장 양상. 좌측 환자는 두부 전방 자세에서 II급 과발산을 보인 반면, 우측은 III급 저발산 양상을 보인다 (Feres 등[109]).

시상 및 수직 골격 유형의 환자에서 존재한다.[94,106,108] Feres 등[109]은 모든 두부계측 골격 변수에 대해 폐쇄성 환자와 비폐쇄성 환자 사이에 차이가 없다고 주장하였다. 게다가, 골격 매개변수와 아데노이드 폐쇄 비율 간의 상관관계는 낮거나 미미한 것으로 보고되었다(◘ 그림 9.21).

9.3.3 소아 수면 호흡 장애 환자의 두개안면 특징

수면 호흡 장애 증상이 있는 비증후군 아동에 대한 이전 연구들은 두개안면 부조화와 양의 연관성을 보여주었다.[110–112] 일련의 증례와 일부 제외된 실험 증거에 의하면, OSA가 있는 구호흡 어린이에게는 하악 후퇴증, 소하악증, 하악 평면 각도 증가를 수반한 지나치게 낮은 전방 안면 고경, 높은 구개를 가진 좁은 상악이 주로 나타난다.[113–116]

한편, Huynh 등[110]은 소아 코호트에서 수면 호흡 장애 증상은 주로 수직 고경이 증가된 장안모와 수평 결핍이 있는 좁은 안모와 관련이 있는 반면, 하악 후퇴증과 같은 전후방 골격 결핍은 수면 호흡 장애와 유의한 관련이 없었다. 이러한 결과는 604명의 캐나다 교정 환자(평균 13.01세; 범위 7–17세)에서 얻었다.

Kim 등[117]은 9–11세 한국 소아에서 호흡 장애가 있는 일부 아동이 사춘기에 상악과 하악이 돌출 성장을 보인다는 것을 발견했다. 저자들은 좁은 기도에 대한 안면 성장의 적극적인 보상적 변화가 III급 골격 관계를 초래할 수 있다고 설명했다. Anderson 등[118]은 만성 코골이 아동 236명의 두개안면 양상을 연령대에 따라 3가지 특징적인 군집으로 분류했다(◘ 그림 9.22): 군집 1에는 수직 부조화가 증가하고 명확한 시상 골격 부조화가 없는 5–8세의 어린 아동이 포함되었다; 군집 2에는 과발산과 골격성 II급을 보이는 진행된 시상 및 수직적 부조화가 있는 9–12세의 어린이가 포함되었다; 군집 3에는 과발산의 골격성 III급을 가진 7–8세 어린이가 포함되었다. 저자들은 편도선 비대와 관련된 코골이가 수직 성장 양상에 더 이른 영향을 미칠 수 있다는 데 동의했으며, 이는 비폐색 관련 원발성 코골이가 있는 30명의 백인 어린이에 대한 보다 최근 연구에 의해 지지되는 소견인 두개안면 변화의 전형적인 시상 양상을 보인다.[119]

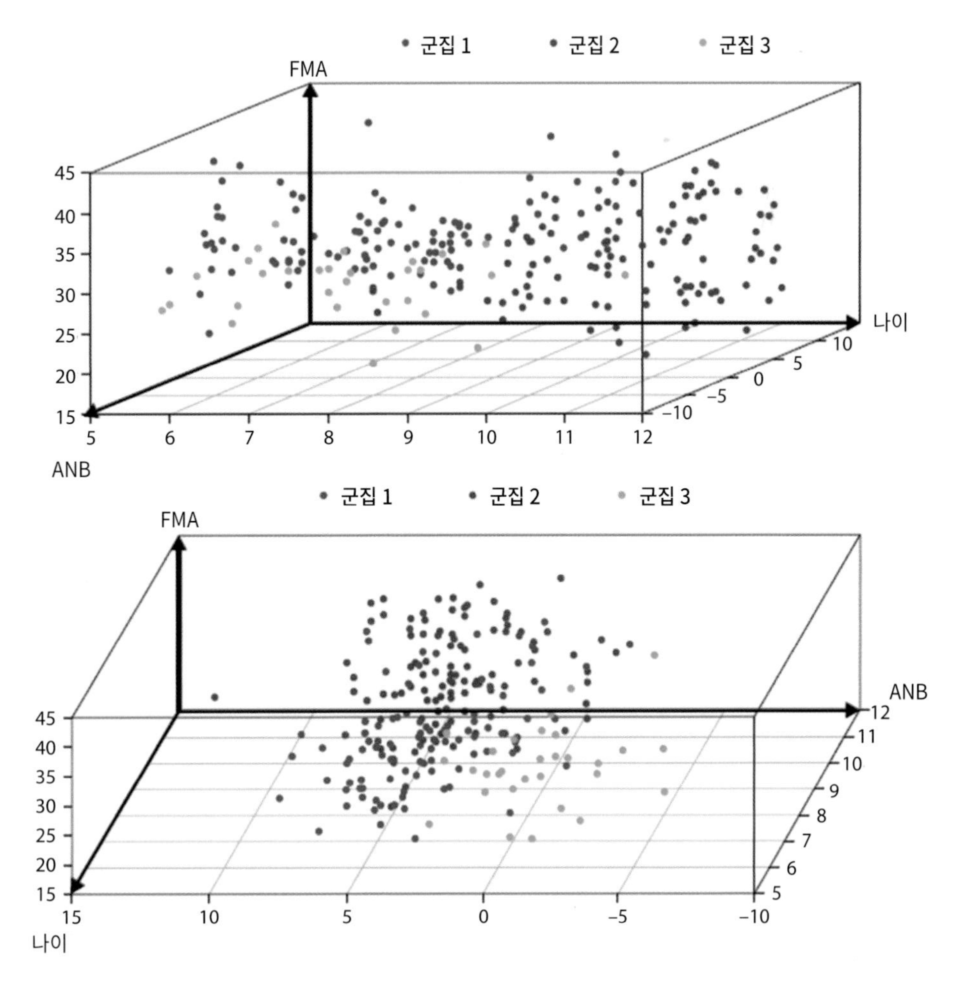

◘ 그림 9.22 군집 분석 결과를 설명하는 단순화된 3차원 산점도. **a** ANB(X–축), 연령(Y–축), FMA(Z–축) 인자를 사용하여 구성된 산점도. **b** 연령(X–축), ANB(Y–축), FMA(Z–축) 인자를 사용하여 구성된 산점도. 3D에서 3개의 군집을 식별할 수 있으며 군집 1, 2, 3은 각각 파란색, 빨간색, 녹색 점으로 표시된다(Anderson 등[118]).

다른 상반된 연구들은 그런 연관성을 보고하지 않았다.[120, 121] Katyal 등[122]은 최근 체계적 고찰에서 OSA가 있는 어린이(0-18세)의 상기도 용적 감소에 대한 강력한 지지가 있었음에도 불구하고, 두개안면 구조와 소아 수면 호흡 장애 사이에 직접적인 인과 관계에 대한 증거가 부족하다고 결론지었다. 수면 호흡 장애가 있는 어린이는 ANB 각도가 증가했지만 대조군에 비해 2도 미만으로 임상적 의의가 미미한 것으로 간주될 수 있다. 하악 평면 각도는 과발산 경향을 나타냈지만, 연구 전반에 걸쳐 상당한 이질성을 보였다. 이 결과는 OSA가 있는 성인에서 더 낮은 전방 안면 고경과 하악 평면 과발산을 보여주는 이

표 9.1 비정상적 호흡 기능을 야기하는 정상 발달과 두개안면 변형의 시간선

임계적 시간 포인트		5–6세	7–9세	12–15세	15–18세
주요 성장 사건		신경 성장 종료(~95%): 두개골에서 안면 역학까지 제1대구치 맹출	중안면 성장의 기준 청소년 하악 성장 급등	사춘기 영구 치열	청소년기 이후의 성장은 감속/종료
정상 성장 및 발달					
주요 골격 성장 부위	두개골	1. 두개저 굴곡 → 장모/단모 양상 → 안모 깊이, 너비, 높이에 영향 2. 두개골 기저부 연장 → 상악의 전방 변위 3. 중–두개와 발달 → 관절와 변위	1. 전방 두개저 길이의 잔류 성장: 전두동 발달 2. 접형사골 봉합부 골화 → 안면 고경에 영향	1. 후–두개저 성장 → 접형후두 봉합부 골화 시작 → 상악 깊이 성장 → 하악 위치에 영향	후방 두개저 성장 종결: 접형후두 봉합부 폐쇄
	비–상악 복합체	1. 전방 두개저 성장 및 상악 주변 봉합 성장에 의한 변위 2. 비중격 연골 → 비강 발달 3. 추가 표면 재형성	1. 봉합 성장에 의한 전후방 변위 → 너비, 깊이, 높이 성장 2. 구개(PNS)의 하방 이동 → 구개 깊이 재형성 → 연구개 직립 → 비강 증가	1. 상악 너비 및 깊이 성장 감소 2. 능동적 상악 고경 성장 및 구개 재형성	1. 중구개 봉합 골화 2. 상악 성장 종료
	하악 및 설골	1. AP 성장 > 수직 성장 → 하악체 길이 > 하악지 2. 설골 삼각형 구축(~4–5세)	1. 청소년 성장 급등: 하악 내회전 → gonial angle 감소 → 하악 형태 결정	1. 하악 성장 급등–과두와 하악지의 수직 성장 → 반시계 방향 외회전 및 표면 재형성 2. 설골 성장의 2차 사춘기 → 지속적 하악–설골–경추 관계	1. 하악의 잔여 성장 2. 상기도 개통을 유지하는 안정적인 설골–경추 관계
인두 연조직	아데노편도 연조직	1. 기도 용적이 대부분 확립되고 실질적으로 이후에도 유지	1. 확대 → 구개후 기도 너비에 영향 없음: 상악 전방 성장 및 구개골 이동 → 연구개 직립 및 비인두 기도 증가 → 확대된 아데노편도 보상	1. 아데노편도 축소	1. 후에 설편도 발달 → 설후 기도에 영향
	혀	1. 혀 발달 종료 → 하악 발달에 영향 2. 구인두를 향해 후하방 전위	1. 혀 크기 증가 → 설후 기도의 일시적 감소	1. 혀의 하방 이동 → 연구개 직립 → 설후 기도 증가 2. 하악 성장에 의한 설후 기도 증가	
비정상적 기도 기능에 의한 두개안면 변형					
두개안면 성장에 영향을 미치는 임계 요소		1. 두부 전방 자세 → 두개골 굴곡 방해 → 장안모 양상 → 중–두개와의 후방 위치 → 상악 전돌 및 하악 후퇴 2. 혀의 낮은 후방 자세 → 적절한 설골 → 하악 전방 성장 약화 및 정중 결합부 성장에 영향(연장된 설골상근에 의해)	1. 비폐색 → 상악 전방/측방 성장 억제 2. 구개골 이동을 약화시키는 비정상적 습관 → 깊은 구개 천장, 좁은 아치, 좁은 비강 → 수축된 상악 결손(III급) 3. 과도한 아데노편도 비대 → 구개후 폐쇄 – 구호흡 → 하악 내회전 불량 → 하악 발산 증가 4. 낮은 혀 자세 → 설후 폐쇄 → 과잉 발산, 긴 정중 결합부	1. 지속적 아데노편도 비대 → 구개후 폐쇄 구호흡 → 상악 고경 증가, 구개 깊이 증가, 구개 너비 감소, 하악 시계 방향 회전 장모 및 전방 개방 교합 2. 시상 하악 성장은 논란의 여지가 있다.	

전 연구들과 대조적이다.[123,124]

요약하면 연구 전반에 걸쳐 방법론적 불일치의 한계로 인해 발생하는 현재의 논쟁에도 불구하고, 고유한 두개안면 성장은 호흡 폐쇄 및 수면 호흡 장애의 기능적 문제에 의해 변경될 수 있다(표 9.1). 이는 특히 수직 방향에서 비가역적인 두개안면의 변형을 예방하기 위해 편도선 절제술 및 비강 알레르기 치료와 같은 비강 호흡을 개선하는 소아 수면 호흡 장애를 치료하기 위한 조기 개입을 고려해야 함을 시사한다.

참고문헌

1. Hiatt JL, Gartner LP. Textbook of head and neck anatomy: Appleton-Century-Crofts; 1982.
2. Schwab RJ. Upper airway imaging. Clin Chest Med. 1998;19(1):33–54. https://doi.org/10.1016/s0272-5231(05)70430-5.
3. Buschang PH, Baume RM, Nass GG. A craniofacial growth maturity gradient for males and females between 4 and 16 years of age. Am J Phys Anthropol. 1983;61(3):373–81. https://doi. org/10.1002/ajpa.1330610312.
4. Anderson D, Popovich F. Relation of cranial base flexure to cranial form and mandibular position. Am J Phys Anthropol. 1983;61(2):181–7. https://doi.org/10.1002/ajpa.1330610206.
5. Björk A. Cranial base development. Am J Orthod. 1955;41(3):198–225. https://doi.org/10.1016/0002-9416(55)90005-1.
6. Enlow DH, McNamara JA Jr. The neurocranial basis for facial form and pattern. Angle Orthod. 1973;43(3):256–70. https://doi. org/10.1043/0003-3219(1973)043<0256:TNBFFF>2.0.CO;2.
7. Enlow DH, Bostwick J. Handbook of facial growth. Plast Recon-str Surg. 1977;59(1):116–7. https://doi.org/10.1097/00006534-197701000-00025.
8. Lavelle CL. A study of craniofacial form. Angle Orthod. 1979;49(1):65–72. https://doi.org/10.1043/0003-3219(1979)049 <0065:ASOCF>2.0.CO;2.
9. Standerwick RG, Roberts WE. The Aponeurotic tension model of craniofacial growth in man. Open Dent J. 2009;3(1):100–13. https://doi.org/10.2174/1874210600903010100.
10. Scott JH. The cartilage of the nasal septum: a contribution to the study of facial growth. Br Dent J. 1953;95:37–43.
11. Melsen B. Palatal growth studied on human autopsy material. Am J Orthod. 1975;68(1):42–54. https://doi.org/10.1016/0002-9416(75)90158-x.
12. Angelieri F, Cevidanes LHS, Franchi L, Gonçalves JR, Benavides E, McNamara JA Jr. Midpalatal suture maturation: classification method for individual assessment before rapid maxillary expansion. Am J Orthod Dentofac Orthop. 2013;144(5):759–69. https://doi.org/10.1016/j.ajodo.2013.04.022.
13. Behrents RG, Harris EF. The premaxillary-maxillary suture and orthodontic mechanotherapy. Am J Orthod Dentofac Orthop. 1991;99(1):1–6. https://doi.org/10.1016/s0889-5406(05)81673-7.
14. Knaup B, Yildizhan F, Wehrbein H. Age-related changes in the midpalatal suture. Journal of Orofacial Orthopedics/Fortschritte der Kieferorthopadie. 2004;65(6):467–74. https://doi.org/10.1007/s00056-004-0415-y.
15. Bjork A, Skieller V. Normal and abnormal growth of the mandible. A synthesis of longitudinal cephalometric implant studies over a period of 25 years. Eur J Orthod. 1983;5(1):1–46.
16. Liu YP, Behrents RG, Buschang PH. Mandibular growth, remodeling, and maturation during infancy and early childhood. Angle Orthod. 2010;80(1):97–105. https://doi.org/10.2319/020309-67.1.
17. Bibby RE, Preston CB. The hyoid triangle. Am J Orthod. 1981;80(1):92–7. https://doi.org/10.1016/0002-9416(81)90199-8.
18. Tsai H-H. The positional changes of hyoid bone in children. J Clin Pediatr Dent. 2003;27(1):29–34. https://doi.org/10.17796/jcpd.27.1.e5ht231175xk6xh6.
19. Shimizu Y, Kanetaka H, Kim Y-H, Okayama K, Kano M, Kikuchi M. Age-related morphological changes in the human hyoid bone. Cells Tissues Organs. 2005;180(3):185–92. https://doi. org/10.1159/000088247.
20. Cotter MM, Whyms BJ, Kelly MP, Doherty BM, Gentry LR, Bersu ET, et al. Hyoid bone development: an assessment of opti-mal CT scanner parameters and three-dimensional volume ren-dering techniques. Anat Rec. 2015;298(8):1408–15. https://doi. org/10.1002/ar.23157.
21. Graber LW. Hyoid changes following orthopedic treatment of mandibular prognathism. Angle Orthod. 1978;48(1):33–8. https://doi.org/10.1043/0003-3219(1978)048<0033:HCFOTO>2 .0.CO;2.
22. Gonçalves RC, Raveli DB, Pinto AS. Effects of age and gender on upper airway, lower airway and upper lip growth. Braz Oral Res. 2011;25(3):241–7. https://doi.org/10.1590/s1806-83242011000300009.
23. Sheng C-M, Lin L-H, Su Y, Tsai H-H. Developmental changes in pharyngeal airway depth and hyoid bone position from childhood to young adulthood. Angle Orthod. 2009;79(3):484. https://doi. org/10.2319/0003-3219(2009)079[0484:dcipad]2.0.co;2.
24. Cohen AM, Vig PS. A serial growth study of the tongue and intermaxillary space. Angle Orthod. 1976;46(4):332–7. https://doi.org/10.1043/0003-3219(1976)046<0332:ASGSOT>2.0.CO;2.
25. Bench RW. Growth of the cervical vertebrae as related to tongue, face, and denture behavior. Am J Orthod. 1963;49(3):183–214. https://doi.org/10.1016/0002-9416(63)90050-2.
26. Scammon RE. The measurement of the body in childhood. In: Harris: the measurement of man. Minneapolis: University of Minnesota Press; 1930.
27. Subtelny JD. The significance of adenoid tissue in orthodontia. Angle Orthod. 1954;24(2):59–69. https://doi.org/10.1043/0003-3219(1954)024<0059:Tsoati>2.0.Co;2.
28. Arens R, McDonough JM, Corbin AM, Hernandez ME, Maislin G, Schwab RJ, et al. Linear dimensions of the upper airway structure during development. Am J Respir Crit Care Med. 2002;165(1):117–22. https://doi. org/10.1164/ajrccm.165.1.2107140.
29. Goeringer GC, Vidic B. The embryogenesis and anatomy of Waldeyer's ring. Otolaryngol Clin N Am. 1987;20(2):207–17.
30. Öztürk M. Transcervical ultrasonographic examination of palatine tonsil size and its correlation with age, gender and body-mass index in healthy children. Int J Pediatr Otorhinolaryngol. 2017;95:24–8. https://doi. org/10.1016/j.ijporl.2017.01.026.
31. Wang JH, Chung Y-S, Cho Y-W, Kim D-Y, Yi JS, Bae JS, et al. Palatine tonsil size in obese, overweight, and normal-weight children with sleep-disordered breathing. Otolaryngol Head Neck Surg. 2010;142(4):516–9. https://doi.org/10.1016/j. otohns.2010.01.013.
32. Guimaraes CVA, Kalra M, Donnelly LF, Shott SR, Fitz K, Singla S, et al. The frequency of lingual tonsil enlargement in obese children. Am J Roentgenol. 2008;190(4):973–5. https://doi.org/10.2214/ajr.07.3020.
33. King EW. A roentgenographic study of pharyngeal growth. Angle Orthod. 1952;22(1):23–37. https://doi.org/10.1043/0003-3219(1952)022<0023:ARSOPG>2.0.CO;2.
34. Goldstein N, Tomaski S. Embryology and anatomy of the mouth, pharynx and esophagus. Pediatric Otolaryngol. 2003;2:1083–102.
35. Durie P. Pharynx and esophagus. Pediatric gastrointestinal imaging. Philadelphia: BC Decker; 1989. p. 83–126.
36. Jeans WD, Fernando DCJ, Maw AR, Leighton BC. A longitudinal study of the growth of the nasopharynx and its contents in normal children. Br J

Radiol. 1981;54(638):117–21. https://doi. org/10.1259/0007–1285–54–638–117.

37. Vilella BS, Vilella OV, Koch HA. Growth of the nasopharynx and adenoidal development in Brazilian subjects. Braz Oral Res. 2006;20(1):70–5. https://doi.org/10.1590/s1806–83242006000100013.

38. Taylor M, Hans MG, Strohl KP, Nelson S, Broadbent BH. Soft tissue growth of the oropharynx. Angle Orthod. 1996;66(5):393–400. https://doi.org/10.1043/0003–3219(1996)066<0393:STGOT.

39. Mislik B, Hanggi MP, Signorelli L, Peltomaki TA, Patcas R. Pharyngeal airway dimensions: a cephalometric, growth– study– based analysis of physiological variations in children aged 6–17. Eur J Orthod. 2013;36(3):331–9. https://doi.org/10.1093/ejo/cjt068.

40. McNamara JA. A method of cephalometric evaluation. Am J Orthod. 1984;86(6):449–69. https://doi.org/10.1016/s0002–9416(84)90352–x.

41. Alves M, Franzotti ES, Baratieri C, Nunes LKF, Nojima LI, Ruellas ACO. Evaluation of pharyngeal airway space amongst different skeletal patterns. Int J Oral Maxillofac Surg. 2012;41(7):814–9. https://doi.org/10.1016/j.ijom.2012.01.015.

42. Hanggi MP, Teuscher UM, Roos M, Peltomaki TA. Long–term changes in pharyngeal airway dimensions following activator–headgear and fixed appliance treatment. Eur J Orthod. 2008;30(6):598–605. https://doi.org/10.1093/ejo/cjn055.

43. Ogawa T, Enciso R, Shintaku WH, Clark GT. Evaluation of cross–section airway configuration of obstructive sleep apnea. Oral Surg Oral Med Oral Pathol Oral Radiol Endodontol. 2007;103(1):102–8. https://doi.org/10.1016/j.tripleo.2006.06.008.

44. Joseph AA, Elbaum J, Cisneros GJ, Eisig SB. A cephalometric comparative study of the soft tissue airway dimensions in persons with hyperdivergent and normodivergent facial patterns. J Oral Maxillofac Surg. 1998;56(2):135–9. https://doi.org/10.1016/s0278–2391(98)90850–3.

45. Ozbek M. Natural head posture, upper airway morphology and obstructive sleep apnoea severity in adults. Eur J Orthod. 1998;20(2):133–43. https://doi.org/10.1093/ejo/20.2.133.

46. Abu Allhaija ES, Al–Khateeb SN. Uvulo–glosso–pharyngeal dimensions in different anteroposterior skeletal patterns. Angle Orthod. 2005;75(6):1012–8. https://doi.org/10.1043/0003–3219(2005)75[1012:UDIDAS]2.0.CO;2.

47. Ceylan İ, Oktay H. A study on the pharyngeal size in different skeletal patterns. Am J Orthod Dentofac Orthop. 1995;108(1):69–75. https://doi.org/10.1016/s0889–5406(95)70068–4.

48. Linder–Aronson S, Leighton BC. A longitudinal study of the development of the posterior nasopharyngeal wall between 3 and 16 years of age. Eur J Orthod. 1983;5(1):47–58. https://doi. org/10.1093/ejo/5.1.47.

49. Ronen O, Malhotra A, Pillar G. Influence of gender and age on upper–airway length during development. Pediatrics. 2007;120(4):e1028–e34. https://doi.org/10.1542/peds.2006–3433.

50. Shigeta Y, Ogawa T, Venturin J, Nguyen M, Clark GT, Enciso R. Gender–and age–based differences in computerized tomographic measurements of the oropharynx. Oral Surg Oral Med Oral Pathol Oral Radiol Endodontol. 2008;106(4):563–70. https://doi.org/10.1016/j.tripleo.2008.03.032.

51. Dayyat E, Kheirandish–Gozal L, Sans Capdevila O, Maarafeya MMA, Gozal D. Obstructive sleep apnea in children. Chest. 2009;136(1):137–44. https://doi.org/10.1378/chest.08–2568.

52. Ferguson KA, Ono T, Lowe AA, Ryan CF, Fleetham JA. The relationship between obesity and craniofacial structure in obstructive sleep apnea. Chest. 1995;108(2):375–81. https://doi. org/10.1378/chest.108.2.375.

53. Solow B, Tallgren A. Head posture and craniofacial morphology. Am J Phys Anthropol. 1976;44(3):417–35. https://doi. org/10.1002/ajpa.1330440306.

54. Solow B, Siersbaek–Nielsen S. Growth changes in head posture related to craniofacial development. Am J Orthod. 1986;89(2):132–40. https://doi.org/10.1016/0002–9416(86)90089–8.

55. V. Huggare JA, Michael S C. Head posture and cervicovertebral anatomy as mandibular growth predictors. Eur J Orthod. 1994;16(3):175–80. https://doi.org/10.1093/ejo/16.3.175.

56. Gomes LCR, Horta KOC, Goncalves JR, Santos–Pinto A. Sys–tematic review: craniocervical posture and craniofacial morphology. Eur J Orthod. 2013;36(1):55–66. https://doi.org/10.1093/ejo/cjt004.

57. Solow B, Tallgren A. Natural head position in standing subjects. Acta Odontol Scand. 1971;29(5):591–607. https://doi. org/10.3109/00016357109026337.

58. KeÇİK D. Mandibula Konumunun Üst Hava Yoluna Etkisinin Değerlendirilmesi. Turk J Orthod. 2009;22(2):93–101. https://doi.org/10.13076/1300–3550–22–2–93.

59. Kerr WJ. The nasopharynx, face height, and overbite. Angle Orthod. 1985;55(1):31–6. https://doi.org/10.1043/0003–3219(1985)055<0031:TNFHAO>2.0.CO;2.

60. Lowe AA, Santamaria JD, Fleetham JA, Price C. Facial morphology and obstructive sleep apnea. Am J Orthod Dentofac Orthop. 1986;90(6):484–91. https://doi.org/10.1016/0889–5406(86)90108–3.

61. Zhong Z, Tang Z, Gao X, Zeng X–L. A comparison study of upper airway among different skeletal craniofacial patterns in nonsnoring Chinese children. Angle Orthod. 2010;80(2):267–74. https://doi.org/10.2319/030809–130.1.

62. El H, Palomo JM. Airway volume for different dentofacial skeletal patterns. Am J Orthod Dentofac Orthop. 2011;139(6):e511–e21. https://doi.org/10.1016/j.ajodo.2011.02.015.

63. Uslu–Akcam O. Pharyngeal airway dimensions in skeletal class II: a cephalometric growth study. Imaging Sci Dent. 2017;47(1):1. https://doi.org/10.5624/isd.2017.47.1.1.

64. Zheng ZH, Yamaguchi T, Kurihara A, Li HF, Maki K. Three– dimensional evaluation of upper airway in patients with differ–ent anteroposterior skeletal patterns. Orthod Craniofac Res. 2013;17(1):38–48. https://doi.org/10.1111/ocr.12029.

65. Iwasaki T, Hayasaki H, Takemoto Y, Kanomi R, Yamasaki Y. Oropharyngeal airway in children with Class III malocclusion evaluated by cone–beam computed tomography. Am J Orthod Dentofac Orthop. 2009;136(3):318.e1–9. https://doi. org/10.1016/j.ajodo.2009.02.017.

66. Hwang Y–I, Lee K–H, Lee K–J, Kim S–C, Cho H–J, Cheon S–H, et al. Effect of airway and tongue in facial morphology of prepubertal Class I, II children. Korean J Orthod. 2008;38(2):74. https://doi.org/10.4041/kjod.2008.38.2.74.

67. Trenouth MJ, Timms DJ. Relationship of the functional orophar–ynx to craniofacial morphology. Angle Orthod. 1999;69(5):419–23. https://doi.org/10.1043/0003–3219(1999)069<0419:ROTFOT 2.3.CO;2.

68. Kim Y–J, Hong J–S, Hwang Y–I, Park Y–H. Three–dimensional analysis of pharyngeal airway in preadolescent children with different anteroposterior skeletal patterns. Am J Orthod Dentofac Orthop. 2010;137(3):306.e1–e11. https://doi.org/10.1016/j. ajodo.2009.10.025.

69. Kheirandish–Gozal L, Gozal D. Sleep disordered breathing in children: a comprehensive clinical guide to evaluation and treatment: Humana Press; 2012.

70. Grauer D, Cevidanes LSH, Styner MA, Ackerman JL, Prof–fit WR. Pharyngeal airway volume and shape from cone–beam computed tomography: relationship to facial morphology. Am J Orthod Dentofac Orthop. 2009;136(6):805–14. https://doi. org/10.1016/j.ajodo.2008.01.020.

71. Oh K–M, Hong J–S, Kim Y–J, Cevidanes LSH, Park Y–H. Three– dimensional analysis of pharyngeal airway form in children with anteroposterior facial patterns. Angle Orthod. 2011;81(6):1075–82. https://doi.

org/10.2319/010711-8.1.

72. Handelman CS, Osborne G. Growth of the nasopharynx and adenoid development from one to eighteen years. Angle Orthod. 1976;46(3):243-59. https://doi.org/10.1043/0003-3219(1976)046<0243:GOTNAA>2.0.CO;2.

73. Sosa FA, Graber TM, Muller TP. Postpharyngeal lymphoid tissue in Angle Class I and Class II malocclusions. Am J Orthod. 1982;81(4):299-309. https://doi.org/10.1016/0002-9416(82)90216-0.

74. Wenzel A, Williams S, Ritzau M. Relationships of changes in craniofacial morphology, head posture, and nasopharyngeal airway size following mandibular osteotomy. Am J Orthod Dentofac Orthop. 1989;96(2):138-43. https://doi.org/10. 1016/0889-5406(89)90254-0.

75. de Freitas MR, Alcazar NMPV, Janson G, de Freitas KMS, Henriques JFC. Upper and lower pharyngeal airways in subjects with Class I and Class II malocclusions and different growth patterns. Am J Orthod Dentofac Orthop. 2006;130(6):742-5. https://doi.org/10.1016/j.ajodo.2005.01.033.

76. Indriksone I, Jakobsone G. The upper airway dimensions in different sagittal craniofacial patterns: a systematic review. Stoma-tologija. 2014;16(3):109-17.

77. Hussels W, Nanda RS. Analysis of factors affecting angle ANB. Am J Orthod. 1984;85(5):411-23. https://doi. org/10.1016/0002-9416(84)90162-3.

78. Nielsen IL. Vertical malocclusions: etiology, development, diagnosis and some aspects of treatment. Angle Orthod. 1991;61(4):247-60. https://doi.org/10.1043/0003-3219(1991)061<0247:VMEDDA>2.0 .CO;2.

79. Schudy FF. The rotation of the mandible resulting from growth: its implications in orthodontic treatment. Angle Orthod. 1965;35:36-50. https://doi.org/10.1043/0003-3219(1965)035 <0036:TROTMR>2.0.CO;2.

80. Isaacson JR, Isaacson RJ, Speidel TM, Worms FW. Extreme variation in vertical facial growth and associated variation in skeletal and dental relations. Angle Orthod. 1971;41(3):219-29. https://doi.org/10.1043/0003-3219(1971)041<0219:EVIVFG>2.0. CO;2.

81. Ucar FI, Uysal T. Orofacial airway dimensions in subjects with Class I malocclusion and different growth patterns. Angle Orthod. 2011;81(3):460-8. https://doi.org/10.2319/091910-545.1.

82. Celikoglu M, Bayram M, Sekerci AE, Buyuk SK, Toy E. Comparison of pharyngeal airway volume among different vertical skeletal patterns: a cone-beam computed tomography study. Angle Orthod. 2014;84(5):782-7. https://doi.org/10.2319/101013-748.1.

83. Park JE, Gray S, Bennani H, Antoun JS, Farella M. Morphometric growth changes of the nasopharyngeal space in sub-jects with different vertical craniofacial features. Am J Orthod Dentofac Orthop. 2016;150(3):451-8. https://doi.org/10.1016/j. ajodo.2016.02.021.

84. Guilleminault C, Partinen M, Hollman K, Powell N, Stoohs R. Familial aggregates in obstructive sleep apnea syndrome. Chest. 1995;107(6):1545-51. https://doi.org/10.1378/chest.107.6.1545.

85. Cistulli PA, Sullivan CE. Sleep-disordered breathing in Marian's syndrome. Am Rev Respir Dis. 1993;147(3):645-8. https://doi. org/10.1164/ajrccm/147.3.645.

86. Zhao Y, Nguyen M, Gohl E, Mah JK, Sameshima G, Enciso R. Oropharyngeal airway changes after rapid palatal expansion evaluated with cone-beam computed tomography. Am J Orthod Dentofac Orthop. 2010;137(4):S71-S8. https://doi.org/10.1016/j. ajodo.2008.08.026.

87. Johal A, Conaghan C. Maxillary morphology in obstructive sleep apnea: a cephalometric and model study. Angle Orthod. 2004;74(5):648-56. https://doi.org/10.1043/0003-3219(2004)074< 0648:MMIOSA>2.0.CO;2.

88. Kluemper GT, Vig PS, Vig KWL. Nasorespiratory characteristics and craniofacial morphology. Eur J Orthod. 1995;17(6):491-5. https://doi.org/10.1093/ejo/17.6.491.

89. Leech HL. A clinical analysis of orofacial morphology and behaviour of 500 patients attending an upper respiratory research clinic. Am J Orthod. 1958;46(9):704-6. https://doi. org/10.1016/0002-9416(60)90185-8.

90. Rasmus RL, Jacobs RM. Mouth breathing and malocclusion: quantitative technique for measurement of oral and nasal air-flow velocities. Angle Orthod. 1969;39(4):296-302. https://doi. org/10.1043/0003-3219(1969)039<0296:MBAMQT>2.0.CO;2.

91. Watson RM, Warren DW, Fischer ND. Nasal resistance, skeletal classification, and mouth breathing in orthodontic patients. Am J Orthod. 1968;54(5):367-79. https://doi.org/10.1016/0002-9416(68)90305-9.

92. Bell AD. Discussion on the mouth-breather. Proc R Soc Med. 1958;51(4): 279-85.

93. Ameli F, Brocchetti F, Semino L, Fibbi A. Adenotonsillectomy in obstructive sleep apnea syndrome. Int J Pediatr Otorhinolaryngol. 2007;71(5):729-34. https://doi.org/10.1016/j. ijporl.2007.01.007.

94. Kim JH, Guilleminault C. The nasomaxillary complex, the mandible, and sleep-disordered breathing. Sleep Breath. 2011;15(2):185-93. https://doi.org/10.1007/s11325-011-0504-2.

95. Kawashima S, Peltomäki T, Laine J, Rönning O. Cephalometric evaluation of facial types in preschool children without sleepr elated breathing disorder. Int J Pediatr Otorhinolaryngol. 2002;63(2):119-27. https://doi.org/10.1016/s0165-5876(02)00003-4.

96. Maciel Santos MES, Laureano Filho JR, Campos JM, Ferraz EM. Dentofacial characteristics as indicator of obstructive sleep apnoea-hypopnoea syndrome in patients with severe obesity. Obes Rev. 2011;12(2):105-13. https://doi.org/10.1111/j. 1467-789x.2010.00719.x.

97. Battagel J. A cephalometric comparison of subjects with snoring and obstructive sleep apnoea. Eur J Orthod. 2000;22(4):353-65. https://doi.org/10.1093/ejo/22.4.353.

98. Martinho FL, Tangerina RP, Moura SMGT, Gregório LC, Tufik S, Bittencourt LRA. Systematic head and neck physical examination as a predictor of obstructive sleep apnea in class III obese patients. Braz J Med Biol Res. 2008;41(12):1093-7. https://doi.org/10.1590/s0100-879x2008001200008.

99. Schendel SA, Eisenfeld J, Bell WH, Epker BN, Mishelevich DJ. The long face syndrome: vertical maxillary excess. Am J Orthod. 1976;70(4): 398-408. https://doi.org/10.1016/0002-9416(76)90112-3.

100. Guilleminault C, Akhtar F. Pediatric sleep-disordered breathing: new evidence on its development. Sleep Med Rev. 2015;24:46-56. https://doi.org/10.1016/j.smrv.2014.11.008.

101. Guilleminault C, Lee JH, Chan A. Pediatric Obstructive Sleep Apnea Syndrome. Arch Pediatr Adolesc Med. 2005;159(8):775. https://doi.org/10.1001/archpedi.159.8.775.

102. McNamara JA. Influence of respiratory pattern on craniofacial growth. Angle Orthod. 1981;51(4):269-300. https://doi. org/10.1043/0003-3219(1981)051<0269:IORPOC>2.0.CO;2.

103. Behlfelt K, Linder-Aronson S, Neander P. Posture of the head, the hyoid bone, and the tongue in children with and without enlarged tonsils. Eur J Orthod. 1990;12(4):458-67. https://doi. org/10.1093/ejo/12.4.458.

104. Nelson S, Cakirer B, Lai Y-Y. Longitudinal changes in craniofacial factors among snoring and nonsnoring Bolton-Brush study participants. Am J Orthod Dentofac Orthop. 2003;123(3):338-44. https://doi.org/10.1067/mod.2003.85.

105. Ricketts RM. Forum on the tonsil and adenoid problem in orthodontics Respiratory obstruction syndrome. Am J Orthod. 1968;54(7):495-507. https://doi.org/10.1016/0002-9416(68)90218-2.

106. Harvold E. Neuromuscular and morphological adaptations in experimentally induced oral respiration. Naso-respiratory function and craniofacial growth. University of Michigan, Center for Human Growth and Development, Ann Arbor; 1979. p. 149-64.

107. Macari AT, Bitar MA, Ghafari JG. New insights on age-related association

9

between nasopharyngeal airway clearance and facial morphology. Orthod Craniofac Res. 2012;15(3):188–97. https://doi.org/10.1111/j.1601-6343.2012.01540.x.

108. HHFL BC. A survey of antero-posterior abnormalities of the jaws in children between the ages of two and five and a half years of age. Am J Orthod. 1950;36(12):933–41. https://doi. org/10.1016/0002-9416(50)90059-5.

109. Feres MFN, Muniz TS, SHd A, Lemos MM, Pignatari SSN. Craniofacial skeletal pattern: is it really correlated with the degree of adenoid obstruction? Dental Press J Orthod. 2015;20(4):68–75. https://doi.org/10.1590/2176-9451.20.4.068-075. oar.

110. Huynh NT, Morton PD, Rompré PH, Papadakis A, Remise C. Associations between sleep-disordered breathing symptoms and facial and dental morphometry, assessed with screening examinations. Am J Orthod Dentofac Orthop. 2011;140(6):762–70. https://doi.org/10.1016/j.ajodo.2011.03.023.

111. Juliano ML, Machado MA, de Carvalho LB, Zancanella E, Santos GM, do Prado LB, et al. Polysomnographic findings are associated with cephalometric measurements in mouth-breathing children. J Clin Sleep Med. 2009;5(6):554–61.

112. Özdemir H, Altin R, Söğüt A, Çınar F, Mahmutyazıcıoğlu K, Kart L, et al. Craniofacial differences according to AHI scores of children with obstructive sleep apnoea syndrome: cephalo-metric study in 39 patients. Pediatr Radiol. 2004;34(5):393–9. https://doi.org/10.1007/s00247-004-1168-x.

113. Camacho M, Chang ET, Song SA, Abdullatif J, Zaghi S, Pirelli P, et al. Rapid maxillary expansion for pediatric obstructive sleep apnea: a systematic review and meta-analysis. Laryngoscope. 2016;127(7):1712–9. https://doi.org/10.1002/lary.26352.

114. Guilleminault C, Partinen M, Praud JP, Quera-Salva M-A, Powell N, Riley R. Morphometric facial changes and obstructive sleep apnea in adolescents. J Pediatr. 1989;114(6):997–9. https://doi.org/10.1016/s0022-3476(89)80447-0.

115. Adenoids L-AS. Their effect on mode of breathing and nasal airflow and their relationship to characteristics of the facial skeleton and the denition. A biometric, rhino-manometric and cephalometro-radiographic study on children with and without adenoids. Acta Otolaryngol Suppl. 1970;265: 1–132.

116. Lofstrand-Tidestrom B. Breathing obstruction in relation to craniofacial and dental arch morphology in 4-year-old children. Eur J Orthod. 1999;21(4):323–32. https://doi.org/10.1093/ejo/21.4.323.

117. Kim D-K, Rhee CS, Yun P-Y, Kim J-W. Adenotonsillar hyper-trophy as a risk factor of dentofacial abnormality in Korean children. Eur Arch Otorhinolaryngol. 2014;272(11):3311–6. https://doi.org/10.1007/s00405-014-3407-6.

118. Anderson SM, Lim H-J, Kim K-B, Kim S-W, Kim S-J. Clustering of craniofacial patterns in Korean children with snoring. Korean J Orthod. 2017;47(4):248. https://doi.org/10.4041/kjod.2017.47.4.248.

119. Luzzi V, Di Carlo G, Saccucci M, Ierardo G, Guglielmo E, Fabbrizi M, et al. Craniofacial morphology and airflow in children with primary snoring. Eur Rev Med Pharmacol Sci. 2016;20(19):3965–71.

120. Kawashima S, Peltomäki T, Sakata H, Mori K, Happonen R-P, Rönning O. Absence of facial type differences among preschool children with sleep-related breathing dis-order. Acta Odontol Scand. 2003;61(2):65–71. https://doi. org/10.1080/00016350310001406.

121. Schiffman PH, Rubin NK, Dominguez T, Mahboubi S, Udupa JK, O'Donnell AR, et al. Mandibular dimensions in children with obstructive sleep apnea syndrome. Sleep. 2004;27(5):959–65. https://doi.org/10.1093/sleep/27.5.959.

122. Katyal V, Pamula Y, Martin AJ, Daynes CN, Kennedy JD, Sampson WJ. Craniofacial and upper airway morphology in pediatric sleep-disordered breathing: systematic review and meta-analysis. Am J Orthod Dentofac Orthop. 2013;143(1):20–30. e3. https://doi.org/10.1016/j.ajodo.2012.08.021.

123. Miles PG, Vig PS, Weyant RJ, Forrest TD, Rockette HE. Craniofacial structure and obstructive sleep apnea syndrome-a qualitative analysis and meta-analysis of the literature. Am J Orthod Dentofac Orthop. 1996;109(2):163–72. https://doi. org/10.1016/s0889-5406(96)70177-4.

124. Tangugsorn V, Skatvedt O, Krogstad O, Lyberg T. Obstructive sleep apnoea: a cephalometric study. Part II. Uvulo-glossopharyngeal morphology. Eur J Orthod. 1995;17(1):57–67. https://doi.org/10.1093/ejo/17.1.57.

교정학과 수면 호흡 장애

Ki Beom Kim and Su-Jung Kim

목차

수면 장애와 기도에 대한 주제는 교정 영역의 시작 단계부터 교정과의 사이에서 관심을 불러일으켰다. 사실 이러한 문제는 1915년 American Journal of Orthodontics & Dentofacial Orthopedics(당시에는 International Journal of Orthodontia)의 제1호에서 100여 년 전에 논의되었으며, 여기에서 내과의인 Daniel M'Kenzie는 두개안면 구조 및 부정교합과의 잠재적 관계에 대해 논의했다.[1] 앞의 9단원에서 논의한 바와 같이 아데노이드 비대, 구강 호흡, 기타 관련 문제는 두개안면 성장, 부정교합, 호흡에 어느 정도 영향을 미치는 것으로 추정된다. 많은 교정과의들은 이런 문제와 폐쇄성 수면 무호흡(OSA)과의 잠재적 관계에 대해 일반적인 관심을 가져왔다. 이 단원에서는 OSA와 관련된 이러한 주제에 대한 증거 기반 토론에 중점을 둔다.

10.1 기도 평가를 위한 두부계측법의 진단적 가치

측면 두부계측 영상은 표준 교정 기록의 일부이며 가장 일반적으로 사용되는 영상 양식이다. 앞 단원에서는 두부계측 영상과 Cone Beam CT (CBCT)를 이용한 진단 과정에 대해 논의하였으므로, 여기에서는 측면 두부계측 영상을 이용한 비인두 기도의 아데노이드 비대와 폐쇄에 대한 평가를 다룰 것이다. 안면 성장과 호흡의 관계는 교정학에서 논란의 대상이 되어왔으며, 특히 아데노이드 조직과 구호흡이 두개안면 성장에 영향을 끼치는 방법과 관련하여 많은 논란이 되고 있다. 아데노이드 비대를 진단하기 위한 다양한 영상 기술이 사용되어 왔다.[2-7]

비내시경 검사는 이비인후과에서 아데노이드 비대 및 비인두 기도 폐쇄를 평가하는 가장 일반적인 방법이다.[8-12] 또한, 비압측정[13,14], 음향 비강 통기도 검사[15], 형광투시법[12], CT[16], CBCT[17-21], MRI[22,23] 등도 이용되고 있다. 그러나 두부계측법과 CBCT 외의 나머지 영상 기술은 침습성, 고선량, 비용으로 인해 치과교정에서 일반적으로 사용되지 않는다.

많은 연구자들이 OSA 환자의 두개안면의 주요 특징을 확인하기 위해 두부계측법을 사용했으며, 여러 연구에서 아데노이드 비대와 상기도 폐쇄 식별에 대한 진단적 가치를 조사했다.[24-29] 1979년 Fujioka 등[4]은 두부계측법으로 아데노이드 크기를 결정하기 위해 아데노이드-비인두(A/N) 비율을 도입했다. 이것은 그 평가가 환자의 수평이나 수직적 위치의 변화에 영향을 받지 않는다는 장점을 가진다.[30] McNamara 분석, 또는 McNamara의 선은 교정과의가 기도에 영향을 미치는 구조적 관계를 평가하고 설명하는 가장 중요하고 일반적인 분석 도구 중 하나가 되었으며 아데노이드 비대를 포함한 많은 상태 진단에 기본이 되었다(◘ 그림 10.1–3).[28]

Caylakli 등[8]은 아데노이드 조직의 크기를 측정하기 위한 측면 두부계측 영상으로 계산된 A/N 비율(맹검 저자에 의해 평가)과 비내시경의 신뢰도에 대해 보고하였다. 2007년 6월과 2008년 3월 사이에 아데노이드 비대가 의심되는 총 85명의 환자(남성 52명, 여성 33명; 평균 연령 5.0 ± 2.2세; 범위 2–12세)가 포함되었다. 평균 A/N 비는 0.87 ± 0.1로 비내시경과 통계적으로 유의한 Pearson 상관관계가 있는 것으로 보고되었다 ($r = 0.511$; $p < 0.0001$). 그러나 Feres 등[31]은 질환이 있는 환자와 없는 환자의 평가에서 스펙트럼 편향을 인용하여 그들의 체계적 고찰에서 아데노이드 비대와 비인두 폐쇄 발견에 관한 측면 두부계측 영상의 가치에 의문을 제기했다. 그들은 Caylakli 등의 연구에 주목했다. A/N 비율을 인용한 모든 연구 중 아데노이드 비대가 의심되는 환자를 모집한 연구는 1개였고, 다른 연구들[6,15,32]은 이전에 진단이 확정된 환자를 포함했다.

Saedi 등[33]은 환자의 증상을 비내시경 및 측면 두부계측 소견과 비교하여 진단적 효능을 평가하였다. 그들은 두부조영술과 비내시경 모두가 아데노이드 비대와 관련 증상 사이의 관계를 적절하게 평가할 수 있음을 발견하고 이 방법이 치료 계획 수립 도구로 유용하다는 것을 확인했다. Kurien 등[34]도 아데노이드 비대 진단에서 측면 두부조영술의 신뢰성을 평가하고 유연한 비인두경 검사로 소견을 검증할 수 있는지 판단했다. 측면 두부조영술의 정확도가 최적이 아닌 65%에 불과했지만, 두 기술

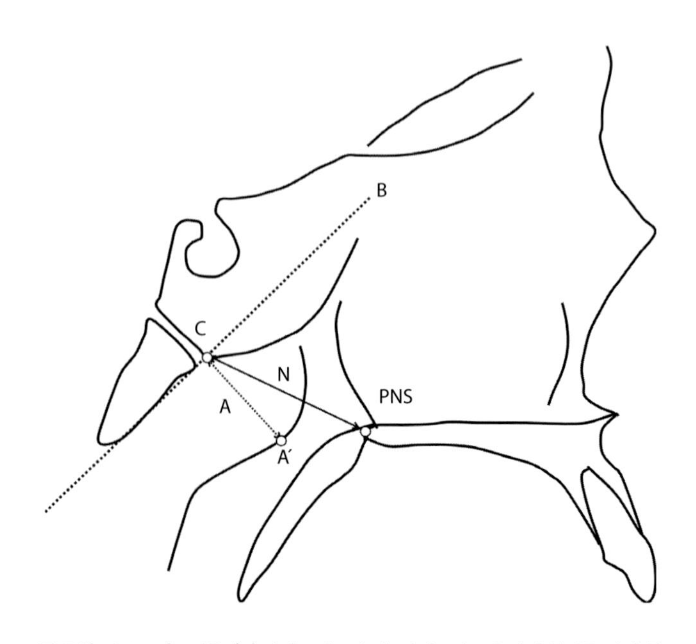

◘ 그림 10.1 **A/N 비율. (A) 아데노이드 측정: 아데노이드 음영의 하연을 따라 최대 볼록한 A' point에서 선 B까지의 거리로 후두골 기저부의 전연을 따라 직선부를 따라 그린다. (N) 비인두 측정: 후비극(PNS)과 접형후두 연골결합의 전하연인 C 사이의 거리**

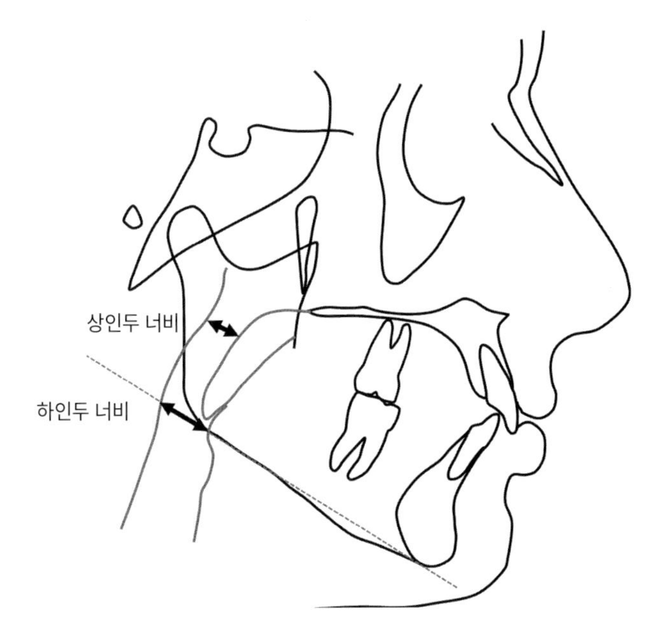

그림 10.2 McNamara 분석. McNamara 분석에 따른 기도 너비, 상인두 및 하인두 너비

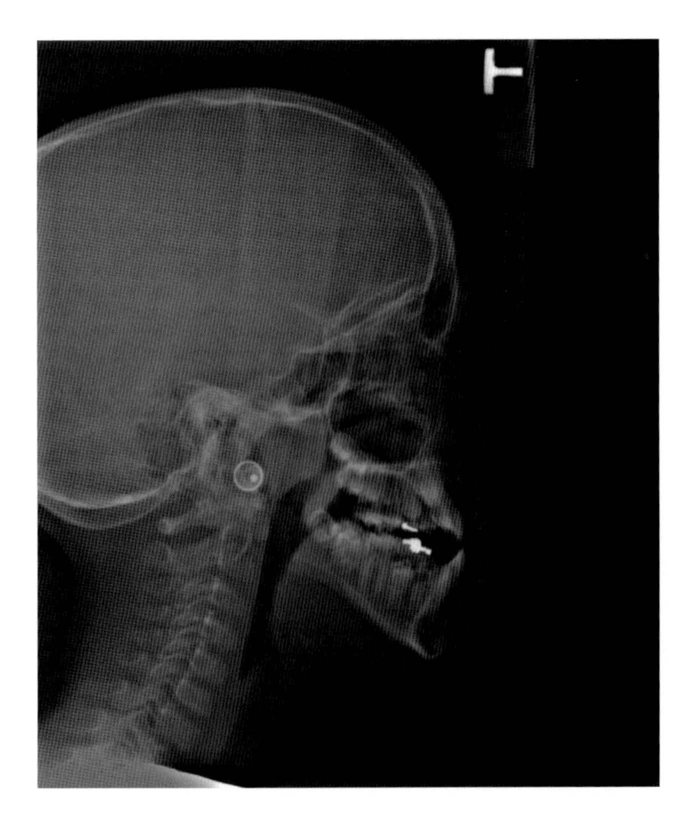

그림 10.3 아데노이드 비대의 두부계측 증례

간에 통계적으로 유의한 일치가 관찰되었음을 보여주었다.

Wang 등[35]은 109명의 환자를 대상으로 비내시경과 측면 두부계측법을 비교하여, 두 영상법 간에 매우 유의한 관계를 발견했다($p < 0.0001$). 그러나 둘 간에 약간의 불일치가 있었다. 특히, 측면 두부조영술에서 아데노이드 비대를 보인 환자의 54%만이 비내시경으로 확진되었다. 또한, 두부조영술에서는 아동의 25.4%에서 비내시경으로 확인할 수 없는 큰 아데노이드가 있는 것으로 나타났고, 반대로 비내시경 검사에서는 아동의 13%에서 두부조영술로 확인할 수 없는 큰 아데노이드가 발견되었다.

Filho 등[36]은 2001년 측면 두부조영술이 높은 감도를 약속하지만, 비인두 내시경과 비교하여 하비갑개와 중비갑개 비대 진단에 낮은 특이성을 보인다고 하였다. 그들은 비인두 폐쇄의 다양한 진단에 비내시경 검사가 더 적합하다고 제안했다. Major 등은 2014년에 이를 확증하였다. 그들은 측면 두부조영술이 양호에서 보통의 민감도를 보였지만, 사용된 평가 방법에 따라 특이도가 매우 다양하게 나타남을 발견했다. 반대로, 임상 검사는 민감도는 낮지만 특이성이 좋은 것으로 밝혀졌다.[37]

한층 더 나아가 두부조영술은 전리 방사선 사용과 같은 단점이 많으며[38], 3D 구조물을 2D의 중첩된 영상으로만 제공한다.[39] 2006년 Major 등[40]은 체계적 고찰을 통해 두부조영술이 아데노이드 비대 평가에 사용될 수 있지만, 비인두 크기 결정에 대한 신뢰도는 낮다고 결론지었다. 그들은 더 엄격한 추적 관찰이 수행되기 전에 폐쇄된 상기도 진단에 대한 선별 도구로 측면 두부조영술이 가장 잘 사용된다고 제안한다.

10.2 두개안면 특징과 OSA 사이의 관계

일부 교정과의는 교정 치료 계획을 세울 때 기도의 연조직을 고려하여 교정 및 악정형적 안정성의 가능성을 높여야 한다고 제안하였다.[41,42] 앞서 논의된 바와 같이, 비강 폐쇄와 구호흡뿐만 아니라 두개안면 구조의 특정 형태가 두개안면 성장에 영향을 미친다는 것에 대한 논란이 있다. Linder-Aronson은 비후된 아데노이드 조직이 두개저에 대한 상악과 하악의 후퇴를 유발할 수 있으며, 좁은 치열궁, 구치부 반대교합, 상악 및 하악 절치의 역경사, 짧은 하악 치열궁, 안면 고경 증가, 낮은 혀 위치를 유발할 수 있다고 보고했다.[43]

Yamada 등[44]은 비인두 폐쇄가 하악의 후하방 회전, 과두의 후상방 성장, 발산형 하악각(gonial angle), 전방 개방 교합과 관련된다고 제안하였다. 그들은 사춘기 이전과 사춘기 동안에 존재했던 비인두 폐쇄 때문에 영구적인 두개안면 기형이 형성되어 골격성 개방 교합이 유발된다고 제안했다. Trotman 등[45]은 입술 자세, 시상 기도, 편도에 대해 서로 다른 두개안면 형태학적 연관성을 제안했다. 그러나 다양한 부정 교합과 인두 기도의 구조를 가진 어린이에서 머리 자세 및/또는 안면 양상 사이의 관계를 둘러싼 논란이 존재한다.[46-48]

다른 연구들은 낮은 안면 고경, 하악 위치의 후퇴, 깊은 구개궁, 구치부 반대교합과 같은 호흡 문제와 관련될 수 있다고 보고할 것이다.[45,49,50]

Martin 등은 OSA가 없는 I급 이상적 교합 환자를 대상으로 연구하였는데, 다른 골격 양상에 따라 다른 기도 용적을 가진다고 제안했다.[51] Freitas 등[52]은 치료받지 않은 청소년 환자 80명을 2개의 같은 표본 크기의 그룹(I급과 II급)으로 나누고, 이 그룹들을 각각 정상 및 수직 성장 양상을 기준으로 나누었다. I급, II급 부정교합과 수직 성장 양상을 가진 환자는 I, II급 부정교합과 정상 성장 양상을 가진 환자보다 유의하게 더 좁은 상인두 기도를 갖는 것으로 알려졌다. 그러나 부정교합 유형은 상인두 기도 너비에 영향을 미치지 않을 뿐만 아니라, 부정교합 유형과 성장 양상도 하인두 기도 너비에 영향을 미치지 않는 것으로 보인다.

이와 유사하게, 어떤 연구에서는 II급 환자와 과발산 환자의 기도 용적이 더 작다고 보고한다.[53] 시상 부정교합 유형은 상인두 너비에 영향을 미치지 않는 것으로 보인다; 그러나 과발산 환자는 정상발산 및 저발산 수직 양상과 비교할 때 통계적으로 유의하게 더 좁은 상인두 너비를 가지고 있다.[54]

Muto 등[55]은 전후방 인두 기도의 직경이 하악 돌출 환자군에서 가장 크고, 그 다음으로 정상 하악, 하악 후퇴 환자군의 순이라고 하였다. 그들은 인두 후방 공간의 전후방 치수가 하악골의 다양한 성장 양상에 의해 영향을 받는다고 제안했다. 성인 OSA 환자는 하악 후퇴, 상악 저형성, 설골의 하방 위치, 두개저의 더 큰 굴곡, 길어진 연구개가 특징이다.[56]

그러나 CBCT 영상을 이용한 한 연구에서, 다양한 전후방 악골 관계를 가진 환자들에서 기도 용적과 모양도 다양함을 보여주었다; 더욱이, 기도 모양은 다양한 수직적 악골 관계에서 다르지만, 용적은 그렇지 않다.[57] 그러나 CBCT를 사용하여 17-27세의 건강한 성인 276명을 평가한 한 연구에서 SNB [전방 두개저(SN)와 NB line 사이의 각도]와 구인두 기도 용적이 최소 단면적과 약한 통계적 상관관계를 가지고 있음을 발견했다. 그럼에도 불구하고 저자들은 두개안면 형태가 상기도 용적에 큰 영향을 미치지 않는다고 결론지었다.[58]

두부조영술 및/또는 CBCT에서 기도 용적 감소가 보인다고 해서 OSA의 위험이 증가한다고 결론내리기는 어렵다. 두부조영술 및/또는 CBCT 검사뿐만 아니라 수면 다원 검사를 동반한 임상 검사를 포함하여 OSA 위험에 대한 보다 포괄적인 평가가 시도되어야 한다.

Indriksone 등은 2014년 체계적 고찰에서[48] 다양한 시상 골격 양상에서 상기도 용적을 입증할 수 있는 충분한 증거가 없다고 결론지었다. 많은 연구에서 두부와 혀의 위치가 인두 기도 용적과 모양에 미치는 영향을 설명하려고 노력했다. 또한, 영상 획득 시 두부와 혀의 자세가 표준화되지 않았다는 연구 방법론적 문제가 있었다.[59-70] 예를 들어 표준화된 자세로 환자가 침을 삼킨 후에 숨을 참고 있는 동안 영상을 포착할 수 있을 것이다. 그러나 이 방법으로 기도 용적을 신뢰도 있게 얻을 수 있을 것인지도 여전히 의문이다.

10.2.1 성인 OSA 환자의 두부계측 특징

다음의 두개안면 특징은 정상의 건강한 성인과 OSA를 가진 성인 사이의 차이점에 대한 보고이다.

10.2.1.1 두개골 기저부

일부 연구에서는 OSA 환자의 경우 대조군보다 두개저 길이가 더 크다고 보고하였지만[71,72], 다른 연구들은 두개저 길이가 유의하게 짧았다고 하였다(◘ 그림 10.4, 5).[73-83]

Neelapu 등이 시행한 메타 분석에 의하면 성인 OSA 환자들의 SN 길이가 정상인보다 2.25 mm 짧다고 보고했다.[84] 저자들은 두개저 길이의 감소가 전후방 두개골의 더 짧은 크기를 강력하게 시사하고, 궁극적으로 양악 후퇴와 상대적으로 더 작은 인두 기도로 표현된다고 결론내렸다.

여러 연구에서는 확인된 OSA 환자에서 두개저 각도의 유의한 감소가 보고되었다.[73,74,76,78-81,85-91] 두개저 굴곡은 인두 용적과 상관관계를 가진다. 감소된 두개저 각도는 경추와 인두 후벽의 위치가 좀 더 전방으로 이동하면서 전후방 기도 용적이 감소하였다.[92,93] Neelapu 등은 메타 분석에서 OSA 환자의 SNBa 각도가 정상 대조군보다 1.45도 작았다고 보고했다.[84] 이 메타 분석의 한 가지 한계는 연령과 성별이 일치하는 대조군이 제한적이어서(OSA 환자의 연구개 길이와 면적을 평가한 20개의 연구 중 12개는 없음), 비교를 위해 대조군을 더 잘 일치시키는 향후 연구의 중요성을 강조했다.

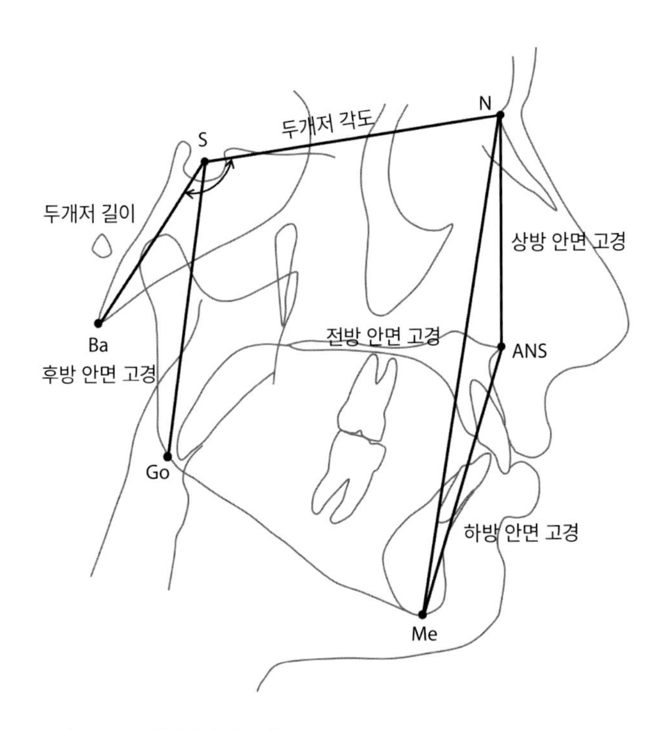

■ 그림 10.4 **두개저와 안면 고경**

두개저 길이: N (Nasion)에서 S (Sella), 두개저 각도: N (Nasion) – S (Sella) – Ba (Basion), 상안면 고경: N (Nasion)에서 ANS(전비극), 하안면 고경: ANS(전비극)에서 Me (Menton), 전안면 고경: N (Nasion)에서 Me (Menton), 후안면 고경: S (Sella)에서 Go (Gonion)

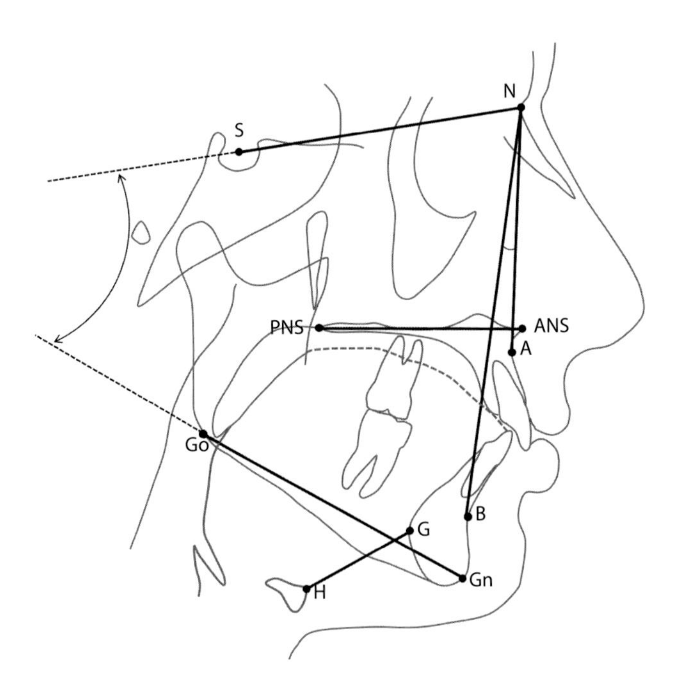

■ 그림 10.5 **두부계측 랜드마크와 측정**

S (Sella), N (Nasion), A (A point), B (B point), SNA, SNB, ANB, PNS(후비극), SN–GoGn (Gonion에서 Gnathion), G (이결절), H (설골)

10.2.1.2. 안면 고경

Neelapu 등[84]에 의한 메타 분석의 또 다른 주요 발견은 대조군에 비해 OSA 환자에서 낮은 전방 안면 고경의 증가로[73,74,76,78,80,84,94,95], 정상군보다 2.48 mm 더 긴 것으로 밝혀졌다(전체 효과에 대한 z–test, $p = 0.004$).

10.2.1.3 상악과 하악

OSA 환자의 하악은 정상군에 비해 후퇴된 위치를 보인다.[71,72,75,76–79,81,83,85,89,91,94–101] OSA 환자의 SNB 각도는 정상군보다 1.49도 작은 것으로 관찰되었다(전체 효과에 대한 z–test, $p < 0.00001$).[84] OSA 환자의 하악 크기는 대조군보다 유의하게 작았다.[71–73,76–79,94,97,99,100,102,103] Go–Me는 대조군에 비해 OSA 환자에서 5.66 mm 유의하게 짧았고($p < 0.00001$), Go–Gn은 대조군에 비해 OSA 환자에서 2.08 mm 더 짧았지만 이 결과는 전체 효과에 대해 유의하지 않았고($p = 0.12$) 상당한 이질성이 발견되었다($p < 0.00001$).[84] 상악 위치를 평가할 수 있는 SNA의 경우 OSA 환자군에서 대조군과 비교하여 유의한 차이가 없었으나[71,72,75–79,81,83,85,89,91,94–100], ANS와 PNS의 거리에서 평가한 상악 길이는 정상군에 비해 OSA 환자에서 작았다.[71,72,77–79,81–83,96,99] 상악 길이는 대조군에 비해 OSA 환자에서 1.76 mm 유의하게 짧았다($p = 0.006$).[84]

10.2.1.4 인두 기도 공간

여러 연구에서 OSA 환자의 인두 기도가 대조군에 비해 감소했다고 보고한다[76,81,83,85,91,96,99]; 그러나 이런 발표는 호흡의 동적 동작을 나타낼 수 없는 두부계측에 의존하기 때문에 신중하게 고려되어야 한다.

10.2.1.5 연구개와 혀

연구개의 길이, 두께, 면적은 OSA 환자에서 증가하는 것으로 나타났다.[71,74,76,78,79,81–83,89,91,94,96,97,100,102,103] 두부계측에서 혀의 길이와 면적이 증가한다는 연구는 많이 있지만[71,72,76,79,81,85,91,96,97,99], 이러한 결과는 영상 획득 동안 혀의 위치와 호흡 단계가 다르기 때문에 주의깊게 해석되어야 한다.

10.2.1.6 설골의 위치

두부계측에서 설골의 위치는 논란의 여지가 있다.[69,104] 2005년 Malkoc 등은 설골과 혀의 위치가 자연스러운–두부–자세 두부 조영술에서 실제로 매우 재현성이 있다고 발표하였다.[68] 많은 연구에서 OSA 환자의 설골이 하방에 위치한다고 하였다.[76,79,83,87,91,94,97,100,102,103,105–109] 설골이 하방으로 위치할수록 혀와 설골을 연결하는 근육이 설골을 후방으로 당기기 때문에 혀의 후방 위치와 낮은 설골 위치도 연관성을 가지게 된다.

성인 OSA 환자에서 이런 모든 두개안면 특성은 신중하게 고려되어야 한다. 비록 약한 상관관계가 있기는 하지만 두개안면 형태와 기도 용적 사이에는 일관된 합의가 없다.[58] 더욱이, 성인 OSA를 유발하거나 이의 선행 위험을 유발하는 특정 두개안면 특성 사이의 직접적인 인과 관계를 설명할 수 있는 증거가 부족하다는 점도 주목할 만하다.

10.2.2 소아 OSA 환자의 두부계측 특징

구호흡 환자는 더 높은 구치부 반대교합, 전방 개방 교합, II급 부정교합을 보이는 것으로 오랫동안 알려져 왔다. 그러나 비염과 아데노이드 및 편도 비대가 II급 부정교합, 전방 개방 교합, 구치부 반대교합 발생의 위험 인자로 결정된 것은 아니다. 중요한 것은 많은 연구에서 특정 두개안면 특성이 소아 OSA 환자와 관련이 있음을 시사한다는 것이다.[47,55,110-120] 한 연구에 의하면, 구치부 반대교합과 볼록한 측면 안모를 가진 어린이에서 수면 호흡 장애의 가능성이 더 높았다.[121]

2010년 Kim 등[47]은 정상 두개안면 성장을 보이는 어린이와 하악 후퇴증이 있는 건강한 어린이의 3차원 인두 기도 용적을 비교했다. 총 기도 용적은 정상 전후방 골격 관계를 가진 대조군에 비해 하악 후퇴증 환자에서 유의하게 더 작은 것으로 관찰되었다. Alves 등[120]은 CBCT를 이용하여 전후방 골격 양상이 다른 50명의 어린이를 대상으로 인두 기도 용적을 평가했다. 그들은 인두 기도 공간이 하악 후퇴군에 비해 정상 골격군에서 여러 측정치가 유의하게 더 크다는 것을 발견했으며, 이는 이 기도 공간이 다양한 전후 골격 양상에 의해 영향을 받는다는 것을 의미한다. Deng 등[122]은 OSA가 있는 어린이에서 SNB 각도가 증가하고 하악이 후퇴하며 턱이 작다고 발표했다.

하악 후퇴가 있는 OSA 어린이가 ANB 각도 증가와 연관성을 가지는 것으로 확인된 연구는 거의 없지만[92,112,123-127], 청소년 OSA 환자의 설골이 성인 환자보다 하방에 위치함을 시사하는 여러 보고가 있다.[80,95,124,128,129] 또한, OSA의 어린이는 상기도의 전후방 너비가 감소한다고도 보고되었다.[126,127,130]

이와는 반대되는 증거를 고려하는 것이 중요하다. 일부 연구자들은 두개안면 형태와 소아 OSA가 관련이 없다고 주장한다.[54,131,132] 예를 들어, Oh 등은 I급, II급, III급 부정교합 사이의 기도 용적의 통계적으로 유의한 차이가 없다고 하였다.[133] 인두 기도의 전후방 크기는 ANB 각도의 변화에 영향을 받지 않는 것으로 나타났다. 또한, 다른 골격 양상에서 기도 크기 비교에 유의한 차이도 나타나지 않았다.[115] 연관성을 암시하는 데이터에도 불구하고, 현재 다양한 시상 골격 양상에서 서로 다른 상기도 용적을 명확하게 연결하는 증거가 충분하지 않다.[48,134]

Memon 등[54]은 코막힘 증상이 없는 건강한 청소년 360명을 평가했다. 그들은 시상 부정교합의 유형이 상인두 너비와 연관성을 갖지 않는다고 보고했다. 그러나 과발산 피험자는 다른 두 수직 양상과 비교할 때 상인두 너비가 통계적으로 유의하게 더 좁았다.

과발산과 저발산 환자 사이에서 기도 용적에 유의미한 차이가 존재하는지는 여전히 불분명하다. 더욱이, 단순히 기도가 작다고 해서 반드시 수면 호흡 장애의 위험이 증가하는 것은 아니다.

Katyal 등은 두개안면 부조화와 소아의 수면 호흡 장애 사이의 연관성이 그들의 데이터에 의해 통계적으로 지지된다고 제안한다.[135] 그들은 OSA의 어린이가 SNB 각도 감소에 의한 ANB 각도의 증가(2도 초과)가 관찰되었다고 보고했다. 그러나 이 결과의 임상적 의미는 미미한 것으로 여겨졌다. OSA 아동에서 PNS와 인접 아데노이드 조직까지의 거리가 감소한 것으로 나타났다. OSA 아동에서 상기도 시상 너비가 감소한 것을 의미하지만, 저자들은 소아 OSA 사이의 직접적인 인과 관계를 확인할 수 없었다. 현재로서는 하악 후퇴와 과발산 골격 양상을 보이는 II급 부정교합에서 수면 호흡 장애를 유발하거나 그 위험성이 증가한다는 확실한 과학적 증거가 없다.

10.3 두개안면 특징과 OSA의 관계

특정 교정 치료법을 통해 OSA 개선을 지지하는 주장이 있지만, 특정 교정법이 OSA 증상을 악화시키거나 심지어 이를 유발한다는 반대 주장도 있다.

10.3.1 상악 확장

급속 상악 확장(RME)은 1860년대 Angell[136]에 의해 처음 소개되었으며, 그 후 1965년 Haas[137]에 의해 재도입되었다. 이 방법은 구치부 반대교합, 상악 수축을 개선하고 추가적인 악궁 길이를 획득하기 위해 사용되었다(◘ 그림 10.6–7).[138-140]

상악 확장의 유형은 비율에 따라 구별되며, "완속", "급속"이 특징이다. 완속 확장은 주당 0.25–0.5 mm로 간주되는 반면 급속 확장은 하루에 0.5 mm 초과로 간주된다[141,142]; 가장 일반적인 확장 프로토콜은 급속이다.[143] 교정과의들은 확장 속도, 환자 연령, 수직 골격 양상의 부정교합, 자기 자신의 임상 경험을 기반으로 확장 장치를 선택한다. 일부 확장 장치는 중앙에 확장 나사가 있는데, 고정원, 본딩형(구치부 교합면을 덮는 아크릴), 밴드형(구치부에 접착한 밴드)의 유형에 따라 조정되고, Hass 확장기(구치부에 접착된 밴드로 구개 조직을 덮는 아크릴) 또는 치아-고정원 확장기나 고정원으로 미니스크류 임플란트를 사용하는 골 고정 확장기가 있다(◘ 그림 10.8).

상악 확장의 주요 목적은 상악을 상당히 넓히기 위해 중구개 봉합부를 기계적으로 여는 것이다. 따라서, 이 방법은 봉합이 완전히 융합되지 않는 청소년에게 주로 사용된다. 성인의 경우 수술적 보조 확장이 권장된다.[144,145]

10.3.1.1 비상악 복합체에 대한 급속 상악 확장(RME)의 효과

RME는 전체 비상악 복합체에 지대한 영향을 미친다.[137,139] RME는 상악 중구개 봉합부[146-152]와 상악 너비[146,147,151,152]를 증가시키는 것으로 보고되었다.

Starnbach 등[153]은 1966년에 RME가 관골주변 및 상악주변 봉합부도 분리시킨다는 것을 입증했다. 이 기술은 전두비 봉합, 상악간 봉합, 관골상악 봉합, 중구개 봉합부의 상당한 골 변위를 초래한다(◘ 그림 10.9).[154]

2006년 Lagravère 등[155]은 메타 분석을 통해 RME 이후의 급격한 변화를 보고했다. 평균 확장 거리는 상악 제1대구치 치관부에서 6.7 mm, 치근단부에서 4.5 mm였다. 횡단 골격 변화에서, 비강 너비가 2.14 mm 증가하였다. Cameron 등[156]은 연구를 통해 포괄적 교정 치료가 뒤따르는 RME의 장기적 효과를 평가했다. 저자들은 RME의 횡단 개선 효과가 평균 20세 6개월의 연령에서 교정된 상태로 유지되었다고 보고했다. 사춘기와 이후 급성장기 환자에 비해 사춘기 이전 급성장기에서 횡단 크기의 장기적 안정성이 향상되었다고 보고되었다.[157]

10.3.1.2 비강 기도에서 RME의 효과

비판막 영역은 가장 큰 비강 기도 저항을 제공한다.[158-160] RME는 중구개 봉합부를 열어 상악을 분리하는데, 이는 전체 비강 기도 통로 구조에 영향을 미치고 비강 용적을 효과적으로 증가시킨다.[140,161-168]

Thorne 등[169]은 1960년 RME 치료 후 비강 너비가 0.4–5.7 mm 증가했다고 발표했다. 2000년, Cross와 McDonald는 연령과 성별이 일치하는 치료받지 않은 대조군(n = 25)과 비교하여 상악골 협착 환자(n = 25; 각 그룹에서 여성 20, 남성 5) RME 치료 후 비강 너비를 결정하기 위해 정면 두부계측 영상을 평가했다. 대조

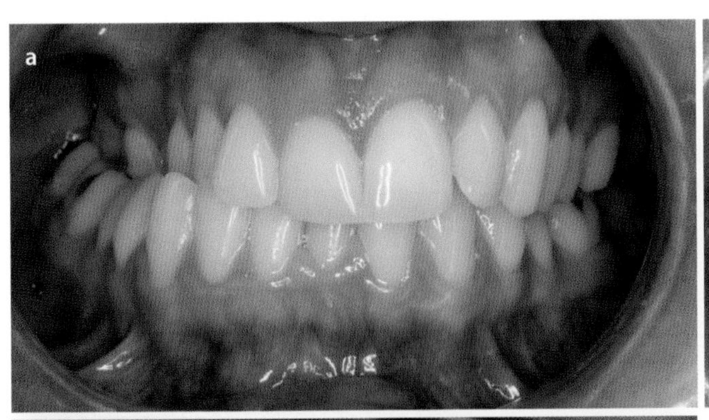

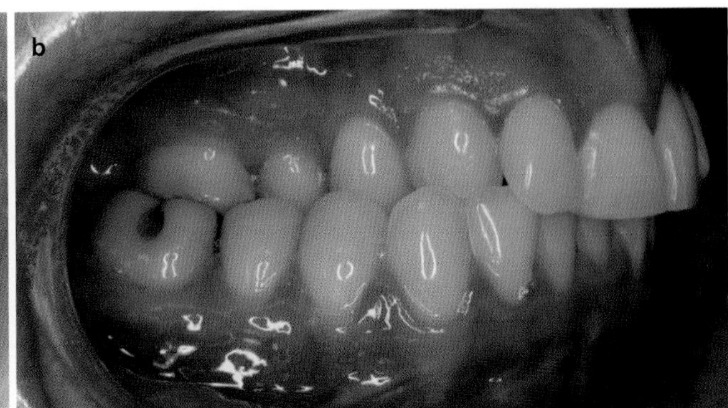

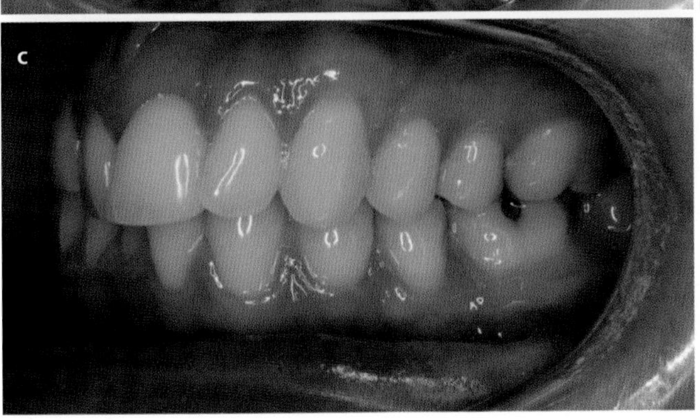

◘ 그림 10.6 구치부 반대교합. **a** 정면. 오른쪽 구치부 반대교합과 환자의 오른쪽으로 치우친 하악 정중선이 보인다. **b** 우측 협측 모습. 상악 우측 견치에서 제2대구치까지 구치부 반대교합이 보인다. **c** 좌측 교합. 구치부 반대교합이 없다.

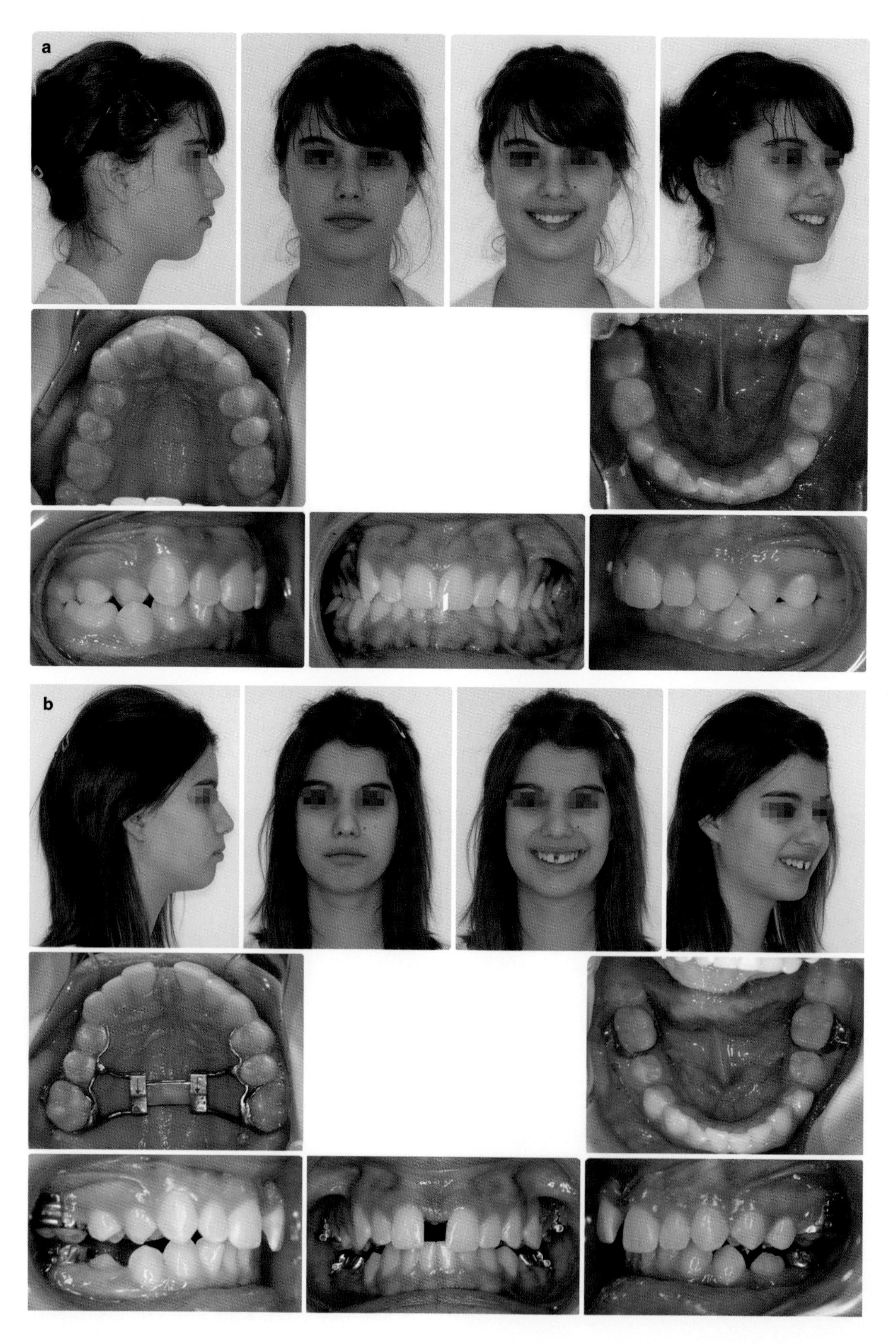

■ 그림 10.7 **a** 초진 기록, **b** RME 적용 후, **c** 최종 기록

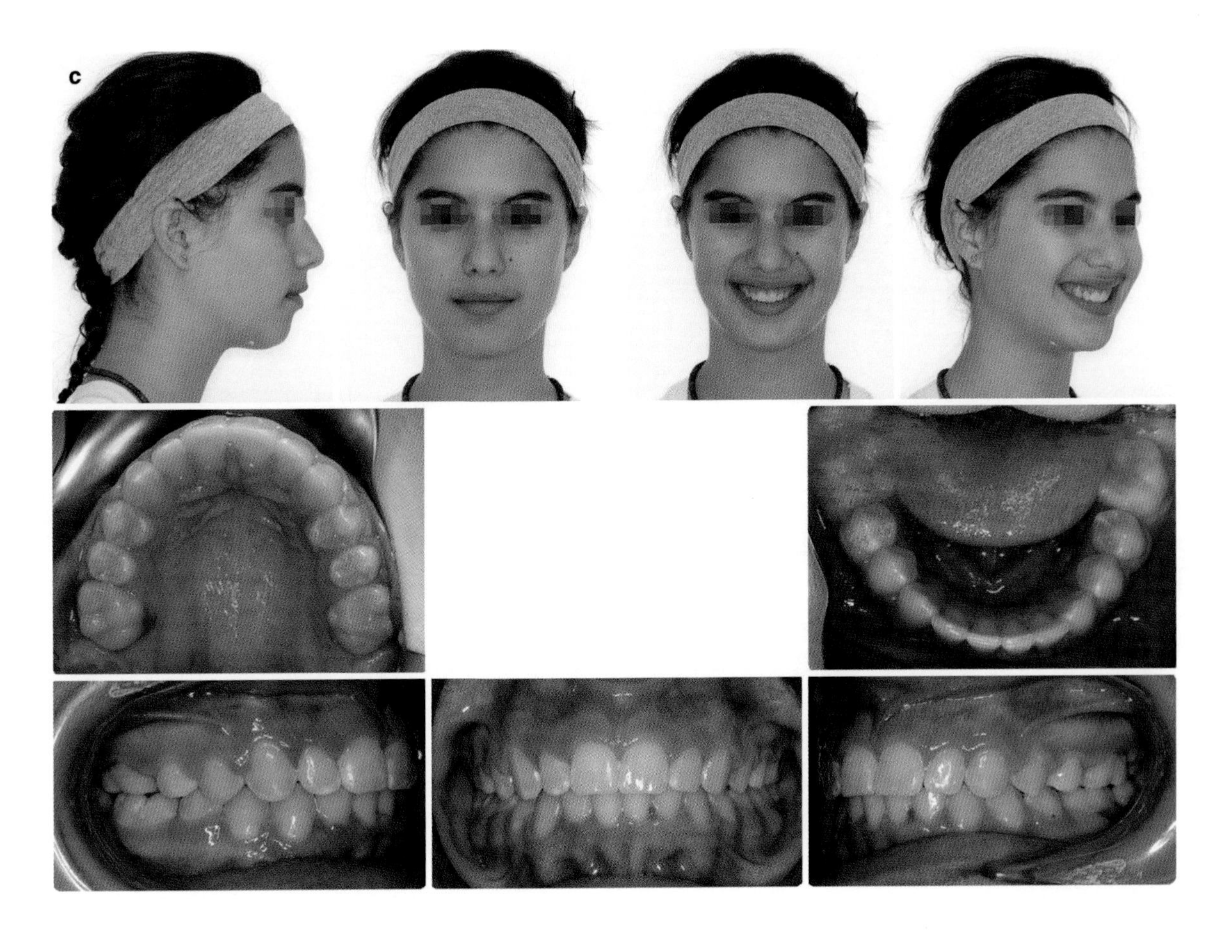

■ 그림 10.7(계속)

군에 비해, 최대 비강 너비가 평균 1.06 ± 1.13 mm ($p < 0.001$) 증가하였다고 보고되었다.[170]

Li 등[171]은 CBCT로 측정된 비인두 용적이 RME 치료 후 29.9% 증가했다고 발표했다.[172] 한 전향적 연구에 의하면, 비인두 공간이 평균 2.8–3.7 mm 확장 후 12–15.2% 증가했다. Cameron 등[156]은 5년 추적 연구를 수행하였는데, RME 환자는 4.16 mm, 대조군은 1.52 mm의 비강 너비 증가를 유지했다고 하였다.

몇몇 연구는 RME 후 비인두와 구인두의 용적이 유의한 변화를 지속하지 않았다고 보고했다.[173–176] El과 Palomo[177]는 비강 기도 용적이 RME 이후 유의하게 증가했음을 발견했다; 그러나 구인두 기도 용적에 유의한 변화를 관찰되지 않았다. Smith 등[178]은 RME로 비강 용적과 비인두 용적이 증가했다; 하지만, 구인두와 하인두 기도에는 변화가 없음을 보여주었다. Chang 등[179]도 RME 후 구개후 기도의 증가를 보여주었지만, 전체 기도 용적에 차이는 없다고 하였다.

Zhao 등은 RME 치료 15개월 후 CBCT를 분석한 결과 비인두와 구인두 용적에 유의한 차이가 없다고 보고했다.[180] Zeng과 Gao[174]는 RME 치료를 받은 16명의 어린이를 대상으로 CBCT를 이용하여 전향적 연구를 수행했다. 비강 너비가 유의하게 증가된 것으로 보고되었지만, RME 치료 후 관찰된 비인두와 구인두 기도 용적에는 변화가 없었다. Ribeiro 등[173]은 비강과 구인구 용적이 증가하였지만, 비인두 용적에는 차이가 없었다고 발표하였다. 그러나 그들은 영상 획득 시 혀 자세, 두부 위치, 호흡과 연하의 움직임에 일관성이 결여된 결과로 구인두 용적이 증가한 것인지에 대한 의문의 제기했다. 이러한 모든 인용된 연구(2000년, Usumez 등[175]에 의한 연구 제외)가 2010년 이후 10년 동안 수행되었다는 점은 주목할 만하다.

2017년 Di Carlo 등이 시행한 체계적 고찰에서[181] 그들은 연구 전반에 걸친 CBCT 프로토콜, 특히 두부 자세, 혀 위치, 호흡과 연하 동작, 영상 분할 프로토콜의 비일관성 때문에 RME 결과에 주의를 기울였다.

그림 10.8 다양한 확장 장치. **a** 4밴드 확장기, **b** 2밴드 확장기, **c** 접착형 확장기, **d** Haas 확장기, **e** 미니스크류-지지 확장기, **f** 미니스크류-지지 확장기 적용 전과 후

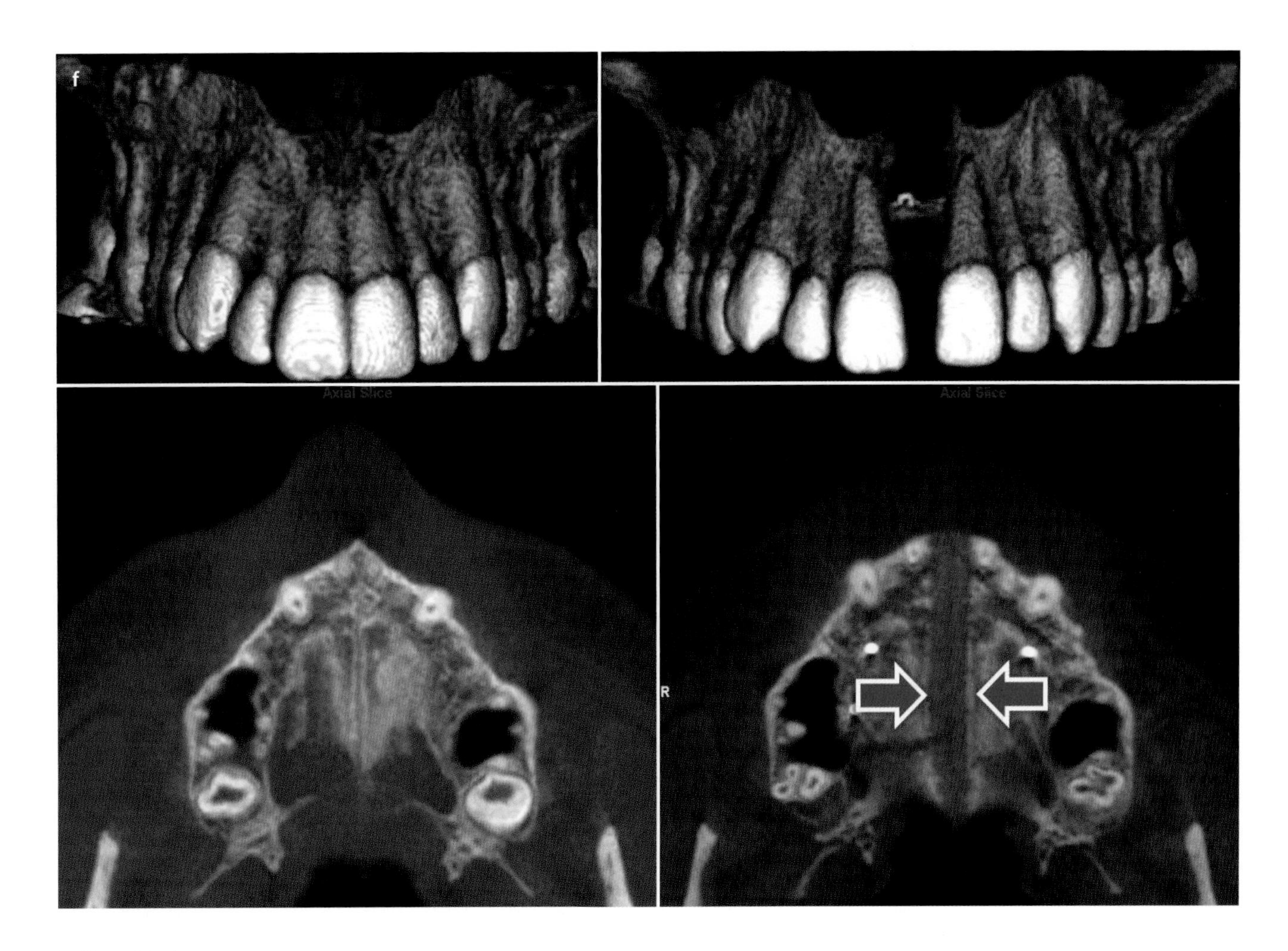

■ 그림 10.8(계속)

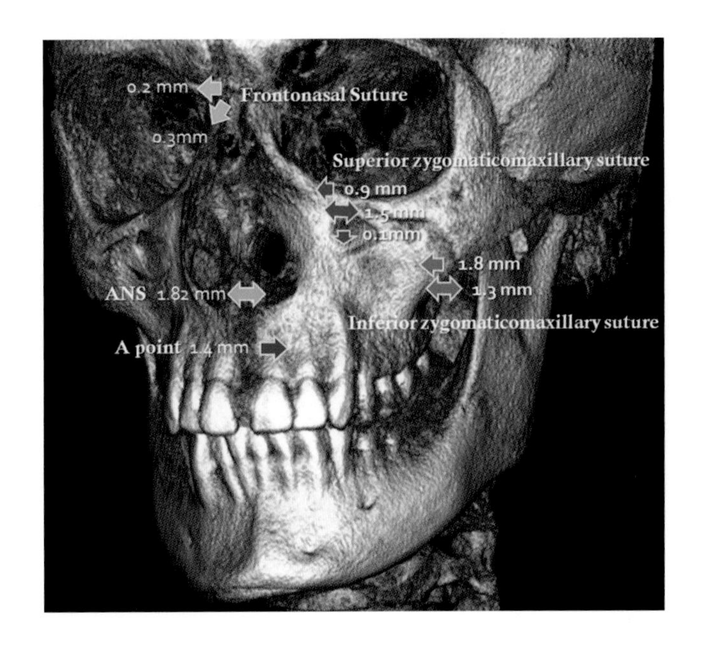

■ 그림 10.9 **RME 치료 후 봉합부 변화**

Frontonasal suture(전두비 봉합), Superior zygomaticomaxillary suture(상부 관골상악 봉합), Inferior zygomaticomaxillary suture(하부 관골상악 봉합)

10.3.1.3 비호흡에서 RME의 효과

여러 연구에서 구호흡, 천식, 감기/호흡기 감염, 비강 알레르기, 중이염, 야뇨증과 같은 호흡기 질환에 대해 RME 치료 후 긍정적인 결과가 보고되었다.[158,182-190] Stockfisch는 6-13세 아동 150 증례에 대해 RME 후 5-15년의 추적 관찰을 통한 장기 연구를 수행했으며, 비강 알레르기와 천식 개선을 포함하여 일반적인 비강 기도 개선이 보고되었다.[191]

몇몇 연구에서는 RME가 비강 저항을 감소시킨다고 보고한다.[167,182,192] Enoki 등[193]은 판막과 하비갑개 높이에서 최소 단면적에 차이가 없음을 보여주었다; 그러나 RME 후 비강 저항에 유의한 감소가 관찰되었다. Timms의 1987년 RME 연구[182]에서 비강 저항이 평균 37% 감소했다. Monini 등은 2009년에 상악 수축, 코골이, 비폐색이 있는 환자를 대상으로 RME를 연구하였는데, 비호흡의 전반적인 개선을 보고했다.[190]

반대로, Giuca 등[194]은 2009년 RME 후 비강 기도 저항에서 유의한 차이를 찾지 못했다고 보고했다. 2010년 Matsumoto 등[195]은 비강 저항의 급격한 감소를 보고했다; 그러나 비강 저항은 RME 30개월 후에 초기 기준선으로 증가했다. Timms[196]는 비강 저항이 36.2% 감소했다고 보고했지만, 저항 감소와 팽창량 사이의 상관관계는 약했다. 변화를 보이지 않는 환자는 비강 기도 저항이 정상에 가까웠다.

RME 이점의 지속 기간을 결정하기 위해 여러 연구가 수행되었다.[165, 167, 192, 197] Oliveira 등[192]은 환자의 61.3%가 확장기를 제거한 후 9–12개월 후에 비호흡이 주관적으로 개선되었다고 보고했다. 사실, 대부분의 연구는 개선이 12개월까지 안정적으로 유지되었음을 입증했다.[165, 167, 197] Baratieri 등에 의한 2011년 체계적 고찰에서, 성장하는 어린이의 비호흡 조건이 개선되고 RME 제거 후 최소 11개월 동안 안정성을 기대할 수 있다는 중간 정도의 증거가 있다고 하였다.[198]

그러나 Langer 등[199]은 구치부 반대교합이 있는 25명의 소아에서 RME를 연구하고, 비압측정기를 이용하여 RME 후 30개월 동안 비강 기도 저항을 평가하였다. 그들은 RME가 비인두 부위나 비강 기도 저항에 장기적인 영향을 미치지 않는다고 결론지었다. 이 시점에서 Baratieri 등은 RME는 개인의 반응이 다양하기 때문에 비호흡을 개선하는 것이 주요 목적인 경우에는 단독으로 권장되지 않는다고 경고했다.[198]

포괄적 검진을 통해 비호흡 문제가 확인되면 RME를 치료 방법 중 하나로 고려할 수 있다. 그러나 장기간의 이점에 대한 확실한 증거가 없으면, 교정과의는 특히 상악 위축 및/또는 구치부 반대교합이 없는 환자에서는 RME 사용을 조심해야 한다.

10.3.1.4 OSA와 RME

여러 연구에서 RME가 청소년 OSA 환자의 수면 다원 검사 무호흡 저호흡 지수(AHI)를 감소시키는 것으로 나타났다.[185, 186, 188, 200–204] 2005년, Pirelli 등은 RME 치료를 받은 아데노편도 비대가 없는 42명의 아동을 연구했는데, AHI가 12.17 ± 2.5에서 0.5 ± 1.2로 감소했다.[200]

Miano 등은 OSA가 있는 아동의 RME에 따른 수면 구조를 연구했다. RME는 수면 구조를 거의 완전히 정상화하고 수면 호흡 장애를 개선하는 것으로 나타났다. 그러나 호흡 매개변수와 수면 미세구조는 완전히 회복되지 않았다. 이 환자에서 초기 AHI는 17.4 ± 21.0였고, RME 후 5.4 ± 6.25로 변화하였다. 그럼에도 불구하고, 평균 야간 산소 포화도/불포화도에서는 유의한 차이가 감지되지 않았다.[201]

한 메타 분석은 RME 후 평균 AHI가 3.24 감소한다고 결론지었다.[205] 2016년 Machado-Junior 등[206]은 포함 기준에 부합하는 RME와 OSA에 관한 10편의 논문을 메타 분석하였다. 이 모든 논문의 총 표본 크기는 아동 215명이었다(평균 6.7세; 남아 58.6%). RME 후 추적 관찰 동안 평균 AHI는 –6.86이었다.

RME가 OSA 증상에 긍정적인 영향을 미치는 방법은 명확하게 이해되지 않는다. 비강 크기 증가와 비강 저항의 감소와 함께 혀 자세도 올라가고 상악 너비가 증가한다.[186,203,207–209] 그러나 측면 두부조영술이나 CBCT를 사용한 이런 연구 중 다수는 영상 획득 중 혀 자세, 호흡, 연하를 제어하지 못했다; 따라서 개선 기전이 불분명하다.

Huynh 등은 메타 분석에서[210] RME 후 감소된 AHI를 보여주는 많은 연구가 있지만 이런 연구의 상당한 이질성은 다양한 중재 또는 환자 모집단의 직접적 비교 가능성을 배제한다고 결론지었다. 또한, 대부분의 연구 표본은 무작위 배정되지 않았으며 대조군이 없었다. 잘 조절된 무작위 통제 시험이 더 필요하다.

장기적 효과 측면에서, Villa 등[202]은 RME 이후 AHI가 감소한다고 보고했다. 치료 종료 24개월 후 AHI의 유의한 변화는 관찰되지 않았다. Pirelli 등은 12년의 추적 관찰 후 장기적인 효능을 연구했다. 23명의 환자 모두는 수면 다원 검사에 의해 확인된 것처럼 여전히 정상이었다.[211] 그러나 조기 치료(사춘기 전) 그룹에서 상악 너비 변화의 장기적인 효과는 약 3.0 mm 정도 크게 증가했지만 후기 치료(사춘기 및 그 이후) 그룹에서는 그렇지 않았다.[157]

어린 환자에게 큰 힘을 가하면 콧대 혹이나 부비동 부종이 발생할 수 있다.[212] 현재, 특히 사춘기 전 환자의 경우 OSA 증상을 개선하기 위한 이상적인 확장 속도뿐만 아니라 최적의 확장량에 대한 특정 지침이 없다.

RME의 부작용으로는 치조골 소실, 열개, 천공, 고정원 치아의 치근 흡수 등이 있다.[213–215] 성인 환자에서 RME 시도는 중구개 봉합부를 열 수 없어 해로운 치주 후유증을 유발할 수 있으므로 소용없다. 그러므로, 성인 환자에서는 수술 보조 상악 확장(SARME)이 필요하다(그림 10.10).[216,217]

SARME 후, 비호흡에서 뚜렷한 주관적인 개선이 보고되었으며 정상 값을 향한 비강 판막의 확대와 비강 부피의 증가와 관련되었다.[218] 최근, RME의 부작용을 최소화하기 위해 임시 골격 고정원 장치가 확장 장치에 통합되었다.[213,219–222]

2017년, Bazargani 등은 무작위 대조 시험에서 하이브리드(치아-골 지지) 및 기존(치아 지지) RME를 비교했다. 하이브리드 RME 기술은 기존법에 비해 훨씬 더 큰 비강 기도 흐름과 더 낮은 비강 저항을 보여주었다.[223] 또 다른 연구에서도 골-지지 장치가 성인 환자의 OSA 증상을 줄이는 데 도움이 된다고 제안하였다.[220] 그러나 Algharbi 등의 체계적 고찰에서[224], 청소년기 환자에서 치아-지지 및 골-지지 RME에서 차이가 없기 때문에 치아-지지 장치를 사용해야 한다고 제안하였다.

10.3.1.5 수면 호흡 장애에서 RME 역할의 결론

Langer와 동료들은 반대 교합 수정을 위한 교정 치료를 목적으로 RME를 사용할 것을 권장했지만, 비강 기능에 대한 RME의 이점을 일반화해서는 안된다고 경고했다.[199] 2009년 Haralambidis 등은 3D CT를 사용하여 RME 후 비강 형태를 평가했다. 그들은 RME가 상악 횡단 결핍이 없는 한 비강 용적과 비호흡 증가만을 목적으로 사용되어서는 안된다고 결론지었다.[176]

그러나 RME가 비강 기도 부피를 증가시키고 비강 기도 저항을 감소시키는 것은 확실한 것 같다. 그럼에도 불구하고 환자에게 RME의 부작용에 대해 설명해야 하고, OSA 문제가 RME 이전에 비강 수축으로 인해 발생했는지 확인하기 위해 문진해야 한다. 기도 저항이 정상인 환자에게 RME를 적용할 때, 긍정적인 영향을 미칠지 여부는 불확실하다. 또한, 대부분 증례에서, RME가 완료된 후 추가적인 교정 치료가 필요하다는 점에 유의해야 한다. 특히 이는 상악 횡단 결손이 없는 환자에게 해당된다.

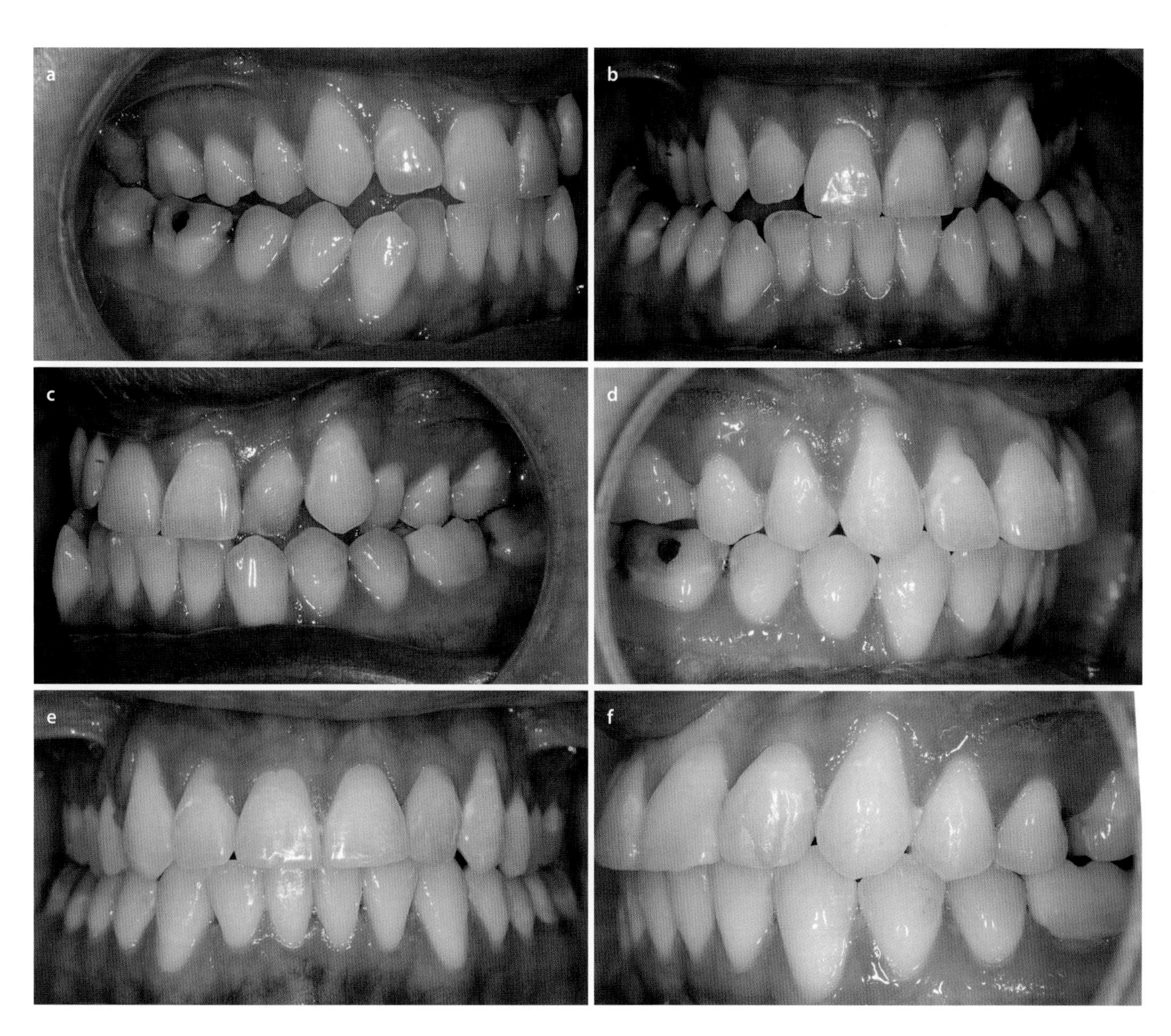

그림 10.10 성인 환자에서 RME로 인한 치은 퇴축. **a–c** 양측성 구치부 반대 교합, **d–f** 치료 후 모습. 상악 견치와 제1소구치에서 치은 퇴축이 보인다.

SARME에서, 치료 후 부작용에 대해 알고 있어야 한다. 대부분의 환자가 SARME 후 교정 치료를 필요로 하기 때문에 SARME는 단일, 독립적, 일방적 치료 방식 대신 포괄적인 치료 계획의 한 구성 요소여야 한다. 다시 말하지만, 확장의 부작용을 최소화하고 환자의 호흡 개선을 최대화하고 RME 치료의 최적 시기를 결정하기 위해 확장이 얼마나 필요한지 결정하기 위해서는 무작위 대조 시험과 기타 방법론적으로 엄격한 연구가 필요하다. 상악 수축이나 구치부 반대 교합이 없는 환자에게 RME를 진행하는 것은 비윤리적이다. RME의 긍정적인 효과를 입증하는 연구가 있지만 현재까지 OSA 환자에서 구치부 반대 교합 및/또는 상악 수축이 더 만연하다는 증거는 없으며, 그 반대의 경우도 마찬가지이다.

10.3.2 교정 발치와 OSA의 위험

영구치 발거는 다양한 치열 교정의 이유로 수행되며, 그 중 가장 흔한 것은 밀집(치아 크기-악궁 길이 부조화)을 완화하기 위한 것이다. 상악과 하악 전치는 소구치 발치 공간을 이용하여 기울어진 전치부를 감소시키기 위해 후방 견인될 수 있다. 상악이나 하악 소구치 발치 공간은 II급이나 III급 부정교합에서 절충 치료로 정상적인 수평 피개를 달성하는 데 사용될 수 있다. 발치 후 전치부를 후방 견인하면 혀의 위치가 변경되어 보다 후방으로 위치할 수 있다. 이런 위치 변화는 구인두 기도 공간을 감소시키고 OSA 위험을 증가시키는 것으로 보고되었다.[225-228]

발치 후 기도 공간에 변화가 있다면, 어디에 있으며 얼마나 많은 변화가 일어나는 것일까? 이러한 기도 공간의 감소가 어떻게 OSA에 영향을 미치거나 그 위험을 증가시키는 것일까?

2005년, Kikuchi는 II급 부정교합을 가진 소녀에서 교정 발치 후 기도 용적 감소 증례를 보고했다.[225] 매우 근접한 나이의 두 자매(언니: 12세 11개월, 동생: 11세 9개월)가 상악 돌출을 우려하여 교정 치료를 요청했다. 언니는 5개 치아를 발거하였고(하나는 선천적 결손이었고 1개는 치근 흡수가 있었다), 동생은 비발치로 Herbst 장치를 이용하여 치료받았다. 두 자매의 초진 두부계측 영상을 중첩했을 때, 차이는 거의 없었다. 치료 후 두 자매는 모두 만족스러운 결과를 얻었다(언니는 3년 11개월, 동생은 3년 2개월 치료). 그러나 치료 후 두부계측 영상 중첩에서, 언니의 영상에서 동생에 비해 인두 용적이 7 mm 적게 나타났는데, 이는 발치 같은 교정 치료가 성장 중인 청소년의 기도 크기에 영향을 미칠 수 있음을 시사한다.

Chen 등[226]은 2012년에 성인 환자에서 교정 발치 후 최대 고정원 사용으로 기도 크기가 감소하였다고 보고했다. 또한 감소된 기도 크기가 하악 절치의 후방 견인량과 상관관계가 있음을 발견했다. Germec-Cakan 등[227]은 측면 두부조영술을 사용하여 발치 후 기도 용적의 변화를 조사하였고, 발치와 최대 고정원으로 치료받은 환자에서 중기도와 하기도 크기가 좁아졌음을 보고하였다. Wang 등[228]은 4개의 소구치를 발거한 44명의 I급 양악 돌출 성인을 연구했는데, 절치의 후방 견인 후 상기도 협착이 관찰되었다.

그러나 교정 발치 후 기도 용적의 변화가 없다는 보고도 있다.[229-231] Maaitah 등[229]은 4개의 제1소구치 발거가 필요한 양악 돌출 환자 40명을 평가했다. 전후의 두부계측 영상을 관찰하여, 혀 길이와 악궁 크기의 유의한 감소에도 상기도 용적은 변화하지 않았고 설골의 위치도 영향받지 않았다고 결론지었다. Valiathan 등[230]은 CBCT를 이용하여 4개의 소구치 발치와 비발치 그룹을 평가했으며, 마찬가지로 전치 후방 견인을 수반한 4개의 소구치 발치가 구인두 기도 용적에 영향을 미치지 않는다는 결론을 내렸다. Stefanovic 등[231]은 4개의 제1소구치 발치 환자 31명과 이에 부합하는 31명의 대조군을 이용하였다. 전후의 CBCT를 평가하였는데, 그룹 간 인두 기도의 차이는 관찰되지 않았다. Pliska 등[232]은 성인 74명의 교정 치료 전과 후의 CBCT를 분석하였다. 발치와 비발치 치료에서 비인두, 구인두의 구개후부 및 설후부에 대한 효과의 차이에 대한 증거는 없었다.

상기도 발달 중 교정 치료 시 치열궁 길이가 감소한다는 것은 과학적으로 입증되지 않았다.[233] 이전의 모든 연구는 두부계측 영상이나 CBCT를 사용하였다. 2D 영상에서 기도의 크기와 모양은 두부 자세와 호흡 단계에 따라 크게 달라질 수 있다는 점에 유의해야 한다.[234,235] 또한, 3D CBCT의 최소 단면적은 기도 분석을 위한 믿을 수 있는 척도로 밝혀지지 않았다.[236]

OSA의 병태생리학적 기전은 가능성있는 많은 요인이 관련되어 복잡하다. 기도 공간 감소와 OSA 위험 증가 사이의 직접적인 인과 관계를 뒷받침하는 증거가 부족하다. 발치의 영향, 기도 공간 감소, OSA와의 연관성을 평가한 이전의 교정 연구는 없다; 그러한 상관관계는 추측으로 남아 있다. 2015년, Hu 등은 체계적 고찰을 통해, 전치부 후방 견인으로 상기도 용적이 감소하고, 감소된 기도 크기가 OSA의 감수성을 증가시키고 수면의 질에 해로운 영향을 미칠 수 있다는 데이터에 의해 지지되는 의미있는 답은 아직 없다고 결론지었다.[237]

성인에서 소구치 발거와 최대 고정원을 이용한 교정 치료 후 3D 모형을 보면, 기도의 형태학적 변화는 크기의 감소 보다는 기도 횡단면에서 압축된 전후방 용적에 의해서 이루어진다.[238] 소구치 발거와 최대 고정원을 이용한 교정 치료 후, 기도 용적, 높이, 단면적은 유의한 변화가 없었다. 기도 횡단면의 형태는 상기도의 중간과 하부에서 교정 치료 후 면적 변화없이 전후방 용적이 압축되었다. 호흡 기능에 대한 형태학적 변화의 영향은 아직 알려지지 않았다. 그러한 효과가 안정적인지 여부는 또다른 중요한 의문이며, Larsen 등[239]이 답하기 시작했다. 그들은 미네소타의 HealthPartners의 5,584명 환자를 표본으로 의무 기록을 얻었다. 대상자의 절반(*n* = 2792)은 각 사분면에 하나의 소구치 결손이 있었고, 나머지 절반은 소구치 결손이 없었다. 실험군과 대조군의 연령, 성별, 체질량 지수(BMI)를 1:1 기준으로 일치시켰다. 치료 종결 시 수면 다원 검사로 OSA 유무를 진단하였다. 그룹 간 OSA 유병률의 유의한 차이는 발견되지 않았다; 따라서, 소구치 4개 결손(과거 "발치 교정 치료"의 추정 지표)은 OSA의 중요한 요인으로 지지되지 않았다.

10.3.3 헤드기어와 OSA의 위험

경부 헤드기어는 II급 부정교합의 어린이에게 널리 사용되는 구강-외 교정 장치이다. 비상악 복합체에 미치는 영향에 관한 가장 일반적인 소견은 상악의 전방 성장을 제한하거나[240-245] 상악의 후방 이동[246-248]에 의해 SNA 값이 감소한다는 것이다 (◘ 그림 10.11).

Godt 등[249]은 경부 헤드기어를 사용하면 수면 중 모든 인두 기도 수준에서 전후방 치수가 감소한다고 보고했다. Hiyama 등[250]은 10명의 건강한 성인을 평가하고 경부 헤드기어가 상기도 시상 용적을 감소시켰다고 보고했다. Kirjavainen과 Kirjavainen[251]은 경부 헤드기어가 어린이의 상기도에 미치는 영향을 연구했고, 치료가 구개후 기도 공간의 증가와 관련된다고 보고했다. Julku 등[252]은 초기 및 후기 치료 그룹으로 무작위 배정한 II급 부정교합 어린이에게 경부 헤드기어로 치료하고 두개안면 구조와 인두 기도 용적의 연관성을 평가했는데, 경부 헤드기어의 초기나 후기 치료가 상기도 용적에 어떠한 악영향을 미치지 않음을 발견했다. Pirila-Parkkinen 등[253]은 30명의 어린이를 헤드기어 치료 그룹(*n* = 10), 연령이 일치하는 대조군(*n* = 10), OSA 진단군(*n* = 10)의 세 그룹으로 나누었다. 헤드기어 그룹은 대조군에 비해 하악의 후방 위치가 약간 더 높았고, 헤드기어 그룹의 어린이는 장치를 사용하는 동안 무호흡/저호흡 기간이 유의하게 많은 것으로 나타났다. 현재, 경부 헤드기어를 사용하면 기도 용적이 변경된다는 명확한 증거가 없으므

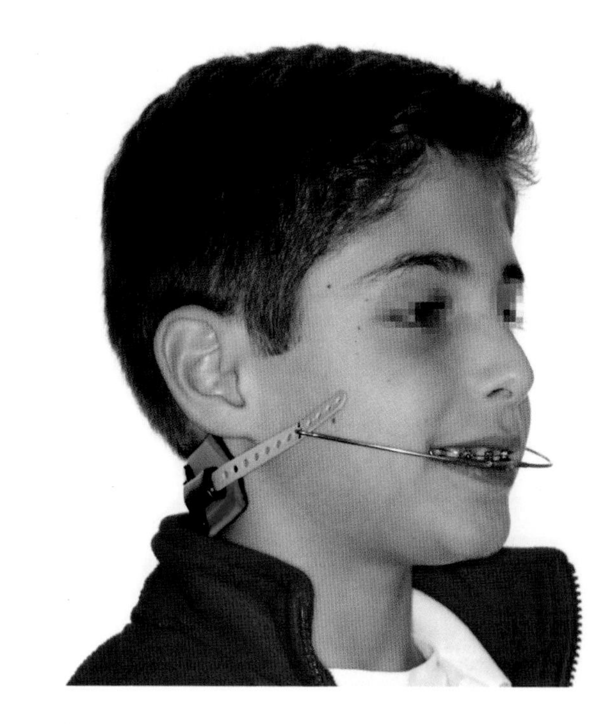

◘ 그림 10.11 **경부 헤드기어**

로 OSA가 아닌 아동을 위한 경추 헤드기어는 이와 관련하여 안전할 수 있다. 그러나 OSA가 있거나 그 위험이 높은 것으로 생각되는 소아에게 경부 헤드기어를 사용하는 경우 추가적인 주의가 필요하다.

10.3.4 OSA를 위한 전방 견인 헤드기어

전방 견인 헤드기어는 상악 결핍이 있는 III급 부정교합에 사용된다. 성장하는 어린이에서 볼 수 있는 치료 효과로 상악 골격 전방 견인, 상악 치열의 전방 이동, 구개 평면의 반시계 방향 회전, 상악 절치의 순측 경사 이동, 전안면 고경 증가, 하악의 시계 방향 회전, 그리고 하악 절치의 설측 경사 이동이 있다(◘ 그림 10.12).[254-256]

중안면 견인성 골형성은 다양한 두개안면 기형과 관련된 중안면 형성부전으로 인한 상기도 폐쇄를 완화하는 데 사용되었다.[257-259]

Nguyen 등은 골-고정 상악 전방 견인으로 치료받은 III급 환자들과 치료받지 않은 III급 대조군의 기도 용적과 최소 단면적 변화를 비교했다.[256] 골-고정 상악 전방 견인으로 치료받은 환자에서 기도 용적과 구인두 용적이 증가했다고 보고되었다.

Sayinsu 등은 RME와 전방 견인 헤드기어를 착용한 19명의 III

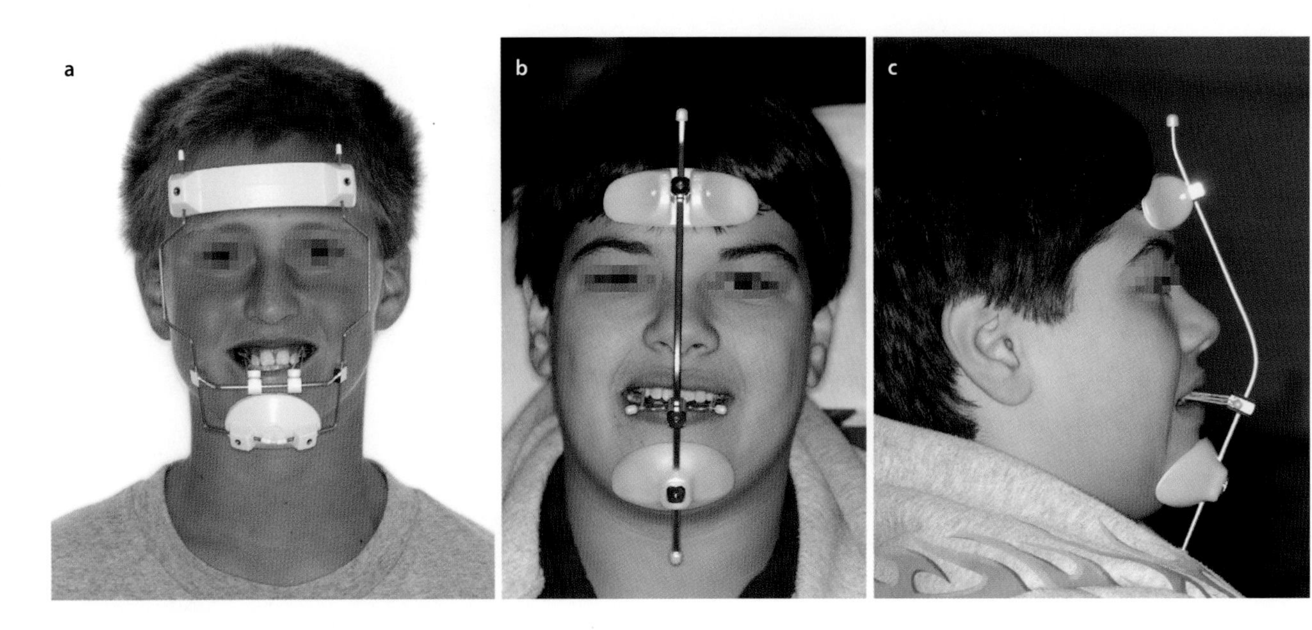

그림 10.12 **전방 견인 헤드기어**

급 환자를 평가했는데, 비인두 기도 용적이 증가했다.[260] 여러 연구들도 유사한 결과를 보고한다.[261-263] 반대로, Baccetti 등은 전방 견인 헤드기어에 의해 시상 구인두와 비인두 기도 용적에 유의한 변화가 없다고 발표했다.[264]

Pamporakis 등[265]은 RME 후 전방 견인 헤드기어로 치료한 22명의 환자를 CBCT 등으로 평가했다. 그들은 RME/FM (face mask) 치료가 인두 기도 용적을 전혀 변화시키지는 않았지만, 정상인으로 구성된 대조군과 비교할 때 인두 용적의 정상적인 예상 증가를 억제한다고 결론지었다. Mucedero 등[266]은 III급 부정교합에 대한 긍정적인 악정형적 효과가 있더라도 전방 견인 헤드기어가 기도의 용적을 크게 증가시키지 않는다고 보고했다. 현재로서는 전방 견인 헤드기어가 기도 용적에 눈에 띄는 영향을 미치는지에 대해 확실한 결론을 내리기 어렵다. 몇몇 연구에서 기도 용적이 증가했음을 실제로 입증했지만 이러한 변화가 OSA의 개선으로 이어지는지는 여전히 불분명하다.

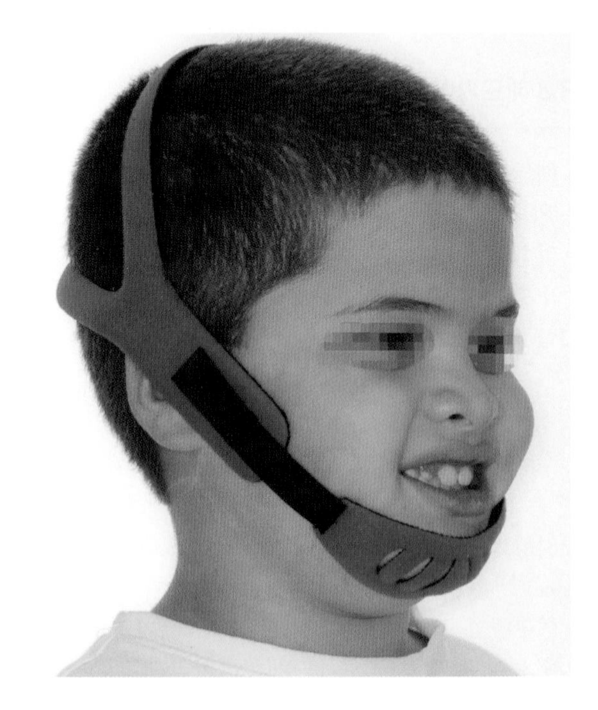

그림 10.13 **이모장치(Chin Cup)**

10.3.5 이모장치(Chin Cup)와 OSA

Chin cup은 하악 전돌이 있는 III급 부정교합 환자에서 하악 성장을 조절하기 위해 사용된다. 이 치료의 골격 효과는 주로 하악 평면의 후하방 회전으로 하악 전방 성장을 억제함으로써 달성된다(그림 10.13).[267-270]

Tuncer 등[271]은 두부계측 영상을 사용하여 III급 부정교합 환자의 시상 인두 용적에 대한 부작용을 판단하기 위해 chin cup을 연구했다. chin cup 치료 후, 이두 기도 용적에서 어떠한 부작용도 관찰되지 않았다.

10.3.6 II급 부정교합 치료를 위한 기능성 장치와 OSA

기능성 장치는 하악 후퇴가 있는 성장 중인 환자의 일반적인 치료 방법이다(그림 10.14).[272-275]

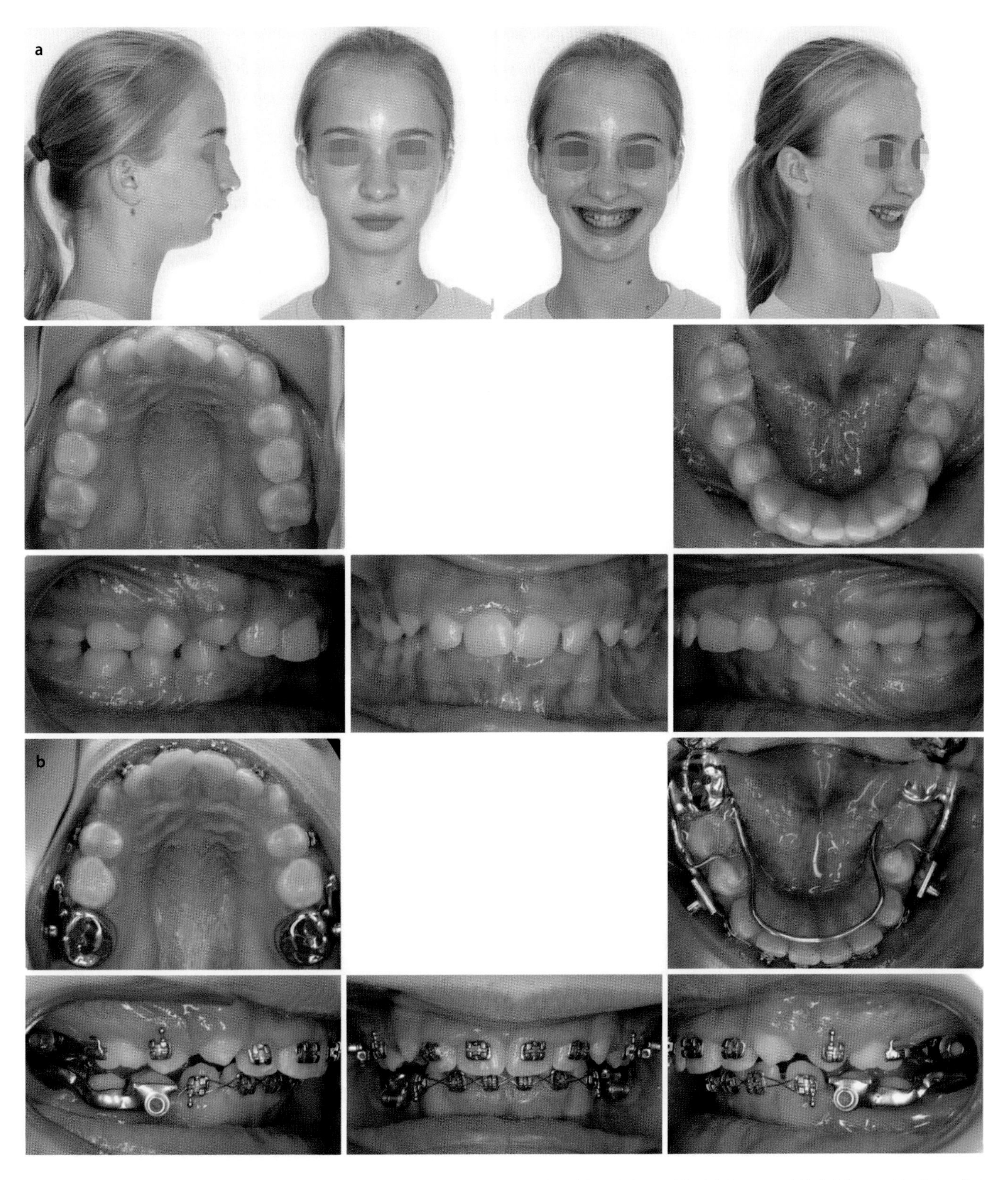

◘ 그림 10.14 기능성 장치들. **a** 초진 기록, **b** Herbst 장치 장착, **c** Herbst 장치 제거, **d** 최종 기록, **e** 초진 두부계측 영상, **f** Herbst 장치 제거 후 두부계측 영상, **g** 최종 두부계측 영상

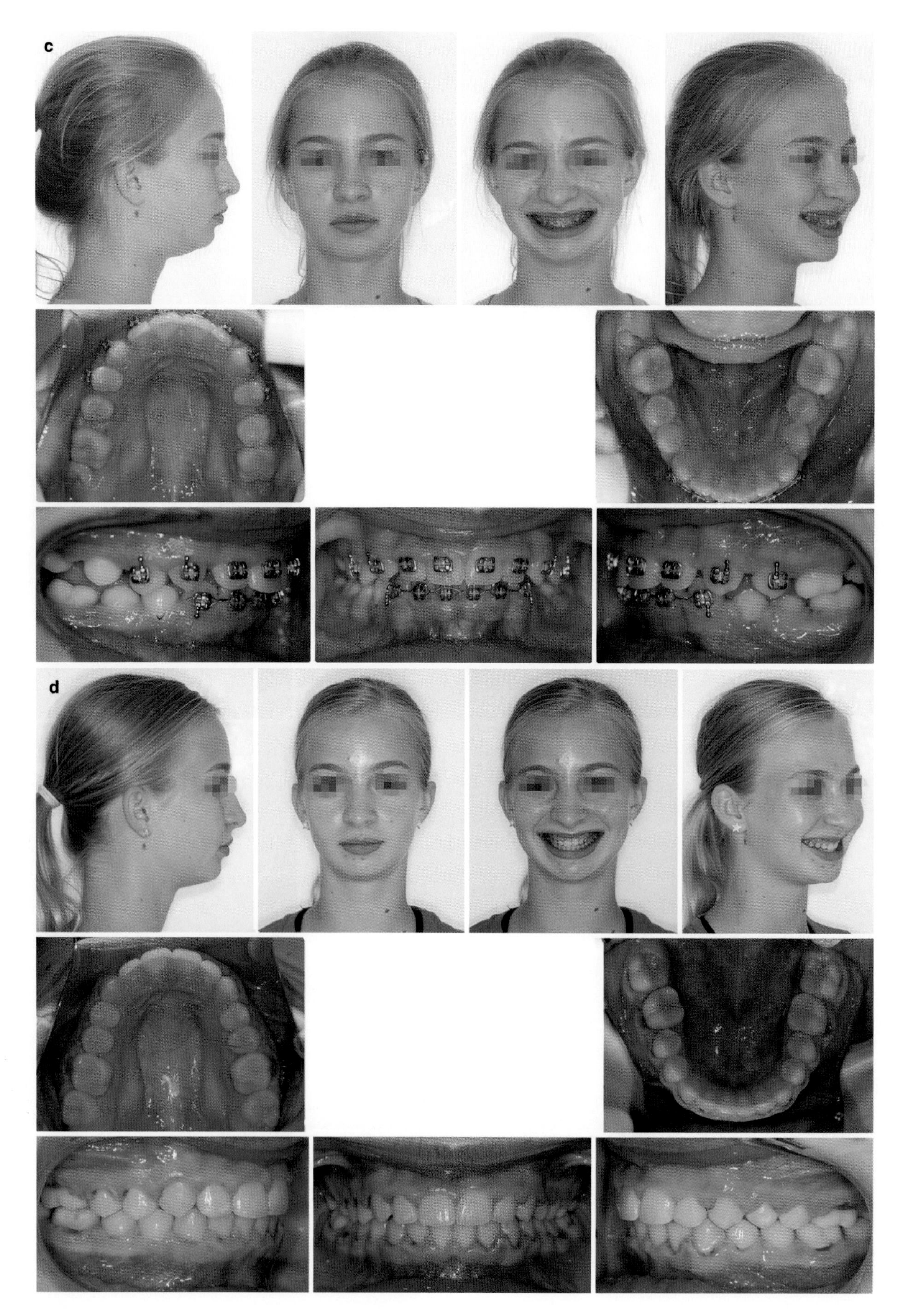

그림 10.14(계속)

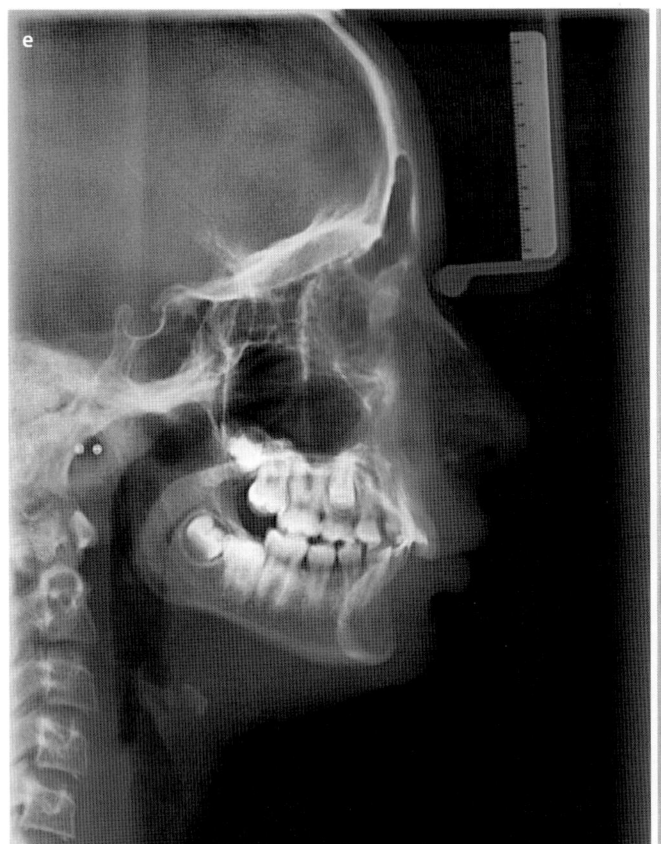

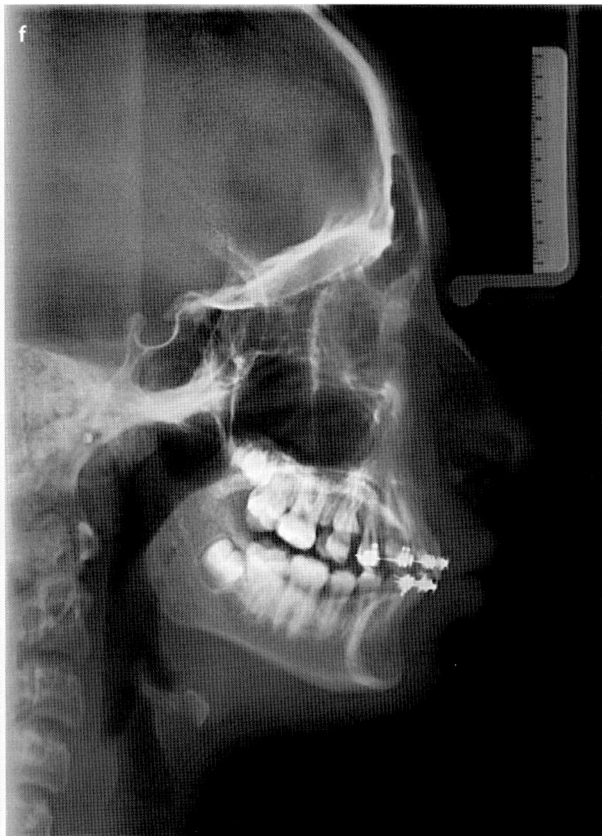

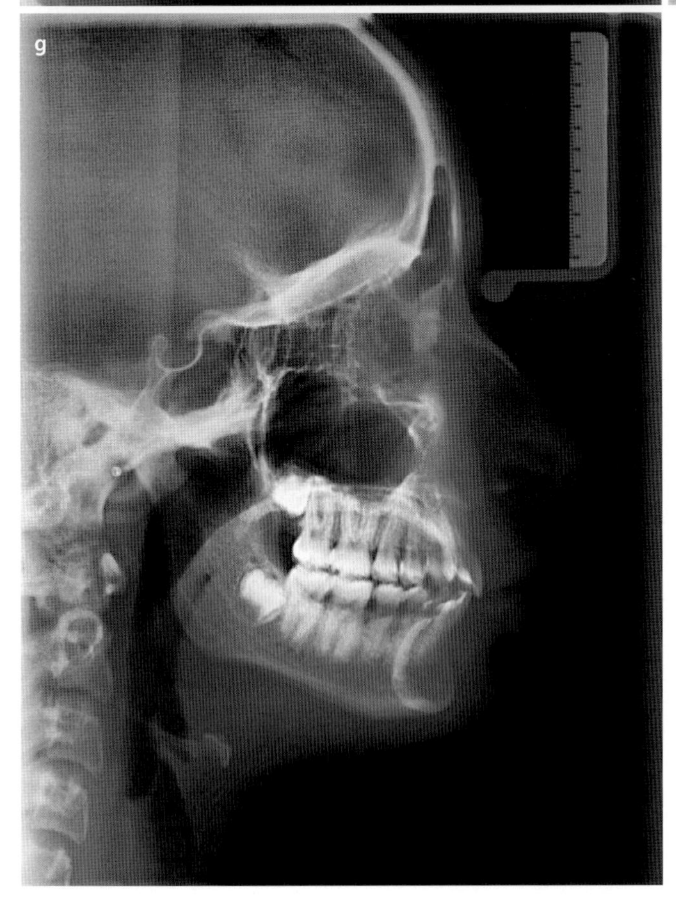

그림 10.14(계속)

여러 연구는 기능성 장치가 상기도 용적에 긍정적인 영향을 준다고 제안한다.[276-279] Xiang 등[276]은 골격성 II급 부정교합 아동의 경우 기능성 장치가 구인두 기도 용적을 확장할 수 있다고 보고했다. Maspero 등[277]은 OSA가 있는 II급 성장기 환자에서 II급 기능성 장치에 대한 인두 기도의 반응과 변화를 평가한 결과, 인두 기도 용적이 증가했음을 보여주었다. Ali 등[279]은 twin block 장치 적용 후에 인두 기도 용적이 증가한다는 것을 보여주었다. Elfeky와 Fayed[280]는 II급 부정교합 환자에서 twin block을 사용하였고, 치료받은 그룹이 구인두와 비인두의 평균 변화가 대조군보다 유의하게 높다고 보고하였다. Ozbek 등[281]의 연구에서도 인두 기도 용적이 기능성 장치 그룹에서 유의하게 증가했는데, 특히 시상 방향으로는 더 작고 더 많은 후퇴를 보이는 상하악 복합체와 더 작은 기도 용적을 가진 증례에서 그러했다. Jena 등[282]은 대조군과 비교하여 twin block 그룹이 연구개 형태와 구인두 깊이에서 유의하게 더 높은 평균 변화를 보였다고 보고했다.

twin block 장치와 유사한 결과를 보여주는 연구는 적다. 구인두 용적이 유의하게 증가된 것으로 보고되었다.[283,284] Temani 등[278]은 하악 후퇴가 있는 골격성 II급 부정교합 청소년 환자에서 Forsus 고정형 기능성 장치로 인두 기도 용적을 증가시켰다고 보고했다. Bavbek 등[285]도 II급 부정교합 아동의 기도 용적과 설골 위치를 평가하기 위해 고정형 기능성 장치로 Forsus 스프링을 사용했다. 그들은 고정형 기능성 장치 그룹이 연구개에서 기도 용적이 증가하고 설골이 더 전방으로 위치한다고 발표했다.

그러나 여러 연구들이 기도 용적에 변화가 없음을 보여주었다.[286-288] 이러한 연구 중 하나는 Forsus 장치에 의해 생성된 치아치조의 변화가 후방 기도의 변화를 초래하지 않는다고 보고했다.[286] Kinzinger 등[287]은 그들의 인두 기도 공간 데이터 용적을 신뢰할 수 없다고 하였고, II급 부정교합 치료를 위한 기능성 장치가 OSA를 예방하는데 도움이 된다고 추정할 수 없다고 결론지었다.

Lin 등[288]은 가철식 기능성 장치인 bionator로 치료한 후 설골의 위치를 평가했다. 기도 용적의 변화나 설골의 수직적 위치 변화는 보고되지 않았다. Ulusoy 등[289]은 II급 기능성 장치의 장기적 효과를 평가한 결과, 대조군과 기능성 장치 그룹 간에 기도의 평균 변화와 골격 매개변수에서 유의한 차이가 없음을 발견했다.

2017년 체계적 고찰에서 Xiang 등[276]은 기능성 장치가 골격성 II급 부정교합을 가진 성장기 아동이 상기도 용적을 실제로 확장할 수 있다는 개념을 뒷받침하는 증거가 있다고 결론내렸다. 대조군과 비교했을 때, 치료군 피험자의 구인두 용적은 상인두 공간(MD = 1.73 mm/year), 중인두 공간(MD = 1.68 mm/year), 하인두 공간(MD = 1.21 mm/year)에서 유의하게 증가했다. 비인두와 하인두 용적과 설골의 위치에서 유의한 차이는 보이지 않았다. 대부분의 연구는 기능성 장치 치료 전후의 기도 용적 변화에만 초점을 맞추고 있다. OSA 진단을 받은 어린이를 대상으로 한 기능성 장치의 효과를 다룬 연구는 거의 없다. Schütz 등[290]은 RME와 결합된 Herbst 장치가 OSA 증상을 개선시켰다고 했다. Villa 등[291]은 구강 장치를 사용한 아동에서 AHI가 감소하였다고 보고했다.

전반적으로, 기능성 장치를 사용한 후 기도 용적이 유의하게 증가했음에도 불구하고, 여전히 OSA가 있는 어린이의 치료를 위한 기능성 장치의 사용을 지지하는 데이터가 충분하지 않다.[292]

참고문헌

1. M'Kenzie D. Some points of common interest to the rhinologist and the orthodontist. Int J Orthod. 1915;1:9-17. https://doi. org/10.1016/S1072-3471(15)90042-1.
2. Cohen D, Konak S. The evaluation of radiographs of the naso-pharynx. Clin Otolaryngol Allied Sci. 1985;10:73-8.
3. Crepeau J, Patriquin HB, Poliquin JF, Tetreault L. Radio-graphic evaluation of the symptom-producing adenoid. Otolaryngol Head Neck Surg. 1982;90:548-54. https://doi. org/10.1177/019459988209000505.
4. Fujioka M, Young LW, Girdany BR. Radiographic evaluation of adenoidal size in children: adenoidal-nasopharyngeal ratio. AJR Am J Roentgenol. 1979;133:401-4. https://doi.org/10.2214/ajr.133.3.401.
5. Hibbert J, Whitehouse GH. The assessment of adenoidal size by radiological means. Clin Otolaryngol Allied Sci. 1978;3:43-7.
6. Mlynarek A, Tewfik MA, Hagr A, Manoukian JJ, Schloss MD, Tewfik TL, et al. Lateral neck radiography versus direct video rhinoscopy in assessing adenoid size. J Otolaryngol. 2004;33:360-5.
7. Moaddab MB, Dumas AL, Homayoun N, Neff PA. Comparative nasopharyngeal analysis. Ear Nose Throat J. 1984;63:447-52.
8. Caylakli F, Hizal E, Yilmaz I, Yilmazer C. Correlation between adenoid-nasopharynx ratio and endoscopic examination of adenoid hypertrophy: a blind, prospective clinical study. Int J Pediatr Otorhinolaryngol. 2009;73:1532-5. https://doi.org/10.1016/j. ijporl.2009.07.018.
9. Kubba H, Bingham BJ. Endoscopy in the assessment of children with nasal obstruction. J Laryngol Otol. 2001;115:380-4.
10. Wang D, Clement P, Kaufman L, Derde MP. Fiberoptic examination of the nasal cavity and nasopharynx in children. Int J Pediatr Otorhinolaryngol. 1992;24:35-44.
11. Wood RE. Evaluation of the upper airway in children. Curr Opin Pediatr. 2008;20:266-71. https://doi.org/10.1097/MOP.0b013e3282ff631e.
12. Ysunza A, Pamplona MC, Ortega JM, Prado H. Video fluoroscopy for evaluating adenoid hypertrophy in children. Int J Pediatr Otorhinolaryn-

gol. 2008;72:1159–65. https://doi. org/10.1016/j.ijporl.2008.03.022.

13. André RF, Vuyk HD, Ahmed A, Graamans K, Nolst Trenité GJ. Correlation between subjective and objective evaluation of the nasal airway. A systematic review of the highest level of evidence. Clin Otolaryngol. 2009;34:518–25. https://doi. org/10.1111/j.1749-4486.2009.02042.x.

14. Zicari AM, Magliulo G, Rugiano A, Ragusa G, Celani C, Carbone MP, et al. The role of rhinomanometry after nasal decongestant test in the assessment of adenoid hypertrophy in children. Int J Pediatr Otorhinolaryngol. 2012;76:352–6. https://doi.org/10.1016/j.ijporl.2011.12.006.

15. Cho JH, Lee DH, Lee NS, Won YS, Yoon HR, Suh BD. Size assessment of adenoid and nasopharyngeal airway by acoustic rhinometry in children. J Laryngol Otol. 1999;113:899–905.

16. Han P, Pirsig W, Ilgen F, Görich J, Sokiranski R. Virtual endoscopy of the nasal cavity in comparison with fiberoptic endoscopy. Eur Arch Otorhinolaryngol. 2000;257:578–83.

17. Aboudara C, Nielsen I, Huang JC, Maki K, Miller AJ, Hatcher D. Comparison of airway space with conventional lateral headfilms and 3-dimensional reconstruction from cone-beam computed tomography. Am J Orthod Dentofac Orthop. 2009;135:468–79. https://doi.org/10.1016/j.ajodo.2007.04.043.

18. Aboudara CA, Hatcher D, Nielsen IL, Miller A. A three-dimensional evaluation of the upper airway in adolescents. Orthod Craniofac Res. 2003;6(Suppl 1):173–5.

19. Chiang CC, Jeffres MN, Miller A, Hatcher DC. Three-dimensional airway evaluation in 387 subjects from one university orthodontic clinic using cone beam computed tomography. Angle Orthod. 2012;82:985–92. https://doi.org/10.2319/122811-801.1.

20. Hatcher DC. Cone beam computed tomography: craniofacial and airway analysis. Dent Clin N Am. 2012;56:343–57. https://doi.org/10.1016/j.cden.2012.02.002.

21. Osorio F, Perilla M, Doyle DJ, Palomo JM. Cone beam com-puted tomography: an innovative tool for airway assessment. Anesth Analg. 2008;106:1803–7. https://doi.org/10.1213/ane.0b013e318172fd03.

22. Kao DS, Soltysik DA, Hyde JS, Gosain AK. Magnetic resonance imaging as an aid in the dynamic assessment of the velopharyngeal mechanism in children. Plast Reconstr Surg. 2008;122:572–7. https://doi.org/10.1097/PRS.0b013e31817d54d5.

23. Suto Y, Matsuda E, Inoue Y. MRI of the pharynx in young patients with sleep disordered breathing. Br J Radiol. 1996;69:1000–4. https://doi.org/10.1259/0007-1285-69-827-1000.

24. Handelman CS, Osborne G. Growth of the nasopharynx and adenoid development from one to eighteen years. Angle Orthod. 1976;46:243–59. https://doi.org/10.1043/0003-3219(1976)046<0243:GOTNAA>2.0.CO;2.

25. Holmberg H, Linder-Aronson S. Cephalometric radiographs as a means of evaluating the capacity of the nasal and nasopharyngeal airway. Am J Orthod. 1979;76:479–90.

26. Kemaloglu YK, Goksu N, Inal E, Akyildiz N. Radiographic evaluation of children with nasopharyngeal obstruction due to the adenoid. Ann Otol Rhinol Laryngol. 1999;108:67–72. https://doi.org/10.1177/000348949910800110.

27. Linder-Aronson S, Leighton BC. A longitudinal study of the development of the posterior nasopharyngeal wall between 3 and 16 years of age. Eur J Orthod. 1983;5:47–58.

28. McNamara JA. A method of cephalometric evaluation. Am J Orthod. 1984;86:449–69.

29. Parker AJ, Maw AR, Powell JE. Rhinomanometry in the selection for adenoidectomy and its relation to preoperative radiology. Int J Pediatr Otorhinolaryngol. 1989;17:155–61.

30. Mahboubi S, Marsh RR, Potsic WP, Pasquariello PS. The lateral neck radiograph in adenotonsillar hyperplasia. Int J Pediatr Otorhinolaryngol. 1985;10:67–73.

31. Feres MFN, Hermann JS, Cappellette M, Pignatari SSN. Lateral X-ray view of the skull for the diagnosis of adenoid hyper-trophy: a systematic review. Int J Pediatr Otorhinolaryngol. 2011;75:1–11. https://doi.org/10.1016/j.ijporl.2010.11.002.

32. Wormald PJ, Prescott CA. Adenoids: comparison of radiological assessment methods with clinical and endoscopic findings. J Laryngol Otol. 1992;106(4):342–4.

33. Saedi B, Sadeghi M, Mojtahed M, Mahboubi H. Diagnostic efficacy of different methods in the assessment of adenoid hypertrophy. Am J Otolaryngol. 2011;32:147–51. https://doi. org/10.1016/j.amjoto.2009.11.003.

34. Kurien M, Lepcha A, Mathew J, Ali A, Jeyaseelan L. X-Rays in the evaluation of adenoid hypertrophy: its role in the endo-scopic era. Indian J Otolaryngol Head Neck Surg. 2005;57:45–7. https://doi.org/10.1007/BF02907627.

35. Wang DY, Bernheim N, Kaufman L, Clement P. Assessment of adenoid size in children by fibreoptic examination. Clin Otolaryngol Allied Sci. 1997;22:172–7.

36. Filho DI, Raveli DB, Raveli RB, de Castro Monteiro Loffredo L, Gandin LG. A comparison of nasopharyngeal endoscopy and lateral cephalometric radiography in the diagnosis of naso-pharyngeal airway obstruction. Am J Orthod Dentofac Orthop. 2001;120:348–52.

37. Major MP, Saltaji H, El-Hakim H, Witmans M, Major P, Flores- Mir C. The accuracy of diagnostic tests for adenoid hypertrophy: a systematic review. J Am Dent Assoc. 2014;145:247–54. https://doi.org/10.14219/jada.2013.31.

38. Britton PD. Effect of respiration on nasopharyngeal radio-graphs when assessing adenoidal enlargement. J Laryngol Otol. 1989;103:71–3.

39. Vogler RC, Ii FJ, Pilgram TK. Age-specific size of the normal adenoid pad on magnetic resonance imaging. Clin Otolaryngol Allied Sci. 2000;25:392–5.

40. Major MP, Flores-Mir C, Major PW. Assessment of lateral cephalometric diagnosis of adenoid hypertrophy and posterior upper airway obstruction: a systematic review. Am J Orthod Dentofac Orthop. 2006;130:700–8. https://doi.org/10.1016/j. ajodo.2005.05.050.

41. Ackerman JL, Proffit WR. Soft tissue limitations in orthodontics: treatment planning guidelines. Angle Orthod. 1997;67:327–36. https://doi.org/10.1043/0003-3219(1997)067<0327:STLIOT 2.3.CO;2.

42. Hellsing E, Hagberg C. Changes in maximum bite force related to extension of the head. Eur J Orthod. 1990;12:148–53.

43. Adenoids L-AS. Their effect on mode of breathing and nasal airflow and their relationship to characteristics of the facial skeleton and the dentition. A biometric, rhino-manometric and cephalometro-radiographic study on children with and without adenoids. Acta Otolaryngol Suppl. 1970;265:1–132.

44. Yamada T, Tanne K, Miyamoto K, Yamauchi K. Influences of nasal respiratory obstruction on craniofacial growth in young Macaca fuscata monkeys. Am J Orthod Dentofac Orthop. 1997;111:38–43.

45. Trotman CA, McNamara JA, Dibbets JM, van der Weele LT. Association of lip posture and the dimensions of the tonsils and sagittal airway with facial morphology. Angle Orthod. 1997;67:425–32. https://doi.org/10.1043/0003-3219(1997)067< 0425:AOLPAT>2.3.CO;2.

46. Iwasaki T, Hayasaki H, Takemoto Y, Kanomi R, Yamasaki Y. Oropharyngeal airway in children with Class III malocclusion evaluated by cone-beam computed tomography. Am J Orthod Dentofac Orthop. 2009;136:318.e1–9; discussion –9. https://doi. org/10.1016/j.ajodo.2009.02.017.

47. Kim Y-J, Hong J-S, Hwang Y-I, Park Y-H. Three-dimensional analysis of

pharyngeal airway in preadolescent children with different anteroposterior skeletal patterns. Am J Orthod Den-tofac Orthop. 2010;137:306.e1-11; discussion -7. https://doi. org/10.1016/j.ajodo.2009.10.025.

48. Indriksone I, Jakobsone G. The upper airway dimensions in different sagittal craniofacial patterns: a systematic review. Stoma-tologija. 2014;16:109-17.

49. Ellingsen R, Vandevanter C, Shapiro P, Shapiro G. Temporal variation in nasal and oral breathing in children. Am J Orthod Dentofac Orthop. 1995;107:411-7.

50. Ung N, Koenig J, Shapiro PA, Shapiro G, Trask G. A quantitative assessment of respiratory patterns and their effects on dentofacial development. Am J Orthod Dentofac Orthop. 1990;98:523-32.

51. Martin O, Muelas L, Viñas MJ. Nasopharyngeal cephalometric study of ideal occlusions. Am J Orthod Dentofac Orthop. 2006;130:436.e1-9. https://doi.org/10.1016/j.ajodo.2006.03.022.

52. de Freitas MR, Alcazar NMPV, Janson G, de Freitas KMS, Henriques JFC. Upper and lower pharyngeal airways in subjects with Class I and Class II malocclusions and different growth pat-terns. Am J Orthod Dentofac Orthop. 2006;130:742-5. https://doi.org/10.1016/j.ajodo.2005.01.033.

53. Dunn GF, Green LJ, Cunat JJ. Relationships between variation of mandibular morphology and variation of nasopharyngeal airway size in monozygotic twins. Angle Orthod. 1973;43:129-35. https://doi.org/10.1043/0003-3219(1973)043<0129:RBVOMM>2.0.CO;2.

54. Memon S, Fida M, Shaikh A. Comparison of different craniofa-cial patterns with pharyngeal widths. J Coll Physicians Surg Pak. 2012;22:302-6.

55. Muto T, Yamazaki A, Takeda S. A cephalometric evaluation of the pharyngeal airway space in patients with mandibular retrognathia and prognathia, and normal subjects. Int J Oral Maxillofac Surg. 2008;37:228-31. https://doi.org/10.1016/j. ijom.2007.06.020.

56. Cistulli PA. Craniofacial abnormalities in obstructive sleep apnoea: implications for treatment. Respirology. 1996;1:167-74. https://doi.org/10.1111/j.1440-1843.1996.tb00028.x.

57. Grauer D, Cevidanes LSH, Styner MA, Ackerman JL, Proffit WR. Pharyngeal airway volume and shape from cone-beam computed tomography: relationship to facial morphology. Am J Orthod Dentofac Orthop. 2009;136:805-14. https://doi. org/10.1016/j.ajodo.2008.01.020.

58. Indriksone I, Jakobsone G. The influence of craniofacial morphology on the upper airway dimensions. Angle Orthod. 2015;85:874-80. https://doi.org/10.2319/061014-418.1.

59. Almiro JMJ, Crespo AN. Cephalometric evaluation of the air-way space and head posture in children with normal and atypical deglutition: correlations study. Int J Orofacial Myology. 2013;39:69-77.

60. Lenza MG, Lenza MMO, Dalstra M, Melsen B, Cattaneo PM. An analysis of different approaches to the assessment of upper airway morphology: a CBCT study. Orthod Craniofac Res. 2010;13:96-105. https://doi.org/10.1111/j.1601-6343.2010.01482.x.

61. Swennen GRJ, Treutlein C, Brachvogel P, Berten J-L, Schwestka- Polly R, Hausamen J-E. Segmental unilateral transpalatal dis-traction in cleft patients. J Craniofac Surg. 2003;14:786-90.

62. Guijarro-Martínez R, Swennen GRJ. Three-dimensional cone beam computed tomography definition of the anatomical subregions of the upper airway: a validation study. Int J Oral Maxillofac Surg. 2013;42:1140-9. https://doi.org/10.1016/j. ijom.2013.03.007.

63. Hellsing E. Changes in the pharyngeal airway in relation to extension of the head. Eur J Orthod. 1989;11:359-65.

64. Muto T, Takeda S, Kanazawa M, Yamazaki A, Fujiwara Y, Mizoguchi I. The effect of head posture on the pharyngeal air-way space (PAS). Int J Oral Maxillofac Surg. 2002;31:579-83. https://doi.org/10.1054/ijom.2002.0279.

65. Valladares-Neto J, Silva MG, Bumann A, Paiva JB, Rino-Neto J. Effects of mandibular advancement surgery com-bined with minimal maxillary displacement on the volume and most restricted cross-sectional area of the pharyngeal air-way. Int J Oral Maxillofac Surg. 2013;42:1437-45. https://doi. org/10.1016/j.ijom.2013.03.018.

66. Knudsen TB, Laulund AS, Ingerslev J, Homøe P, Pinholt EM. Improved apnea-hypopnea index and lowest oxygen saturation after maxillomandibular advancement with or without counterclockwise rotation in patients with obstructive sleep apnea: a meta-analysis. J Oral Maxillofac Surg. 2015;73:719-26. https://doi.org/10.1016/j.joms.2014.08.006.

67. Cevidanes L, Oliveira AEF, Motta A, Phillips C, Burke B, Tyn-dall D. Head orientation in CBCT-generated cephalograms. Angle Orthod. 2009;79:971-7. https://doi.org/10.2319/090208-460.1.

68. Malkoc S, Usumez S, Nur M, Donaghy CE. Reproducibility of airway dimensions and tongue and hyoid positions on lateral cephalograms. Am J Orthod Dentofac Orthop. 2005;128:513-6. https://doi.org/10.1016/j.ajodo.2005.05.001.

69. Stepovich ML. A cephalometric positional study of the hyoid bone. Am J Orthod. 1965;51:882-900.

70. Gurani SF, Di Carlo G, Cattaneo PM, Thorn JJ, Pinholt EM. Effect of head and tongue posture on the pharyngeal air-way dimensions and morphology in three-dimensional imaging: a systematic review. J Oral Maxillofac Res. 2016;7:e1. https://doi. org/10.5037/jomr.2016.7101.

71. Deberry-Borowiecki B, Kukwa A, Blanks RHI. Cephalometric analysis for diagnosis and treatment of obstructive sleep apnea. Laryngoscope. 1988;98:226-34.

72. Strelzow VV, Blanks RH, Basile A, Strelzow AE. Cepha-lometric airway analysis in obstructive sleep apnea syndrome. Laryngoscope. 1988;98:1149-58. https://doi. org/10.1288/00005537-198811000-00001.

73. Andersson L, Brattström V. Cephalometric analysis of perma-nently snoring patients with and without obstructive sleep apnea syndrome. Int J Oral Maxillofac Surg. 1991;20:159-62. https://doi.org/10.1016/S0901-5027(05)80007-4.

74. Bacon WH, Krieger J, Turlot J-C, Stierle JL. Craniofacial characteristics in patients with obstructive sleep apneas syndrome. Cleft Palate J. 1988;25:374-8.

75. Bacon WH, Turlot JC, Krieger J, Stierle J-L. Cephalometric evaluation of pharyngeal obstructive factors in patients with sleep apneas syndrome. Angle Orthod. 1990;60:115-22.

76. Battagel JM, L'Estrange PR. The cephalometric morphology of patients with obstructive sleep apnoea (OSA). Eur J Orthod. 1996;18:557-69. https://doi.org/10.1093/ejo/18.1.557.

77. Hoekema A, Hovinga B, Stegenga B, De Bont LGM. Craniofacial morphology and obstructive sleep apnoea: a cephalometric analysis. J Oral Rehabil. 2003;30:690-6. https://doi.org/10.1046/j. 1365-2842.2003.01130.x.

78. Sakakibara H, Tong M, Matsushita K, Hirata M, Konishi Y, Suetsugu S. Cephalometric abnormalities in non-obese and obese patients with obstructive sleep apnoea. Eur Respir J. 1999;13:403-10.

79. Seto BH, Gotsopoulos H, Sims MR, Cistulli PA. Maxillary morphology in obstructive sleep apnoea syndrome. Eur J Orthod. 2001;23:703-14. https://doi.org/10.1093/ejo/23.6.703.

80. Tangugsorn V, Skatvedt O, Krogstad O, Lyberg T. Obstructive sleep apnoea: a cephalometric study. Part I. Cervico-craniofacial skeletal morphology. Eur J Orthod. 1995;17:45-56. https://doi. org/10.1093/ejo/17.1.45.

81. Johal A, Patel SI, Battagel JM. The relationship between craniofacial anatomy and obstructive sleep apnoea: a case-controlled study. J Sleep Res. 2007;16:319-26. https://doi.org/10.1111/j. 1365-2869.2007.00599.x.

82. Maschtakow PSL, Tanaka JLO, da Rocha JC, Giannas LC, de Moraes MEL, Costa CB, et al. Cephalometric analysis for the diagnosis of sleep

apnea: a comparative study between reference values and measurements obtained for Brazilian subjects. Dental Press J Orthod. 2013;18:143–9.

83. Vidović N, Mestrović S, Dogas Z, Buković D, Brakus I, Brakus RB, et al. Craniofacial morphology of Croatian patients with obstructive sleep apnea. Coll Antropol. 2013;37:271–9.

84. Neelapu BC, Kharbanda OP, Sardana HK, Balachandran R, Sardana V, Kapoor P, et al. Craniofacial and upper airway morphology in adult obstructive sleep apnea patients: a systematic review and meta-analysis of cephalometric studies. Sleep Med Rev. 2017;31:79–90. https://doi.org/10.1016/j.smrv.2016.01.007.

85. Hochban W, Brandenburg U. Morphology of the viscerocranium in obstructive sleep apnoea syndrome–cephalometric evaluation of 400 patients. J Craniomaxillofac Surg. 1994;22:205–13.

86. Lyberg T, Krogstad O, Djupesland G. Cephalometric analysis in patients with obstructive sleep apnoea syndrome: II. Soft tissue morphology. J Laryngol Otol. 1989;103:293–7.

87. Akpinar ME, Celikoyar MM, Altundag A, Kocak I. The com-parison of cephalometric characteristics in nonobese obstructive sleep apnea subjects and primary snorers cephalometric measures in nonobese OSA and primary snorers. Eur Arch Otorhinolaryngol. 2011;268:1053–9. https://doi.org/10.1007/s00405-010-1448-z.

88. Jamieson A, Guilleminault C, Partinen M, Quera-Salva MA. Obstructive sleep apneic patients have craniomandibular abnormalities. Sleep. 1986;9:469–77.

89. Ito D, Akashiba T, Yamamoto H, Kosaka N, Horie T. Craniofacial abnormalities in Japanese patients with severe obstructive sleep apnoea syndrome. Respirology (Carlton, VIC). 2001;6:157–61.

90. Finkelstein Y, Wexler D, Horowitz E, Berger G, Nachmani A, Shapiro-Feinberg M, et al. Frontal and lateral cephalometry in patients with sleep-disordered breathing. Laryngoscope. 2001;111:634–41. https://doi.org/10.1097/00005537-200104000-00014.

91. Hui DSC, Ko FWS, Chu ASY, Fok JPC, Chan MCH, Li TST, et al. Cephalometric assessment of craniofacial morphology in Chinese patients with obstructive sleep apnoea. Respir Med. 2003;97:640–6.

92. Banabilh SM, Suzina AH, Dinsuhaimi S, Singh GD. Cranial base and airway morphology in adult Malays with obstructive sleep apnoea. Aust Orthod J. 2007;23:89–95.

93. Steinberg B, Fraser B. The cranial base in obstructive sleep apnea. J Oral Maxillofac Surg. 1995;53:1150–4.

94. Miyao E, Miyao M, Ohta T, Okawa M, Inafuku S, Nakayama M, et al. Differential diagnosis of obstructive sleep apnea syndrome patients and snorers using cephalograms. Psychiatry Clin Neurosci. 2000;54:659–64. https://doi.org/10.1046/j.1440-1819.2000.00774.x.

95. Lowe AA, Fleetham JA, Adachi S, Ryan CF. Cephalometric and computed tomographic predictors of obstructive sleep apnea severity. Am J Orthod Dentofac Orthop. 1995;107:589–95. https://doi.org/10.1016/S0889-5406(95)70101-X.

96. Esaki K. Morphological analysis by lateral cephalography of sleep apnea syndrome in 53 patients. Kurume Med J. 1995;42:231–40. https://doi.org/10.2739/kurumemedj.42.231.

97. Battagel JM, Johal A, Kotecha B. A cephalometric comparison of subjects with snoring and obstructive sleep apnoea. Eur J Orthod. 2000;22:353–65. https://doi.org/10.1093/ejo/22.4.353.

98. Verin E, Tardif C, Buffet X, Marie JP, Lacoume Y, Andrieu- Guitrancourt J, et al. Comparison between anatomy and resistance of upper airway in normal subjects, snorers and OSAS patients. Respir Physiol. 2002;129:335–43. https://doi. org/10.1016/S0034-5687(01)00324-3.

99. Endo S, Mataki S, Kurosaki N. Cephalometric evaluation of craniofacial and upper airway structures in Japanese patients with obstructive sleep apnea. J Med Dent Sci. 2003;50:109–20.

100. Gungor AY, Turkkahraman H, Yilmaz HH, Yariktas M. Cephalometric comparison of obstructive sleep apnea patients and healthy controls. Eur J Dent. 2013;7:48–54.

101. Miles PG, Vig PS, Weyant RJ, Forrest TD, Rockette HE. Craniofacial structure and obstructive sleep apnea syndrome–a qualitative analysis and meta-analysis of the literature. Am J Orthod Dentofac Orthop. 1996;109:163–72. https://doi.org/10.1016/S0889-5406(96)70177-4.

102. Tsai H-H, Ho C-Y, Lee P-L, Tan C-T. Cephalometric analysis of non-obese snorers either with or without obstructive sleep apnea syndrome. Angle Orthod. 2007;77:1054–61. https://doi. org/10.2319/112106-477.1.

103. Hou HM, Hägg U, Sam K, Rabie ABM, Wong RWK, Lam B, et al. Dentofacial characteristics of Chinese obstructive sleep apnea patients in relation to obesity and severity. Angle Orthod. 2006;76:962–9. https://doi.org/10.2319/081005-273.

104. Ingervall B, Carlsson GE, Helkimo M. Change in location of hyoid bone with mandibular positions. Acta Odontol Scand. 1970;28:337–61.

105. Guilleminault C, Riley R, Powell N. Obstructive sleep apnea and abnormal cephalometric measurements. Chest. 1984;86:793–4. https://doi.org/10.1378/chest.86.5.793.

106. Young JW, McDonald JP. An investigation into the relationship between the severity of obstructive sleep apnoea/hypopnoea syndrome and the vertical position of the hyoid bone. Surgeon. 2004;2:145–51. https://doi.org/10.1016/S1479-666X(04)80075-1.

107. Johns MW. A new method for measuring daytime sleepiness: the Epworth sleepiness scale. Sleep. 1991;14:540–5.

108. Takai Y, Yamashiro Y, Satoh D, Isobe K, Sakamoto S, Homma S. Cephalometric assessment of craniofacial morphology in Japanese male patients with obstructive sleep apnea-hypopnea syndrome. Sleep Biol Rhythms. 2012;10:162–8. https://doi. org/10.1111/j.1479-8425.2012.00539.x.

109. Susarla SM, Abramson ZR, Dodson TB, Kaban LB. Cepha-lometric measurement of upper airway length correlates with the presence and severity of obstructive sleep apnea. J Oral Maxillofac Surg. 2010;68:2846–55. https://doi.org/10.1016/j. joms.2010.06.196.

110. Shintani T, Asakura K, Kataura A. The effect of adenotonsil-lectomy in children with OSA. Int J Pediatr Otorhinolaryngol. 1998;44:51–8. https://doi.org/10.1016/S0165-5876(98)00047-0.

111. Juliano ML, Machado MAC, de Carvalho LBC, Zancanella E, Santos GMS, do Prado LBF, et al. Polysomnographic findings are associated with cephalometric measurements in mouth- breathing children. J Clin Sleep Med. 2009;5:554–61.

112. Ozdemir H, Altin R, Söğüt A, Cinar F, Mahmutyazicioğlu K, Kart L, et al. Craniofacial differences according to AHI scores of children with obstructive sleep apnoea syndrome: cephalometric study in 39 patients. Pediatr Radiol. 2004;34:393–9. https://doi. org/10.1007/s00247-004-1168-x.

113. Huynh NT, Morton PD, Rompré PH, Papadakis A, Remise C. Associations between sleep-disordered breathing symptoms and facial and dental morphometry, assessed with screening examinations. Am J Orthod Dentofac Orthop. 2011;140:762–70. https://doi.org/10.1016/j.ajodo.2011.03.023.

114. Joseph AA, Elbaum J, Cisneros GJ, Eisig SB. A cephalometric comparative study of the soft tissue airway dimensions in persons with hyperdivergent and normodivergent facial patterns. J Oral Maxillofac Surg. 1998;56:135–9; discussion 9–40.

115. Abu Allhaija ES, Al-Khateeb SN. Uvulo-glosso-pharyngeal dimensions in different anteroposterior skeletal patterns. Angle Orthod. 2005;75:1012–8. https://doi.org/10.1043/0003-3219(2005)75[1012:UDIDAS]2.0.CO;2.

116. Hultcrantz E, Löfstrand Tideström B. The development of sleep disordered breathing from 4 to 12 years and dental arch morphology. Int J Pediatr Otorhinolaryngol. 2009;73:1234–41. https://doi.org/10.1016/

j.ijporl.2009.05.012.

117. Löfstrand-Tideström B, Thilander B, Ahlqvist-Rastad J, Jakobsson O, Hultcrantz E. Breathing obstruction in relation to cra-niofacial and dental arch morphology in 4-year-old children. Eur J Orthod. 1999;21:323-32.

118. Pirilä-Parkkinen K, Pirttiniemi P, Nieminen P, Tolonen U, Pelttari U, Löppönen H. Dental arch morphology in children with sleep-disordered breathing. Eur J Orthod. 2009;31:160-7. https://doi.org/10.1093/ejo/cjn061.

119. Marino A, Malagnino I, Ranieri R, Villa MP, Malagola C. Craniofacial morphology in preschool children with obstructive sleep apnoea syndrome. Eur J Paediatr Dent. 2009;10:181-4.

120. Alves M, Franzotti ES, Baratieri C, Nunes LKF, Nojima LI, Ruellas ACO. Evaluation of pharyngeal airway space amongst different skeletal patterns. Int J Oral Maxillofac Surg. 2012;41:814-9. https://doi.org/10.1016/j.ijom.2012.01.015.

121. Ikävalko T, Tuomilehto H, Pahkala R, Tompuri T, Laitinen T, Myllykangas R, et al. Craniofacial morphology but not excess body fat is associated with risk of having sleep-disordered breathing--the PANIC study (a questionnaire-based inquiry in 6-8-year-olds). Eur J Pediatr. 2012;171:1747-52. https://doi. org/10.1007/s00431-012-1757-x.

122. Deng J, Gao X. A case-control study of craniofacial features of children with obstructed sleep apnea. Sleep Breath. 2012;16:1219-27. https://doi.org/10.1007/s11325-011-0636-4.

123. Hans MG, Nelson S, Pracharktam N, Baek SJ, Strohl K, Redline S. Subgrouping persons with snoring and/or apnea by using anthropometric and cephalometric measures. Sleep Breath. 2001;5:79-91. https://doi.org/10.1007/s11325-001-0079-4.

124. Baik UB, Suzuki M, Ikeda K, Sugawara J, Mitani H. Relationship between cephalometric characteristics and obstructive sites in obstructive sleep apnea syndrome. Angle Orthod. 2002;72:124-34. https://doi.org/10.1043/0003-3219(2002)072<0124:RBCCAO 2.0.CO;2.

125. Cozza P, Polimeni A, Ballanti F. A modified monobloc for the treatment of obstructive sleep apnoea in paediatric patients. Eur J Orthod. 2004;26:523-30.

126. Pirilä-Parkkinen K, Löppönen H, Nieminen P, Tolonen U, Pirttiniemi P. Cephalometric evaluation of children with nocturnal sleep-disordered breathing. Eur J Orthod. 2010;32:662-71. https://doi.org/10.1093/ejo/cjp162.

127. Zucconi M, Caprioglio A, Calori G, Ferini-Strambi L, Oldani A, Castronovo C, et al. Craniofacial modifications in children with habitual snoring and obstructive sleep apnoea: a case-control study. Eur Respir J. 1999;13:411-7.

128. Lowe AA, Santamaria JD, Fleetham JA, Price C. Facial morphology and obstructive sleep apnea. Am J Orthod Dentofac Orthop. 1986;90:484-91.

129. Lowe AA, Ozbek MM, Miyamoto K, Pae EK, Fleetham JA. Cephalometric and demographic characteristics of obstructive sleep apnea: an evaluation with partial least squares analysis. Angle Orthod. 1997;67:143-53. https://doi.org/10.1043/0003-3219(1997)067<0143:CADCOO>2.3.CO;2.

130. Zettergren-Wijk L, Forsberg C-M, Linder-Aronson S. Changes in dentofacial morphology after adeno-/tonsillectomy in young children with obstructive sleep apnoea--a 5-year follow-up study. Eur J Orthod. 2006;28:319-26. https://doi.org/10.1093/ejo/cji119.

131. Kawashima S, Peltomäki T, Sakata H, Mori K, Happonen R-P, Rönning O. Absence of facial type differences among preschool children with sleep-related breathing disorder. Acta Odontol Scand. 2003;61:65-71.

132. Schiffman PH, Rubin NK, Dominguez T, Mahboubi S, Udupa JK, O'Donnell AR, et al. Mandibular dimensions in children with obstructive sleep apnea syndrome. Sleep. 2004;27:959-65.

133. Oh K-M, Hong J-S, Kim Y-J, Cevidanes LSH, Park Y-H. Three- dimensional analysis of pharyngeal airway form in children with anteroposterior facial patterns. Angle Orthod. 2011;81:1075-82. https://doi.org/10.2319/010711-8.1.

134. Ceylan I, Oktay H. A study on the pharyngeal size in different skeletal patterns. Am J Orthod Dentofac Orthop. 1995;108: 69-75.

135. Katyal V, Pamula Y, Daynes CN, Martin J, Dreyer CW, Kennedy D, et al. Craniofacial and upper airway morphology in pediatric sleep-disordered breathing and changes in quality of life with rapid maxillary expansion. Am J Orthod Dentofac Orthop. 2013;144:860-71. https://doi.org/10.1016/j.ajodo.2013.08.015.

136. Angell EH. Treatment of irregularities of the permanent or adult teeth. Dental Cosmos. 1860;1:540-4.

137. Haas AJ. The treatment of maxillary deficiency by opening the midpalatal suture. Angle Orthod. 1965;35:200-17. https://doi. org/10.1043/0003-3219(1965)035<0200:TTOMDB>2.0.CO;2.

138. McNamara JA. Maxillary transverse deficiency. Am J Orthod Dentofac Orthop. 2000;117:567-70.

139. Bishara SE, Staley RN. Maxillary expansion: clinical implications. Am J Orthod Dentofac Orthop. 1987;91:3-14. https://doi. org/10.1016/0889-54 06(87)90202-2.

140. Lagravere MO, Major PW, Flores-Mir C, Orth C. Long-term dental arch changes after rapid maxillary expansion treatment: a systematic review. Angle Orthod. 2005;75:155-61.

141. Agostino P, Ugolini A, Signori A, Silvestrini-Biavati A, Harrison JE, Riley P. Orthodontic treatment for posterior crossbites. Cochrane Database Syst Rev. 2014:CD000979. https://doi. org/10.1002/14651858.CD000979.pub2.

142. Ballanti F, Lione R, Fanucci E, Franchi L, Baccetti T, Cozza P. Immediate and post-retention effects of rapid maxillary expansion investigated by computed tomography in growing patients. Angle Orthod. 2009;79:24-9. https://doi.org/10.2319/012008-35.1.

143. Harrison JE, Ashby D. Orthodontic treatment for posterior crossbites. Cochrane Database Syst Rev. 2001:CD000979. https://doi.org/10.1002/14651858.CD000979.

144. Pogrel MA, Kaban LB, Vargervik K, Baumrind S. Surgically assisted rapid maxillary expansion in adults. Int J Adult Orthodon Orthognath Surg. 1992;7:37-41.

145. Koudstaal MJ, Poort LJ, van der Wal KGH, Wolvius EB, Prahl- Andersen B, Schulten AJM. Surgically assisted rapid maxillary expansion (SARME): a review of the literature. Int J Oral Maxillofac Surg. 2005;34:709-14. https://doi.org/10.1016/j. ijom.2005.04.025.

146. Mosleh MI, Kaddah MA, Abd ElSayed FA, ElSayed HS. Comparison of transverse changes during maxillary expansion with 4-point bone-borne and tooth-borne maxillary expanders. Am J Orthod Dentofac Orthop. 2015;148:599-607. https://doi. org/10.1016/j.ajodo.2015.04.040.

147. Gunyuz Toklu M, Germec-Cakan D, Tozlu M. Periodontal, dentoalveolar, and skeletal effects of tooth-borne and tooth-bone- borne expansion appliances. Am J Orthod Dentofac Orthop. 2015;148:97-109. https://doi.org/10.1016/j.ajodo.2015.02.022.

148. Weissheimer A, de Menezes LM, Mezomo M, Dias DM, de Lima EMS, Rizzatto SMD. Immediate effects of rapid maxillary expansion with Haas-type and hyrax-type expanders: a randomized clinical trial. Am J Orthod Dentofac Orthop. 2011;140:366-76. https://doi.org/10.1016/j.ajodo.2010.07.025.

149. Pangrazio-Kulbersh V, Wine P, Haughey M, Pajtas B, Kaczynski R. Cone beam computed tomography evaluation of changes in the naso-maxillary complex associated with two types of max-illary expanders. Angle Orthod. 2012;82:448-57. https://doi. org/10.2319/072211-464.1.

150. Brunetto M, Andriani JSP, Ribeiro GLU, Locks A, Correa M, Correa LR.

Three-dimensional assessment of buccal alveolar bone after rapid and slow maxillary expansion: a clinical trial study. Am J Orthod Dentofac Orthop. 2013;143:633–44. https://doi.org/10.1016/j.ajodo.2012.12.008.

151. Martina R, Cioffi I, Farella M, Leone P, Manzo P, Matarese G, et al. Transverse changes determined by rapid and slow maxillary expansion–a low-dose CT-based randomized controlled trial. Orthod Craniofac Res. 2012;15:159–68. https://doi.org/10.1111/j.1601-6343.2012.01543.x.

152. Lagravère MO, Carey J, Heo G, Toogood RW, Major PW. Transverse, vertical, and anteroposterior changes from bone-anchored maxillary expansion vs traditional rapid maxillary expansion: a randomized clinical trial. Am J Orthod Dentofac Orthop. 2010;137:304.e1–304.e12. https://doi.org/10.1016/j. ajodo.2009.09.016.

153. Starnbach H, Bayne D, Cleall J, Subtelny JD. Facioskeletal and dental changes resulting from rapid maxillary expansion. Angle Orthod. 1966;36:152–64. https://doi.org/10.1043/0003-3219(1966)036<0152:FAD CRF>2.0.CO;2.

154. Woller JL, Kim KB, Behrents RG, Buschang PH. An assessment of the maxilla after rapid maxillary expansion using cone beam computed tomography in growing children. Dental Press J Orthod. 2014;19:26–35.

155. Lagravère MO, Heo G, Major PW, Flores-Mir C. Meta-analysis of immediate changes with rapid maxillary expansion treatment. J Am Dent Assoc. 2006;137:44–53.

156. Cameron CG, Franchi L, Baccetti T, McNamara JA. Long-term effects of rapid maxillary expansion: a posteroanterior cephalometric evaluation. Am J Orthod Dentofac Orthop. 2002;121:129–35; quiz 93.

157. Baccetti T, Franchi L, Cameron CG, McNamara JA. Treatment timing for rapid maxillary expansion. Angle Orthod. 2001;71:343–50. https://doi.org/10.1043/0003-3219(2001)071<0343:TTFRM E>2.0.CO;2.

158. Gray LP. Results of 310 cases of rapid maxillary expansion selected for medical reasons. J Laryngol Otol. 1975;89:601–14.

159. Timms DJ. The reduction of nasal airway resistance by rapid maxillary expansion and its effect on respiratory disease. J Laryngol Otol. 1984;98:357–62.

160. Warren DW, Hershey G, Turvey TA, Hinton VA, Hair-field WM. The nasal airway following maxillary expansion. Am J Orthod Dentofac Orthop. 1987;91:111–6. https://doi. org/10.1016/0889-5406(87)90467-7.

161. Wertz RA. Skeletal and dental changes accompanying rapid midpalatal suture opening. Am J Orthod. 1970;58:41–66. https://doi.org/10.1016/000 2-9416(70)90127-2.

162. Işeri H, Özsoy S. Semirapid maxillary expansion–a study of long-term transverse effects in older adolescents and adults. Angle Orthod. 2004;74: 71–8.

163. Chung C-H, Font B. Skeletal and dental changes in the sagittal, vertical, and transverse dimensions after rapid palatal expansion. Am J Orthod Dentofac Orthop. 2004;126:569–75. https://doi. org/10.1016/ j.ajodo.2003.10.035.

164. Hershey HG, Stewart BL, Warren DW. Changes in nasal air-way resistance associated with rapid maxillary expansion. Am J Orthod. 1976;69: 274–84.

165. Tecco S, Festa F, Tete S, Longhi V, D'Attilio M. Changes in head posture after rapid maxillary expansion in mouth-breathing girls: a controlled study. Angle Orthod. 2005;75:171–6. https://doi.org/10.1043/0003-3219(2005)075<0167:CIHPAR>2.0.CO;2.

166. Barreto GM, Gandini J, Raveli DBR, Oliveira CA. Avaliação transversal e vertical da maxila, após expansão rápida, utilizando um método de padronização das radiografias póstero- anteriores. Rev Dent Press Ortodon Ortop Facial. 2005;10:91–102.

167. Compadretti GC, Tasca I, Bonetti GA. Nasal airway measure-ments in children treated by rapid maxillary expansion. Am J Rhinol. 2006;20: 385–93.

168. Cappellette M, Cruz OLM, Carlini D, Weckx LL, Pignatari SSN. Evaluation of nasal capacity before and after rapid maxillary expansion. Am J Rhinol. 2008;22:74–7. https://doi. org/10.2500/ajr.2008.22.3130.

169. Thorne H. Expansion of maxilla. Spreading the midpalatal suture; measuring the widening of the apical base and the nasal cavity on serial roentgenograms: by N. A. Hugo Thörne, L.D.S., Assistant Chief, Orthodontic Department, Eastmaninstitutet, Eastman Dental Clinic, Dalagatan 11, Stockholm, Sweden. Am J Orthod. 1960;46:626. https://doi.org/10.1016/0002- 9416(60)90016-6.

170. Cross DL, McDonald JP. Effect of rapid maxillary expansion on skeletal, dental, and nasal structures: a postero-anterior cephalo-metric study. Eur J Orthod. 2000;22:519–28.

171. Almuzian M, Ju X, Almukhtar A, Ayoub A, Al-Muzian L, McDonald JP. Does rapid maxillary expansion affect naso-pharyngeal airway? A prospective Cone Beam Computerised Tomography (CBCT) based study. Surgeon. 2016; https://doi. org/10.1016/j.surge.2015.12.006.

172. Li L, Qi S, Wang H, Ren S, Ban J. [Cone-beam CT evaluation of nasomaxillary complex and upper airway following rapid maxil-lary expansion]. Zhonghua Kou Qiang Yi Xue Za Zhi = Zhong-hua Kouqiang Yixue Zazhi = Chinese J Stomatol. 2015;50:403–7.

173. Ribeiro ANC, de Paiva JB, Rino-Neto J, Illipronti-Filho E, Trivino T, Fantini SM. Upper airway expansion after rapid maxillary expansion evaluated with cone beam computed tomography. Angle Orthod. 2012;82:458–63. https://doi.org/10.2319/030411- 157.1.

174. Zeng J, Gao X. A prospective CBCT study of upper airway changes after rapid maxillary expansion. Int J Pediatr Oto-rhinolaryngol. 2013;77: 1805–10. https://doi.org/10.1016/j. ijporl.2013.07.028.

175. Usumez S, Işeri H, Orhan M, Basciftci FA. Effect of rapid maxillary expansion on nocturnal enuresis. Angle Orthod. 2003;73:532–8. https://doi.org/10.1043/0003- 3219(2003)073<0532:EORMEO 2.0.CO;2.

176. Haralambidis A, Ari-Demirkaya A, Acar A, Küçükkeleş N, Ateş M, Ozkaya S. Morphologic changes of the nasal cavity induced by rapid maxillary expansion: a study on 3-dimensional computed tomography models. Am J Orthod Dentofac Orthop. 2009;136:815–21. https://doi.org/10.1016/ j.ajodo.2008.03.020.

177. El H, Palomo JM. Three-dimensional evaluation of upper air-way following rapid maxillary expansion: a CBCT study. Angle Orthod. 2014;84:265–73. https://doi.org/10.2319/012313-71.1.

178. Smith T, Ghoneima A, Stewart K, Liu S, Eckert G, Halum S, et al. Three-dimensional computed tomography analysis of airway volume changes after rapid maxillary expansion. Am J Orthod Dentofac Orthop. 2012;141:618–26. https://doi. org/10.1016/j.ajodo.2011.12.017.

179. Chang Y, Koenig LJ, Pruszynski JE, Bradley TG, Bosio JA, Liu D.Dimensional changes of upper airway after rapid maxillary expansion: a prospective cone-beam computed tomography study. Am J Orthod Dentofac Orthop. 2013;143:462–70. https://doi.org/10.1016/j.ajodo.2012.11.019.

180. Zhao Y, Nguyen M, Gohl E, Mah JK, Sameshima G, Enciso R. Oropharyngeal airway changes after rapid palatal expansion evaluated with cone-beam computed tomography. Am J Orthod Dentofac Orthop. 2010;137:S71–8. https://doi.org/10.1016/j. ajodo.2008.08.026.

181. Di Carlo G, Saccucci M, Ierardo G, Luzzi V, Occasi F, Zicari AM, et al. Rapid maxillary expansion and upper airway mor-phology: a systematic review on the role of cone beam computed tomography. Biomed Res Int. 2017;2017:5460429. https://doi. org/10.1155/2017/5460429.

182. Timms DJ. Rapid maxillary expansion in the treatment of nasal obstruction and respiratory disease. Ear Nose Throat J. 1987;66:242–7.

183. Griffin CJ. Chronic nasal obstruction and bronchial asthma. Aust Dent J. 1965;10:313–6. https://doi.org/10.1111/j.1834-7819.1965. tb01649.x.

184. Holty J-EC, Guilleminault C. Maxillomandibular expansion and advancement for the treatment of sleep-disordered breathing in children and adults. Semin Orthod. 2012;18:162-70. https://doi. org/10.1053/j.sodo.2011.10.014.

185. Guilleminault C, Quo S, Huynh NT, Li K. Orthodontic expansion treatment and adenotonsillectomy in the treatment of obstruc-tive sleep apnea in prepubertal children. Sleep. 2008;31:953-7.

186. Villa MP, Malagola C, Pagani J, Montesano M, Rizzoli A, Guil-leminault C, et al. Rapid maxillary expansion in children with obstructive sleep apnea syndrome: 12-month follow-up. Sleep Med. 2007;8:128-34. https://doi. org/10.1016/j.sleep.2006.06.009.

187. Villa MP, Rizzoli A, Rabasco J, Vitelli O, Pietropaoli N, Cecili M, et al. Rapid maxillary expansion outcomes in treatment of obstructive sleep apnea in children. Sleep Med. 2015;16:709-16. https://doi.org/10.1016/j.sleep.2014.11.019.

188. Pirelli P, Saponara M, Guilleminault C. Rapid maxillary expan-sion in children with obstructive sleep apnea syndrome. Sleep. 2004;27:761-6.

189. Hyla-Klekot L, Truszel M, Paradysz A, Postek-Stefańska L, Życzkowski M. Influence of orthodontic rapid maxillary expansion on nocturnal enuresis in children. Biomed Res Int. 2015;2015. https://doi.org/10.1155/2015/201039.

190. Monini S, Malagola C, Villa MP, Tripodi C, Tarentini S, Malagnino I, et al. Rapid maxillary expansion for the treat-ment of nasal obstruction in children younger than 12 years. Arch Otolaryngol Head Neck Surg. 2009;135:22-7. https://doi. org/10.1001/archoto.2008.521.

191. Stockfisch H. Rapid expansion of the maxilla: success and relapse. Rep Congr Eur Orthod Soc. 1969:469-81.

192. Oliveira De Felippe NL, Da Silveira AC, Viana G, Kusnoto B, Smith B, Evans CA. Relationship between rapid maxillary expansion and nasal cavity size and airway resistance: short- and long-term effects. Am J Orthod Dentofac Orthop. 2008;134:370-82. https://doi.org/10.1016/j.ajodo.2006.10.034.

193. Enoki C, Valera FCP, Lessa FCR, Elias AM, Matsumoto MAN, Anselmo-Lima WT. Effect of rapid maxillary expansion on the dimension of the nasal cavity and on nasal air resistance. Int J Pediatr Otorhinolaryngol. 2006;70:1225-30. https://doi. org/10.1016/j.ijporl.2005.12.019.

194. Giuca MR, Pasini M, Galli V, Casani AP, Marchetti E, Marzo G. Correlations between transversal discrepancies of the upper maxilla and oral breathing. Eur J Paediatr Dent. 2009;10:23-8.

195. Matsumoto MAN, Itikawa CE, Valera FCP, Faria G, Anselmo- Lima WT. Long-term effects of rapid maxillary expansion on nasal area and nasal airway resistance. Am J Rhinol Allergy. 2010;24:161-5. https://doi. org/10.2500/ajra.2010.24.3440.

196. Timms DJ. The effect of rapid maxillary expansion on nasal air-way resistance. Br J Orthod. 1986;13:221-8.

197. McGuinness NJ, McDonald JP. Changes in natural head position observed immediately and one year after rapid maxillary expan-sion. Eur J Orthod. 2006;28:126-34. https://doi.org/10.1093/ejo/cji064.

198. Baratieri C, Alves J, De S, De SA, Maia LC. Does rapid maxil-lary expansion have long-term effects on airway dimensions and breathing? Am J Orthod Dentofac Orthop. 2011;140:146-56. https://doi.org/10.1016/j.ajodo.2011.02.019.

199. Langer MRE, Itikawa CE, Valera FCP, Matsumoto MAN, Anselmo-Lima WT. Does rapid maxillary expansion increase nasopharyngeal space and improve nasal airway resistance? Int J Pediatr Otorhinolaryngol. 2011;75:122-5. https://doi. org/10.1016/j.ijporl.2010.10.023.

200. Pirelli P, Saponara M, Attanasio G. Obstructive Sleep Apnoea Syndrome (OSAS) and rhino-tubaric disfunction in children: therapeutic effects of RME therapy. Prog Orthod. 2005;6:48-61.

201. Miano S, Rizzoli A, Evangelisti M, Bruni O, Ferri R, Pagani J, et al. NREM sleep instability changes following rapid max-illary expansion in children with obstructive apnea sleep syn-drome. Sleep Med. 2009;10:471-8. https://doi.org/10.1016/j. sleep.2008.04.003.

202. Villa MP, Rizzoli A, Miano S, Malagola C. Efficacy of rapid maxillary expansion in children with obstructive sleep apnea syn-drome: 36 months of follow-up. Sleep Breath. 2011;15:179-84. https://doi.org/10.1007/s11325-011-0505-1.

203. Guilleminault C, Monteyrol P-J, Huynh NT, Pirelli P, Quo S, Li K. Adeno-tonsillectomy and rapid maxillary distraction in pre- pubertal children, a pilot study. Sleep Breath. 2011;15:173-7. https://doi.org/10.1007/s11325-010-0419-3.

204. Caprioglio A, Meneghel M, Fastuca R, Zecca PA, Nucera R, Nosetti L. Rapid maxillary expansion in growing patients: corre-spondence between 3-dimensional airway changes and polysom-nography. Int J Pediatr Otorhinolaryngol. 2014;78:23-7. https://doi.org/10.1016/j.ijporl.2013.10.011.

205. Vale F, Albergaria M, Carrilho E, Francisco I, Guimarães A, Caramelo F, et al. Efficacy of rapid maxillary expansion in the treatment of obstructive sleep apnea syndrome: a sys-tematic review with meta-analysis. J Evid Based Dent Pract. 2017;17:159-68. https://doi.org/10.1016/j.jebdp.2017.02.001.

206. Machado-Júnior A-J, Zancanella E, Crespo A-N. Rapid max-illary expansion and obstructive sleep apnea: a review and meta- analysis. Medicina Oral Patologia Oral Y Cirugia Bucal. 2016;21:e465-9.

207. Harvold EP, Tomer BS, Vargervik K, Chierici G. Primate experi-ments on oral respiration. Am J Orthod. 1981;79:359-72.

208. Principato JJ. Upper airway obstruction and craniofacial mor-phology. Otolaryngol Head Neck Surg. 1991;104:881-90. https://doi. org/10.1177/019459989110400621.

209. Iwasaki T, Saitoh I, Takemoto Y, Inada E, Kakuno E, Kanomi R, et al. Tongue posture improvement and pharyngeal airway enlargement as secondary effects of rapid maxillary expan-sion: a cone-beam computed tomography study. Am J Orthod Dentofac Orthop. 2013;143:235-45. https://doi.org/10.1016/j. ajodo.2012.09.014.

210. Huynh NT, Desplats E, Almeida FR. Orthodontics treatments for managing obstructive sleep apnea syndrome in children: a systematic review and meta-analysis. Sleep Med Rev. 2016;25:84-94. https://doi.org/10.1016/j.smrv.2015.02.002.

211. Pirelli P, Saponara M, Guilleminault C. Rapid maxillary expan-sion (RME) for pediatric obstructive sleep apnea: a 12-year follow- up. Sleep Med. 2015;16:933-5. https://doi.org/10.1016/j. sleep.2015.04.012.

212. Proffit B. Contemporary orthodontics. 5th ed. St. Louis: Mosby; 2013. p. 226-7.

213. Garib DG, Henriques JFC, Janson G, de Freitas MR, Fer-nandes AY. Periodontal effects of rapid maxillary expan-sion with tooth- tissue- borne and tooth-borne expanders: a computed tomography evaluation. Am J Orthod Dentofac Orthop. 2006;129:749-58. https://doi.org/10.1016/j.ajodo.2006. 02.021.

214. Baysal A, Karadede I, Hekimoglu S, Ucar F, Ozer T, Veli I, et al. Evaluation of root resorption following rapid maxillary expan-sion using cone-beam computed tomography. Angle Orthod. 2012;82:488-94. https://doi. org/10.2319/060411-367.1.

215. Baysal A, Uysal T, Veli I, Ozer T, Karadede I, Hekimoglu S. Eval-uation of alveolar bone loss following rapid maxillary expan-sion using cone-beam computed tomography. Korean J Orthod. 2013;43:83-95. https://doi. org/10.4041/kjod.2013.43.2.83.

216. Jaipal PR, Rachala MR, Rajan R, Jhawar DK, Ankush B. Man-agement of adult transverse malocclusion with surgically assisted rapid palatal expansion. J Clin Diagn Res. 2016;10:ZJ10-2. https://doi.org/10.7860/JCDR/2016/19554.7861.

217. Vinha PP, Faria AC, Xavier SP, Christino M, de Mello-Filho FV. Enlarge-

ment of the pharynx resulting from surgically assisted rapid maxillary expansion. J Oral Maxillofac Surg. 2016;74:369–79. https://doi.org/10.1016/j.joms.2015.06.157.

218. Wriedt S, Kunkel M, Zentner A, Wahlmann UW. Surgically assisted rapid palatal expansion. An acoustic rhinometric, morphometric and sonographic investigation. J Orofac Orthop = Fortschritte Der Kieferorthopadie: Organ/Official Journal Deutsche Gesellschaft Fur Kieferorthopadie. 2001;62:107–15.

219. Park JJ, Park Y-C, Lee K-J, Cha J-Y, Tahk JH, Choi YJ. Skeletal and dentoalveolar changes after miniscrew-assisted rapid palatal expansion in young adults: a cone-beam computed tomography study. Korean J Orthod. 2017;47:77–86. https://doi.org/10.4041/kjod.2017.47.2.77.

220. Kabalan O, Gordon J, Heo G, Lagravère MO. Nasal airway changes in bone-borne and tooth-borne rapid maxillary expan-sion treatments. Int Orthod / Collège Européen D'orthodontie. 2015;13:1–15. https://doi.org/10.1016/j.ortho.2014.12.011.

221. Ludwig B, Glas B, Bowman SJ, Drescher D, Wilmes B. Miniscrew- supported class III treatment with the hybrid RPE advancer. J Clin Orthod. 2010;44:533–9; quiz 61.

222. Lee K-J, Park Y-C, Park J-Y, Hwang W-S. Miniscrew-assisted nonsurgical palatal expansion before orthognathic surgery for a patient with severe mandibular prognathism. Am J Orthod Dentofac Orthop. 2010;137:830–9. https://doi.org/10.1016/j. ajodo.2007.10.065.

223. Bazargani F, Magnuson A, Ludwig B. Effects on nasal airflow and resistance using two different RME appliances: a random-ized controlled trial. Eur J Orthod. 2017. https://doi.org/10.1093/ejo/cjx081.

224. Algharbi M, Bazargani F, Dimberg L. Do different maxillary expansion appliances influence the outcomes of the treatment?Eur J Orthod. 2017. https://doi.org/10.1093/ejo/cjx035.

225. Kikuchi M. Orthodontic treatment in children to prevent sleep- disordered breathing in adulthood. Sleep Breath. 2005;9:146–58. https://doi.org/10.1007/s11325-005-0028-8.

226. Chen Y, Hong L, Wang C-l, Zhang S-J, Cao C, Wei F, et al. Effect of large incisor retraction on upper airway morphology in adult bimaxillary protrusion patients. Angle Orthod. 2012;82:964–70. https://doi.org/10.2319/110211-675.1.

227. Germec-Cakan D, Taner T, Akan S. Uvulo-glossopharyngeal dimensions in non-extraction, extraction with minimum anchor-age, and extraction with maximum anchorage. Eur J Orthod. 2011;33:515–20. https://doi.org/10.1093/ejo/cjq109.

228. Wang Q, Jia P, Anderson NK, Wang L, Lin J. Changes of pha-ryngeal airway size and hyoid bone position following orthodon-tic treatment of Class I bimaxillary protrusion. Angle Orthod. 2012;82:115–21. https://doi.org/10.2319/011011-13.1.

229. Al Maaitah E, El Said N, Abu Alhaija ES. First premolar extraction effects on upper airway dimension in bimaxillary proclination patients. Angle Orthod. 2012;82:853–9. https://doi. org/10.2319/101711-646.1.

230. Valiathan M, El H, Hans MG, Palomo MJ. Effects of extrac-tion versus non-extraction treatment on oropharyngeal air-way volume. Angle Orthod. 2010;80:1068–74. https://doi. org/10.2319/010810-19.1.

231. Stefanovic N, El H, Chenin DL, Glisic B, Palomo JM. Three- dimensional pharyngeal airway changes in orthodontic patients treated with and without extractions. Orthod Craniofac Res. 2013;16:87–96. https://doi.org/10.1111/ocr.12009.

232. Pliska BT, Tam IT, Lowe AA, Madson AM, Almeida FR. Effect of orthodontic treatment on the upper airway volume in adults. Am J Orthod Dentofac Orthop. 2016;150:937–44. https://doi. org/10.1016/j.ajodo.2016.05.013.

233. Haddad S, Kerbrat J-B, Schouman T, Goudot P. [Effect of dental arch length decrease during orthodontic treatment in the upper airway development. A review]. Orthod Fr. 2017;88:25–33. https://doi.org/10.1051/orthodfr/2016041.

234. Yildirim N, Fitzpatrick MF, Whyte KF, Jalleh R, Wightman AJ, Douglas NJ. The effect of posture on upper airway dimensions in normal subjects and in patients with the sleep apnea/hypop-nea syndrome. Am Rev Respir Dis. 1991;144:845–7. https://doi. org/10.1164/ajrccm/144.4.845.

235. Muto T, Yamazaki A, Takeda S, Kawakami J, Tsuji Y, Shibata T, et al. Relationship between the pharyngeal airway space and craniofacial morphology, taking into account head posture. Int J Oral Maxillofac Surg. 2006;35:132–6. https://doi.org/10.1016/j. ijom.2005.04.022.

236. Mattos CT, Cruz CV, da Matta TCS, Pereira LA, Solon-de- Mello PA, Ruellas ACO, et al. Reliability of upper airway lin-ear, area, and volumetric measurements in cone-beam computed tomography. Am J Orthod Dentofac Orthop. 2014;145:188–97. https://doi.org/10.1016/j.ajodo.2013.10.013.

237. Hu Z, Yin X, Liao J, Zhou C, Yang Z, Zou S. The effect of teeth extraction for orthodontic treatment on the upper airway: a systematic review. Sleep Breath. 2015;19:441–51. https://doi. org/10.1007/s11325-015-1122-1.

238. Zhang J, Chen G, Li W, Xu T, Gao X. Upper airway changes after orthodontic extraction treatment in adults: a prelimi-nary study using cone beam computed tomography. PLoS One. 2015;10:e0143233. https://doi.org/10.1371/journal. pone.0143233.

239. Larsen AJ, Rindal DB, Hatch JP, Kane S, Asche SE, Carvalho C, et al. Evidence supports no relationship between obstruc-tive sleep apnea and premolar extraction: an electronic health records review. J Clin Sleep Med. 2015;11:1443–8. https://doi. org/10.5664/jcsm.5284.

240. Melsen B. Effects of cervical anchorage during and after treat-ment: an implant study. Am J Orthod. 1978;73:526–40.

241. Wieslander L. The effect of force on craniofacial development. Am J Orthod. 1974;65:531–8.

242. Baumrind S, Korn EL, Isaacson RJ, West EE, Molthen R. Quan-titative analysis of the orthodontic and orthopedic effects of maxillary traction. Am J Orthod. 1983;84:384–98.

243. Kirjavainen M, Kirjavainen T, Hurmerinta K, Haavikko K. Orthopedic cervical headgear with an expanded inner bow in class II correction. Angle Orthod. 2000;70:317–25. https://doi. org/10.1043/0003-3219(2000)070<0317:OCHWAE>2.0.CO;2.

244. Mäntysaari R, Kantomaa T, Pirttiniemi P, Pykäläinen A. The effects of early headgear treatment on dental arches and cranio-facial morphology: a report of a 2 year randomized study. Eur J Orthod. 2004;26:59–64.

245. Pirttiniemi P, Kantomaa T, Mäntysaari R, Pykäläinen A, Krusin-skiene V, Laitala T, et al. The effects of early headgear treatment on dental arches and craniofacial morphology: an 8 year report of a randomized study. Eur J Orthod. 2005;27:429–36. https://doi.org/10.1093/ejo/cji025.

246. Baumrind S, Molthen R, West EE, Miller DM. Distal displace-ment of the maxilla and the upper first molar. Am J Orthod. 1979;75:630–40.

247. Lima Filho RMA, Lima AL, de Oliveira Ruellas AC. Longitu-dinal study of anteroposterior and vertical maxillary changes in skeletal class II patients treated with Kloehn cervical headgear. Angle Orthod. 2003;73:187–93. https://doi.org/10.1043/0003- 3219(2003)73<187:LSOAAV>2.0.CO;2.

248. Freitas MR, Lima DV, Freitas KMS, Janson G, Henriques JFC. Cephalometric evaluation of Class II malocclusion treat-ment with cervical headgear and mandibular fixed appliances. Eur J Orthod. 2008;30:477–82. https://doi.org/10.1093/ejo/cjn039.

249. Godt A, Koos B, Hagen H, Göz G. Changes in upper airway width associated with Class II treatments (headgear vs activa-tor) and different growth patterns. Angle Orthod. 2011;81:440–6. https://doi.org/10.2319/090710-525.1.

250. Hiyama S, Ono T, Ishiwata Y, Kuroda T. Changes in mandibular position and upper airway dimension by wearing cervical head-gear during sleep.

Am J Orthod Dentofac Orthop. 2001;120:160-8. https://doi.org/10.1067/mod.2001.113788.

251. Kirjavainen M, Kirjavainen T. Upper airway dimensions in Class II malocclusion. Effects of headgear treatment. Angle Orthod. 2007;77:1046-53. https://doi.org/10.2319/081406-332.

252. Julku J, Pirilä-Parkkinen K, Pirttiniemi P. Airway and hard tis-sue dimensions in children treated with early and later timed cervical headgear—a randomized controlled trial. Eur J Orthod. https://doi.org/10.1093/ejo/cjx088.

253. Pirilä-Parkkinen K, Pirttiniemi P, Nieminen P, Löppönen H, Tolonen U, Uotila R, et al. Cervical headgear therapy as a factor in obstructive sleep apnea syndrome. Pediatr Dent. 1999;21:39-45.

254. Chong YH, Ive JC, Artun J. Changes following the use of pro-traction headgear for early correction of class III malocclusion. Angle Orthod. 1996;66:351-62. https://doi.org/10.1043/0003- 3219(1996)066<0351:CF-TUOP>2.3.CO;2.

255. Ngan P, Wei SH, Hagg U, Yiu CK, Merwin D, Stickel B. Effect of protraction headgear on Class III malocclusion. Quintessence Int. 1992;23:197-207.

256. Wells AP, Sarver DM, Proffit WR. Long-term efficacy of reverse pull headgear therapy. Angle Orthod. 2006;76:915-22. https://doi.org/10.2319/091605-328.

257. Elwood ET, Burstein FD, Graham L, Williams JK, Paschal M. Midface distraction to alleviate upper airway obstruction in achondroplastic dwarfs. Cleft Palate Craniofac J. 2003;40:100-3. https://doi.org/10.1597/1545-1569(2003)040<0100:MDTAUA>2 .0.CO;2.

258. Uemura T, Hayashi T, Satoh K, Mitsukawa N, Yoshikawa A, Jinnnai T, et al. A case of improved obstructive sleep apnea by distraction osteogenesis for midface hypoplasia of an infantile Crouzon's syndrome. J Craniofac Surg. 2001;12:73-7.

259. Nelson TE, Mulliken JB, Padwa BL. Effect of midfacial distrac-tion on the obstructed airway in patients with syndromic bilateral coronal synostosis. J Oral Maxillofac Surg. 2008;66:2318-21. https://doi.org/10.1016/j.joms.2008.06.063.

260. Sayinsu K, Isik F, Arun T. Sagittal airway dimensions following maxillary protraction: a pilot study. Eur J Orthod. 2006;28:184-9. https://doi.org/10.1093/ejo/cji095.

261. Oktay H, Ulukaya E. Maxillary protraction appliance effect on the size of the upper airway passage. Angle Orthod. 2008;78:209-14. https://doi.org/10.2319/122806-535.1.

262. Kilinç AS, Arslan SG, Kama JD, Ozer T, Dari O. Effects on the sagittal pharyngeal dimensions of protraction and rapid pala-tal expansion in Class III malocclusion subjects. Eur J Orthod. 2008;30:61-6. https://doi.org/10.1093/ejo/cjm076.

263. Chen X, Liu D, Liu J, Wu Z, Xie Y, Li L, et al. Three- dimensional evaluation of the upper airway morphological changes in grow-ing patients with skeletal class III malocclusion treated by pro-traction headgear and rapid palatal expansion: a comparative research. PLoS One. 2015;10:e0135273. https://doi.org/10.1371/journal.pone.0135273.

264. Baccetti T, Franchi L, Mucedero M, Cozza P. Treatment and post-treatment effects of facemask therapy on the sagit-tal pharyngeal dimensions in Class III subjects. Eur J Orthod. 2010;32:346-50. https://doi.org/10.1093/ejo/cjp092.

265. Pamporakis P, Nevzatoğlu Ş, Küçükkeleş N. Three-dimensional alterations in pharyngeal airway and maxillary sinus volumes in Class III maxillary deficiency subjects undergoing orthopedic facemask treatment. Angle Orthod. 2014;84:701-7. https://doi. org/10.2319/060513-430.1.

266. Mucedero M, Baccetti T, Franchi L, Cozza P. Effects of maxillary protraction with or without expansion on the sagittal pharyngeal dimensions in Class III subjects. Am J Orthod Dentofac Orthop. 2009;135:777-81. https://doi.org/10.1016/j.ajodo.2008.11.021.

267. Mitani H. Early application of chincap therapy to skeletal Class III malocclusion. Am J Orthod Dentofac Orthop. 2002;121:584-5.

268. Ritucci R, Nanda R. The effect of chin cup therapy on the growth and development of the cranial base and midface. Am J Orthod Dentofac Orthop. 1986;90:475-83.

269. Uçüncü N, Uçem TT, Yüksel S. A comparison of chincap and maxillary protraction appliances in the treatment of skeletal Class III malocclusions. Eur J Orthod. 2000;22:43-51.

270. Uner O, Yüksel S, Uçüncü N. Long-term evaluation after chin-cap treatment. Eur J Orthod. 1995;17:135-41.

271. Tuncer BB, Kaygisiz E, Tuncer C, Yüksel S. Pharyngeal airway dimensions after chin cup treatment in Class III malocclusion subjects. J Oral Rehabil. 2009;36:110-7. https://doi.org/10.1111/j.1365-2842.2008.01910.x.

272. Cozza P, Baccetti T, Franchi L, De Toffol L, McNamara JA. Mandibular changes produced by functional appliances in Class II malocclusion: a systematic review. Am J Orthod Den-tofac Orthop. 2006;129:599.e1-12; discussion e1-6. https://doi. org/10.1016/j.ajodo.2005.11.010.

273. Perinetti G, Primožič J, Furlani G, Franchi L, Contardo L. Treatment effects of fixed functional appliances alone or in combination with multibracket appliances: a systematic review and meta-analysis. Angle Orthod. 2014;85:480-92. https://doi. org/10.2319/102813-790.1.

274. Koretsi V, Zymperdikas VF, Papageorgiou SN, Papadopou-los MA. Treatment effects of removable functional appliances in patients with Class II malocclusion: a systematic review and meta-analysis. Eur J Orthod. 2015;37:418-34. https://doi. org/10.1093/ejo/cju071.

275. Zymperdikas VF, Koretsi V, Papageorgiou SN, Papadopoulos MA. Treatment effects of fixed functional appliances in patients with Class II malocclusion: a systematic review and meta-analysis. Eur J Orthod. 2016;38:113-26. https://doi.org/10.1093/ejo/cjv034.

276. Xiang M, Hu B, Liu Y, Sun J, Song J. Changes in airway dimen-sions following functional appliances in growing patients with skeletal class II malocclusion: a systematic review and meta- analysis. Int J Pediatr Otorhinolaryngol. 2017;97:170-80. https://doi.org/10.1016/j.ijporl.2017.04.009.

277. Maspero C, Giannini L, Galbiati G, Kairyte L, Farronato G. Upper airway obstruction in class II patients. Effects of Andresen activator on the anatomy of pharyngeal airway pas-sage. Cone beam evaluation. Stomatologija. 2015;17:124-30.

278. Temani P, Jain P, Rathee P, Temani R. Volumetric changes in pharyngeal airway in Class II division 1 patients treated with For-sus-fixed functional appliance: a three-dimensional cone- beam computed tomography study. Contemp Clin Dent. 2016;7:31. https://doi.org/10.4103/0976-237X.177100.

279. Ali B, Shaikh A, Fida M. Changes in oropharyngeal airway dimensions after treatment with functional appliance in class II skeletal pattern. J Ayub Med Coll Abbottabad. 2015;27:759-63.

280. Elfeky HY, MMS F. Three-dimensional effects of twin block therapy on pharyngeal airway parameters in class II malocclu-sion patients. J World Fed Orthod. 2015;4:114-9. https://doi. org/10.1016/j.ejwf.2015.06.001.

281. Özbek MM, Toygar M, Gögen H, Lowe AA, Baspinar E. Oro-pharyngeal airway dimensions and functional-orthopedic treat-ment in skeletal Class II cases. Angle Orthod. 1998;68:327-36.

282. Jena AK, Singh SP, Utreja AK. Effectiveness of twin-block and Mandibular Protraction Appliance-IV in the improvement of pharyngeal airway passage dimensions in Class II maloc-clusion subjects with a retrognathic mandible. Angle Orthod. 2013;83:728-34. https://doi.org/10.2319/083112-702.1.

283. Ghodke S, Utreja AK, Singh SP, Jena AK. Effects of twin-block appliance on the anatomy of pharyngeal airway passage (PAP) in class II

malocclusion subjects. Prog Orthod. 2014;15:68. https://doi.org/10.1186/s40510-014-0068-3.

284. Ali B, Shaikh A, Fida M, Ali B, Shaikh A, Fida M. Effect of Clark's twin-block appliance (CTB) and non-extraction fixed mechano-therapy on the pharyngeal dimensions of grow-ing children. Dental Press J Orthod. 2015;20:82-8. https://doi. org/10.1590/2177-6709.20.6.082-088.oar.

285. Bavbek NC, Tuncer BB, Turkoz C, Ulusoy C, Tuncer C. Changes in airway dimensions and hyoid bone position following class II correction with forsus fatigue resistant device. Clin Oral Investig. 2016;20:1747-55. https://doi.org/10.1007/s00784-015-1659-1.

286. Ozdemir F, Ulkur F, Nalbantgil D. Effects of fixed functional therapy on tongue and hyoid positions and posterior airway. Angle Orthod. 2014;84:260-4. https://doi.org/10.2319/042513- 319.1.

287. Kinzinger G, Czapka K, Ludwig B, Glasl B, Gross U, Lisson J. Effects of fixed appliances in correcting Angle Class II on the depth of the posterior airway space. J Orof Orthop / Fortschritte der Kieferorthopädie. 2011;72:301. https://doi.org/10.1007/s00056-011-0035-2.

288. Lin Y-C, Lin H-C, Tsai H-H. Changes in the pharyngeal airway and position of the hyoid bone after treatment with a modified bionator in growing patients with retrognathia. J Exp Clin Med. 2011;3:93-8. https://doi.org/10.1016/j.jecm.2011.02.005.

289. Ulusoy C, Bavbek NC, Tuncer BB, Tuncer C, Turkoz C, Genc-turk Z. Evaluation of airway dimensions and changes in hyoid bone position following class II functional therapy with activa-tor. Acta Odontol Scand. 2014;72:917-25. https://doi.org/10.310 9/00016357.2014.923109.

290. Schütz TCB, Dominguez GC, Hallinan MP, Cunha TCA, Tufik S. Class II correction improves nocturnal breathing in adolescents. Angle Orthod. 2011;81:222-8. https://doi.org/10.2319/052710-233.1.

291. Villa MP, Bernkopf E, Pagani J, Broia V, Montesano M, Ron-chetti R. Randomized controlled study of an oral jaw- positioning appliance for the treatment of obstructive sleep apnea in children with malocclusion. Am J Respir Crit Care Med. 2002;165:123-7. https://doi.org/10.1164/ajrccm.165.1.2011031.

292. Carvalho FR, Lentini-Oliveira DA, Prado LB, Prado GF, Carv-alho LB. Oral appliances and functional orthopaedic appliances for obstructive sleep apnoea in children. Cochrane Database Syst Rev. John Wiley & Sons, Ltd. 2016;

하악 과두 흡수 상태에서 OSA

W. Jonathan Fillmore

목차

배경

거대설[1,2], 하악 후퇴증이나 저형성증[3]과 같은 해부학적 기형이 기도 폐쇄에 기여할 수 있다는 것은 잘 정리되어 있다. 마찬가지로, 측두하악 관절의 후천적 결함과 그로 인한 골격 이상이 기도 손상을 초래할 수 있다. 가장 일반적으로 이것은 하악 과두의 흡수나 파괴 과정에서 관찰되어 하악의 시계 방향 회전과 2차적인 후방 기도 공간 감소가 야기된다. 이런 경우, 해부학적 수정은 종종 기도 손상을 개선하거나 제거할 수 있다.

11.1 관련된 해부학과 기능

측두하악 관절(TMJ)은 하악골과 두개골 기저부의 복잡한 경첩-활주 관절이다. 얇은 골에 의해 중이와 중두개와로부터 분리된다. 치밀한 섬유성 결합 조직의 삽입형 디스크가 있는 윤활 관절이다.

하악 "지레" 한 쪽의 회전축이 하악 과두에 있고 관절와에 있는 측두골에 대해 기능하는 동안, 다른 쪽 끝은 상악 치열에 대해 기능하는 치아를 고정한다. 하악은 일종의 삼각대라고 할 수 있는데, 관절 자체가 2개의 다리이고 치열이 3번째 안정점이 된다. 이런 식으로 TMJ 해부학이나 생리학의 작은 변화가 교합과 치아 기능에 큰 차이를 줄 수 있다. 다행히도 관절과 치열 모두 적응력이 있어서 시간이 지남에 따라 가벼운 질병 상태에서 지레의 양 끝을 변경하고 보상할 수 있다.

11.2 병태생리학

TMJ는 골관절염과 염증성 관절염을 포함하여 다른 윤활 관절에 영향을 줄 수 있는 동일한 질병에 걸리기 쉽다.[4,5] 후천성 외상성 결함, 경피증 같은 자가면역 질환, 특발성 과두 흡수와 같은 기타 병적 상태는 TMJ에 영향을 미치고 기도 폐쇄를 유발하는 해부학적 변화를 유발할 수 있다.

골관절염의 변화는 종종 과두를 퇴화시키고 짧게 만든다.[6] 관절염 통증은 이러한 형태적 변화를 동반하거나 그렇지 않을 수 있다(◘ 그림 11.1). 연골과 하방 골의 퇴행성 변화는 기계적 부하에 적응하지 못한 결과이다. 이것은 부하가 증가하거나 비정상적이기 때문일 수 있지만, 정상 부하에 대해 연골이 제대로 작용하지 못한 경우에도 발견된다. 관절 내 염증도 TMJ 골관절염에 기여한다. 마지막으로, TMJ 관절염을 유발하는 요인으로 호르몬과 유전적 요인이 제시되었다.

골관절염은 저염증성 관절염이지만, 고염증성 관절병증, 자가면역질환, 류마티스 질환 등이 TMJ에 영향을 미칠 수 있다.[7] 여기에는 류마티스 관절염, 소아 특발성 관절염, 경피증, 건선 관절염, 전신성 홍반성 루푸스가 포함되지만, 여기에만 국한되지 않는다. 이러한 질병 과정의 다양한 병태생리는 다른 문서에 잘 설명되어 있으며, 각각에 대한 심층적인 논의는 이 단원의 범위를 벗어난다. TMJ의 이러한 상태에 의해 영향을 받아 통증, 관절 내 기능 장애, 과두 흡수나 파괴를 포함한 증상을 유발할 수 있다고 말하는 것으로 충분하다. 경피증의 독특한 경우도 계속 조여지고 제한적인 연조직 외피의 지속적인 압박으로 인해 골파괴가 일어난다(◘ 그림 11.2).

소위 특발성 과두 흡수라고 하는 것은 병태생리가 덜 분명하지만 유사한 임상 결과에 기여하는 또 다른 임상적 소견이다.[8] 종종 통증이 없고, 일반적으로 양측성이며, 15세에서 35세 사이의 여성에서 나타난다. 병인은 불분명하지만 자가면역질환, 호르몬 불균형, 외상, 민감한 개인의 악골 수술에 의해 시작될 수 있다(◘ 그림 11.3).

이러한 모든 상태에서 과두 흡수는 전체 과두가 하악지까지 내려가거나 기저 질환 과정이 조절될 때까지 진행될 수 있다. 이는 흡수와 그로 인한 진행성 하악 후퇴증이 결국 "소진"될 수 있음을 의미한다. 또한 근본 원인에 대한 적절한 의학적 관리가 이루어지면 안정화되고 중단될 수도 있다.

후천성 과두 흡수와 유사한 해부학적 변화의 마지막 원인은 외상이다. 하악 과두의 손상을 야기하는 안면 외상은 2가지 중 하나의 방법으로 하악의 동일한 시계 방향 회전과 전방 개방 교합으로 귀결될 수 있다. 첫째, 관절 손상으로 민감한 환자에서 과두 흡수를 시작할 수 있다. 이것은 심한 안면 외상이나 양악 수술에 잠재적으로 이차적으로 관찰될 수 있다. 둘째, 과두나 과두하 골절에서 부정유합, 유합 불량, 고정 실패, 물리치료 적응 실패가 있는 경우, 하악지-과두 단위의 단축이 일어날 수 있다(◘ 그림 11.4).

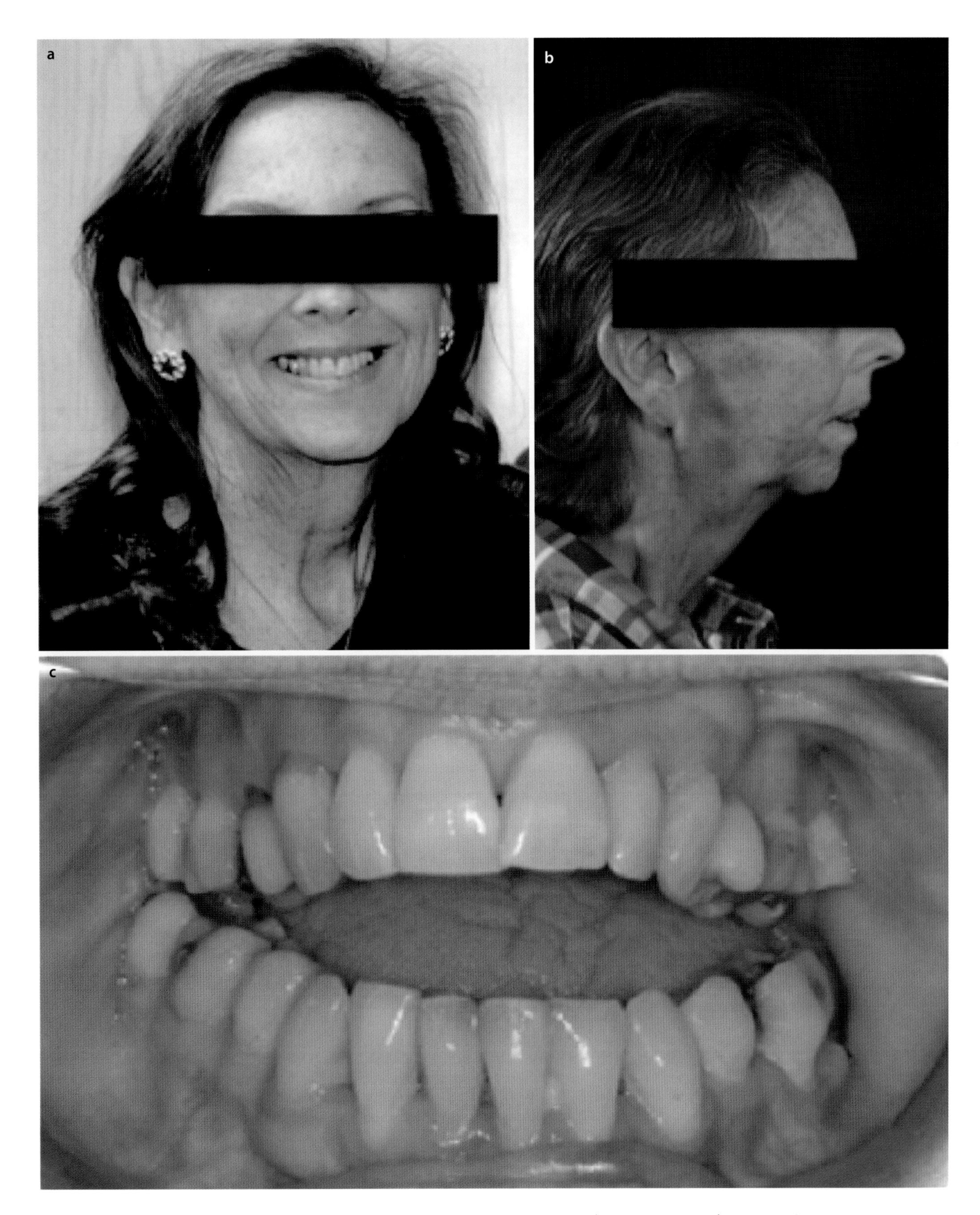

그림 11.1 골관절염-관련 퇴행성 관절 질환으로 2년 동안 부정교합과 심한 기도 손상이 발생하였다(**a** 변화 전, **b** 임상 보고). 무호흡 저호흡 지수는 41이다.

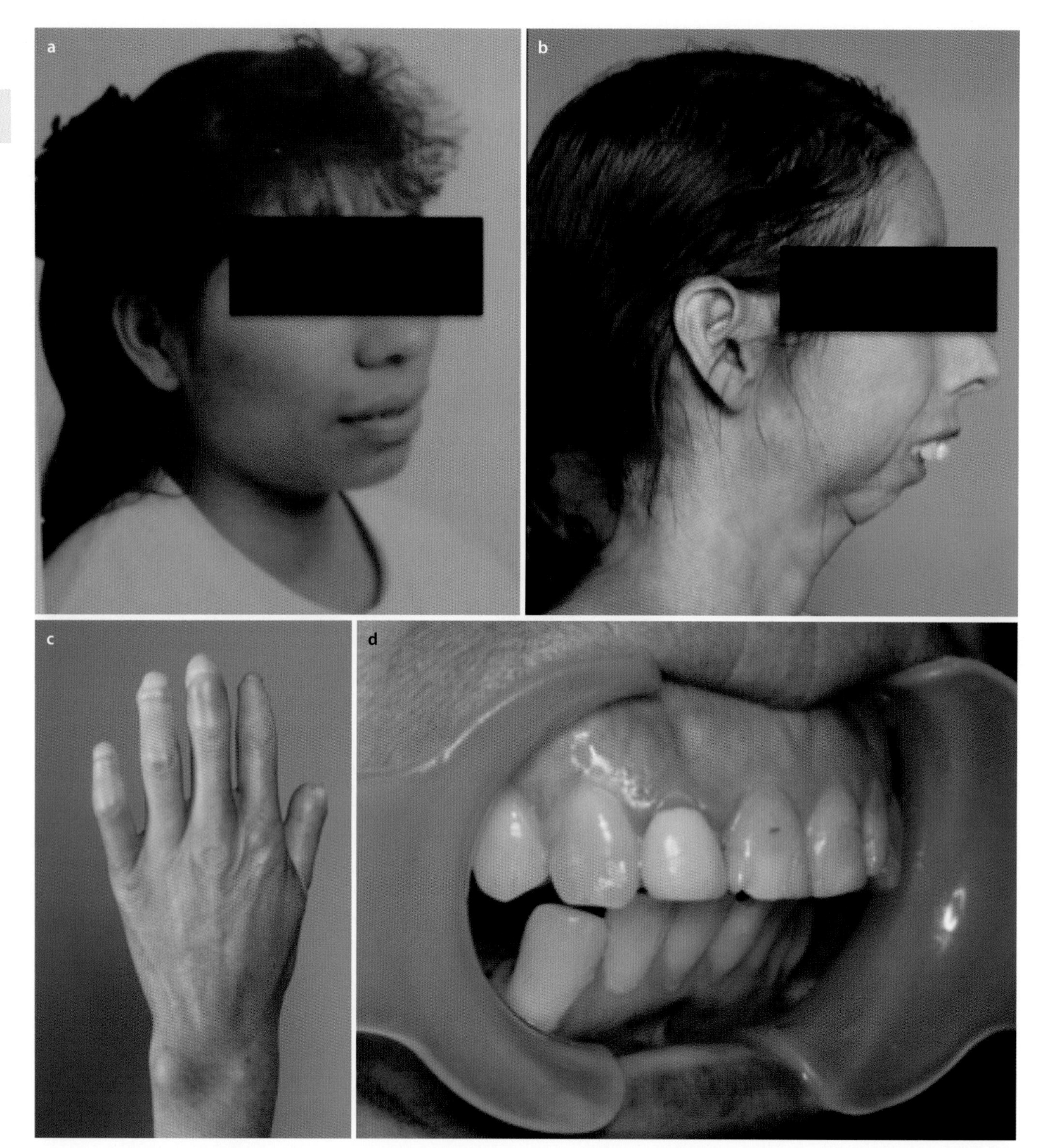

◘ 그림 11.2 경피증-관련 과두 흡수. **a** 수면 장애 호흡과 안면 변화 진술 15년 전 환자. **b** 중증의 하악 후퇴와 피부 조임으로 절치 위까지 상순이 수축한 동일 환자. **c** 같은 환자의 손에 일어난 경피증에 의한 변화. **d** 하악 후퇴 및 이와 관련된 치아 보상을 동반한 진행성 부정교합

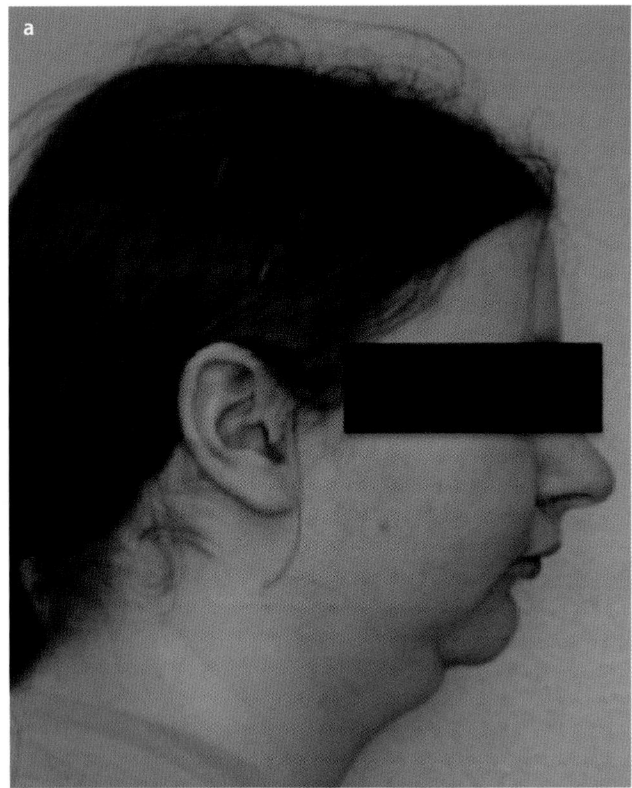

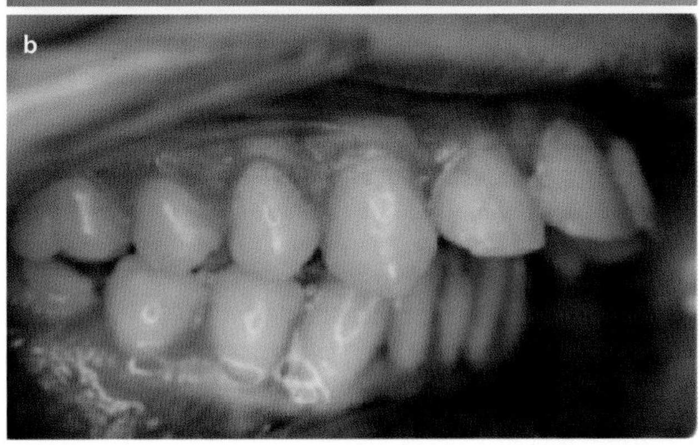

■ 그림 11.3 3년간의 진행성 특발성 과두 흡수를 가진 21세 여성. 전신적 원인 탐지를 위한 모든 검사 결과는 음성이었다. 적은 관절 내 증상과 무호흡 저호흡 지수 28을 보이고, 골격성(**a**) 및 치성(**b**) II급 부정교합이 있다.

11.3 임상 검사

폐쇄성 수면 무호흡(OSA)을 유발할 정도로 심한 과두 흡수가 있는 개인의 일반적인 소견은 다음과 같다:

- 하악의 시계 방향 회전
- 하악 후퇴증/II급 부정교합
- 전치부 개방 교합
- 후안면 고경 감소
- 상기도 공간의 영상학적 협착

11.4 진단 및 진단 검사

과두 흡수가 의심되는 경우, 흡수의 정도 평가와 같은 병인에 대한 탐구가 필수적이다.[5] 모든 증례에서, 철저한 병력 조사가 정확한 진단을 내리는 데 필수적이고, 염증성 관절 증상과 같은 류마티스 자가면역 장애, 뺨 또는 원형 발진과 같은 광과민성 피부 발진, 손가락 궤양이나 허혈이 있는 레이노병, 흉막염, 심낭염, 불명확한 원인의 신부전 병력, 혈구감소증, 기타 유사한 소견을 보일 수 있는 전신 증상을 확인해야 한다.

영상학적으로, 여러 검사가 적용될 수 있다. 측면 두부계측 영상은 쉽게 획득할 수 있고, 질병의 진행이나 치료를 추적하는 데 도움이 된다(■ 그림 11.5a). 측면 두부계측은 과두 높이와 인두 기도 공간을 측정할 수 있다(과두 흡수가 있는 OSA 환자에서 일반적으로 좁다). 진료실에서, 파노라마 영상으로 짧아진 과두와 전체적으로 짧은 하악지/과두 단위를 볼 수 있을 것이다(■ 그림 11.5b).

Bony window가 있는 CT는 외과적 처치를 고려할 때 중요한 특징(관절와 해부학, 관절 내 골극이나 기타 유리체, 평가나 치료가 필요할 수 있는 기타 두개악안면 소견)뿐만 아니라 과두 파괴의 범위와 크기를 더 명확하게 보여줄 가능성이 높다.[9] CT는 이종 관절 교체가 계획된 경우에 특히 유용하지만, 모든 주요 외과적 개입에 중요하다. Cone Beam CT (CBCT)는 이런 목적을 위한 횡단면 영상을 얻기 위해 자주 사용된다(■ 그림 11.6). CBCT가 선별 검사와 증례에 따라 질병의 진행을 추적하는 데 도움이 될 수 있지만, 의료 등급 CT가 주요 수술(예: 관절 교체나 견인) 계획에 더 유용하다는 것이 저자의 의견이다. CT는 진단과 치료 계획 수립 목적으로 모형을 인쇄하기 위해서도 사용될 수 있다(■ 그림 11.7).

핵의학 검사는 TMJ의 골대사 수준을 보여줄 수 있다. 예를 들어, 일부 흡수가 있지만 그 과정을 정지시키기 위해 병원 치료를 받고 있는 환자에게 technetium-99 검사는 여전히 높은 대사 활동(가능한 치료나 진단 실패)이나 대사 활동의 감소/해결(치료적 성공 또는 "소진")이 있는지 보여줄 것이다.

많은 증례에서 환자가 염증성 관절염이나 다른 상태를 가지고 있음을 이미 알고 있을 수 있다. 그러나 근본적인 질병 과정은 초진에서 탐색되거나 진단되지 않는 것이 일반적이다. 과두 흡수가 있는 환자 평가에 많은 간단한 혈액 검사를 고려할 수 있다. 적절한 의학적 진단과 관리를 보장하기 위해서 류마티스 전문의와의 상담과 치료 조정이 중요하다. 저자들은 일반적으로

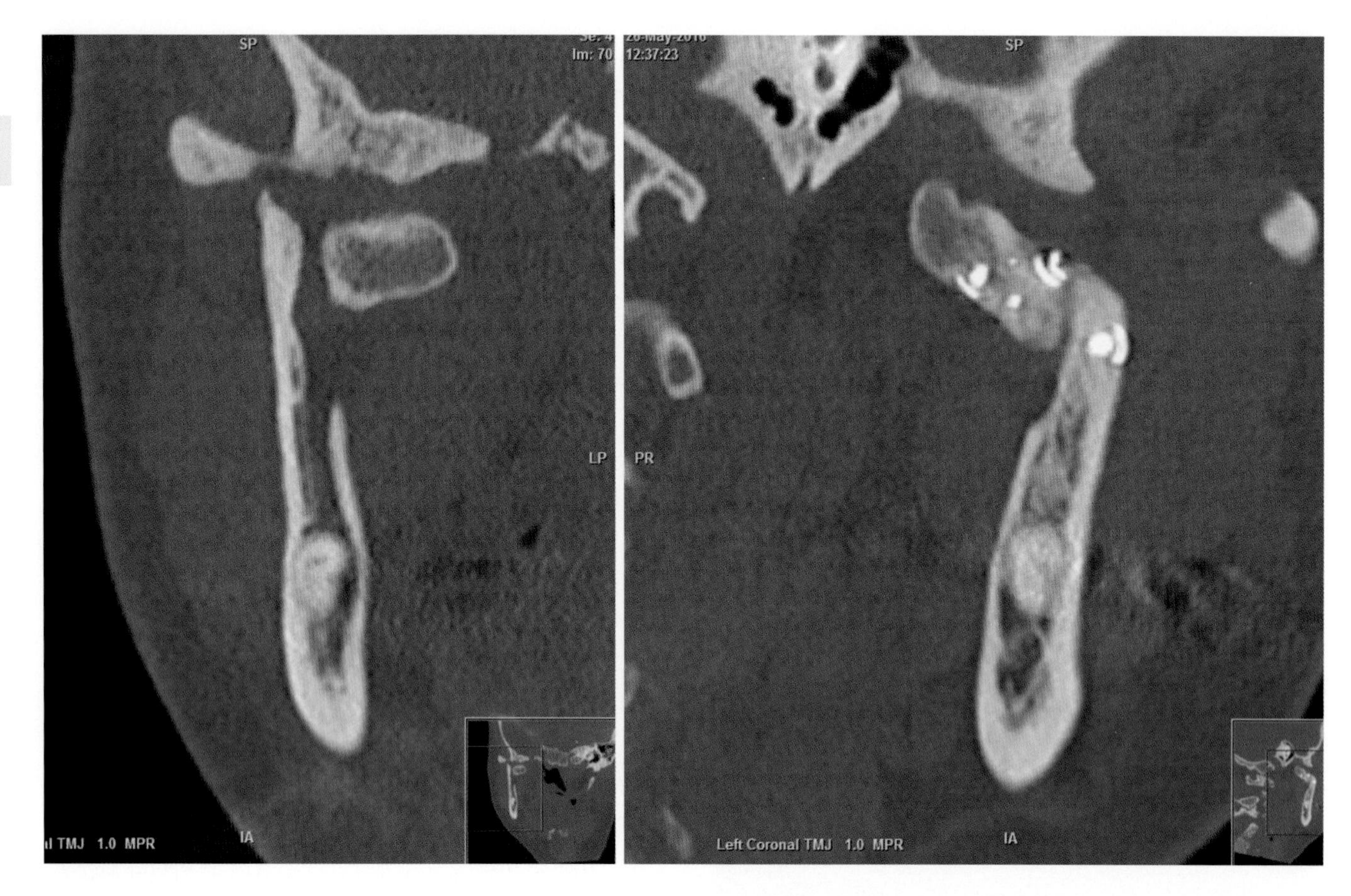

■ 그림 11.4 우측 과두 골절의 유착 불량과 좌측 과두의 부전유착이 있는 환자에서 하악의 외상-관련 시계 방향 회전. 하악 후퇴, TMJ 관절통, 운전범위 제한이 있고, 무호흡 저호흡 지수는 31이었다.

다음 중 많은 내용을 옹호한다[10-13]:

- Anticyclic citrullinated peptide (anti-CCP) 항체
- C-반응성 단백질
- 적혈구 침강 속도
- 항핵항체
- HLA-B27
- 비타민 D
- 에스트로겐

11.5 치료

어떤 경우에는 과두 흡수의 근본 원인에 대한 의학적 관리가 가능할 것이다.[5] 예를 들어, 질병-조절 항류마티스 약제 사용은 흡수를 억제하고 TMJ의 통증과 기능을 모두 개선할 수 있다. 그러나 흡수가 기도 폐쇄에 기여할 만큼 충분히 진행되었다면, 적절한 형태의 회복을 위한 원인 치료는 여전히 외과적 수정으로 대체되어야 한다. 옹호자들은 다양한 치료 방식을 지지한다. 가장 일반적으로 다음의 것들이 포함된다:

- 악교정수술
- 견인성 골형성
- 과두의 자가 재건
- 과두의 이종 재건(TMJ 전관절 치환술 및 재건)
- 기관절개술

전통적인 악교정 수술은 과두 흡수가 진행을 멈췄을 때 시행할 수 있다.[5] 대부분의 경우 하악 수술 부위에서 전방 개방 교합 폐쇄와 상하악 복합체의 반시계 방향 회전이 포함된다. 필요한 전진과 회전의 양에 따라 양측 시상 분할 골절단술이나 역-L 골절단술로 폐쇄를 달성할 수 있다. 골성 이부성형술은 종종 적절한 안면 비율과 입술 모양을 재확립하는 데 도움이 된다. 악교정 수술은 안착할 수 있는 과두가 남아 있을 때 하는 것이 훨씬 쉽지만, 과두가 완전히 흡수된 뒤에도 가능하다. 또한, 악교정 수술 후 추가적인 과두 흡수의 위험이 있다. 일부 저자들은 수술 전후의 의학적 치료로 이것을 완화시킬 수 있다고 말한다.[5] 다른 사람들 또한 관절내 수술(예: 디스크 재배치)과 악교정 수술을 옹호한다.

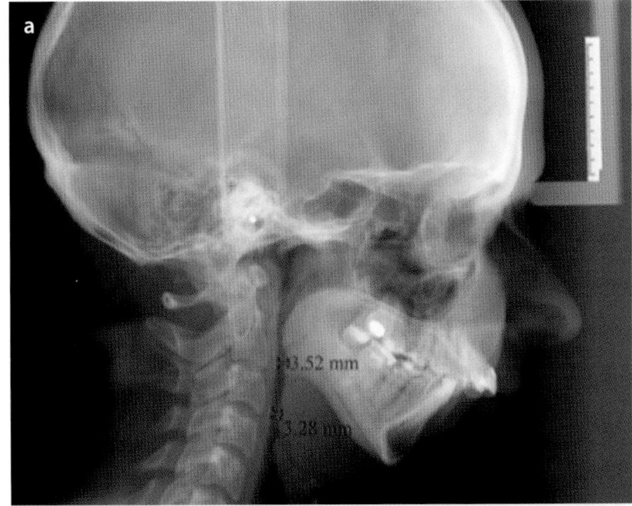

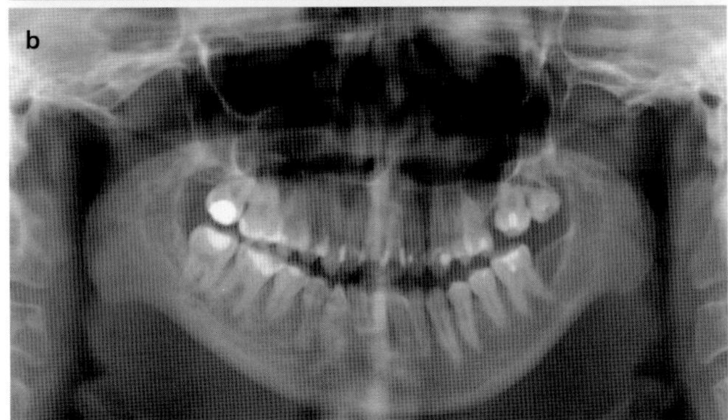

▣ 그림 11.5 그림 11.3 환자의 영상 검사. **a** 기도 후방 공간 감소, 후안면 고경 감소, 하악의 시계 방향 회전을 보여주는 측면 두부계측 영상. **b** 하악 과두 흡수를 보여주는 파노라마 영상

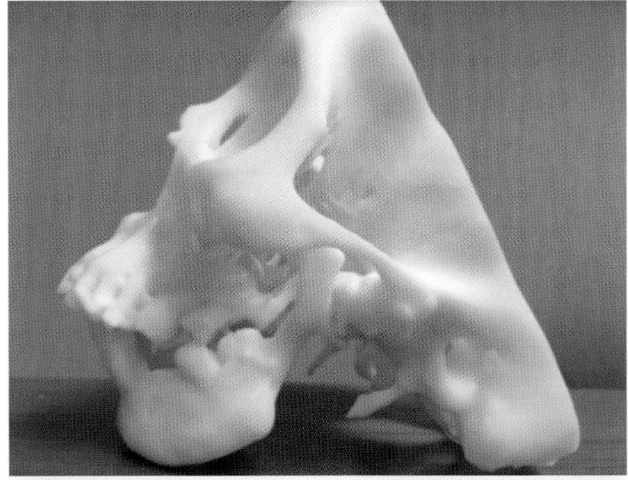

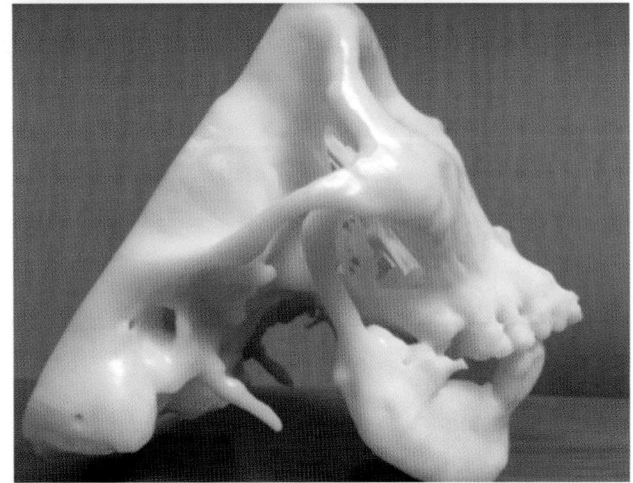

▣ 그림 11.7 경피증이 있는 그림 11.2 환자의 3D 모형. 양측 과두의 완전 결손과 비골 흡수가 보인다.

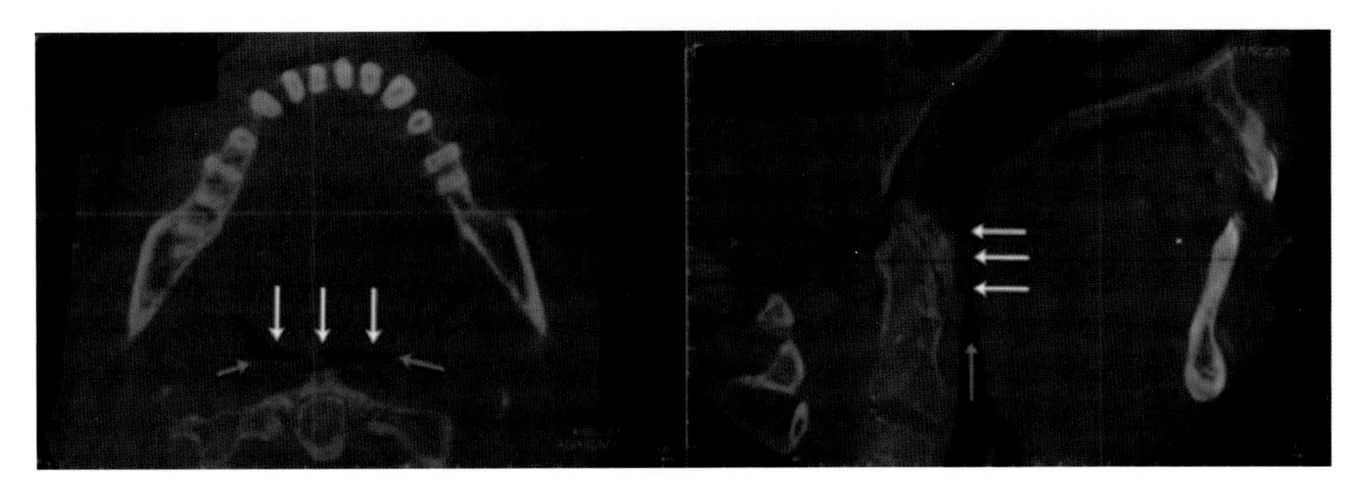

▣ 그림 11.6 그림 11.1 환자의 CBCT. 축단면 및 시상단면에서 감소된 기도 용적이 명확하게 보이고 체적 분석에도 사용할 수 있다.

견인성 골형성은 과두 흡수가 있는 환자의 부정교합 수정을 위해 옹호되는 기법이다.[14] 견인성 술식은 하악 악교정 수술보다 과두에 미치는 외상이 적다는 동물 연구들의 증거가 있다. 또한, 재발 없는 장기간 안정성을 시사하는 다른 증거가 있다. 턱의 위치와 기도 공간을 최적화하기 위해 전통적인 Le Fort 골절단술로 하악 견인을 수행할 수도 있다. 견인법은 과두-와의 관계가 안정적이고 기능 장애가 없을 때 고려할 수 있는 기술이다. 과두의 진행성 악화나 현저한 TMJ 기능장애가 있는 경우, 관절 재건을 고려하는 것이 바람직할 수 있다.

늑연골 이식술을 병행한 과두절제술은 과두 흡수 상태에서 후안면 고경과 정상적인 악골 관계를 복원하는 또 다른 방법이다.[15] 개방 및 내시경 이용 접근법 모두는 추적 관찰 기간이 비교적 짧고 동시 기도 폐쇄의 설정에서 항상 그런 것은 아니지만 어느 정도 성공적이라고 설명되었다. 이 자가 이식술은 공여부 이환율을 포함하지만, 교합 측면에서 안정적이고 좋은 TMJ 기능의 결과를 보여준다. 이 술식은 수술 전후에 과두 흡수의 분해나 안정화에 의존하지 않으며 과두가 없는 경우에도 사용할 수 있다.

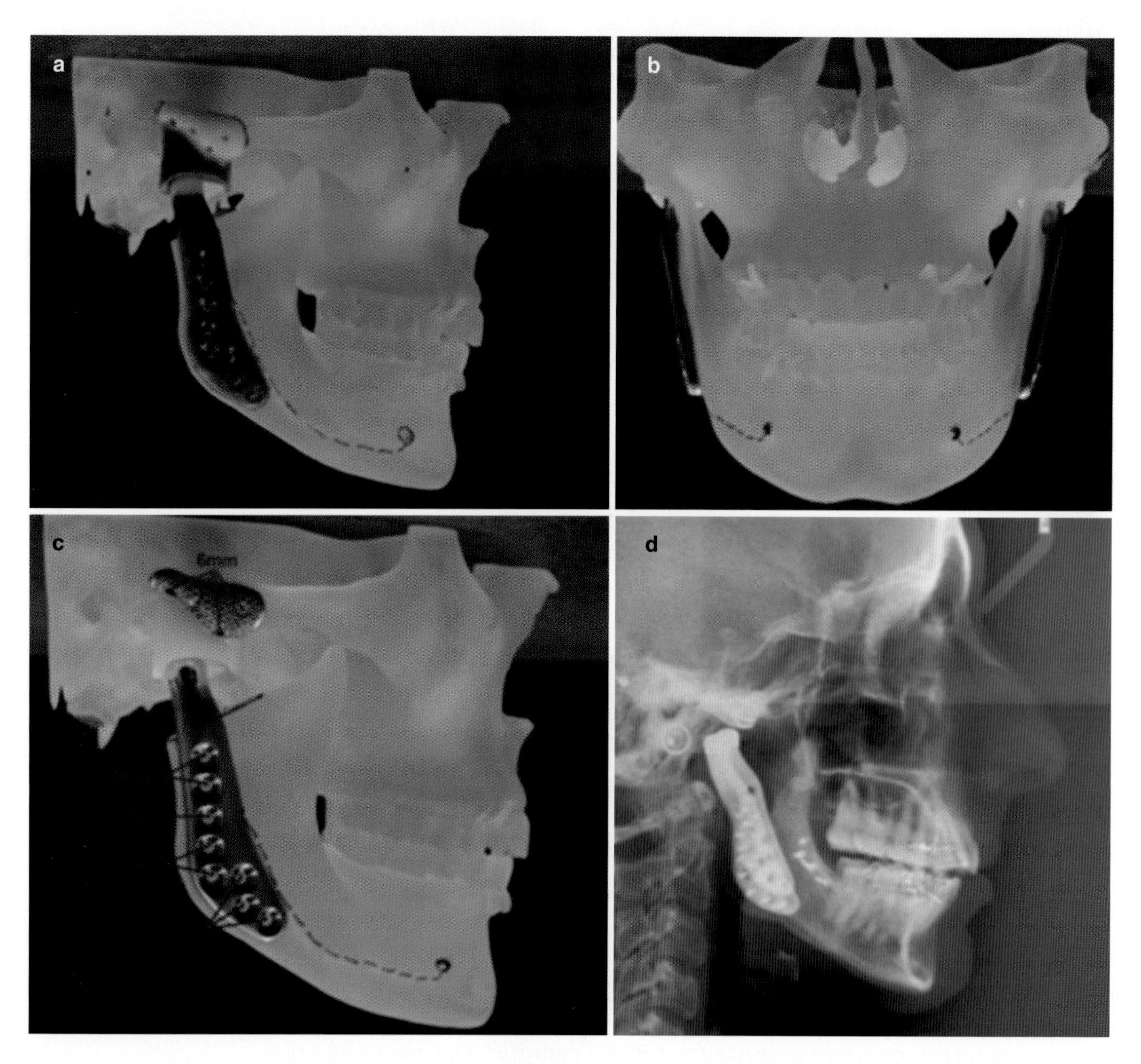

■ 그림 11.8 환자 맞춤형 TMJ 이종 전관절 재건. 하악을 전진시키고 하악 회전과 후퇴를 수정하는 데 사용할 수 있으며 악교정 수술과 함께 병행할 수 있다. **a** 계획 단계의 보철물. 최종 보철물의 관상단면(**b**) 및 시상단면(**c**). **d** 시상 분할 골절단술 형태의 악교정 수술 후 과두 흡수 및 후속적 하악 후퇴증과 폐쇄성 수면 무호흡으로 치료받은 환자의 측면 두부계측 영상

이종 전관절 재건 시에는 TMJ의 과두와 관절와의 구성요소 모두가 교체된다(■ 그림 11.8). 환자 맞춤형과 기성품 모두 사용 가능하다. 이종 관절치환술은 공여부의 이환율과 재발을 삭제한다. 또한 전방 개방 교합의 폐쇄와 기도 개방을 위한 하악 전진은 최적의 턱 위치와 기도 개방을 얻기 위해 상악 악교정 수술과 결합될 수 있다.[16] 게다가 외과의가 특발성 과두 흡수 치료에 국한되지 않는다는 점에서 이종 관절 재건은 다용도이다; 골관절염과 염증성 관절병증을 포함한 관절의 파괴적인 질환은 쉽게 다루어진다.[17] 대부분의 증례에서 이것은 과두 흡수와 OSA가 함께 있는 환자에서 해부학적 재건과 복원에 저자가 선호하는 방법이다. 이종 재건의 단점으로는 안면 신경 손상, 보철물 감염, 보철물 실패, 재료에 대한 민감성의 위험이 있다. 이들 모두는 매우 드물고, 장기간 연구를 통해 보철물에 상당한 내구성이 있음이 입증되었다.[18-20]

기관절개술은 이전 수술 실패나 의학적 동반질환으로 인해 상태가 좋지 않을 수 있는 환자에게 확실하고 안전한 기도를 구축하는 방법이다. 감사하게도 OSA 환자에게는 거의 필요하지 않으며, 주류의 재건술을 사용할 때 과두 흡수가 있는 환자에게는 일반적으로 사용되지 않는다.

11.6 요약

정리하면, 하악 과두의 흡수나 파괴는 여러 다른 과정에서 발생할 수 있다. 여기에는 다양한 관절염, 외상, 특발성 과두 흡수가 포함된다. 충분한 하악 시계 방향 회전과 하악 후퇴증이 혀나 인두의 부적절한 연조직 충만이나 이완과 결합되면, OSA가 발생할 수 있다. OSA의 이런 증례의 근본 원인에 대한 치료는 의학적 관리가 포함될 수 있고 일반적으로 외과적 수정이 필요할 것이다. 수술의 목표는 후안면 고경 재확립, 정상 교합 확립, 기능적 TMJ 확보, 폐쇄성 해부학적 및 생리학적 완화를 위한 상하악 복합체의 충분한 전진 또는 위치를 확보하는 것이다. 이것은 악교정 수술, 견인성 골형성술, 늑연골 이식을 병행한 과두절제술, 이종 관절 재건을 포함한 여러 방법을 통해 달성할 수 있다.

참고문헌

1. Smith CBWP. Surgical management of obstructive sleep apne in acromegaly with mandibular prognathism and macroglossia: a treatment dilemma. J Oral Maxillofac Surg. 2012;70(1):207–10.
2. Gunawardena IRS, MacKay S, Woods CM, Choo J, Esterman A, Carney AS. Submucosal lingualplasty for adult obstructive sleep apnea. Otolaryngol Head Neck Surg. 2013;148(1):157–65.
3. Tahiri YV-MA, Aldekhayel S, Lee J, Gilardino M. The effectiveness of mandibular distraction in improving airway obstruction in the pediatric population. Plast Reconstr Surg. 2014;133(3):352e–9e.
4. Ahmad MSE. Temporomandibular joint disorders and orofacial pain. Dent Clin N Am. 2016;60(1):105–24.
5. Gunson MJAG, Milam SB. Pathophysiology and pharmacologic control of osseous mandibular condylar resorption. J Oral Maxillofac Surg. 2012;70(8):1918–34.
6. Wang XDZJ, Gan YH, Zhou YH. Current understanding of pathogenesis and treatment of TMJ osteoarthritis. J Dent Res. 2015;94(5):666–73.
7. Twilt MMS, Arends LR, ten Cate R, van Suijlekom-Smit L. Temporomandibular involvement in juvenile idiopathic arthritis. J Rheumatol. 2004;31(7):1418.
8. Sansare KRM, Mallya SM, Karjodkar F. Management-related outcomes and radiographic findings of idiopathic condylar resorption: a systematic review. Int J Oral Maxillofaci Surg. 2015;44(2):209–16.
9. Arvidsson LZSH, FlatøB LTA. Temporomandibular joint findings in adults with long-standing juvenile idiopathic arthritis: CT and MR imaging assessment. Radiology. 2010;256(1):191.
10. Budhram ACR, Rusta-Sallehy S, Ioannidis G, Denburg JA, Adachi JD, Haaland DA. Anticyclic citrullinated peptide antibody as a marker of erosive arthritis in patients with systemic lupus erythematosus: a systematic review and meta-analysis. Lupus. 2014;23(11):1156–63.
11. Lee DMSP. Clinical utility of the anti-CCP assay in patients with rheumatic diseases. Ann Rheum Dis. 2003;62(9):870.
12. ME C. Musculoskeletal manifestations of systemic lupus erythematosus. Rheum Dis Clin N Am. 1988;14(1):99.
13. Whiting PFSN, Sterne JA, Harbord R, Burton A, Burke M, Beynon R, Ben-Shlomo Y, Axford J, Dieppe P. Systematic review: accuracy of anti-citrullinated Peptide antibodies for diagnosing rheumatoid arthritis. Ann Intern Med. 2010;152(7):456.
14. Schendel SATJ, Linck DW 3rd. Idiopathic condylar resorption and micrognathia: the case for distraction osteogenesis. J Oral Maxillofac Surg. 2007;65(8):1610–6.
15. Troulis MJTF, Papadaki M, Williams WB, Kaban LB. Condylectomy and costochondral graft reconstruction for treatment of active idiopathic condylar resorption. J Oral Maxillofac Surg. 2008;66:65–72.
16. Mehra PNM, Chigurupati R. Is alloplastic temporomandibular joint reconstruction a viable option in the surgical management of adult patients with idiopathic condylar resorption? J Oral Maxillofac Surg. 2016;74(10):2044–54.
17. Paul SASS, Issac B, Kumar S. Management of severe sleep apnea secondary to juvenile arthritis with temporomandibular joint replacement and mandibular advancement. J Pharm Bioallied Sci. 2015;7(Suppl 2):S687–90.
18. Wolford LMML, Schneiderman ED, Movahed R, Allen W. Twenty-year follow-up study on a patient-fitted temporoman-dibular joint prosthesis: the techmedica/TMJ concepts device. J Oral Maxillofac Surg. 2014;73(5):952–60.
19. Mercuri LGEN, Giobbie-Hurder A. Fourteen-year follow-up of a patient-fitted total temporomandibular joint reconstruction system. J Oral Maxillofac Surg. 2007;65(6):1140–8.
20. Giannakopoulos HESD, Quinn PD. Biomet microfixation temporomandibular joint replacement system: a 3-year follow-up study of patients treated during 1995 to 2005. J Oral Maxillofac Surg. 2012;70(4):787–94.

Non-surgical Management of OSA

목차

OSA 치료를 위한 기도 양압기

Shalini Paruthi

목차

12

12.1 개요

기도 양압 치료는 성인의 폐쇄성 수면 무호흡(OSA)의 일차적이고 가장 효과적인 치료법이다.[1] 지속적 양압기는 1981년부터 OSA 치료에 사용되었다.[2] 양압기는 수면 중 상기도 개통을 유지하는 공압 부목으로 작동한다. 또한 중추성 수면 무호흡, 저환기, 응급 치료성 중추성 수면 무호흡과 같은 기타 수면 호흡 장애를 치료하는 데 사용할 수 있다. 양압기 치료는 지속적 양압기, 자동-적정 양압기, 2단식 양압기, 양압 호흡 요법 등 다양한 형태로 제공된다.

지속적 양압기는 사람이 깨어 있든, 자고 있든, 숨을 들이마시거나 내쉬든, 어떤 자세에서 쉬고 있는지에 관계없이 일정한 압력을 전달한다. 2단식 양압기는 일반적으로 지속적 양압기에 효과가 없는 OSA가 있는 사람에게 사용된다. 지속적 양압기는 더 높은 압력이 필요하거나(지속적 양압기 최대 20 cmH_2O, 2단식 양압기 최대 30 cmH_2O) 지속적 양압기를 참지 못하는 경우(즉, 숨을 내쉬기 어려운 경우)에 효과가 없을 수 있다. 또한 호흡을 돕기 위한 흡기 대 호기 증감률을 생성하여 수면 관련 저환기 같은 다른 수면 호흡 장애를 치료하는 데 사용할 수 있다.[1]

양압 호흡 요법은 일반적으로 지속적 양압기, 2단식 양압기, backup rate를 수반한 2단식 양압기로 해결되지 않는 치료-응급 중추성 수면 무호흡이 있는 환자나 주기적 호흡 같은 다른 형태의 중추성 수면 무호흡이 있는 환자에게 적용된다.

12.2 양압기 적응증

미국 수면의학회의 최근 지침에 의하면 객관적인 검사를 통해 확립된 OSA 진단을 기반으로 양압기 치료를 권장한다. 양압기는 과도한 주간 졸음, 수면 관련 삶의 질 저하, 동반이환 고혈압 환자의 OSA 치료에 권장된다.[1] 많은 지불자 정책을 포함한 다른 지침에서는 중등증에서 중증의 OSA[무호흡 저호흡 지수(AHI) > 15]나 과도한 주간 졸음의 증상, 회복되지 않은 수면, 불면증, 신경인지 기능 장애나 기분 장애, 고혈압이나 심혈관 질환이 있는 경증 수면 무호흡(AHI 5–15)에 대해 양압기 치료를 제안한다. 이번 단원에서는 양압기 수동 적정의 임상 지침을 다루지는 않지만, 참고 문헌[5]에서 찾을 수 있다. 양압기 치료의 시작은 최근 미국 수면의학회 임상 지침에 따라 가정용 자동-적정 양압기 시도나 검사실 양압기 적정을 통해 시작할 수 있다. 교육, 문제 해결, 개인적 또는 원격 의료를 통한 추적 관찰을 통해 순응도를 향상시키는 것이 좋다.[1]

12.3 양압기 이행과 준수

양압기는 OSA 치료에 매우 효과적이지만, 치료 이행 준수가 중요한 장벽이다. 양압기 준수에 대한 정의는 다양하지만, 일반적으로 사용되는 (임의적이지만) 기준 중 하나는 한 밤에 4시간 이상, 밤의 70% 동안 치료를 이행하는 것이다. 이 정의를 사용하는 객관적인 다양한 요인에 따라 40%에서 80%까지의 범위를 가진다.[3] 개선된 이행 준수를 예측하는 한 가지 요소는 치료 전 주관적인 졸음이 있는 환자를 포함한다. 환자가 수면의 질이 개선된 것을 느끼면, 자신의 OSA 치료를 위해 양압기를 장기간 사용할 가능성이 높다. 한 가지 중요한 점은, 이행 준수에 대한 주관적 보고가 대부분 양압기 기계의 이용가능한 객관적인 사용 기록보다 훨씬 높은 것으로 나타났다는 것이다.[4]

12.4 지속적 양압기와 자동-적정 양압기의 차이

지속적 양압기 요법에는 압력 고정식과 자동 조정식의 두 가지 방식이 있다. 검사실에서 적정되는 환자의 경우, 몇 가지 압력 설정을 평가하여 환자의 수면 호흡 장애를 가장 잘 치료하는 압력을 설정할 수 있는데, 앙와위-REM 수면을 포함한 수면의 여러 단계와 다양한 수면 자세에서 시험되었다. 그런 다음 수면 호흡 장애를 가장 잘 치료하는 압력 설정을 사용하여 지속적 양압기의 압력을 설정할 수 있다.[5] 일부 임상의는 자동-적정 양압기 기계를 주문하고 가장 잘 작동하는 것으로 보이는 압력 설정이 드러나면 압력의 좁은 범위를 설정한다. 예를 들어, 수면 다원 검사에서 8 cmH_2O의 압력 설정이 앙와위-REM 수면에서 환자의 수면 호흡 장애를 가장 잘 치료하고, 옆으로 자는 자세에서 6 cmH_2O이 가장 효과적이라면, 지속적 양압기는 6–8 cmH_2O로 설정할 수 있다. 다른 제공자는 환자가 집에서는 검사실에서와 다르게 잠을 자거나 미래에 더 높은 압력 설정이 필요할 수 있는 다른 요인(체중, 혼잡)이 생기면 더 높게 설정할 수 있도록, 4–12이나 4–20 cmH_2O와 같은 더 넓은 범위를 사용한다.

그러므로, 지속적 양압기에는 고정된 압력 설정이 있으며 기계는 흡기나 호기에 관계없이 한 가지 압력 설정에서 항상 동일한 양의 공기를 전달한다. 반면, 자동-적정 양압기는 자동 조정형 지속적 양압기로, 기계는 임상의가 선택한 압력의 범위 내에서 (마스크/튜브를 통한 공기 흐름에 따라) 자동으로 조정된다. 조사 연구는 자동-적정 및 지속적 양압기 사이에 유사한 이행 준수와 효과를 보여준다.[1,6] 미국 수면의학회의 임상 지침에서는 둘 중 하나가 OSA의 치료법으로 적절하다고 명시하고 있다.[1]

일부 지불자 정책으로 인해 일부 환자는 수면 연구소 방문 없이 수면 무호흡을 진단받고 치료받을 수 있다. 이런 경우, 가정 수면 무호흡 검사에서 저호흡과 무호흡이 확인된 후 환자에게 자동 조정 양압기가 처방된다. 중앙 압력을 결정하기 위해, 처음 12주 이내에, 만약 문제로 인해 필요한 경우 더 빨리, 자동-적정 양압기에서 다운로드 받을 수 있는 준수 보고서를 철저히 검토해야 한다.[1]

면밀한 추적 관찰의 중요성을 설명하는 예: 자동-적정 양압기가 4-20 cmH_2O로 설정되어 있고, 이행 준수 보고서의 중앙 압력이 일반적으로 6 cmH_2O, 기록된 최대 압력이 20 cmH_2O일 때, 환자가 구강 건조나 누출을 보고한다면 압력을 4-8 cmH_2O의 낮은 범위로 재설정할 수 있으며, 이로써 구강 건조나 누출을 유발하는 환자의 입 벌림을 감소시킬 수 있다. 반대로, 자동-적정 양압기가 4-20 cmH_2O으로 설정되고 지속적인 중앙값이 16 cmH_2O인 환자의 경우, 이 환자는 기계가 알고리즘을 따라 중앙값에 도달하는 동안 최적이 아닌 압력에서 과도한 시간을 보낼 수 있다; 따라서, 환자는 장점이 부족하거나 공기압이 충분하지 않아 공기가 부족하고 양압기를 견디기 어렵다고 불평할 수 있다. 이 기계는 환자가 기계를 켜자마자 치료 압력을 받을 수 있도록 14-18 cmH_2O로 재설정될 수 있다.

기계 회사 및 모델에 따라 일부 기계에는 환자가 다운로드하여 사용할 수 있는 스마트폰 앱이 있다. 앱은 블루투스 기술을 사용하여 기기에서 데이터를 수집하고 개인의 스마트 폰이나 태블릿으로 전송한다. 임상 방문 동안, 환자의 담당자가 양압기계에서 생성된 이행 준수 보고서를 검토한다. 이 보고서는 개인에 대한 지속적 양압기의 효율성을 개선하고 사용자 경험을 개선하는데 사용할 수 있는 상당한 양의 정보를 제공한다. 이 정보는 이제 임상의와 내구성 의료 장비 회사가 인터넷을 통해 접근할 수도 있다. 동일한 기술을 통해 설정을 변경할 수도 있다.

많은 보험사가 양압기 치료를 받은 초기 90일 기간 중 연속적으로 30일 동안 밤의 70% 이상 동안 4시간 이상 지속적 양압기를 착용하도록 요구하기 때문에, 준수 보고서는 이행 준수에 대한 정보를 제공한다. 보험사는 장비에 대한 지불을 계속하고 공급품을 다시 채워야 한다. 준수 보고서는 압력이나 압력 범위, ramp(경사로), 압력 완화(브랜드마다 다른 이름 사용), 누출 같은 기계 설정에 대한 데이터를 제공한다. 보고서는 1, 2, 7페이지(또는 그 이상)로 볼 수 있으며, 각각 다른 수준의 세부 정보를 제공한다.

상당한 양의 세부 사항이 7일 밤의 연장 검토에서 발견되고, 이것은 환자가 입을 벌려 간헐적 누출이 발생하거나 압력 범위가 너무 높아서 밤에 ramp(경사로) 기능을 여러 번 사용해야 하는 경우와 같은, 문제가 발생하는 야간 변동성을 볼 수 있는 기회를 제공할 수 있다.

준수 보고서는 기계-기반 호흡 장애 지수(RDI)나 AHI, 기계가 기도의 부분 또는 전체적 폐색이 있는 사람을 나타내는 기류의 변화를 몇 번이나 보이는지 생성한다. 환자가 임상적으로 개선을 보고하고 기계 생성 RDI가 10 미만이면 더 이상 변경하지 않는 것이 합리적일 수 있지만 이상적으로 기계 생성 RDI 목표는 시간당 5 미만이라는 것이 임상적인 합의이다.[5] 추가적으로, 기계의 각 브랜드는 각성이나 불포화가 측정되지 않으므로 이 RDI를 결정하는 데 도움이 되는 약간 다른 알고리즘을 가질 수 있다. 일부 보고서는 폐쇄성, 중추성, 혼합형이 될 가능성이 있는 호흡기 사건의 비율을 추가로 설명한다. 이것은 지속적 양압기 사용에 어려움이 있거나 그 효과가 부족한 환자에서 압력의 변화가 필요한지, 검사실 야간 참여 적정을 위해 내원할 필요가 있는지, 마스크, 튜브, 누출, 압력 설정에 문제가 있어 판단을 위한 재적정이 필요한지, 완전히 다른 양압기 방식의 치료가 필요한 치료-응급 중추성 수면 무호흡이 있는지를 결정하는 데 도움이 될 수 있다.

12.5 마스크 옵션

마스크는 환자의 지속적 양압기나 자동-적정 양압기 경험을 "만들거나 깨뜨릴" 수 있다! 지속적 양압기를 싫어하는 환자들 중에 종종 마스크 경험을 언급하는 경우가 있다. 연구에 의하면, 처음에 코마스크나 코베개식 마스크를 사용할 때 성공률이 가장 높다. 비강 인터페이스는 전체 안면 마스크에 비해 효율성과 관련하여 더 나은 데이터를 가지고 있는 것으로도 보인다.[5] 전체 안면 마스크는 실제로 아래턱에 압력을 가하여 악골/혀가 밤 동안 뒤로 움직이게 하여 기도 용적을 줄이고 기도 저항을 증가시킬 수 있다고 믿어진다.[5] 하지만, 턱의 끈 때문에 입을 다물지 못하거나 코마스크나 코베개식 마스크를 불편해하는 환자들도 있다. 따라서 다양한 전체 안면 마스크도 사용할 수 있다. 아침에 마스크를 벗은 후 몇 분 내에 피부의 붉은 자국이나 흔적이 없어져야 한다. 최근 제조사들은 심박조율기를 장착한 사람에게 자석 클립이 달린 마스크를 사용하지 않거나 자석 클립이 심박조율기와 최소 2인치 이상 떨어져 있어야 한다고 경고하고 있다.[7] 대부분의 마스크는 실리콘 재질로 되어 있어 알레르기 반응이 적다. 환자들이 양압기에 익숙해지면 마스크를 교환하거나 마스크를 재착용하는 것이 일반적이다. 마스크는 다양한 스타일이 있다; 그러나 일부 독특한 스타일에는 천 마스크나 메모리폼 마스크도 있다(그림 12.1-4).

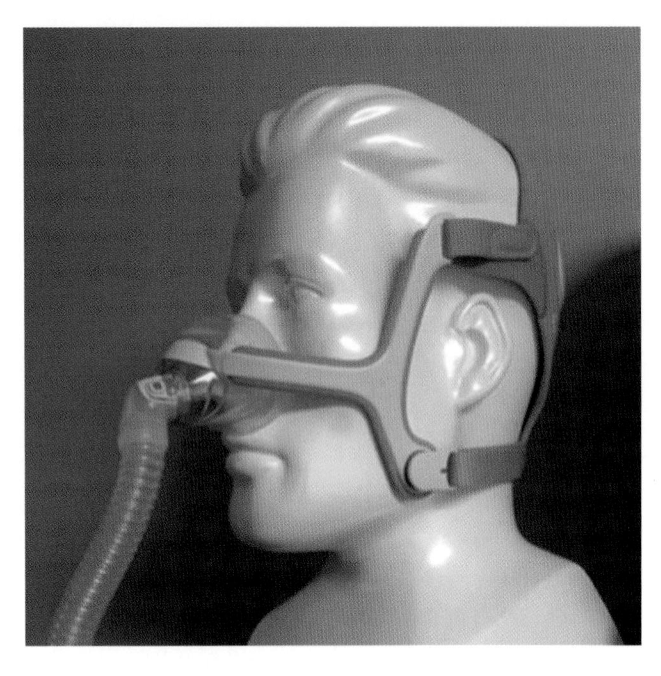

그림 12.1 **코마스크의 예**

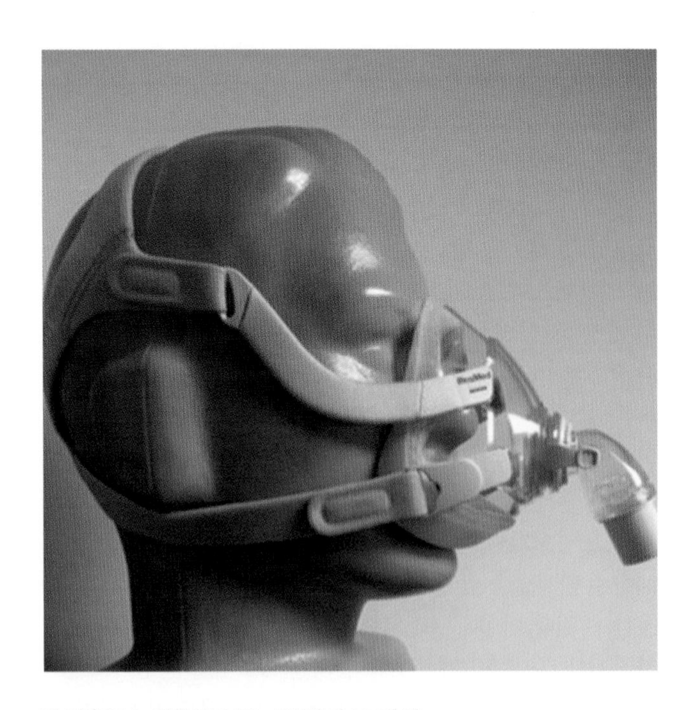

그림 12.2 **전체 안면 또는 구비강 마스크의 예**

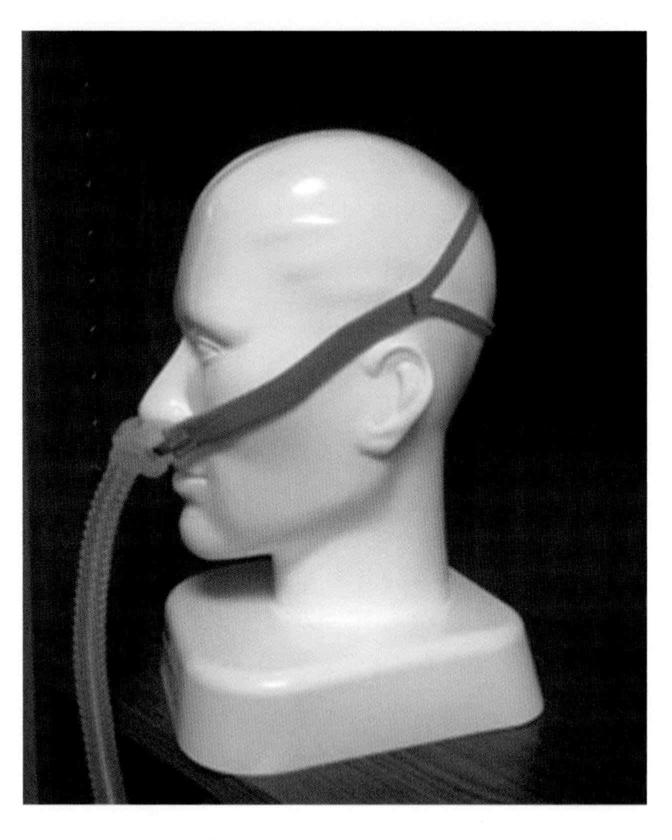

그림 12.3 **코베개식 마스크의 예**

그림 12.4 **코베개식 마스크의 확대 사진**

12.6 양압기 치료의 가능한 부작용

12.6.1 구강 건조증

아침에 구강 건조를 경험하는 사람은 밤 동안 어느 시점에서 입을 벌리고 구강 누출을 경험할 가능성이 크다. 턱끈으로 턱을 닫은 상태로 유지하고 입을 벌리는 능력을 줄여서, 누출과 구강 건조의 불편감을 줄이는 데 도움이 된다. 시도해 볼 수 있는 다른 방법으로 구강 보습제(인공 타액)나 자일리톨 정제를 사용해 볼 수 있다.

또한 콧물이나 코막힘과 같이 입으로 숨을 쉴 수밖에 없게 만드는 코 증상을 치료하는 것이 중요하다.

12.6.2 엉킨 튜브

튜브는 가열식 또는 비가열식으로 다양한 길이로 제공된다. 튜브는 6, 8, 10 feet의 길이로 주문할 수 있다. 양압기 튜브 홀더를 매장에서 구입하거나 집에서 만들면 엉킴을 방지할 수 있다. 예를 들어, 어떤 사람들은 침대 머리판 위로 튜브를 돌리고, 또 어떤 사람들은 베개 위로 튜브를 지나가게 한다. 마스크 헤드기어의 위쪽 부분에 튜브가 연결되는 마스크도 있는데, 이런 경우, 튜브가 얼굴과 몸에 완전히 닿지 않게 된다.

12.6.3 응결

가열식 튜브는 침실 공기 온도(훨씬 더 시원함)와 튜브 내부 공기 온도(훨씬 더 따뜻함) 사이에 차이가 날 때 일반적으로 "rain out"이라고도 하는 튜브 내 응결을 줄이는 데 도움이 될 수 있다. 튜브 슬리브나 튜브 커버를 사용할 수 있다(◘ 그림 12.5).

12.6.4 헤드기어 문제

헤드기어는 다양한 크기로 제공되며 일반적으로 제공되는 마스크 전용으로 설계된다. 그러나 때때로 헤드기어는 함께 제공된 마스크가 아닌 다른 마스크와 혼합해서 맞출 수 있다. 대부분의 마스크에는 잠자는 자세나 자세 변화와 관계없이 밤새 마스크를 고정할 수 있는 끈과 클립이 기본 제공된다. 몇 가지 독특한 스타일의 헤드기어에는 Swift FX 마스크와 호환되는 Bella Loops 헤드기어가 있는데, 귀 주위에 2개의 끈이 포함되어 있지만 머리 뒤로 가는 끈은 없다. 또 다른 특이한 헤드기어는 대부분 스판덱스로 만들어진 soft cap 헤드기어이다. 이것은 머리 뒤쪽의 거의 모든 면을 감싸며 밤새 마스크를 편안하게 고정한다. 튜브를 고정하는 데 도움이 되도록 헤드기어의 옆면이나 윗부분에 추가 루프가 내장된 헤드기어가 있는데, 사람에게 얽히는 것을 감소시킨다. 헤드기어의 모양과 탄력을 유지하기 위해 환자는 2-4주마다 헤드기어를 손으로 씻고 공기 건조시켜야 한다.

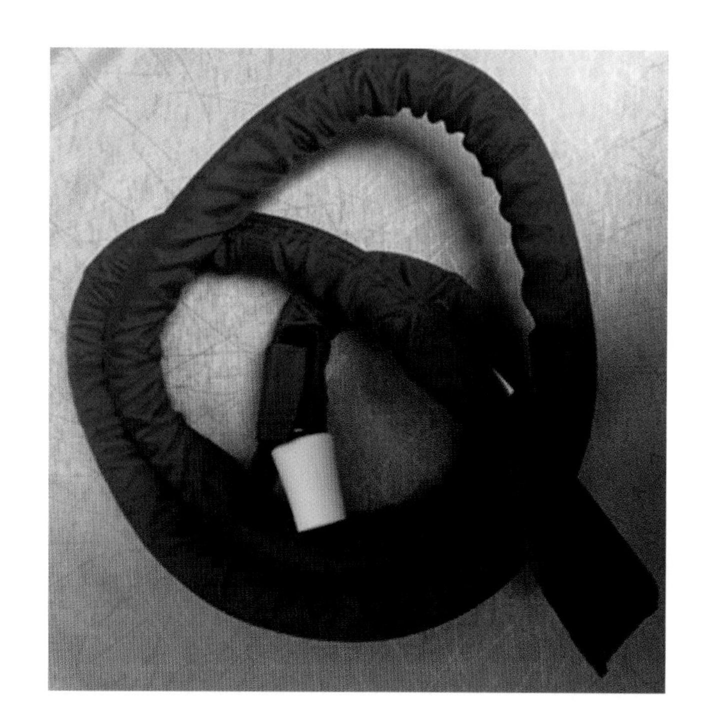

◘ 그림 12.5 **튜브 슬리브의 예**

12.6.5 가습기 문제

가습기는 대부분의 기계에서 표준이 되었다. 각 브랜드마다 꺼짐(혹은 0)에서 최고 단계까지 조정할 수 있다. 물통 바닥에 설정 메뉴에서 선택한 설정에 비례하여 가열되는 온열 금속판이 있다. 정기적으로 사용하는 경우, 증류수로 사용하고 남은 물은 아침에 버려서 사용 시간 사이에 물통이 자연 건조되도록 하는 것이 좋다. 증류수는 미네랄이 없는 장점이 있기 때문에 물을 증류하는 중에 미생물이 생기지 않는다. 물을 끓여 증발하는 기체만 모아 증류수를 만든다. 미생물의 존재 때문에, 양압기 내의 공기가 가습기 내부의 수분을 사용하므로, 수돗물이나 지하수를 사용하는 것은 권장되지 않는다.

12.6.6 Ramp(경사로)

Ramp 기능은 환자 편의 기능이다. 기계가 시작할 때나 밤중 언제든지 버튼을 누르면 공기 압력이 "재설정"되고 이전에 더 낮은 설정 압력으로 다시 시작할 수 있다. 예를 들어, 자동-적정 양압기의 범위가 8-10 cmH_2O이고 램프 시작 압력이 4 cmH_2O인 경우, 본인이 원할 때마다 ramp 버튼을 누르면 4 cmH_2O에서 다시 시작할 수 있다. 이 설정을 사용하면 미리 지정된 시간 동안 압력이 목표 압력 설정까지 천천히 증가할 수 있다. 대부분의 기계에서 ramp 시간 기간은 5분에서 45분 사이로 설정할 수 있다.

12.6.7 장비 청소

12.6.8 피부 자극

피부 관리는 양압기 사용자에게 중요한 고려 사항이다. 마스크는 딱 맞아야 하고 너무 조이거나 느슨하지 않아야 한다. 마스크는 7시간 연속 사용 후에도 붉은 자국이 지속되거나 표시를 남기지 않고 편안하게 맞아야 한다. 마스크를 제거한 후 몇 분 동안 약간의 움푹 들어간 자국이 있는 것은 정상이다. 붉은 염증이나 피부 자극이 있는 환자의 경우 바셀린이나 산화아연 제제가 피부를 진정시키고 치유하는 데 도움이 될 수 있다.

때로는 마스크를 완전히 다른 스타일로 교체해야 한다. 때때로 매일 밤 얼굴의 같은 곳에 일정한 압력이 놓이지 않도록 다른 마스크 스타일을 번갈아 사용하기도 한다. 랩(Wrap)은 양압기 끈을 감싸도록 설계된 벨크로가 있는 작은 천으로, 피부에 완충 작용을 하여 움푹 들어간 부분을 줄인다. 코베개형 마스크를 사용하고 콧구멍 사이 피부에 찰과상이 있는 환자의 경우는 마스크 교체를 고려해야 한다.

12.6.9 코막힘

양압기 요법을 시작한 후 일부 환자는 코막힘을, 또 어떤 환자들은 코막힘이 해소되는 것을 경험하기도 한다. 코막힘이나 건조에 도움이 되는 일반 의약품인 식염수 기반 용액을 사용할 수 있으며, 양압기를 사용하기 전에 콧구멍 내부에 적용할 수 있다. 바셀린도 사용할 수 있다.

또한 심각한 "콧물"이 있는 사람의 경우 처방제재 ipratropium bromide spray를 비강 내에 뿌릴 수 있다. 코가 막힌 사람의 경우 비강 스테로이드를 고려할 수 있다. 코를 식염수로 세척하는 것이 도움이 될 수 있다. 계절성 알레르기 치료도 antihistamine 나 leukotriene 억제제를 사용하는 것이 좋다.

12.6.10 공기 연하

일부 환자는 양압기 요법을 시작한 후 공기를 삼키기 때문에 기상 후 트림이나 가스 배출이 증가한다고 설명한다. 이 공기 연하의 치료는 더 이상 발생하지 않을 때까지 기계 압력 설정이나 압력 범위를 낮추지만, RDI를 낮게 유지하는 것이다.

12.7 장비 청소

장비 청소는 장비 수명에 매우 중요하다.

헤드기어에서 분리할 수 있는 마스크 쿠션은 매일 순한 주방 세제로 세척하거나 닦거나 소독해야 한다. 아기용 물티슈나 지속적 양압기 전용 물티슈로 마스크 쿠션에 축적될 수 있는 천연 유분, 땀, 콧물 등을 제거해 일상적인 청소의 부담을 덜어준다. 알코올이나 표백제가 함유된 물티슈는 사용하지 말아야 한다. 마스크의 헤드기어나 기타 플라스틱 부품은 최소 주 1회 손으로 씻어야 한다. 튜브와 가습기 용기는 매주 비누와 물로 청소해야 한다. 밤에 사용한 후, 가습기 용기에 남아 있는 모든 물은 매일 아침에 비워야 하며 물통은 자연 건조되어야 한다. 필터는 설명서에 명시된 대로 교체해야 한다.

또한, 간헐적이고 보다 철저한 항균 세척을 위해 장비를 식초 혼합물(일반적으로 식초1 : 물5)에 약 15분 동안 담가놓을 수 있다. 이것은 몇 개월마다 또는 특히 상부 호흡기 감염을 앓고 있는 환자가 사용한 양압기에서 고려될 수 있다. 여러 화학 소독제나 자외선 소독제 장치를 시장에서 구입하여 기계를 청소할 수 있다; 그러나 이것이 전통적인 비누와 물 세척보다 더 유익하다는 데이터는 없다.

12.7.1 여행 선택지

여행용 지속적 및 자동-적정 양압기 기계는 재구성 있는 의료 장비 공급업체를 통해 구할 수 있다. 기계는 밤에 연결하여 사용하거나 추가 배터리를 부착하여 사용할 수 있다. 가습기 옵션이나 가습 장치를 사용할 수 있다. 그러나 모든 마스크가 모든 여행 기계에 맞는 것은 아니다. 튜브는 일반적으로 작고 가볍기 때문에 마스크를 잡아당기는 힘이 약하다. 가열식 튜브는 현재 사용할 수 없다. 현재, 일부 여행 기계가 준수 보고서를 제공한다.

참고문헌

1. Patil SP, Ayappa IA, Caples SM, Kimoff RJ, Patel SR, Harrod CG. Treatment of adult obstructive sleep apnea with positive airway pressure: an American Academy of clinical practice guideline. J Clin Sleep Med. 2019;15(2):335–43.
2. Sullivan C, Issa F, Berthon-Jones M, et al. Reversal of obstructive sleep apnea by continuous positive airway pressure applied through the nares. Lancet. 1981;1:862–5.
3. McArdle N, Devereux G, Heidarnejad H, et al. Long-term use of CPAP therapy for sleep apnea/hypopnea syndrome. Am J Respir Crit Care Med. 1999;159(4):1108–14.
4. Kribbs NB, Pack AI, Kline LR, et al. Objective measurement of patterns of nasal CPAP use by patients with obstructive sleep apnea. Am Rev Respir Dis. 1993;147(4):887–95.
5. Kushida A, Chediak RB, et al. Clinical guidelines for the manual titration of positive airway pressure in patients with obstructive sleep apnea. J Clin Sleep Med. 2008;4(2):157–71.
6. Rosen CL, Auckley D, Benca R, et al. A multisite randomized trial of portable sleep studies and positive airway pressure autotitration versus laboratory-based polysomnography for the diagnosis and treatment of obstructive sleep apnea: the HomePAP study. Sleep. 2012;35(6):757–6.
7. Schwartz Y, Wasserlauf J, Sahakian AV, Knight B. Inappropriate activation of pacemaker magnet response by CPAP masks. Pacing Clin Electrophysiol. 2019;42(8):1158–61.

구강 장치 치료

Marie Marklund

목차

13.1 개요

구강 장치(OA)는 상기도 크기를 늘리고 야간 호흡을 용이하게 하며 폐쇄성 수면 무호흡(OSA) 및 코골이를 줄이는 것을 목표로 한다(◘ 그림 13.1a, b). OA에는 두 가지 하위 그룹이 있다: 하악 전진 장치(OA_M)(◘ 그림 13.2)와 혀 유지 장치(OAT)(◘ 그림 13.3)이다. OA_M은 치아에 부착되어 수면 중에 하악을 전방으로 유지한다. 이 치료법은 비-양압기 치료법 중 가장 높은 수준의 근거를 가지고 있다.[1-4] OA_T는 흡입에 의해 혀를 전방 구로 유지하는 것을 목표로 하고 치아의 유무에 관계없이 사용할 수 있다. 두 장치 모두 수면 무호흡을 감소시키지만 OA_M이 더 잘 용인되며 훨씬 더 많이 연구되었다.

이번 단원에서는 주로 OA_M 치료를 다룬다; 효과, 부작용, 장기간 결과. OA의 작용 기전은 하악이나 혀의 전진 정도 또는 OSA 내재형과 같은 여러 요인에 의존하기 때문에, OA의 효능은 양압기의 효능보다 더 가변적이다.[5] OA_M은 단독으로 사용되거나 단독 사용시 효과가 불충분한 경우 양압기와 같은 다른 수면 무호흡 치료와 함께 사용될 수 있다. OA의 부작용은 일반적으로 경미하지만 장기적으로 이러한 장치의 힘으로 인해 치아가 이동할 위험이 있다. OA 치료는 효과, 부작용, 장치 착용 이행에 대해 지속적으로 추적해야 한다.

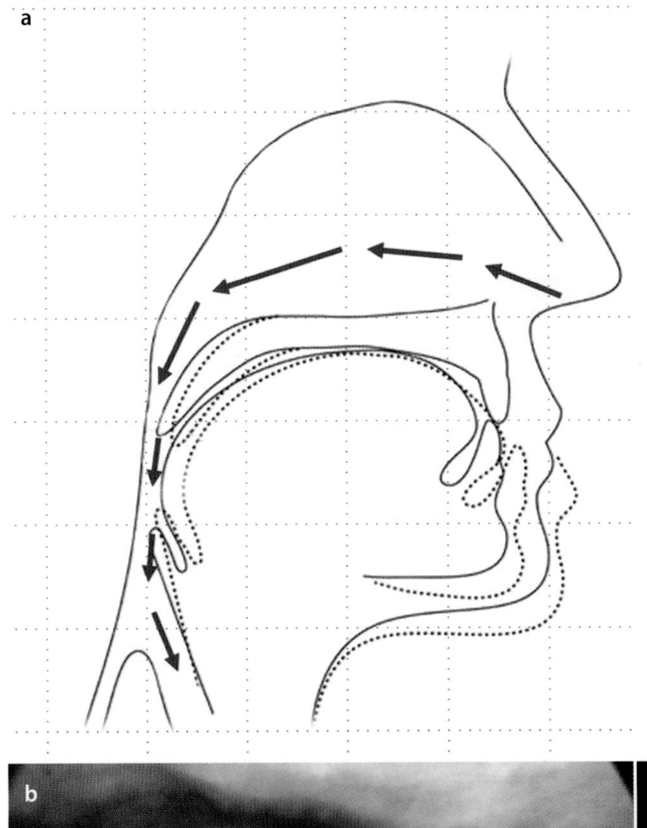

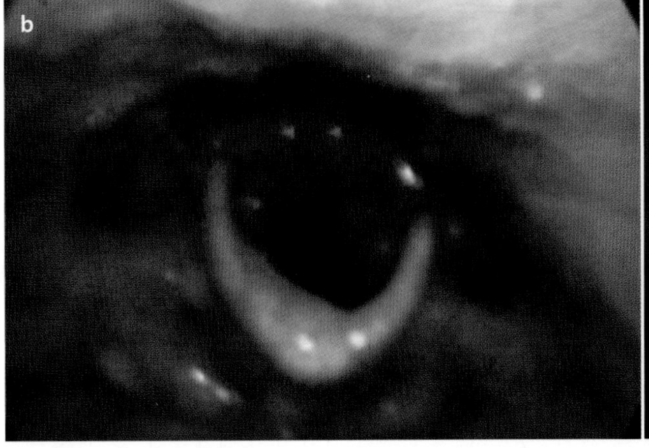

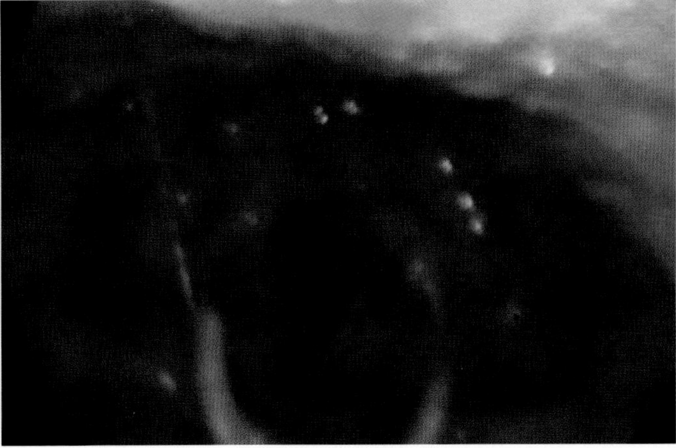

◘ 그림 13.1 **a** 구강 장치(OA) 기전의 도식화. **b** OA가 있거나(우측) 없는(좌측) 상태의 사진으로 장치에 의해 상기도 확장된 것을 볼 수 있다.

13

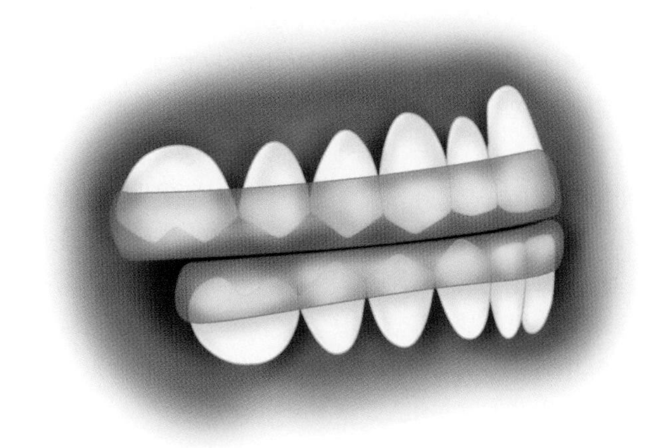

■ 그림 13.2 OA_M의 도식화 그림

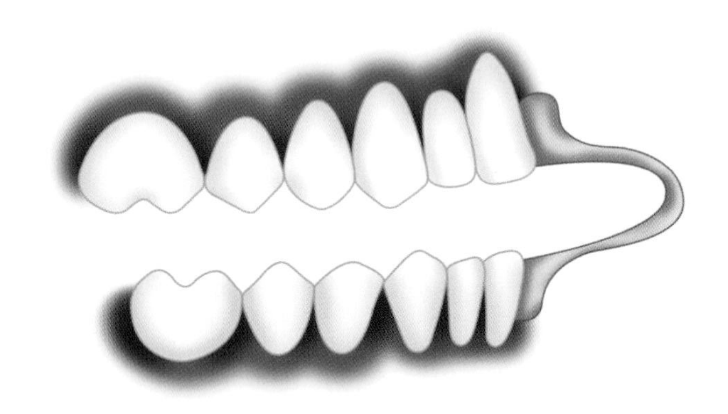

■ 그림 13.3 OA_T의 도식화 그림

13.2 용어

OA는 코골이와 수면 무호흡을 줄이기 위해 혀와 다른 구조의 위치를 수정하기 위해 입에 삽입하는 장치의 총칭이다.[6] 하악을 전방으로 고정하는 구강 장치인 OA_M은 "하악 전진 장치(MAD)", "하악 전진 스플린트(MAS)", "하악 재위치 장치(MRA)", "unterkieferprotusionsschiene (UPS)", "orthèses d'avancée mandibulaire (OAM)"라는 용어로도 불린다. 혀를 전방으로 유지하는 장치인 OA_T는 "혀 유지 장치(TRD)", "혀 안정화 장치(TSD)"라고도 불린다. 두 기전을 모두 포함하는 OA_M과 OA_T의 조합이 있다. 가장 일반적으로 OA라는 용어는 OA_M과 동의어로 사용되는데 이러한 유형의 OA가 압도적으로 가장 흔하게 사용되기 때문이다.

13.3 하악 전방 고정 장치-OA_M

13.3.1 작용 기전

OA_M은 상부 기도 용적을 증가시키고 인두 허탈을 감소시키기 위해 하악을 전방으로 재위치시키고 약간 벌린다(■ 그림 13.1a).[7-10] 상기도는 특히 구개범인두 수준의 측면 용적에서 확장되고(■ 그림 13.1b), 혀가 전방으로 변위된다.[8,9,11,12] OA_M의 작용 기전은 OSA의 병인과 OA 설계 같은 여러 요인에 따라 다양한 효율을 가진다. 다양한 정도로, OSA 환자는 상기도에서 어느 정도 해부학적 손상, 확장근 활동 감소, 인두 허탈 증가, 지나치게 민감한 환기 제어 시스템(높은 루프 이득), 또는 낮은 각성 역치를 가질 수 있다.[13] OA_M은 상기도 해부학의 개별 결함을 보완한다. 높은 루프 이득이나 낮은 각성 역치와 같은 비해부학적 특성은 OA_M에 의해 변경되지 않는다.[14] 경증 OSA 환자에서 기도 허탈이 적기 때문에 경증 환자는 일반적으로 보다 중증의 환자에 비해 OA_M의 기전에 더 적합하다.[13,14] 또한, 보다 중증의 환자와 비교해서, 경증 환자에서 전체 길이에 걸쳐 인두가 더 넓은 것으로 밝혀졌다.[15]

요약하면, OA_M의 작용 기전은 각 환자의 요구와 관련하여 상기도의 기류를 증가시키는 양압기에 비해 덜 효과적이다. 이것은 OA_M의 적응증을 평가하기가 더 어렵고 치료가 양압기에 비해 더 엄격하게 통제되고 추적되어야 함을 의미한다.

13.3.2 장치 디자인

OA_M에는 다양한 디자인이 있으며(■ 그림 13.4a-h), 다양한 방식으로 세분될 수 있다. 맞춤형 장치와 조립식 장치가 있다. OA_M 요법의 효과에 대한 증거는 주로 맞춤형 장치의 결과를 기반으로 한다. 따라서 맞춤형 장치에 대한 내용이 이번 단원의 주요 부분을 구성하게 될 것이다.

OA_M은 턱 위치 변경을 용이하게 하고 장치의 효과와 적응성을 향상시키기 위해 악골 사이에 다양한 유형의 조정 기전을 가지고 있다.[16-19] 조정 기전은 악골의 양쪽(■ 그림 13.4a-d)이나 정중선(■ 그림 13.4e-f)에 위치할 수 있다. 이런 기전은 주로 악골의 최적 위치가 결정될 때 적정 절차 동안 하악의 전후방 조절을 위한 것이다. 사용하는 동안, 악골은 기전에 의해 단단하게 고정될 수 있다(■ 그림 13.4f). 다른 유형의 기전에서도 다소간 입을 벌릴 수 있다(■ 그림 13.4a-e). 이렇게 입이 벌어지는 것은 탄성 밴드를 사용하여 예방할 수 있다(■ 그림 13.4g). 여러 디자인에서 측면 조정이나 측면 치수에서 약간의

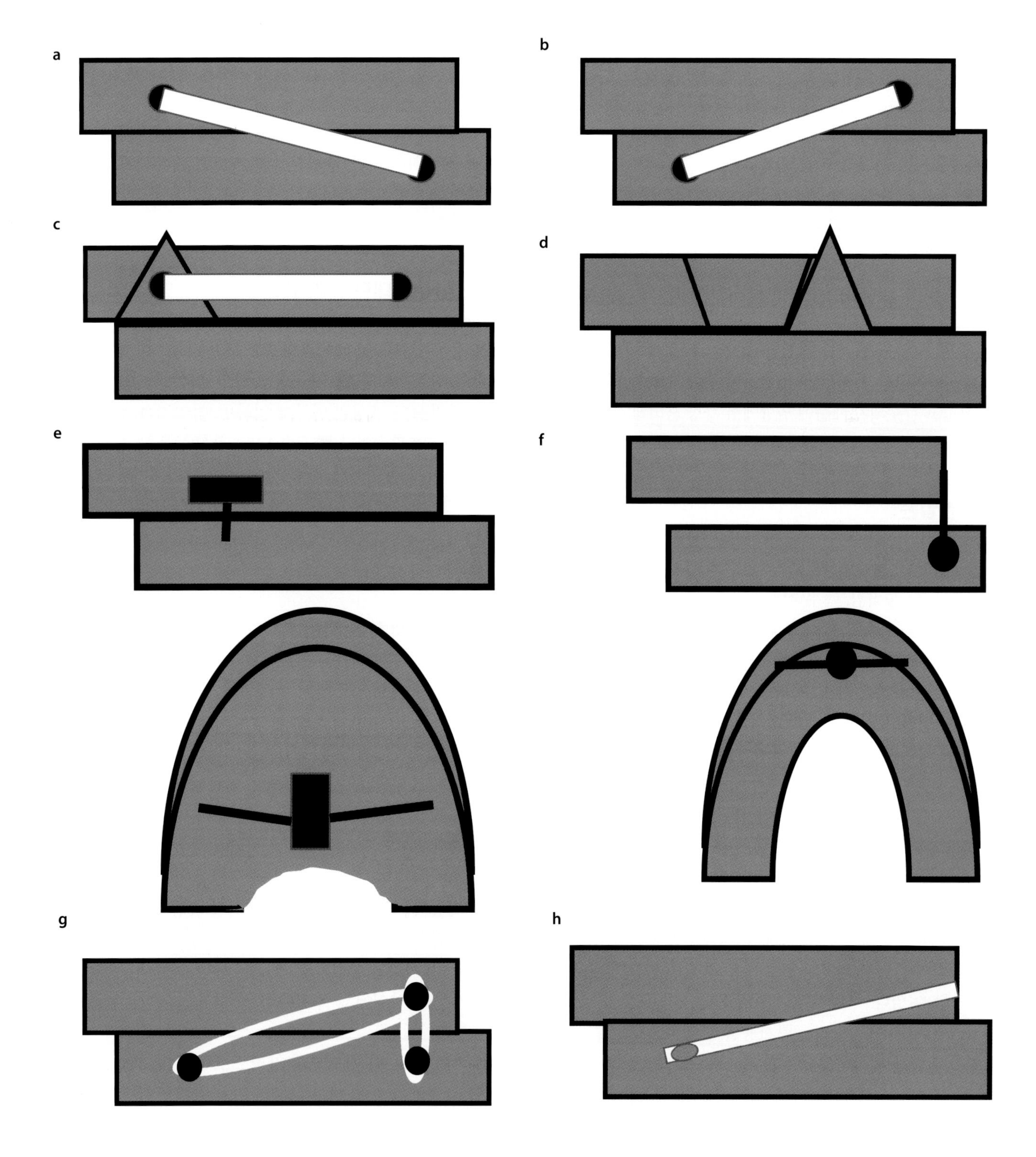

■ 그림 13.4 **a–g** 조절 가능한 OA_M의 다양한 디자인. 장치의 조절 기전은 측면(**a–d**)이나 정중선(**e–f**)에 위치할 수 있다. 일부 장치는 입이 벌어질 수 있다(**a–e**). 악골을 함께 고정하고 전진 정도를 확실하게 하기 위해 탄성 밴드를 다양한 방식으로 적용할 수 있다(**g**). 새로운 장치로 측면과 정중선 기전을 조합하였다(**h**).

변경이 가능하다. 초기 유형의 OA_M은 일체형으로 만들어졌으며 이러한 조정 기전이 없었다. 하악 위치의 적정은 새로운 구조의 교합이 필요하고 하악이 있는 장치를 새로 만드는 치기공사의 도움이 필요하기 때문에 더 어렵다.

수면 무호흡 환자의 1/3이 야간 코막힘을 보고하기 때문에 구강호흡을 허용하는 장치 내부의 구멍은 많은 환자에게 중요할 수 있다.[20] 그럼에도 불구하고 주로 비호흡을 촉진하기 위해 장치가 입술을 다물 수 있도록 하는 것이 중요하다.

요약하면, 하악의 위치를 적정할 수 있는 맞춤형 구강 장치를 권장한다. 이러한 장치는 조정 기전이 장치의 효능 및 적응에 중요하다고 간주되기 때문에 임상에서 가장 흔하게 사용된다.

13.4 방법론

좋은 구강 건강은 OA_M의 성공적인 치료에 필수적이므로, 치아 교합, 턱의 움직임, 측두하악 관절(TMJ)을 포함한 완전한 치의학적 검사가 중요하다. OA_M 치료를 시작하기 전에 좋지 않은 구강 상태에 대한 치료가 선행되어야 한다. 기존의 치과 질환은 구강 건강의 추가 손상, 부작용, 열악한 치료 결과의 위험을 증가시킬 것이다. 치아 상태가 하악의 전방 위치를 유지하기에 적합하지 않다면, 장치의 기전 또한 위태로워진다.

OA_M 치료는 치아의 인상 채득이나 구내 스캔으로 시작된다. 그 후, 왁스나 기타 재료로 전진된 하악 위치에서 교합 관계를 인기한다. 교합 인기 시, 하악이 똑바로 전진된 상태로 채득되어야 하고 최대 전방 운동력의 50% 정도나 관절의 중심위(centric relation)에 대해 4–6 mm 전방 위치에서 시행해야 한다. 전방 운동력이 불량한 환자의 경우 치료 첫 달 동안 전방 운동력이 증가할 수 있다.[21] 환자가 이 위치를 찾는 데 도움이 되도록 bite fork나 steel sliding caliper를 사용할 수 있다. 장치를 각 환자의 치아에 맞게 제작하고 조정한 후, 테스트 기간은 아래턱을 앞으로 조정하고 적정하는 것으로 시작한다. 이것은 효과적인 하악 위치가 확인될 때까지 하악이 0.1–1 mm 사이의 간격으로 지속적으로 전진된다는 것을 의미한다. 호흡 정지와 산소 공급에 대한 OA_M의 치료 결과를 확인하기 위해 수면 무호흡 기록을 갱신해야 한다. 특히 중등증에서 중증의 질병이나 동반질환이 있는 환자의 경우 효과적인 하악 위치를 찾을 때까지 이러한 기록을 반복해야 한다. 적정 절차 중 중간 검사는 각 국가의 의료 시스템에 따라 치과에서 시행할 수 있다. 각 환자의 건강과 관련된 장치의 효과에 대한 최종 결정은 담당 수면전문의가 내린다. 미래에 이 적정 절차는 최적의 하악 위치에 대한 가정 야간 테스트[22]나 자동 적응 장치[23]에 의해 단순화될 수 있다.

요약하면, OA_M 요법은 좋은 구강 건강, 최적의 하악 위치 적응과 적정을 위한 시간, 갱신된 수면 무호흡 기록에서 치료 효과에 대한 확인이 필요하다.

13.5 AHI에 대한 단기 효과

OA_M은 위약 치료나 비치료의 대조군과 비교하여 AHI를 효과적으로 감소시킨다(◘ 그림 13.5).[24–37] 다양한 질병 중증도를 가진 환자들로 구성된 연구에 의하면, 양압기가 AHI 감소에 OA_M보다 효과적이다(◘ 그림 13.6).[24,25,32,38–45] 가장 가벼운 OSA 환자들 사이에서, 이런 차이는 더 작아지거나 평준화된다.[3,24,42,46] 야간 산소화는 OA_M으로 개선되지만[2,3], 양압기는 야간 산소화를 한층 더 회복시킨다.[2]

13.6 치료 성공의 정의

OA_M 요법의 치료 성공에 대한 정의가 몇 가지 있다.[47] 치료 성공은 5 또는 10 미만의 AHI나 50% 이상의 AHI 감소와 같은 엄격한 범주에 기반한다. AHI가 5 미만이고 증상이 해소되거나 AHI가 5 미만, 또는 AHI가 10 미만이나 50% 이상 감소한 경우와 같은 기준의 조합도 사용된다. 마지막 기준은 가장 경미한 증례에서도 충분한 AHI 감소를 보장한다.

완전 반응자는 AHI 5 미만으로 정의되며, 종종 AHI에서 50% 이상의 감소가 추가로 요구되고, 무반응자는 AHI에서 50% 미만 감소 및 치료된 AHI가 20과 같은 특정 수준 이상이며, 부분 반응자는 그 사이에 놓여 있다.[28,29,41–43]

50% 이상의 AHI 감소가 추가적으로 요구되고 AHI가 5 미만인 완벽한 성공을 거둔 환자의 비율은 다양한 질병 중증도의 환자를 포함하는 무작위 대조 시험에서 10–57%로 다양하다.[26–29,34–36,38,41–43] OA_M 요법의 변동성이 큰 이유는 질병 중증도, 환자의 표현형, 수면 호흡 장애 사건의 정의, 장치 디자인을 포함한 방법론과 같은 요인에 따라 달라지기 때문이다.

요약하면, OA_M에 의한 만족스러운 AHI 감소에 대한 높은 수준의 증거가 있다. 치료 반응의 다양성은 양압기가 특히 보다 심각한 OSA 환자에게 더 효율적인 대안이 될 것임을 의미한다.

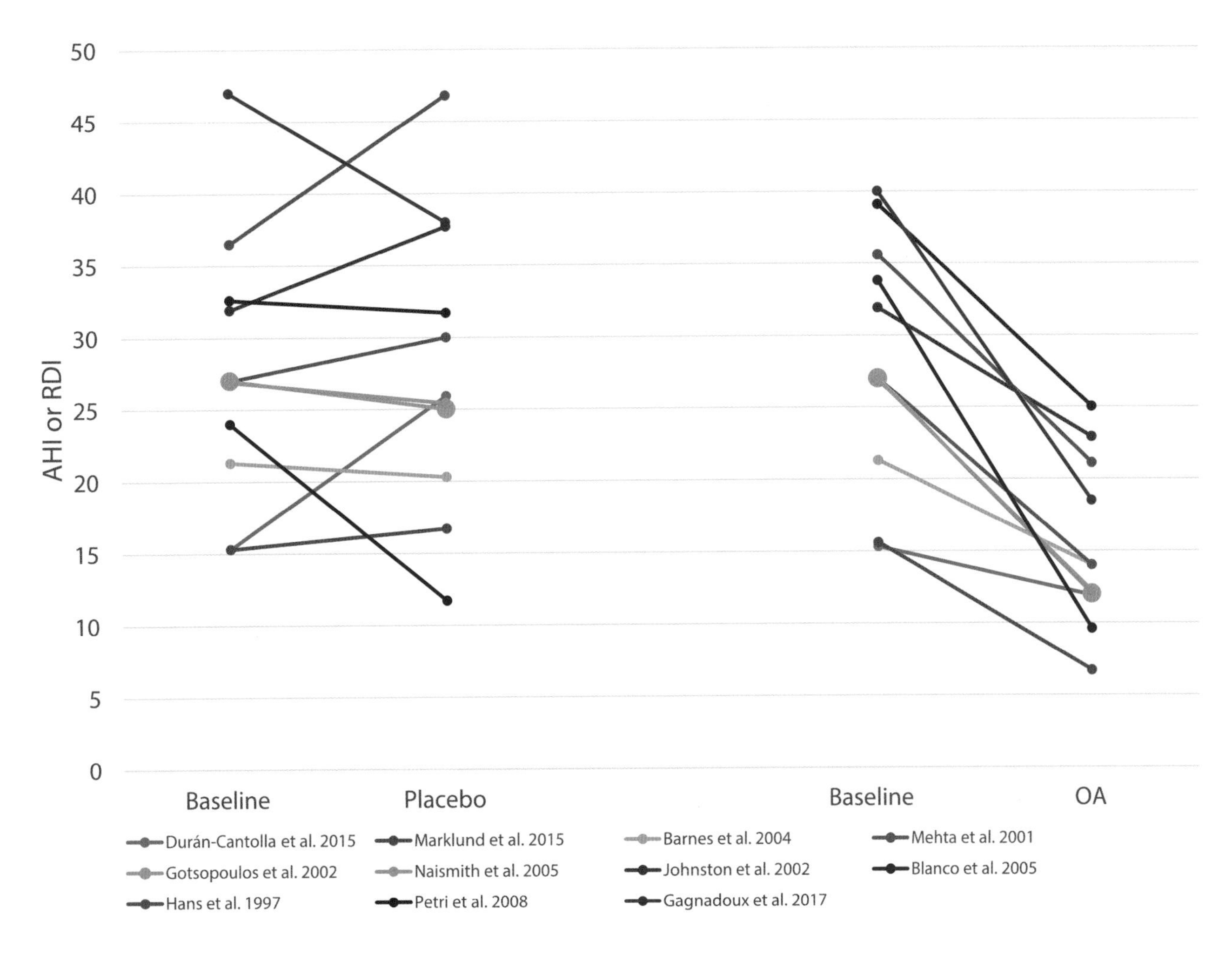

그림 13.5 기준선과 위약 효과를 비교한 OA_M 효과

13.7 OA_M 효과와 연관된 요소

13.7.1 하악 재위치의 중요성

하악이 많이 전진될수록 OA_M의 효과가 더 좋은 것이 일반적이지만[7,48], 하악 전진과 치료 성공 사이에 정확한 선형 관계는 존재하지 않는다.[49,50] 게다가, 필요한 전진은 질병의 중증도나 다른 개인적 요인에 의해 영향을 받을 수 있다.[51] 그럼에도 불구하고, 하악을 전진시키는 환자의 능력이 부족하면 OA_M에 의한 치료 결과를 최적으로 얻을 수 있는 가능성이 제한될 것이다. 하악을 넓게 벌린 상태로 제작된 장치는, 하악이 보다 제한된 범위 내에서 개구된 상태로 제작된 장치[53,54]에 비해 결과가 좋지 않을 것이다.[52] 1 cm 이상의 너무 큰 구멍도 환자에게 불편감을 줄 수 있다.[54]

13.7.2 장치 디자인

13개의 무작위 대조 시험[37,54–65]과 4개의 비무작위 연구[66–69]에서 AHI 감소 효과에 대한 서로 다른 장치의 비교가 시행되었다. 13개의 무작위 연구 중 9개는 다양한 맞춤형 디자인[54–58,60–62,64,65]을 비교했으며 차이가 없거나 적게 나타났다. 두 연구는 맞춤형과 조립식 장치를 비교했으며[59,63], 둘 다 맞춤형 설계를 선호했다. 완전한 치료 반응은 맞춤형 디자인을 사용한 환자의 49%[63]와 64%[59]에서 나타났고, 조립식 장치로 치료한 환자에서는 17%와 24%에서만 나타났다. 이 결과는 비무작위 연구[66] 결과에 의해 더욱 뒷받침된다. 한 연구에 의하면, 조립식 장치는 OA_M에 대한 반응 증례를 찾기 위한 테스트 장치로도 신뢰할 수 없었다.[63] 또한 다양한 정도의 맞춤형 기기를 포함한 대규모 연구의 결과, 비록 유의한 차이는 없었지만 비맞

13

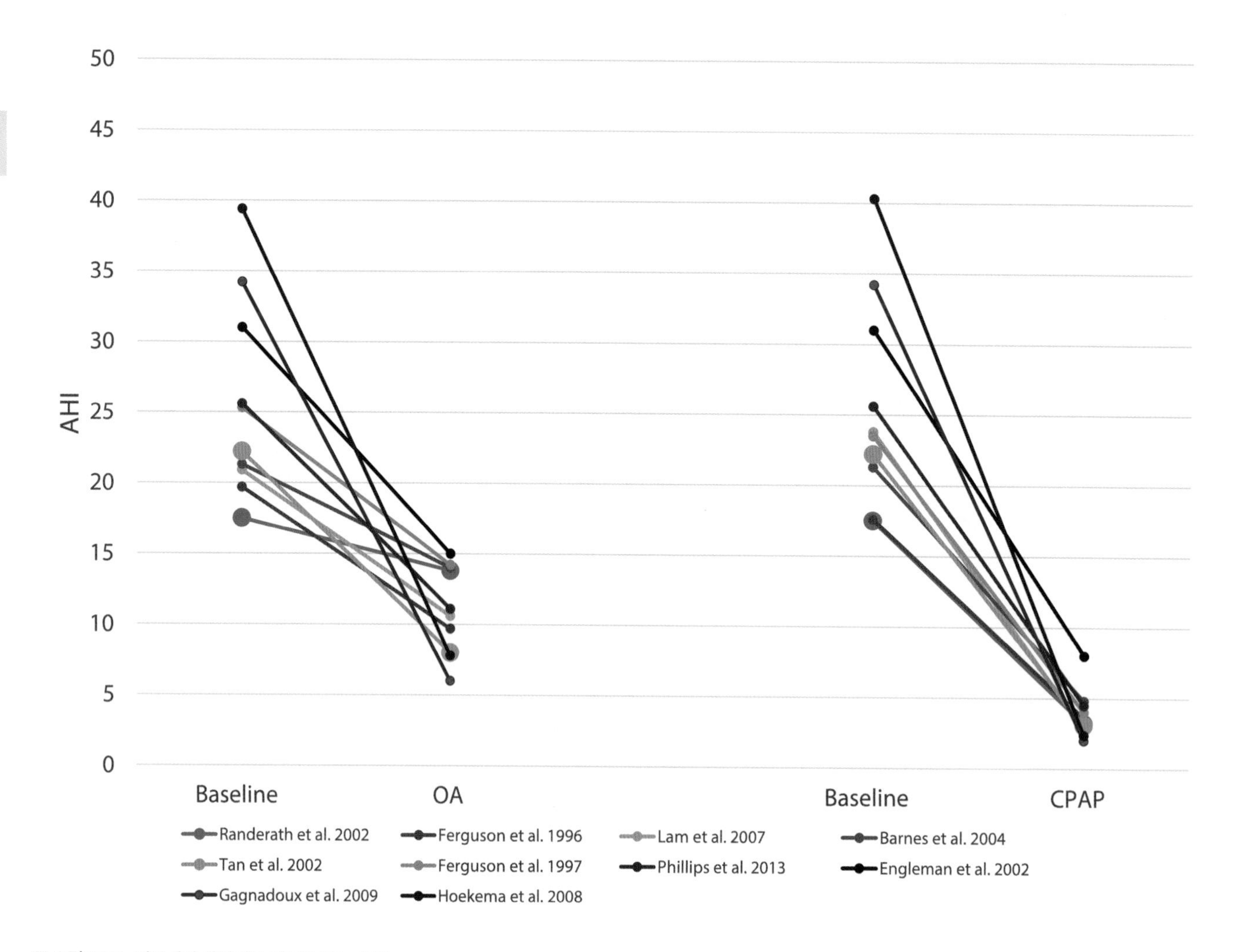

그림 13.6 **기준선과 양압기를 비교한 OA_M 효과**

춤형 디자인에 의한 AHI 감소는 상당히 작은 것으로 나타났다.[37] 이러한 장치 재료의 속성이 개선되고 있지만[69,71], 맞춤화되지 않은 디자인을 유지하는 것은 좋지 않은 효율성의 한 가지 이유가 될 수 있다.[70]

7개의 무작위 연구에서 하악을 상악에 고정하는 장치와 개구가 가능한 장치를 비교하였다.[55-58,62,64,65] 그 중 6개는 고정식 디자인을 선호하였고, 4개는 유의하다고 하였다.[55,58,62,64] 하나의 비무작위 연구[67]와 개구 가능한 장치에서 턱을 고정하는 탄성 밴드의 효과를 비교한 2개의 연구[61,68]는 이러한 결과에 대해 추가적인 뒷받침을 제공한다. 이러한 연구와 일부 관찰 연구[18,19,67,72]를 근거로, 하악을 상악에 고정하는 조정 가능한 맞춤형 장치가 가장 효과적이라고 할 수 있다.

13.7.3 최적의 하악 위치 결정 및 OA_M 요법에 대한 반응자 찾기

새로운 기술을 사용하여 최적의 하악 위치를 찾고 치료에 반응할 환자를 예측할 수 있다. 피드백-조절 하악 포지셔너는 자가(un-attended) 가정용 조건으로 개발 및 테스트되었다.[22] 이 방법은 병원 내 밤 검사 동안 원격으로 제어되는 하악 전진 장치를 사용하는 이전 시스템에 비해 한 단계 더 발전하고 저렴한 대안이다.[73-75] 개발된 검사법은 민감도 85%, 특이도 93%로 산소 불포화 지수(ODI)가 10 미만으로 정의된 치료 성공을 예측할 수 있는 높은 가능성을 보였다.[22] 예측된 하악 전진 정도는 새로운 표본에 대한 이후의 전향적 검사에 따르면 86%에서 효과적이었다.[22] 또 다른 연구에서는 효과적인 무호흡 감소를 확보하기 위해 하악 위치를 지속적으로 최적화하고 예측에 사용할 수 있는 새로운 자동 조정 OA_M에 대해 설명했다.[23] 이 두 가지 새로운 방법은 장비가 임상적으로 이용 가능하고 합리적인 가격만 제공된다면 OA_M 치료에 대한 반응자를 찾고 하악 위치 적정을 위한 시간과 비용을 줄이는 데 큰 도움이 될 것이다.

13.7.4 인두 해부학과 생리학

OA_M의 치료는 하악 전진술을 시행하는 동안 상기도 확장이 확인된 환자에서 성공할 가능성이 더 높다.[76] 약물-유도 수면 내시경을 사용하여 이런 효과를 시각화할 수 있다. 한 연구에서는 최대한 편안하게 전진된 하악 위치에서 모의 교합을 사용하였다.[77] OA_M 치료를 위해 의뢰된 환자는 135명으로 평균 AHI는 21이었다. 모의 교합으로 인두 폐쇄가 완전히 해결된 사람들은 이 교합 인기로 인두 허탈에 부분적 또는 전혀 영향을 미치지 않은 환자에 비해 승산비 5로 OA_M의 치료 성공 가능성이 더 높았다. 약물-유도 수면 내시경을 이용한 다른 연구에서는 경증에서 중등증의 OSA 환자 28명을 연구하였다.[78] 마취과의가 하악골을 4-5 mm 전방 이동시키고, 코골이와 무호흡에 미치는 영향을 관찰했다. 예측은 3분 동안 하나 이상 부위에서 적어도 50%의 개선된 상기도 개통성과 함께 폐쇄성 사건이 덜 빈번하거나 제거되었다는 관찰을 기반으로 했다. 이 방법은 5미만의 AHI 또는 50% 이상 AHI 감소로 정의하여, 71%의 환자에서 성공을 예측했다.

의식하 내시경 검사는 하악 전진에 대한 인두 반응이 예측 목적으로 사용될 수 있는지 테스트하는 데에도 사용되었다.[12,79] 중증의 OSA 환자 36명을 대상으로 한 연구에 따르면, 기도 확장이 전후방이나 측면 방향에 상관없이 앙와위에서 구개범인두 수준에서의 확장이 OA_M 성공을 예측했다.[12] 이러한 발견은 그 후에 중등증에서 중증 OSA가 있는 61명의 더 큰 표본에서 확인되었으며, 여기서 구개범장근 수준에서의 확장은 연령과 체질량 지수($BMI = kg/m^2$)를 조절하는 모델에서 낮은 AHI와 함께 성공의 독립적인 예측 변수였다.[79] OA_M을 사용한 치료 성공에 대한 몇 가지 기준을 테스트했으며, 이 예측 변수에 대한 승산비는 1.4에서 7.3 사이로 다양했다. 보다 최근의 연구에 따르면 의식하 내시경 중에 예측할 수 있는 인두 허탈 가능성에 대한 OA_M의 영향이 일차적으로 나타났다.[80]

혀 관련, 고립된 구개, 측벽, 후두개로의 허탈 부위를 국소화하기 위해 기류 곡선을 분석하는 새로운 방법이 개발되었다.[81,82] 이 기술은 혀 관련 허탈이 OA_M 치료 성공과 관련이 있고[83-85], 구개범인두와 후두개에서의 지속적인 허탈 및 더 깊은 사건이 실패와 관련되기 때문에, OA_M 치료에 반응할 환자를 예측하는 데 도움이 될 수 있다.[86,87]

13.7.5 비해부학적 특성

경미한 OSA를 가진 환자는 허탈 발생 가능한 상기도가 적다. 그러나 상기도 허탈을 유발할 수 있는 비해부학적 특성의 발생이 다를 수 있다.[5,13] 따라서 이런 요소를 사용하여 OA_M 요법의 치료 반응을 예측할 수 있다. 따라서 허탈 가능성이 낮은 상기도와 덜 민감한 환기 조절 시스템을 가진 환자는 OA_M 치료의 장점을 얻을 가능성이 더 높다.[13,14,88] 대조적으로, OA_M 요법의 영향을 받지 않는 요소인 과도하게 민감한 인공 호흡 조절 시스템(높은 루프 이득)과 낮은 각성 역치를 가진 사람들은 반응자가 될 가능성이 적다.

13.7.6 질병 중증도

경미한 OSA 환자는 일반적으로 보다 심한 질병을 가진 환자에 비해 OA_M 요법으로 충분한 AHI 감소를 얻을 가능성이 더 큰 것으로 간주된다. 이러한 경증의 OSA 환자에서 성공률은 OA와 양압기 사이에서 상당히 동등하다.[3,42,46] AHI의 정확한 징후와 큰 야간 변동성은 이 환자 그룹에서 불확실성을 나타낸다.[89-91] 환자는 수면 무호흡 기록이 의미하는 것보다 더 심각한 질병이 있을 수 있고, 차선의 치료를 받거나 치료를 받지 않을 위험이 있다.

일부 중증 OSA 환자는 OA_M으로 성공적으로 치료될 수 있지만[42], 양압기가 더 효과적이다.[3] 따라서 OA는 양압기 비적응 환자의 2차 치료법으로 간주된다.[3,92]

13.7.7 앙와위 의존

수면 중 앙와위에서 옆으로 누우면 혀 기저부와 후두가 더 유리한 위치로 재위치하면서 상기도 용적이 현저히 개선된다.[93] 상기도 허탈 가능성이 감소하고, 옆으로 누운 수면 자세에 비해 호흡 정지 발생 빈도가 낮아진다.[94] 일부 환자는 앙와위 자세에 크게 의존적이다.[95] 주로 앙와위 수면 무호흡이 있는 이런 환자는 측면 인두 협착이 있는 비-앙와위 수면 무호흡 환자와 비교하여 측면 용적에서 넓은 기도와 함께 상기도의 더 정상적인 해부학적 구조를 갖는 것으로 밝혀졌다.[96] 자세 의존성은 주로 측벽이 허탈되는 경향에 의해 조절되었지만[93], 후방에 위치한 혀에서도 발생할 수 있다.[97]

앙와위 의존에 대한 몇 가지 정의가 있는데, AHI가 높은 앙와위 및 정상 값 비-앙와위, 2배 빈도의 앙와위 대 비-앙와위와 같은 정의들, 또는 치료 결정에 도움이 되는 특별하게 고안된 정의들이 있다.[98] 정확한 정의에 따라 앙와위 의존의 유병률은 OSA 환자에서 20–60%로 다양하다.[99]

앙와위 의존성은 OA_M 치료의 성공 예측 인자로 확인되었으며[100–103], 양압기 결과는 다양하지만[99,104] 유사한 효능을 보인다.[102] 이러한 성공 예측 변수에 대한 상충되는 결과는 장치 디자인으로 설명할 수 있다. 한 비무작위 연구에서 자세성 OSA가 있는 환자에게 개구 가능 장치에 탄성 밴드를 사용했을 때, 기준선 특성에 대해 통제된 반응자 비율이 거의 4배 증가했다고 보고한다.[68] 수면 중에 개구 가능 OA_M의 효과도 고정 장치보다 낮다(◘ 그림 13.4).[55–58,62,64,67] 토끼 실험에서, 앙와위에서 입이 벌어지지 않도록 하면 상기도 저항에 대한 하악 전진 효과가 향상된다.[105] 의도한 전방 재배치를 보장하기 위해 하악을 상악에 고정하는 것은 아마도 장치의 효율성을 최적화하기 위해 앙와위 자세에서 특히 중요할 것이다.[61] 따라서, 개구가 가능한 장치의 효과 예측은 수면 중 하악을 고정하는 장치의 효과 예측과 비교할 때 신뢰할 수 없다.

13.7.8 임상 검사의 인체 측정 변수

젊고 마른 환자나 여성에서 OA_M 요법으로 치료 성공 가능성이 더 높지만[18,46,101,106,107], 강도가 다양한 것으로 확인되었다. OSA 환자의 대다수가 고령이고 남성이며 비만인 경우가 많기 때문에 이러한 예측 인자는 일반적으로 임상 실습에서 덜 유용하다.[108,109]

Mallampati 점수와 BMI를 사용하여 구인두 밀집 증가를 반영하는 변수의 조합은 OA_M의 큰 실패 위험과 연관된다.[110] 또한 OA_M 치료 중 체중 증가 위험에 대해 환자에게 설명해야 한다. 이는 장치의 효과를 감소시킬 수 있기 때문이다.[101] 체중 증가는 또한 환자의 건강을 더 위험하게 할 수 있는 폐쇄성 사건의 중증도 증가와 관련된다.[111]

두부계측치에서 두개안면 형태의 평가는 고립된 변수나 그런 계측치의 조합이 OA_M의 치료 성공에 대한 일관성 없는 예측 인자임을 보여주었다.[112]

치료 결과에 대한 연령의 영향을 구체적으로 평가한 연구는 거의 없다. 이것은 많은 노인 인구에서 특히 중요할 수 있다. 한 후향적 연구는 노인들이 OA_M으로 만족스럽게 치료될 수 있음을 나타내지만[113], 일부 회의론도 있다.[114] 이러한 연구 중 하나는 순응도가 낮을 수 있다고 하였다.[114]

양압기 시험을 받은 환자는 기도 개통을 성공적으로 개선하기 위해 필요한 양압기 압력을 기반으로 OA_M 치료에 적합한지 평가받을 수 있다. 이러한 방식으로, 낮은 양압기 압력이 OA_M의 치료 성공을 예측하는 것으로 밝혀졌다.[115–117]

요약하면, 장치의 하악 전진 정도와 환자 특성이 중요한 요소인 OA_M의 치료 성능 가능성에 다양한 요인이 영향을 미칠 것이다. 야간 적정 절차는 미래에 가장 유망한 예측 대안을 대표한다. 확인된 상기도 확장도 치료 성공 가능성을 계산하는 데 사용할 수 있다. 미래에는 기류 곡선이 인두 허탈의 유형과 치료 성공을 예측하는 데 유용할 수 있다. 개구를 방지하는 조정 가능한 맞춤형 OA_M이 기본적으로 권장된다. 조립식 장치는 종종 유지력이 좋지 않다. OA_M 디자인이 OSA의 결과에 미치는 영향과 성공 예측 요소에 대한 더 많은 지식이 필요하다.

13.8 코골이 및 상기도 저항 증후군에 대한 OA의 영향

많은 환자에서 코골이가 감소되거나 없어지는 결과가 나타난다. 많은 연구에서, 주관적인 보고를 평가하고 OA_M에 의해 코골이가 감소한다는 것을 발견했다.[2,33,118] 객관적인 측정은 OA_M에 의해 코골이가 감소하지만 일반적으로 없어지지 않는다는 것을 확인한다.[29,34] 장치 설계를 비교하는 몇 가지 연구들은 코골이 측정을 포함하였다. 두 연구에서는 고정 장치에 비해 개구 가능한 장치에서 코골이가 더 많다고 보고했다.[57,58] OA_M은 구강 내 위양 장치보다 코골이 감소에도 효과적이며[24,29,33,34], 양압기는 OA_M보다 더 효과적이다.[39–41] OA_M 치료 중 지속되는 코골이는 불충분한 무호흡 조절 및 치료 이행 불량과 관련이 있다.[40,119]

OA_M은 호흡 노력이 증가하지만 AHI가 증가하지 않는 주간 졸림으로 정의되는 상기도 저항 증후군으로 고통받는 환자에게도 사용할 수 있다.[120] 여기에 해당하는 환자들이 OA_M으로 호흡 장애 지수(RDI), 각성 지수, 우울증 증상의 중증도가 감소하고 수면의 질이 향상되었다.

요약하면, 많은 환자들이 주로 코골이와 가족 생활에 대한 부정적인 결과를 가장 잘 제거하는 방법에 관심이 있음에도 불구하고, 수면 무호흡에 대한 효과와 비교하여 코골이에 대한 OA의 치료 효과에 대한 연구는 적게 존재한다.[121] 코골이 치료에서 중요한 이유와 방법에 대한 연구가 떠오르고 있다.[122] 코골이에 대한 제한된 연구 관심은 소리 측정의 어려움으로 설명될 수 있으며 이 증상은 장기적으로 부정적인 건강 결과와 관련이 적다.[108]

13.9 OA의 증상에 대한 효과

과도한 주간 졸음은 인구에서 수면 무호흡 환자의 일부에 영향을 미친다.[108] 그럼에도 불구하고, 많은 환자들이 코골이 문제에 대한 치료를 찾는 흔한 이유가 졸음이다. 과도한 주간 졸음은 일반적으로 환자가 0에서 3까지의 척도를 사용하여 8가지 다른 상황에서 잠들 가능성을 보고하는 Epworth 수면 척도(ESS) 점수로 평가된다.[123] 총점은 0점에서 24점까지 다양하며 10점 이상이면 과도한 주간 졸음으로 정의된다. 이런 식으로 정의된 과도한 주간 졸음의 정도는 AHI와 좋지 않은 상관관계를 가진다.[108,124-126] 국제 수면 장애 분류(ICSD-3)[127]에 따르면 다양한 증상이 OSA와 관련된다. 수면 무호흡 진단에 주간 졸음보다 더 많은 증상을 포함시키면 OSA 증후군의 유병률이 높게 증가한다.[128] 이러한 증상의 예로는 회복되지 않는 수면, 피로, 불면증 증상, 야간 질식, 고혈압이나 관상 동맥 질환과 같은 동반되는 수면 무호흡 관련 질병이 있다.

OSA 치료의 증상에 대한 효과는 대부분 ESS 점수로 측정되는 주간 졸음에 집중되었다. 가장 가벼운 범위의 질병 중증도에 속하는 대상에서 OSA 치료가 주간 졸음에 미치는 영향은 불확실하다.[3,27,33,129,130] 환자는 종종 치료되지 않은 상태에 비해 OA 사용으로 ESS 점수가 낮아지지만[2,3], 이들 중 일부는 위약 효과로 설명될 수 있다.[24,28,29,33,36] 9개의 무작위 대조 시험 중 1건의 교차 연구[29]만이 OA_M과 위약 장치 사이의 ESS 점수에서 상당한 차이를 발견했다.[24,26-28,30,31,33,36] 6개의 병렬 무작위 대조 시험 연구 중 어느 것도 위약 장치와 비교하여 OA_M에서 ESS 점수가 유의하게 더 낮다고 보고하지 않았다.[24,26,28,30,33,36] 경증 OSA 환자, 즉 주로 OA_M 치료 적응증이 있는 환자가 위약 장치와 비교하여 ESS 점수에 영향을 미치지 않은 두 연구에 포함되었다.[27,33] 이 두 연구 중 하나는 Karolinska 수면 척도에 의해 측정된 주간 졸음, Osler 테스트나 삶의 질에 의한 졸음의 객관적인 테스트의 전향적 보고서에 영향을 미치지 않는 것으로 나타났다.[33] 발표된 한 메타 분석은, OA_M이 위약과 비교하여 ESS 점수에 영향을 미치지 않았으며 중등증 수면 무호흡 환자에서 OA_M과 양압기 간에 차이가 없다고 보고하였다.[3] 해당 메타 분석이 발표되었을 때, 경증 OSA 환자에 대한 공개된 무작위 대조 연구는 없었다. 경미한 OSA 환자에게는 주간 졸음의 다른 원인이 많이 있을 가능성이 크다. 이것은 양압기나 OA_M으로 치료한 환자의 1/3이 성공적인 수면 무호흡 감소에도 불구하고 여전히 졸린 이유에 대해 설명해준다.[131,132] 더 심각한 질병이 있는 환자에서 OA_M은 양압기보다 정도는 적지만 주간 졸음을 감소시킨다.[3] 피로와 같은 주관적인 불만을 평가하기 위해 향후 연구에서 ESS 점수 이외의 다른 척도를 사용할 수도 있는데, 이는 한 연구에서 흥미로운 결과를 제공했다.[133]

OA_M의 치료 효과와 관련하여 주간 졸음 이외의 OSA 관련 증상은 체계적으로 평가되지 않았다. 두 연구에서 OA_M 치료 대 위약 중재에 의한 하지 불안 증상에 대한 긍정적인 효과가 발견되었다.[33,134] 두통, 코막힘, 불면증과 같은 일부 다른 OSA 관련 증상은 위약 장치와 차이가 없었지만 무작위 대조 시험에서 치료되지 않은 조건에 비해 OA_M 치료로 개선되었다.[33] 불면증, 주간 졸음, 두통, 하지 불안과 같은 여러 증상이 OSA와 함께 나타날 수 있으며 개별적인 치료가 필요할 수 있다.[135-137] OSA 환자 사이의 증상 표현 차이는 수면 다원 검사 수면 기록의 결과를 세분화한 연구에서 예시된다. 주로 수면 각성이 있는 것으로 등록된 OSA 환자는 주로 불포화를 가진 환자에 비해 OA_M 치료를 더 자주 계속했다.[138] 따라서, 이 다발성 및 다변성 질환의 다양한 치료로 인한 증상 효과를 더 잘 이해하기 위해서는 다양한 표현형의 OSA 환자에 대한 더 많은 연구가 필요하다. 경증 OSA 증상이 있는 환자에 대한 좋은 접근 방식은 OA_M으로 치료하기 전에 양압기로 치료가 주간 증상을 감소시키는지 테스트하는 것이다.[90]

요약하면, 주간 졸음에 대한 OA_M의 효과는 경증에서 중등증의 OSA 환자, 즉 이러한 유형의 치료가 주로 권장되는 환자군에서 불확실하다. 경증에서 중등증의 OSA는 아마도 이전에 가정한 것보다 덜 뚜렷한 주간 졸음을 유발하는 반면, 주간 졸음에는 여러 가지 그럴 듯한 원인이 있다. 양압기가 더 효과적이기는 하지만, 중증 질환이 있는 환자는 OA_M 치료로 덜 졸릴 가능성이 있다. Glymphatic system과 같은 OSA 치료의 수면에 대한 표현형 및 알려지지 않은 결과와 관련하여 OA_M 치료의 다양한 증상 효과에 대한 향후 연구가 필요하다.[139]

13.10 심혈관 영향

메타 분석에 의하면, 위약 중재에 비해 OA_M 치료에서 혈압이 감소한다.[2,140-142] 그 효과는 연구된 표본에서 OA_M과 양압기 간에 유사하다.[2,140] 자동-적정 양압기, 지속적 양압기, OA_M

과 대조군을 세분화한 한 메타 분석에서는 혈압 효과 측면에서 지속적 양압기를 선호했다.[141] 혈압에 대한 OA_M의 결과는 위약[25,28,143-146], 양압기[25,43,144,147,148], 치료되지 않은 대조군[37,147], OA_M 디자인 간의 차이[55]와 비교하는 무작위 대조 시험에서 파생된다. 12-108명의 경증에서 중증 OSA 환자가 1-4개월 동안 지속된 이 연구를 완료했다. 1건의 연구를 제외한 모든 연구는 초기 혈압과 관계없이 환자를 선택했으며, 1건의 연구는 기준선 고혈압을 요구하였다.[143] 또한 6개의 연구에서 OA_M의 혈압에 대한 영향을 설명하였다.[149-153] OA_M에 의한 혈압 감소는 AHI 감소와 유의하게 연관되었다.[143,151,152] 여러 연구에 의하면, 혈압 효과는 특히 고혈압 환자에서 분명하다.[43,143,150-152] 한 연구에서는 여성과 남성을 세분화하여 여성과 야간에만 혈압에 미치는 영향을 발견하였다.[146] 이전 표본에는 남성이 평균 80%로 대다수를 포함했기 때문에, 수면 무호흡증 치료 효과와 관련하여 여성과 남성 간의 가능한 차이에 대한 추가 연구가 필요하다.

OA_M은 야간 혈압 강하를 정상화하거나[25] 연구 표본에서 지속적 양압기보다 나은 결과[144]를 제공하는 것으로도 밝혀졌다. 한 소규모 연구에서 내피 반응성에 대한 유익한 효과가 발견되었지만[148], 중증의 OSA 환자를 대상으로 한 대규모 무작위 대조 연구에서는 그 결과가 확인되지 않았다.[28] 소규모의 기술적 연구에서, OA_M이나 양압기로 치료한 환자는 건강한 대조군과 유사한 사망률을 보고한 반면, 치료를 받지 않은 중증의 OSA 환자는 다른 그룹보다 사망률이 더 높았다.[154]

양압기보다 OA_M 치료에 대한 이행 준수가 높다는 것은 이러한 치료의 혈압에 대한 상당히 유사한 결과를 어느 정도 설명할 수 있다.[43] OA_M 치료에 관한 연구에 포함된 환자가 양압기 치료를 받는 환자, 특히 보다 중증의 OSA 환자보다 더 건강할 수 있다. 중증의 OSA 환자에서 OA_M을 위약 장치와 비교한 최근의 무작위 대조 시험은 2차 목표로서 양호한 이행 준수와 AHI의 상당한 감소에도 불구하고 혈압에 어떠한 영향도 나타내지 않았다.[28] 이 연구는 OSA의 복잡성과 중재를 통해 심혈관 위험을 줄일 수 있는 가능성을 강조한다. 긍정적인 측면에서, 2개의 연구에서는 3년 이상 후에 혈압에 대한 OA 치료의 유익한 장기적 효과를 보고한다.[149,155]

요약하면, 심혈관 건강에 대한 일부 긍정적인 효과는 OA_M 요법의 결과로 발견되었다. 그러나 복합 질병의 이 복잡한 영역에서 치료 결과에 대한 더 많은 연구가 필요하다.

13.11 부작용

수면 중 하악을 전방으로 안정시키는 것을 목적을 하는 이물질이 구강 내에 삽입되면, 치아에 가해지는 압박감, 턱관절의 압통, 치아 교합의 일시적인 변화로 인해 불편함을 유발할 수 있다. 이러한 부작용은 장치에 대한 적응을 연장시키거나 치료를 중단시킬 수도 있다. 시간이 지남에 따라 초기의 불편감은 사라지고 영구적인 교합 변화는 더 분명해진다. 이러한 부작용은 잘 알려져 있다. 부작용을 관리하는 방법을 설명하는 평가된 방법이 거의 없기 때문에, 일반적인 관리는 과학적 증거보다 임상적 경험에 의존한다.[156]

13.11.1 장치의 힘

야간에 하악을 전방 위치로 재배치하면 치아에 힘이 가해진다. 원심 방향의 힘이 상악과 치아에서 발생하고 전방 방향의 힘은 하악과 치아에 나타난다. 이미 치료 초기에 환자는 장치 제거 후 몇 시간 동안 교합 접촉 면적이 적어 일시적으로 교합이 변경되는 약간의 불편감을 경험할 수 있다.[157,158] 근육의 힘은 약해지지만 정상 수준으로 돌아간다.[157,158] 용량 의존적이지만 치아에 개별적으로 가해지는 다양한 장치의 힘으로 치아 이동과 변경된 치아 교합에 영향을 줄 것이다.[159] 치아에 가해지는 힘의 현저한 증가에 대한 60% 전진의 차단이 확인되었다.[160] 불충분한 치아 골지지 등의 구강 건강이 좋지 않은 환자는 OA_M의 힘으로 인한 부정적인 영향을 받을 위험이 더 높을 뿐만 아니라 치아의 야간 장치 착용으로 구강 건강이 손상될 수 있다.

13.11.2 단기 부작용

치료 시작부터 환자는 타액 분비 문제, 치아 압통, 악관절 증상, 교합 변화를 경험할 수 있다.[2] 덜 개별화되거나 조정할 수 없는 장치는 적응 문제를 더 많이 일으키고[17,63,66,69], 덜 효율적이기 때문에[59,63,66], 장치 관련 부작용이 일부 있을 수 있다. 악골을 더 많이 전진시키고 개구 가능한 장치는 조절 장치나 위치 변경이 적은 장치에 비해 부작용이 더 많이 발생하기 때문에 위치 변경 자체가 불편함의 크기에 영향을 준다.[33,48,54] 부작용의 위험에 대한 예상치 못한 측면은 대조군보다 statin 약물을 투여받는 환자에서 OA_M 치료의 초기 부분에서 더 많은 근육통을 발견한 연구에서 시각화되었다.[161]

양압기는 OA_M과 유사한 정도의 부작용을 유발하지만[2], 치료 사이의 특성은 다르다.[24,32,38,39,41,44] 양압기 마스크는 얼굴의 여러 부위에 압력을 가하여 피부 자극을 유발할 수 있는 반면, OA_M은 치아와 악골에 압력을 가하여 압통이나 통증을 유발할 수 있다. 양압기는 더 자주 목구멍이나 코의 건조 문제를 유발할 수 있다. 두 치료법 모두 수면을 방해할 수 있다.[38] 이행 준수 문제는 OA_M 치료보다 양압기에서 더 흔하고, 부작용으로 인해 OA_M 치료보다 양압기 치료를 중단하는 경우가 더 많다.[2]

13.11.3 초기 부작용을 피하는 방법

근육 압통이나 TMJ 통증 예방은 단기 부작용을 줄이는 방법에 대한 연구의 주요 주제였다. 악관절 장애(TMD)로 진단된 환자 그룹은 위약 훈련에 무작위로 배정된 유사한 환자 그룹에 비해 하악 운동을 수행한 후 통증을 덜 경험했다.[162] 이전에 TMD가 없었던 환자에서도 유사한 운동을 시험했으며, OA_M 치료 1개월 후에 TMD 증상을 경험한 환자는 없었다.[163]

치료 초기에 교합 변화를 예방하는 방법은 아침에 지그 운동이나 스트레칭을 하는 방법이 연구되어 왔으며 두 방법 모두 교합 접촉 수를 증가시켰다.[164]

13.11.4 장기 부작용

타액 분비 문제와 치아 불편감은 일반적으로 감소하거나 장기적으로 별 문제되지 않는다.[165–170] TMJ 증상은 치료가 지속되면서 감소하고[168,171,172], OA_M의 사용을 거의 제한하지 않는다.[171,173] 대신, 치아의 움직임과 교합의 변화는 시간이 지남에 따라 점점 더 만연해진다. 거의 모든 환자가 치료 5년 후 다소 뚜렷한 교합 변화를 느끼게 될 것이다.[174] 그러나 환자의 극소수만이 이러한 교합 변화에 대해 불안해한다.[169,172,175–177]

13.11.5 치아 교합의 변화

치아 모형과 두부조영술을 이용한 계측치에 의하면, OA_M 치료 동안 대구치 위치의 지속적인 전진 근심 이동으로 치아 교합이 보다 근심 관계로 변화하고(III급) 수평 피개와 수직 피개가 감소한다(◘ 그림 13.7).[166–170,174–176,178–189] 또한 주로 하악에서 치아의 방향과 같은 방향으로의 약간의 골격 변화가 있다.[166,167,170,178,180,182,184,187,190,191]

수평 및 수직 피개의 변화는 치료 첫 해인 초기에 보이고 그 이후에도 점차적으로 계속된다(◘ 그림 13.8a, b).[186] 치료 5년 후 환자의 약 1/3에서 수평 및 수직 피개에서 1 mm 초과의 변화를 예상할 수 있다.[185] 치료 10년 후, 수평 및 수직 피개에서 평균 약 2 mm 감소가 보고되었다.[186,189] 17년 후에 평가된 소규모 환자군에서, 수평 및 수직 피개의 중앙값 변화가 1–2 mm였다.[192] 2명의 환자는 그 기간 동안 수평 및 수직 피개에서 4–5 mm의 극단적인 감소를 보였다. 이 관계는 평가가 드물고 개인의 구강 건강에 따라 달라지지만, 더 젊고 더 오래된 피험자들은 유사한 관찰 시간 동안 비슷한 정도의 교합 변화의 영향을 받는다.[113]

임상에서, 일부 환자는 구치 사이의 치아 접촉이 소실되어 질긴 음식을 씹을 때 문제가 있다고 불평한다. 교합이 변경되면 치열의 구치부에서 상하 치아 사이의 접촉이 적어진다는 것이 여러 연구에서 확인되었다.[168,174,181,186,193,194] 환자의 1/5에서 1/4들은 OA_M으로 치료 1–2년 후 구치부 개방 교합을 경험한

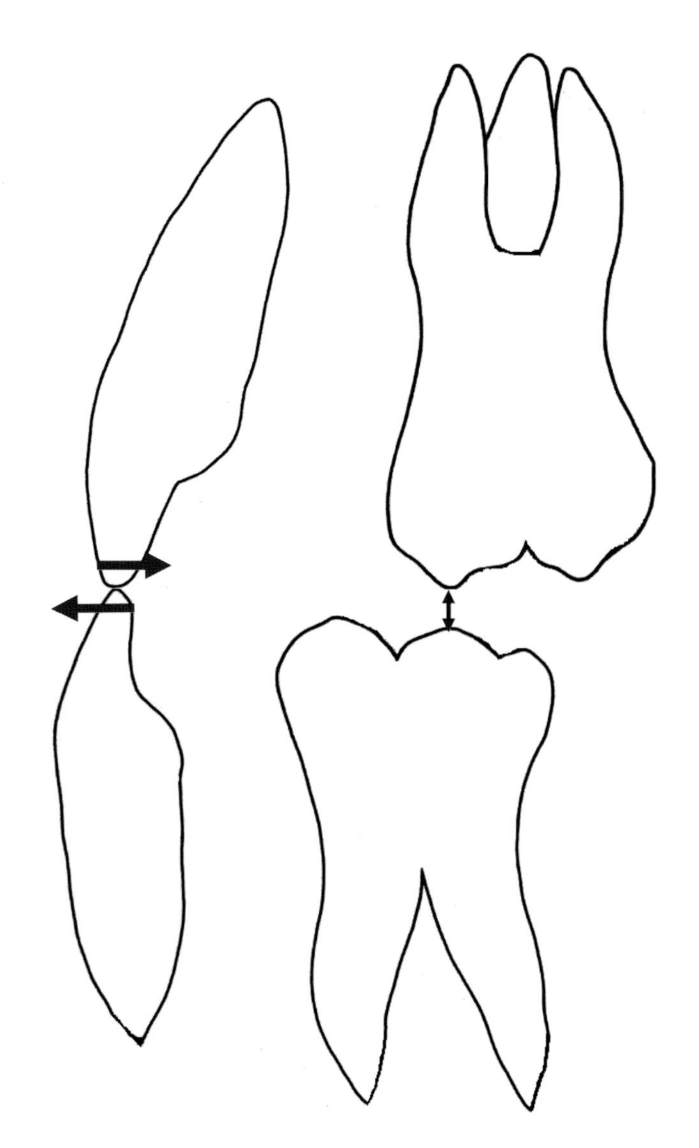

◘ 그림 13.7 OA_M의 장기 사용 동안 예상되는 교합 변화

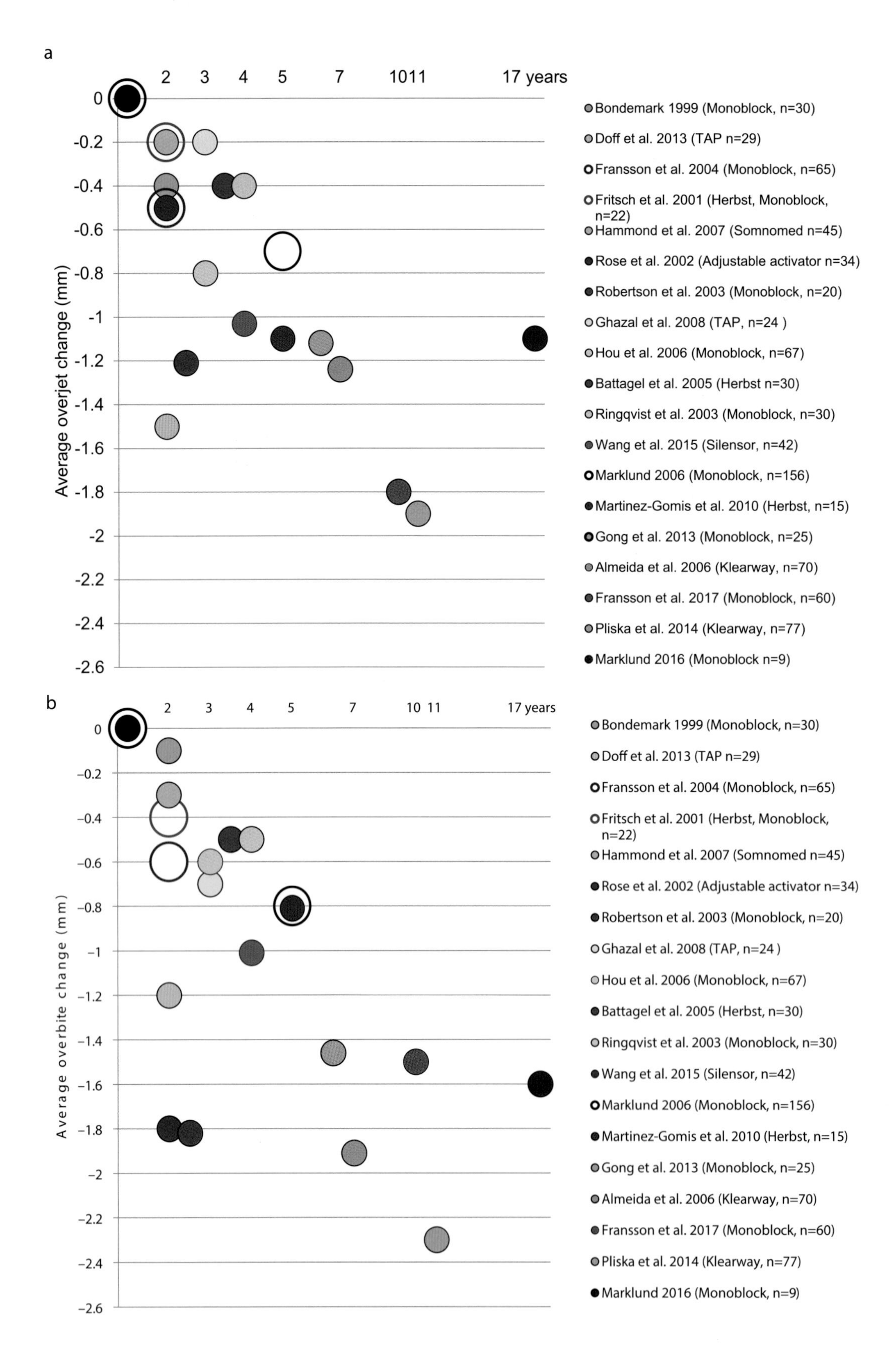

▣ 그림 13.8 **a** OA_M 장기 사용 동안의 평균 수평 피개 변화. **b** OA_M 장기 사용 동안의 평균 수직 피개 변화

다.[172,188] 교합 접촉은 시간이 지나면서 변화하고 개선될 수 있다.[168] 환자는 장기간 치료 중 음식물이 끼는 것에 대해서도 불평하는데, 아마도 장치가 부착되는 치아 사이의 긴밀성이 소실되기 때문일 것이다.[177]

또한, 치아는 치아의 밀집이나 인접 개방 공간 발생으로 다른 유형의 위치 변화를 경험할 수 있지만[186,188,195,196], 이런 변화가 모든 연구에서 관찰되는 것은 아니다.[174] 상악 구치부는 원심으로 기울어지고 하악 대구치는 근심으로 기울어질 수 있다.[178]

13.11.6 초기 교합 특성과 연관된 교합 변화

초기 교합 유형은 OA_M 치료로 인한 교합 변화 정도와 관련있다. 정상 교합(I급)이나 근심 교합(III급) 환자는 OA_M 치료로 인한 교합 변화 위험이 더 높다. 반면, 원심 과개 교합과 큰 수평 피개(II급 1류)가 있는 환자는 수평 및 수직 피개 감소로 유리한 변화를 기대할 수 있다.[174,185] 이러한 긍정적 효과는 많은 환자들이 교합 변화를 인지하지 못하는 이유를 설명할 수도 있다.[177] 초기 과개 교합은 수평 피개의 덜 현저한 감소와 관련이 있다.[174,185]

13.11.7 하악 재위치와 관련된 교합 변화

장치에 의한 하악 전진이 많을수록 수직 피개[181]와 수평 피개[176,185]의 감소 위험이 커진다. 이 발견에 따르면, 개방 정도가 크면 수직 피개가 감소할 위험이 증가한다.[185,187]

13.11.8 교합 변화 방지를 위한 장치 디자인과 가능성

몇몇 연구에서는 치과 부작용 측면에서 장치를 비교했다. 전방 위치 조절 기전의 장치(◘ 그림 13.4f)가 측면 조절 기전(◘ 그림 13.4d)의 OA_M와 비교하여 더 뚜렷한 교합 변화를 보인다.[194] 해당 연구에서 측면 조절 기전이 있는 OA_M과 지속적 양압기 사이에 수평 및 수직 피개의 변화에는 차이가 없었다. 또 다른 연구에서는 상악 절치 전방에 공간이 있는 특수 고안된 OA를 사용하여 치아 후방으로 적은 압력을 적용했다.[191] 하악에는 절치 전방에 스프링을 적용하여 치아의 전방 이동을 방지하였다. 4년간 치료 후 수평 및 수직 피개에서 유의한 변화는 발견되지 않았다. 또 다른 관찰 연구에서는 치조 돌기와 치아의 일부를 덮는 탄성 중합체 장치와 주로 치아에 고정되는 경성 아크릴 OA_M을 비교했는데, 치조 연장의 연성 탄성 중합체 장치에서 수평 및 수직 피개에 적은 변화가 있음을 발견했다.[185]

최종적으로, 단단한 완전 피개 장치가 절치 피개 없는 유연한 장치에서 나타날 수 있는 절치 밀집을 예방할 수 있는 것으로 밝혀졌다.[196]

하나의 소규모 무작위 대조 연구는 상악 전치에 작용하는 힘을 통합하여 장치의 힘에 대응하는 것을 목표로 하였다.[197] 힘은 연성의 탄성 중합체 모노블럭 장치가 만들어진, 석고 치아 모형에서 상악 전치를 재위치시켜 상악 절치의 전방 경사를 만들어내도록 고안되었다.[197] 이 연구는 조절 장치와 비교하여 수평 피개 변화에 긍정적인 효과를 보고하지만, 연성 탄성체에서의 제작이 더 어려운 조절 장치를 사용해야 하기 때문에 더 이상 개발되지 않았다.

13.11.9 양압기와 OA_M 사이의 교합 변화 비교

양압기 치료는 교합 변화를 유발할 수 있는데, 주로 상악과 하악 구치 사이의 교합 소실이 발생한다.[181,194] 이것은 아마도 양압기 사용 중 변경된 하악 자세로 설명될 것이다. 양압기에서 수평 및 수직 피개의 변화는 발견되지 않았다.[181,194] 상악에의 양압기 마스크 압력은 그 형태를 변경할 수 있다.[198]

하악 전진이 크면 일반적으로 교합 변화가 더 크고 하악 전진 장치의 효능도 더 높지만[48,199], 선형 관계는 존재하지 않는다.[49,50] 이러한 점진적인 교합 변화는 연속적으로 하악 전진을 감소시킬 것이다. 이것은 악골이 아니라 치아를 움직이기 때문에 장치의 효과가 저하될 위험이 있다.[200] 양압기 압력이 높을수록 누출, 비강 자극, 비적응의 측면에서 더 많은 부작용이 발생하지만[201], 해당 장치의 기전에는 위험하지 않다.

결론적으로, OA_M 치료 중 교합 변화는 본질적으로 점진적이며, 환자는 어느 시점에서 심미적인 불평을 가지거나 저작 시 문제가 발생할 수 있다. 가장 중요한 것은 이러한 교합 변화가 장치의 기전에 영향을 미칠 것이라는 점으로, 이것은 상악에 비해 하악 치아가 전방으로 이동하면서 연속적으로 장치에 의한 하악 전진 정도가 감소하기 때문이다. 결과적으로 환자들은 밤에 하악 재배치에 다르게 반응할 것이기 때문에, 환자들은 각각의 방법으로 관리해야 한다. 장치의 효과와 구강 건강을 위한 교합 변화의 중요성과 관련하여 교합 변화를 평가받기 위해, 환자가 얼마나 자주 경과 관찰을 받아야 하는지에 대한 연구가 미래에 수행되어야 할 필요성이 있다.

13

13.12 이행 준수와 평균 질병 완화

13.12.1 이행 준수의 측정

대부분의 연구는 OA_M 치료 이행 준수에 대한 주관적인 보고에 의존한다. 보다 최근에는 OA_M용 준수 모니터가 일부 유형의 기기에 통합되어 안전한 것으로 판명되었다.[202] 그러나 이러한 모니터는 양압기 기계에 있는 모니터에 비해 더 많은 확인을 받아야 한다.[203,204] OA_M 준수 이행에 대한 객관적인 측정을 주관적 보고와 비교하였는데 상당히 유사한 결과를 제공하였으나, 환자 보고서에서 사용시간이 30분 과대평가되었다.[203,204] 현재 몇몇 연구에서 이러한 모니터를 사용하여 그 결과를 강화하였다.[28,119,205]

13.12.2 이행 준수의 정의

환자는 치료를 중단하거나 다양한 정도의 치료를 고수할 수 있다. OSA 치료에 대한 이행 준수는 주로 양압기에 대해 확인되었으며 다양한 방식으로 설명된다.[206] 가장 일반적인 설명에는 하룻밤의 평균 사용 시간과 특정 기간 동안 치료가 진행된 밤의 백분율이 포함된다. 규칙적 양압기 사용자는 최소 밤의 70%에서 4시간 이상 사용한 경우이고[207], 빈번한 사용은 Pepin 등에 의해 훨씬 더 엄격하게 정의되었는데 일주일에 5일 이상 4시간 이상 사용한 것이다.[208] 일반적으로 지속적 양압기를 더 많이 사용할수록, 사망률, 심혈관 결과, 삶의 질 모두에서 더 나은 결과가 나타난다.[201,209]

13.12.3 이행 준수

OA_M 치료 3개월 후 43명의 평가군에서 객관적으로 평가된 이행 준수는 평균 7시간/밤이었다.[210] 객관적으로 규칙적 OA_M 사용 측정은 3개월 후 85%, 1년 후 82%로 나타났다.[203] 다른 연구에서는 환자의 절반 이상이 3–4년 후에도 이행 준수 모니터링 없이 치료를 계속한다고 하였다.[211-213] OA_M과 양압기의 비교에서, 사용 1개월 후 자가 보고된 이행 준수는 OA_M에서 더 높았다.[43] 또한 OA_M은 양압기보다 매일 밤 약 1시간 더 오래 사용한 것으로도 나타났다.[2,214]

13.12.4 평균 질병 완화

평균 질병 완화인 혼합 측정은, 특정 치료 방법의 효과와 이행 준수를 요약한다.[202,203] 이러한 비교에서, 매우 효과적이지만 덜 활용되는 치료법은 덜 효과적이지만 더 자주 사용되는 다른 치료법과 상당히 동등한 것으로 간주될 수 있다.[4]

13.12.5 OA_M의 이행 미준수 이유

OA_M 치료에 대한 미준수는 불편함, 치아 부작용, 코골이나 무호흡에의 효과 부족에 대한 환자의 걱정 및 경험과 밀접하게 연관되어 있다.[119,211,212,215] 그러므로 임상의들은 OA_M 치료를 방해할 수 있는 장치 품질 및 새로운 치과 수복물과 같은 요인뿐만 아니라 치료 결과를 지속적으로 추적하는 것이 좋다.[211,212,215]

요약하면, OA_M 요법에 대한 이행 준수는 일반적으로 양압기 사용의 효과적인 치료만큼 높으며, 이는 일부 환자군에서 동등하게 사용할 수 있는 치료법이 될 수 있다. 환자의 절반 이상이 몇 년 후에도 OA_M을 계속 사용하지만, 그 이행 준수는 양압기 치료에서는 덜 걱정되는 요인인 구강 건강, 부작용, 질병 악화와 같은 여러 요인에 따라 달라진다.

13.13 장기 효과

주의 깊게 추적 관찰한 환자를 대상으로 한 10개의 연구에서, 2–10년까지 AHI에 대한 OA_M의 효과가 상당히 안정적이라고 보고되었다(◘ 그림 13.9).[58,155,167,213,216-221] 하나의 소규모 연구만이 OA–치료군을 더 오래 추적하였다.[192] 17년 후, 모든 환자가 장치로 인해 악화되었고, 2명의 환자를 제외한 모두에서 장치 없이 AHI가 증가하였다. 환자의 체중이 증가하지는 않았으며 추적 관찰 시 졸음은 없었다. 장기의 치료 기간 동안, 환자들은 증상과 부작용에 대한 지속적인 추적 관찰을 받았다. 정기적으로, 필요한 경우 치아 교합의 근심 이동을 보상하기 위해 더욱 전진시킨 새로운 장치로 교체하였다. 추적 관찰 시 AHI의 증가는 환자의 연령이나 동반 질환이 증가한다는 사실로 설명될 수 있다.[222] 연구에 의하면, 수면 무호흡 치료가 진행되는 동안 AHI와 무호흡, 저호흡, 불포화의 지속 시간이 증가할 것으로 예상할 수 있다.[109,223] 따라서 개별 환자의 OSA 병태생리학이 시간 경과에 따라 변할 수 있다는 점은 기본적인 치료 계획에서 고려해야 한다. 또한, 전체 치아 교합의 근심 이동으로 의도한 하악 전진 정도를 변화시켜, 장치의 효율성이 감소될 수 있다.

결론적으로, 주관적인 치료 효과가 좋지 않거나 부작용으로 일부 환자에서 치료를 중단하는 경우가 있기 때문에, 장기적인 OA_M의 효과는 감소하게 될 것이다. 지속적으로 장치를 사용

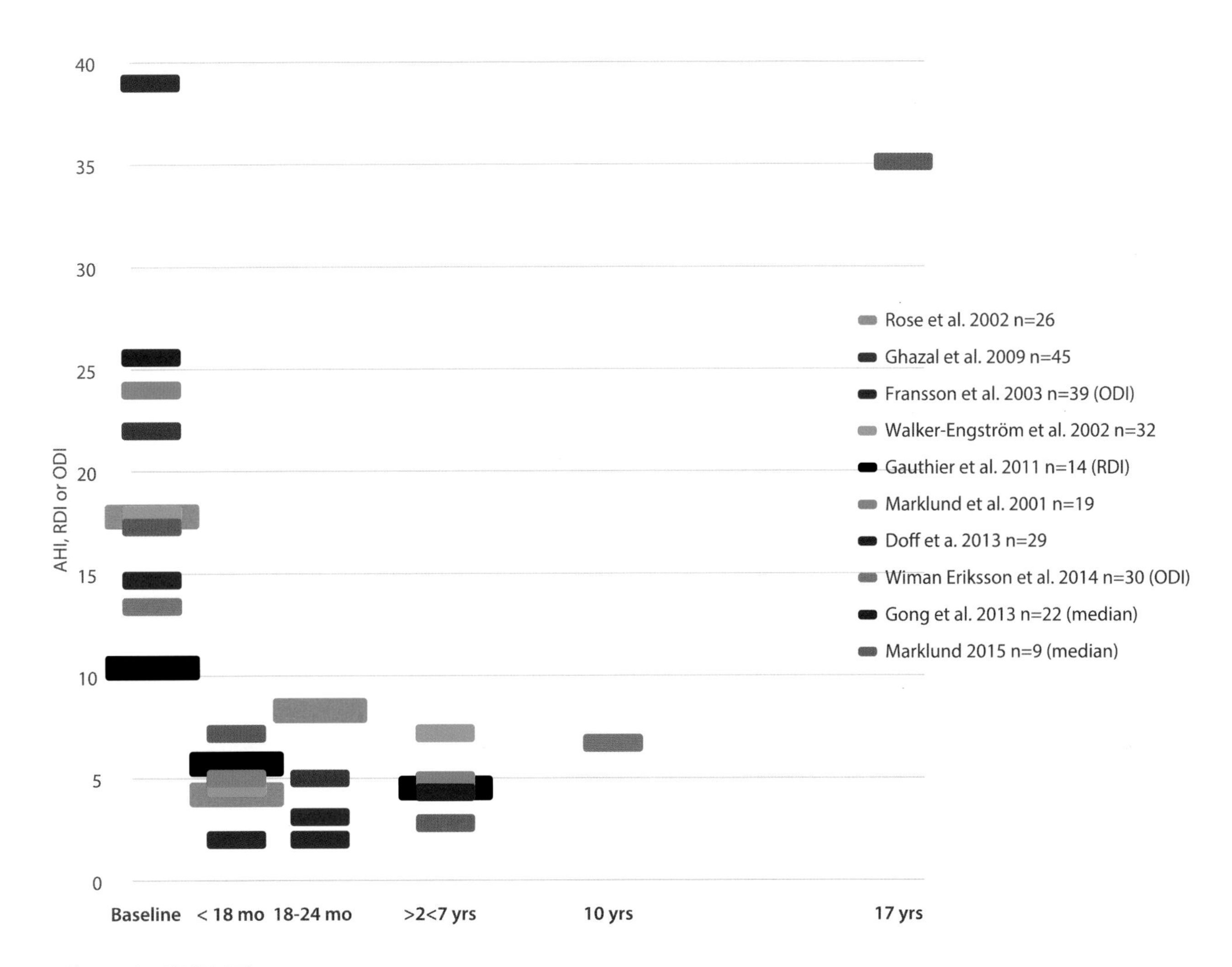

그림 13.9 **OA_M의 장기 효과**

하는 환자는 수면 무호흡에 대한 객관적인 치료 효과가 낮아질 수 있다. 예를 들어, 연령, 동반 질환, 교합 변화로 인해 몇 년이 경과하고 나면, 환자의 상태가 같지 않을 것이다. OA의 작용 기전은 양압기보다 취약하므로 치료 결과에 대한 지속적인 재평가가 필요하다. OA_M 치료의 장기 결과에 대한 더 많은 연구가 필요하다. 또한 OSA 치료 중 구강 건강, 즉 치료의 결과로 구강 건강이 개선되거나 악화되는지, 그리고 그러한 경우의 환자에 대한 연구는 흥미로울 것이다.

13.14 다른 OSA 치료와 OA_M의 연관성

13.14.1 자세 요법과 OA_M의 비교

자세 요법은 자세성 OSA 환자에서 사용될 수 있다. 이 방법은 피험자의 앙와위 수면을 예방하기 위해 일종의 알람이나 진동을 사용하는 수면 자세 훈련과 테니스공이나 다른 물건을 등에 대고 불편하게 자게 하는 방법으로 나눌 수 있다. 두 방법 모두 앙와위 수면과 AHI의 비율을 효과적으로 감소시킨다.[224,225] 수면 자세 트레이너는 환자들이 선호하고, 테니스공이나 배낭을 메고 자는 것보다 수면의 질을 더 좋게 한다.[225] 그러나 코골이는 수면 자세 요법에 의해 만족스럽게 감소되지 않는다.[226]

자세성 OSA 환자는 자세 요법으로 수면 무호흡의 제거 가능성에 따라 진단될 수 있다. 결과적으로 정상의 비-앙와위 지수(비-앙와위 AHI 5 미만)는 완전한 치료 성공의 높은 기회를 제공하지만[98], 환자는 다른 정의를 사용해서도 이 치료의 혜택을 받을 수 있다.

OA_M 요법과 수면 자세 훈련은 비-앙와위 자세와 비교하여 앙와위에서 AHI가 2배 이상으로 정의되는 자세 의존성 OSA 환

자에 대해 동일한 단기 효과를 나타낸다.[205] 또한 두 치료법 모두 1년 후에도 AHI에 대한 효과가 안정적으로 유지되었다.[227] 자세 요법은 수면 자세 트레이너의 훈련을 받은 후 앙와위로 덜 자는 훈련 효과에 대한 징후가 없기 때문에, OA_M 요법과 부합하여 장기간 지속되어야 한다.[228] 자세 요법의 문제점은 앙와위 의존도가 밤마다 다를 수 있고, 앙와위 의존을 식별하기 위해서는 4배 이상의 차이가 필요하다는 것과 이 기준이 남성에서만 발견되었다는 것이다.[229]

13.14.2 자세 요법과 OA_M의 결합

OA_M 요법의 효과는 수면 자세와 관련하여 달라진다. 측면-AHI는 OA_M에 의해 앙와위-AHI보다 더 자주 정상화된다.[99,101] 중요한 것은 무호흡이 앙와위 수면 자세에서 지속되는 것이 상당히 흔하다는 것이다. OA_M 치료 중 앙와위 의존의 유병률은 상태의 정의에 따라 18-34%로 나타난다.[99] OA_M 치료 중 앙와위 수면 자세에서 효과가 불충분한 환자는 선호하는 수면 자세로 교대함으로써 간헐적으로 증가된 수면 무호흡 빈도가 나타날 수 있다. 중증의 앙와위 의존 OSA는 심혈관 사건 및 사망률의 증가된 위험과 관련이 있기 때문에, 모든 수면 자세에서의 좋은 치료 결과는 이러한 환자 중 일부에게 중요하다.[230] 따라서 OA_M과 환자가 앙와위를 피하도록 돕는 수면 자세 트레이너의 조합은 OA_M 치료의 성공률을 높이기 위한 유망한 새로운 개념이다.[231] 이 요법의 장기 결과는 알려져 있지 않다.

13.14.3 양압기와 OA_M의 결합

일부 환자는 매일 밤 양압기 요법을 견디지 못하며, 이런 환자는 대체 요법으로 OA_M이 도움이 될 수 있다. 양압기에 적응하지 못하는 기간이나 여행 기간 동안 수면 무호흡증이 감소될 것이고[232], 치료받지 않는 OSA의 부정적 결과에 대한 위험을 감소시킬 것이다.

또한 OA_M과 양압기를 함께 사용하면 상기도 저항을 감소시켜 양압기 압력이 낮아질 수 있다.[233-235]

13.15 차선책으로서의 OA

양압기를 잘 사용하지 않는 것은 OSA 표현형의 차이로 어느 정도 설명될 수 있다.[236,237] 양압기를 견디지 못하는 일부 환자의 경우 OA_M이 덜 침습적인 치료 대안이 될 수 있다. 중등증 및 중증 OSA 환자 모두에서 1-2년 후에 OA_M 치료로 AHI가 상당량 감소한 것으로 밝혀졌다.[92,238] 중증 OSA 환자 그룹에서 절반 이상이 2년 후에도 OA_M을 계속 사용했다.[238] 갱신된 수면 무호흡 기록이 있는 환자의 절반은 치료된 AHI가 15 미만이었다.

13.16 지침

환자를 위한 최상의 치료를 수행하는 방법에 대한 임상적 조언을 제공하는 많은 지침과 메타 분석이 발표되었다.[1-4,47,239-244] 몇 가지 지침에는 일반 개업 치과의들이 OSA를 인식하도록 조언하는 내용이 포함되어 있는데, 이것은 질병의 징후를 인식하여 환자가 진료를 받을 수 있도록 하는 데 도움이 되기 때문이다.[239,241,243-245] 한 지침서는 치료되지 않은 OSA의 합병증 위험이 여전히 큰 노인 인구에서 OSA의 징후와 증상에 차이가 있을 수 있음을 강조한다.[242] OSA의 인식에는 베를린 설문지와 STOP-Bang과 같은 몇 가지 검증된 방법도 있고, 검증된 휴대폰 앱인 NoSAS도 있다.[246]

지침은 일반적으로 코골이, 경증에서 중등증의 OSA, 지속적 양압기 비적응 환자에게 OA 치료를 권장한다. 그러나 경증의 경우 동반 질환과 유의한 관련이 없다는 보고 때문에, 수면 호흡 장애의 가장 경미한 범주 내에서 환자를 치료할 필요성에 대한 의문이 제기되었다.[90,247] 이 질병을 진단하는 새로운 방법은 아마도 이런 적응증을 바꿀 것이다.[5] 치과 수면 의학 교육을 받은 치과의사는 의뢰된 환자에게 OA 치료를 제공할 수 있다. 치아와 치주 건강에 대한 철저한 치의학적 검사를 통해 치료를 진행해야 한다. TMJ, 하악의 운동 능력 평가, 교합 진단을 함께 시행해야 한다. 맞춤 제작된 적정 가능한 구강 기구, 바람직하게는 연구로 평가된 기구를 권장한다. 치료는 정기적으로 추적 관찰되어야 하며, 주관적 영향, 부작용, 장치 품질에 대한 연간 관리가 권장된다는 점을 강조한다. 이 체제는 아마도 OSA가 있는 운전자에 대한 요구 사항에 대한 새로운 EC 권장 사항에 의해 촉진될 것이다.[248] 한 지침[2]은 엄격한 용어의 필요성을 강조하고, 많은 지역 용어 대신 "OA"라는 용어를 사용하도록 권장한다. 추가적으로, 적정과 추적 관찰을 위한 잘 정의된 프로토콜을 개발해야 한다. OA_M 치료 중 장기적인 건강 결과, 부작용 방지, 장치 비교에 대한 더 많은 연구가 필요하다.[2]

13.17 OA_M 정리

OA_M은 코를 골거나 경증에서 중등증의 수면 무호흡이 있는 환자 및 양압기 비적응 환자에게 가장 효과적인 비-양압기 요법이다. 개별 환자에서 질병의 병인에 기초한 보다 정확한 예측인자가 개발 중이다. 이것은 비효과적인 OA_M 치료를 피하기 위한 더 나은 도구를 제공할 것이다. 주간 졸음으로 고통받는 경증 환자의 경우, 양압기 치료를 통한 테스트 기간은 OA_M 치료를 시작하기 전에 OSA 치료에 대한 증상 완화 반응이 있는지 확인하는 데 도움이 된다. OA_M의 효과는 치료의 객관적인 결과를 확인하기 위해 테스트되어야 한다. 그 이유는 증상이 수면 호흡 장애와 관련성이 낮기 때문이다. 장기적으로 교합 변화의 부작용은 일반적이며 점진적으로 증가하게 된다. 환자의 나이가 들거나 수면 장애가 심해지고 성격이 변하면, 치료 효과가 떨어질 수 있다. 따라서 OA_M 치료는 환자의 일생 동안 발생할 가능성이 가장 높다. OA_M 치료가 일찍 시작되면 시간이 지나면서 양압기 치료가 필요할 수 있다. OA_M 치료의 유효성, 부작용, 기타 또는 복합 치료 선택지의 필요성 측면에서 정기적으로 신중하게 OA_M 치료를 추적하는 것이 중요하다.

13.18 혀 전방 유지 장치-OA_T

13.18.1 효과

OA_T는 혀가 전방 구로 흡입되도록 설계되었으며 치아가 필요하지 않는다.[249-252] OA_T는 두 장치를 모두 적응하는 환자에서 OA_M과 유사한 무호흡 감소를 보인다.[250] 환자의 약 1/3만이 3주 후에도 OA_T를 사용하기 때문에, 이행 준수는 일반적으로 좋지 않다.[250] 다른 연구에서는 환자의 절반이 5년간 사용했다고 하였고[249], 또 다른 연구에서는 1/5만이 몇 개월 후 갱신된 수면 무호흡 기록으로 추적 관찰될 수 있다고 하였다.[252] 두 치료를 모두 받은 환자의 90% 이상이 OA_T와 비교하여 OA_M을 선호한다.[250]

13.18.2 부작용

OA_T의 단기 부작용은 OA_M과 유사하고, 과도한 타액 분비와 구강 건조를 포함한다.[249,250,252] 또한 OA_T로 치료받은 환자들은 종종 설통과 구내 장치 유지에 문제를 호소한다.[250,252] 전방이나 후방 개방 교합이나 수평 피개 감소를 통한 교합 변형이 OA_T에서 보고되었다.[253]

13.18.3 OA_T 정리

혀 유지 장치는 OSA를 감소시킬 수 있지만 낮은 적응력과 부작용으로 인해 코골이나 OSA에서 덜 유용한 치료법이다.

이해 상충　저자는 ResMed의 컨설팅 비용이나 이 원고에서 논의된 주제나 자료에 대한 비-금전적 이해관계를 제외하고, 재정적 이해 관계가 있는 조직이나 단체와 아무런 관련이 없음을 증명한다.

참고문헌

1. Randerath WJ, Verbraecken J, Andreas S, Bettega G, Boudewyns A, Hamans E, et al. Non-CPAP therapies in obstructive sleep apnoea. Eur Respir J. 2011;37(5):1000-28.
2. Ramar K, Dort LC, Katz SG, Lettieri CJ, Harrod CG, Thomas SM, et al. Clinical practice guideline for the treatment of obstructive sleep apnea and snoring with oral appliance therapy: an update for 2015. J Clin Sleep Med. 2015;11(7):773-827.
3. Sharples LD, Clutterbuck-James AL, Glover MJ, Bennett MS, Chadwick R, Pittman MA, et al. Meta-analysis of randomised controlled trials of oral mandibular advancement devices and continuous positive airway pressure for obstructive sleep apnoea- hypopnoea. Sleep Med Rev. 2016;27:108-24.
4. Sutherland K, Vanderveken OM, Tsuda H, Marklund M, Gagnadoux F, Kushida CA, et al. Oral appliance treatment for obstructive sleep apnea: an update. J Clin Sleep Med. 2014;10(2):215-27.
5. Edwards BA, Redline S, Sands SA, Owens RL. More than the sum of the respiratory events: personalized medicine approaches for obstructive sleep apnea. Am J Respir Crit Care Med. 2019;200(6):691-703.
6. Schmidt-Nowara W, Lowe A, Wiegand L, Cartwright R, Perez- Guerra F, Menn S. Oral appliances for the treatment of snoring and obstructive sleep apnea: a review. Sleep. 1995;18(6):501-10.
7. Kato J, Isono S, Tanaka A, Watanabe T, Araki D, Tanzawa H, et al. Dose-dependent effects of mandibular advancement on pharyngeal mechanics and nocturnal oxygenation in patients with sleep-disordered breathing. Chest. 2000;117(4):1065-72.
8. Chan AS, Sutherland K, Schwab RJ, Zeng B, Petocz P, Lee RW, et al. The effect of mandibular advancement on upper air-way structure in obstructive sleep apnoea. Thorax. 2010;65(8): 726-32.
9. Zhao Y, Shi H, Lu X, Chen J, Nie P, Tang Y, et al. Oral appliance effectively reverses Muller's maneuver-induced upper airway col-lapsibility in obstructive sleep apnea and hypopnea syndrome. Sleep Breath. 2015;19(1):213-20.
10. Bamagoos AA, Cistulli PA, Sutherland K, Ngiam J, Burke PGR, Bilston LE, et al. Dose-dependent effects of mandibular advancement on upper airway collapsibility and muscle function in obstructive sleep apnea. Sleep. 2019;42(6)
11. Gakwaya S, Melo-Silva CA, Borel JC, Rousseau E, Masse JF, Series F. Impact of stepwise mandibular advancement on upper airway mechanics in obstructive sleep apnea using phrenic nerve magnetic stimulation. Respir Physiol Neurobiol. 2014;190: 131-6.
12. Sasao Y, Nohara K, Okuno K, Nakamura Y, Sakai T. Video-endoscopic diagnosis for predicting the response to oral appliance therapy in severe obstructive sleep apnea. Sleep Breath. 2014;18(4):809-15.
13. Edwards BA, Eckert DJ, Jordan AS. Obstructive sleep apnoea pathogenesis from mild to severe: is it all the same? Respirology. 2017;22(1):33-42.
14. Edwards BA, Andara C, Landry S, Sands SA, Joosten SA, Owens RL, et al. Upper-airway collapsibility and loop gain predict the response to oral

appliance therapy in patients with obstructive sleep apnea. Am J Respir Crit Care Med. 2016;194(11):1413–22.

15. Brown EC, Cheng S, McKenzie DK, Butler JE, Gandevia SC, Bilston LE. Tongue and lateral upper airway movement with mandibular advancement. Sleep. 2013;36(3):397–404.

16. Dieltjens M, Vanderveken OM, Heyning PH, Braem MJ. Current opinions and clinical practice in the titration of oral appli–ances in the treatment of sleep–disordered breathing. Sleep Med Rev. 2012;16(2):177–85.

17. Dieltjens M, Vanderveken OM, Van den Bosch D, Wouters K, Denollet J, Verbraecken JA, et al. Impact of type D personality on adherence to oral appliance therapy for sleep–disordered breathing. Sleep Breath. 2013;17(3):985–91.

18. Lettieri CJ, Paolino N, Eliasson AH, Shah AA, Holley AB. Comparison of adjustable and fixed oral appliances for the treatment of obstructive sleep apnea. J Clin Sleep Med. 2011;7(5):439–45.

19. Sari E, Menillo S. Comparison of titratable oral appliance and mandibular advancement splint in the treatment of patients with obstructive sleep apnea. ISRN Dent. 2011;2011:581692.

20. Varendh M, Andersson M, Bjornsdottir E, Hrubos–Strom H, Johannisson A, Arnardottir ES, et al. Nocturnal nasal obstruction is frequent and reduces sleep quality in patients with obstructive sleep apnea. J Sleep Res. 2018;27(4):e12631.

21. Masse JF, Bellerive A, Sériès F, St–Pierre L. Prospective assessment of maximum protrusion in patients wearing a mandibular–advancement device. J Dent Sleep Med. 2018;5(1):11–16.

22. Remmers JE, Topor Z, Grosse J, Vranjes N, Mosca EV, Brant R, et al. A feedback–controlled mandibular positioner identifies individuals with sleep apnea who will respond to oral appliance therapy. J Clin Sleep Med. 2017;13(7):871–80.

23. Brugarolas R, Valero–Sarmiento JM, Bozkurt A, Essick GK. Auto–adjusting mandibular repositioning device for in–home use. Conf Proc IEEE Eng Med Biol Soc. 2016;2016:4296–9.

24. Aarab G, Lobbezoo F, Hamburger HL, Naeije M. Oral appli–ance therapy versus nasal continuous positive airway pressure in obstructive sleep apnea: a randomized, placebo–controlled trial. Respiration. 2011;81(5):411–9.

25. Barnes M, McEvoy RD, Banks S, Tarquinio N, Murray CG, Vowles N, et al. Efficacy of positive airway pressure and oral appliance in mild to moderate obstructive sleep apnea. Am J Respir Crit Care Med. 2004;170(6):656–64.

26. Blanco J, Zamarron C, Abeleira Pazos MT, Lamela C, Suarez QD. Prospective evaluation of an oral appliance in the treatment of obstructive sleep apnea syndrome. Sleep Breath. 2005;9(1):20–5.

27. Duran–Cantolla J, Crovetto–Martinez R, Alkhraisat MH, Crovetto M, Municio A, Kutz R, et al. Efficacy of mandibular advancement device in the treatment of obstructive sleep apnea syndrome: a randomized controlled crossover clinical trial. Med Oral Patol Oral Cir Bucal. 2015;20(5):e605–15.

28. Gagnadoux F, Pepin JL, Vielle B, Bironneau V, Chouet–Girard F, Launois S, et al. Impact of mandibular advancement therapy on endothelial function in severe obstructive sleep apnea. Am J Respir Crit Care Med. 2017;195(9):1244–52.

29. Gotsopoulos H, Chen C, Qian J, Cistulli PA. Oral appliance therapy improves symptoms in obstructive sleep apnea: a randomized, controlled trial. Am J Respir Crit Care Med. 2002;166(5):743–8.

30. Hans MG, Nelson S, Luks VG, Lorkovich P, Baek SJ. Comparison of two dental devices for treatment of obstructive sleep apnea syndrome (OSAS). Am J Orthod Dentofac Orthop. 1997;111(5):562–70.

31. Johnston CD, Gleadhill IC, Cinnamond MJ, Gabbey J, Burden DJ. Mandibular advancement appliances and obstructive sleep apnoea: a randomized clinical trial. Eur J Orthod. 2002;24(3):251–62.

32. Lam B, Sam K, Mok WY, Cheung MT, Fong DY, Lam JC, et al. Randomised study of three nonsurgical treatments in mild to moderate obstructive sleep apnoea. Thorax. 2007;62(4):354–9.

33. Marklund M, Carlberg B, Forsgren L, Olsson T, Stenlund H, Franklin KA. Oral appliance therapy in patients with daytime sleepiness and snoring or mild to moderate sleep apnea: a randomized clinical trial. JAMA Intern Med. 2015;175(8):1278–85.

34. Mehta A, Qian J, Petocz P, Darendeliler MA, Cistulli PA. A randomized, controlled study of a mandibular advancement splint for obstructive sleep apnea. Am J Respir Crit Care Med. 2001;163(6):1457–61.

35. Naismith SL, Winter VR, Hickie IB, Cistulli PA. Effect of oral appliance therapy on neurobehavioral functioning in obstructive sleep apnea: a randomized controlled trial. J Clin Sleep Med. 2005;1(4):374–80.

36. Petri N, Svanholt P, Solow B, Wildschiodtz G, Winkel P. Man–dibular advancement appliance for obstructive sleep apnoea: results of a randomised placebo controlled trial using parallel group design. J Sleep Res. 2008;17(2):221–9.

37. Quinnell TG, Bennett M, Jordan J, Clutterbuck–James AL, Davies MG, Smith IE, et al. A crossover randomised controlled trial of oral mandibular advancement devices for obstructive sleep apnoea–hypopnoea (TOMADO). Thorax. 2014;69(10):938–45.

38. Engleman HM, McDonald JP, Graham D, Lello GE, Kingshott RN, Coleman EL, et al. Randomized crossover trial of two treatments for sleep apnea/hypopnea syndrome: continuous positive airway pressure and mandibular repositioning splint. Am J Respir Crit Care Med. 2002;166(6):855–9.

39. Ferguson KA, Ono T, Lowe AA, al–Majed S, Love LL, Fleetham JA. A short–term controlled trial of an adjustable oral appliance for the treatment of mild to moderate obstructive sleep apnoea. Thorax. 1997;52(4):362–8.

40. Ferguson KA, Ono T, Lowe AA, Keenan SP, Fleetham JA. A randomized crossover study of an oral appliance vs nasal–continuous positive airway pressure in the treatment of mild– moderate obstructive sleep apnea. Chest. 1996;109(5):1269–75.

41. Gagnadoux F, Fleury B, Vielle B, Petelle B, Meslier N, N'Guyen XL, et al. Titrated mandibular advancement versus positive air–way pressure for sleep apnoea. Eur Respir J. 2009;34(4):914–20.

42. Hoekema A, Stegenga B, Wijkstra PJ, van der Hoeven JH, Meinesz AF, de Bont LG. Obstructive sleep apnea therapy. J Dent Res. 2008;87(9):882–7.

43. Phillips CL, Grunstein RR, Darendeliler MA, Mihailidou AS, Srinivasan VK, Yee BJ, et al. Health outcomes of continuous positive airway pressure versus oral appliance treatment for obstructive sleep apnea: a randomized controlled trial. Am J Respir Crit Care Med. 2013;187(8):879–87.

44. Randerath WJ, Heise M, Hinz R, Ruehle KH. An individually adjustable oral appliance vs continuous positive airway pressure in mild–to–moderate obstructive sleep apnea syndrome. Chest. 2002;122(2):569–75.

45. Tan YK, L'Estrange PR, Luo YM, Smith C, Grant HR, Simonds AK, et al. Mandibular advancement splints and continuous positive airway pressure in patients with obstructive sleep apnoea: a randomized cross–over trial. Eur J Orthod. 2002;24(3):239–49.

46. Holley AB, Lettieri CJ, Shah AA. Efficacy of an adjustable oral appliance and comparison with continuous positive airway pressure for the treatment of obstructive sleep apnea syndrome. Chest. 2011;140(6):1511–6.

47. Marklund M, Verbraecken J, Randerath W. Non–CPAP therapies in obstructive sleep apnoea: mandibular advancement device therapy. Eur Respir J. 2012;39(5):1241–7.

48. Aarab G, Lobbezoo F, Hamburger HL, Naeije M. Effects of an oral appliance with different mandibular protrusion positions at a constant vertical dimension on obstructive sleep apnea. Clin Oral Investig. 2010;14(3): 339–45.

49. Anitua E, Duran–Cantolla J, Almeida GZ, Alkhraisat MH. Minimizing

the mandibular advancement in an oral appliance for the treatment of obstructive sleep apnea. Sleep Med. 2017;34:226–31.

50. Bartolucci ML, Bortolotti F, Raffaelli E, D'Anto V, Michelotti A, Alessandri BG. The effectiveness of different mandibular advancement amounts in OSA patients: a systematic review and meta-regression analysis. Sleep Breath. 2016;20(3):911–9.

51. Ma Y, Yu M, Gao X. The effect of gradually increased man-dibular advancement on the efficacy of an oral appliance in the treatment of obstructive sleep apnea. J Clin Sleep Med. 2020;16(8):1369–76.

52. Vroegop AV, Vanderveken OM, Van de Heyning PH, Braem MJ. Effects of vertical opening on pharyngeal dimensions in patients with obstructive sleep apnoea. Sleep Med. 2012;13(3):314–6.

53. Marklund M, Franklin KA, Stenlund H, Persson M. Man-dibular morphology and the efficacy of a mandibular advancement device in patients with sleep apnoea. Eur J Oral Sci. 1998;106(5):914–21.

54. Pitsis AJ, Darendeliler MA, Gotsopoulos H, Petocz P, Cistulli PA. Effect of vertical dimension on efficacy of oral appliance therapy in obstructive sleep apnea. Am J Respir Crit Care Med. 2002;166(6):860–4.

55. Gauthier L, Laberge L, Beaudry M, Laforte M, Rompre PH, Lavigne GJ. Efficacy of two mandibular advancement appliances in the management of snoring and mild-moderate sleep apnea: a crossover randomized study. Sleep Med. 2009;10(3):329–36.

56. Bishop B, Verrett R, Girvan T. A randomized crossover study comparing two mandibular repositioning appliances for treatment of obstructive sleep apnea. Sleep Breath. 2014;18(1):125–31.

57. Bloch KE, Iseli A, Zhang JN, Xie X, Kaplan V, Stoeckli PW, et al. A randomized, controlled crossover trial of two oral appliances for sleep apnea treatment. Am J Respir Crit Care Med. 2000;162(1):246–51.

58. Ghazal A, Sorichter S, Jonas I, Rose EC. A randomized prospective long-term study of two oral appliances for sleep apnoea treatment. J Sleep Res. 2009;18(3):321–8.

59. Johal A, Haria P, Manek S, Joury E, Riha R. Ready-made versus custom-made mandibular repositioning devices in sleep apnea: a randomized clinical trial. J Clin Sleep Med. 2017;13(2):175–82.

60. Lawton HM, Battagel JM, Kotecha B. A comparison of the Twin Block and Herbst mandibular advancement splints in the treatment of patients with obstructive sleep apnoea: a prospective study. Eur J Orthod. 2005;27(1):82–90.

61. Norrhem N, Marklund M. An oral appliance with or without elastic bands to control mouth opening during sleep-a randomized pilot study. Sleep Breath. 2016;20(3):929–38.

62. Rose E, Staats R, Virchow C, Jonas IE. A comparative study of two mandibular advancement appliances for the treatment of obstructive sleep apnoea. Eur J Orthod. 2002;24(2):191–8.

63. Vanderveken OM, Devolder A, Marklund M, Boudewyns AN, Braem MJ, Okkerse W, et al. Comparison of a custom-made and a thermoplastic oral appliance for the treatment of mild sleep apnea. Am J Respir Crit Care Med. 2008;178(2):197–202.

64. Zhou J, Liu YH. A randomised titrated crossover study comparing two oral appliances in the treatment for mild to moderate obstructive sleep apnoea/hypopnoea syndrome. J Oral Rehabil. 2012;39(12):914–22.

65. Isacsson G, Nohlert E, Fransson AMC, Bornefalk-Hermansson A, Wiman Eriksson E, Ortlieb E, et al. Use of bibloc and monobloc oral appliances in obstructive sleep apnoea: a multicentre, randomized, blinded, parallel-group equivalence trial. Eur J Orthod. 2019;41(1):80–8.

66. Friedman M, Hamilton C, Samuelson CG, Kelley K, Pearson- Chauhan K, Taylor D, et al. Compliance and efficacy of titratable thermoplastic versus custom mandibular advancement devices. Otolaryngol Head Neck Surg. 2012;147(2):379–86.

67. Umemoto G, Toyoshima H, Yamaguchi Y, Aoyagi N, Yoshimura C, Funakoshi K. Therapeutic efficacy of twin-block and fixed oral appliances in patients with obstructive sleep apnea syndrome. J Prosthodont. 2019;28(2):e830–e6.

68. Milano F, Mutinelli S, Sutherland K, Milioli G, Scaramuzzino G, Siciliani G, et al. Influence of vertical mouth opening on oral appliance therapy outcome in positional obstructive sleep apnea. J Dent Sleep Med. 2018;5(1):17–23.

69. Gagnadoux F, Nguyen XL, Le Vaillant M, Priou P, Meslier N, Eberlein A, et al. Comparison of titrable thermoplastic versus custom-made mandibular advancement device for the treatment of obstructive sleep apnoea. Respir Med. 2017;131:35–42.

70. Braem M. In vitro retention of a new thermoplastic titratable mandibular advancement device. F1000Res. 2015;4:56.

71. El Ibrahimi M, Laabouri M. Pilot study of a new adjustable thermoplastic mandibular advancement device for the management of obstructive sleep apnoea-hypopnoea syndrome: A Brief Research Letter. Open Respir Med J. 2016;10:46–50.

72. Suga H, Mishima K, Nakano H, Nakano A, Matsumura M, Mano T, et al. Different therapeutic mechanisms of rigid and semirigid mandibular repositioning devices in obstructive sleep apnea syndrome. J Craniomaxillofac Surg. 2014;42(8):1650–4.

73. Kastoer C, Dieltjens M, Oorts E, Hamans E, Braem MJ, Van de Heyning PH, et al. The use of remotely controlled mandibular positioner as a predictive screening tool for mandibular advancement device therapy in patients with obstructive sleep apnea through single-night progressive titration of the mandible: a sys-tematic review. J Clin Sleep Med. 2016;12(10):1411–21.

74. Remmers J, Charkhandeh S, Grosse J, Topor Z, Brant R, Santosham P, et al. Remotely controlled mandibular protrusion during sleep predicts therapeutic success with oral appliances in patients with obstructive sleep apnea. Sleep. 2013;36(10):1517–25, 25A.

75. Sutherland K, Ngiam J, Cistulli PA. Performance of remotely controlled mandibular protrusion sleep studies for prediction of oral appliance treatment response. J Clin Sleep Med. 2017;13(3):411–7.

76. Okuno K, Pliska BT, Hamoda M, Lowe AA, Almeida FR. Prediction of oral appliance treatment outcomes in obstructive sleep apnea: a systematic review. Sleep Med Rev. 2016;30:25–33.

77. Vroegop AV, Vanderveken OM, Dieltjens M, Wouters K, Sal-dien V, Braem MJ, et al. Sleep endoscopy with simulation bite for prediction of oral appliance treatment outcome. J Sleep Res. 2013;22(3):348–55.

78. De Corso E, Bastanza G, Della Marca G, Grippaudo C, Riz-zotto G, Marchese MR, et al. Drug-induced sleep endoscopy as a selection tool for mandibular advancement therapy by oral device in patients with mild to moderate obstructive sleep apnoea. Acta Otorhinolaryngol Ital. 2015;35(6):426–32.

79. Okuno K, Sasao Y, Nohara K, Sakai T, Pliska BT, Lowe AA, et al. Endoscopy evaluation to predict oral appliance outcomes in obstructive sleep apnoea. Eur Respir J. 2016;47(5):1410–9.

80. Sutherland K, Chan ASL, Ngiam J, Darendeliler MA, Cistulli PA. Qualitative assessment of awake nasopharyngoscopy for prediction of oral appliance treatment response in obstructive sleep apnoea. Sleep Breath. 2018;22(4):1029–36.

81. Genta PR, Sands SA, Butler JP, Loring SH, Katz ES, Demko BG, et al. Airflow shape is associated with the pharyngeal structure causing OSA. Chest. 2017;152(3):537–46.

82. de Chazal P, Sutherland K, Cistulli PA. Advanced polysomno-graphic analysis for OSA: A pathway to personalized management? Respirology. 2020;25(3):251–8.

83. Bosshard V, Masse JF, Series F. Prediction of oral appliance efficiency in patients with apnoea using phrenic nerve stimulation while awake. Thorax.

2011;66(3):220–5.

84. Ng AT, Qian J, Cistulli PA. Oropharyngeal collapse predicts treatment response with oral appliance therapy in obstructive sleep apnea. Sleep. 2006;29(5):666–71.

85. Sanner BM, Heise M, Knoben B, Machnick M, Laufer U, Kikuth R, et al. MRI of the pharynx and treatment efficacy of a mandibular advancement device in obstructive sleep apnoea syndrome. Eur Respir J. 2002;20(1): 143–50.

86. Kent DT, Rogers R, Soose RJ. Drug-induced sedation endoscopy in the evaluation of OSA patients with incomplete oral appliance therapy response. Otolaryngol Head Neck Surg. 2015;153(2):302–7.

87. Vena D, Azarbarzin A, Marques M, Op de Beeck S, Vanderveken OM, Edwards BA, et al. Predicting sleep apnea responses to oral appliance therapy using polysomnographic airflow. Sleep. 2020;43(7)

88. Bamagoos AA, Cistulli PA, Sutherland K, Madronio M, Eckert DJ, Hess L, et al. Polysomnographic endotyping to select patients with obstructive sleep apnea for oral appliances. Ann Am Thorac Soc. 2019;16(11):1422–31.

89. Stoberl AS, Schwarz EI, Haile SR, Turnbull CD, Rossi VA, Stradling JR, et al. Night-to-night variability of obstructive sleep apnea. J Sleep Res. 2017;26(6):782–8.

90. McNicholas WT. Obstructive sleep apnoea of mild severity: should it be treated? Curr Opin Pulm Med. 2017;23(6):506–11.

91. Prasad B, Usmani S, Steffen AD, Van Dongen HP, Pack FM, Strakovsky I, et al. Short-term variability in apnea-hypopnea index during extended home portable monitoring. J Clin Sleep Med. 2016;12(6):855–63.

92. Gjerde K, Lehmann S, Berge ME, Johansson AK, Johansson A. Oral appliance treatment in moderate and severe obstructive sleep apnoea patients non-adherent to CPAP. J Oral Rehabil. 2016;43(4):249–58.

93. Lee CH, Kim DK, Kim SY, Rhee CS, Won TB. Changes in site of obstruction in obstructive sleep apnea patients according to sleep position: a DISE study. Laryngoscope. 2015;125(1): 248–54.

94. Isono S, Tanaka A, Nishino T. Lateral position decreases collapsibility of the passive pharynx in patients with obstructive sleep apnea. Anesthesiology. 2002;97(4):780–5.

95. Joosten SA, O'Driscoll DM, Berger PJ, Hamilton GS. Supine position related obstructive sleep apnea in adults: pathogenesis and treatment. Sleep Med Rev. 2014;18(1):7–17.

96. Pevernagie DA, Stanson AW, Sheedy PF 2nd, Daniels BK, Shepard JW Jr. Effects of body position on the upper airway of patients with obstructive sleep apnea. Am J Respir Crit Care Med. 1995;152(1):179–85.

97. Marques M, Genta PR, Sands SA, Azarbazin A, de Melo C, Taranto-Montemurro L, et al. Effect of sleeping position on upper airway patency in obstructive sleep apnea is deter-mined by the pharyngeal structure causing collapse. Sleep. 2017;40(3):zsx005.

98. Frank MH, Ravesloot MJ, van Maanen JP, Verhagen E, de Lange J, de Vries N. Positional OSA part 1: towards a clinical classification system for position-dependent obstructive sleep apnoea. Sleep Breath. 2015;19(2): 473–80.

99. Dieltjens M, Braem MJ, Van de Heyning PH, Wouters K, Vanderveken OM. Prevalence and clinical significance of supine- dependent obstructive sleep apnea in patients using oral appliance therapy. J Clin Sleep Med. 2014;10(9):959–64.

100. Chung JW, Enciso R, Levendowski DJ, Morgan TD, West-brook PR, Clark GT. Treatment outcomes of mandibular advancement devices in positional and nonpositional OSA patients. Oral Surg Oral Med Oral Pathol Oral Radiol Endod. 2010;109(5):724–31.

101. Marklund M, Stenlund H, Franklin KA. Mandibular advancement devices in 630 men and women with obstructive sleep apnea and snoring: tolerability and predictors of treatment success. Chest. 2004;125(4):1270–8.

102. Takaesu Y, Tsuiki S, Kobayashi M, Komada Y, Nakayama H, Inoue Y. Mandibular advancement device as a comparable treatment to nasal continuous positive airway pressure for positional obstructive sleep apnea. J Clin Sleep Med. 2016;12(8):1113–9.

103. Petri N, Christensen IJ, Svanholt P, Sonnesen L, Wildschiodtz G, Berg S. Mandibular advancement device therapy for obstructive sleep apnea: a prospective study on predictors of treatment success. Sleep Med. 2019;54:187–94.

104. Sutherland K, Takaya H, Qian J, Petocz P, Ng AT, Cistulli PA. Oral appliance treatment response and polysomnographic phenotypes of obstructive sleep apnea. J Clin Sleep Med. 2015;11(8):861–8.

105. Kairaitis K, Stavrinou R, Parikh R, Wheatley JR, Amis TC. Mandibular advancement decreases pressures in the tissues surrounding the upper airway in rabbits. J Appl Physiol. 1985;100(1):349–56.

106. Vecchierini MF, Attali V, Collet JM, d'Ortho MP, Goutorbe F, Kerbrat JB, et al. Sex differences in mandibular repositioning device therapy effectiveness in patients with obstructive sleep apnea syndrome. Sleep Breath. 2019;23(3):837–48.

107. Chen H, Eckert DJ, van der Stelt PF, Guo J, Ge S, Emami E, et al. Phenotypes of responders to mandibular advancement device therapy in obstructive sleep apnea patients: a systematic review and meta-analysis. Sleep Med Rev. 2020;49:101229.

108. Heinzer R, Vat S, Marques-Vidal P, Marti-Soler H, Andries D, Tobback N, et al. Prevalence of sleep-disordered breathing in the general population: the HypnoLaus study. Lancet Respir Med. 2015;3(4):310–8.

109. Senaratna CV, Perret JL, Lodge CJ, Lowe AJ, Campbell BE, Matheson MC, et al. Prevalence of obstructive sleep apnea in the general population: a systematic review. Sleep Med Rev. 2017;34:70–81.

110. Tsuiki S, Ito E, Isono S, Ryan CF, Komada Y, Matsuura M, et al. Oropharyngeal crowding and obesity as predictors of oral appliance treatment response to moderate obstructive sleep apnea. Chest. 2013;144(2):558–63.

111. Kulkas A, Leppanen T, Sahlman J, Tiihonen P, Mervaala E, Kokkarinen J, et al. Amount of weight loss or gain influences the severity of respiratory events in sleep apnea. Med Biol Eng Comput. 2015;53(10):975–88.

112. Denolf PL, Vanderveken OM, Marklund ME, Braem MJ. The status of cephalometry in the prediction of non-CPAP treatment outcome in obstructive sleep apnea patients. Sleep Med Rev. 2016;27:56–73.

113. Marklund M, Franklin KA. Treatment of elderly patients with snoring and obstructive sleep apnea using a mandibular advancement device. Sleep Breath. 2015;19(1):403–5.

114. Carballo NJ, Alessi CA, Martin JL, Mitchell MN, Hays RD, Col N, et al. Perceived effectiveness, self-efficacy, and social support for oral appliance therapy among older veterans with obstructive sleep apnea. Clin Ther. 2016;38(11):2407–15.

115. Sutherland K, Phillips CL, Davies A, Srinivasan VK, Dalci O, Yee BJ, et al. CPAP pressure for prediction of oral appliance treatment response in obstructive sleep apnea. J Clin Sleep Med. 2014;10(9):943–9.

116. Tsuiki S, Kobayashi M, Namba K, Oka Y, Komada Y, Kagimura T, et al. Optimal positive airway pressure predicts oral appliance response to sleep apnoea. Eur Respir J. 2010;35(5): 1098–105.

117. Storesund A, Johansson A, Bjorvatn B, Lehmann S. Oral appliance treatment outcome can be predicted by continuous positive airway pressure in moderate to severe obstructive sleep apnea. Sleep Breath. 2018;22(2): 385–92.

118. Cooke ME, Battagel JM. A thermoplastic mandibular advancement device for the management of non-apnoeic snoring: a ran-domized controlled trial. Eur J Orthod. 2006;28(4):327–38.

119. Dieltjens M, Verbruggen AE, Braem MJ, Wouters K, Ver-braecken JA, De Backer WA, et al. Determinants of objec-tive compliance during oral ap-

pliance therapy in patients with sleep- disordered breathing: a prospective clinical trial. JAMA Otolaryngol Head Neck Surg. 2015;141(10):894–900.

120. Godoy LBM, Palombini L, Poyares D, Dal-Fabbro C, Gui-maraes TM, Klichouvicz PC, et al. Long-term oral appliance therapy improves daytime function and mood in upper airway resistance syndrome patients. Sleep. 2017;40(12)

121. Tegelberg A, Nohlert E, Bergman LE, Andren A. Bed partners' and patients' experiences after treatment of obstructive sleep apnoea with an oral appliance. Swed Dent J. 2012;36(1):35–44.

122. Richter K, Adam S, Geiss L, Peter L, Niklewski G. Two in a bed: the influence of couple sleeping and chronotypes on relationship and sleep. An overview. Chronobiol Int. 2016;33(10): 1464–72.

123. Johns MW. A new method for measuring daytime sleepiness: the Epworth sleepiness scale. Sleep. 1991;14(6):540–5.

124. Eiseman NA, Westover MB, Mietus JE, Thomas RJ, Bianchi MT. Classification algorithms for predicting sleepiness and sleep apnea severity. J Sleep Res. 2012;21(1):101–12.

125. Arnardottir ES, Bjornsdottir E, Olafsdottir KA, Benediktsdottir B, Gislason T. Obstructive sleep apnoea in the general popu-lation: highly prevalent but minimal symptoms. Eur Respir J. 2016;47(1):194–202.

126. Deegan PC, McNicholas WT. Predictive value of clinical features for the obstructive sleep apnoea syndrome. Eur Respir J. 1996;9(1):117–24.

127. Sateia MJ. International classification of sleep disorders-third edition: highlights and modifications. Chest. 2014;146(5): 1387–94.

128. Heinzer R, Marti-Soler H, Haba-Rubio J. Prevalence of sleep apnoea syndrome in the middle to old age general population. Lancet Respir Med. 2016;4(2):e5–6.

129. Gao YN, Wu YC, Lin SY, Chang JZ, Tu YK. Short-term efficacy of minimally invasive treatments for adult obstructive sleep apnea: A systematic review and network meta-anal-ysis of randomized controlled trials. J Formos Med Assoc. 2019;118(4):750–65.

130. Koretsi V, Eliades T, Papageorgiou SN. Oral interventions for obstructive sleep apnea. Dtsch Arztebl Int. 2018;115(12):200–7.

131. Antic NA, Catcheside P, Buchan C, Hensley M, Naughton MT, Rowland S, et al. The effect of CPAP in normalizing day-time sleepiness, quality of life, and neurocognitive function in patients with moderate to severe OSA. Sleep. 2011;34(1):111–9.

132. Verbruggen AE, Dieltjens M, Wouters K, De Volder I, Van de Heyning PH, Braem MJ, et al. Prevalence of residual excessive sleepiness during effective oral appliance therapy for sleep-disordered breathing. Sleep Med. 2014;15(2):269–72.

133. Kazemeini E, Braem MJ, Moorkens G, Balina S, Kastoer C, Op de Beeck S, et al. Scoring of hypersomnolence and fatigue in patients with obstructive sleep apnea treated with a titratable custom-made mandibular advancement device. J Clin Sleep Med. 2019;15(4):623–8.

134. Saletu A, Anderer P, Parapatics S, Matthai C, Matejka M, Saletu B. Effects of a mandibular repositioning appliance on sleep structure, morning behavior and clinical symptomatology in patients with snoring and sleep-disordered breathing. Neuro-psychobiology. 2007;55(3-4):184–93.

135. Roux FJ. Restless legs syndrome: impact on sleep-related breathing disorders. Respirology. 2013;18(2):238–45.

136. Saaresranta T, Hedner J, Bonsignore MR, Riha RL, McNicholas WT, Penzel T, et al. Clinical phenotypes and comorbidity in European sleep Apnoea patients. PLoS One. 2016;11(10):e0163439.

137. Suzuki K, Miyamoto M, Miyamoto T, Numao A, Suzuki S, Sakuta H, et al. Sleep apnoea headache in obstructive sleep apnoea syndrome patients presenting with morning headache: comparison of the ICHD-2 and ICHD-3 beta criteria. J Headache Pain. 2015;16:56.

138. Nerfeldt P, Friberg D. Effectiveness of oral appliances in obstructive sleep apnea with respiratory arousals. J Clin Sleep Med. 2016;12(8):1159–65.

139. Jessen NA, Munk AS, Lundgaard I, Nedergaard M. The glymphatic system: a beginner's guide. Neurochem Res. 2015;40(12):2583–99.

140. Bratton DJ, Gaisl T, Wons AM, Kohler M. CPAP vs mandibular advancement devices and blood pressure in patients with obstructive sleep apnea: a systematic review and meta-analysis. JAMA. 2015;314(21):2280–93.

141. Liu T, Li W, Zhou H, Wang Z. Verifying the relative efficacy between continuous positive airway pressure therapy and its alternatives for obstructive sleep apnea: a network meta-analysis. Front Neurol. 2017;8:289.

142. Iftikhar IH, Hays ER, Iverson MA, Magalang UJ, Maas AK. Effect of oral appliances on blood pressure in obstructive sleep apnea: a systematic review and meta-analysis. J Clin Sleep Med. 2013;9(2):165–74.

143. Andren A, Hedberg P, Walker-Engstrom ML, Wahlen P, Tegel-berg A. Effects of treatment with oral appliance on 24-h blood pressure in patients with obstructive sleep apnea and hypertension: a randomized clinical trial. Sleep Breath. 2013;17(2):705–12.

144. Dal-Fabbro C, Garbuio S, D'Almeida V, Cintra FD, Tufik S, Bittencourt L. Mandibular advancement device and CPAP upon cardiovascular parameters in OSA. Sleep Breath. 2014;18(4):749–59.

145. Gotsopoulos H, Kelly JJ, Cistulli PA. Oral appliance therapy reduces blood pressure in obstructive sleep apnea: a randomized, controlled trial. Sleep. 2004;27(5):934–41.

146. Rietz H, Franklin KA, Carlberg B, Sahlin C, Marklund M. Nocturnal blood pressure is reduced by a mandibular advancement device for sleep apnea in women: findings from secondary analyses of a randomized trial. J Am Heart Assoc. 2018;7(13)

147. Lam B, Sam K, Lam JC, Lai AY, Lam CL, Ip MS. The efficacy of oral appliances in the treatment of severe obstructive sleep apnea. Sleep Breath. 2011;15(2):195–201.

148. Trzepizur W, Gagnadoux F, Abraham P, Rousseau P, Meslier N, Saumet JL, et al. Microvascular endothelial function in obstructive sleep apnea: impact of continuous positive airway pressure and mandibular advancement. Sleep Med. 2009;10(7):746–52.

149. Andren A, Sjoquist M, Tegelberg A. Effects on blood pressure after treatment of obstructive sleep apnoea with a mandibular advancement appliance -a three-year follow-up. J Oral Reha-bil. 2009;36(10):719–25.

150. Sekizuka H, Osada N, Akashi YJ. Effect of oral appliance therapy on blood pressure in Japanese patients with obstructive sleep apnea. Clin Exp Hypertens. 2016;38(4):404–8.

151. Yoshida K. Effect on blood pressure of oral appliance therapy for sleep apnea syndrome. Int J Prosthodont. 2006;19(1):61–6.

152. Zhang LQ, Zheng X, Wang JL, Wang YZ, Ren B, He B. Effects of oral appliance treatment upon blood pressure in mild to moderate obstructive sleep apnea-hypopnea syndrome. Zhonghua Yi Xue Za Zhi. 2009;89(26):1807–10.

153. Otsuka R, Ribeiro de Almeida F, Lowe AA, Linden W, Ryan F. The effect of oral appliance therapy on blood pressure in patients with obstructive sleep apnea. Sleep Breath. 2006;10(1):29–36.

154. Anandam A, Patil M, Akinnusi M, Jaoude P, El-Solh AA. Car-diovascular mortality in obstructive sleep apnoea treated with continuous positive airway pressure or oral appliance: an observational study. Respirology. 2013;18(8):1184–90.

155. Gauthier L, Laberge L, Beaudry M, Laforte M, Rompre PH, Lavigne GJ. Mandibular advancement appliances remain effec-tive in lowering respiratory disturbance index for 2.5-4.5 years. Sleep Med. 2011;12(9):844–9.

156. Sheats RD, Schell TG, Blanton AO, Braga PM, Demko BG, Dort LC, et al. Management of side effects of oral appliance therapy for sleep disordered breathing. J Dent Sleep Med. 2017;In Press.

157. Nakamura S, Sato M, Mataki S, Kurosaki N, Hasegawa M. Subjective and

objective assessments of short-term adverse effects induced by oral appliance therapy in obstructive sleep apnea: a preliminary study. J Med Dent Sci. 2009;56(1):37-48.

158. Otsuka R, Almeida FR, Lowe AA. The effects of oral appliance therapy on occlusal function in patients with obstructive sleep apnea: a short-term prospective study. Am J Orthod Den-tofac Orthop. 2007;131(2):176-83.

159. Cohen-Levy J, Petelle B, Pinguet J, Limerat E, Fleury B. Forces created by mandibular advancement devices in OSAS patients: a pilot study during sleep. Sleep Breath. 2013;17(2):781-9.

160. Lee JS, Choi HI, Lee H, Ahn SJ, Noh G. Biomechanical effect of mandibular advancement device with different protrusion positions for treatment of obstructive sleep apnoea on tooth and facial bone: a finite element study. J Oral Rehabil. 2018;45(12):948-58.

161. Gonzalez M, Macias-Escalada E, Cobo J, Fernandez Mon-dragon MP, Gomez-Moreno G, Martinez-Martinez M, et al. Can treatment with statins have a negative influence on the tolerance of mandibular advancement devices? Sleep Breath. 2016;20(4):1363-6.

162. Cunali PA, Almeida FR, Santos CD, Valdrichi NY, Nascimento LS, Dal-Fabbro C, et al. Mandibular exercises improve mandibular advancement device therapy for obstructive sleep apnea. Sleep Breath. 2011;15(4):717-27.

163. Ishiyama H, Inukai S, Nishiyama A, Hideshima M, Nakamura S, Tamaoka M, et al. Effect of jaw-opening exercise on prevention of temporomandibular disorders pain associated with oral appliance therapy in obstructive sleep apnea patients: a ran-domized, double-blind, placebo-controlled trial. J Prosthodont Res. 2017;61(3):259-67.

164. Ueda H, Almeida FR, Chen H, Lowe AA. Effect of 2 jaw exercises on occlusal function in patients with obstructive sleep apnea during oral appliance therapy: a randomized controlled trial. Am J Orthod Dentofac Orthop. 2009;135(4):430 e1-7; discussion-1.

165. de Almeida FR, Lowe AA, Tsuiki S, Otsuka R, Wong M, Fastlicht S, et al. Long-term compliance and side effects of oral appliances used for the treatment of snoring and obstructive sleep apnea syndrome. J Clin Sleep Med. 2005;1(2):143-52.

166. Fritsch KM, Iseli A, Russi EW, Bloch KE. Side effects of man-dibular advancement devices for sleep apnea treatment. Am J Respir Crit Care Med. 2001;164(5):813-8.

167. Gong X, Zhang J, Zhao Y, Gao X. Long-term therapeutic efficacy of oral appliances in treatment of obstructive sleep apnea- hypopnea syndrome. Angle Orthod. 2013;83(4):653-8.

168. Martinez-Gomis J, Willaert E, Nogues L, Pascual M, Somoza M, Monasterio C. Five years of sleep apnea treatment with a mandibular advancement device. Side effects and technical complications. Angle Orthod. 2010;80(1):30-6.

169. Pantin CC, Hillman DR, Tennant M. Dental side effects of an oral device to treat snoring and obstructive sleep apnea. Sleep. 1999;22(2):237-40.

170. Wang X, Gong X, Yu Z, Gao X, Zhao Y. Follow-up study of dental and skeletal changes in patients with obstructive sleep apnea and hypopnea syndrome with long-term treatment with the Silensor appliance. Am J Orthod Dentofac Orthop. 2015;147(5):559-65.

171. Doff MH, Veldhuis SK, Hoekema A, Slater JJ, Wijkstra PJ, de Bont LG, et al. Long-term oral appliance therapy in obstructive sleep apnea syndrome: a controlled study on temporomandibu-lar side effects. Clin Oral Investig. 2012;16(3):689-97.

172. Perez CV, de Leeuw R, Okeson JP, Carlson CR, Li HF, Bush HM, et al. The incidence and prevalence of temporoman-dibular disorders and posterior open bite in patients receiving mandibular advancement device therapy for obstructive sleep apnea. Sleep Breath. 2013;17(1):323-32.

173. Napankangas R, Raunio A, Sipila K, Raustia A. Effect of mandibular advancement device therapy on the signs and symptoms of temporomandibular disorders. J Oral Maxillofac Res. 2013;3(4):e5.

174. Almeida FR, Lowe AA, Otsuka R, Fastlicht S, Farbood M, Tsuiki S. Long-term sequellae of oral appliance therapy in obstructive sleep apnea patients: part 2. Study-model analysis. Am J Orthod Dentofac Orthop. 2006;129(2):205-13.

175. Hammond RJ, Gotsopoulos H, Shen G, Petocz P, Cistulli PA, Darendeliler MA. A follow-up study of dental and skeletal changes associated with mandibular advancement splint use in obstructive sleep apnea. Am J Orthod Dentofac Orthop. 2007;132(6):806-14.

176. Marklund M, Franklin KA, Persson M. Orthodontic side-effects of mandibular advancement devices during treatment of snoring and sleep apnoea. Eur J Orthod. 2001;23(2):135-44.

177. Marklund M. Subjective versus objective dental side effects from oral sleep apnea appliances. Sleep Breath. 2020;24(1):111-7.

178. Almeida FR, Lowe AA, Sung JO, Tsuiki S, Otsuka R. Long- term sequellae of oral appliance therapy in obstructive sleep apnea patients: part 1. Cephalometric analysis. Am J Orthod Dentofac Orthop. 2006;129(2):195-204.

179. Battagel JM, Kotecha B. Dental side-effects of mandibular advancement splint wear in patients who snore. Clin Otolaryn-gol. 2005;30(2):149-56.

180. Bondemark L. Does 2 years' nocturnal treatment with a man-dibular advancement splint in adult patients with snoring and OSAS cause a change in the posture of the mandible? Am J Orthod Dentofac Orthop. 1999;116(6):621-8.

181. Doff MH, Finnema KJ, Hoekema A, Wijkstra PJ, de Bont LG, Stegenga B. Long-term oral appliance therapy in obstructive sleep apnea syndrome: a controlled study on dental side effects. Clin Oral Investig. 2013;17(2):475-82.

182. Doff MH, Hoekema A, Pruim GJ, Huddleston Slater JJ, Stegenga B. Long-term oral-appliance therapy in obstructive sleep apnea: a cephalometric study of craniofacial changes. J Dent. 2010;38(12):1010-8.

183. Fransson AM, Tegelberg A, Johansson A, Wenneberg B. Influence on the masticatory system in treatment of obstruc-tive sleep apnea and snoring with a mandibular protruding device: a 2-year follow-up. Am J Orthod Dentofac Orthop. 2004;126(6):687-93.

184. Hou HM, Sam K, Hagg U, Rabie AB, Bendeus M, Yam LY, et al. Long-term dentofacial changes in Chinese obstructive sleep apnea patients after treatment with a mandibular advancement device. Angle Orthod. 2006;76(3):432-40.

185. Marklund M. Predictors of long-term orthodontic side effects from mandibular advancement devices in patients with snoring and obstructive sleep apnea. Am J Orthod Dentofac Orthop. 2006;129(2):214-21.

186. Pliska BT, Nam H, Chen H, Lowe AA, Almeida FR. Obstructive sleep apnea and mandibular advancement splints: occlusal effects and progression of changes associated with a decade of treatment. J Clin Sleep Med. 2014;10(12):1285-91.

187. Robertson C, Herbison P, Harkness M. Dental and occlusal changes during mandibular advancement splint therapy in sleep disordered patients. Eur J Orthod. 2003;25(4):371-6.

188. Rose EC, Staats R, Virchow C Jr, Jonas IE. Occlusal and skeletal effects of an oral appliance in the treatment of obstructive sleep apnea. Chest. 2002;122(3):871-7.

189. Fransson AMC, Kowalczyk A, Isacsson G. A prospective 10-year follow-up dental cast study of patients with obstructive sleep apnoea/snoring who use a mandibular protruding device. Eur J Orthod. 2017;39(5):502-8.

190. Fransson AM, Tegelberg A, Svenson BA, Lennartsson B, Isacsson G. Influence of mandibular protruding device on airway passages and dentofacial characteristics in obstruc-tive sleep apnea and snoring. Am J Orthod Dentofac Orthop. 2002;122(4):371-9.

191. Ringqvist M, Walker-Engstrom ML, Tegelberg A, Ringqvist I. Dental and skeletal changes after 4 years of obstructive sleep apnea treatment with a

mandibular advancement device: a pro-spective, randomized study. Am J Orthod Dentofac Orthop. 2003;124(1):53-60.

192. Marklund M. Long-term efficacy of an oral appliance in early treated patients with obstructive sleep apnea. Sleep Breath. 2016;20(2):689-94.

193. Ueda H, Almeida FR, Lowe AA, Ruse ND. Changes in occlusal contact area during oral appliance therapy assessed on study models. Angle Orthod. 2008;78(5):866-72.

194. Venema JAM, Stellingsma K, Doff M. Dental side effects of long term obstructive sleep apnea therapy. A 10 year follow up study. J Dent Seep Med. 2018;5(2):39-46.

195. Chen H, Lowe AA, de Almeida FR, Fleetham JA, Wang B. Three-dimensional computer-assisted study model analysis of long-term oral-appliance wear. Part 2. Side effects of oral appliances in obstructive sleep apnea patients. Am J Orthod Dentofac Orthop. 2008;134(3):408-17.

196. Norrhem N, Nemeczek H, Marklund M. Changes in lower incisor irregularity during treatment with oral sleep apnea appliances. Sleep Breath. 2017;21(3):607-13.

197. Marklund M, Legrell PE. An orthodontic oral appliance. Angle Orthod. 2010;80(6):1116-21.

198. Tsuda H, Almeida FR, Tsuda T, Moritsuchi Y, Lowe AA. Craniofacial changes after 2 years of nasal continuous positive airway pressure use in patients with obstructive sleep apnea. Chest. 2010;138(4):870-4.

199. Almeida FR, Parker JA, Hodges JS, Lowe AA, Ferguson KA. Effect of a titration polysomnogram on treatment success with a mandibular repositioning appliance. J Clin Sleep Med. 2009;5(3):198-204.

200. Hamoda MM, Almeida FR, Pliska BT. Long-term side effects of sleep apnea treatment with oral appliances: nature, magnitude and predictors of long-term changes. Sleep Med. 2019;56:184-91.

201. Sawyer AM, Gooneratne NS, Marcus CL, Ofer D, Richards KC, Weaver TE. A systematic review of CPAP adherence across age groups: clinical and empiric insights for developing CPAP adherence interventions. Sleep Med Rev. 2011;15(6):343-56.

202. Vanderveken OM, Dieltjens M, Wouters K, De Backer WA, Van de Heyning PH, Braem MJ. Objective measurement of compliance during oral appliance therapy for sleep-disordered breathing. Thorax. 2013;68(1):91-6.

203. Dieltjens M, Braem MJ, Vroegop AV, Wouters K, Verbraecken JA, De Backer WA, et al. Objectively measured vs self-reported compliance during oral appliance therapy for sleep-disordered breathing. Chest. 2013;144(5):1495-502.

204. Smith YK, Verrett RG. Evaluation of a novel device for measuring patient compliance with oral appliances in the treatment of obstructive sleep apnea. J Prosthodont. 2014;23(1):31-8.

205. Benoist L, de Ruiter M, de Lange J, de Vries N. A randomized, controlled trial of positional therapy versus oral appli-ance therapy for position-dependent sleep apnea. Sleep Med. 2017;34:109-17.

206. Schwab RJ, Badr SM, Epstein LJ, Gay PC, Gozal D, Kohler M, et al. An official American Thoracic Society statement: continuous positive airway pressure adherence tracking systems. The optimal monitoring strategies and outcome measures in adults. Am J Respir Crit Care Med. 2013;188(5):613-20.

207. Kribbs NB, Pack AI, Kline LR, Smith PL, Schwartz AR, Schubert NM, et al. Objective measurement of patterns of nasal CPAP use by patients with obstructive sleep apnea. Am Rev Respir Dis. 1993;147(4):887-95.

208. Pepin JL, Krieger J, Rodenstein D, Cornette A, Sforza E, Delguste P, et al. Effective compliance during the first 3 months of continuous positive airway pressure. A European prospective study of 121 patients. Am J Respir Crit Care Med. 1999;160(4):1124-9.

209. Peker Y, Glantz H, Eulenburg C, Wegscheider K, Herlitz J, Thunstrom E. Effect of positive airway pressure on cardiovas-cular outcomes in coronary artery disease patients with non-sleepy obstructive sleep apnea. The RICCADSA Randomized Controlled Trial. Am J Respir Crit Care Med. 2016;194(5): 613-20.

210. Vanderveken OM, Braem MJ, Dieltjens M, De Backer WA, Van de Heyning PH. Objective measurement of the therapeutic effectiveness of continuous positive airway pressure versus oral appliance therapy for the treatment of obstructive sleep apnea. Am J Respir Crit Care Med. 2013;188(9):1162.

211. Attali V, Chaumereuil C, Arnulf I, Golmard JL, Tordjman F, Morin L, et al. Predictors of long-term effectiveness to mandibular repositioning device treatment in obstructive sleep apnea patients after 1000 days. Sleep Med. 2016;27-28:107-14.

212. Haviv Y, Zini A, Almoznino G, Keshet N, Sharav Y, Aframian DJ. Assessment of interfering factors in non-adherence to oral appliance therapy in severe sleep apnea. Oral Dis. 2017;23(5):629-35.

213. Wiman Eriksson E, Leissner L, Isacsson G, Fransson A. A prospective 10-year follow-up polygraphic study of patients treated with a mandibular protruding device. Sleep Breath. 2015;19(1):393-401.

214. Schwartz M, Acosta L, Hung YL, Padilla M, Enciso R. Effects of CPAP and mandibular advancement device treatment in obstructive sleep apnea patients: a systematic review and meta-analysis. Sleep Breath. 2018;22(3):555-68.

215. Nishigawa K, Hayama R, Matsuka Y. Complications causing patients to discontinue using oral appliances for treatment of obstructive sleep apnea. J Prosthodont Res. 2017;61(2):133-8.

216. Aarab G, Lobbezoo F, Heymans MW, Hamburger HL, Naeije M. Long-term follow-up of a randomized controlled trial of oral appliance therapy in obstructive sleep apnea. Respiration. 2011;82(2):162-8.

217. Doff MH, Hoekema A, Wijkstra PJ, van der Hoeven JH, Huddleston Slater JJ, de Bont LG, et al. Oral appliance versus continuous positive airway pressure in obstructive sleep apnea syndrome: a 2-year follow-up. Sleep. 2013;36(9):1289-96.

218. Fransson AM, Tegelberg A, Leissner L, Wenneberg B, Isacsson G. Effects of a mandibular protruding device on the sleep of patients with obstructive sleep apnea and snoring problems: a 2-year follow-up. Sleep Breath. 2003;7(3):131-41.

219. Marklund M, Sahlin C, Stenlund H, Persson M, Franklin KA. Mandibular advancement device in patients with obstruc-tive sleep apnea: long-term effects on apnea and sleep. Chest. 2001;120(1):162-9.

220. Rose EC, Barthlen GM, Staats R, Jonas IE. Therapeutic effi-cacy of an oral appliance in the treatment of obstructive sleep apnea: a 2-year follow-up. Am J Orthod Dentofac Orthop. 2002;121(3):273-9.

221. Walker-Engstrom ML, Tegelberg A, Wilhelmsson B, Ringqvist I. 4-year follow-up of treatment with dental appliance or uvulo-palatopharyngoplasty in patients with obstructive sleep apnea: a randomized study. Chest. 2002;121(3):739-46.

222. Bonsignore MR, Baiamonte P, Mazzuca E, Castrogiovanni A, Marrone O. Obstructive sleep apnea and comorbidities: a dangerous liaison. Multidiscip Respir Med. 2019;14:8.

223. Peppard PE, Young T, Barnet JH, Palta M, Hagen EW, Hla KM. Increased prevalence of sleep-disordered breathing in adults. Am J Epidemiol. 2013;177(9):1006-14.

224. Ravesloot MJ, van Maanen JP, Dun L, de Vries N. The under-valued potential of positional therapy in position-dependent snoring and obstructive sleep apnea-a review of the literature. Sleep Breath. 2013;17(1):39-49.

225. Eijsvogel MM, Ubbink R, Dekker J, Oppersma E, de Jongh FH, van der Palen J, et al. Sleep position trainer versus tennis ball technique in positional obstructive sleep apnea syndrome. J Clin Sleep Med. 2015;11(2):139-47.

226. Bignold JJ, Mercer JD, Antic NA, McEvoy RD, Catcheside PG. Accurate position monitoring and improved supine-dependent obstructive sleep ap-

nea with a new position recording and supine avoidance device. J Clin Sleep Med. 2011;7(4):376–83.

227. de Ruiter MHT, Benoist LBL, de Vries N, de Lange J. Durability of treatment effects of the sleep position trainer versus oral appliance therapy in positional OSA: 12–month follow–up of a randomized controlled trial. Sleep Breath. 2018;22(2):441–50.

228. Levendowski D, Cunnington D, Swieca J, Westbrook P. User compliance and behavioral adaptation associated with supine avoidance therapy. Behav Sleep Med. 2018;16(1):27–37.

229. Joosten SA, O'Donoghue FJ, Rochford PD, Barnes M, Hamza K, Churchward TJ, et al. Night–to–night repeatability of supine–related obstructive sleep apnea. Ann Am Thorac Soc. 2014;11(5):761–9.

230. Kulkas A, Muraja–Murro A, Tiihonen P, Mervaala E, Toyras J. Morbidity and mortality risk ratios are elevated in severe supine dominant OSA: a long–term follow–up study. Sleep Breath. 2015;19(2):653–60.

231. Dieltjens M, Vroegop AV, Verbruggen AE, Wouters K, Wille–men M, De Backer WA, et al. A promising concept of com–bination therapy for positional obstructive sleep apnea. Sleep Breath. 2015;19(2):637–44.

232. Almeida FR, Mulgrew A, Ayas N, Tsuda H, Lowe AA, Fox N, et al. Mandibular advancement splint as short–term alternative treatment in patients with obstructive sleep apnea already effectively treated with continuous positive airway pressure. J Clin Sleep Med. 2013;9(4):319–24.

233. Borel JC, Gakwaya S, Masse JF, Melo–Silva CA, Series F. Impact of CPAP interface and mandibular advancement device on upper airway mechanical properties assessed with phrenic nerve stimulation in sleep apnea patients. Respir Physiol Neurobiol. 2012;183(2):170–6.

234. Kaminska M, Montpetit A, Mathieu A, Jobin V, Morisson F, Mayer P. Higher effective oronasal versus nasal continuous positive airway pressure in obstructive sleep apnea: effect of mandibular stabilization. Can Respir J. 2014;21(4):234–8.

235. Liu HW, Chen YJ, Lai YC, Huang CY, Huang YL, Lin MT, et al. Combining MAD and CPAP as an effective strategy for treating patients with severe sleep apnea intolerant to high–pressure PAP and unresponsive to MAD. PLoS One. 2017;12(10):e0187032.

236. Gagnadoux F, Le Vaillant M, Paris A, Pigeanne T, Leclair– Visonneau L, Bizieux–Thaminy A, et al. Relationship between OSA clinical phenotypes and CPAP treatment outcomes. Chest. 2016;149(1):288–90.

237. Ye L, Pien GW, Ratcliffe SJ, Bjornsdottir E, Arnardottir ES, Pack AI, et al. The different clinical faces of obstructive sleep apnoea: a cluster analysis. Eur Respir J. 2014;44(6):1600–7.

238. Haviv Y, Bachar G, Aframian DJ, Almoznino G, Michaeli E, Benoliel R. A 2–year mean follow–up of oral appliance therapy for severe obstructive sleep apnea: a cohort study. Oral Dis. 2015;21(3):386–92.

239. Gauthier L, Almeida F, Arcache JP, Ashton–McGregor C, Cote D, Driver HS, et al. Position paper by Canadian dental sleep medicine professionals on the role of different health care professionals in managing obstructive sleep apnea and snoring with oral appliances. Can Respir J. 2012;19(5):307–9.

240. Kushida CA, Morgenthaler TI, Littner MR, Alessi CA, Bailey D, Coleman J Jr, et al. Practice parameters for the treatment of snoring and obstructive sleep apnea with oral appliances: an update for 2005. Sleep. 2006;29(2): 240–3.

241. Levrini L, Sacchi F, Milano F, Polimeni A, Cozza P, Bernkopf E, et al. Italian recommendations on dental support in the treatment of adult obstructive sleep apnea syndrome.[OSAS] Ann Stomatol (Roma). 2015;6(3–4): 81–6.

242. Netzer NCC, Ancoli–Israel SC–C, Bliwise DL, Fulda S, Roffe C, Almeida F, et al. Principles of practice parameters for the treatment of sleep disordered breathing in the elderly and frail elderly: the consensus of the international geriatric sleep medicine task force. Eur Respir J. 2016;48(4):992–1018.

243. Ngiam J, Balasubramaniam R, Darendeliler MA, Cheng AT, Waters K, Sullivan CE. Clinical guidelines for oral appliance therapy in the treatment of snoring and obstructive sleep apnoea. Aust Dent J. 2013;58(4):408–19.

244. Stradling J, Dookun R. Snoring and the role of the GDP: Brit–ish Society of Dental Sleep Medicine (BSDSM) pre–treatment screening protocol. Br Dent J. 2009;206(6):307–12.

245. Sleep–related breathing disorders in adults: recommendations for syndrome definition and measurement techniques in clinical research. The Report of an American Academy of Sleep Medicine Task Force. Sleep. 1999;22(5):667–89.

246. Marti–Soler H, Hirotsu C, Marques–Vidal P, Vollenweider P, Waeber G, Preisig M, et al. The NoSAS score for screening of sleep–disordered breathing: a derivation and validation study. Lancet Respir Med. 2016;4(9):742–8.

247. McNicholas WT, Bonsignore MR, Levy P, Ryan S. Mild obstructive sleep apnoea: clinical relevance and approaches to management. Lancet Respir Med. 2016;4(10):826–34.

248. Bonsignore MR, Randerath W, Riha R, Smyth D, Gratziou C, Goncalves M, et al. New rules on driver licensing for patients with obstructive sleep apnoea: EU directive 2014/85/EU. Eur Respir J. 2016;47(1):39–41.

249. Lazard DS, Blumen M, Levy P, Chauvin P, Fragny D, Buchet I, et al. The tongue–retaining device: efficacy and side effects in obstructive sleep apnea syndrome. J Clin Sleep Med. 2009;5(5):431–8.

250. Deane SA, Cistulli PA, Ng AT, Zeng B, Petocz P, Darendeliler MA. Comparison of mandibular advancement splint and tongue stabilizing device in obstructive sleep apnea: a randomized controlled trial. Sleep. 2009;32(5):648–53.

251. Dort L, Brant R. A randomized, controlled, crossover study of a noncustomized tongue retaining device for sleep disordered breathing. Sleep Breath. 2008;12(4):369–73.

252. Yanagihara M, Tsuiki S, Setoguchi Y, Inoue Y. Treatment of obstructive sleep apnea with a tongue–stabilizing device at a single multidisciplinary sleep center. JDSM. 2016;3(2): 43–7.

253. Chen H, Lowe AA, Strauss AM, de Almeida FR, Ueda H, Fleet–ham JA, et al. Dental changes evaluated with a 3D computer– assisted model analysis after long–term tongue retaining device wear in OSA patients. Sleep Breath. 2008;12(2):169–78.

OSA 관리에 대한 다른 요법과 신흥 선택지

Abbey Dunn and Neeraj Kaplish

목차

14.1 개요

지속적 양압기 요법은 폐쇄성 수면 무호흡(OSA)에 대한 초기 및 표준 요법으로 간주된다. 많은 OSA 환자에서 지속적 양압기 이행 준수가 어려울 수 있지만 이는 안전하고 비용 효율적인 치료법이다.[1] 최대 10%의 환자가 지속적 양압기 치료를 거부할 수 있다고 보고되었다.[2] 지속적 양압기 이외의 치료법에 대한 논의는 환자가 종종 대안을 찾기 때문에 학문 및 비학문 수면 의학 클리닉 모두에서 일반적이다. 이번 단원에서는 다른 비-양압기 치료 선택지와 OSA 치료를 위한 새로운 치료법에 대해 논의할 것이다. OSA 환자는 임상적으로 적절한 경우 이런 선택지에 대해 상담할 수 있다.

14.2 자세 요법

OSA는 앙와위 수면이나 REM 수면에서 두드러지게 나타난다. 자세성 OSA는 무호흡 저호흡 지수(AHI)가 비-앙와위 수면에 비해 앙와위 수면에서 2배 높을 때로 종종 정의된다. 자세 요법의 더 엄격한 정의에는 측면 자세에서 AHI의 정상화(시간당 5 미만)가 포함된다.

자세성 OSA의 유병률은 55-60%로 추정되지만[3], 아시아 인구에서 훨씬 더 높아 거의 70%에 이른다.[4] 평균적으로 자세성 OSA 환자는 OSA 환자보다 젊고 날씬하고 증상이 덜 심각하다.[3,4] 측면에서의 AHI 정상화(시간당 5 미만)의 더 엄격한 기준을 사용할 때, 자세성 OSA의 유병률은 약 27%로 나타났다. OSA의 중증도를 고려할 때 경증 OSA에서의 유병률이 약 50%였다. 중등증에서 19%, 중증에서 6.5%의 유병률을 보이면서 현저히 낮아졌다.[5]

체질량 지수(BMI)와 자세성 OSA는 강한 역의 상관관계가 있고, 체중 변화는 자세 의존성에 영향을 미치는 것으로 보인다.[3] 시간이 경과하면서 비-자세성 OSA로 전환된 자세성 OSA 환자는, 체중이 증가하면서 OSA가 전반적으로 악화되었다. 체중 감소와 함께 덜 심한 자세성 OSA로 전환되는 비-자세성 OSA 환자에서도 그 반대 현상이 나타났다.[6]

앙와위 자세는 무호흡 기간, 불포화도, 각성의 길이와 빈도 측면에서 무호흡의 중증도 증가와 연관된다.[7] 측면 자세에서 기도의 해부학적 변화를 조사한 연구는 거의 없으며, 측면 자세에서 호흡 개선을 담당하는 정확한 기전은 완전히 알려지지 않았지만, 중력의 영향이 있을 것으로 보인다. 깨어 있는 환자와 앙와위 및 측면 자세 대조군에 대한 상기도의 해부학적 광간섭 단층촬영에서, 앙와위에서 더 횡적으로 지향된 타원형 모양이고 측면 자세에서 더 둥근 모양으로 변하는 기도 모양을 볼 수 있었지만 전체 단면적에서는 변화를 볼 수 없었다.[8] 측면 자세에서 기도의 원형성이 증가하면 기도 허탈의 가능성이 감소할 것이다.

OSA 환자에게 약물-유도 수면 내시경을 시행하여 기도 폐쇄 부위에 대한 영향을 조사하였다. 앙와위에서 측면 자세로 변경할 때 혀 기저부와 후두의 폐쇄가 유의하게 개선되었다; 그러나 측벽 폐쇄의 발현율에는 영향이 없었는데, 이는 비-자세성 OSA 환자에서 측벽 폐쇄가 지속됨을 시사한다.[9]

수면 중 측면 자세를 유지하기 위한 전략이 많이 있다. 가장 단순한 방법 중 하나는 "테니스 공 요법"이라는 것이다. 이 방법은 등에 테니스 공을 끈으로 묶거나 주머니에 넣는 등의 비슷한 구조로 구성된다. 앙와위 수면을 예방하기 위해 등에 폼 베개가 위치하게 하는 허리 끈으로 만들어진 제품도 이용할 수 있다. 보다 최근에, 앙와위에서 사용자에게 경보를 울리는 목에 착용하는 진동 장치도 개발되었다.

테니스 공 요법은 AHI와 앙와위 자세 시간을 유의하게 줄이는 것으로 보이지만, 장기 이행 준수에 대한 연구에 의하면 6개월 사용시 38%, 30개월 이상 사용 시 10% 이하로 보고되었다.[10,11] 치료를 중단하는 주된 이유는 공의 너무 많은 움직임으로 인한 불편감, 비효율성, 수면 질의 개선이 없거나 주간 졸음이 있었다.[10]

자세 요법을 위한 자체-제작 및 상업용 허리 밴드는 68%에서 AHI의 성공적인 감소(50% 이상 감소 및 20 미만)가 있었고 자세성 OSA 환자의 40%에서 5미만으로 감소되었으나, Epworth 수면 척도(ESS)와 앙와위 자세 시간 사이에 통계적으로 유의한 차이는 없었다.[12] AHI 감소에도 불구하고, 이 자세 장치로 치료된 환자의 60%가 13개월 후 치료를 중단하였다.

최근에, 사용자가 앙와위 위치로 돌아갈 때를 감지하여 경보를 울림으로써 사용자가 측면 자세로 바꾸게 만드는 진동 목 밴드가 개발되었다. 상업용 장치 중 하나인 Night Shift는 목에 착용하는 것이다. 이 장치는 앙와위 수면을 크게 줄이고, 자세성 OSA(비-앙와위 AHI보다 전체 AHI가 1.5배 높은 것으로 정의된) 환자에서 AHI를 69% 감소시키는 것으로 나타났다.[13] 이 장치는 수면 구조를 개선하고 피질 흥분을 감소시키며, N2 수면 증가와 N1 수면 감소를 야기하여 ESS 점수를 향상시키는 것으로 나타났다. 4주 간의 연구에서, 참가자의 7.4-13.4%가 장치로 인한 수면의 질 악화를 느낀다고 보고하였다. 이행 준수를 평가하기 위한 장기간 연구가 수행되지 않았고, 4주에서 이행 준수 중앙값은 96%였다.

가슴에 착용하는 상업용 장치인 NightBalance 장치는 앙와위 자세에서 사용자에게 진동으로 경보를 보낸다. 비-앙와위에 비해 앙와위 자세에서 AHI가 적어도 2배 높은 것으로 정의되는 자세성 OSA 환자에서 경증과 중등증의 경우, 사용 1개월 후 AHI가 평균 16.4에서 5.2로 유의하게 감소함을 보였다. 이 연구의 환자의 약 48%가 전체 AHI가 5미만으로 OSA가 해소됨을 보여주었다.[14] 이 장치는 중앙값이 49%에서 0%으로 앙와위 자세의 시간을 효과적으로 감소시킨 것으로 보이고, 주관적인 졸음과 수면 질이 개선되었다. 6개월에서, 4시간의 야간 사용으로 규정한 이행 준수는 64.4%였고, 중앙값 ESS는 기준선 11에서 8로 감소되었다.[15]

측면 자세에서 AHI가 5인 경증의 자세성 OSA 환자에서, 상업용의 등에 안착되는 폼 베개(ZZoma positional sleeper)를 사용한 자세 요법은 치료된 OSA에서 지속적 양압기 만큼이나 효과적이었는데, 수면 질이나 산소 포화도에서 지속적 양압기와 차이가 없었고 5 미만의 AHI 확보도 지속적 양압기와 같은 비율로 나타났다.[16] 이 연구는 치료가 하룻밤으로 한정되어 장기 효과는 불분명하게 남아있다.

지속적 양압기는 자세성 OSA 환자에서 자세 요법과 비교되었다. 측면 자세에서 OSA의 50% 감소로 정의되는 자세성 OSA 치료에서 2주간의 지속성 양압기와 2주간의 자세 요법을 비교한 연구에서, 지속성 양압기가 자세 요법보다 AHI를 감소시키고 산소 포화도를 개선하는 데 더 효과적이라고 하였다.[17] 이러한 발견에도 불구하고, 치료 사이에 수면 구조, ESS, 각성 유지 검사(MWT), 기분, 삶의 질 측정에서 유의한 차이가 없었다.

테니스 공 기술을 모방한 흉부 반-앙와위 밴드를 사용한 유사한 연구는 경증-중등증 자세성 OSA 환자의 자세 요법 효과를 지속적 양압기와 비교했다. 이 연구는 지속적 양압기를 사용하면 자세 요법보다 AHI가 통계적으로 유의하게 더 큰 감소를 보이고 치료 성공(AHI 10 미만)을 달성한 환자 비율이 더 높다는 것을 발견했다.[18] 흉부 반-앙와위 밴드는 앙와위 수면 시간을 평균 6.3%로 유의하게 감소시켰고, 지속적 양압기는 35.4%였다.

요약하면, 자세 요법은 AHI와 앙와위 수면 시간을 줄이는 것으로 나타났다. 자세 요법은 측면 자세에서 OSA가 AHI 5 미만으로 정상화되는 선별된 집단에서 지속적 양압기만큼 유익하고 잠재적으로 효과적일 수 있다. 제한된 연구에 따르면 자세 요법에 대한 장기간 이행 준수가 좋지 않아 면밀한 임상 추적 관찰과 보다 편안한 자세 요법 선택지가 필요하다.

14.2.1 체중 감소

미국에서는 30-69세 성인의 5.7%가 중등증이나 중증의 수면 호흡 장애를 갖고 있고, 이들 성인의 58%는 과체중으로 인한 것으로 추정된다.[19] 경증 수면 호흡 장애를 가진 성인을 포함하도록 확장하면 수면 호흡 장애가 있는 비율이 17%로 증가하고, 41%는 과체중이 원인이다.[19] 수면 호흡 장애 환자의 경우, 체중 증가와 수면 호흡 장애의 중증도 사이에는 용량-반응 관계가 있으며, 체중의 각 백분율 변화는 AHI의 3% 변화 또는 기준 BMI의 각 1 kg/m^2 증가할 때마다 약 1%의 AHI 증가와 연관되었다.[20] 체중이 10% 증가하면 AHI가 32% 증가하고, 안정적인 체중 유지에 비해 중등증에서 중증의 OSA가 발병할 확률이 6배 증가하는 것으로 밝혀졌다.[20] 수면 호흡 장애와 비만 유행 사이의 강력한 관계는 체중 감량 전략이 수면 호흡 장애 관리의 필수적인 부분이어야 함을 시사한다. 현재 미국 수면의학회의 품질 측정은 중등증에서 중증의 OSA 성인 환자의 체중 관리에 대해 적어도 매년 논의할 것을 권장한다.[21]

식이 요법에 의한 체중 감소는 OSA를 개선하는 것으로 나타났다. 당뇨가 있는 OSA 환자의 경우, 행동 조절에 의한 체중 감량 프로그램, 처방된 칼로리 섭취를 포함하는 부분 조절 식단, 주당 신체 활동 175분으로 구성된 집중적인 생활 방식 중재가 당뇨병 교육과 지원보다 더 효과적인 것으로 나타났다.[22] 생활 습관 중재의 참가자는 10.8 kg 대 0.6 kg으로 당뇨병 지원과 교육 그룹의 참가자보다 훨씬 더 많은 체중 감량을 보였고, 허리와 목 둘레에서도 유의한 변화가 나타났다. 집중 생활 방식 중재 그룹의 AHI는 22.9에서 18.3으로 시간당 9.7의 보정 평균 감소를 보였지만, 당뇨 교육군에서는 23.5에서 28.3으로 증가했다. 이 두 그룹의 차이는 저호흡이 아니라 폐쇄성 무호흡 사건의 변화 때문이었다. 생활 습관 중재 그룹의 환자에서 OSA 완화(AHI 5 미만) 및 중증도 변화도 당뇨 교육군에 비해 3배 더 많이 나타나 유의한 변화를 보였다. 가장 큰 이점은 기준선 AHI 값이 더 높았던 남성 참가자에서 발견되었다. 4년에는 거의 50%의 체중 증가에도 불구하고 집중적인 생활 방식 중재의 유익한 효과가 지속되었다.

초저칼로리 식단(하루 600-800 칼로리)은 중등증에서 중증의

OSA를 가진 비만 환자(BMI; 30–40)에서 OSA를 개선하는 것으로 나타났으며 중증 환자에게 가장 큰 영향을 미쳤다.[23] 그러한 연구에 대한 식단은 7주 동안 초저칼로리 액상 식단에 이어 2주 동안 점차적으로 정상 식단을 도입한 후 체중 감량 유지 프로그램으로 구성되었다. 9주만에 상당한 체중 감소가 달성되었으며, 식이 요법을 따른 환자의 73%가 평균 18 kg의 감소를 보여 더 이상 비만으로 분류되지 않았다. 이 식단에 따른 체중 감소는 시간당 21회의 AHI 감소와 연관된다. 1년 후 체중 증가가 나타났으며 참가자의 56%가 비만으로 분류되었다. 그러나 체중 증가에도 불구하고 1년 추적 관찰에서 AHI의 평균 감소는 기준선의 47%에서 크게 유지되었으며(시간당 평균 17회으로 감소), 10%는 1년 후 OSA가 완전히 진정되었다. 중등증 OSA 환자에서 AHI는 시간당 7회로 감소했다.

경증 OSA의 과체중 및 비만 환자(BMI; 28–40)에서, 12주 동안 초저칼로리 식단을 수행하는 것이 생활 방식 중재(식이 요법과 운동 상담)에 비해 체중 감소와 OSA 개선 측면에서 더 효과적이었다.[24] 체중은 생활 습관 중재군에서 2.6%, 초저칼로리 식단군에서 10.6% 감소하였다. 12주 후, 초저칼로리 그룹의 AHI은 10에서 5.6으로 40% 감소했으며, 61%에서는 OSA가 완전히 해결되었다. 생활 방식 개입으로 AHI가 9에서 8.3으로 14% 감소했고, 32%에서는 OSA가 해결되었다. 1년 후, 경증 OSA에 대한 승산비는 생활 습관 중재군과 비교하여 초저칼로리 그룹에서 0.24였다. 이 연구에서 체중이 5 kg 감소하면 AHI가 시간당 2회 감소한다고 하였다.

저칼로리 식이요법[하루 800–1,200(여성), 1,800(남성) 칼로리], 초저칼로리 식이요법, 체중 감량 프로그램을 포함하여 식이 체중 감량이 OSA에 미치는 영향을 조사한 9개 연구의 메타 분석에서, AHI가 52.5회에서 28.3회로 감소했으며 체중 감소가 높을수록 OSA가 크게 감소하는 것으로 나타났다. OSA 치료율은 3개월에서 61%, 1년에서 10% 미만이었다.[25]

체중 감량 수술은 OSA를 개선하거나 일부 경우에는 해결하는 것으로 나타났다. 위 밴딩, Roux-en-Y, 담도췌장 우회술, 위성형술을 포함한 다양한 비만 치료 절차가 OSA에 미치는 영향을 조사한 메타 분석에서, 평균 BMI가 55.3 kg/m^{2}에서 37.7 kg/m^{2}로 감소한 것으로 나타났다. 비만 수술 후 평균 AHI가 시간당 54.7회에서 15.8회(기준선의 71%)로 유의하게 감소했다.[26] 이는 AHI에서 상당한 감소이다; 그러나 술 후 평균 AHI는 여전히 중등증 OSA와 일치했다. 특히, 개별 환자 데이터를 이용할 수 있었던 12개 연구 중 6개에서 25%가 AHI 5 미만으로 효과적으로 치료되었다고 하였다. OSA가 치료된 사람들은 수술 후 잔여 OSA가 있는 사람들보다 전반적으로 더 젊고(38.9세 대 46.5세), 기준선에서 더 가벼웠다(102.7 kg 대 173.3 kg).[26]

특정 유형의 체중 감량 수술을 비교하기 위한, 13,900명의 환자를 포함한 69건의 연구에 대한 2014년 메타 분석에서 모든 유형의 술식에서 75% 환자가 OSA가 개선된 것으로 나타났다.[27] 담도췌장 우회 수술 환자의 99%에서 OSA가 개선되었고, 82.3%에서 OSA가 해결되어 가장 성공적이었다. 복강경 위 밴딩은 OSA가 70.5% 개선되었고, 32%만이 OSA가 해결되어 성공률이 가장 낮았다.

체중 감량과 AHI 감소 정도는 약물적 체중 감량보다 체중 감소 수술을 받은 환자에서 더 크게 나타났다. 중등증에서 중증의 OSA가 있는 비만 성인(BMI 35 초과 55 미만)의 복강경 위 밴드는 약물적 체중 감량보다 더 효과적인 체중 감량 방법인 것으로 나타났다. 위 시술을 받은 사람들은 평균 27.8 kg을 감량한 반면 약물적 체중 감량을 한 사람들은 5.1 kg를 감량했다.[28] 두 그룹의 AHI는 기준선에서 감소를 보였는데, 복강경 위 밴드 그룹에서 평균 AHI의 감소는 약물적 체중 감량 그룹의 시간당 14.0회와 비교하여 25.5회로 나타났다; 그러나 그룹 간에 AHI 감소 차이는 통계학적으로 유의하지는 않았다. 약물적 체중 감량 그룹에서 연구 참가자의 한사람만이 OSA의 완화를 보였고(AHI 5 미만), 경증 OSA(AHI 15 미만)으로의 감소는 약물적 체중 감량 그룹의 7%에 비해 수술 그룹의 27%에서 달성되었다.

모든 중증도의 OSA 환자에 대한 Roux-en-Y 위 우회술(RYGB)과 집중 생활 방식 중재(ILI)의 체중 감소 효과를 비교한 연구에서 RYGB 그룹에서 체중 감소와 AHI 감소가 유의하게 더 큰 것으로 나타났다.[29] RYGB를 받은 참가자는 12.1 kg에 비해 42 kg의 평균 체중 감소(BMI가 14 kg/m^2 감소), ILI 그룹에서 5.4 kg/m^{2}의 BMI 감소를 보였다. 평균 AHI 감소는 RYGB 그룹에서 시간당 21.6회, ILI 그룹에서 8.8회를 보였다. 이 연구에서 RYGB를 받은 참가자의 훨씬 더 많은 비율이 OSA의 완화를 보인 반면(AHI 5 미만, 66%), ILI 참가자는 40%를 보였다.

수술 대 비수술 체중 감량법에 대한 메타 분석은 두 방법 모두 AHI와 BMI에서 통계적으로 유의한 전반적인 감소와 관련이 있음을 보여주었다; 그러나 AHI와 BMI 감소는 외과적 개입 시 더 컸다.[30] 체중 감량 수술 시 BMI가 15 kg/m^2 감소하였고 비수술적 중재의 경우 3.1 kg/m^{2}가 감소하였다. 시간당 AHI는 외과적 체중 감량 시 29회, 비수술법에서 11회 감소하였다. 이 메타 분석에서 비수술적 체중 감량에는 운동을 통한 생활 습관 개선 및/또는 식이 요법이 포함되었으며, 경우에 따라서는 생활 상담 및 약물 요법도 사용되었다.

체중 감소 수술을 고려하는 환자는 예상되는 체중 감소에 대한 상담을 진행해야 하고, 뿐만 아니라, AHI로 측정되는 수면 무호흡의 개선이나 해결에 대한 상담도 이루어져야 한다. 담당의의 경과 관찰이 필요하고 잔류 OSA를 평가하기 위해 상당한 체중 변화 이후의 반복적인 수면 무호흡 검사가 시행되어야 한다.

14.2.2 비강 호기 양압기

비강 호기 양압기는 양방향 밸브로, 각 콧구멍의 외부에 적용되며 밸브와 콧구멍 사이를 밀봉하는 접착제에 의해 제자리에 유지된다. 각 장치는 사이즈가 하나이고 일회용으로 하룻밤 동안 사용하도록 고안되었다. 밸브는 100 mL/sec의 유속에서 80 cmH_2O/L/sec의 고정된 호기 저항을 가지고 있다.[31] 흡기 저항이 최소이므로 코를 통한 호기를 더 어렵게 만들고 호기 기도 양압을 형성한다. 지속적 양압기와 달리, 비강 호기 양압기는 흡기 양압이 제공되지 않는다.

비강 호기 양압기가 OSA를 치료하는 정확한 기전은 알려져 있지 않다. 기도가 흡기로 넘어가도록 확장하고 허탈을 방지하여 폐 용적을 증가시켜 상기도의 견인력을 만들어 기도 허탈을 방지하는 호기말의 양압을 포함하는 여러 기전이 제안되었다.[32,33]

이 장치는 OSA의 치료장치로 FDA 승인을 받았으며 처방전이 필요하다.[34] 비강 호기 양압기의 금기증에는 중증 호흡 장애, 과탄산 호흡 부전, 호흡 근육 약화, 수포성 폐질환, 바이패스된 상기도(기관 절개술), 기흉, 종격동, 울혈성 심부전을 포함하는 중증의 심질환, 저혈압(병리학적 저혈압), 급성 상부 호흡기 염증이나 감염(부비동, 비강, 내이 포함), 고막 천공이 있다.[35]

Rosenthal 등은 평균 연령 49.8세, 평균 BMI 30.1의 OSA 성인 34명을 대상으로 다기관 연구를 통해 장치의 효과를 평가했는데, 여성이 21.4% 포함되었다.[36] 피험자가 이전에 지속적 양압기를 시도했거나 비조절성 또는 중증의 질환이 있거나 동반 이환된 수면 상태가 있는 경우는 대상에서 제외하였다. 또한 편측이나 양측 코막힘, 비호흡 곤란, 부비동염, 빈번 및/또는 잘 치료되지 않는 비강 알레르기로 비강 개통이 불량한 경우도 제외하였다. 참가자들은 무작위 순서로 4개의 수면 다원도를 완성하였다. 수면 다원도에는 1일의 대조군 밤과 다양한 호기 저항의 장치를 사용한 3일 밤이 포함되었다. 그 후 피험자들은 30일 동안 집에서 AHI 감소에 가장 효과적인 저항으로 장치를 사용하였다. 대조군 밤의 평균 AHI는 24.5였다. 평균 AHI는 치료 첫 밤에 13.5, 사용 30일 후에 15.5로 유의하게 감소하였다. 30일 추적 관찰에서 41%는 대조군에 비해 AHI가 50% 이상 감소했다. 대조군 밤과 마지막 밤에서 평균 산소 포화도에서 통계적으로 유의한 개선이 나타났다; 하지만, 평균 개선은 0.4%로 임상 치료의 목표에 도달한 것은 아니다. ESS 점수는 치료 30일 후 기준선 8.7에서 6.9로, 피츠버그 수면 질 지수는 기준선 7.4에서 30일 경과 관찰 시 6.5로 유의한 개선을 보였다. 이런 결과에도 불구하고, 치료 초기 밤이나 사용 30일 후에 수면 구조의 향상은 없었다.[36] 대조군 밤과 모든 치료 밤 사이에 산소 불포화 지수(ODI), 최소 산소 포화도에는 유의한 차이가 없었다. 참가자들은 밤의 94.4% 동안 밤 새 장치를 사용했다고 보고했다.

Patel 등은 치료에 대한 반응에 대한 예측 인자를 조사했다. 앙와위 AHI보다 낮은 측면 AHI로 정의되는 자세-의존성 OSA 환자는 치료 반응[호흡 장애 지수(RDI)가 기준선보다 50% 초과 감소하고 시간당 절대적 RDI가 20 미만인 것으로 판단]을 보일 가능성이 더 높았지만, 통계적인 유의성은 없었다.[32] 인구통계학적 인자와 기준선 OSA의 중증도도 치료 성공을 예측하지 못했다.

비강 호기 양압기의 장기 효과를 판단하기 위해 평균 연령 50.1세, 평균 BMI 32.5 kg/m^2, 63.4%가 남성인 41명의 참가자를 대상으로, 장치 사용의 12개월을 연구하였다.[37] 연구 기간 동안 AHI가 치료 12개월째에 15.7에서 4.7로 통계적으로 유의하게 감소하였다. ODI는 12개월에 12.62에서 7.6으로 감소했다. 게다가, 중간 각성 지수도 23.9에서 19.0으로 통계적으로 유의한 감소를 보였다.[31] 12개월 후, 수면 중 코골이 시간의 중앙값은 74.4%로 감소했다. 치료 12개월 동안, ESS로 측정된 졸음이 11.1에서 6.0으로 감소하여 현저한 개선을 보였다. 12개월의 장치 사용 중앙값은 전체 밤의 89.3%였다. 3개월에 긍정적인 임상 반응을 보인 참가자는 나머지 12개월 동안 우수한 이행 준수를 보였다. 참가자의 42%가 장치에 대한 부작용을 보고했는데, 내쉬기 어려움, 코 불편감, 구강 건조, 두통, 불면증이 가장 빈번하게 보고되었다.

Rossi 등은 지속적 양압기 중단 후 비강 호기 양압기 사용의 효과를 조사했다. 이 연구는 지속적 양압기 중단 후 OSA의 재발을 예방하기 위한 비강 호기 양압기의 효과를 테스트하는 것을 목표로 하였다. 이전에 중등증에서 중증 OSA로 진단되고 지속적 양압기를 사용하는 67명을 대상으로, 2주 동안 계속 지속적 양압기 사용, 비강 호기 양압기 사용, 위약 비강 호기 양압기 사용의 그룹으로 무작위 배정하였다. 세 그룹 모두의 기준선 특성은 유사하였다. 2주 후, 비강 호기 양압기와 위약 그룹에서 OSA가 재발했다. 비강 호기 양압기군과 위약군 사이의 AHI나 ODI에 유의한 차이는 없었다. 비강 호기 양압기군의 평균 AHI가 지속적 양압기군보다 현저하게 높았는데, 각각 27.6와 2.4로 나타났다. 또한 ODI도 지속적 양압기군에서 4.3, 비강 호기 양압기군에서 35.8로 차이를 보였다.[38] 이 연구의 결과는 장치가 현재 지속적 양압기를 사용하는 중등증에서 중증 OSA 환자에게 사용하기에 적합한 대안이 아닐 수 있음을 시사한다.

14.2.3 구강 압력 요법(OPT)

독점적인 구강 압력 요법 장치인 Winx Sleep Therapy System (ApniCure Inc., Redwood City, CA)은 양압기 요법을 견디지 못하거나 지속적 양압기 사용을 꺼리는 환자를 위한 지속적 양압기의 대안으로 도입되었다. 이 장치는 튜브를 통해 중합체 마우스피스에 연결된 펌프 콘솔로 구성된다. 구강 압력 요법은 구강 내 가벼운 음압(진공 상태)처럼 전달된다. 이 음압은 혀의 안정화를 허용하고 구개후 영역의 확장을 기대하면서 연구개를 앞으로 당긴다.

Winx Sleep Therapy System은 마우스피스, 튜브, 콘솔로 구성된다. 마우스피스에는 튜브를 연결하는 연결부가 있는 lip seal이 내장되어 있다. 마우스피스는 맞춤화할 수 없지만, 너비와 호 사이즈를 결정하기 위해 교합 왁스 인상을 사용하고, 10가지 크기 중 선택할 수 있다. 콘솔에는 튜브를 통해 전송되어 구강으로 전달되는 구강 압력을 생성하는 펌프가 있다. 콘솔은 마우스피스와 튜브를 통해 배출되는 타액을 모으는 저장소를 보유한다. 독점 기술인 구강 압력 요법이 OSA를 치료하는 것으로 나타났다.[39] 치료 효과는 구강 압력 요법을 사용하는 동안 코로 숨을 쉬는 환자의 능력에 달려 있다. 전달된 음압은 적정할 수 없다; 그러나 피드백 제어가 지속적인 음압을 유지한다. 콘솔이 목표 진공 수준인 51 cmH_2O에 도달하면 콘솔의 표시등이 켜진다.

의식하 상태에서 MRI를 활용한 연구에 의하면, 장치에 의해 생성된 음압이 연구개를 전상방으로 이동시키고, 혀의 전상부를 전방으로 밀어내 측방과 전후방 용적에서 구개후 기도 구경이 증가하였다.[40] 장치에 대한 임상적 반응이 있는 환자는 무반응자보다 훨씬 더 우수한 연구개의 변위 및 혀의 전방 변위를 보이며 구개후 영역의 단면적이 더 크게 증가하는 것으로 나타났다. 흥미롭게도, 같은 연구에서 치료에 반응한 사람들이 설후부 단면적에서 유의한 감소를 보였다.[40]

다기관 전향적 무작위 교차 시험에서 OSA가 있는 성인을 대상으로 Winx 장치의 효과를 조사했다.[39] 연구 모집단은 지속적 양압기로 치료를 받았거나 받지 않은 OSA의 경증(AHI 5 이상 15 미만)에서 중증(AHI 30 이상)의 63명을 포함했다. 연구 대상은 주로 남성(69.8%)으로 구성되었으며, 평균 연령 53.6, 평균 BMI는 32.3이었다. 연구에서는 비강 개통이 불량하거나 마우스피스가 잘 안맞거나 심각한 의과적 또는 치과적 질환이 있거나 장치를 견디지 못하는 환자를 제외했다. 피험자들은 장치 없이 및 장치 장착 상태로 수면 다원 검사를 진행했고, 집에서 28일 사용 후 장치 착용하고 검사를 진행했다. 초기 수면 다원 검사(대조군 또는 장치 장착) 순서는 무작위로 정했다.

이 연구에서 성공률은 중등증과 중증 OSA 환자에서 각각 50%, 23%였고, 전체 성공률은 낮았다. AHI 중앙값은 대조군 밤에서 시간당 27.5회였다. 연구팀은 이 장치로 63명 중 20명(31.7%)에서 치료 AHI가 시간당 10 이하이고 대조군과 비교해서 50% 이하로 나타나서 임상적으로 유의한 반응이 있다고 하였다. 28일의 가정 사용 기간 동안 장치의 평균 야간 사용은 6시간이었고, 피험자의 84%는 밤에 장치를 4시간 이상 사용했다. 28일의 치료 기간 동안, ESS 점수는 OSA 치료를 받은 적이 없었던 피험자에서는 12.1에서 8.6으로 유의하게 감소하였고, 시험 기간까지 지속적 양압기를 사용하는 피험자에서는 변하지 않고 유지되었다.

3명의 피험자가 불편감 때문에 장치를 중단했고, 76%는 자신의 OSA 치료를 위해 장치를 사용할 것이라고 하여 장치에 대한 적응성은 전반적으로 좋은 편이었다. 사용 밤의 평균 50%에서 이상반응이 보고되었지만, 전반적으로 경미했으며 구강이나 치아의 불편감 또는 자극, 구강 건조가 있었다. 28일의 사용 기간 동안 유의미한 교합이나 치아 이동은 입증되지 않았다.

후속 연구에서 구강 압력 요법으로 시간당 10 이하의 AHI를 달성하는 성공률이 50% 미만으로 유지되었음을 보여주었다.[41,42] 일반적으로, 성공률은 중등증 OSA 환자에서 더 높았으며, 이는 연구군 성공의 정의 때문일 수 있다.

많은 보험이 치료 비용을 보장하지 않지만, 이 장치는 처방전 없이 사용할 수 있다. 구강 압력 요법은 대부분의 환자에게 상당한 본인 부담금일 수 있으므로, 그 효과를 확인하는 것이 더 바람직할 수 있다. Winx는 Winx 수면 다원도 어댑터를 사용하여 수면 다원 검사 시스템에 연결할 수 있다. 구강 압력 요법을 사용한 수면 연구는 무호흡/저호흡 빈도, 저산소증, 수면 구조의 개선을 확인할 수 있다. 효과를 확인하는 것 외에도 구강 압력 요법이 있는 수면 다원 검사는 적응도를 평가하고 목표 구강 압력 50–51 cmH_2O의 유지를 평가한다. 이 테스트를 제공하는 수면 센터에는 다양한 크기의 마우스피스가 있어야 하며 적절한 장착을 위해 훈련된 직원이 있어야 한다. 이는 임상 사용을 제한하는 일부 센터의 경우 자원 집약적일 수 있다.

아직까지는 Winx 장치의 성공에 대한 예측 변수가 없으므로 장치로 치료 성공을 확인해야 한다. 이 장치는 18세 미만 환자, 중추성 수면 무호흡 환자, 심각한 폐질환, 기흉, 치아 동요도, 진행성 치주 질환이 있는 환자에게는 사용하지 않는 것이 좋다. 구강 압력 요법은 BMI가 40 이상이고 비폐색이 있는 환자에게 적합하지 않을 수 있다. 이것은 OSA가 있는 선택된 그룹에서 AHI를 감소시킬 수 있지만, 대다수는 여전히 잔류 수면 무호흡이 있을 수 있다. 밀실 공포증이나 최적의 치열 미만인 환자에서는 이 요법이 선택지가 될 수 있다.[43]

14.2.4 설하 신경 자극

현재 시판 중인 설하 신경 자극기는 OSA 치료제로 FDA 승인을 받은 이식 가능한 프로그래밍 신경 자극기인 Inspire 장치(Inspire Medical Systems, Inc.)뿐이다. 이 장치는 신경 자극기, 감지 리드, 자극 리드의 세 가지 이식 구성 요소로 이루어진다. 신경 자극기는 우측 쇄골하부에 이식되어 늑간근의 내외측 사이에 위치한 감지 리드와 우측 설하 신경의 내측 분열에 위치한 자극 리드에 연결된다. 신경 자극기는 자극 리드를 통해 설하 신경에 전기 펄스를 전달하고, 감지 리드에 의해 호흡과 동기화된다. 환자가 휴대용 리모컨을 사용하여 장치를 켜고 끌 수 있다.[44]

상기도 자극으로 치료받고 있는 15명의 환자에 대한 연구에서, 구개후 및 설후 용적에 대한 설하 자극 효과를 조사했다. 의식하 후두경 검사와 약물-유도 수면 내시경 검사 중 기도를 비교한 결과, 환기와 함께 설하 신경의 일방적인 자극이 기도 면적의 다단계 증가를 유도하는 것으로 나타났다.[45] 연구는 더 높은 진폭의 자극으로 영역이 점진적으로 증가하는 각성 상태와 비교하여 약물-유도 수면 내시경 동안 치료 진폭에서 자극으로 구개후 기도 영역의 전후방 면적이 180%, 설후 면적이 130% 증가하는 것으로 나타났다. 의식하 내시경 검사 동안, 반응자(기준선 AHI에서 50% 감소 및 치료 AHI 20 미만으로 정의)와 비반응자 모두 설후 면적에 유의한 변화가 있었다. 그러나 약물-유도 수면 내시경 검사에서 치료에 대한 "반응자"는 무반응자보다 더 크고 통계적으로 유의한 구개후 비대를 갖는 것으로 밝혀졌다.[45]

상기도 자극 치료를 받은 14명의 환자에 대한 소규모 후향적 연구에서 자극과 관련된 혀의 움직임을 조사했다. 코호트 연구에서 3가지 동작이 확인되었다: 우측 돌출, 양측 돌출, 혼합 활성화(다른 모든 혀 동작). 6개월 후 양측 돌출이 있는 환자는 혼합 활성화 환자보다 AHI가 더 크게 감소하는 것으로 나타났다.[46]

장치 제조업체에 따라 Inspire 장치는 22세 이상의 환자, AHI가 15–65인 무호흡이 25% 미만인 중등증에서 중증의 OSA 환자, 구개 수준에서 기도의 완전한 동심성 허탈이 없는 환자에게 적용된다. 이 장치는 양압기 사용에도 불구하고 AHI 15 초과로 정의된 양압기 실패 환자나 주당 최소 5일 동안 4시간 이상 지속적 양압기를 사용할 수 없거나 양압기를 사용하지 않으려는 양압기 비적응 환자에게 적용될 수 있다. BMI 32 초과인 환자에서 설하 신경 자극 치료의 효과가 알려지지 않았기 때문에 이 치료는 권장되지 않는데, 이러한 환자가 장치 시험에서 제외되었기 때문이다.

장치의 원래 시험에서 지속적 양압기 치료를 수락하거나 준수하기 어려운 중등증에서 중증 OSA를 가진 대상이 등록 자격이 있었다. BMI 32 초과, 심각한 신경학적, 활동성 정신 질환, 심폐 질환이 있는 사람은 제외되었다. 수면 다원 검사로 초기 선별 후 AHI가 시간당 20회 미만이거나 50회 이상인 경우, 혼합성 또는 중심성 사건 25% 이상으로 구성된 수면 호흡 장애인 경우, 비-앙와위 자세에서 시간당 AHI가 10회 미만인 경우는 대상에서 제외했다. 또한 피험자는 자극의 효과적인 평가를 방해하는 해부학적 이상이나 약물-유도 수면 내시경에서 구개후 기도의 완전한 동심성 허탈이 관찰된 경우 기도 해부학을 기준으로 제외되었다.[44]

참가자의 평균 연령은 54.5세였으며 83%가 남성이었고 평균 BMI는 28.4였다. 참가자의 17%는 이전에 목젖구개인두 성형술을 받았다. 12개월에 피험자의 66%가 치료에 반응했으며 AHI 중앙값은 시간당 25.4회에서 7.4회로 68% 감소했다. ODI 중앙값은 시간당 25.4회의 이벤트에서 시간당 7.4회로 70%로 감소했다. 수면 설문지의 기능 결과 점수는 14.3에서 17.3으로 증가했고, ESS 점수는 12개월 시점에서 평균 11.6에서 7.0으로 감소하여 36개월 추적 관찰에서 안정적이었다. 3년차에, 36개월 평균 AHI는 14.2로 안정적인 감소를 유지하였고 중앙값은

7.3이었다. 코호트의 65%는 36개월에 AHI가 기준선에서 최소 50% 감소하고 치료 AHI가 20 미만인 것으로 정의된 반응자로 간주되었다.[47]

36개월 기간 동안 장기 반응자 대 비반응자의 기준선 특성 분석은 기준선 AHI에서 통계적으로 유의한 차이를 보여주었는데, 반응자의 기준선 AHI는 28.8, 비반응자는 35.0이었다. 피험자의 81%는 36개월에 야간 요법을 사용했다고 보고했다. 84%는 주당 4일 이상 사용한다고 하였다.

임상 시험 동안, 참가자의 40%가 자극과 관련된 불편감을 보고했다. 3년이 지나면서 불편감에 대한 보고가 1년차의 80건에서 24건으로 감소했다. 첫 해 동안 21%가 혀의 통증을 보고했다. 대부분의 경우 치료에 적응한 후 또는 기기를 다시 프로그래밍한 후 문제가 해결되었다. 어떤 경우에는, 치아 보호 장치가 필요했다. 참가자의 18%가 일시적으로 혀가 약해지는 경험을 했지만, 영구적이지 않았다. 두 증례에서, 신경 자극기의 재배치를 필요로 하는 불편감을 유발하는 장치 관련된 심각한 부작용이 있었다. 대부분의 심각하지 않은 부작용은 수술 절차와 관련되었으며 수술 후 예상되는 부작용이었다.

참고문헌

1. Douglas NJ, George CF. Treating sleep apnoea is cost effective. Thorax. 2002;57(1):93.
2. Westbrook PR. Treatment of sleep disordered breathing: nasal continuous positive airway pressure (CPAP). Prog Clin Biol Res. 1990;345:387–93; discussion 93–4.
3. Oksenberg A, Silverberg DS, Arons E, Radwan H. Positional vs nonpositional obstructive sleep apnea patients: anthropomorphic, nocturnal polysomnographic, and multiple sleep latency test data. Chest. 1997;112(3):629–39.
4. Teerapraipruk B, Chirakalwasan N, Simon R, Hirunwiwatkul P, Jaimchariyatam N, Desudchit T, et al. Clinical and polysomno-graphic data of positional sleep apnea and its predictors. Sleep Breath. 2012;16(4):1167–72.
5. Mador MJ, Kufel TJ, Magalang UJ, Rajesh S, Watwe V, Grant BJ. Prevalence of positional sleep apnea in patients undergoing polysomnography. Chest J. 2005;128(4):2130–7.
6. Oksenberg A, Dynia A, Nasser K, Goizman V, Eitan E, Gadoth N. The Impact of Body Weight Changes on Body Posture Dominance in Adult Obstructive Sleep Apnea Patients. In: de Vries N, Ravesloot M, van Maanen JP, editors. Positional therapy in obstructive sleep apnea. Cham: Springer International Publishing; 2015. p. 193–208.
7. Oksenberg A, Khamaysi I, Silverberg DS, Tarasiuk A. Association of body position with severity of apneic events in patients
8. Walsh JH, Leigh MS, Paduch A, Maddison KJ, Armstrong JJ, Sampson DD, et al. Effect of body posture on pharyngeal shape and size in adults with and without obstructive sleep apnea. Sleep. 2008;31(11):1543–9.
9. Lee CH, Kim DK, Kim SY, Rhee CS, Won TB. Changes in site of obstruction in obstructive sleep apnea patients according to sleep position: a DISE study. Laryngoscope. 2015;125(1): 248–54.
10. Bignold JJ, Deans-Costi G, Goldsworthy MR, Robertson CA, McEvoy D, Catcheside PG, et al. Poor long-term patient compliance with the tennis ball technique for treating positional obstructive sleep apnea. J Clin Sleep Med. 2009;5(5):428–30.
11. Oksenberg A, Silverberg D, Offenbach D, Arons E. Positional therapy for obstructive sleep apnea patients: A 6-month follow-up study. Laryngoscope. 2006;116(11):1995–2000.
12. de Vries GE, Hoekema A, Doff MH, Kerstjens HA, Meijer PM, van der Hoeven JH, et al. Usage of positional therapy in adults with obstructive sleep apnea. J Clin Sleep Med. 2015;11(2):131–7.
13. Levendowski DJ, Seagraves S, Popovic D, Westbrook PR. Assessment of a neck-based treatment and monitoring device for positional obstructive sleep apnea. J Clin Sleep Med. 2014;10(8):863–71.
14. Ravesloot MJL, van Maanen JP, Dun L, de Vries N. The under-valued potential of positional therapy in position-dependent snoring and obstructive sleep apnea-a review of the literature. Sleep Breath. 2013;17(1):39–49.
15. van Maanen JP, de Vries N. Long-term effectiveness and compliance of positional therapy with the sleep position trainer in the treatment of positional obstructive sleep apnea syndrome. Sleep. 2014;37(7):1209–15.
16. Permut I, Diaz-Abad M, Chatila W, Crocetti J, Gaughan JP, D'Alonzo GE, et al. Comparison of positional therapy to CPAP in patients with positional obstructive sleep apnea. J Clin Sleep Med. 2010;6(3):238–43.
17. Jokic R, Klimaszewski A, Crossley M, Sridhar G, Fitzpatrick MF. Positional treatment vs continuous positive airway pressure in patients with positional obstructive sleep apnea syndrome. Chest. 1999;115(3):771–81.
18. Skinner MA, Kingshott RN, Filsell S, Taylor DR. Efficacy of the 'tennis ball technique' versus nCPAP in the management of position-dependent obstructive sleep apnoea syndrome. Respirology. 2008;13(5):708–15.
19. Young T, Peppard PE, Taheri S. Excess weight and sleep-disordered breathing. J Appl Physiol. 2005;99(4):1592–9.
20. Peppard PE, Young T, Palta M, Dempsey J, Skatrud J. Longitudinal study of moderate weight change and sleep-disordered breathing. JAMA. 2000;284(23):3015–21.
21. Aurora RN, Collop NA, Jacobowitz O, Thomas SM, Quan SF, Aronsky AJ. Quality measures for the care of adult patients with obstructive sleep apnea. J Clin Sleep Med. 2015;11(3):357.
22. Foster GD, Borradaile KE, Sanders MH, Millman R, Zammit G, Newman AB, et al. A randomized study on the effect of weight loss on obstructive sleep apnea among obese patients with type 2 diabetes: the Sleep AHEAD study. Arch Intern Med. 2009;169(17):1619–26.
23. Johansson K, Hemmingsson E, Harlid R, Lagerros YT, Granath F, Rössner S, et al. Longer term effects of very low energy diet on obstructive sleep apnoea in cohort derived from randomised controlled trial: prospective observational follow-up study. BMJ. 2011;342:d3017.
24. Tuomilehto HP, Seppa JM, Partinen MM, Peltonen M, Gylling H, Tuomilehto JO, et al. Lifestyle intervention with weight reduction: first-line treatment in mild obstructive sleep apnea. Am J Respir Crit Care Med. 2009;179(4):320–7.
25. Anandam A, Akinnusi M, Kufel T, Porhomayon J, El-Solh AA. Effects of dietary weight loss on obstructive sleep apnea: a meta-analysis. Sleep Breath. 2013;17(1):227–34.
26. Greenburg DL, Lettieri CJ, Eliasson AH. Effects of surgical weight loss on measures of obstructive sleep apnea: a meta-analysis. Am J Med. 2009;122(6):535–42.
27. Sarkhosh K, Switzer NJ, El-Hadi M, Birch DW, Shi X, Karmali S. The impact of bariatric surgery on obstructive sleep apnea: a systematic review. Obes Surg. 2013;23(3):414–23.
28. Dixon JB, Schachter LM, O'Brien PE, Jones K, Grima M, Lam-bert G, et al. Surgical vs conventional therapy for weight loss treatment of obstructive

sleep apnea: a randomized controlled trial. JAMA. 2012;308(11):1142–9.

29. Fredheim JM, Rollheim J, Sandbu R, Hofsø D, Omland T, Røis–lien J, et al. Obstructive sleep apnea after weight loss: a clinical trial comparing gastric bypass and intensive lifestyle intervention. J Clin Sleep Med. 2013;9(5):427.

30. Ashrafian H, Toma T, Rowland SP, Harling L, Tan A, Efthimiou E, et al. Bariatric surgery or non–surgical weight loss for obstructive sleep apnoea? A systematic review and comparison of meta–analyses. Obes Surg. 2015;25(7):1239–50.

31. Berry RB, Kryger MH, Massie CA. A novel nasal expiratory positive airway pressure (EPAP) device for the treatment of obstructive sleep apnea: a randomized controlled trial. Sleep. 2011;34(4):479–85.

32. Patel AV, Hwang D, Masdeu MJ, Chen GM, Rapoport DM, Ayappa I. Predictors of response to a nasal expiratory resistor device and its potential mechanisms of action for treatment of obstructive sleep apnea. J Clin Sleep Med. 2011;7(1):13–22.

33. White DP. Auto–PEEP to treat obstructive sleep apnea. J Clin Sleep Med. 2009;5(6):538–9.

34. Administration FaD. PROVENT® Sleep Apnea Therapy. In: Services DoHH, editor 2010.

35. Provent Sleep Therapy L. 2015–2017. Available from: https://www. proventtherapy. com/provent–nasal–epap–patient–selection. php.

36. Rosenthal L, Massie CA, Dolan DC, Loomas B, Kram J, Hart RW. A multicenter, prospective study of a novel nasal EPAP device in the treatment of obstructive sleep apnea: efficacy and 30–day adherence. J Clin Sleep Med. 2009;5(6):532–7.

37. Kryger, Meir H., Richard B. Berry, and Clifford A. Massie. "Long–term use of a nasal expiratory positive airway pressure (EPAP) device as a treatment for obstructive sleep apnea (OSA)." Journal of Clinical Sleep Medicine (2011).

38. Rossi VA, Winter B, Rahman NM, Yu LM, Fallon J, Clarenbach CF, et al. The effects of Provent on moderate to severe obstructive sleep apnoea during continuous positive airway pressure therapy withdrawal: a randomised controlled trial. Thorax. 2013;68(9):854–9.

39. Colrain IM, Black J, Siegel LC, Bogan RK, Becker PM, Farid–Moayer M, et al. A multicenter evaluation of oral pressure therapy for the treatment of obstructive sleep apnea. Sleep Med. 2013;14(9):830–7.

40. Schwab RJ, Kim C, Siegel L, Keenan B, Black J, Farid–Moayer M, et al. Examining the mechanism of action of a new device using oral pressure therapy for the treatment of obstructive sleep apnea. Sleep. 2014;37(7): 1237–47.

41. Farid–Moayer M, Siegel LC, Black J. A feasibility evaluation of oral pressure therapy for the treatment of obstructive sleep apnea. Ther Adv Respir Dis. 2013;7(1):3–12.

42. Farid–Moayer M, Siegel LC, Black J. Oral pressure therapy for treatment of obstructive sleep apnea: clinical feasibility. Nat Scis Sleep. 2013;5:53.

43. Girdhar A, Berry RB, Ryals S, Beck E, Wagner M. A young man running out of treatment options. J Clin Sleep Med. 2015;11(10):1239.

44. Strollo PJJ, Soose RJ, Maurer JT, de Vries N, Cornelius J, Froy–movich O, et al. Upper–airway stimulation for obstructive sleep apnea. New Eng J Med. 2014;370(2):139–49.

45. Safiruddin F, Vanderveken OM, De Vries N, Maurer JT, Lee K, Ni Q, et al. Effect of upper–airway stimulation for obstructive sleep apnoea on airway dimensions. Eur Respir J. 2015;45(1): 129–38.

46. Heiser C, Maurer J, Steffen A. Functional outcome of tongue motions with selective hypoglossal nerve stimulation in patients with obstructive sleep apnea. Sleep Breath. 2016;20(2):553–60.

47. Woodson BT, Soose RJ, Gillespie MB, Strohl KP, Joachim T, Maurer M, Vries N, et al. Three–year outcomes of cranial nerve stimulation for obstructive sleep apnea. Otolaryngol Head Neck Surg. 2016;154(1):181–8.

Surgical Management of OSA

목차

OSA의 수술적 처치 – 아데노편도 절제술

Allison G. Ordemann and Ron B. Mitchell

목차

15.11 결과: 삶의 질, 인지, 행동, 심혈관 매개변수

15.11.1 삶의 질

15.11.2 인지 및 행동

15.11.3 심혈관 매개변수

15.12 보존적 관리와의 비교

15.13 결론

15.1 개요: 배경 정보

아데노이드 절제를 포함하거나 포함하지 않는 편도 절제술(T&A)은 미국에서 매년 50만 건 이상의 시술이 수행되는 가장 일반적인 소아 외과 수술 중 하나이다. 전반적으로, 재발성 급성 편도염에 대해 수행되는 술식이 급격히 감소했음에도 불구하고 T&A 비율은 1996년에서 2006년 사이에 거의 2배 증가했다. 이러한 성장은 소아 폐쇄성 수면 무호흡(OSA) 이환율에 대한 인식 증가와 이 수면 장애에 대한 T&A의 증가를 반영한다.[1] OSA 유병률은 모든 어린이에서 6%이지만 비만 어린이에서는 59%이다.[2] 어린이의 최대 20%가 임상 진단인 수면 호흡 장애[3]를 가지고 있고, 원발성 코골이에서 OSA에 이르는 스펙트럼을 포함한다. OSA는 종종 저산소혈증 기간을 초래하고 수면 다원 검사로 진단되는 정상적인 수면 구조를 방해하는 반복적인 폐쇄를 특징으로 한다. 아데노편도 비대는 소아에서 수면 호흡 장애의 주요 원인이며 T&A에 대한 가장 일반적인 징후이다.

15.2 편도 및 아데노이드 해부학, 생리학, 면역학, 목적

Walderyer 고리는 혀 편도, 구개 편도(편도), 인두 편도(아데노이드)를 포함하는 인두 내 림프 조직의 고리를 말한다. 두 번째 분지 주머니는 편도와 "편도 기둥"으로도 알려진 아치를 형성한다. 편도 전방 기둥은 구개설근으로 구성되고 후방 기둥은 구개인두 근육으로 구성된다. 편도는 경구개와 연구개의 접합부 바로 원심부인 구인두 내에 위치한다. 구개설근(전방 기둥), 구개인두근(후방 기둥), 상인두 수축근이 각각 편도의 전방, 후방, 측방에 있다. 편도에 대한 주요 동맥 공급은 안면, 설동맥 배측, 인두 상행, 소구개 상행, 소구개 동맥이 포함된다. 동맥 공급은 주로 하부 극을 따라 하방에 위치한다. 신경 공급은 주로 설인두 신경의 편도 분지와 소구개 신경의 하행 분지에서 이루어진다.[4] 비각화 편평 상피는 선와를 형성하는 일련의 10–30개의 점막 함입을 형성하여 편도 상피의 표면적을 증가시킨다. 아데노편도는 이차 림프 기관으로 기능한다. 특수화된 "M" 세포는 상피를 형성하고 항원을 내재화하여 주로 항체 주도 B 세포 적응 면역 반응을 시작한다. 편도의 면역학적 활성 수준은 보통 3세에서 10세 사이에 가장 크고, 그 이후에는 편도가 안으로 말리기 시작한다.[5]

2개의 외측 원시체가 함께 융합하여 정중선 아데노이드 조직을 형성하는데, 이 조직은 비인두 내측에서 귀인두관 융기의 내측, Passavant 능선의 상부, 후비공, 비중격의 후방에 놓인다. 주요 동맥 공급에는 상행 인두의 인두 가지, 상행 구개, 안면 동맥의 익상관 및 편도 분지의 기여가 적은 상악 동맥이 포함된다. 인두 신경총이 신경 분포를 제공한다. 아데노이드 패드는 위중층 섬모 원주 상피로 이장되어 있다. 구개 편도와 마찬가지로 상피는 상피의 표면적을 증가시키기 위해 복제된다. 아데노이드도 구개편도의 면역 기능을 반영하는 2차 림프 기관이다.[4]

15.3 편도선 절제술에 대한 적응증으로서의 OSA: 지침

미국 이비인후과학회 – 두경부 수술(AAO–HNS)의 2019년 임상 진료 지침에서는 OSA에 대한 T&A를 권장한다.[5] 수면 호흡 장애는 행동 문제, 삶의 질 저하, 야뇨증, 성장 장애, 학교 성적 저하를 포함하여 환자 건강에 해롭고 잘 알려진 장기적 영향을 미친다. T&A 치료 후 이러한 모든 영역에서 개선에 대한 증거가 있으므로 이 절차는 아데노편도 비대 및 수면 호흡 장애/OSA가 있는 아동의 1차 치료로 권장된다.

2012년 개정된 미국 소아학회의 임상 진료 지침에서도 OSA와 아데노편도 비대가 있는 소아의 경우 T&A를 1차 치료로 권장하고 있지만, OSA가 있고 아데노편도 비대가 없는 소아나 수술 위험이 심각한 경우에는 지속적 양압기를 고려해야 한다.[6]

15.4 수술 전 평가

15.4.1 신체 검사

T&A를 진행하기 전에 편도 크기를 기록하고 전체 두경부 검사를 수행하는 것이 중요하다. 편도 크기를 평가하는 데 가장 보편적으로 사용되는 척도는 Brodsky 등급 척도이다.[7] 편도는 편도 부재를 의미하는 0등급과 함께 1–4등급으로 부여된다(◘ 그림 15.1). 구인두 기도의(측방 크기) 25% 이하를 포함하는 편도는 1등급이 주어지며, 구인두 공간의 26–50%, 51–75%, 76–100%를 차지하는 편도에 등급 2, 3, 4를 부여한다. 편도 등급은 종종 1, 2, 3, 4등급 대신 1+, 2+, 3+, 4+로 기록되므로 둘 다 동의어로 간주되어야 한다.

Friedman scale은 두 번째로 많이 사용되는 등급 척도이다. 0–4등급으로 부여된다. 보이지 않는 편도(종종 편도 절제술 후)는 0등급이다. 편도와 내 편도가 있는 경우 1등급이 부여

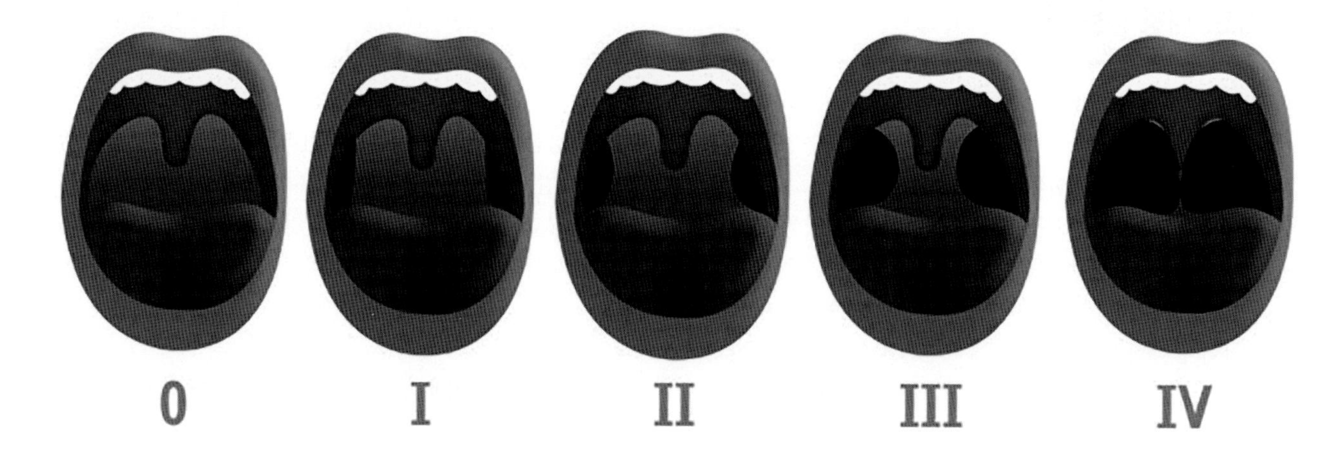

그림 15.1 **편도 비대 등급을 위한 Brodsky scale**[7]

된다. 전방 기둥 너머로 편도가 보이면 2등급이다. 정중선까지 75% 연장되면 3등급이다. 완전 폐쇄("키스" 편도)는 4등급이다.[8] 두 등급 시스템 모두 내시경 없이는 볼 수 없는 구인두를 상당히 폐쇄할 수 있는 내재편도를 설명할 수 없기 때문에 제한적이다.

최근 연구에서는 Brodsky scale이 Friedman scale보다 각각 0.954 및 0.721 대 0.932 및 0.647로 더 높은 평균 관찰자 내 및 관찰자 간 신뢰도를 보여주었다. 저자들은 미래 연구 보고를 균일하게 만들기 위해 임상 문서에서 독점적으로 사용하기 위한 Brodsky scale 채택을 지지했다.[9]

편도 크기 기록이 중요하지만, OSA 중증도의 주요 척도인 무호흡 저호흡 지수(AHI)와의 상관관계는 복잡하다. 2011년 AHI로 측정한 OSA 중증도와 편도 크기를 체계적으로 고찰하였는데, 둘 사이에 상관관계가 없었다. 20개의 연구가 포함되었는데, 4개의 연구만이 고품질이었고 모두 편도 크기와 AHI 사이에 유의한 상관관계를 발견하지 못했다. 비만과 증후군 아동은 제외되었지만, 편도 크기와 OSA 중증도가 이러한 아동에서 서로 다른 상관관계가 있다고 가정할 필요는 없다.[10]

2015년 기준 AHI 5 이상인 환자 70명을 대상으로 한 후향적 증례 보고에서 Tang 등은 아데노이드나 편도 크기가 OSA 중증도와 상관관계가 없음을 보여주었다.[11] 그러나 Brodsky 등급의 편도가 더 큰 환자에서 T&A 치료 후 OSA가 해결될 가능성이 더 높았다(AHI 1 미만). OSA의 전반적인 해결은 2+, 3+, 4+ 편도를 가진 어린이에서 각각 25%, 50%, 36%로 나타났다. AHI와 저호흡 지수는 모든 편도 크기 그룹에서 유의한 개선을 보였고, 무호흡 지수와 산소 포화도 최저점은 3+, 4+ 그룹에서만 유의하게 개선되었다. 하지만, 1+ 편도 그룹의 부족과 용적 분석 같은 객관적 측정이 부족하다는 한계점이 있다.

주관적 등급 방법과 달리 객관적인 편도 크기 측정은 OSA 중증도와 상관관계가 있는 것으로 나타났다. Howard와 Brietzke의 연구에서 수술 후 측정된 편도 무게는 수술 전 AHI와 유의한 상관관계가 있었지만 주관적인 아데노이드 크기, 편도 크기(Brodsky 등급), Mallampati 점수, 인두 측정값은 유의성이 없었다.[12] 그러나 편도 용적과 무게의 객관적인 측정이 주관적인 편도 측정과 잘 관련되어 있다는 사실 때문에 이는 복잡하다.[12] 따라서 객관적인 편도 크기는 특히 내재 편도에서 기도 수축을 더 잘 나타내지만 일반적으로 수술 후에만 수행할 수 있다.

더 정확한 측정을 위해 일부에서는 편도 크기의 내시경 분석을 옹호한다. 2017년 Patel 등은 50명의 환자를 대상으로 전향적으로 수행되는 전후방 및 내외측 크기 측정을 포함하는 새로운 내시경 편도 등급 시스템을 제안했다.[13] 편도가 정중선까지의 구인두의 너비나 깊이의 0–25%를 차지하는 경우 1등급을 부여하고, 2, 3, 4등급은 26–50%, 51–75%, 76–100%에 부여한다. 두 크기 모두에 등급 번호를 부여하고 최종 등급을 결정하기 위해 둘의 평균을 취했다. 이 시스템은 Brodsky scale, modified Brodsky scale(설압자 사용), Parikh adenoid scale(뒤에 검토)과 비교되었다. 모든 척도의 평가자 간 신뢰도는 modified Brodsky scale 0.83, Brodsky scale 0.89, Parikh scale 0.94, 새로 제안된 내시경 척도 0.98로 양호하였다. 그들은 OSA-18과 BMI(체질량지수)로 측정한 삶의 질과 다양한 척도의 상관관계도 연구했다. 주관적인 삶의 질 도구인 OSA-18은 최대 126점으로 신체적 증상, 주간 기능, 수면 장애, 정서적 고통, 간병인의 우려를 평가한다.[14] 그들은 BMI나 OSA-18 어느 쪽도 척도를 사용한 편도 크기와 상관관계가 없었지만, 아데노이드 크기는 OSA-18 점수와 상관관계가 있다는 것을 발견했다.

아데노이드 크기는 보편적으로 임상에서 유연한 내시경 검사, 측면 X-선 소견, T&A 시 비인두 기도 폐쇄를 기준으로 등급이 매겨진다. 수술 중, 아데노이드 패드에 의한 후비공 폐쇄율은 Brodsky 편도 척도(1등급: 0–25%, 2등급: 26–50%, 3등급: 51–75%, 4등급: 76–100%)와 유사한 방식으로 0%에서 100%까지 등급이 매겨진다. 내시경 검사는 서골, 연구개, 귀인두관 융기를 포함한 주변 구조의 아데노이드 비대로 인한 폐쇄의 비율을 평가하여, 술전 아데노이드 크기를 가장 정확하게 평가한다. Parikh 등은 아데노이드 패드와 주변 구조물의 접촉을 기반으로 하는 새로운 내시경 등급 시스템을 제안했다. 아데노이드 패드가 구조물과 인접하지 않고 완전히 분리되면 1등급이다. 2등급은 귀인두관 융기가 폐쇄된 경우, 3등급은 귀인두관 융기와 서골이 폐쇄된 경우, 4등급은 휴식 시 귀인두관 융기, 서골, 연구개가 폐쇄된 경우에 부여된다. 이것은 참가자 간 등급 재현성이 좋음을 의미하는 0.71(레지던트에서 0.62, 상담 의사에서 0.83)의 Kappa score로 검증되었다.[15]

15.4.2 수면 다원 검사

수면 다원 검사는 OSA의 진단과 정량화를 위한 황금 표준이다. 그러나 가격이 비싸고 번거로우며 종종 아동에게 사용할 수 없다. 2004년 체계적 고찰에 따르면 OSA를 예측하는 데 있어 병력과 신체 검사의 진단 정확도는 수면 다원 검사와 비교할 때 55%에 불과하다.[16] 그럼에도 불구하고 T&A 이전에 대다수의 아동에게 일상적으로 수행되지는 않는다. 실제로 수면 다원 검사는 수면 호흡 장애를 위해 T&A를 받는 아동의 약 10%에서만 획득된다.[11] 소아 이비인후과 전문의를 대상으로 한 조사에서 17%가 소아 수면 검사실을 이용할 수 없었고 평균 대기 시간이 6주 이상이었다.[17]

그러나 수면 다원 검사는 특정 아동 집단의 T&A에 앞서 수행되어야 한다. 미국 이비인후과학회 – 두경부 수술 2011년 지침에서, T&A 전 수면 다원 검사에 대한 적응증을 발표했다.[18] 수면 다원 검사는 비만, 다운증후군, 두개안면 이상, 신경근 장애, 겸상 적혈구 질환, 점액 다당류가 있는 아동에게 관례적으로 권장되었다. 이것은 수술 전후 위험 증가와 심각한 동반 질환이 있는 아동의 T&A 치료 후 OSA 지속 가능성을 반영한다. 지침은 편도 크기가 보고된 증상의 중증도, 즉 작은 편도 및 중증 증상과 상관관계가 없거나 수술의 필요성이 불분명한 경우 수면 다원 검사를 수행할 것을 권장한다. 술 후 수면 다원 검사는 중증의 OSA나 증상 지속이 있는 아동에게 권장된다.

미국 소아과학회와 수면의학회에서도 지침을 발표하였는데 미국 이비인후과학회 – 두경부 수술에서 발표한 지침과 다르며 T&A 전 수면 다원 검사를 보다 일상적으로 사용할 것을 반영한다. 2012년에 발표된 미국 소아과학회 지침에서는 OSA의 증상 및 징후가 있는 모든 아동에게 수면 다원 검사를 시행하고, 특히 검사를 즉시 시행할 수 없거나, 비만 아동에서 T&A 후 수면 다원 검사를 반복해야 하거나, OSA 후유증이 있거나, 술전 중증의 OSA 또는 증상이 지속되는 경우는 전문의에게 의뢰하라고 하였다.[19] 2011년 미국 수면의학회의 지침에는, 수면 다원 검사는 OSA로 T&A를 고려할 때는 술전에, 술전 경증 OSA에서 증상이 지속되는 경우는 T&A 술후에, 술전 중등증–중증 OSA, 비만, 신경학적 장애, 상기도 협착을 유발하는 두개안면 기형이 있는 모든 환자에서는 T&A 후에 적용하라고 하였다.[20]

15.4.3 임상 병력

수면 다원 검사 없이 T&A 진행을 선택하는 것은 편도 크기 평가에 의해 지지되는 임상 병력에 의존하는 경우가 많다. OSA를 성공적으로 예측하기 위해 대부분 설문 형태로, 여러 증상 관련 도구의 유용성에 대한 많은 연구가 수행되었다. 그러나 OSA 진단에 특정하고 민감한 도구는 없는 것으로 나타났다.

Ishman 등은 수면 다원 검사와 비교하여 OSA를 예측하는 OSA-18 삶의 질 도구의 능력을 평가했다. 수면 다원 검사에서 60이상의 총 증상 점수(126점 만점)와 1 이상의 폐쇄성 AHI의 기준을 사용하면 OSA-18은 백인 아동에서 100% 특이도와 50% 민감도를 가지지만, 비-백인 아동에서는 67%의 특이도와 56%의 민감도를 가진다. 진양성률이라고도 하는 민감도는 조건을 가진 사람을 올바르게 식별할 확률을 결정한다. 따라서 인종에 관계없이 OSA-18은 수용할 수 없을 정도의 높은 위음성률을 보였다. 진음성률이라고도 하는 특이도는 조건없는 항목을 정확하게 식별하는 검사 능력을 결정한다. 이 연구에서 OSA-18은 비-백인 아동에서 수용할 수 없을 정도로 높은 위양성률을 보였으나, 백인 아동에서 위양성률은 없었다. 따라서 백인 어린이에서 60 이상의 OSA-18 점수는 OSA를 정확하게 진단할 가능성이 높다. 그러나 민감도가 낮기 때문에 60 이하의 OSA-18 점수가 인종에 관계없이 OSA를 배제하지 않는다. OSA-18은 두 집단 모두에서 OSA를 정확하게 예측하기 위해 수면 다원 검사 대신에 사용될 수 없다고 판단되었다.[21]

Chervin 등은 OSA를 예측하기 위해, 더 큰 소아 수면 설문지 내 22개 항목의 수면 호흡 장애 척도 사용을 먼저 분석했다. 0.33(33%)의 점수는 OSA 수면 다원 검사에서 AHI가 5 이상인 환자의 경우 각각 83%, 87%의 민감도와 특이도를 나타내고, AHI가 5 이하인 환자에서 각각 88%, 87%의 민감도와 특이도를 나타낸다.[22] 동일한 그룹의 종단 연구에 대한 추적 후향적 분석에서는 높은 수면 호흡 장애 점수(평균보다 1SD 높음)에 대한 OSA (AHI 1 이상)의 승산비가 2.80 증가하였다. 33%의 동일한 호흡 장애 점수 기준을 사용하여 OSA (AHI 1 이상)는 민감도 78%와 특이도 72%로 증례의 74%를 정확하게 예측되었다. 또한, 그들은 T&A 1년 후 수면 호흡 장애 점수의 개선이 수면 다원 검사 결과보다 ADHD 척도의 개선을 더 정확하게 반영한다는 것을 발견했고[23], 이것은 수면 다원 검사보다 행동 결과를 더 잘 예측하는 능력을 시사한다. 둘 다 주간 졸음과 주의력 향상을 예측하는 데 똑같이 효과적이었다.

이런 결과는 아동기 아데노편도 절제술(CHAT) 다중 기관 연구의 일부로 복제되었다. 소아 수면 설문지의 수면 호흡 장애 부분은 실행 기능 장애, 행동, 삶의 질, 졸음을 포함한 이환율의 주관적 측정의 술후 개선을 예측했다. 술전 더 큰 증상 부담을 가진 사람들이 개선될 가능성이 더 높았다. 대조적으로, 수면 다원 검사에 대한 OSA의 중증도는 술후 이러한 영역의 개선과 독립적으로 상관관계가 없었다. 저자는 한 장 분량의 설문지인 수면 호흡 장애 부분이 많은 주관적 OSA 관련 증상의 중증도를 평가하는 쉽고 빠른 방법이며, T&A 후 OSA 아동의 수술 반응을 예측할 때 객관적인 수면 다원 검사를 대신하는 것이 아니라 추가로 활용되어야 한다고 하였다.[24]

다른 CHAT 연구 논문에서, 인구 통계학적 및 신체 검사 데이터와 부모가 작성한 3개의 주관적 설문지인 소아 수면 설문지, OSA-18, Epworth 수면 척도(ESS: 구간 졸음을 평가하는 24개 항목 중 8개 항목의 설문지)를 수면 다원 검사와 비교할 때 OSA 중증도를 결정하는 능력에 대해 분석했다.[25] 선형 회귀 분석에 대한 몇 가지 상관관계에도 불구하고, OSA 중증도를 정확하게 예측한 통계 모델은 없었다. 그들은 설문지의 주관적 특성이 예측 도구로서의 낮은 효율성에 기여할 수 있다는 가설을 세웠다.

15.5 수술 전 동의

사전 동의는 T&A를 포함한 모든 수술 절차에서 중요하고 필요한 부분이다. 보호자가 질문하고 정보에 입각한 답변을 얻을 수 있도록 T&A에 대한 위험, 장점, 대안에 대한 적절한 상담이 중요하다. 결정에 참여할 수 있는 나이가 많은 어린이 모두 이 과정에 포함되어야 한다. 동의 절차의 세부 사항은 기관, 주, 나라마다 다르다. 그러나 위험 논의에는 전신 마취, 기도 개방, 술중 및 술후 출혈, 수혈 필요, 통증, 술중 호흡기 합병증(재삽관이나 비침습적 양압 환기 필요), 술중 심장 합병증, 사망, 메스꺼움, 구토, 구취, 귀 연관통, 인두 열감, 탈수, 경구 섭취 감소, 장기 입원, 재입원, 정상 활동 및/또는 학교 복귀 지연, 아데노이드나 편도의 재성장, 미각 장애, 추가 수술의 필요성, 환추 아탈구, 인두 부전, 비인두 협착증, 수면 호흡 장애 지속, 목소리/말의 변화, 치아, 입술, 잇몸, 혀, 인두, 눈의 손상 등이 포함되어야 한다.[5] 2016년 전향적 코호트 연구에서 사전 동의 과정을 비디오로 녹화하고 부모의 위험과 이점을 회상하는 능력을 평가한 결과 수술 위험의 1/3만 언급되었다. 장점은 위험보다 더 쉽게 언급되었으며 부모의 11.9%는 위험에 대한 설명은 없었다고 진술했다. 흥미롭게도, 수술 위험을 기억할 가능성이 낮은 부모에서 수술 진행의 가능성이 더 높았다.[26] 이는 동의 과정에서 상담과 기록에 적절한 시간을 할애하고, 편파적이지 않은 당사자가 동의를 목격하도록 하는 것의 중요성을 강조한다.

가장 흔한 위험 중 하나는 편도 절제술 후 출혈이 있다. 2011년 임상 진료 지침에서는 술후 1차 출혈(술후 24시간 이내) 및 2차 술후 출혈의 비율이 각각 0.2-2.2%, 0.1-3%로 보고되었다.[5] 2017년 6,299명의 아동을 포함한 경증-중등증 위험 편향 연구 104건에 대한 비교 유효성 검토에서 전체 편도 절제술의 경우 평균 술후 출혈이 4.2%, 부분 절제술의 경우 1.5%라고 하였다. 술후 출혈은 재발성 감염보다 수면 호흡 장애로 편도 절제술을 받은 경우에 더 많았다. 그러나 신뢰 구간의 상당한 중복으로 인해 확실한 결론이 나오지는 않는다.[27] 대부분의 연구에서 재입원율은 5% 미만이었다. 1,778,342명의 아동으로 구성된 대규모 데이터 표본에서 아데노편도 절제술 후 4명이 사망한 것으로 보고되었다. 어느 수술 방법도 술후 출혈 비율에 차이를 제공하지 않았다.

15.6 수술 전 평가

15.6.1 수술 준비

많은 환자들이 자립형 외과 센터를 포함하여 외래 환자로 안전하게 T&A을 받을 수 있다. 비-종합 병원에서 수술받을 수 있는 환자를 결정하는 것이 중요하다. 중증의 OSA (AHI 10 초과), 다운증후군, 뇌성마비, 겸상 적혈구 질환, 신경근 장애, 두개안면 이상, 비만(BMI 30 초과 또는 백분위 BMI z-score 95 초과), 성장 장애, 최근의 호흡기 감염, 주요 심장 질환, 출혈성 질환, 3세 미만, 기타 심각한 동반 질환이 있는 경우는 합병증의 위험이 증가하므로 입원해야 한다.[5] 병원에서 멀리 떨어져 사는 사람이나 미국 마취학회 점수가 높은 사람(3점 이상)도 T&A 후 입원을 고려할 수 있다.[28]

수술 후 야간 관찰 외에도 겸상 적혈구병 환자는 일반적으로 40% 미만 헤모글로빈 S 비율 및/또는 헤모글로빈 100 g/L 초과 수준을 목표로 적극적인 수분 공급과 수혈을 위해 수술 24시간 전에 입원한다. 그들의 통증은 술후 잘 조절되어야 하고 겸상 적혈구 통증 위기를 피하기 위해 적절한 수액 요법이 필요하다.[28]

15.6.2 특수 실험실 평가나 영상

보편적으로, 아동에게 심각한 출혈 병력이 있거나 출혈 장애의 개인이나 가족력이 없다면, T&A 전 일상적인 술전 실험식 분석은 이루어지지 않는다. 출혈 위험을 배제하기 위해, T&A 치료 전 PTT, PT 및/또는 국제 정상화 비율(INR) 같은 일상적인 술전 응고 검사의 유용성을 조사한 여러 연구가 있다.[29–31] 연구는 낮은 민감도와 특이도를 보고하고 일상적인 수술 전 응고 검사는 비용–효과가 없음을 보여준다. 임상 병력이 주요 출혈 사건 및/또는 출혈 장애를 시사하는 경우, 응고 검사 및/또는 혈액학 상담을 통한 선별이 보증되어야 할 것이다. 응고 장애의 존재는 T&A의 절대적 금기증이 되어서는 안 되며, 개별 아동의 위험과 이점을 기반으로 해야 할 것이다. 최근의 후향적 검토에서, 혈액학적 장애가 확인된 14명의 환자 중 1명만이 술후 출혈을 경험하였다.[32]

일상적인 영상 촬영도 수행되지 않는다. 그러나 다운증후군 환자는 수술 전 경추의 굴곡, 신전, 측방 X-ray, 신경학적 검사를 받아야 한다. 대략, 다운증후군 환자의 10–20%에서 영구적인 신경학적 결함을 유발할 수 있는 환추 아탈구의 위험이 있다. 따라서, 검사상 신경학적 결함이 있거나 경추 1, 2번 사이 간격이 4.5 mm를 넘는 환자는 척추 전문의에게 의뢰해야 한다.[33]

15.6.3 수술 전후 위험 아동 식별을 위한 선별 도구

환자와 그 가족에게 적절한 상담을 제공하기 위해, 특히 수면 다원 검사가 OSA 중증도를 정량화하지 않는 경우, 수술 전후 호흡기 이상 반응(PRAE)의 위험이 증가할 수 있는 아동을 예측하려고 시도하는 것이 중요하다. Tait 등은 PRAE의 위험이 있는 아동을 신속하게 식별하기 위한 표준화된 접근 방식의 일환으로 수면 호흡 장애 설문지 내 개별 질문의 예측 가치를 조사했다. 그들은 밤에 아이의 수면과 관련된 5가지 질문(시끄러운 코골이, 밤의 절반 이상 코골이, 호흡의 어려움, 목격된 무호흡, 상쾌하지 않은 기상)에 대해 예라고 대답하는 것이 PRAE를 강력하게 나타내는 것이라고 하였다. STBUR scale은 위험성이 있는 아동을 식별하기 위해 수면 호흡 장애 내에서 이러한 5가지 질문을 분리하여 개발되었다.[3] PRAE의 가능성은 3개의 질문에 참(예라고 대답)이면 3배, 5개 질문이 모두 참이면 10배로 증가했다.

이와 유사하게, 마취학, 호흡기학, 이비인후과를 포함하는 또 다른 다학제 연구에서, 소아 수면 설문지의 6개 질문에서 수술 전후 합병증이 마취 후 회복실 장기 입원 및 보충 산소 필요로 이어지는 OSA가 있는 아동을 확실하게 식별했다.[34] 이 짧은 소아 수면 설문지는 수면 다원 검사와 비교할 때 OSA를 식별하는 데 89%의 민감도와 41%의 특이도를 보였다. 수면 다원 검사에 대한 OSA와 설문지 6점 만점의 2점 이상은 회복실에서 산소 보충의 필요성과 유의하게 관련이 있었지만, 회복실 장기 체류와는 관련이 없었다.

15.7 편도 절제술식: 낭외 대 낭내

수행되는 편도 절제술의 현대적이고 가장 일반적인 방법은 완전 편도 절제술이라고 알려진 낭외법이다. 이 방법은 편도낭 바깥쪽과 인두 근육 조직(상인두 수축근, 구개설근, 구개인두근)의 내측인 무혈 근막 평면에서 절개하여 편도선을 완전히 제거한다. 1930년 Fuller에 의해 대중화되었고[35], 이 기술을 정확하고 무혈 방식으로 수행하기 위해서 봉합사 결찰이나 공급 혈관의 소작이 필요하며 오늘날 후자가 더 일반적이다.

편도 절제술 후 가장 걱정되는 주요 술후 문제는 통증과 출혈이다. 선택한 전기 소작 장치에 따라 편도 내의 열 발산은 최대 400°C까지 상승할 수 있으며 주변 조직으로 퍼질 수 있다. 이것이 편도 절제술과 관련된 술후 통증의 주요 원인으로 생각된다.[36] 낭외 편도 절제술과 관련된 통증은 인두 근육 조직이 재점막화될 때까지 가라앉지 않는다.[35]

소작 기술과 관련된 술후 통증에 대한 우려로 인해, 편도 절단술이나 부분 편도 절제술로도 알려진 낭내 편도 절제술이 다시 인기를 얻고 있다. 이것은 20세기 초반에 인기를 끌었지만, 잔여 편도선이 재감염을 유발하고 류마티스 열이나 성홍열과 같은 후유증이 증가한다는 우려로 버려졌다.[36] Koltai 등은 낭내 절제술 시, 염증과 후속 통증을 줄이는 "생물학적 드레싱"으로 작용하는 편도 바닥/인두 근육 조직에 소량의 편도 조직을 남기면 술후 통증이 감소한다고 제안했다. 그는 또한 편도 절제술 후 출혈과 제거된 편도 조직 양 사이에 반비례 관계가 있다는 가설을 세우고, 혈관(낭으로 들어가는)의 직경이 클수록 편도선으로 들어가는 혈관이 더 심부로(또는 측방으로) 접근한다고 주장했다.[35]

낭내법을 지지하는 사람들은 이 술식이 술후 통증을 감소시켜 통증 및/또는 탈수로 인한 계획되지 않은 입원을 감소시킨다고 주장한다. Kim 등이 시행한 최근 메타 분석에서 미세절제술을 사용한 낭내법(아데노이드 절제술 포함)이 낭외법에 비해 술후 통증, 재입원, 진통 정도, 정상 식이와 활동까지의 일수를 유의하게 감소시키는 것으로 나타났다.[37] Lee 등은 15개 연구에 대한 별도의 메타 분석을 통해 OSA 관리에 대한 낭내법(645명) 대 낭외법(620명)의 효과를 조사했다. 이 메타 분석에서 미세절삭기와 Coblator를 이용한 술식을 비교했는데, 술후 통증이나 출혈의 결과에 차이가 없는 것으로 나타났다. 이와 유사하게, 그들은 낭외 그룹에 비해 낭내 그룹에서 술후 통증, 출혈, 진통제 사용, 정상 활동까지의 일수, 식이 재개가 유의하게 감소되었음을 발견했다.[38]

낭외법 지지자들은 낭내법이 편도 재성장을 크게 증가시켜 OSA에 대한 편도 절제술의 장점을 모호하게 할 수 있다고 주장한다. 두 메타 분석 모두 편도 재성장의 유의한 증가를 보고했고[37,38], 한 메타 분석에서는 낭내법과 낭외법의 상대 위험 비율이 6.02라고 하였다.[38] Solares 등은 미세절삭기를 이용한 낭내 술식을 받은 870명의 아동에 대한 다중 센터 후향적 증례 보고에서 14개월의 비교적 짧은 추적 기간 동안 0.46%의 재성장률을 보였다고 했다.[39]

낭내법과 낭외법 코호트 사이의 수술 후 수면 다원 검사 결과를 평가하는 전향적 무작위 대조 시험이 수행되지 않았기 때문에 편도 재성장의 임상적 중요성은 알려져 있지 않다. 최근 70명의 어린이가 미세절삭기 낭내법을 받은 일련의 증례에서 술전 및 술후 수면 다원 검사 사이에 AHI, 평균 및 최저 산소 포화도의 감소가 나타났다. 그러나 이 연구에는 비교 낭외법이나 대조군이 부족했다.[40] 2016년, OSA에서 술후 수면 다원 검사 매개변수에 대한 낭내법 대 낭외법의 효과에 대한 또 다른 후향적 검토에서, 훨씬 더 비만하고 더 나이 든 아동 52명의 낭외법 코호트를 37명의 낭내법 코호트와 비교했다. 낭외법 및 낭내법 코호트 모두 술후 OSA 치료율이 각각 79%와 76%로 높았지만, 이 연구의 후속 관찰은 짧았고 연구군도 적었으며 나이와 비만에 대한 통제도 부족했다. 또한, 신경학적 혹은 두개안면 장애가 있는 아동은 제외되었다.[41] 가장 큰 후향적 검토에는 75명의 낭내법과 93명의 낭외법 환자가 포함되었다. 이전 연구에서와 같이 낭내법 코호트는 상당히 젊고 덜 비만한 반면, AHI, 산소 포화도 최하점, 술후 합병증 비율의 개선은 두 그룹에서 유사했다. 그룹 사이에 현저하게 다른 유일한 술후 합병증은 편도 재성장으로 낭내법 및 낭외법 코호트에서 각각 2.2% 대 0%였다.[42]

Lee 등의 메카 분석에서 편도 재성장은 AHI에 악영향을 미치거나 악화시키지 않았다.[37] 그러나 두 메타 분석에서 대부분의 연구는 OSA-18을 활용하여 편도 재성장의 임상적 영향을 평가했다. 두 분석 모두에서 낭내법과 낭외법 코호트 간에 이러한 도구를 사용할 때 삶의 질에 차이가 없음을 보여주었다.[37,38]

예비 증례 시리즈와 후향적 코호트 검토의 데이터가 낭내법 이후 OSA 치료의 성공률에 대한 약속을 보여주지만 모든 연구에서 충분한 표본 크기나 충분한 추적 기간이 부족하다. 따라서 낭내법을 동등하거나 우수한 방법으로 채택하기 전에 정상, 과체중, 비만 아동뿐만 아니라 OSA와 의학적 동반 질환이 있는 아동의 술후 AHI에 대한 편도 재성장의 효과에 대한 더 높은 수준의 증거를 확보하는 것이 필수적이다.

15.8 수술 기구

15.8.1 편도 절제술

T&A를 수행하는 데 사용되는 다양한 수술 기구가 있는데, 여기에는 양극성 고주파 절제기, 단극성 전기 소작기, 양극성 전기 소작기, 미세절삭기, 고주파 메스, 열 용접기, KTP나 CO_2 레이저, 초음파 절개기, 냉강 기술(Snare) 등이 해당된다. 여기서는 가장 일반적인 기술을 고찰한다.

Coblation 또는 플라즈마-매개 절제라고도 알려진 양극성 고주파 절제술은 1998년에 도입된 후 점점 더 대중적인 기술이 되었다. Coblator는 70°C의 최대 열 온도를 생성하는 등장 식염수 같은 나트륨이 풍부한 매체 내에서 교류를 생성하여 조직을 분리시킨다.[43]

29개의 연구와 낭외 박리를 받은 2,561명의 참가자를 포함하는 2017년 Cochrane 고찰에서 술 중 및 술후 이환율과 비용을 판단하기 위해 coblation과 편도 절제술의 다른 술식을 비교하였다.[44] 연구 간 이질성은 비용, 재수술의 필요성, 술후 감염에 대한 결론을 배제했다. 1차[위험비(RR) = 0.99; 95% 신뢰 구간(CI) 0.48–2.05)]와 2차(RR = 1.36; 95% CI 0.95–1.95)의 편도 절제술 후 출혈율의 위험은 동일했고, 1일차 통증률은 낮았으며 7일차의 통증율은 같았지만, 근거의 질이 빈약했다. 다른 기술에 비해 coblation을 지지하는 증거는 부족하지만 비용이 더 높은 경우가 많다. 그러나 존재하는 증거에 따르면 통증 비율이 낮을 수 있는 다른 술식과 동일한 효능과 안전성을 나타낸다. 낮은 열 손상으로 부수적인 조직 손상을 덜 유발하는 것으로 추정되고 지혈을 얻을 수 있기 때문에 선호도가 높다.

단극성 전기 소작기(즉, Bovie)는 널리 사용되는 또 다른 술식이다. 단극성 전기 소작기는 환자에게 접지 전극을 배치하여 회로를 완성하는 휴대용 단극 장치이다. Coblator와 비교할 때 이 장치는 염분이 풍부한 매체를 필요로 하지 않으며 600–700°C에 도달하는 온도에서 직류를 사용하는 단극 전극에 의해 열 효과를 만든다.[45] 인공와우, 제세동기, 심장박동기와 같은 금속성 이식 장치를 사용하는 환자에게는 사용하지 말아야 한다.

2017년 Agency for Healthcare Research and Quality는 편도 절제술에 관한 문헌에 대한 체계적 고찰에서 다양한 수술기법의 효과에 대한 결론에 도달하지 못했다. 그들은 coblation과 전기소작을 비교한 4건의 무작위 대조 시험을 확인했다. 무작위 대조 시험의 절반은 coblation 그룹에서 더 빨리 정상 식단과 활동으로의 복귀를 발견했지만, 다른 차이는 찾지 못했다. 단극 전기 소작술과 냉강 절제술을 비교한 3건의 소규모 무작위 대조 시험에서 정상 활동과 식이요법으로의 복귀는 1개 그룹에서 전기소작군에서 더 빨랐지만, 2개 시험에서는 냉강 절제술에서 더 빨랐다. 따라서 문헌은 편도 절제술에 대한 다양한 수술기법의 효과에 관한 혼합된 증거로 구성되어 있으며 다른 장치보다 한 가지 사용을 뒷받침하는 높은 품질의 증거는 거의 없다.

15.8.2 아데노이드 절제술

편도 절제술과 유사하게 다양한 기구를 사용하여 아데노이드 패드를 제거할 수 있다. 전통적으로 아데노이드는 블라인드 방식의 냉강 술식인 큐렛으로 제거되었다. 이 술식으로 조직을 일괄적으로 제거하고 표본을 얻을 수 있다. 출혈 조절이 어려울 수 있고 혈관수축제를 충전한다. 대부분은 각진 거울을 사용하여 간접 시각화 보다 현대적인 술식을 사용한다. 일단 시야가 확보되면, 흡인 전기소작(흡인 Bovie), 양극성 고주파 절제(Coblator), 미세절삭기로 아데노이드 패드를 제거할 수 있다. 그러나 미세절삭기도 충전이나 소작을 통한 지혈이 필요하다. 아데노이드 절제술 후 출혈율은 편도 절제술 후에 비해 현저히 적다.

15.9 수술 후 관리

15.9.1 통증

T&A 후 통증 관리는 제공자와 기관에 따라 다르다. 일반 의약품과 마약성 진통제를 포함하는 통증 관리에 대한 다양한 접근 방식이 있다. 통증 관리는 마약을 고려하기 전에 일반 처방전 없이 살 수 있는 진통제(종종 처방됨)로 시작해야 한다.[5] 호흡 억제와 같은 아편유사제 부작용에 대한 민감도가 증폭되기 때문에 심한 OSA가 있는 비만 아동의 경우 마약을 삼가는 것이 특히 중요하다. 적절한 체중 기반 용량의 codeine을 투여받은 아동이 T&A 후 여러 명 사망한 후 2012년 FDA에서 안정성 조사를 시작했다.[46] 2013년 2월 미국 FDA는 "초고속 대사자"로 간주되는 다수의 아동의 사망이 보고된 후 12세 미만 어린이의 T&A 후 codeine 사용에 대한 안정성 조사 후 블랙박스 경고를 발표했다. 이것은 전구약물 codeine의 morphine으로의 전환을 담당하는 P450 시스템의 일부인 다형성 CYP2D6 효소를 나타낸다(◘ 표 15.1).[47] 일반적으로 codeine의 10%만이 morphine으로 전환된다. 그러나 "초고속 대사자"에서는 일반적으로 허용되는 양의 codeine이 간에서 더 크고 치명적인 양의 morphine으로 전환된다. 초고속 대사자 표현형 발생률은 인종 그룹에 따라 다르고 에티오피아, 아랍, 북아프리카 혈통에서 가장 흔하다.[48] 2017년 4월 FDA는 OSA, 만성 폐질환이 있거나 비만인 경우 12–18세 어린이의 T&A 후 통증 조절을 위해 codeine 모두를 사용하지 않도록 경고했다. 미국 소아과학회도 18세 미만의 모든 어린이에게 진통제와 진해제로의 codeine 사용에 대해 광범위한 권고를 발표했다.[49]

FDA의 가장 강력한 경고인 금기 사항은 T&A 치료 후 18세 미만 환자의 tramadol 사용에 대해서도 발표되었다.[50] 또한 전구약물인 tramadol은 CYP2D6 경로와 μ-opioid 수용체에 작용하는 활성 대사물 O-DMT를 통해 대사된다. "초고속 대사자"에서 T&A 후 심각한 호흡 억제가 발표되었다.[51]

Codeine과 tramadol 사용에 대한 여러 권장 사항이 있지만 T&A 기간 동안 다른 마약성 진통제의 사용에 대해 발표된 것은 상대적으로 거의 없다. Hydrocodone과 oxycodone은 통증 조절을 위해 성인에게 자주 사용되는 2가지 경구 마약이다. Hydrocodone은 morphine의 2배의 효능을 가진 활성 약물이며,

15

■ 표 15.1 마약성 진통제의 특성

약물	활성 또는 전구약물	효소 경로	활성 대사 산물
Codein	전구약물	CYP2D6	Morphine
Morphine	활성	UGT2B7	M6G (Morphine 6-glucuronide)
Tramadol	전구약물	CYP2D6	O-DMT (O-demethylated)
Hydrocodone	활성	CYP2D6 (major) CYP3A4 (minor)	Hydromorphone
Oxycodone	활성	CYP3A4 (major) CYP2D6 (minor)	Noroxycodone Oxymorphone

주요 대사 경로는 CYP2D6 경로를 통해 dilaudid라고도 알려진 hydromorphone을 생성하는 것이다.[51] 이것은 "초고속 대사자"에서 8배 더 높은 농도의 hydromorphone으로 이어질 것이다. 또한 여러 다른 약물 종류에서 사용되는 CYP3A4 경로를 통한 동일한 대사로 인해 심각한 약물 간 상호 작용이 발생할 수 있다. Clarithromycin (CYP3A4 경로 사용)을 hydrocodone과 동시에 복용하는 아동의 치명적인 과다투여가 보고되었다.[52] Oxycodone도 주로 CYP3A4 효소 경로를 통해 대사되고, 최소한 CYP2D6 경로를 통해 대사되는 활성 약물이다. 이것은 초고속 대사자에서 아편유사제 독성의 위험을 줄일 수 있지만 아동에 대한 안정성에 관한 데이터는 부족하다. 둘 다 Schedule II 약물이다. Schedule II 약물은 전화, 팩스, 이메일로 요구하거나 리필할 수 없다.[53] 미국 소아과학회는 약물 간의 상대적 유사성과 아동의 안전 정보 부족을 고려할 때 외래 환자의 통증 조절이 필요한 경우 마약성 진통제 사용을 권장하지 않는다.[49]

미국 이비인후과학회 – 두경부 수술(AAO-HNS)[5]의 2011년 임상 진료 지침은 경구 약물이 거부된 경우 경구나 직장으로 예정된 방식으로 전달되는 T&A 후 통증 조절을 위해 일반 의약품의 체중 기반 투여를 권장했다. 필요에 의해서가 아닌 계획에 따른 약물 사용이 통증 조절에 더 유리하다는 증거는 없다. 그러나 보호자의 협조는 적절한 술후 통증 조절을 달성하는 데 필수적이며 보호자는 계획된 시간에 약물 복용에 대한 지시를 받은 경우 더 주의를 기울일 수 있다. 또한 보호자에게 술후 통증 평가를 자주 하도록 교육할 것을 강조한다. AAO-HNS는 이부프로펜과 아세트아미노펜 모두 T&A의 일반의약품 진통제로 권장한다.[5] 수술 전후 국소마취제, 항생제, ketorolac, 국소 제제의 사용은 권장되지 않는다.

한때 논의된 적이 있는, NSAID의 사용은 편도 절제술 후 출혈의 위험 증가와 관련없다. 약 1,000명의 아동을 대상으로 한 13건의 무작위 대조 시험을 포함한 2005년 Cochrane 고찰에서는 재수술이 필요한 술후 출혈에 대한 승산비가 0.91인 다른 진통제와 비교하여 NSAID 사용 시 출혈의 위험이 유의하게 증가하지 않는다는 것을 발견했다.[54] 여기에는 4.4–18% 범위의 술후 출혈 위험이 상당히 높은 것으로 생각되는 ketorolac은 제외된다.[5] 편도 절제술 후 통증에 대한 보호자의 인식에 대한 최근의 다기관 횡단면 조사는 이부프로펜을 투여받은 아동이 상당히 더 어리지만, 마약 단독 사용이나 이부프로펜/마약 조합과 비교하여 이부프로펜이 더 우수한 통증 조절을 나타내는 것으로 나타났다.[55]

15.9.2 식이 요법

편도 절제술 후 식단 권장 사항은 한 가지 식단을 다른 것보다 지지하는 데이터가 부족하고 외과의사마다 매우 다양하다. 일반적인 변형에는 완전 유동식, 부드러운 식단, 유제품이 없는 식단, 감귤류가 없는 식단, 무제한(일반) 식단이 있다. 2017년에 발표된 편도 절제술 후 식이 조언에 대한 체계적 고찰에는 17개의 논문이 포함되었으며 그 중 3개는 1990년대의 소규모 무작위 대조 시험이었다. 연구의 성별이 다르기 때문에 고찰에서 데이터를 메타 분석으로 그룹화할 수 없다. 그러나 3개의 무작위 대조 시험 모두 술후 통증, 출혈, 치유를 위한 제한식과 비제한식 간에 차이가 없음을 발견했다.[56–59] 그러나 한 연구에서는 술후 4시간 이내에 얼음찜질을 한 그룹이 얼음찜질을 받지 않은 그룹에 비해 통증 점수가 더 낮다는 사실을 발견했다.[59]

15.9.3 경과 관찰

OSA가 있는 모든 환자는 증상 개선을 확인하기 위해 T&A 3개월 후에 연락해야 한다. 약 75%는 무증상이고 마무리될 수 있다.[60] 증상이 지속되면 상기도 폐쇄와 특히 아데노이드 폐쇄를 배제하기 위해 유연한 후두경검사를 포함한 전체 두경부 검사를 완료해야 한다. 비강 식염수와 스테로이드 스프레이 시험을 시작하고 알레르기 평가를 고려해야 한다. 지속적 OSA 우려가 있는 경우, 특히 의학적으로 복잡한 아동, 즉 비만이거나 다운증후군, 두개안면이나 신경근 장애가 있는 아동인 경우 수면 다원 검사를 반복해야 한다.

15.10 인구별 기대효과

T&A가 항상 OSA를 정상화하는 것은 아니다. 지속적인 OSA의 고비율은 비만, 신경근, 두개안면이나 염색체 장애가 있는 소아에서 발생한다. 이 아이들에게는 추가적인 보호자 상담이 필요하다.

15.10.1 일반 인구

2006년 메타 분석에서 일반 소아 집단 내에서 OSA(연구에 따라 AHI 정의 범위가 1 미만에서 5 미만으로 완화)를 해결하기 위한 T&A 효과는 82.9%로 보고되었다. AHI의 평균 감소는 시간당 14건으로 보고되었다.[61] 마찬가지로 79명의 건강한 아동을 대상으로 한 전향적 코호트 연구에서 T&A 후 OSA 해결은, AHI 5 미만으로 정의된 경우 90%, AHI 1 미만으로 정의된 경우 71%로 나타났다.[60] 술전 AHI가 10 이하의 아동에서는 OSA가 100% 해결되었다. 또한, T&A 후 아동의 28%에서 지속적인 코골이가 보고되었고, 지속적인 OSA가 있는 모든 어린이는 증상이 있었다.

15.10.2 복합적 아동

Friedman 등은 2009년 23개의 연구를 포함한 메타 분석에서 T&A 후 OSA의 치유율에 대해 보고했다.[62] 9건의 연구에는 중증 OSA 및/또는 3세 미만의 병적 비만으로 판단된 "복합적" 환자가 포함되었다. 치료법은 AHI 5 미만으로 정의된 경우 66%, 1미만으로 정의된 경우 60%였다. 술전 및 술후 평균 AHI는 각각 18.6과 4.9였다. 합병증이 없는 환자와 있는 환자의 완치율은 각각 73.8%와 38.7%였다. 그럼에도 불구하고, 술전에서 술후까지 AHI의 전반적인 평균 변화는 합병증이 없는 환자보다 복합적 환자에서 더 컸다(12 대 22). 이 연구는 OSA의 개선이 환자 집단에 관계없이 발생하지만 특정 집단, 특히 병적 비만이 있는 아동의 경우 해결 가능성이 더 낮다는 것을 보여주었다.

15.10.2.1 비만 아동

비만 아동의 치료율을 평가하는 또 다른 2009년 메타 분석에서 T&A는 AHI의 가중 평균 감소 18.3회 및 산소 포화도 최하점의 평균 증가 6.3%로 OSA 중증도를 개선했다. 그러나 T&A는 12% 경우에서만 치유되었다(AHI 1 미만으로 감소).[63] 이는 2012년 데이터를 기준으로 미국의 소아 비만율(성별-연령별-BMI 차트의 95번째 백분위수 이상으로 BMI 정의)이 16.9%라는 점을 감안할 때 중요한 고려 사항이지만[64], 비만인 사람의 OSA 유병률은 59%이다.[2]

15.10.2.2. 다운증후군

다운증후군 아동의 OSA 유병률은 57-66%이다. T&A는 소아 이비인후과 진료에서 다운증후군 아동의 일반적인 절차이다.[65] 그러나 불완전 해결 비율은 비만 인구의 비율을 반영하므로, 상담할 때 보호자에게 최상의 개입에 대해 고려해야 한다. 다운증후군 환자 27명을 대상으로 한 연구에서 OSA는 29.6%의 환자에서 해결되었으며 44.4%는 AHI가 최소 50% 감소되었다.[65] 술전 OSA가 더 심한 경우(높은 AHI) AHI가 더 크게 감소했지만, 갑상선 기능 저하증으로 악화되는 것으로 나타났다. 그들은 또한 선천성 심장 질환(71%)과 갑상선 기능 저하증(32%) 환자에서 중추성 무호흡 지수의 악화에 주목했다.

최근 2017년 다운증후군 아동의 OSA T&A에 대한 체계적 고찰에서 51%가 AHI 개선을 보였다.[66] AHI 개선은 초기 OSA 중증도에 관계없이 동일했다. 질적 분석 내의 여러 연구에서 AHI 개선이 보임에도 불구하고 수면 효율, 수면 단계 분포, 각성 지수에 변화가 없는 것으로 나타났으며, 최대 75%까지 술후 양압기나 야간 산소를 필요로 한다.[67]

많은 요인들이 다운증후군 소아에서 OSA의 불완전한 해결에 기여한다. 여기에는 기도 협착, 거대설증, 설편도 비대, 기도 허탈 경향, 선천성 심장병, 갑상선 기능 저하증, 비만, 폐질환과 같은 수많은 동반 질환이 포함된다.[66] 보호자를 상담할 때 이 모든 것을 고려해야 한다. 그럼에도 불구하고 T&A는 이러한 아동의 1차 치료로 간주되지만 지속적인 OSA의 가능성이 높다.

15.10.2.3 두개안면 증후군

선천성 두개유합증이 있는 아동에서 OSA의 유병률은 40-85%로 추정된다. 이런 아동에서 OSA 관리는 비인두, 구인두, 하인두에서 다단계 기도 협착으로 인해 복잡하다. 수술 선택지에는 T&A, 중안면 전진술 및/또는 기관 절개가 포함된다. Apert, Pfeiffer, Crouzon이 있는 아동 47명에 대한 2013년 고찰에서, 83%에 OSA가 있었고 62%는 T&A를 받았지만[68], 술전 및 술후 수면 다원 검사를 받은 45%에서 AHI의 유의한 변화가 없었다. 3명의 환자는 AHI가 악화되었다. 이 환자군에서 T&A의 효과를 조사한 여러 연구가 있지만, 이것은 술전 및 술후 수면 다원 검사를 비교한 유일한 연구였다. 저자는 대부분의 코호트에서 데이터가 부족하여 T&A 후 수면 다원 검사를 받는 증상이 더 많은 아동에 대한 선택 편향을 시사하지만, 저자는 이런 아동의 첫 번째 외과치료로 T&A를 권장하지 않았다.

15.10.2.4 동시 기도 병변

3세 미만의 소아를 대상으로 한 후향적 기록 검토에 따르면, 유연한 후두경, 직접 후두경, 기관지경 검사를 받은 소아 15명 중 8명에서 확인된 동시 기도 병변의 존재는 T&A의 OSA 치료 실패와 관련이 없었다.[69] 대신 수술 전 AHI가 높고 산소 포화도가 낮은 어린이가 잔류 OSA의 위험이 있는 인구로 식별되었다.

15.10.3 저호흡 대 무호흡 우세

T&A 후 OSA 해결률을 조사한 2016년 증례 시리즈에서 저호흡이 우세한 OSA를 가진 사람들과 무호흡이 우세한 OSA를 가진 사람들 사이에 차이가 보이지 않았다.[70] 인종에 관계없이 T&A 후 AHI, 무호흡 지수, 저호흡 지수, 산소 포화도 최저점도 개선되었다. 41%의 해결률은 이전 문헌에서 설명된 것보다 낮다. 이는 비만, 천식, 12세 이상의 아동이 포함되었기 때문이다. 낮은 기준선 AHI가 AHI 정상화의 유일한 예측인자였다.

15.11 결과: 삶의 질, 인지, 행동, 심혈관 매개변수

15.11.1 삶의 질

OSA에 대한 T&A가 아동 삶의 질에 미치는 영향은 광범위하게 연구되었다. AHI로 측정한 OSA 중증도와 삶의 질 점수 사이에 양의 상관관계는 입증되지 않았다.[71] 그러나 T&A에 따른 삶의 질의 전반적인 개선이 나타났다. 2008년 메타 분석에서 OSA-18 점수의 상당한 개선이 단기(4주 미만) 및 장기(6개월 초과)에 T&A 받은 아동에게서 확인되었다.[72] OSA-18 내의 모든 5가지 개별 영역 점수(수면 장애, 신체적 고통, 정서적 고통, 주간 문제, 보호자 문제)는 T&A 후 상당히 개선되었다. 보다 최근의 메타 분석은 2013년에 이러한 결과를 확인했다.[73] 저자들은 한 연구만이 T&A를 받지 않은 OSA가 있는 아동의 대조군을 활용한 반면, 다른 연구에서는 재발성 감염에 대해 T&A를 받은 건강한 아동을 대조군으로 사용했다고 경고했다. 2015년 아동기 아데노편도 수술(CHAT) 연구에서 OSA가 있는 아동을 T&A 또는 7개월 동안 관찰 대기에 무작위로 배정하였다. 삶의 질은 OSA-18, 소아 수면 설문지의 수면호흡 장애 척도, 변형된 ESS, 소아과 삶의 질 목록을 포함한 네 가지 부모 설문지 모두에서 7개월째 관찰 대기 그룹에 비해 수술 그룹에서 유의하게 많이 개선되었다. 기존 연구와 달리 진정한 대조군을 활용하였다.[74] 또한, 삶의 질 향상은 기준선 OSA 중증도와 상관관계가 없었다. 즉, 경증 OSA를 가진 환자는 중증의 OSA를 가진 환자와 T&A 후 동일한 삶의 질 이점을 받았다. 확실한 증거를 위해서는 더 긴 추적 관찰을 통한 추가 연구가 필요하다. 그러나 현재까지 가장 좋은 근거는 OSA의 T&A 후 장단기 삶의 질 점수가 모두 개선되었음을 시사한다.

15.11.2 인지 및 행동

OSA의 T&A 후 행동과 신경 인지의 개선은 삶의 질 개선보다 덜 극적이다. CHAT 연구에서 OSA에 대한 T&A 후 7개월 동안 관찰군과 T&A 치료군 사이에 발달 신경심리학적 평가(NEPSY)의 유의한 차이가 보이지 않았다.[75] 5개의 주요 기능 영역을 평가하는 23개의 개별 테스트에 대한 CHAT의 신경 심리학적 데이터에 대한 추가 분석은 T&A 치료군에서 비언어적 추론과 소근육 운동 기술의 2개 테스트에서 약간의 유의한 개선만을 보여주었다.[76] 현재의 근거 자료에 따르면, OSA T&A 치료를 받는 아동의 전반적인 인지 능력은 적어도 첫 6개월 동안은 개선되지 않았다.

행동 문제는 OSA가 있는 아동에게 만연하다. 아이들은 종종 더 활동적이며 학업 성취도가 낮다.[77] 많은 연구에서 OSA의 T&A 치료 후 행동이 개선되었다고 보고했다. 수면 다원 검사로 입증된 OSA (AHI 5초과)가 있는 23명의 아동을 대상으로 한 전향적 연구에서, 술전, 술후 6개월 및 9-18개월에 보호자가 완료한 아동 행동 평가 시스템(BASC)을 사용하여 행동을 측정했다.[78] BASC는 공격성, 비정형성, 우울증, 과잉행동, 신체화, 전반적인 행동 증상 지수를 구체적으로 평가했다. 정신장애와 발달 지연이 있는 아동은 제외되었다. 행동은 T&A 후 6개월과 9-18개월에 모든 하위 척도와 전반적인 BSI에서 유의하게 개선되는 것으로 나타났다. 그러나 9-18개월에서의 개선은 6개월보다 덜 현저하여 평균으로 약간의 회귀를 암시한다.

또한 CHAT 연구는 Conners' Rating Scale(안절부절-충동 및 정서적 불안정성 평가)과 실행 기능의 행동 평가 목록(BRIEF; 행동 조절 및 메타인지 평가)을 사용하여 보호자와 교사가 평가한 행동을 조사했다.[75] 보호자가 보고한 관찰 그룹과 비교하여 T&A 그룹에서 BRIEF와 Conners 평가에서 상당한 개선이 나타났다. 교사가 보고한 관찰 그룹과 비교하여 T&A에서 Conners 척도의 유의한 개선만 관찰되었지만, 흥미롭게도

BRIEF와 Conners 척도 모두에서 보호자가 보고한 점수는 기준선과 7개월 모두에서 T&A 및 관찰군 모두에서 교사가 보고한 점수보다 높았다. 전반적으로 현재까지의 문헌은 T&A가 관찰로 보이는 것 보다 행동을 개선시켰다고 제안한다.

15.11.3 심혈관 매개변수

심혈관 건강에 대한 OSA의 유해한 장기적 효과는 성인 인구에서 잘 연구되었으며, 이는 OSA의 효과적인 치료에 대한 필요성에 대해 환자와 그 가족을 상담하는 주요 사항이다. 2013년 T&A가 어린이의 심혈관 건강에 미치는 영향을 조사한 14개 연구에 대한 체계적 고찰에서, 이완기 혈압, 평균 폐동맥압, 심박수, 우심실과 좌심실 기능의 상당한 개선을 보여주었다.[79] 최근 2017년 메타 분석에서 평균 폐동맥압, 심박수, 승모판 기능, 우심실 확장기 직경, C-반응성 단백질이 유의하게 개선된 유사한 결과가 나타났다.[80] 반대로, 7개월 동안의 전향적 무작위 대조 CHAT에서 T&A와 관찰 사이의 심혈관 매개변수에는 유의한 변화가 없었다.[81]

전반적으로 OSA에 대한 T&A가 심혈관 건강에 미치는 영향에 대해 혼합된 증거가 있지만 전반적인 증거는 긍정적인 영향을 지지한다.

15.12 보존적 관리와의 비교

현재까지, 3건의 무작위 대조 시험이 2–16세 아동의 OSA에 대한 보존적(비수술적) 관리와 T&A법의 안정성과 효과를 비교했고, 2015년 Cochrane 고찰에서 분석되었다.[82]

2013년에 발표된 CHAT 연구는 편향 위험이 가장 낮은 최대 규모였다. CHAT 연구에는 경증에서 중등증의 OSA가 있는 학령기 아동(5–9세) 464명을 T&A 또는 보존적 관리(주의깊은 대기)로 무작위 배정하여 7개월 동안 추적 관찰하였다. 경증에서 중등증의 OSA가 있는 건강하거나 비만이 있는 학령기의 비-증후군 아동과 비교하여, T&A가 삶의 질, 보호자가 보고한 행동, 증상의 개선으로 이어진다는 중요한 결과가 포함되었다. 그러나 발달 신경 심리학적 평가(NEPSY)에 의해 측정된 보존적(비외과적) 코호트에 비해 외과 수술에서 주의력이나 신경인지 성능의 개선이 나타나지 않았다. T&A 코호트의 아동 중 약 79%가 비수술 코호트의 46%에 비해 수면 다원도의 정상화를 보였다. 두 코호트 모두에서 수면 다원 검사 결과의 정상화는 비-비만, 비-흑인, 기준선 AHI가 중앙값 4.7 이하인 아동에서 더 많았다. 심각한 부작용은 수술과 비수술 코호트에서 각각 3%와 4%로 유사했다.[75]

Goldstein 시험 또한 Cochrane 고찰에 포함되었으며 환자를 T&A나 비수술군에 무작위 배정하여 OSA를 시사하는 임상 평가 점수(CAS)(40 초과)와 음성의 수면 다원 검사로 T&A의 효과를 조사했다.[83] CAS는 야간 및 주간 증상, 신체 검사, 수면 테이프, 심장초음파, 측면 경부 X-ray 소견을 포함하여 OSA와의 연관성 가능성에 따라 가중치가 부여된다. 수면 다원 검사에 대해서는 검증되지 않았다. CAS의 중앙값 감소는 비수술 코호트(–8)에 비해 T&A (–49)에서 상당히 더 큰 반면, 수면 다원 검사 기록은 6개월에 두 그룹에서 유사했다. 이 연구는 음성의 수면 다원 검사 아동에서 비수술적 T&A 치료를 권고하는 근거의 질이 낮은 것으로 여겨졌다.[82]

Cochrane 고찰에 포함된 마지막 무작위 코호트 시험은 Sudarsan 등에 의해 이루어졌다. 이 연구는 점액다당증 및 다운증후군이 있는 소아에서 지속적 양압기나 T&A를 받은 코호트의 결과를 비교했다. OSA-18 점수에 의한 삶의 질의 유의한 차이는 보고되지 않았지만, 평균 변형된 ESS는 12개월에 T&A 코호트에서 더 낮았다. OSA의 해결 비율은 그룹 간에 유사했다. 합병증 비율은 수술군에서 5%의 술후 출혈 비율, 지속적 양압기군에서 3%의 콧등 발진 비율로 유사했다.[84] 이 연구는 다운증후군이나 점액다당증이 있는 아동에서 지속적 양압기보다 T&A를 권장하는 낮은 질의 근거로 간주되었다.[82]

마지막으로, OSA의 T&A를 지지하는 고품질 증거의 대부분이 5세 이상의 아동에 있다는 점에 주목해야 한다. 이는 OSA T&A의 많은 부분이 2–5세에 수행되었음에도 불구하고, 이 기간 동안 발생하는 림프구 성장을 반영한다.

15.13 결론

T&A는 대부분 아동의 OSA의 첫 번째 치료법이다. 그러나 T&A는 모든 아동의 OSA를 해결하지는 않는다. 해결 비율은 OSA와 기타 의학적 동반 질환의 중증도에 따라 다르다. 편도절제술의 한 방법이 술후 출혈, 통증, 정상 식단과 활동 수준으로의 일수 측면에서 다른 방법보다 우수하다는 증거는 없다. OSA 환자에서 낭내 편도절제술의 장기적인 결과에 초점을 맞춘 추가 연구가 필요하다. 보호자의 T&A 관리가 환자의 삶의 질, 행동, 건강을 개선할 수 있다는 조언을 받을 수 있다. 그러나 인지 능력의 향상을 지지하는 증거는 거의 없다.

15

참고문헌

1. Bhattacharyya N, Lin HW. Changes and consistencies in the epidemiology of pediatric adenotonsillar surgery, 1996-2006. Otolaryngol Head Neck Surg. 2010;143:680-4. https://doi. org/10.1016/j.otohns.2010.06.918.
2. Schwengel DA, Dalesio NM, Stierer TL. Pediatric obstructive sleep apnea. Anesthesiol Clin. 2014;32:237-61. https://doi.org/10.1016/j.anclin.2013.10.012.
3. Tait AR, Voepel-Lewis T, Christensen R, O'Brien LM. The STBUR questionnaire for predicting perioperative respiratory adverse events in children at risk for sleep-disordered breathing. Paediatr Anaesth. 2013;23:510-6. https://doi.org/10.1111/pan.12155.
4. Shirley WP, Wooley AL, Wiatrak BJ. Pharyngitis and adenotonsillar disease. In: Flint PW, Haughey BH, Lund VJ, Niparko JK, Richardson MA, Robbins KT, Thomas JR, editors. Cummings otolaryngology-head and neck surgery. Philadelphia: Mosby/Elsevier; 2010. p. 2783-5.
5. Mitchell RB, Archer SM, Ishman SL, Rosenfeld RM, Coles S, Finestone SA, Friedman NR, Giordano T, Hildrew DM, Kim TW, Lloyd RM, Parikh SR, Shulman ST, Walner DL, Walsh SA, Nnacheta LC. Clinical Practice Guideline: Tonsillectomy in Children (Update). Otolaryngol Head Neck Surg. 2019 Feb;160(1_suppl):S1-S42. https://www.ncbi.nlm.nih.gov/pubmed/30798778.
6. Marcus CL, Brooks LJ, Draper KA, Gozal D, Halbower AC, Jones J, et al. Diagnosis and management of childhood obstructive sleep apnea syndrome. Pediatrics. 2012;130:576-84. https://doi.org/10.1542/peds.2012-1671.
7. Brodsky L. Modern assessment of tonsils and adenoids. Pediatr Clin N Am. 1989;36:1551-69.
8. Friedman M, Tanyeri H, La Rosa M, Landsberg R, Vaidyanathan K, Pieri S, et al. Clinical predictors of obstructive sleep apnea. Laryngoscope. 1999;109:1901-7.
9. Kumar DS, Valenzuela D, Kozak FK, Ludemann JP, Moxham JP, Lea J, et al. The reliability of clinical tonsil size grading in children. JAMA Otolaryngol Head Neck Surg. 2014;140:1034-7. https://doi.org/10.1001/jamaoto.2014.2338.
10. Nolan J, Brietzke SE. Systematic review of pediatric tonsil size and polysomnogram-measured obstructive sleep apnea severity. Otolaryngol Head Neck Surg. 2011;144:844-50. https://doi. org/10.1177/0194599811400683.
11. Tang A, Benke JR, Cohen AP, Ishman SL. Influence of tonsillar size on OSA improvement in children undergoing adenotonsillectomy. Otolaryngol Head Neck Surg. 2015;153:281-5. https://doi.org/10.1177/0194599815583459.
12. Howard NS, Brietzke SE. Pediatric tonsil size: objective vs subjective measurements correlated to overnight polysomnogram. Otolaryngol Head Neck Surg. 2009;140:675-81. https://doi. org/10.1016/j.otohns.2009.01.008.
13. Patel NA, Carlin K, Bernstein JM. Pediatric airway study: endoscopic grading system for quantifying tonsillar size in comparison to standard adenotonsillar grading systems. Am J Otolaryngol. 2017;36:59. https://doi.org/10.1016/j.amjoto.2017.10.013.
14. Franco RA Jr, Rosenfeld RM, Rao M. First place-resident clinical science award 1999. Quality-of-life for children with obstructive sleep apnea. Otolaryngol Head Neck Surg. 2000;123:9-16.
15. Parikh SR, Coronel M, Lee JJ, Brown SM. Validation of a new grading system for endoscopic examination of adenoid hypertrophy. Otolaryngol Head Neck Surg. 2006;135:684-7.
16. Brietzke SE, Katz ES, Roberson DW. Can history and physical examination reliably diagnose pediatric obstructive sleep apnea/hypopnea syndrome? A systematic review of the literature. Otolaryngol Head Neck Surg. 2004;131:827-32.
17. Mitchell RB, Pereira KD, Friedman NR. Sleep-disordered breathing in children: survey of current practice. Laryngoscope. 2006;116:956-8.
18. Roland PS, Rosenfeld RM, Brooks LJ, Friedman NR, Jones J, Kim TW, et al. Clinical practice guideline: polysomnography for sleep-disordered breathing prior to tonsillectomy in children. Otolaryngol Head Neck Surg. 2011;145(Suppl 1):1-15. https://doi.org/10.1177/0194599811409837.
19. Marcus CL, Brooks LJ, Draper KA, Gozal D, Halbower AC, Jones J, et al. Diagnosis and management of childhood obstructive sleep apnea syndrome. Pediatrics. 2012;130:e714-55. https://doi.org/10.1542/peds.2012-1672.
20. Aurora RN, Zak RS, Karippot A, Lamm CI, Morgenthaler TI, Auerbach SH, et al. Practice parameters for the respiratory indications for polysomnography in children. Sleep. 2011;34:379-88.
21. Ishman SL, Yang CJ, Cohen AP, Benke JR, Meinzen-Derr JK, Anderson RM, et al. Is the OSA-18 predictive of obstructive sleep apnea: comparison to polysomnography. Laryngoscope. 2015;125:1491-5. https://doi.org/10.1002/lary.25098.
22. Chervin RD, Hedger K, Dillon JE, Pituch KJ. Pediatric sleep questionnaire (PSQ): validity and reliability of scales for sleep-disordered breathing, snoring, sleepiness, and behavioral prob-lems. Sleep Med. 2000;1:21-32.
23. Chervin RD, Weatherly RA, Garetz SL, Ruzicka DL, Giordani BJ, Hodges EK, et al. Pediatric sleep questionnaire: prediction of sleep apnea and outcomes. Arch Otolaryngol Head Neck Surg. 2007;133:216-22.
24. Rosen CL, Wang R, Taylor HG, Marcus CL, Katz ES, Paruthi S, et al. Utility of symptoms to predict treatment outcomes in obstructive sleep apnea syndrome. Pediatrics. 2015;135:e662-71. https://doi.org/10.1542/peds.2014-3099.
25. Mitchell RB, Garetz S, Moore RH, Rosen CL, Marcus CL, Katz ES, et al. The Use of Clinical Parameters to Predict Obstructive Sleep Apnea Syndrome Severity in Children: The Childhood Adenotonsillectomy (CHAT) Study Randomized Clinical Trial. JAMA Otolaryngol Head Neck Surg. 2015;141:130-6. https://doi.org/10.1001/jamaoto.2014.3049.
26. Pianosi K, Gorodzinsky AY, Chorney JM, Corsten G, Johnson LB, Hong P. Informed consent in pediatric otolaryngology: what risks and benefits do parents recall? Otolaryngol Head Neck Surg. 2016;155:332-9. https://doi.org/10.1177/0194599816641910.
27. Francis DO, Chinnadurai S, Sathe NA, Morad A, Jordan AK, Krishnaswami S, et al. Tonsillectomy for obstructive sleep-disordered breathing or recurrent throat infection in children [Internet] Agency for Healthcare Research and Quality. AHRQ Comp Eff Rev. 2017;16(17):EHC042-EF.
28. Darrow DH, Derkay CS, Mitchell R. Tonsillectomy and ade-noidectomy. In: Bluestone CD, Simmons JP, Healy GB, editors. Bluestone and Stool's pediatric otolaryngology. Shelton: Peo-ple's Medical Publishing House; 2014. p. 1204-5.
29. Howells RC 2nd, Wax MK, Ramadan HH. Value of preoperative prothrombin time/partial thromboplastin time as a predictor of postoperative hemorrhage in pediatric patients undergoing tonsillectomy. Otolaryngol Head Neck Surg. 1997;117:628-32.
30. Zwack GC, Derkay CS. The utility of preoperative hemostatic assessment in adenotonsillectomy. Int J Pediatr Otorhinolaryngol. 1997;39:67-76.
31. Asaf T, Reuveni H, Yermiahu T, Leiberman A, Gurman G, Porat A, et al. The need for routine pre-operative coagulation screening tests (prothrombin time PT/partial thromboplastin time PTT) for healthy children undergoing elective tonsillectomy and/or adenoidectomy. Int J Pediatr Otorhinolaryngol. 2001;61:217-22.
32. Venkatesan NN, Rodman RE, Mukerji SS. Post-tonsillectomy hemorrhage in children with hematological abnormalities. Int J Pediatr Otorhinolaryngol. 2013;77:959-63. https://doi. org/10.1016/j.ijporl.2013.03.017.
33. Harley EH, Collins MD. Neurologic sequelae secondary to atlantoaxial instability in down syndrome. Implications in otolaryngologic surgery. Arch Otolaryngol Head Neck Surg. 1994;120:159-65.

34. Kako H, Tripi J, Walia H, Tumin D, Splaingard M, Jatana KR, et al. Utility of screening questionnaire and polysomnography to predict postoperative outcomes in children. Int J Pediatr Otorhinolaryngol. 2017;102:71–5. https://doi.org/10.1016/j. ijporl.2017.09.006.

35. Koltai PJ, Solares CA, Mascha EJ, Xu M. Intracapsular partial tonsillectomy for tonsillar hypertrophy in children. Laryngoscope. 2002;112:17–9.

36. Koempel JA, Solares CA, Koltai PJ. The evolution of tonsil surgery and rethinking the surgical approach to obstruc-tive sleep- disordered breathing in children. J Laryngol Otol. 2006;120:993–1000.

37. Lee HS, Yoon HY, Jin HJ, Hwang SH. The safety and efficacy of powered intracapsular tonsillectomy in children: a meta-analysis. Laryngoscope. 2017;128:732. https://doi.org/10.1002/lary.26886.

38. Kim JS, Kwon SH, Lee EJ, Yoon YJ. Can intracapsular tonsil-lectomy be an alternative to classical tonsillectomy? A meta-analysis. Otolaryngol Head Neck Surg. 2017;157:178–89. https://doi.org/10.1177/0194599817700374.

39. Solares CA, Koempel JA, Hirose K, Abelson TI, Reilly JS, Cook SP, et al. Safety and efficacy of powered intracapsular tonsillectomy in children: a multi-center retrospective case series. Int J Pediatr Otorhinolaryngol. 2005;69:21–6.

40. Mostovych N, Holmes L, Ruszkay N, LaHurd A, Heinle R, Nardone H. Effectiveness of powered intracapsular tonsillectomy in children with severe obstructive sleep apnea. JAMA Otolaryngol Head Neck Surg. 2016;142:150–6. https://doi.org/10.1001/jamaoto.2015.3126.

41. Mukhatiyar P, Nandalike K, Cohen HW, Sin S, Gangar M, Bent JP, et al. Intracapsular and extracapsular tonsillectomy and adenoidectomy in pediatric obstructive sleep apnea. JAMA Otolaryngol Head Neck Surg. 2016;142:25–31. https://doi.org/10.1001/jamaoto.2015.2603.

42. Chang DT, Zemek A, Koltai PJ. Comparison of treatment out-comes between intracapsular and total tonsillectomy for pediatric obstructive sleep apnea. Int J Pediatr Otorhinolaryngol. 2016;91:15–8. https://doi.org/10.1016/j.ijporl.2016.09.029.

43. Elbadawey MR, Hegazy HM, Eltahan AE, Powell J. A randomised controlled trial of coblation, diode laser and cold dissection in paediatric tonsillectomy. J Laryngol Otol. 2015;129:1058–63. https://doi.org/10.1017/S0022215115002376.

44. Pynnonen M, Brinkmeier JV, Thorne MC, Chong LY, Burton MJ. Coblation versus other surgical techniques for tonsillectomy. Cochrane Database Syst Rev. 2017;(8):CD004619. https://doi. org/10.1002/14651858.CD004619.pub3.

45. Magdy EA, Elwany S, el-Daly AS, Abdel-Hadi M, Morshedy MA. Coblation tonsillectomy: a prospective, double-blind, randomised, clinical and histopathological comparison with dissection- ligation, monopolar electrocautery and laser tonsil-lectomies. J Laryngol Otol. 2008;122:282–90.

46. FDA Drug Safety Communication. Codeine use in certain children after tonsillectomy and/or adenoidectomy may lead to rare, but life-threatening adverse events or death. U.S. Food and Drug Administration Website. 2012. https://wayback. archive-it. org/7993/20170722185828/https://www. fda.gov/Drugs/Drug-Safety/ucm313631. htm. Accessed 5 Dec 2017.

47. FDA Drug Safety Communication. Safety review update of codeine use in children; new Boxed Warning and Contrain-dication on use after tonsillectomy and/or adenoidectomy. U.S. Food and Drug Administration Website. 2013. https://wayback. archive-it. org/7993/20170722185707/https://www. fda. gov/Drugs/DrugSafety/ucm339112. htm. Accessed 5 Dec 2017.

48. Williams DG, Patel A, Howard RF. Pharmacogenetics of codeine metabolism in an urban population of children and its implications for analgesic reliability. Br J Anaesth. 2002;89: 839–45.

49. Tobias JD, Green TP, Coté CJ. Section on anesthesiology and pain medicine; committee on drugs. Codeine: time to say "no". Pediatrics. 2016;138.

50. FDA Drug Safety Communication. FDA restricts use of pre-scription codeine pain and cough medicines and tramadol pain medicines in children; recommends against use in breastfeeding women. U.S. Food and Drug Administration Website. 2017. https://www.fda.gov/drugs/drug-safety-and-availability/fda-drug-safety-communication-fda-restricts-use-prescription-codeine-pain-and-cough-medicines-and Accessed 5 Dec 2017.

51. Orliaguet G, Hamza J, Couloigner V, Denoyelle F, Loriot MA, Broly F, et al. A case of respiratory depression in a child with ultrarapid CYP2D6 metabolism after tramadol. Pediatrics. 2015;135:e753–5. https://doi.org/10.1542/peds.2014-2673.

52. Madadi P, Hildebrandt D, Gong IY, Schwarz UI, Ciszkowski C, Ross CJ, et al. Fatal hydrocodone overdose in a child: pharmacogenetics and drug interactions. Pediatrics. 2010;126:e986–9. https://doi.org/10.1542/peds.2009-1907.

53. Schultz S, Chamberlain C, Vulcan M, Rana H, Patel B, Alex-ander JC. Analgesic utilization before and after rescheduling of hydrocodone in a large academic level 1 trauma center. J Opioid Manag. 2016;12:119–22. https://doi.org/10.5055/jom.2016.0323.

54. Cardwell ME, Siviter G, Smith AF. Non-steroidal antiinflammatory drugs and perioperative bleeding in paediatric tonsillectomy. Cochrane Database Syst Rev. 2005;(7):CD003591.

55. Sowder JC, Gale CM, Henrichsen JL, Veale K, Liljestrand KB, Ostlund BC, et al. Primary caregiver perception of pain control following pediatric adenotonsillectomy: a cross-sectional survey. Otolaryngol Head Neck Surg. 2016;155:869–75.

56. Millington AJ, Gaunt AC, Phillips JS. Post-tonsillectomy dietary advice: systematic review. J Laryngol Otol. 2016;130:889–92.

57. Cook JA, Murrant NJ, Evans KL, Lavelle RJ. A randomized comparison of three post-tonsillectomy diets. Clin Otolaryngol Allied Sci. 1992;17:28–31.

58. Brodsky L, Radomski K, Gendler J. The effect of post-operative instructions on recovery after tonsillectomy and adenoidectomy. Int J Pediatr Otorhinolaryngol. 1993;25:133–40.

59. Sylvester DC, Rafferty A, Bew S, Knight LC. The use of icelollies for pain relief post-paediatric tonsillectomy. A singleblinded, randomised, controlled trial. Clin Otolaryngol. 2011;36:566–70.

60. Mitchell RB. Adenotonsillectomy for obstructive sleep apnea in children: outcome evaluated by pre- and postoperative polysom-nography. Laryngoscope. 2007;117:1844–54.

61. Brietzke SE, Gallagher D. The effectiveness of tonsillectomy and adenoidectomy in the treatment of pediatric obstructive sleep apnea/hypopnea syndrome: a meta-analysis. Otolaryngol Head Neck Surg. 2006;134:979–84.

62. Friedman M, Wilson M, Lin HC, Chang HW. Updated system-atic review of tonsillectomy and adenoidectomy for treatment of pediatric obstructive sleep apnea/hypopnea syndrome. Otolaryngol Head Neck Surg. 2009;140:800–8. https://doi.org/10.1016/j. otohns.2009.01.043.

63. Costa DJ, Mitchell R. Adenotonsillectomy for obstructive sleep apnea in obese children: a meta-analysis. Otolaryngol Head Neck Surg. 2009;140:455–60. https://doi.org/10.1016/j. otohns.2008.12.038.

64. Ogden CL, Carroll MD, Kit BK, Flegal KM. Prevalence of childhood and adult obesity in the United States, 2011–2012. JAMA. 2014;311:806–14. https://doi.org/10.1001/jama.2014.732.

65. da Rocha M, Ferraz RCM, Guo Chen V, Antonio Moreira G, Raimundo Fujita R. Clinical variables determining the success of adenotonsillectomy in children with down syndrome. Int J Pediatr Otorhinolaryngol. 2017;102:148–53. https://doi. org/10.1016/j.ijporl.2017.09.017.

66. Nation J, Brigger M. The efficacy of adenotonsillectomy for obstructive sleep apnea in children with down syndrome: a systematic review. Otolaryngol Head Neck Surg. 2017;157:401–8. https://doi.org/10.1177/0194599817703921.

67. Shete MM, Stocks RM, Sebelik ME, Schoumacher RA. Effects of adenotonsillectomy on polysomnography patterns in down syndrome children

with obstructive sleep apnea: a comparative study with children without down syndrome. Int J Pediatr Otorhinolaryngol. 2010;74:241–4. https://doi.org/10.1016/j. ijporl.2009.11.006.

68. Zandieh SO, Padwa BL, Katz ES. Adenotonsillectomy for obstructive sleep apnea in children with syndromic cranio-synostosis. Plast Reconstr Surg. 2013;131:847–52. https://doi. org/10.1097/PRS.0b013e3182818f3a.

69. Michelson AP, Hawley K, Anne S. Do synchronous airway lesions predict treatment failure after adenotonsillectomy in children less than 3 years of age with obstructive sleep apnea?Int J Pediatr Otorhinolaryngol. 2014;78:1439–43. https://doi. org/10.1016/j.ijporl.2014.05.033.

70. Tang AL, Cohen AP, Benke JR, Stierer KD, Stanley J, Ishman SL. Obstructive sleep apnea resolution in hypopnea- ver-sus apnea-predominant children after adenotonsillectomy. Otolaryngol Head Neck Surg. 2016;155:670–5. https://doi. org/10.1177/0194599816652387.

71. Mitchell RB, Kelly J. Quality of life after adenotonsillectomy for SDB in children. Otolaryngol Head Neck Surg. 2005;133:569–72.

72. Baldassari CM, Mitchell RB, Schubert C, Rudnick EF. Pediatric obstructive sleep apnea and quality of life: a meta-analysis. Otolaryngol Head Neck Surg. 2008;138:265–73. https://doi. org/10.1016/j.otohns.2007.11.003.

73. Todd CA, Bareiss AK, McCoul ED, Rodriguez KH. Adenoton-sillectomy for obstructive sleep apnea and quality of life: systematic review and meta-analysis. Otolaryngol Head Neck Surg. 2017;157:767–73. https://doi.org/10.1177/0194599817717480.

74. Garetz SL, Mitchell RB, Parker PD, Moore RH, Rosen CL, Giordani B, et al. Quality of life and obstructive sleep apnea symptoms after pediatric adenotonsillectomy. Pediatrics. 2015;135:e477–86. https://doi.org/10.1542/peds.2014-0620.

75. Marcus CL, Moore RH, Rosen CL, Giordani B, Garetz SL, Taylor HG, et al. A randomized trial of adenotonsillectomy for childhood sleep apnea. N Engl J Med. 2013;368:2366–76. https://doi.org/10.1056/NEJMoa1215881.

76. Taylor HG, Bowen SR, Beebe DW, Hodges E, Amin R, Arens R, et al. Cognitive effects of adenotonsillectomy for obstructive sleep apnea. Pediatrics. 2016;138:e20154458. https://doi. org/10.1542/peds.2015-4458.

77. Goldstein N, Fatima M, Campbell T, Rosenfeld RM. Child behavior and quality of-life before and after tonsillectomy and adenoidectomy. Arch Otolaryngol Head Neck Surg. 2002;128:770–5.

78. Mitchell RB, Kelly J. Long-term changes in the behavior of children after adenotonsillectomy for obstructive sleep apnea. Oto-laryngol Head Neck Surg. 2006;134:374–8.

79. Teo DT, Mitchell RB. Systematic review of effects of adenotonsillectomy on cardiovascular parameters in children with obstructive sleep apnea. Otolaryngol Head Neck Surg. 2013;148:21–8. https://doi.org/10.1177/0194599812463193.

80. Ehsan Z, Ishman SL, Kimball TR, Zhang N, Zou Y, Amin RS. Longitudinal cardiovascular outcomes of sleep disordered breathing in children: a meta-analysis and systematic review. Sleep. 2017;40:zsx015. https://doi.org/10.1093/sleep/zsx015.

81. Quante M, Wang R, Weng J, Rosen CL, Amin R, Garetz SL, et al. The effect of adenotonsillectomy for childhood sleep apnea on cardiometabolic measures. Sleep. 2015;38:1395–403.

82. Venekamp RP, Hearne BJ, Chandrasekharan D, Blackshaw H, Lim J, Schilder AG. Tonsillectomy or adenotonsillectomy versus non-surgical management for obstructive sleep-disordered breathing in children. Cochrane Database Syst Rev. 2015;(10):CD011165. https://doi.org/10.1002/14651858. CD011165.pub2.

83. Goldstein NA, Pugazhendhi V, Rao SM, Weedon J, Campbell TF, Goldman AC, et al. Clinical assessment of pediatric obstruc-tive sleep apnea. Pediatrics. 2004;114:33–43.

84. Sudarsan SS, Paramasivan VK, Arumugam SV, Murali S, Kameswaran M. Comparison of treatment modalities in syndromic children with obstructive sleep apnea-a randomized cohort study. Int J Pediatr Otorhinolaryngol. 2014;78:1526–33. https://doi.org/10.1016/j.ijporl.2014.06.027.

더 읽을 거리

1. Baugh RF, Archer SM, Mitchell RB, Rosenfeld RM, Amin R, Burns JJ, et al. Clinical practice guideline: tonsillectomy in children. Otolaryngol Head Neck Surg. 2011;144(Suppl 1):1–30. https://doi.org/10.1177/0194599810389949.

2. The American Academy of Otolaryngology – Head and Neck Surgery evidence-based medicine guidelines for when to perform tonsillectomy in children, as well the perioperative management of these children. The paper also provides general information on the health care burden of tonsillectomy, overview of tonsil function and structure, risks and benefits of the procedure.

3. Francis DO, Chinnadurai S, Sathe NA, Morad A, Jordan AK, Krishnaswami S, et al. Tonsillectomy for obstructive sleep- disordered breathing or recurrent throat infection in children [Internet] Agency for Healthcare Research and Quality. AHRQ Comp Eff Rev. 2017;16(17):EHC042-EF.

4. A comprehensive systematic review of 218 studies on tonsillectomy for sleep disordered breathing in children. Provides breakdown of evidence by population group, surgical technique and alternatives to surgery.

5. Kim JS, Kwon SH, Lee EJ, Yoon YJ. Can intracapsular tonsillectomy be an alternative to classical tonsillectomy? A meta-analysis. Otolaryngol Head Neck Surg. 2017;157:178–89. https://doi. org/10.1177/0194599817700374.

6. A recent meta-analysis comparing intracapsular and extracapsular tonsillectomy providing a good overview of the available literature for each technique.

7. Marcus CL, Moore RH, Rosen CL, Giordani B, Garetz SL, Taylor HG, et al. A randomized trial of adenotonsillectomy for childhood sleep apnea. N Engl J Med. 2013;368:2366–76. https://doi. org/10.1056/NEJMoa1215881.

8. A prospective, multi-center, single-blind, randomized, controlled trial of healthy children aged 5–9 years old undergoing adeno-tonsillectomy or watchful waiting for obstructive sleep apnea. Polysomnographic, attention and executive function, behavior and health outcomes were studied. There are several other fol-low- up papers investigating other outcomes published following the main trial utilizing the same data.

9. Roland PS, Rosenfeld RM, Brooks LJ, Friedman NR, Jones J, Kim TW, et al. Clinical practice guideline: polysomnography for sleep-disordered breathing prior to tonsillectomy in children. Otolaryngol Head Neck Surg. 2011;145(Suppl 1):1–15. https://doi.org/10.1177/0194599811409837.

10. The American Academy of Otolaryngology – Head and Neck Surgery evidence-based medicine guidelines for when to obtain poly-somnography prior to adenotonsillectomy in children aged 2–18 as well as recommendations for inpatient observation following adenotonsillectomy based on the findings on polysomnography.

비폐색과 수면 호흡 장애

William C. Scott and David T. Kent

목차

16.1 개요

수면 호흡 장애가 있는 많은 환자들은 상당한 비폐색으로도 고통받는다. 5,000명 이상의 연구에서, Young 등은 특히 밤에 코막힘 증상을 보고한 사람들은 코골이, 만성적 주간 졸음, 회복되지 않는 수면을 호소할 가능성이 더 높다는 것을 발견했다. 알레르기성 코막힘을 보고한 사람들은 중등증에서 중증 수면 무호흡이 있는 가능성이 거의 2배였다.[1] 비호흡과 수면 사이 관계의 본질은 복잡하다. 이번 단원에서는 이 관계를 해부학적과 생리학적 관점에서 자세히 살펴본다. 코막힘에 대한 다양한 치료법, 특히 외과적 기술과 이러한 치료법이 수면의 질을 향상시키는 정도에 대해 계속 논의한다.

16.2 비기도의 해부학

외측 코는 비골, 상부 외측 연골, 연골 중격, 하부 외측 연골로 구성된다. 비기도 후방의 모양은 비중격과 비골 측벽 사이의 관계에 의해 정의된다. 중격은 전방의 사각형 연골과 최하방연을 따라 사골의 수직판, 서골, 상악 능선으로 구성된 후방의 골 부분으로 구성된 단단한 구조이다. 외측벽은 하비갑개, 중비갑개, 상비갑개를 포함하며, 이는 내측으로 돌출된 연조직으로 덮인 골 구조이다.

코를 통해 흡입된 공기는 먼저 외측 비강 판막을 통과한다. 이 통로는 외측 하방 비강 연골, 콧구멍, 꼬리 중격으로 싸여 있다. 1903년 Mink에 의해 처음 기술된 비강내 판막은 상부 외측 연골의 꼬리 발단, 비중격, 하비갑개의 머리에 의해 정의된다.[2] 그것은 일반적으로 상기도의 가장 좁은 부분으로 설명되며, 코 기류 저항의 거의 50%를 차지한다.[3] 공기는 내부 판막을 통해 비강으로 들어가 비인두로 들어가기 전에 비갑개 주위를 지나간다(■ 그림 16.1).

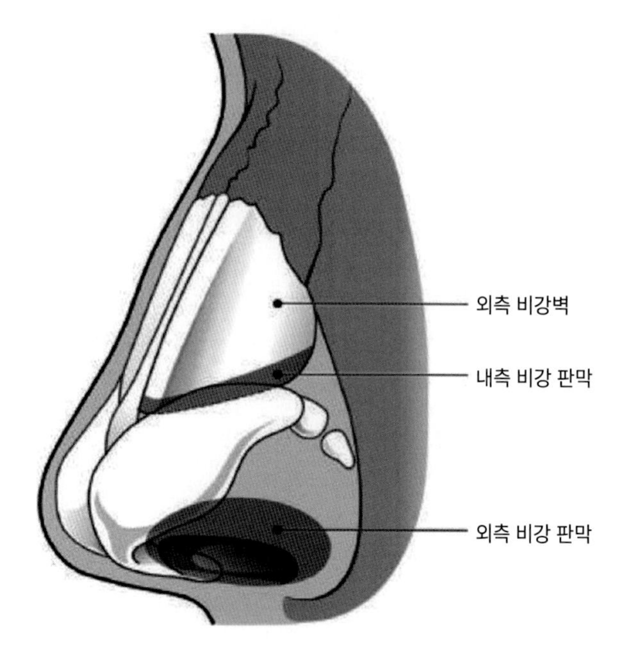

■ 그림 16.1 **비연골과 비강 판막**

16.3 비폐색의 병인학

비강은 경조직과 연조직 구성요소를 포함하므로 폐색의 원인은 정적이거나 동적일 수 있다. 많은 경우 폐색은 다인성이며 바람직하지 않은 해부학적 및 염증성 요인의 상호작용을 포함한다. 치료를 위해, 다양한 원인과 그 상호작용에 대한 완전한 이해가 필요하다.

16.3.1 해부학적 요소

구조적 이상과 외측 코의 강성 부족은 기류에 영향을 줄 수 있다. 비강의 나머지 부분과 달리, 외측 판막은 동적으로 붕괴되어 공기 흐름을 완전히 막을 수 있는 연조직 요소로 구성된다. 내측 비강 판막의 침범은 자연 저항이 가장 높은 영역을 통한 흐름을 더욱 제한할 수 있다. 외측 연골의 위치와 모양은 사람마다 다르며, 일부 환자에서는 비강 판막이 지나치게 좁아질 수 있다. 외측 연골의 강도도 중요하다. Venturi 효과로 인해, 흡기 압력이 비강 벽의 경벽성 압력을 초과할 때 모양을 유지하기에 충분히 단단하지 않으면, 코로 들어가는 공기의 흐름이 연골을 안쪽으로 붕괴시키는 경향이 있다.[4]

외측 비강 판막의 붕괴나 제한은 몇 가지 1차 및 2차 요인에 의해 발생할 수 있다. 좁은 비강 판막은 정상 해부학의 변형으로 선천적이거나 구개열과 같은 해부학적 이상과 관련되어 코의 외측 해부학을 현저하게 왜곡할 수 있다.[5] 두개안면 결손은 수면 호흡 장애에서 흔하며 좁은 상악은 종종 외측 비강 피라미드의 잠재적인 너비를 제한한다.[6] 해부학적 결함도 있을 수 있다. 환자가 나이가 들면서 연골은 강성을 잃고 지지하는 근육이 약해져 붕괴성이 증가한다.[7] 비강 외상은 코의 외측 해부학을 왜곡하고 한쪽이나 양쪽 판막 붕괴를 유발할 수 있다. 심각한 화상이나 흡입 부상은 비강 판막의 협착을 유발할 수 있다.[5] 의인성 비강 판막 붕괴는 기능적 또는 미용적 코성형 후에 발생할 수 있다. Sheen은 환자의 75-80%가 코성형 후 비강

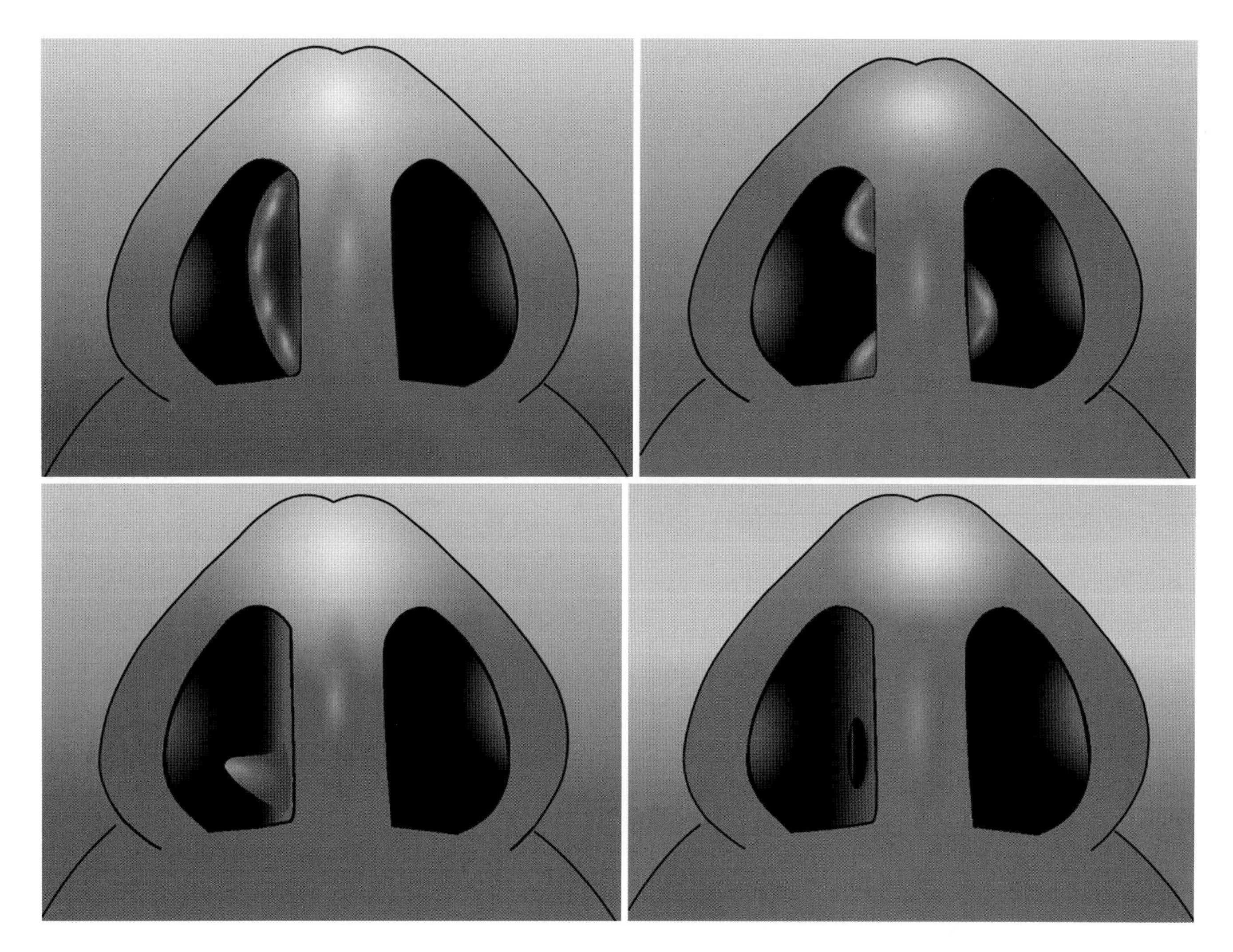

■ 그림 16.2 **중격 기형, 전후방 "C자형" 기형(왼쪽 위), 전후방 "S자형" 기형(오른쪽 위), 중격 돌기(왼쪽 아래), 중격 천공(오른쪽 아래)**

판막 협착을 경험한다고 추정했고, Kosh 등은 비강 판막 붕괴 수복을 위해 내원한 환자의 79%에서 판막 붕괴의 원인이 이전 코성형술임을 발견했다.[8,9]

비중격 편위는 흔히 외과적 수정이 필요한 폐쇄의 흔한 해부학적 원인이다. 2,589명의 환자를 대상으로 한 연구에서 여성의 15.4%, 남성의 7.5%에서만 중격이 직선인 것으로 나타났다.[10] 대부분의 편위된 중격은 임상적으로 의미가 없지만, 중격의 편위는 여전히 편측이나 양측 호흡 곤란의 가장 흔한 원인이다. 비중격은 비강의 길이를 따라 흐르며 대부분의 임상적으로 중요한 경우에는 전방 구조적 이상이 포함되지만, 비기도의 경로를 따라 어디에서나 폐쇄의 원인이 될 수 있다. 중격은 내부 비강 판막의 내벽을 형성하고 기도의 이미 좁아진 부분을 제한할 수 있다. 편위는 종종 단일 결함으로 발생하지 않고 비강을 따라 여러 부위에서 폐쇄를 유발할 수 있는 일련의 복잡한 결함으로 발생한다. 다양한 유형의 중격 결손을 분류하려는 많은 시도가 있었다. Teixeria 등은 2016년 이런 다양한 분류 시스템을 비교하는 고찰을 발표했다. 저자는 이러한 시스템 간의 가장 유용한 공통 분모가, 전후 방향이나 상하 방향으로 볼 때, "C자형", "역 C자형", "S자형", "역S자형"으로 중격 편위를 생각하는 것이라고 결론지었다.[11] 중격 기형에는 기도로 돌출된 골이나 연골의 "돌기"도 포함될 수 있다. 그림 16.2는 몇 가지 일반적인 중격 변형을 보여준다.

비갑개 비대는 염증성 질환에 의해 악화될 수 있는 비폐색의 일반적인 구조적 원인이다. 구조적 문제는 종종 이차적으로 하비갑개의 과도하게 현저한 하외측 회전으로 인해 비기도로의 내측화를 초래하기도 한다.[12] 하비갑개는 위중층 섬모 원주상피의 연조직 외피로 덮여 있다. 이 조직은 혈관 운동성 긴장과 분비 수준을 조절하는 부교감 신경 자극에 의해 매개되는

16

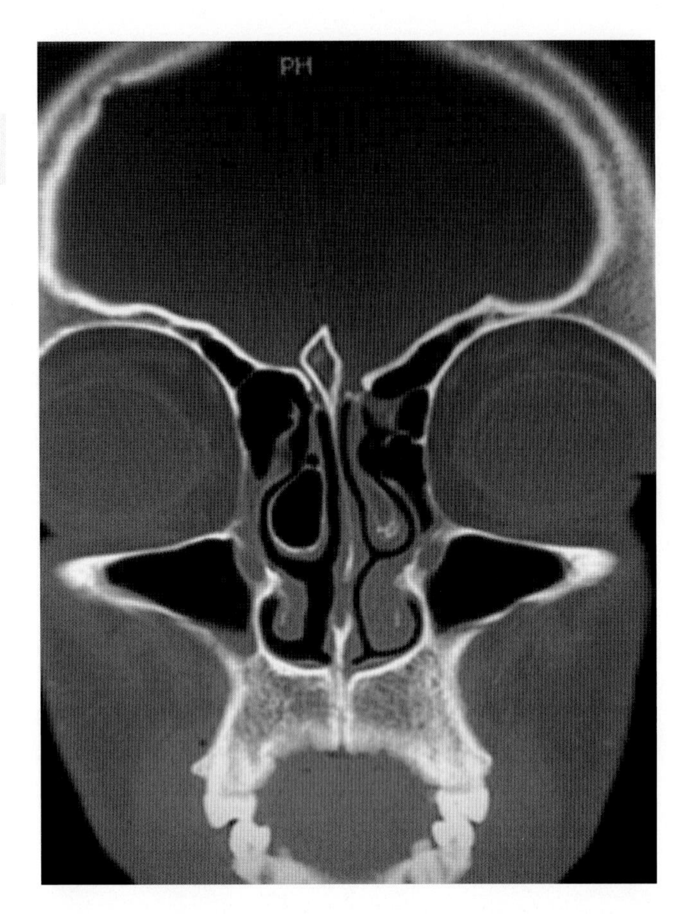

■ 그림 16.3 **수포성 갑개의 CT 관상단면(환자 우측)**

혈액 공급의 변화로 인해 부풀어 오를 수 있다.[13] 알레르기, 약물 남용, 염증성 장애를 비롯한 많은 환경적 요인이 비갑개 비대를 유발할 수 있다. 종종, 비갑개 비대로 인한 폐쇄는 염증 인자에 따른 비바람직한 뼈 해부학과 조직 비대의 "혼합" 상태이다.

다른 비갑개 이상은 흔하지 않다. 수포성 갑개는 중비갑개에 공기가 주입되어 중비도의 비대와 폐쇄를 초래하는 해부학적 변형이다. Stallman과 동료들은 부비동 CT를 시행한 998명의 환자에 대한 고찰에서, 44%가 적어도 편측성 수포성 갑개를 가지고 있고, 21%는 양측성임을 발견했다(■ 그림 16.3, 4).[14] 역행성 중비갑개는 비강 외측벽 대신 중격쪽으로 안쪽으로 휘어 중비도 폐쇄를 초래한다. 이러한 해부학적 변이 중 어느 것도 그 자체로 병리학적인 것은 아니지만, 둘 다 비강 저항에 기여할 수 있어 다른 해부학적이나 생리학적 요인이 있는 환자에게 문제를 악화시킬 수 있다.

아데노이드는 비인두 후벽에 위치한 림프조직의 집합체이다. 이것은 설편도와 구개편도를 포함하는 "Waldeyer's ring"으로

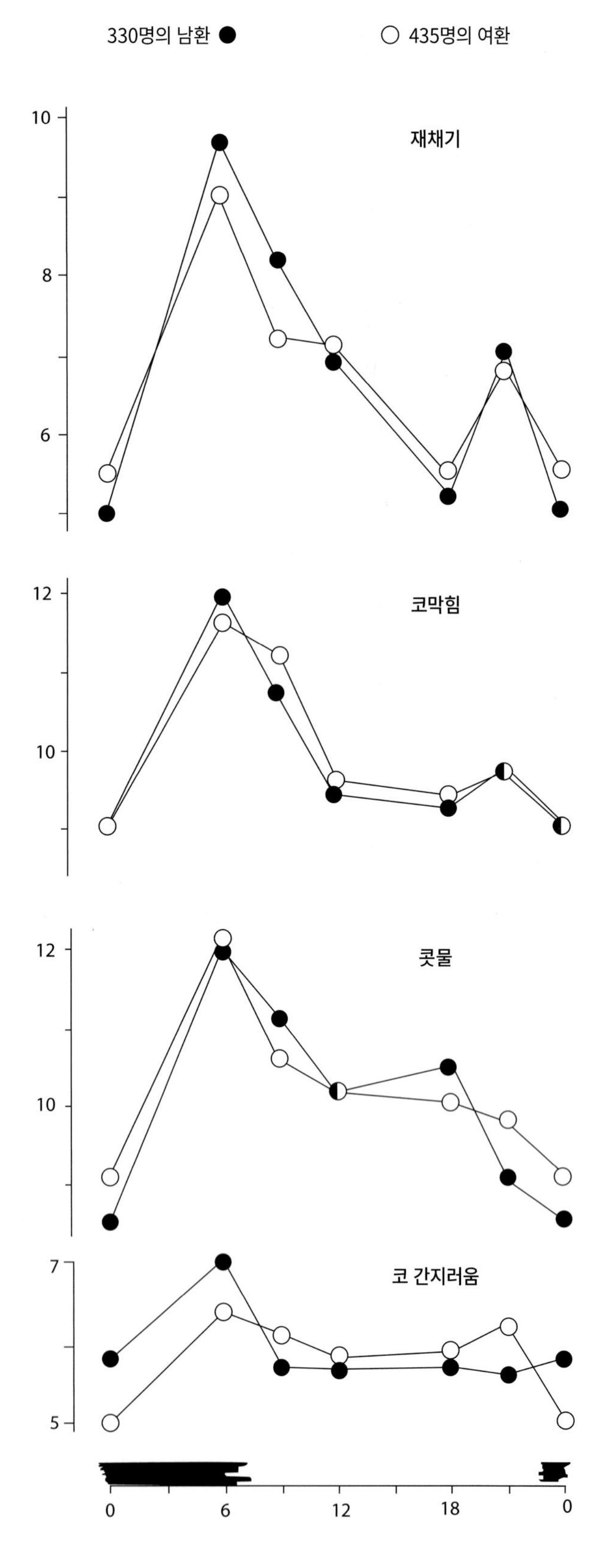

■ 그림 16.4 **330명의 남성과 435명의 여성 환자에 관한 Reinberg 등의 연구에서, 하루 시간의 변화에 따른 코 증상의 변화를 보여주는 크로노그램[80]**

알려진 림프 조직 원의 일부이다. 아데노이드는 일반적으로 약 6세까지 성장한 다음 퇴행하기 시작하여, 종종 청소년기 후반이나 성인 초기에 완전히 사라진다. 아데노이드 비대는 소아에서 비폐색의 흔한 원인이다. 명백한 폐쇄성 수면 무호흡(OSA) 아동에 대한 연구를 제외한 메타 분석에 따르면 아데노이드 비대의 유병률은 42-71%의 범위를 가진다.[15]

16.3.2 염증성 인자

해부학적 이상 외에도 다양한 염증 요인에 의해 코막힘이 유발되거나 악화될 수 있다. 비강은 염증에 매우 민감하며, 코막힘과 관련된 염증 수준의 변화는 비강 기류에 상당한 영향을 미친다. 역학 연구에서는 알레르기성 비염의 유병률에 대한 추정에 차이가 있지만, 인구의 9-42% 사이에 영향을 미치는 것으로 추정된다.[16] 알레르기성 비염과 관련된 여러 염증 인자는 일주일 주기를 따르며, interferon γ, 종양 괴사 인자 α, IL-4, IL-1b, IL-10을 포함한다.[17,18] 많은 요인들이 수면 시간 동안 상향 조절되면, 이른 아침에 최고조에 달하여 코막힘이 악화된다. 알레르기가 있는 일부 환자는 oxymetazoline과 같은 국소 충혈 완화제에 과도하게 의존하여 약물성 비염으로 알려진 반동성 비폐색을 일으켜 비호흡이 더욱 악화될 수 있다.[19]

몇 가지 비알레르기성 비염 상태가 있다. 혈관 운동성 비염은 자율신경계 기능장애와 관련이 있으며, 냄새, 온도, 압력의 변화, 특정 음식 섭취에 의해 코막힘이 유발된다.[20] 임신성 비염은 비점막에 대한 호르몬의 영향으로 발생하며, 임산부의 7-9%가 영향을 받는다.[21] 또한 루푸스, 쇼그렌 증후군, Churg Strauss 증후군과 같은 다양한 기타 전신 염증 상태와 관련이 있다.

비강 저항은 직립 자세에서 수면 중에 흔한 앙와위 자세로 움직일 때도 증가한다.[22] 이것은 신체 표면의 압력 수용체에 의해 촉발되는 자율 반사에 의해 부분적으로 조절되지만, 비강 혈관계의 수동적 혼잡에 의해서도 조절될 수 있다.[23] 낮에 이미 코막힘을 경험한 환자는 비강 내 혈관 충혈이 증가하는 중력의 영향으로 수면 중에 이러한 효과가 확대될 가능성이 있다.

16.3.3 수면 및 수면 무호흡에서 비기도의 효과

코막힘과 수면의 나쁜 질 사이에는 잘 정립된 관계가 있다. 여러 대규모 역학 연구에서 해부학적 제약이나 염증성 질환으로 인한 비폐색이 코골이와 수면 무호흡의 독립적인 위험 인자라는 것이 밝혀졌다.[24-26] 이 두 독립체 사이의 연결은 복잡하고 다원적이다. 코는 정상 조건에서 1차 호흡 경로이다. 비호흡은 깨어 있을 때 흡입 공기의 92%, 잠자는 동안에는 96%를 차지한다.[27] 건강한 사람에서 비강 저항은 전체 기도 저항의 55-60%를 차지한다.[28] 이 비율은 비강 폐쇄 문제의 영향을 크게 받을 수 있다. 인두 기도 허탈은 Starling 저항기 모형을 사용하여 많은 저자에 의해 거의 정확하게 계산되었다. 인두는 단단한 상부와 하부 기류 사이에 매달린 균질한 속이 빈 튜브로 모형화된다. 비강 기도 저항은 관의 구멍에서 부분 폐쇄를 나타내고, 인두는 단단한 기관에 연결된 허탈 가능한 하부 기류를 나타낸다. 비강 저항이 증가하면 하류에 내강 음압이 발행하여 인두 허탈 성향이 증가한다.[29,30] 비강 폐쇄가 충분히 심하면, 많은 사람들이 구호흡(입으로 숨쉬기)으로 전환한다. 실험에 의하면, 구호흡은 수면 중 비호흡에 비해 상기도 저항이 2.5배 증가하여 생리적으로 불리하다.[31]

비폐색 유도는 여러 연구에서 수면의 질에 영향을 미치는 것으로 나타났다. Regli 등은 술후 비강 패킹이 OSA 환자의 무호흡저호흡 지수(AHI)를 증가시킨다고 하였다.[32] 다른 연구에서는 실험적으로 건강한 피험자의 콧구멍을 막으면 AHI, 각성 지수가 증가하고 총 수면 시간이 감소한다고 하였다.[33,34] 그러나 Friedman 등은 OSA가 있는 49명의 피험자에서 경증의 OSA 환자만이 더 심각한 질병을 가진 사람들과 대조적으로 술후 코막힘으로 AHI가 증가함을 보여주었다.[35] 반대로, 코막힘이 완화되면, 수면의 질이 향상되는 것으로 밝혀졌다. 2019년 An 등의 연구에서 OSA와 만성 코막힘이 있는 환자에서 수면 전에 oxymetazoline을 사용하면 AHI, REM 수면 기간, 평균 산소 포화도가 개선된다는 사실을 발견했다.[36]

코의 감각신경 피드백이 신경 저항에서의 역할 외에도 수면 중 호흡 양상에 영향을 미친다는 연구 결과가 있다. White 등은 충혈 완화제와 비강 내 lidocaine 투여가 식염수와 충혈 완화제에 비해 AHI를 유의하게 증가시킨다고 하였다(평균 AHI 25.8 대 6.4)[37] 비강 lidocaine은 무호흡에 대한 각성 반응을 감소시켜 무호흡 사건의 길이를 유의하게 증가시키는 것으로 밝혀졌다.[38] 정상적 기상 호흡에서, 구호흡에 비해 비호흡은 더 높은 환기 시간과 호흡수로 이어진다. 이러한 차이는 상기도에 국소 마취가 적용될 때 상당히 지워지고, 이는 비강 기류 수용체가 호흡수를 조절하는 데 도움이 됨을 시사한다.[39] 따라서 비폐색으로 인한 기류의 부재는 단순한 기도 역학에 추가하여 신경 피드백 기전의 조절 장애를 통해 호흡을 손상시킬 수 있다.

알레르기는 폐쇄에 기여하여 여러 기전을 통해 수면 중 호흡에 영향을 줄 수 있다. 기계적 방해 효과 외에도 알레르기와 관련된 염증 매개체는 수면의 질 저하와도 관련이 있다(◘ 표 16.1-2).[18] 알레르기 비염 치료를 위한 많은 약물은 수면 조절과 관련된 중추 신경계 수용체에 결합하여 수면 관련 부작용의 가능성을 높인다. 알레르기성 비염 치료에 가장 많이 사용되는 경구용 항히스타민제는 재채기와 가려움증 증상을 조절하는 데 매우 효과적이지만, 비폐색을 덜 효과적으로 감소시켜 수면 중 비강 저항을 감소시키는데 제한이 있다.[18] 경구용 항히스타민제의 부작용에는 구강 건조가 포함될 수 있으며 이는 야간 호흡 곤란을 악화시킬 수 있다.[40] H_1-수용체 길항제는 민감한 사람에게 졸음을 유발하고 수면 보조제로 유용할 수 있지만, 바람직하지 않은 수면 관성을 유발할 수 있다. 이런 이유로 수면의 질 향상을 뒷받침하는 증거가 부족함에도 불구하고 많은 항히스타민제가 수면 보조제로 널리 사용된다. 반대로, 전신성 충혈 완화제(예: pseudoephedrine)와 베타 작용제는 불면증을 유발하거나 악화시킬 수 있다.[40]

◘ 표 16.1 염증 매개체와 수면에의 영향

매개체	수면에의 영향	비강 폐쇄에 대한 효과
Histamine	뇌의 H_1 수용체를 통해 수면 중 각성과 서파 활동 사이의 균형에 관여	약간 ↑
CysLT	서파 수면↑	↑
IL-1	PGD_2↑를 통해 부분적으로 매개되는 효과; 비-REM 수면↑; 수면 개시 잠복기↓과 관련: REM 잠복기↑ 및 REM 지속 시간↓	
IL-4	수면 개시 잠복기↓과 관련; REM 잠복기↑ 및 REM 지속 시간↓	
IL-10	수면 개시 잠복기↓과 관련; REM 잠복기↑ 및 REM 지속 시간↓	
TNF-α	아마도 PGD_2↑를 통해 매개	
PGD_2	REM↑, 비-REM↑	↑
Bradykinin		↑
Substance P	REM 잠복기↑, 각성 효과	↑

Ferguson 등에서 인용(2004).

◘ 표 16.2 코 증상과 수면을 평가하기 위한 병력 및 신체 검사의 유용한 인자

매개체	
현재 병력	- 폐색의 만성, 계절성, 지속 기간, 중증도 평가 - 편측성 대 양측성 - 야간 대 주간 증상 - 콧물 관련? - 완화 혹은 경감 요인?(잠재적 알러젠, 약물 사용)
과거 병력	- 안면 외상 병력 - 코수술 병력 - 알레르기 검사
사회 경력	- 흡연 - 직업(곰팡이, 톱밥, 공업용 화학 물질에의 노출)
신체 검사	
외측 비강 검사	- 비연골과 콧등 위치 기록 - 비강 판막 평가를 위한 Cottle/Modified Cottle
전방 비경 검사	- 중격 위치 평가 - 코 점막의 특징 기록

지속적 양압기 요법이 알레르기 및 부비동염과 부정적인 상호작용을 한다는 증거도 있다. Alahmari 등은 지속적 양압기 사용이 비강 염증 마커의 상향 조절과 점막 섬모 청소율 감소를 초래한다는 것을 발견했다.[41] 또한 Saka 등은 25명의 피험자의 조직 생검을 기반으로 지속적 양압기가 비강 점막의 염증과 결절을 증가시키는 것을 발견했다.[42]

16.4 비강 기도 평가

비폐색에 대한 인식이 신체 검사 소견과 항상 직접적으로 상관관계가 있는 것은 아니기 때문에, 비폐색과 수면 호흡 장애 증상이 있는 환자에서 신체 검사와 함께 병력을 평가하는 것이 중요하다. 많은 환자들이 탈모와 쇠약해지는 성질의 폐쇄 증상을 경험한다. 환자가 코막힘을 호소하는 경우, 과거 정보와 검사 결과를 통해 이것이 해부학적 이상인지 염증 요인에 대한 이차적 결과인지를 판단할 수 있고, 이는 치료 결정에 직접적인 영향을 미칠 것이다. 비내시경, 영상, 비강 측정과 같은 추가 검사가 추가 정보를 제공할 수 있지만 항상 필요한 것은 아니다.

알레르기성 비염과 기타 비염 질환에는 종종 폐쇄 증상 외에 콧물이 포함된다. 알레르기성 비염이 있는 많은 환자는 증상의 계절적 변화 또는 증상을 악화시키는 알고있는 노출을 정확히 짚어낼 수 있다. 혈관 운동성 비염 환자는 계절성이 없거나 통상적인 환경 요인과 무관한 비정형적 악화 요인을 설명할 수 있다. 지속적 알레르기성 비염 환자가 어떤 유발 요인도 전혀 설명하지 못할 수도 있다. 임상의는 좋은 사회경력 기록을 통해 곰팡이, 톱밥, 산업용 화학 물질과 같은 직업적 노출에 대한 단서를 찾을 수 있다. 약물 이력은 이전에 성공하거나 실패한 치료법에 관한 정보를 수집할 수 있다. 해부학적 이상은 가변적이기보다는 일정한 폐색을 유발하는 경향이 있고 본질적으로 일방적일 수 있다. 또한 외상이나 이전 수술 경력을 통해 임상의가 진단 시 해부학적 폐쇄를 보다 강력하게 고려할 수 있다. 많은 환자들이 밤에만 코막힘을 경험하기 때문에 질문

에는 항상 야간 증상에 대한 평가가 포함되어야 한다. 비폐색 증상 평가(NOSE) 및 비부비동 설문지와 같은 검증된 설문지는 증상의 심각성을 정량화하는 데 도움이 될 수 있다(◘ 그림 16.5–6).[43,44]

신체 검사에는 비강 기도를 평가하기 전에 비강과 비연골의 위치를 포함하는 외측 코에 대한 주의 깊은 검사가 포함된다. 전방 비경 검사는 비강 검경으로 수행할 수 있다. 전비강 중격의 평가와 편위 위치(있는 경우)는 수술 계획에 도움이 될 것이다. 비갑개 점막은 전방 비경 검사 동안 알레르기 환자에서 축축하고 염증이 있을 수 있다. Modified Cottle maneuver와 같은 동적 수법은 조용한 호흡 동안 동적 판막 붕괴가 의심되는 경우, 비강 판막 구조적 지지에 관한 중요한 정보를 제공한다. 첫째, 환자에게 부드럽게 숨을 들이쉬고 외측 비강벽을 주의 깊게 관찰하여 동적 붕괴를 관찰한다. 그 다음, modified Cottle maneuver를 수행하기 위해, 환자가 검사를 반복하는 동안 작은 도구나 면봉을 사용하여 코 측벽을 내측으로 지지한다. 증상의 완화는 비강 판막 붕괴가 증상에 기여할 수 있음을 시사한다.[45] Cottle maneuver는 내부에서 비강 판막을 지지하기 위해 기구를 사용하는 대신, 비측벽을 열기 위해 손가락을 비강 피부에 측면으로 누르는 것을 제외하고 유사하게 수행된다. 이 조작으로 흡기가 상당히 개선된다면 정적 판막 붕괴를 의심할 수 있다.

비내시경 검사는 많은 경우 해부학을 추가로 특성화하는 데 도움이 된다. 국소 충혈 완화제와 마취제를 도포한 후 단단한 내시경을 콧구멍으로 통과시킨다. 초기 비강 검사는 하비갑개 비대와 같은 염증 상태를 가릴 수 있으므로 약물 투여 전에 완료해야 한다. 비내시경 검사를 통해 중비갑개, 하비갑개 후방 측면, 후방 중격과 같은 더 많은 후방 구조를 평가할 수 있다. 비강 폴립, 아데노이드 비대, 전방 비경 검사에서 쉽게 볼 수 없는 기타 폐쇄성 종괴를 식별하는 데 도움이 될 수 있다.

부비동 CT 영상은 코와 부비동의 골 구조를 객관적으로 특성화하는데 도움이 된다. 연조직 측면 경부 방사선 사진은 광섬유 내시경을 견디지 못하는 소아에서 아데노이드 비대를 평가하는데 유용할 수 있다.

음향비강통기도검사는 반사된 음파를 측정하여 코의 내부 기하학에 대한 정보를 생성하는 진단 도구이다.[46] 비교적 비침습적이고 내시경이나 영상 촬영에 협조하지 않는 어린이와 같은 피험자의 참여를 최소화한다는 장점이 있다. 비압측정법은 압력 변환기와 안면 마스크를 사용하여 비강 기류를 객관적으로

◘ 그림 16.5 **비부비동 설문지**

지난 3개월 동안 평균적으로 다음의 증상이 얼마나 자주 있었습니까?

	전혀 없다	한달에 1–4회	일주일에 2–6회	매일
콧물	☐	☐	☐	☐
후비루(코 뒤 흐름)	☐	☐	☐	☐
코를 풀어야 할 필요성	☐	☐	☐	☐
안면 통증/압박	☐	☐	☐	☐
코막힘	☐	☐	☐	☐

점수: 전혀 없다(0), 한달에 1–4회(1), 일주일에 2–6회(2), 매일(3)
항목의 평균으로 보고된 점수: 가능한 점수 범위 0–3

◘ 그림 16.6 **비폐색 증상 평가 (NOSE) 조사**

지난 1개월 동안 다음 조건이 귀하에게 얼마나 문제가 되었습니까?
가장 가까운 답에 동그라미 해주세요.

	문제가 아니다	매우 가벼운 문제	보통의 문제	상당히 나쁜 문제	극심한 문제
1. 코 충혈 또는 답답함	0	1	2	3	4
2. 코막힘 또는 폐색	0	1	2	3	4
3. 코로 숨쉬기 어려움	0	1	2	3	4
4. 수면 곤란	0	1	2	3	4
5. 운동이나 격심한 활동 시 코를 통해 충분한 공기를 마시기 어려움	0	1	2	3	4

측정하는 기술이다.[47] 두 기술 모두 임상에서 일상적으로 사용되는 것 이상의 장비가 필요하지만 일부 환자의 비폐색 평가에 유용할 수 있다.

16.4.1 비폐색 의학적 치료

많은 알레르기 환자는 자극 회피 전략으로 코막힘 증상을 줄일 수 있다. 알레르기성 비염을 치료할 수 없는 사람들을 위해 많은 구강 및 국소 요법이 있다. 비강 내 corticosteroid는 현의료 요법의 황금 표준이다. 2016년 메타 분석에서 Liu 등은 AHI가 있는 OSA 환자의 비강 내 스테로이드(fluticasone, mometasone)와 식염수 스프레이 위약을 비교한 5건의 이중 맹검 무작위 대조 시험을 1차 결과로 분석했다. 결과는 AHI에서 통계적으로 유의하지만 임상적으로 최소한의 변화를 보여주었다. 221명 환자의 통합 결과를 기반으로 평균 AHI의 차이는 −0.95(95% CI −1.42에서 −0.47)였다(◘ 그림 16.7).[48] 2013년 전향적 코호트 연구에서 Lavigne 등은 OSA와 알레르기성 비염이 있는 환자를 비강내 스테로이드로 치료한 34명의 환자에서 앙와위 AHI와 기준선 혈액 산소 포화도가 향상되었지만, OSA가 있으나 알레르기성 비염이 없는 환자군에서는 변화가 없었다고 보고하였다.[49] 객관적인 데이터는 비강 corticosteroid 치료가 최소한의 영향을 미친다는 것을 시사하지만, 몇몇 연구에서는 주관적 수면의 질에 대한 영향이 더 클 수 있음을 시사한다. 2010년 Meltzer 등은 비강내 corticosteroid와 식염수 스프레이를 비교한 이중 맹검 병렬 연구를 발표했는데, 비결막염 삶의 질 설문지(RQLQ; −1.82 대 −0.6), ESS (−1.9 대 +0.44)를 사용하여 수면의 질이 향상됨을 발견하였고, 작업 생산성 및 활동 손상-알레르기 특정(WPAI-AS) 점수에서 소실된 시간이 더 적고 일일 활동 손상이 감소함을 보고했다. 이 연구에서도 AHI를 측정했는데, AHI가 20 이상인 피험자는 제외되었다.[50] 2005년 Craig 등은 알레르기성 비염과 관련 수면 증상이 있는 환자에 대한 3건의 이중 맹검 위약 대조 교차 연구의 통합 데이터를 발표했다. 참고로, 세 연구 모두 OSA가 있는 환자를 제외하였다.[51]

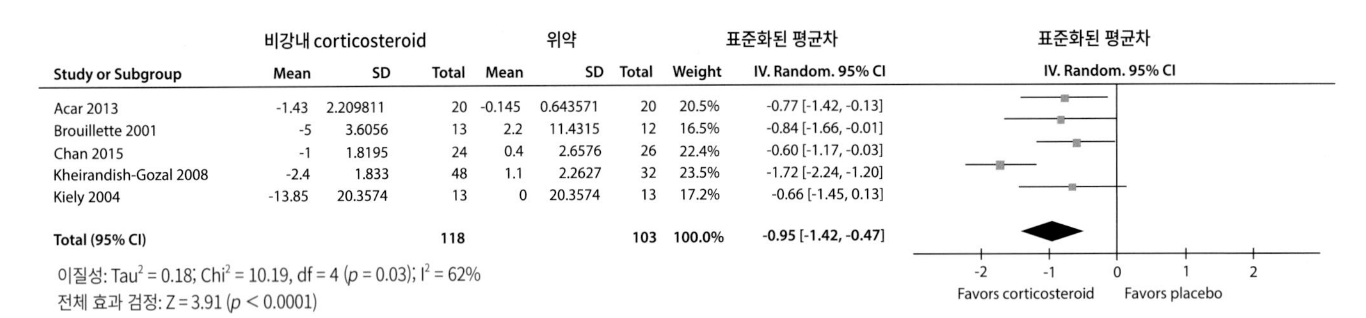

Study or Subgroup	비강내 corticosteroid Mean	SD	Total	위약 Mean	SD	Total	Weight	표준화된 평균차 IV. Random. 95% CI
Acar 2013	-1.43	2.209811	20	-0.145	0.643571	20	20.5%	-0.77 [-1.42, -0.13]
Brouillette 2001	-5	3.6056	13	2.2	11.4315	12	16.5%	-0.84 [-1.66, -0.01]
Chan 2015	-1	1.8195	24	0.4	2.6576	26	22.4%	-0.60 [-1.17, -0.03]
Kheirandish-Gozal 2008	-2.4	1.833	48	1.1	2.2627	32	23.5%	-1.72 [-2.24, -1.20]
Kiely 2004	-13.85	20.3574	13	0	20.3574	13	17.2%	-0.66 [-1.45, 0.13]
Total (95% CI)			**118**			**103**	**100.0%**	**-0.95 [-1.42, -0.47]**

이질성: $Tau^2 = 0.18; Chi^2 = 10.19, df = 4 (p = 0.03); I^2 = 62\%$
전체 효과 검정: $Z = 3.91 (p < 0.0001)$

◘ 그림 16.7 Liu 등의 AHI에 대한 비강내 corticosteroid와 위약의 효과에 대한 메타 분석[48]

Study or Subgroup	Treatment Mean	SD	Total	Control Mean	SD	Total	Weight	표준화된 평균차 IV. Random. 95% CI	Year
Amaro et al. 2012	39	15	12	38	14	12	10.7%	0.07 [−0.73, 0.87]	2012
Djupesland et al. 2001	12.2	1.7	18	8.7	1.2	18	10.2%	2.33 [1.46, 3.19]	2001
Schonhofer et al. 2000	36.1	20.1	26	37.4	18.3	26	12.6%	−0.07 [−0.61, 0.48]	2000
Pevernagie et al. 2000	6	1	12	6	1	12	10.7%	0.00 [−0.80, 0.80]	2000
Bahammam et al. 1999	7.4	2.1	18	8.9	1.9	18	11.6%	−0.73 [−1.41, −0.05]	1999
Gosepath et al. 1999	26.3	23	26	31.7	24	26	12.6%	−0.23 [−0.77, 0.32]	1999
Hoffstein et al. 1993	33.9	22.9	15	35.5	29.8	15	11.3%	−0.06 [−0.77, 0.66]	1993
Metes et al. 1992	44	40	10	46	39	10	10.1%	−0.05 [−0.93, 0.83]	1992
Kerr et al. 1992	56.9	37.1	10	57.8	35.8	10	10.1%	−0.02 [−0.90, 0.85]	1992
Total (95% CI)			*147*			*147*	*100.0%*	*0.11 [−0.38, 0.60]*	

이질성: $r^2 = 0.42; x^2 = 32.91, df = 8 (p < 0.0001); I^2 = 76\%$
전체 효과 검정: $Z = 0.43 (p = 0.67)$

표준화된 평균차
IV. Random. 95% CI
−2 −1 0 1 2
Favors [treatment] Favors [control]

◘ 그림 16.8 Camacho 등의 메타 분석에서 비강 확장제의 AHI에 미치는 영향을 보여주는 숲 도표[54]

국소 비강 항히스타민제는 종종 알레르기성 비염 치료에서 비강 corticosteroid의 대안이나 보조제로 처방된다. 이중 맹검 교차 연구에서 알레르기성 비염과 수면 호흡 장애가 있는 환자에서 국소 azelastine을 식염수와 비교했다. Azelastine 그룹의 환자들은 주관적으로 수면이 개선되었지만 주간 졸음이나 코막힘은 개선되지 않았다고 보고했다.[52] 다른 시험에서, Santos 등은 지속적 알레르기성 비염 환자에게 leukotriene 억제제 montelukast를 사용하면 수면 설문지의 기능적 결과(FOSQ), ESS, 캘거리 수면 무호흡 삶의 질 지수를 포함한 여러 검증된 척도에 의해 측정된 수면 질의 주관적 향상이 일어남을 발견했다.[53]

이용 가능한 임상 데이터는 수면 호흡 장애와 알레르기성 비염이 있는 환자의 치료를 뒷받침한다. 특히, 비강 corticosteroid의 사용은 주관적 수면 증상을 유의하게 개선하고 AHI와 수면 질에 대한 객관적 측정에 약간의 영향을 미칠 수 있다. 다른 의학적 알레르기 치료도 도움이 될 수 있지만, 수면 증상을 관리하는 이런 약물의 역할을 결정하기 위해서는 추가 연구가 필요하다.

비강 확장기를 사용하여 수면 호흡 장애에서 비폐색의 비수술적 치료가 가능하다. 비강 확장기는 비강 판막을 스텐트로 여는 비침습적 외측 접근 장치이다. 기상 활동 중에 착용하는 것이 때때로 번거롭기도 하지만, 많은 수면 환자가 더 쉽게 견뎌낸다. 2016년 메타 분석에서 Camacho 등은 내측 또는 외측 비강 확장기를 사용한 14개의 연구에서 147명을 대상으로 연구한 결과, AHI, 최저 산소 포화도, 코골이 지수에서 유의한 차이가 없다고 보고했다. 내측 확장기 사용으로 무호흡 지수가 약간 감소했다(시간당 4.87 대 0.64회)(◘ 그림 16.8).[54] 2가지 유형의 외측 확장기를 사용한 2018년 무작위 대조 시험에서 두 유형 모두 Pittsburgh 불면증 비율 점수, 야간 비결막염에 근거한 삶의 질 개선에서 가짜 확장기보다 우수한 것으로 밝혀졌다.[55]

16.4.2 수면 호흡 장애 관리의 코 수술

염증성 장애의 의학적 관리는 저렴하고 위험도가 높으며 환자 증상이 충분히 개선되면 관찰된 구조적 이상을 수술적으로 교정할 필요가 없다. 그러나 많은 경우 제한된 비강 기류의 해부학적 원인을 교정하려면 외과적 개입이 필요하다. 비폐색의 외과적 관리는 복잡하며 중재는 개별 환자의 해부학적 구조에 맞게 조정되어야 한다. 코 수술이 수면 호흡 장애에 관한 증거는 환자를 대체 수술이나 가짜 수술 대조약에 무작위 배정하는 데 존재하는 윤리적 문제로 인해 주로 후향적 관찰 코호트에서 나온다.

16.5 비폐색 해결을 위한 외과 술식

폐색을 해결하기 위한 코 수술의 특정 기술은 다양하고 미묘한 차이가 있으며, 이번 단위의 범위를 벗어난다. 그러나 이용 가능한 중재 및 절차 선택을 기본적으로 이해하는 것은 중요하다. 하비갑개 비대의 치료 유무에 관계없이 비중격 성형술은 비폐쇄에 대해 가장 일반적으로 수행되는 수술이며, 아마도 수면 호흡 장애와 관련하여 가장 잘 연구될 것이다. 일반적으로 중격 성형술은 연골과 골 중격에서 중격 점막을 들어올리고 편위된 부분을 제거하거나 재배치한다. 연골의 등쪽과 꼬리 버팀대를 보존하거나 코의 구조적 완전성을 구성하여, 외형에 변화가 일어나지 않게 한다. 비갑개 절제술은 미세절제술이나 고주파 절제술로 비갑개를 덮고 있는 연조직의 크기를 줄이는 기술이며 종종 비갑개골의 외과적 골절과 결합된다. 이것은 수술실에서 또는 적절하게 선택되고 환자의 국소 마취하에 외래에서 달성될 수 있다.

외부 코 기형이 있는 환자의 경우 비중격 성형술을 포함하거나 포함하지 않는 기능적 코 성형을 시행할 수 있다. 기능적 비성형은 코의 외측 연골과 골의 외과적 변형을 목표로 하는 다양한 술식을 아우르고, 종종 내외측 비강 판막의 단면적이나 강성의 증가가 목표에 포함되기도 한다.

아데노이드 절제술은 전기소작, 미세괴사조직 제거술, 냉강법 등의 다양한 술식을 사용하여 폐쇄성 아데노이드 조직을 외과적으로 제거하기 위해 보편적으로 수행된다. 기능적 내시경 부비동 수술(FESS)은 내시경 카메라와 기구를 사용하여 부비동 배액을 최적화하고 약물에 반응하지 않는 염증성 질환을 제거하는 방식으로 부비동의 골해부학을 교정하는 것을 포함한다. 수포성 갑개나 비용종증과 같이 비강 기류를 직접적으로 방해하는 추가적인 구조적 이상도 FESS 동안 교정할 수 있다. 이러한 모든 술식은 단독으로 시행할 수 있지만, 다인성 해부학적 폐쇄가 있는 환자에서는 다양한 조합으로 시행되는 경우가 많다.

16.6 OSA에서 비강 수술에 대한 증거

사용 가능한 데이터에 따르면, 비강 수술은 종종 주관적 수면의 질을 개선하지만 수면 호흡 장애의 객관적인 수면 다원 검사 지표를 안정적으로 개선하지는 못한다. 그러나 비폐색의 수정은 OSA의 1차 치료인 지속적 양압기에 대한 환자의 적응을 상당히 향상시킬 수 있다. 코수술이 AHI와 주관적인 수면의 질에 미치는 영향에 관한 대규모 메타 분석은 10개의 후향적 코호트 연구에서 225명의 피험자를 분석했다. 외과적 개입은 다양하며 단독 비갑개 절제술, 비중격 성형술과 비갑개 절제술, "중격 성형술, 비갑개 절제술, 비강 판막 재건, 내시경 등 수술의 어떠한 조합"을 모두 포함한다. AHI에서 통계적으로 유의한 차이는 관찰되지 않았지만, 호흡 장애 지수와 주관적 졸음 증상에서 통계적으로 유의한 개선이 관찰되었다[호흡 장애 지수: –11.06회/시간, 95% CI (–5.92, –16.19); ESS –3.53, 95% CI (–0.64, –6.23)](◘ 그림 16.9).[56] Li와 동료들의 이전 메타 분석은 유사한 결과를 보도했다.[57] 다른 관찰 연구는 주관적 수면의 질에 대한 코 수술의 영향을 지지한다. Li 등은 Ertugay 등의 유사한 연구처럼, 코골이 결과 조사와 ESS를 기반으로 하는 중격 성형술을 받은 환자에서 질병별 삶의 질이 크게 향상되었음을 발견했다.[58,59]

보다 최근의 데이터에 따르면, 코 수술을 통해 객관적인 수면 다원 검사 지표에서 상당한 개선을 달성한 환자의 하위 그룹이 있을 수 있다. Shuaib 등은 기능적 코 성형술 후 AHI가 통계적으로 유의하게 35% 감소했으며(24.7에서 16), BMI가 30 이상인 환자를 제외했을 때 57%로 더 많이 개선(22.5에서 9.6)됐다.[60] 2015년 Hisamatst 등은 OSA와 비폐색 환자가 익돌관 신경을 절제하여 코 염증을 줄이는 술식인 후방 신경 절제술과 중격 성형술을 받은 후 AHI가 유의하게 감소했다고 보고했다(중증 OSA에서 –12.46, 중등증에서 –7.86).[61] 78명의 환자를 대상으로 한 노르웨이 코호트 연구에서 Moxness 등은 코 수술 후 ESS에서 통계적으로 매우 유의한 개선을 발견했다(8.94 대 10.74; $p < 0.01$). 이 연구에서는 전체 코 수술을 받은 AHI에서 통계적으로 유의한 변화를 찾지 못했지만, 술후 하위 그룹 분석에서 중격 성형술과 비갑개 삭제를 병용한 환자에서 AHI에서 통계적으로 유의한 감소를 발견했다(17.4에서 11.7; $p < 0.01$).[62] 한국과 중국의 최근 연구에서도 코 수술 후 AHI가 통계적으로 유의하게 감소한 것으로 나타났다.[63,64]

AHI에 대한 코 수술의 효과는 다양하고 결정적이지 않다. OSA 질병 부담의 객관적 측정에서 상당한 개선을 경험하는 환자의 선별된 그룹이 있을 수 있지만, 이러한 하위 그룹은 아직 명확하게 확인되지 않았다. 그러나 이용 가능한 증거는 코 수술이 주관적 수면의 질과 주간 졸음을 개선할 수 있음을 시사한다.

또한 비강 수술이 지속적 양압기의 필요 압력을 줄이고 양압기 이행 준수를 개선하는 데 도움이 될 수 있다는 설득력 있는 증거가 있다. 양압기는 OSA의 1차 치료법이지만 적응도는 46–83%에 이르는 불순응 추정치에 상당한 문제를 제기한다.[65] 2015년 Camacho 등의 메타 분석은 분리된 코 수술 전후의 양압기 데이터를 보고한 18개 연구에서 279명의 환자를 조

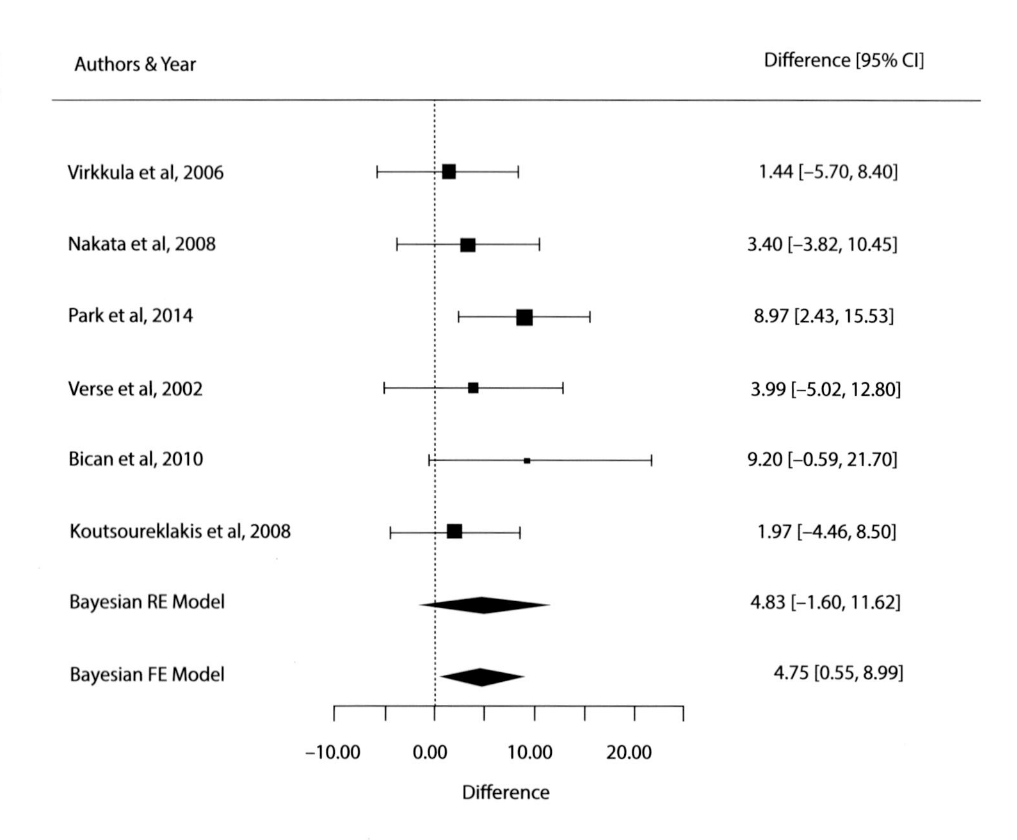

◘ 그림 16.9 **Ishii 등의 메타 분석에서 코 수술 후 술전 및 술후 AHI를 보여주는 숲 도표**[56]

■ 표 16.3 Kempfle 등에 의해 개발된 모델을 기반으로 OSA 환자에 대한 중격 성형술 또는 비갑개 축소를 수행하는 삶의 질당 비용 절감을 이론화했다[67]. 모델 결과는 500–5,000 범위의 치료되지 않은 OSA의 추정 비용[비용 OSA($)]으로 보고된다.

표 1 비강 수술로 절감된 보정된 삶의 질 비용

비중격 성형술				비갑개 삭제			
5년		삶의 질 비용		5년		삶의 질 비용	
	OSA 비용(달러)	pCPAP 70%	pCPAP 30%		OSA 비용(달러)	pCPAP 70%	pCPAP 30%
	500	1,823.53	618.81a		500	668.07	787.13
	1,000	1,907.56	1,051.98a		1,000	752.10	1,183.17
	2,000	2,075.63	1,918.32a		2,000	920.17	1,975.25
	5,000	2,579.83	4,517.33a		5,000	1,424.37	4,351.49
10년		삶의 질 비용		10년		삶의 질 비용	
	OSA 비용(달러)	pCPAP 70%	pCPAP 30%		OSA 비용(달러)	pCPAP 70%	pCPAP 30%
	500	1,174.37	1,383.66		500	596.64	702.97
	1,000	1,258.40	1,779.70		1,000	680.67	1,099.01
	2,000	1,426.47	2,571.78		2,000	848.74	1,891.09
	5,000	1,930.67	4,948.02		5,000	1,352.94	4,267.33
15년		삶의 질 비용		15년		삶의 질 비용	
	OSA 비용(달러)	pCPAP 70%	pCPAP 30%		OSA 비용(달러)	pCPAP 70%	pCPAP 30%
	500	957.98	1,128.71		500	572.83	674.92
	1,000	1,014.01	1,524.75		1,000	656.86	1,070.96
	2,000	1,210.08	2,316.83		2,000	824.93	1,863.04
	5,000	1,714.29	4,693.07		5,000	1,329.13	4,239.27

계산은 다른 Pcpap 30%, 70%의 2가지 기반 인구군과 5, 10, 15년의 시간으로 이루어졌다.
[a]5년 시간내 중격 성형술만이 비용–효과적이지 않다; 모든 다른 시간에서, 코 수술은 선호된다(WTP = $50,000).
pCPAP; 지속적 양압기 순응 가능성, WTP 지불 의지

■ 표 16.4 코 수술 후 주관적 코골이 결과

연구 저자	술식	환자 인구	주관적 결과
Sufioğlu et al.[71]	특정화되지 않는 "코 수술"	OSA와 신체 검사에 확인된 코 병변이 있는 환자 31명	VAS에서 코골이 8.6 ± 2.3에서 4.9 ± 2.3로 $p < 0.001$
Friedman et al. (2007)	비중격 성형술 ± BITSMR ± FESS	OSA와 코 수술을 경험한 환자 50명	17/50 환자가 코골이의 개선과 해결을 진술
Cigdem et al. (2015)	비중격 성형술	코골이 자가 진술과 중격 편위가 있는 환자 64명	코골이 증상 목록 평균 58.14에서 25.61로 $p < 0.001$
Li et al. (2009)	비중격 성형술	OSA와 중격 편위가 있는 환자 52명	코골이 결과 조사 60.7 ± 14.4에서 41.5 ± 9.7로 $p < 0.001$ 배우자/수면 파트너 조사 60.3 ± 21.5에서 39.7 ± 18.7로 $p < 0.001$

사했다. 코 수술은 평균 치료 압력이 11.6 ± 2.2에서 9.5 ± 2.0 cmH_2O로 통계적으로 유의하게 감소했다. 코 수술 후 양압기 이행 준수는 38.7%에서 술후 89.1%로 향상되었다.[66] 양압기 이행 준수를 개선하기 위한 코 수술의 비용 편익 분석은 치료되지 않은 수면 무호흡의 비용과 비교했을 때 비용-효율적인 전략이라고 결론지었다(◘ 표 16.3).[67]

16.7 원발성 코골이의 코 수술에 대한 증거

원발성 코골이에 대한 코 수술의 효과에 대한 광범위한 조사도 있었다. 오디오 녹음을 통해 객관적으로 코골이를 평가하는 여러 연구에서는 코골이의 지속 시간이나 강도가 유의하게 감소하지 않는 것으로 나타났다.[68,69] Choi 등은 예외적인 결과를 발표했는데, FESS, 비중격 성형술 및/또는 비갑개 축소 수술을 포함한 모든 종류의 코 수술 후 코골이 지속 시간이 작지만 통계적으로 유의한 감소가 있었다고 했다(코골이 시간이 32.2 ± 16.4%에서 25.8 ± 18.6%).[70] 코 수술 후 코골이에 대한 대부분의 연구는 환자나 수면 파트너의 주관적 평가를 보고한다(◘ 표 16.4).[58,71–74]

성인과 달리 아데노편도 절제술은 아동의 OSA에 대한 1차 치료로 간주된다. 독립성 아데노이드 절제술은 비폐색이 주호소일 때 종종 수행되며, 증거에 의하면 OSA에서 AHI를 개선하는데 효과적일 수 있다.[75,76] Domany 등은 7세 미만의 비만하지 않은 소아에서 소아 수면 설문지로 측정하였는데, 단독 아데노이드 절제술과 아데노편도 절제술의 장기간 주관적 증상 개선이 유사하다는 것을 발견하였다.[77]

전문 학회는 수면 호흡 장애 관리에서 코 수술의 유용성과 중요성을 일관되게 인식하지 못한다. 미국 수면의학회는 2010년 코 수술 결과를 구체적으로 평가하지 않은 수면 무호흡의 수술적 관리를 위한 임상 진료 지침을 제작했다.[78] 이와 대조적으로 미국 이비인후과학회-두경부 수술의 입장 성명서는 일부 환자에서 수면의 질 개선과 수면 다원 검사 지표 개선을 위한 코 수술의 중요성을 강조한다.[79]

16.8 요약

비폐색과 수면 호흡 장애는 밀접하게 연결되어 있다. 코와 수면 사이의 관계는 복잡하며, 기도 약학, 감각신경 피드백 루프, 약물 치료, 염증 요인의 영향을 받는다. 비폐색은 종종 다인성이며, 알레르기 같은 염증성 요인 및/또는 해부학적 제한으로 구성될 수 있다. 수면 장애를 호소하는 모든 환자는 지시된 병력이 있는 비폐색에 대해 평가하고 지시된 대로 적용되는 추가 진단 평가 양식과 함께 전방 비경 검사를 포함한 신체 검사를 받아야 한다.

유증상 환자의 경우, 특히 비강내 corticosteroid를 사용한 알레르기 치료가 주관적인 수면의 질을 개선하고 AHI도 약간 개선할 수 있다는 중요한 증거가 있다. 일부 환자, 특히 약물 치료에 반응하지 않는 폐쇄 증상이 있는 환자에서는 코 수술을 고려해야 한다. 증거에 의하면, 코 수술은 OSA 환자의 AHI를 안정적으로 개선하지 못할 수도 있지만, 종종 주간 졸음, 주관적 수면의 질, 지속적 양압기 적응과 치료 압력을 개선한다. 수면 호흡 장애 치료에 가장 효과적인 외과적 술식을 결정하고, 어떤 환자가 코 수술로부터 가장 큰 혜택을 얻을 수 있는지 결정하기 위해서 추가 연구가 필요하다. 수면 호흡 장애 환자의 비폐색 관리는 포괄적인 치료 전략의 필수 구성 요소이다.

참고문헌

1. Young T, Finn L, Kim H. Nasal obstruction as a risk factor for sleep-disordered breathing. The University of Wisconsin Sleep and Respiratory Research Group. J Allergy Clin Immunol. 1997;99(2):S757–62. https://doi.org/10.1016/s0091-6749(97)70124-6.
2. Bridger GP, Proctor DF. Maximum nasal inspiratory flow and nasal resistance. Ann Otol Rhinol Laryngol. 1970;79(3):481–8. https://doi.org/10.1177/000348947007900308.
3. Howard BK, Rohrich RJ. Understanding the nasal airway: principles and practice. Plast Reconstr Surg. 2002;109(3):1128–46; quiz 1145–1146. https://doi.org/10.1097/00006534-200203000-00054.
4. Tarabichi M, Fanous N. Finite element analysis of airflow in the nasal valve. Arch Otolaryngol Head Neck Surg. 1993;119(6):638–42. https://doi.org/10.1001/archotol.1993.01880180054010.
5. Bloching MB. Disorders of the nasal valve area. GMS Curr Top Otorhinolaryngol Head Neck Surg 2008;6. https://www. ncbi. nlm. nih. gov/pmc/articles/PMC3199841/. Accessed 8 Sept 2019.
6. Liu P, Jiao D, Wang X, Liu J, Martin D, Guo J. Changes in maxillary width and upper airway spaces in young adults after surgically assisted rapid palatal expansion with surgically facilitated orth-odontic therapy. Oral Surg Oral Med Oral Pathol Oral Radiol. 2019;127(5):381–6. https://doi.org/10.1016/j.oooo.2018.11.005.
7. Bruintjes TD, van Olphen AF, Hillen B, Huizing EH. A functional anatomic study of the relationship of the nasal cartilages and muscles to the nasal valve area. Laryngoscope. 1998;108(7):1025–32. https://doi.org/10.1097/00005537-199807000-00014.
8. Sheen JH. Spreader graft: a method of reconstructing the roof of the middle nasal vault following rhinoplasty. Plast Reconstr Surg. 1984;73(2):230–9.
9. Khosh MM, Jen A, Honrado C, Pearlman SJ. Nasal valve recon-struction: experience in 53 consecutive patients. Arch Facial Plast Surg. 2004;6(3):167–71. https://doi.org/10.1001/arch-faci.6.3.167.
10. Mladina R, Cujić E, Subarić M, Vuković K. Nasal septal deformities in ear, nose, and throat patients: an international study. Am J Otolaryngol.

2008;29(2):75–82. https://doi.org/10.1016/j. amjoto.2007.02.002.

11. Teixeira J, Certal V, Chang ET, Camacho M. Nasal Septal devia–tions: a systematic review of classification systems. Plast Surg Int. 2016;2016: 7089123. https://doi.org/10.1155/2016/7089123.

12. Neskey D, Eloy JA, Casiano RR. Nasal, septal, and turbinate anat–omy and embryology. Otolaryngol Clin N Am. 2009;42(2):193–205., vii. https://doi.org/10.1016/j.otc.2009.01.008.

13. Nurse LA, Duncavage JA. Surgery of the inferior and middle turbinates. Otolaryngol Clin N Am. 2009;42(2):295–309., ix. https://doi.org/10.1016/j.otc.2009.01.009.

14. Stallman JS, Lobo JN, Som PM. The incidence of concha bullosa and its relationship to nasal septal deviation and paranasal sinus disease. AJNR Am J Neuroradiol. 2004;25(9):1613–8.

15. Pereira L, Monyror J, Almeida FT, et al. Prevalence of adenoid hypertrophy: a systematic review and metaanalysis. Sleep Med Rev. 2018;38:101–12. https://doi.org/10.1016/j.smrv.2017.06.001.

16. Settipane RA, Charnock DR. Epidemiology of rhinitis: allergic and nonallergic. Clin Allergy Immunol. 2007;19:23–34.

17. Craig T, Mccann J, Gurevich F, Davies M. The correlation between allergic rhinitis and sleep disturbance. J Allergy Clin Immunol. 2004;114:S139–45. https://doi.org/10.1016/j.jaci.2004.08.044.

18. Ferguson BJ. Influences of allergic rhinitis on sleep. Otolaryngol Head Neck Surg. 2004;130(5):617–29. https://doi.org/10.1016/j. otohns.2004.02.001.

19. Zucker SM, Barton BM, McCoul ED. Management of Rhinitis Medicamentosa: a systematic review. Otolaryngol Head Neck Surg. 2019;160(3): 429–38. https://doi.org/10.1177/0194599818807891.

20. Pattanaik D, Lieberman P. Vasomotor rhinitis. Curr Allergy Asthma Rep. 2010;10(2):84–91. https://doi.org/10.1007/s11882–010–0089–z.

21. Ellegård EK. Pregnancy rhinitis. Immunol Allergy Clin N Am. 2006;26(1): 119–35., vii. https://doi.org/10.1016/j.iac.2005.10.007.

22. Toh S–T, Lin C–H, Guilleminault C. Usage of four–phase high– resolution rhinomanometry and measurement of nasal resistance in sleep–disordered breathing. Laryngoscope. 2012;122(10):2343–9. https://doi.org/10.1002/lary.23441.

23. Strohl KP, Butler JP, Malhotra A. Mechanical properties of the upper airway. Compr Physiol. 2012;2(3):1853–72. https://doi. org/10.1002/cphy.c110053.

24. Stradling JR, Crosby JH. Predictors and prevalence of obstructive sleep apnoea and snoring in 1001 middle aged men. Thorax. 1991;46(2):85–90. https://doi.org/10.1136/thx.46.2.85.

25. Young T, Finn L, Palta M. Chronic nasal congestion at night is a risk factor for snoring in a population–based cohort study. Arch Intern Med. 2001;161(12):1514–9. https://doi.org/10.1001/archinte.161.12.1514.

26. Lofaso F, Coste A, d'Ortho MP, et al. Nasal obstruction as a risk factor for sleep apnoea syndrome. Eur Respir J. 2000;16(4):639–43. https://doi.org/10.1034/j.1399–3003.2000.16d12.x.

27. Fitzpatrick MF, Driver HS, Chatha N, Voduc N, Girard AM. Partitioning of inhaled ventilation between the nasal and oral routes during sleep in normal subjects. J Appl Physiol. 2003;94(3):883–90. https://doi.org/10.1152/japplphysiol.00658.2002.

28. Ferris BG, Mead J, Opie LH. Partitioning of respiratory flow resistance in man. J Appl Physiol. 1964;19(4):653–8. https://doi. org/10.1152/jappl.1964.19.4.653.

29. Park SS. Flow–regulatory function of upper airway in health and disease: a unified pathogenetic view of sleep–disordered breathing. Lung. 1993;171(6):311–33.

30. Smith PL, Wise RA, Gold AR, Schwartz AR, Permutt S. Upper airway pressure–flow relationships in obstructive sleep apnea. J Appl Physiol. 1988;64(2):789–95. https://doi.org/10.1152/jappl.1988.64.2.789.

31. Fitzpatrick MF, McLean H, Urton AM, Tan A, O'Donnell D, Driver HS. Effect of nasal or oral breathing route on upper air–way resistance during sleep. Eur Respir J. 2003;22(5):827–32. https://doi.org/10.1183/09031936.03.00047903.

32. Regli A, von Ungern–Sternberg BS, Strobel WM, Pargger H, Welge–Luessen A, Reber A. The impact of postoperative nasal packing on sleep–disordered breathing and nocturnal oxygen saturation in patients with obstructive sleep apnea syndrome. Anesth Analg. 2006;102(2):615–20. https://doi.org/10.1213/01. ane.0000184814.57285.5b.

33. Lavie P, Fischel N, Zomer J, Eliaschar I. The effects of partial and complete mechanical occlusion of the nasal passages on sleep structure and breathing in sleep. Acta Otolaryngol. 1983;95(1–2):161–6. https://doi.org/10.3109/00016488309130930.

34. Suratt PM, Turner BL, Wilhoit SC. Effect of intranasal obstruction on breathing during sleep. Chest. 1986;90(3):324–9. https://doi.org/10.1378/chest.90.3.324.

35. Friedman M, Maley A, Kelley K, et al. Impact of nasal obstruction on obstructive sleep apnea. Otolaryngol Head Neck Surg. 2011;144(6):1000–4. https://doi.org/10.1177/0194599811400977.

36. An Y, Li Y, Kang D, et al. The effects of nasal decongestion on obstructive sleep apnoea. Am J Otolaryngol. 2019;40(1):52–6. https://doi.org/10.1016/j.amjoto.2018.08.003.

37. White DP, Cadieux RJ, Lombard RM, Bixler EO, Kales A, Zwillich CW. The effects of nasal anesthesia on breathing during sleep. Am Rev Respir Dis. 1985;132(5):972–5. https://doi. org/10.1164/arrd.1985.132.5.972.

38. Berry RB, Kouchi KG, Bower JL, Light RW. Effect of upper airway anesthesia on obstructive sleep apnea. Am J Respir Crit Care Med. 1995;151(6):1857–61. https://doi.org/10.1164/ajrccm.151.6.7767531.

39. Douglas NJ, White DP, Weil JV, Zwillich CW. Effect of breathing route on ventilation and ventilatory drive. Respir Physiol. 1983;51(2):209–18. https://doi.org/10.1016/0034–5687(83)90041–5.

40. Kent DT, Soose RJ. Environmental factors that can affect sleep and breathing: allergies. Clin Chest Med. 2014;35(3):589–601. https://doi.org/10.1016/j.ccm.2014.06.013.

41. Alahmari MD, Sapsford RJ, Wedzicha JA, Hurst JR. Dose response of continuous positive airway pressure on nasal symptoms, obstruction and inflammation in vivo and in vitro. Eur Respir J. 2012;40(5):1180–90. https://doi.org/10.1183/09031936.00199911.

42. Saka C, Vuralkan E, Fırat IH, et al. The effects of CPAP treatment on nasal mucosa in patients with obstructive sleep apnea. Eur Arch Otorhinolaryngol. 2012;269(9):2065–7. https://doi. org/10.1007/s00405–011–1906–2.

43. Stewart MG, Witsell DL, Smith TL, Weaver EM, Yueh B, Hannley MT. Development and validation of the nasal obstruction symptom evaluation (NOSE) scale. Otolaryngol Head Neck Surg. 2004;130(2):157–63. https://doi.org/10.1016/j.otohns.2003.09.016.

44. Dixon AE, Sugar EA, Zinreich SJ, et al. Criteria to screen for chronic sinonasal disease. Chest. 2009;136(5):1324–32. https://doi.org/10.1378/chest.08–1983.

45. Fung E, Hong P, Moore C, Taylor SM. The effectiveness of modified cottle maneuver in predicting outcomes in functional rhinoplasty. Plast Surg Int. 2014;2014:618313. https://doi.org/10.1155/2014/618313.

46. Roithmann R, Cole P, Chapnik J, Shpirer I, Hoffstein V, Zamel N. Acoustic rhinometry in the evaluation of nasal obstruction. Laryngoscope. 1995;105(3 Pt 1):275–81. https://doi.org/10.1288/00005537–199503000–00010.

47. Cole P, Fenton RS. Contemporary rhinomanometry. J Otolaryngol. 2006; 35(2):83–7.

48. Liu H–T, Lin Y–C, Kuan Y–C, et al. Intranasal Corticosteroid Therapy in

16

the Treatment of Obstructive Sleep Apnea: A Meta- Analysis of Randomized Controlled Trials. Am J Rhinol Allergy. 2016;30(3):215–21. https://doi.org/10.2500/ajra.2016.30.4305.

49. Lavigne F, Petrof BJ, Johnson JR, et al. Effect of topical cortico-steroids on allergic airway inflammation and disease severity in obstructive sleep apnoea. Clin Exp Allergy. 2013;43(10):1124–33. https://doi.org/10.1111/cea.12158.

50. Craig TJ, Hanks CD, Fisher LH. How do topical nasal cortico-steroids improve sleep and daytime somnolence in allergic rhinitis? J Allergy Clin Immunol. 2005;116(6):1264–6. https://doi.org/10.1016/j.jaci.2005.10.009.

51. How do topical nasal corticosteroids improve sleep and daytime somnolence in allergic rhinitis? - PubMed - NCBI. https://www-ncbi-nlm-nih-gov. proxy. library. vanderbilt. edu/pubmed/16337455. Accessed 23 Sept 2019.

52. Golden S, Teets SJ, Lehman EB, et al. Effect of topical nasal azelastine on the symptoms of rhinitis, sleep, and daytime somnolence in perennial allergic rhinitis. Ann Allergy Asthma Immunol. 2000;85(1):53–7. https://doi.org/10.1016/S1081-1206(10)62434-9.

53. Santos CB, Hanks C, McCann J, Lehman EB, Pratt E, Craig TJ. The role of montelukast on perennial allergic rhinitis and associated sleep disturbances and daytime somnolence. Allergy Asthma Proc. 2008;29(2):140–5. https://doi.org/10.2500/aap.2008.29.3097.

54. Camacho M, Malu OO, Kram YA, et al. Nasal dilators (breathe right strips and NoZovent) for snoring and OSA: a systematic review and meta-analysis. Pulm Med. 2016;2016:4841310. https://doi.org/10.1155/2016/4841310.

55. Schenkel EJ, Ciesla R, Shanga GM. Effects of nasal dilator strips on subjective measures of sleep in subjects with chronic nocturnal nasal congestion: a randomized, placebo-controlled trial. Allergy Asthma Clin Immunol. 2018;14:34. https://doi. org/10.1186/s13223-018-0258-5.

56. Ishii L, Roxbury C, Godoy A, Ishman S, Ishii M. Does nasal surgery improve OSA in patients with nasal obstruction and OSA? A Meta-analysis. Otolaryngol Head Neck Surg. 2015;153(3):326–33. https://doi.org/10.1177/0194599815594374.

57. Li H-Y, Wang P-C, Chen Y-P, Lee L-A, Fang T-J, Lin H-C. Critical appraisal and meta-analysis of nasal surgery for obstructive sleep apnea. Am J Rhinol Allergy. 2011;25(1):45–9. https://doi.org/10.2500/ajra.2011.25.3558.

58. Ertugay CK, Toros SZ, Karaca CT, et al. Is septoplasty effective on habitual snoring in patients with nasal obstruction? Eur Arch Otorhinolaryngol. 2015;272(7):1687–91. https://doi.org/10.1007/s00405-014-3260-7.

59. Li H-Y, Lin Y, Chen N-H, Lee L-A, Fang T-J, Wang P- C. Improvement in quality of life after nasal surgery alone for patients with obstructive sleep apnea and nasal obstruction. Arch Otolaryngol Head Neck Surg. 2008;134(4):429–33. https://doi.org/10.1001/archotol.134.4.429.

60. Shuaib SW, Undavia S, Lin J, Johnson CM, Stupak HD. Can functional septorhinoplasty independently treat obstructive sleep apnea? Plast Reconstr Surg. 2015;135(6):1554–65. https://doi.org/10.1097/PRS.0000000000001285.

61. Hisamatsu K, Kudo I, Makiyama K. The effect of compound nasal surgery on obstructive sleep apnea syndrome. Am J Rhinol Allergy. 2015;29(6):e192–6. https://doi.org/10.2500/ajra.2015.29.4254.

62. Moxness MHS, Nordgård S. An observational cohort study of the effects of septoplasty with or without inferior turbinate reduction in patients with obstructive sleep apnea. BMC Ear Nose Throat Disord. 2014;14:11. https://doi.org/10.1186/1472-6815-14-11.

63. Park CY, Hong JH, Lee JH, et al. Clinical effect of surgical correction for nasal pathology on the treatment of obstructive sleep apnea syndrome. PLoS One. 2014;9(6):PMC4045850. https://doi.org/10.1371/journal.pone.0098765.

64. Xiao Y, Han D, Zang H, Wang D. The effectiveness of nasal surgery on psychological symptoms in patients with obstructive sleep apnea and nasal obstruction. Acta Otolaryngol. 2016;136(6):626–32. https://doi.org/10.3109/00016489.2016.1143120.

65. Weaver TE, Grunstein RR. Adherence to continuous positive airway pressure therapy. Proc Am Thorac Soc. 2008;5(2):173–8. https://doi.org/10.1513/pats.200708-119MG.

66. Camacho M, Riaz M, Capasso R, et al. The effect of nasal surgery on continuous positive airway pressure device use and therapeutic treatment pressures: a systematic review and meta-analysis. Sleep. 2015;38(2):279–86. https://doi.org/10.5665/sleep.4414.

67. Kempfle JS, BuSaba NY, Dobrowski JM, Westover MB, Bianchi MT. A cost-effectiveness analysis of nasal surgery to increase continuous positive airway pressure adherence in sleep apnea patients with nasal obstruction. Laryngoscope. 2017;127(4):977–83. https://doi.org/10.1002/lary.26257.

68. Kim ST, Choi JH, Jeon HG, Cha HE, Kim DY, Chung Y-S. Polysomnographic effects of nasal surgery for snoring and obstructive sleep apnea. Acta Otolaryngol. 2004;124(3):297–300. https://doi.org/10.1080/00016480410016252.

69. Virkkula P, Bachour A, Hytönen M, et al. Snoring is not relieved by nasal surgery despite improvement in nasal resistance. Chest. 2006;129(1):81–7. https://doi.org/10.1378/chest.129.1.81.

70. Choi JH, Kim EJ, Kim YS, et al. Effectiveness of nasal surgery alone on sleep quality, architecture, position, and sleep-disordered breathing in obstructive sleep apnea syndrome with nasal obstruction. Am J Rhinol Allergy. 2011;25(5):338–41. https://doi.org/10.2500/ajra.2011.25.3654.

71. Sufioğlu M, Ozmen OA, Kasapoglu F, et al. The efficacy of nasal surgery in obstructive sleep apnea syndrome: a prospective clinical study. Eur Arch Otorhinolaryngol. 2012;269(2):487–94. https://doi.org/10.1007/s00405-011-1682-z.

72. Virkkula P, Hytönen M, Bachour A, et al. Smoking and improvement after nasal surgery in snoring men. Am J Rhinol. 2007;21(2):169–73.

73. Friedman M, Tanyeri H, Lim JW, Landsberg R, Vaidyanathan K, Caldarelli D. Effect of improved nasal breathing on obstructive sleep apnea. Otolaryngol Head Neck Surg. 2000;122(1):71–4. https://doi.org/10.1016/S0194-5998(00)70147-1.

74. Li H-Y, Lee L-A, Wang P-C, Chen N-H, Lin Y, Fang T-J. Nasal surgery for snoring in patients with obstructive sleep apnea. Laryngoscope. 2008;118(2):354–9. https://doi.org/10.1097/MLG.0b013e318158f73f.

75. Robison JG, Wilson C, Otteson TD, Chakravorty SS, Mehta DK. Analysis of outcomes in treatment of obstructive sleep apnea in infants. Laryngoscope. 2013;123(9):2306–14. https://doi.org/10.1002/lary.23685.

76. Shatz A. Indications and outcomes of adenoidectomy in infancy. Ann Otol Rhinol Laryngol. 2004;113(10):835–8. https://doi. org/10.1177/000348940411301011.

77. Domany KA, Dana E, Tauman R, et al. Adenoidectomy for obstructive sleep Apnea in children. J Clin Sleep Med. 2016;12(9):1285–91. https://doi.org/10.5664/jcsm.6134.

78. Caples SM, Rowley JA, Prinsell JR, et al. Surgical modifications of the upper airway for obstructive sleep apnea in adults: a systematic review and meta-analysis. Sleep. 2010;33(10):1396–407. https://doi.org/10.1093/sleep/33.10.1396.

79. healthpolicy. Position statement: nasal surgery and OSAS. American Academy of Otolaryngology-Head and Neck Surgery. https://www. entnet. org/content/nasal-surgery-and-osas. Published March 20, 2014. Accessed 25 Sept 2019.

80. Reinberg A, Gervais P, Levi F, Smolensky M, Del Cerro L, Ugolini C. Circadian and circannual rhythms of allergic rhinitis: an epidemiologic study involving chronobiologic methods. J Allergy Clin Immunol. 1988;81(1):51–62. https://doi. org/10.1016/0091-6749(88)90220-5.

OSA 환자의 구개 수술

Chandra M. Cherukuri, Neeraj Kaplish, and Jeffrey J. Stanley

목차

17

17.1 개요

폐쇄성 수면 무호흡(OSA)은 수면 호흡 장애의 보편적인 형태이다. OSA는 일반적으로 좁아진 상기도와 수면 중 근긴장도 손실의 조합으로 인해 발생하며, 이로 인해 기류가 부분적 또는 완전히 중단된다. 상기도는 비강, 비인두, 구인두, 하인두, 성문 상부를 포함한다(◘ 그림 17.1). 구인두(구개후부)는 OSA 환자에서 가장 흔한 폐쇄부위로 간주된다.[1] 지속적 양압기는 상기도 개통을 유지하고 OSA 환자의 기도 허탈 경향을 극복하기 위해 관강 내압을 증가시킨다. 현재 임상 진료 지침에서는 수면 관련 삶의 질 저하, 과도한 주간 졸음, 기타 관련 동반 질환이 있는 성인 환자의 OSA 치료를 위해 기도 양압 요법을 권장한다.[2] 양압기가 1차 치료법이지만 많은 환자들이 적응하지 못해서 치료의 최대 장점을 제한받는다.[2,3] 이로 인해, 환자는 상기도 폐쇄를 해결하기 위해 외과적 개입을 포함한 대체 치료 양식을 찾을 수 있다.

수술은 확인 가능한 해부학적 문제(예: 상하악 기형, 편도 비대)가 있는 일부 환자 그룹에서 1차 치료 선택지가 될 수 있지만, 지속적 양압기에 적응 못하는 환자에 대한 "구제" 치료 선택지로 더 많이 활용된다. 다양한 치료율에도 불구하고, 수술은 일상적으로 OSA 중증도를 감소시키고 삶의 질을 향상시키는 것으로 나타났다.[4] 효과적인 수술 결과를 위해, 상기도 폐쇄 부위를 결정하는 것이 각 환자에게 최적의 술식을 선택하는 데 중요하다.

17.2 허탈 부위 식별을 위한 술전 평가 및 기도 평가

수면과의가 수행하는 술전 평가에는 동반된 수면 장애, 상기도의 구조적 검사, 진단적 수면 연구에 대한 포괄적인 수면 평가가 포함되어야 한다. 야간 수면 다원 검사는 OSA 평가의 황금표준이며 수면 호흡 장애의 중증도를 결정하고 주기적인 사지 움직임, 저환기, 야간 저산소혈증과 같은 다른 동반이환 상태를 식별하는 데 유용하다.

17.2.1 Friedman 혀 위치와 편도 크기

구조화된 구강 검사의 일부로 Friedman 혀 위치 및 편도 크기 등급을 사용할 수 있다(◘ 그림 17.2a, b).[5] 여기에서 혀는 자연스럽고 중립적인 위치(즉, 돌출없음)에서 관찰되기 때문에, Mallampati 분류와는 다르다. 또한, Friedman 위치는 삽관이 어려울 가능성과 상관관계가 있는 Mallampati 분류와 달리 OSA의 수술 결과와 상관관계를 가진다.

Friedman 임상 병기 결정 시스템은 Friedman 혀의 위치, 편도선 크기, 체질량 지수(BMI)를 포함한 임상 검사 결과를 기반으로 하고, 4가지 범주로 나뉜다.[6] 이 병기 결정 시스템은 외과적 개입에 도움이 되고 목젖구개인두 성형술(UPPP)의 수술 성공을 예측하는 데 도움이 될 수 있다. 그럼에도 불구하고, 임상 검사는 비인두와 하인두를 직접적으로 시각화하여 상기도 폐쇄의 모든 잠재적인 부위를 확인할 수 없기 때문에 제한적이다. 비인두 내시경과 두부계측 분석을 통한 추가 진단 평가는 상기도의 추가 평가에 도움이 될 수 있다.

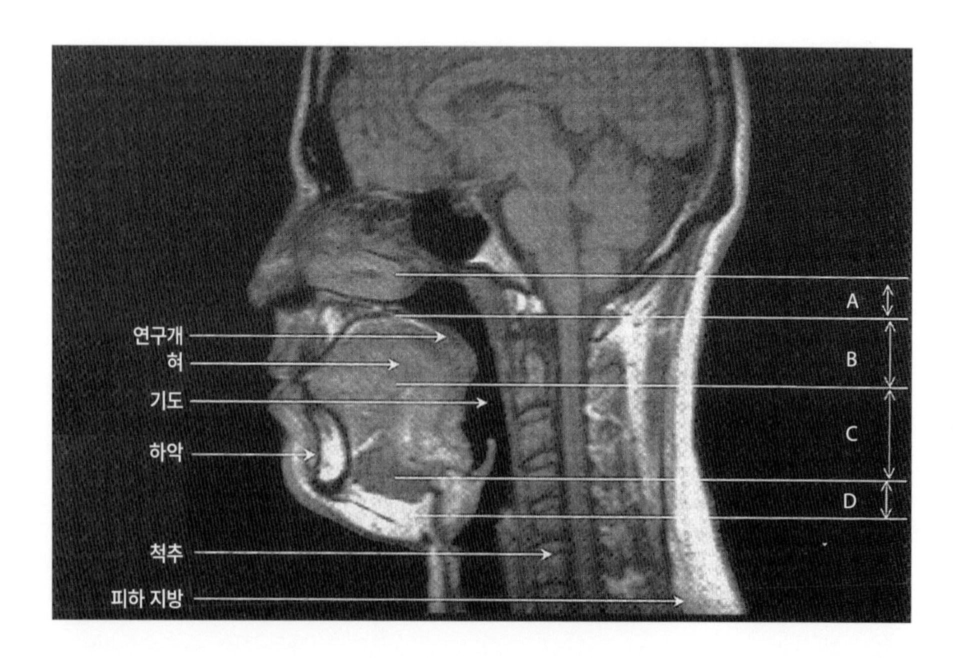

◘ 그림 17.1 상기도 해부학
A; 비인두, B; 구인두, C; 하인두, D; 성문 상부

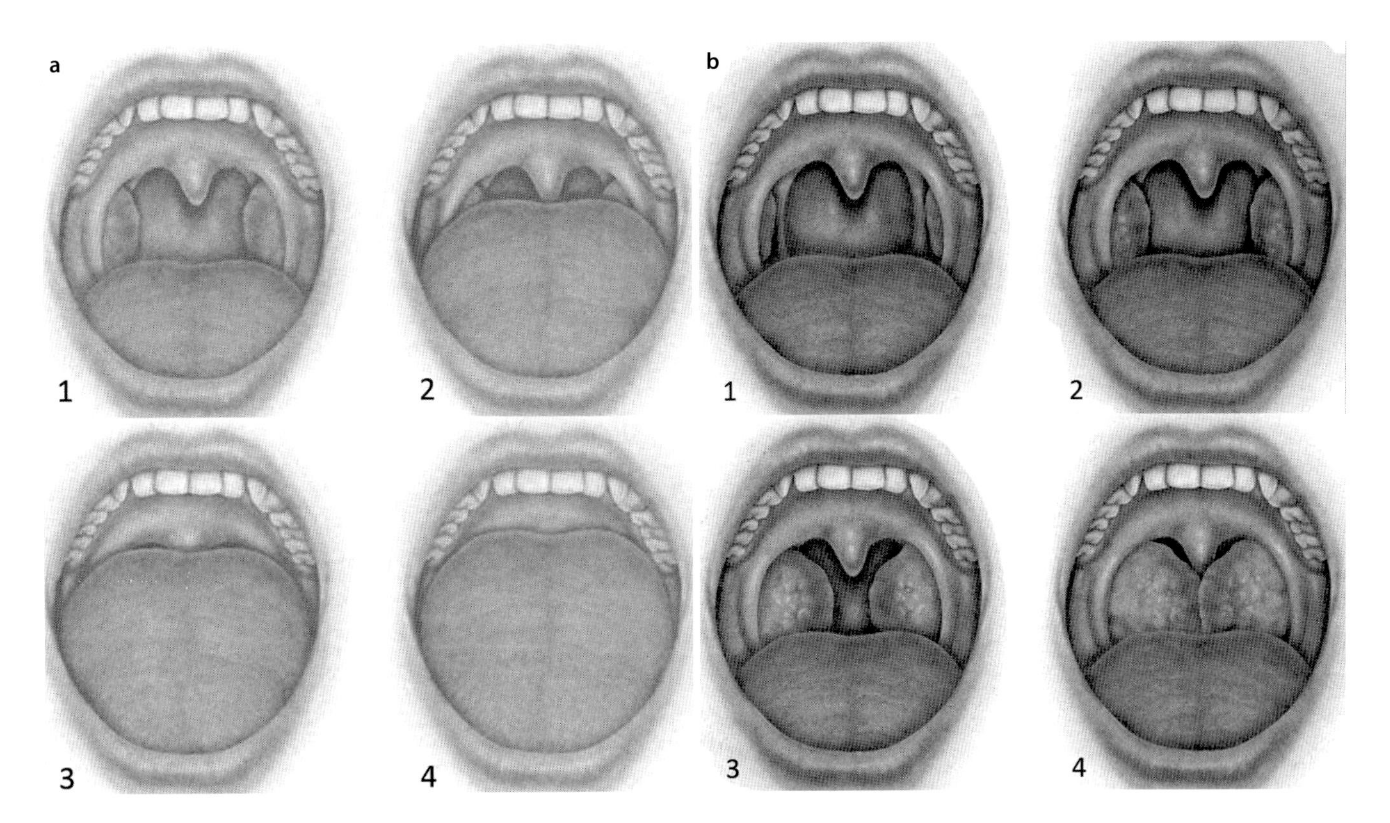

◘ 그림 17.2 **a** Friedman 혀/구개 위치 등급. 1등급: 목젖 전체 + 편도/기둥이 보인다. 2등급: 목젖 기저부는 보이지만 편도/기둥이 보이지 않는다. 3등급: 연구개와 경구개만 보인다. 4등급: 경구개만 보인다. **b** Friedman 편도 크기 등급[10]. 1등급: 편도가 기둥에 가려짐. 2등급: 편도가 기둥까지 확장. 3등급: 기둥을 지나 정중선의 3/4까지 확장. 4등급: 정중선까지 확장("키스 편도선")

17.2.2 비인두 내시경

유연한 비인두 내시경 검사는 상기도가 허탈될 가능성이 있는 부위를 식별하는 데 도움이 되며 의식하 또는 약물 유도 수면 상태에서 시행할 수 있다. 내시경 검사를 통해 전체 비강, 비인두(중격 편위, 비갑개 비대, 비용종 등 평가), 하인두(인두 측벽, 혀 기저부, 설편도 평가)를 시각화하고 잠재적인 후두개 허탈에 대한 성문 상부를 평가할 수 있다.

의식하 내시경 동안, Mueller 법은 최대한 흡기 시 입과 코를 막은 상태에서 시행한다. 이 동작은 수면과 관련된 동적 상기도 허탈을 모방하기 위해 관강 내 음압을 증가시킨다. 약물-유도 수면 내시경(DISE)은 가벼운 진정(propofol이나 midazolam 사용) 하에 수행되며, 수면과 유사한 상태에서 상기도 허탈의 역학을 모방하는 능력이 있다. DISE는 중간에서 상당한 정도의 검사-재검사 신뢰도와 중간에서 상당한 정도의 평가자 간 신뢰도로 상기도에 대한 유효한 평가인 것으로 나타났다.[6,7] DISE 동안 폐쇄에 대한 분류는 폐쇄의 정도와 허탈 양상(즉, 전후방, 측방, 동심)과 관련하여 정의된다.[6]

DISE 검사를 기반으로 한 OSA 환자의 폐쇄 부위에 대한 최근 메타 분석에서는 환자가 단일 부위 폐쇄보다 다단계 폐쇄를 가질 가능성이 있다고 보고했다. 대부분의 환자는 연구개(84%)에서 폐쇄되었고, 그 다음으로 혀 기저부(52%)가 폐쇄되었다.[7] 이러한 결과는 다단계 상기도 폐쇄의 가능성이 높고 임상 검사만으로는 상기도 전체 길이를 적절하게 평가할 수 없기 때문에 OSA 환자 평가를 위한 비인두 내시경 수행의 중요성을 강조한다.

17.2.3 두부계측 영상

일반 x-ray나 Cone Beam CT (CBCT)를 사용한 두부계측 분석은 상기도 치수를 평가하고 OSA 환자의 외과적 평가를 돕는 추가 도구이다. CBCT 데이터에는 OSA 환자의 잠재적 폐쇄 부위를 식별하는 데 도움이 되는 다양한 객관적 기도 측정이 포함된다(◘ 그림 17.3).

연구에 의하면 기도 후방 공간(PAS)이 8 mm 미만이면 혀 기저부 허탈을 예측할 수 있다.[8] OSA 환자에서 Friedman 혀 위치(FTP)와 기도 두부계측치 사이의 상관관계를 평가한 최근 연

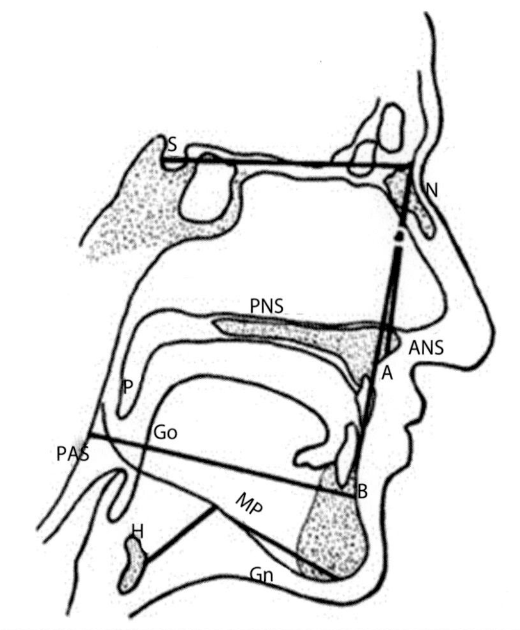

두부계측	정상치
sella-nasion-A point (SNA)	82° ± 3°
sella-nasion-B point (SNB)	79° ± 3°
설골-하악 평면(H-MP)	15 mm ± 3 mm
기도 후방 공간(PAS)	11 mm ± 1 mm
연구개 길이(PNS-P)	37 mm ± 3 mm

■ 그림 17.3 **정상 두부계측치를 이용한 두부계측 트레이싱과 분석**

구는 기도 후방 공간과 최소 설후 단면적은 FTP와 반비계 관계가 있음을 확인했다.[9]

17.3 OSA의 수술 관리

현재 지침은 수술 대상자로 간주되는 환자에게 적절한 수술 기법의 성공률과 합병증에 대해 상담해야 한다고 권고한다.[10] 상기도 폐쇄의 국소화에 기초하여, 상기도의 물리적 크기를 증가시키기 위해 주로 구개에 초점을 맞춘 다양한 외과 술식이 설명되었다.

OSA 수술은 크게 2가지 범주로 나눌 수 있다.

1. 단일 수준 - 일반적으로 구개
2. 다단계 - 일반적으로 구개 + 하인두

이번 단원에서는 주로 구개에 대한 단일 수준 수술에 중점을 둘 것이다.

17.3.1 목젖구개인두 성형술(UPPP) ± 편도 절제술

많은 외과적 치료법이 존재하지만, 가장 일반적으로 수행되는 기술은 목젖구개인두 성형술(UPPP)이다. 이론상 UPPP는 구개후 영역의 폐쇄를 해결하여 기도 개통성을 개선한다.

■ 수술 기법

전신마취하에 불필요한 연구개 조직과 전방 편도 기둥을 절제하고, 후방 편도 기둥을 따라 절개한 후 점막 가장자리를 재접근 봉합한다. 편도 절제술을 해야 한다면, 동일한 환경에서 수행된다(■ 그림 17.4).

17.3.1.1 UPPP 성공률

역사적으로, 이비인후과 문헌에서 OSA에 대한 외과적 개입 후 "성공"의 정의는 무호흡 저호흡 지수(AHI)가 50% 초과 감소하고 AHI가 20 미만(1999년 채택된 수면의학회 중증도 척도 이전의 경증 OSA 정의)이다. 치료 기준은 치료 후 AHI 5 미만으로 정의된다.[9] 정의에 관한 논쟁을 피하기 위해, 술후 결과에 대한 진정한 "성공"보다 근본적인 OSA 중증도의 실질적인 "개선"이 아마도 더 나은 표현일 것이다.

보고된 UPPP의 "성공" 비율은 매우 다양하다. 선택되지 않은 환자에서 UPPP의 전체 "성공"률은 약 40%이며[10], 메타 분석 데이터를 기반으로 AHI의 전체 감소는 33%이다. OSA 환자에 대한 Friedman 임상 병기 시스템을 사용한 후향적 분석은 UPPP 성공의 중요한 예측 인자로 보인다. 이 병기 결정 시스템을 이용하여 UPPP 성공률은 1기 환자에서 80%, 2기 환자에서 37%, 3기 환자에서 8% 였다(■ 표 17.1).[11] 또 다른 연구에서는 Friedman 1, 2기의 OSA 환자를 선택하고, UPPP에 대한 환자 선택에서 의식하 비인두 내시경 검사와 Mueller 방법을 결합했다. 구개후 폐쇄가 발견된 선택된 환자의 이 하위 집합은 95%의 성공률을 보였다.[12] UPPP를 사용한 개선된 수술 성공에

■ 표 17.1 **수면 호흡 장애와 UPPP "성공" 비율에 대한 Friedman 임상 병기 결정 시스템**

	I기	II기		III기	
Friedman 구개 위치	1-2	1-2	3-4	3-4	모두
편도 크기	3-4	0-2	3-4	0-2	모두
체질량 지수(BMI)	< 40	< 40	< 40	< 40	> 40
UPPP 성공 비율[a]	80%	37%		8%	

[a]AHI 50% 감소 및 AHI 20 미만

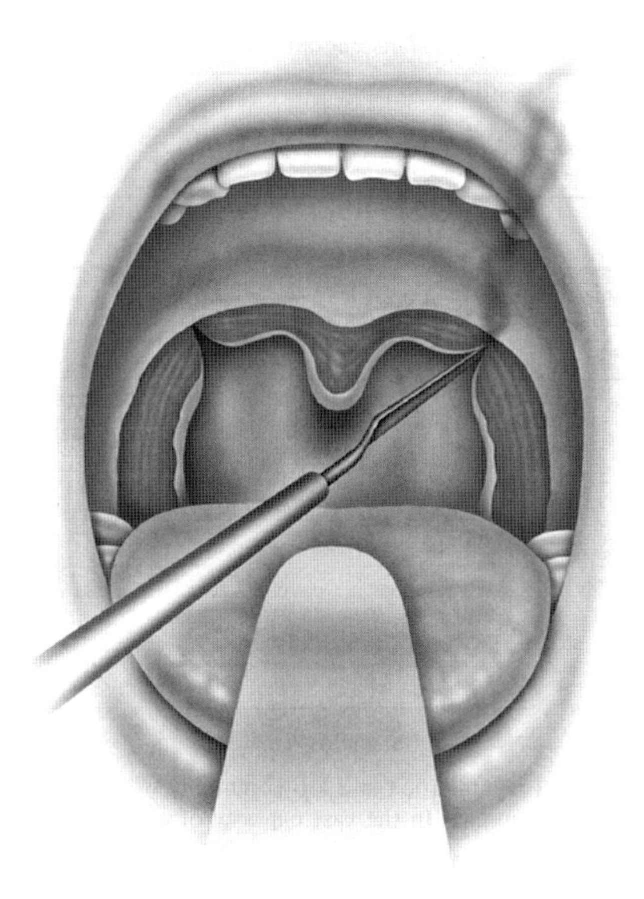
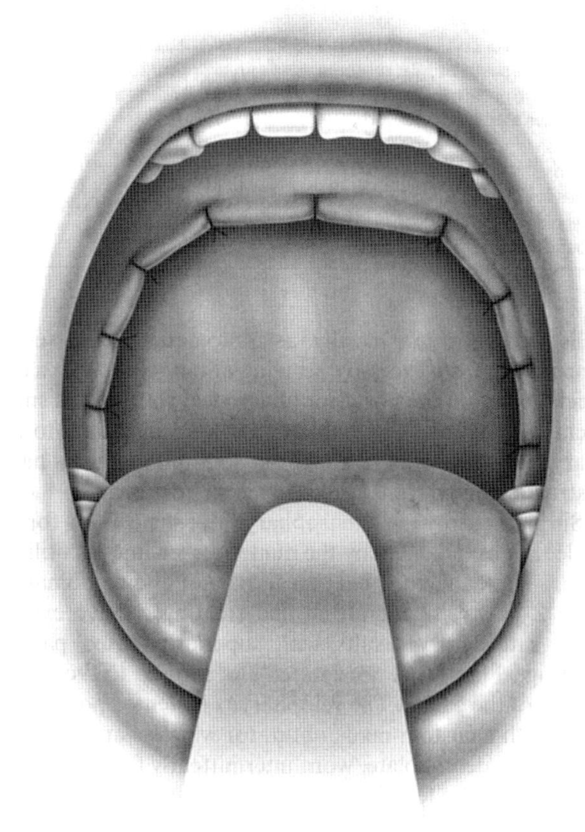

◘ 그림 17.4 **목젖구개인두 성형술**

대한 이러한 보고서는 환자 선택에서 폐쇄 부위의 정확한 식별에 대한 중요성을 강조한다.

17.3.1.2 UPPP의 한계

UPPP 수술에는 몇 가지 제한 사항이 있다:

1. 주요 개선 사항은 구개후 기도의 전후방 증가이다.
2. UPPP는 상기도의 측방 용적을 개선하지 **않는다**.
3. UPPP는 잠재적인 설후부 허탈을 해결하지 **않는다**.
4. UPPP는 수면 중에 관찰되는 상기도 확장근의 긴장도 감소를 해결하지 **않는다**.

17.3.1.3 UPPP의 영향

■ 삶의 질 지수

단독 UPPP는 과도한 주간 졸음(Epworth) 수면 척도(ESS)로 평가) 및 질병 별 삶의 질 측정(수면 설문지의 검증된 기능적 결과로 평가)과 같은 주관적 결과를 개선하는 것으로 나타났다. ESS는 UPPP 6개월 후 환자의 75%에서 정상화되는 것으로 나타났고, 기능적 결과 수면 설문지는 수술 3개월 후에 정상화되었다.[13,14]

■ 바이오마커

심혈관 질환의 사전 진단이 없는 OSA 환자에서 UPPP 후 6개월 동안 혈청 수준에서 고감도 C-반응성 단백질의 유의한 감소가 관찰되었다.[15]

■ 생존율

퇴역군인을 대상으로 한 후향적 코호트 연구에 따르면 UPPP는 연령, 성별, 인종, 치료 날짜, 동반 질환을 보정한 후 지속적 양압기보다 30% 더 높은 장기 생존을 제공한다.[16] 또한 UPPP 이후 보고된 습관적 졸음과 운전 중 자동차 사고의 위험이 크게 감소했다.[17]

17.3.1.4 UPPP의 합병증

OSA와 관련된 해부학적 및 생리학적 이상은 수술을 받는 OSA 환자에서 수술 전후 합병증의 위험을 증가시킨다.

■ 조기 합병증

UPPP 환자의 대규모 코호트에서 보고된 심각한 비치명적 합병증 발생률과 UPPP 30일 후 사망률은 각각 1.5%와 0.2%이다.[18] 술후 부종과 호흡 억제는 술수 처음 몇 시간 내에 재삽관이나 응급 기관 절제술의 위험을 증가시킨다. 대부분의 환자는 상당한 통증을 느끼지만, 술후 첫 날 액체를 견딜 수 있다. 편도 절제술을 포함한 모든 술식과 마찬가지로 추가적 외과 개입이 필요한 술후 출혈의 위험은 1–4%이다.

■ 후기 합병증

구개범인두 부족은 드물지만 UPPP의 심각한 합병증으로 1% 미만의 환자에서 발생한다. 이 합병증은 일반적으로 하방 연구개 근육군의 공격적인 절제를 피함으로써 예방할 수 있다. UPPP를 시행한 환자의 거의 절반이 구인두 부위의 종류감을 보고했으며, 종종 이물감이나 연구개의 자유연에 과도한 점액 축적이 느껴진다고 표현한다. 비인두 협착증은 UPPP 후 발생하는 극히 드문 후기 합병증이나 술후 과도한 반흔 조직이 생긴 환자에서 비강 기류를 악화시킬 수 있다.

17.3.2 UPPP의 변형

UPPP의 몇 가지 변형은 성공률을 높이고 술후 합병증의 비율을 줄이기 위해 도입되었다. 이런 술식 중 목젖구개 판막술, Z-구개성형술, 괄약근 확장 인두 성형술을 포함하는 가장 일반적인 방법은 아래에 자세히 설명되어 있다.

17.3.2.1 목젖구개 판막술

이 수술은 전신 마취하에 시행된다. 편도 절제술 후, 목젖과 연구개 피개 점막을 벗긴다. 그 후 노출된 목젖의 근육 끝부분을 연-경구개 접합부를 향해 상부로 당긴다.[19] 이러한 UPPP 변형의 목표는 반흔 경축과 비인두 협착 발생에 관련된 합병증의 가능성을 줄이는 것이다. 이 변형의 추가적 장점은 근조직이 절제되지 않기 때문에 잠재적으로 가역적이라는 것이다(◘ 그림 17.5).

17.3.2.2 Z-구개인두 성형술

UPPP의 이 변형은 이전에 편도 절제술을 받은 환자의 수술 성공률을 향상시키기 위해 고안되었다.[20] 이 술식은 목젖과 연구개 점막을 제거하고 연구개를 분할한 후 근조직의 절제없이 후속 전측방 전진을 완료하는 것을 포함한다(◘ 그림 17.6). 이는 구축 긴장선을 초래하여 특히 측방 크기에서 기도의 추가 확장을 초래하며, 이는 이전에 편도 절제술을 받은 환자의 전통적인 UPPP로 달성하기 어렵다. 결과는 Friedman 2기 환자의 성공률이 더 높다. 이 술식의 한가지 잠재적 단점은 일시적인 인두 기능 부전의 발생률이 더 높다는 것이다.[21]

17.3.2.3 괄약근 확장 인두 성형술

이 UPPP 변형은 작은 편도선, Friedman 2, 3기, 내시경 검사에

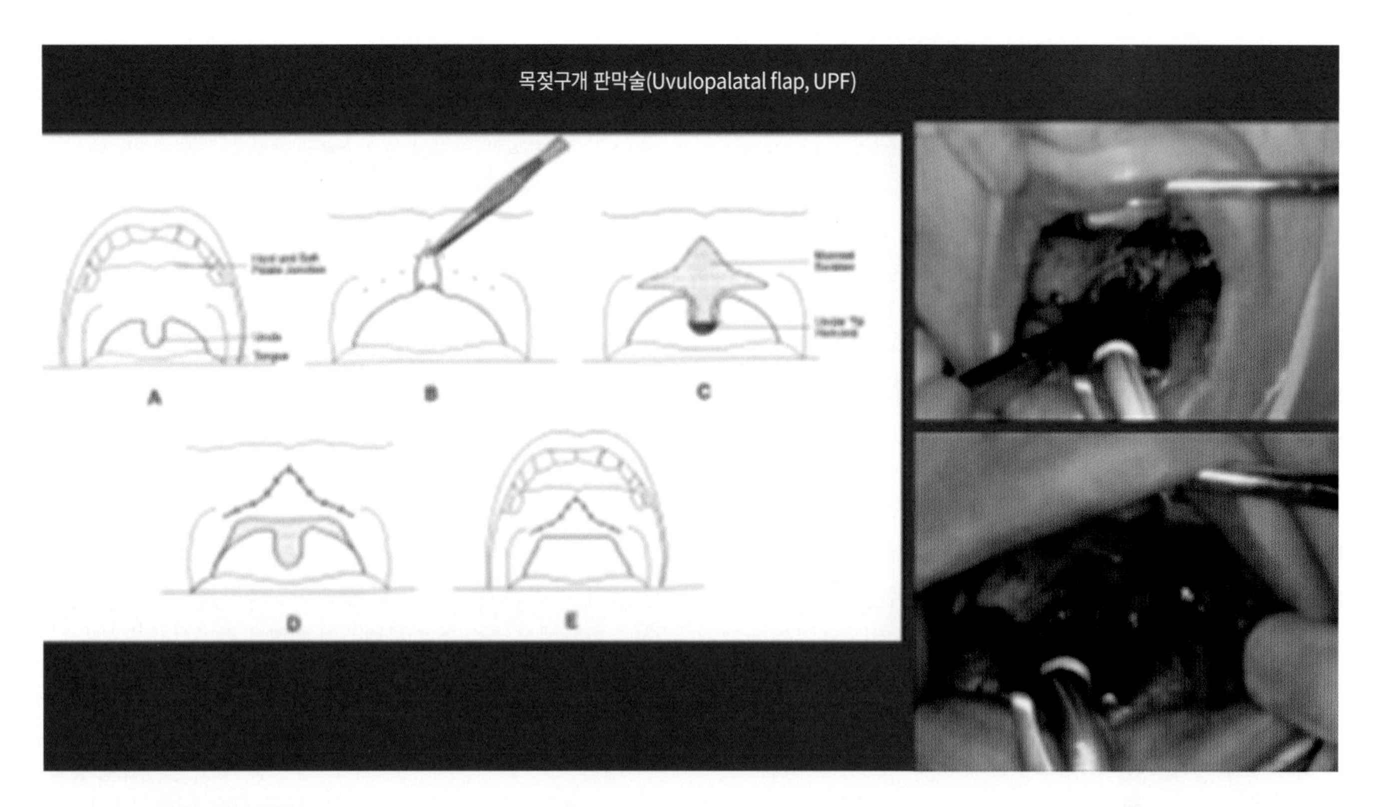

◘ 그림 17.5 **목젖구개 판막술식**

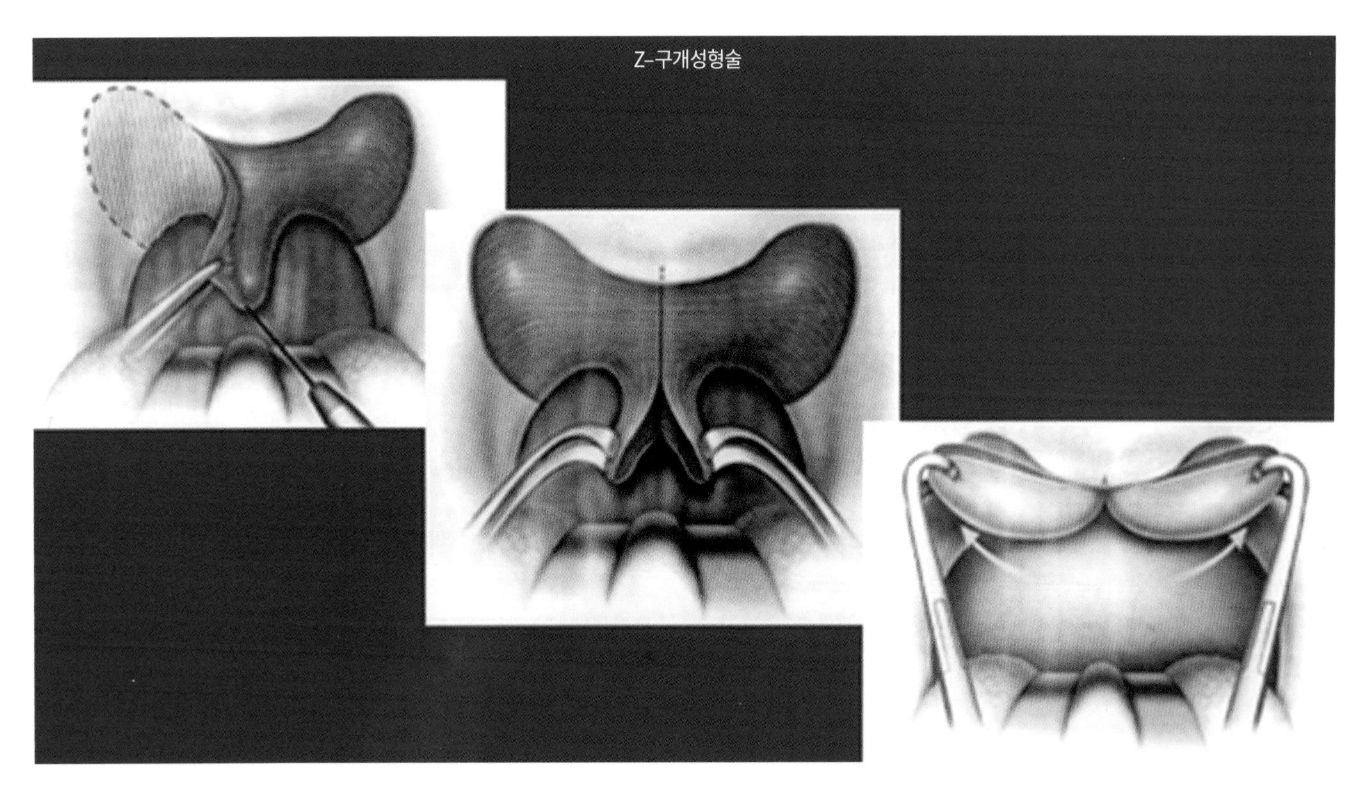

■ 그림 17.6 **Z-구개성형술**

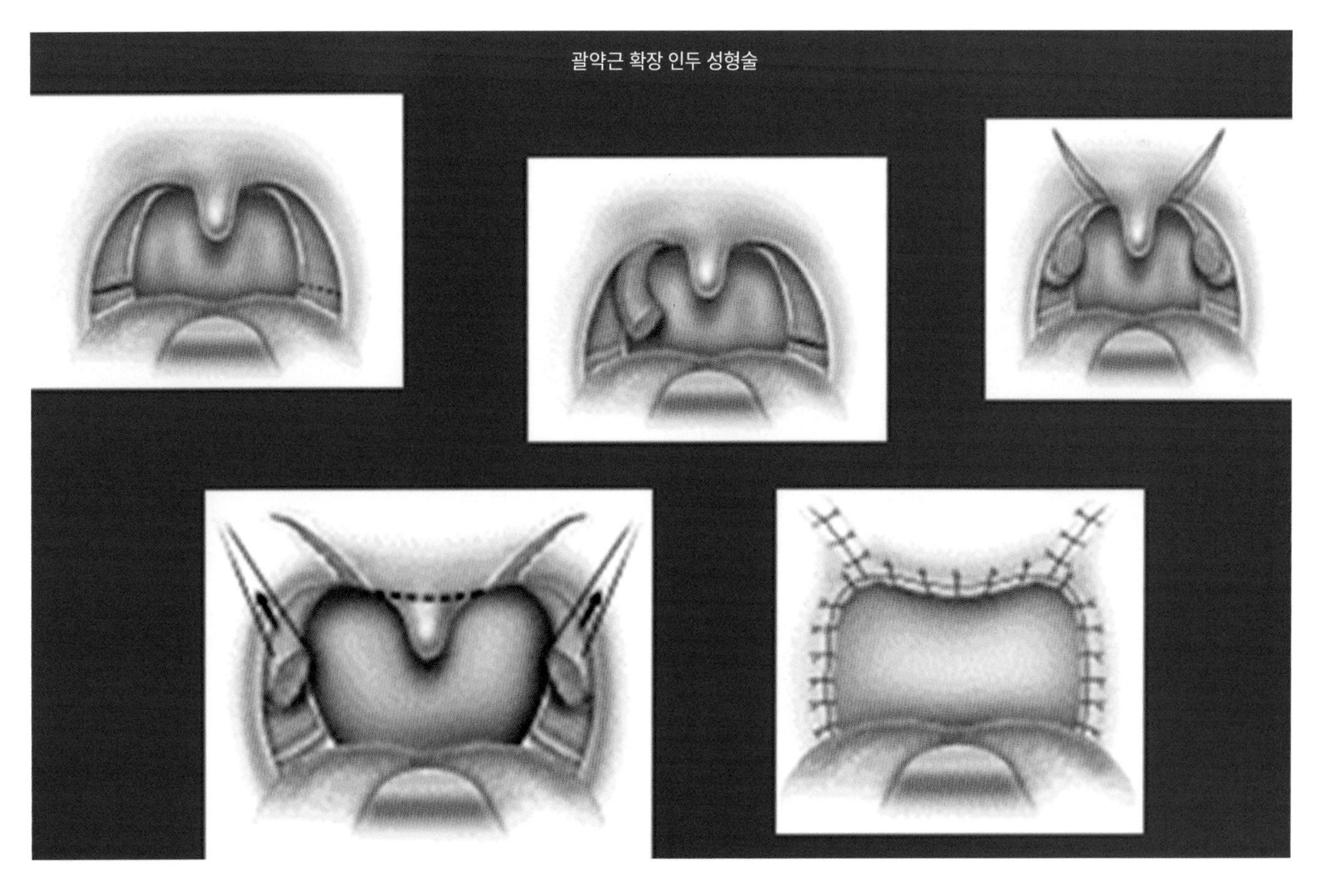

■ 그림 17.7 **광약근 확장 인두 성형술**

■ 표 17.2 광약근 확장 인두 성형술(ESP) 대 목젖구개인두 성형술(UPPP)

	ESP	UPPP
술전 AHI	44.2	38.1
술후 AHI	12	19.6
성공 비율[a]	82.6%	68.1%

[a]AHI 50% 감소 및 AHI 20 미만

서 확인된 인두 외측벽 붕괴가 있는 OSA 환자의 선택된 하위 집합을 위해 개발되었다. 이 술식은 상부 수축근에 손상없이 부착된 구개인두 근육의 하부 측면을 절개하여 상외측으로 회전한 후, 전방으로 연구개에 점막하 부착시킨다(■ 그림 17.7). 완료되면, 목젖을 절제한다.[22] 이 술식의 목표는 인두 외측벽 허탈을 줄이는 것이다. 이 술식은 전통적인 UPPP보다 성공률이 더 높지만, 술후 연하곤란의 발생률이 약간 증가할 수 있다(■ 표 17.2).

17.3.3 횡구개 전진 인두 성형술

이 술식은 일반적으로 OSA가 지속되고 구개후 기도가 지속적으로 좁아지는 환자의 치료로 사용된다. 수술은 경구개 점막을 거상하고 경구개의 일부를 절제한다. 그 다음 긴장근 건을 분해하고 연구개를 전진시킨다(■ 그림 17.8). 그런 다음 긴장근 건을 구상돌기 근처의 연조직에 재근접시키고 경구개 전방부와 후방부를 함께 봉합한다.[23] 이 술식의 장점은 구개후 기도의 전후방 및 측방 크기가 모두 증가한다는 것이다.

17.3.4 구개 강화법

구개 강화법은 OSA 환자의 구개후 허탈을 개선하기 위한 덜 침습적인 방법으로 개발되었다. 이 술식은 고주파 체적 조직 감소와 소작 구개 강화술이 포함된다.

17.3.4.1 고주파 체적 조직 감소(RFTA)

고주파 체적 조직 감소는 결과적으로 단백질 응고 및 조직 괴사와 함께 구개에 고주파 교류의 전달을 포함하는 최소 침습적 다단계 구개 수술이다. 궁극적인 목표는 연구개 조직 크기를 줄이는 것이다. 경증의 OSA (AHI 5-15로 정의) 관리에서 RFTA의 효과는 UPPP와 유사하다. 그러나 이환율이 낮고 치료 관련 합병증이 적기 때문에, 종종 경증 OSA 환자에서 UPPP에 대한 유리한 대안 수술로 생각된다.[24] 또한, 이 술식은 내재된 위험이 있는 전신 마취의 필요성을 피하면서 국소 마취하에 시행할 수 있다.

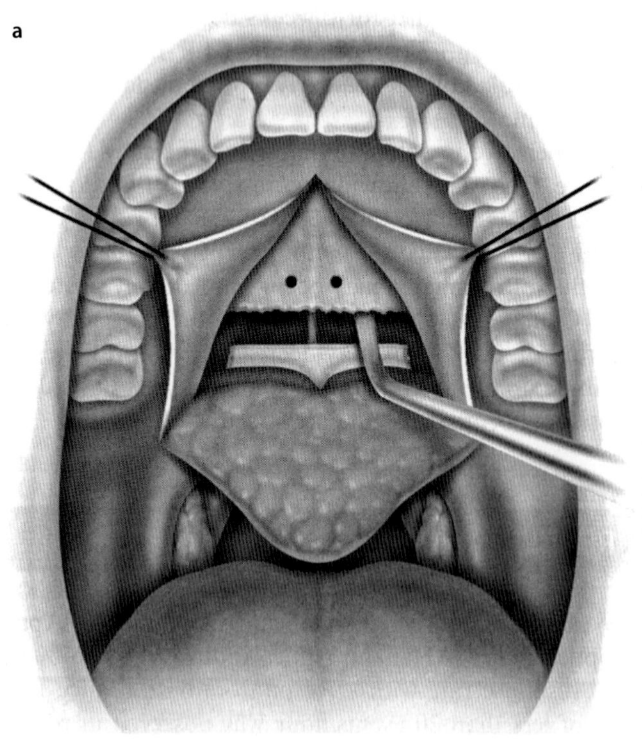

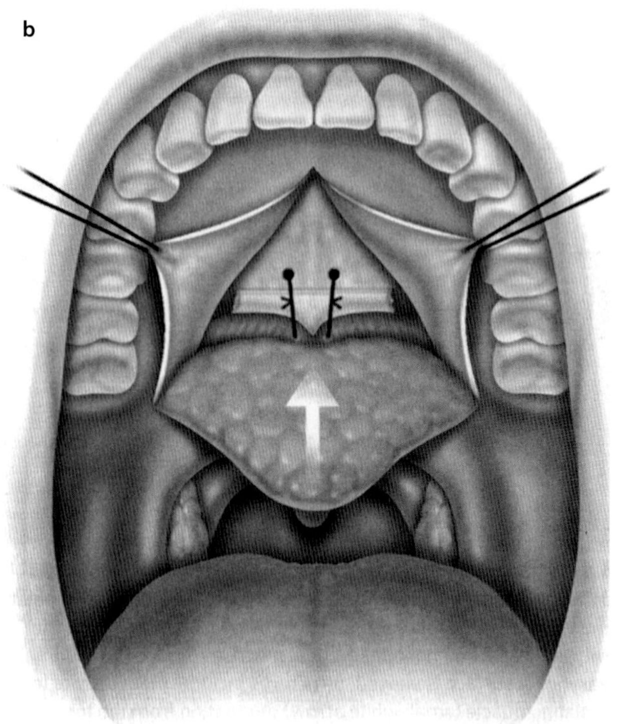

■ 그림 17.8 **횡구개 전진 인두 성형술**

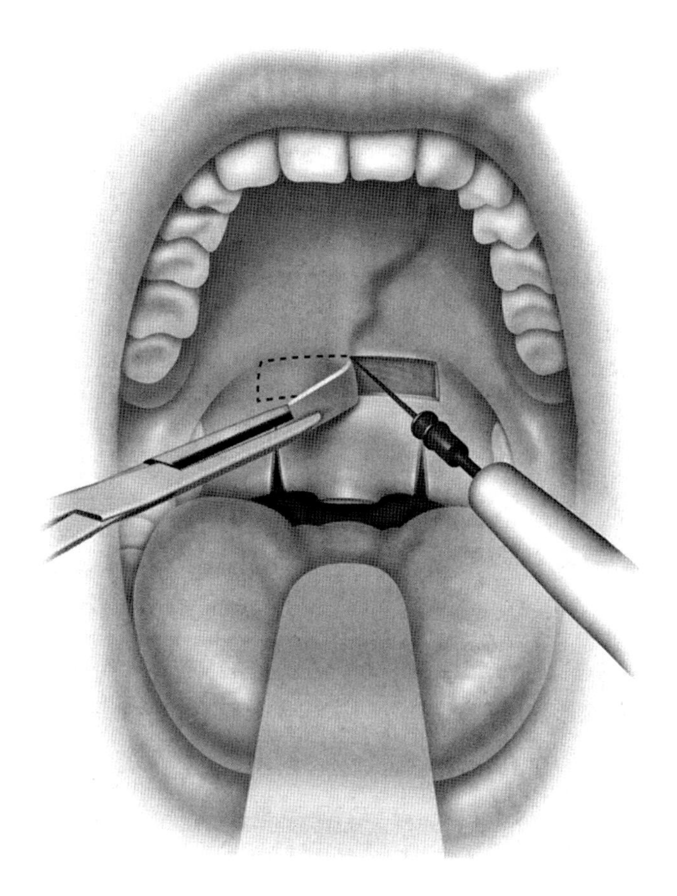

◘ 그림 17.9 **소작 구개 강화술**

17.3.4.2 소작 구개 강화술

이 술식 또한 UPPP보다 덜 침습적이다. 여기에는 연구개 점막의 직사각형 부위(7 mm × 5 cm)를 제거, 목젖 절개, 목젖의 양쪽에서 연구개에의 수직 절개가 포함된다(◘ 그림 17.9). 점막 절제 부위에서 섬유화와 견인으로 연구개가 상승된다. RFTA와 유사하게 국소 마취하에 수행할 수도 있다.

참고문헌

1. Lin S-W, Chen N-H, Li H-Y, et al. A comparison of the long-term outcome and effects of surgery or continuous positive air-way pressure on patients with obstructive sleep apnea syndrome. Laryngoscope. 2006;116:1012-6.
2. Schwab RJ, Gefter WB, Hoffman EA, Gupta KB, Pack AI. Dynamic upper airway imaging during awake respiration in normal subjects and patients with sleep disordered breathing. Am Rev Respir Dis. 1993;148:1385.
3. Rodriguez-Bruno K, Goldberg AN, McCulloch KEJ. Test retest reliability of drug-induced endoscopy. Otolaryngol Head Neck Surg. 2009;140:646-51.
4. Kezirian EJ, White DP, Malhotra A, McCulloch CE, Goldberg AN. Interrater reliability of drug-induced sleep endoscopy. Arch Otolaryngol Head Neck Surg. 2010;136:393-7.
5. Kezirian EJ, Hohenhorst W, de Vries N. Drug-induced sleep endoscopy: the VOTE classification. Eur Arch Otorhinolaryngol. 2011;268:1233.
6. Lee EJ, Cho JH. Meta-analysis of obstruction site observed with drug-induced sleep endoscopy in patients with obstructive sleep apnea. Laryngoscope. 2019;129:1235.
7. Patil SP, Ayappa IA, Caples SM, Kimoff RJ, Patel SR, Har-rod CG. Treatment of adult obstructive sleep Apnea with positive airway pressure: an American Academy of Sleep Medicine Clinical practice guideline. J Clin Sleep Med. 2019;15(2):335-43. https://doi.org/10.5664/jcsm.7640.
8. Weaver TE, Maislin G, Dinges DF, et al. Relationship between hours of CPAP use and achieving normal levels of sleepiness and daily functioning. Sleep. 2007;30(6):711-9.
9. Aurora RN, Casey KR, Kristo D, et al. American Academy of Sleep Medicine. Practice parameters for the surgical modifications of the upper airway for obstructive sleep apnea in adults. Sleep. 2010;33(10):1408-13.
10. Friedman M, Tanyeri H, La Rosa M, et al. Clinical predictors of obstructive sleep apnea. Laryngoscope. 1999;109(12):1901-7.
11. Kezirian EJ, Weaver EM, Yueh B, Deyo RA, Khuri SF, Daley J, Henderson W. Incidence of serious complications after uvulo-palatopharyngoplasty. Laryngoscope. 2004;114:450-3.
12. Sher AE, Schectman KB, Piccirillo JF. The efficacy of surgical modifications of the upper airway in adults with obstructive sleep apnea syndrome. Sleep. 1996;19:156-77.
13. Caples SM, Rowley JA, Prinsell JR, et al. Surgical modifications of the upper airway for obstructive sleep apnea in adults: a systematic review and meta-analysis. Sleep. 2010;33:1396-407.
14. Friedman, et al. Clinical staging for sleep-disordered breathing. Otolaryngol Head Neck Surg. 2002;127(1):13-21.
15. Yousuf A, Beigh Z, Khursheed RS, Jallu AS, Pampoori RA. Clinical predictors for successful uvulopalatopharyngo-plasty in the management of obstructive sleep apnea. Int J Oto-laryngol. 2013;2013:290265.
16. Riley RW, Powell NB, Guilleminault C. Obstructive sleep apnea syndrome: a review of 306 consecutively treated surgical patients. Otolaryngol Head Neck Surg. 1993;108:117-25.
17. Harvey R, O'Brien L, Aronovich S, Shelgikar A, Hoff P, Palmisano J, Stanley J. Friedman tongue position and cone beam computed tomography in patients with obstructive sleep apnea. Laryngosc Investig Otolaryngol. 2017;2(5):320-4. https://doi. org/10.1002/lio2.92.
18. Weaver EM, Woodson BT, Yueh B, Smith T, Stewart MG, Hannley M, SLEEP Study Investigators. Studying life effects & effectiveness of Palatopharyngoplasty (SLEEP) study: sub-jective outcomes of isolated uvulopalatopharyngoplasty. Oto-laryngol Head Neck Surg. 2011;144(4):623-31. https://doi. org/10.1177/0194599810394982.
19. Haraldsson PO, Carenfelt C, Lysdahl M, et al. Does uvulopala-topharyngoplasty inhibit automobile accidents? Laryngoscope. 1995;105:657-61.
20. Goh YH, Mark I, Fee WE Jr. Quality of life 17 to 20 years after uvulopalatopharyngoplasty. Laryngoscope. 2007;117:503-6.
21. Friedman M, Ibrahim HZ, Vidyasagar R, Pomeranz J, Joseph NJ. Z-palatoplasty (ZPP): a technique for patients without tonsils. Otolaryngol Head Neck Surg. 2004;131:89-100.
22. Sher AE, Schechtman KB, Piccirillo JF. The efficacy of surgi-cal modifications of the upper airway in adults with obstructive sleep apnea syndrome. Sleep. 1996;19:156-77.
23. Lee L-A, Huang C-G, Chen N-H, Wang C-L, Fang T-J, Li H-Y. Severity of obstructive sleep apnea syndrome and high- sensitivity C-reactive protein reduced after relocation pharyngo-plasty. Otolaryngol Head Neck Surg. 2011;144(4):632-8.
24. Amali A, Motiee-Langroudi M, Saedi B, Rahavi-Ezabadi S, Karimian A, Amirzargar B. A comparison of uvulopalatopha-ryngoplasty and modified radiofrequency tissue ablation in mild to moderate obstructive sleep apnea: a randomized clinical trial. J Clin Sleep Med. 2017;13(9):1089-96.

OSA 환자의 하인두 수술

Pratyusha Yalamanchi and Paul T. Hoff

목차

18.1 개요

폐쇄성 수면 무호흡(OSA)에서 하인두 기도 폐쇄는 주로 혀 기저부 및 인두 외측벽, 가끔은 후두개 주름이나 후두개에 의해 발생한다. 좁은 악궁이나 상하악 결핍과 같은 비정상적 골 해부학은 하인두 폐쇄에 현저히 기여할 수 있다. 지속적 양압기가 OSA 치료의 표준으로 남아 있지만, 수술은 양압기에 적응하지 못하는 환자에게 효과적인 치료 선택지이다.

수술 문헌에서 성공적인 OSA 수술은 전통적으로 무호흡 저호흡 지수(AHI)가 50% 감소하고 AHI가 20 미만인 것으로 정의되었다. Stuck과 Maurer는 환자가 밤에 지속적 양압기를 착용하는 시간의 비율을 설명하는 조정된 AHI를 설명했다.[1] 조정된 AHI 성공률은 지속적 양압기로 치료된 환자와 비교하여 고도로 선택된 수술 환자의 하위 집합에서 AHI의 유사한 감소를 보여주었다.

이번 단원에서는 수면 무호흡에 대한 하인두 수술의 현재 역할을 제시한다. 지난 수십 년 동안의 하인두 수술의 발전, 술전 기도 평가, 환자 선택, 하인두 폐쇄 해결을 위한 술식의 고찰, OSA 해결을 위한 하인두 수술 분야의 미래에 대해 논의한다.

18.2 역사적 관점

하인두 폐쇄에 기여하는 연조직과 골의 해부학적 복잡성, 그리고 말과 연하에 대한 하인두의 중요성은 지난 수십 년 동안 하인두 폐쇄의 외과적 관리에서 상당한 도전 과제를 제시했다.

Fujita 등[2]은 서로 다른 수준의 폐쇄, 특히 구개후 및/또는 설후 폐쇄를 기반으로 한 상기도 분류 시스템을 최초로 제시했다(◘ 그림 18.1). OSA의 외과적 치료는 1980년대 초 Fujita가 목젖구개인두 성형술(UPPP)을 도입하면서 시작되었다. 이러한 다양한 수준의 폐쇄를 기반으로 다단계 수술의 개념이 Riley 등에 의해 정의되었다.[3] 상기도 내시경에 의한 기도 폐쇄의 복잡성에 대한 철저한 이해는 연구개와 함께 하인두와 혀의 기저부가 OSA 폐쇄의 중요한 해부학적 구성 요소임을 보여주었다.[4] 또한, 기도의 측방 허탈은 저항성 증례에서 특히 중요한 것으로 알려져 있다.[5]

지난 30년 동안 CO_2 레이저 절제술, 고주파 절제술(RFA), 부유 봉합술, 골격 구조 수술, 고주파 coblation 등 혀 폐쇄의 기저부를 해결하기 위해 수많은 기술이 도입되었다. 성공은 다양하게 나타났으며, 기관절개술을 넘어서는 표준 수술법은 80% 이상의 성공률을 보이는 양악 전진술로 남았다.[5]

OSA 치료에서 혀의 기저부에 안전하고 효과적인 접근을 위한 경구강 로봇 수술(TORS)의 적용은 Vicini 등에 의해 2010년에 처음으로 도입되었다.[6,8] 설후 폐쇄가 있는 환자의 경우, TORS는 구강 접근 방식을 통해 많은 양의 조직을 안전하게 절제할 수 있는 탁월한 외과적 노출을 제공하는 능력으로 인해 수면외과의들 사이에서 점점 더 받아들여지고 있다. 효과적이기는 하지만, 이전에 확립된 경경부 혀 기저부 축소술과 성문 성형술(TBRHE)은 기관절개술과 영양관 배치의 필요성, 혀 약화 및

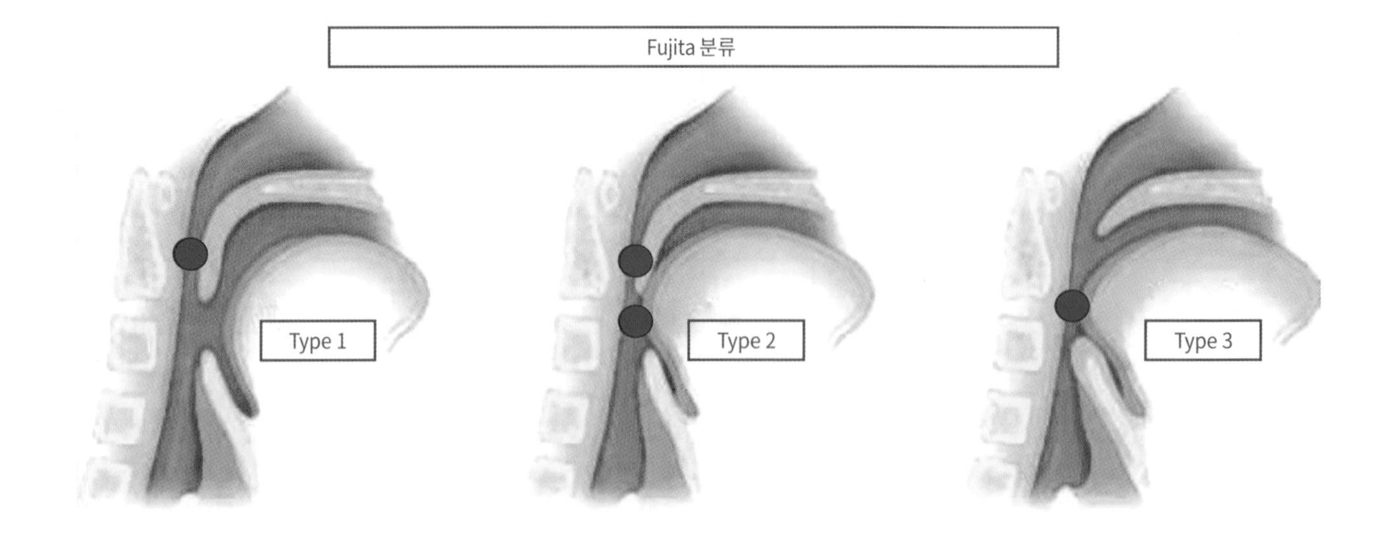

◘ 그림 18.1 **Fujita 분류**

누공의 가능성을 포함하여 상당한 이환 위험을 제시했다. OSA에 대한 TORS의 비교적 제한된 이환율은 고도로 선택된 환자에서 다단계 접근법의 일부로 수면 외과의사들 사이에서 수용되었다. 2014년 FDA는 혀의 기저부에서 양성 조직 제거를 승인했지만, OSA의 임상 적용에 대한 TORS는 승인하지 않았다. 최근에는 OSA 환자에 대한 중재로 신경 자극이 활용됨에 따라 수면 중 상기도 신경근 활동에 대한 관심이 높아졌다. 보상 신경근 반응 상실이 수면 중 기도 폐쇄에 중요한 역할을 하는 것으로 드러남을 감안하면, 이설근과 같은 인두 확장근의 전기 자극은 기도 신경근 조절의 결함을 극복하고 수면 중 기도 개방성을 증가시키도록 설계되었다. 2001년에 소수의 환자 집단에서 OSA 중증도를 줄이기 위한 설하 신경 자극(HNS)의 성공적인 사용이 보고되었다. 그 후 Apnex Medical은 OSA 용으로 최초의 상업용 이식형 HNS 장치를 개발했지만, 2013년에 관련 무작위 대조 시험의 실망스러운 결과로 폐기되었다. 현재 Inspire Medical Systems은 감지 리드와 자극 리드가 있는 이식형 심장 박동기와 같은 펄스 발생기의 OSA 용으로 FDA 승인을 받은 유일한 HNS 장치를 제조한다. 감지 리드는 환기 노력 감지를 위해 외측 및 내측 늑간근 사이에 이식된다. 자극 리드는 이설근의 자극을 담당하는 설하 신경의 선택 가지를 자극하기 위해 이하부에 이식된다. 2016년에 Inspire는 HNS 이식 후 OSA 환자의 결과에서 상당한 개선을 입증하는 중요한 STAR 시험에 대한 36개월 결과 데이터를 발표했다. 이 연구는 다기관, 단일군 중재 후 연구 참가자가 자신의 통제 역할을 하는 무작위 통제, 치료 중단 설계가 뒤따랐다. 총 126명의 환자가 수면 다원 검사, 임상 평가, 약물-유도 수면 내시경(DISE)을 통한 광범위한 정밀 검사 후 이식을 받았다. 제외 기준에는 체질량 지수(BMI) 32 kg/m^2 초과, 시간당 AHI 50회 초과, 중추성 또는 자세성 수면 무호흡, 동심성 구개 허탈이 있었다. 참가자의 66%에서 수면 무호흡 해결 또는 상당한 개선이 입증되었고, 36개월 및 이후 60개월의 장기간에 걸쳐 수면 무호흡 개선 및 삶의 질에 대한 추적 관찰이 지속되었다. Inspire 시스템의 성공과 채택 증가와 함께 OSA 치료를 위한 신경 자극 분야는 지속적으로 성장하고 있다.

18.3 환자 선택

자세한 수면 이력, 혀의 기저부 평가를 포함한 외래 신체 검사, 내시경 검사, 수술 전 금기 사항과 성공 예측 인자를 포함하여

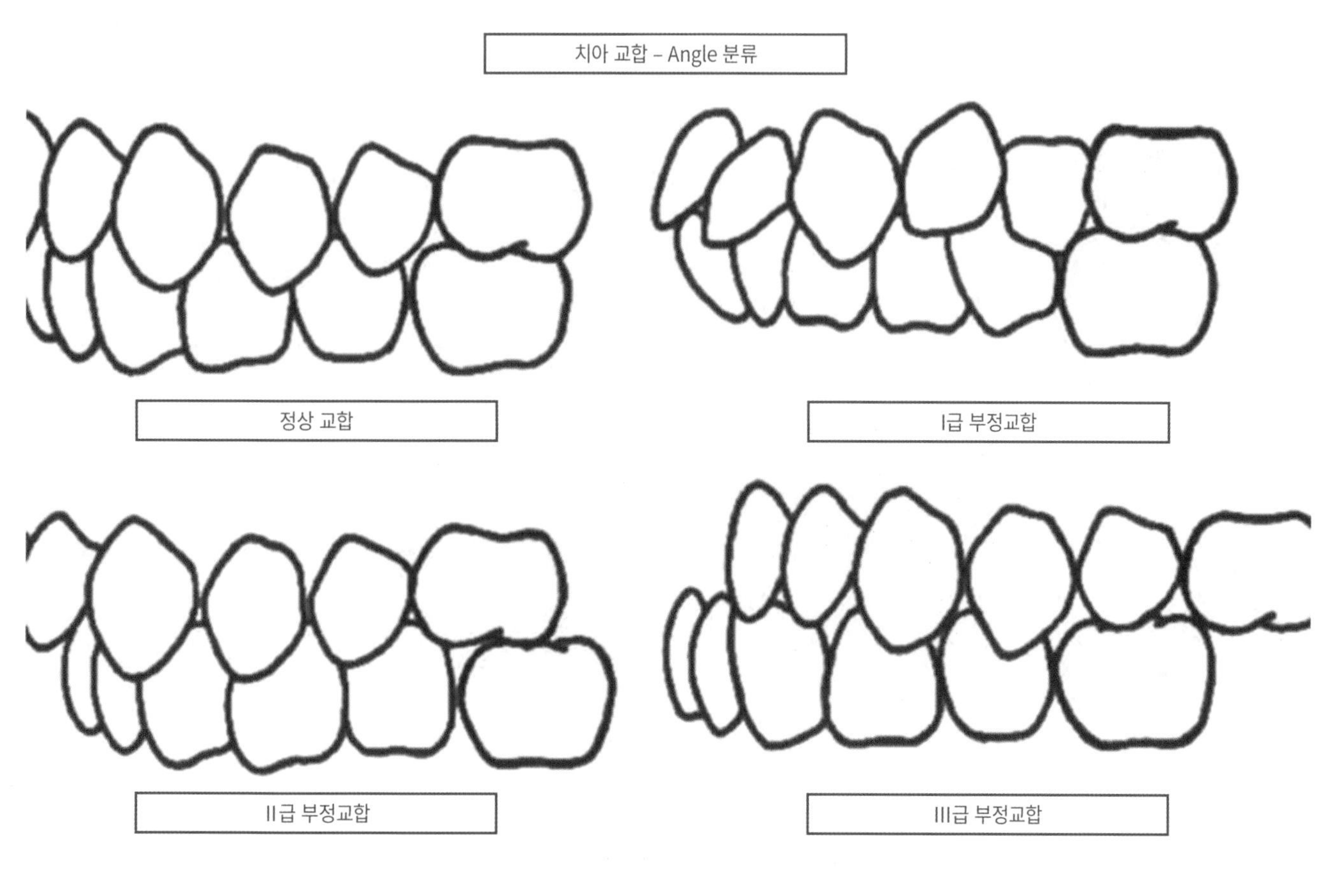

■ 그림 18.2 **치아 교합 – Angle 분류: II급 부정교합은 종종 혀의 후방 전위로 인한 현저한 후방 기도 공간 협착과 연관된다.**

18

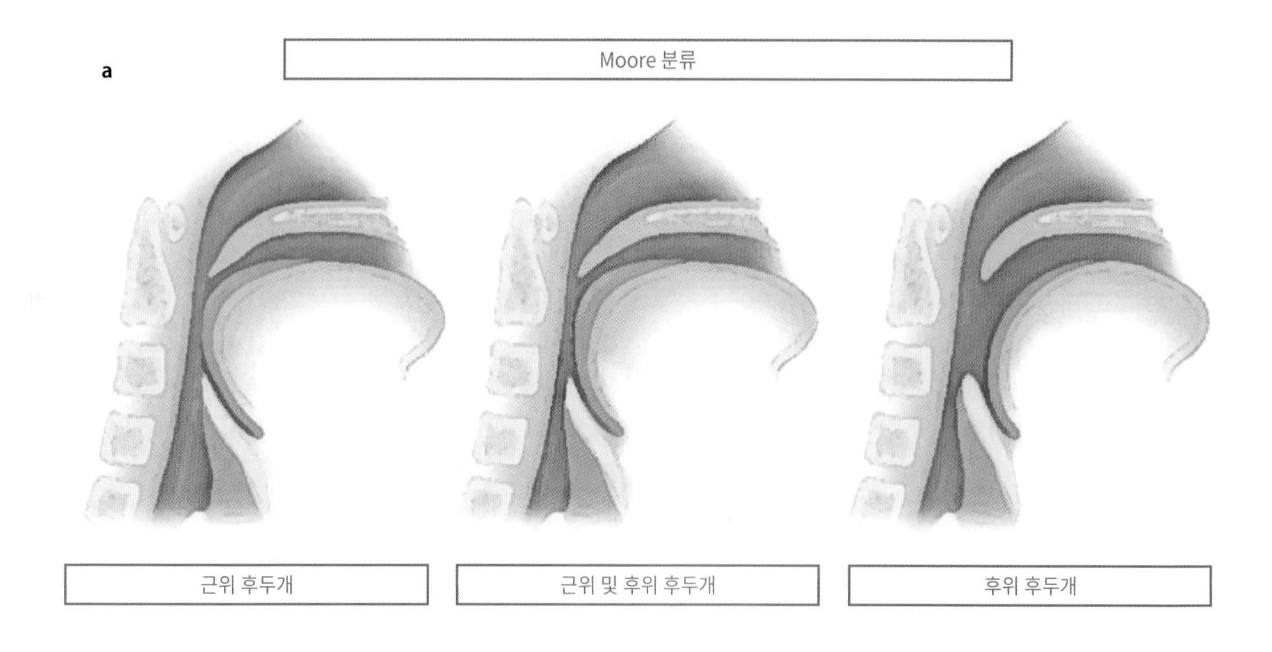

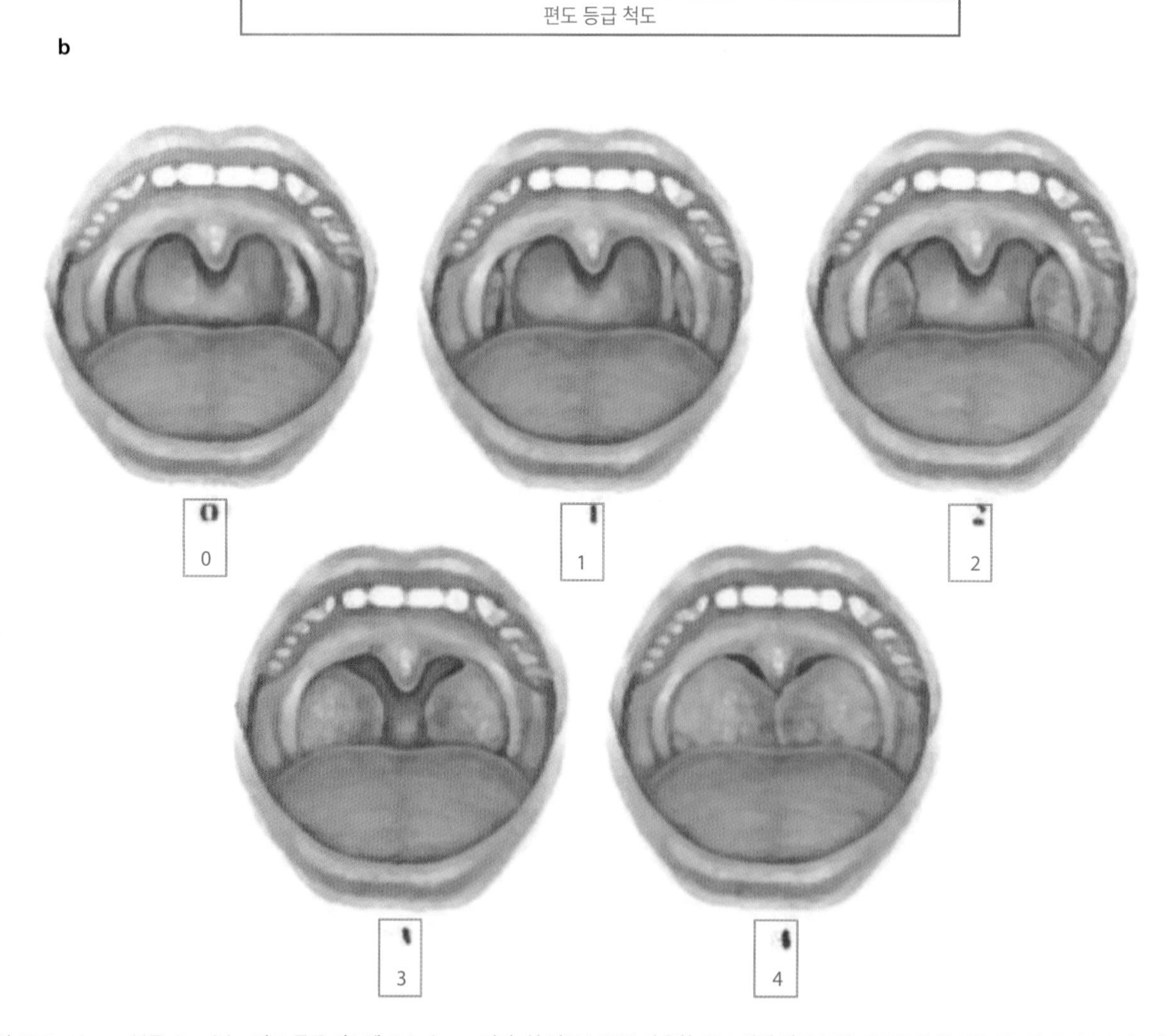

◘ 그림 18.3 Moore 분류, Brodsky 편도 등급 시스템, Friedman 병기, 혀 편도 분류를 사용한 OSA 신체 검사 동안, 구인두와 하인두 연조직 구성요소의 표현형 특성을 기록할 수 있다. 의식하 환자에서 얻는 데이터는 골격 구조에 대한 지식과 결합되어 NISE을 보완하고 수술 계획을 최적화한다.

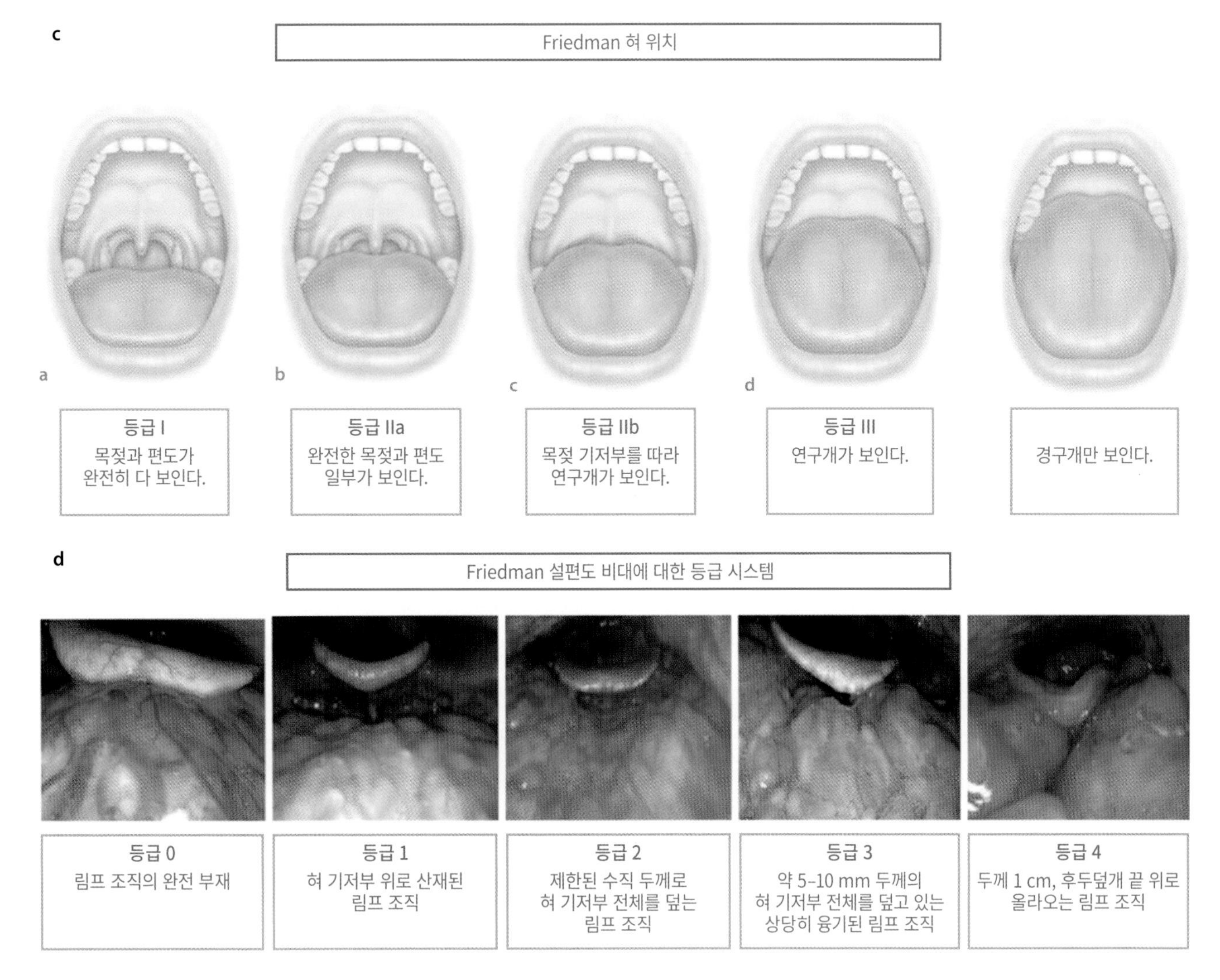

◘ 그림 18.3(계속)

수술 후보 및 중재 선택을 결정하기 위해 여러 가지 중요한 요소를 고려해야 한다. OSA 치료를 위한 하인두 수술의 성공적인 수술 결과는 적절한 환자 선택과 수술 방법 선택에 달려 있다고 생각된다.

18.4 신체 검사

BMI 및 목 둘레를 포함한 체질은 수술 결과에 영향을 미치는 것으로 나타났으므로 기록해야 한다. 코, 연구개, 인두 측벽, 혀 기저부를 포함한 상기도 폐쇄 부위를 식별하기 위해서 상세한 두경부 검사가 필요하다. 특히 코 검사에는 외부 기형, 중격 위치, 비갑개 크기, 폴립 존재 여부가 포함되어야 한다. 구강 평가에는 혀 크기와 위치, 구개와 목젖 길이, 편도 크기, Friedman 혀 위치, 치열, 구인두 밀집이 포함된다. 추가적으로, 상악과 하악의 크기와 위치 같은 상하악 골성 해부학(Angle 분류)에 대한 평가도 고려되어야 한다(◘ 그림 18.2).

직접적인 육안 검사 외에도 광섬유 비인두 내시경이 하인두 기도의 완전한 평가에 중요하다. 이 검사를 사용하면 혀 기저부의 돌출부(Moore 분류 및 Friedman 설편도 크기) 및 인두 측벽을 포함하여 상기도 용적을 완전히 평가할 수 있다. 그림 18.3은 상기도 폐쇄 평가를 위한 다양한 분류 시스템을 보여준다.

성문 상부 구조의 평가는 기도 폐쇄에 기여할 수 있는 역전위 후두개를 식별할 수 있다. 진정 상태에서 기도의 동적 평가는 피막, 인두 측벽, 혀 기저부, 성문 상부의 허탈을 식별하는 가장 좋은 방법이다. 환자의 의식하 상태에서 수행된 기도 허탈성 평가를 위한 Mueller 방법은 평가자 간 신뢰도의 예측 가치가 낮은 것으로 보고되었다.

18.5 영상 검사

측면 방사선사진을 이용하여 상기도 폐쇄에 기여할 수 있는 안면 골격 해부학을 평가할 수 있다. 두부계측 영상은 골격과 관련 연조직의 평가에 도움이 될 수 있는 널리 이용 가능한 저렴한 2차원적 기도 표현이다(■ 그림 18.4). 설골의 하방 변위(설골에서 하악평면 거리 25 mm 초과), 좁은 후방 기도(11 mm), 연장된 연구개(35 mm)는 OSA 환자의 일반적인 소견이다. CT 영상도 사용될 수 있으며 상기도의 3차원 재구성 측정을 허용하는 장점이 있다. 현재 동적 MRI 사용은 통상적으로 연구 설정으로 제한된다.

18.6 약물-유도 진정 내시경(DISE)

1991년, Croft와 Pringle은 약물-유도 진정 내시경(DISE)을 도입했다. 이 술식은 유럽에서 널리 수용되었고 외과의가 폐쇄 부위를 식별하고 부위별 수술을 계획하는 데 유용성을 인식함에 따라 북미에서 빠르게 인기를 얻고 있다. DISE는 환자를 반듯이 눕히고 검사실에서 진정된 상태에서 수행된다(■ 그림 18.5). Kezirian 등은 피막(V), 구인두(O), 혀 기저(T), 후두개(E) 수준에서 허탈의 방향과 정도를 특징짓는 VOTE 분류를 대중화했다(■ 그림 18.6).

그림 18.6은 DISE 검사를 위한 검사실 설비를 보여준다.[7]

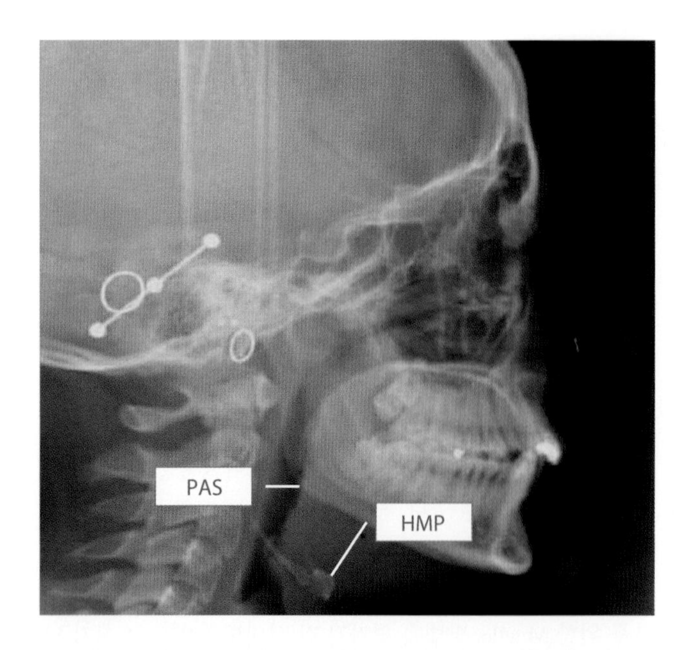

■ 그림 18.4 측면 방사선에서 두부계측 특성: 후방 기도 공간(PAS), 설골에서 하악평면 거리(HMP)

약물-유도 수면 내시경: VOTE 분류

	방향		
수준	전후방	측방	동심
피막			
구인두			
혀 기저부			
후두개			

폐쇄 정도: 0 – 폐쇄 없음, 1 – 부분 폐쇄, 2 – 완전 폐쇄, X – 관찰되지 않음

■ 그림 18.5 피막(V), 구인두(O), 혀 기저(T), 후두개(E) 수준에서 허탈의 방향과 정도를 특징짓는 VOTE 분류

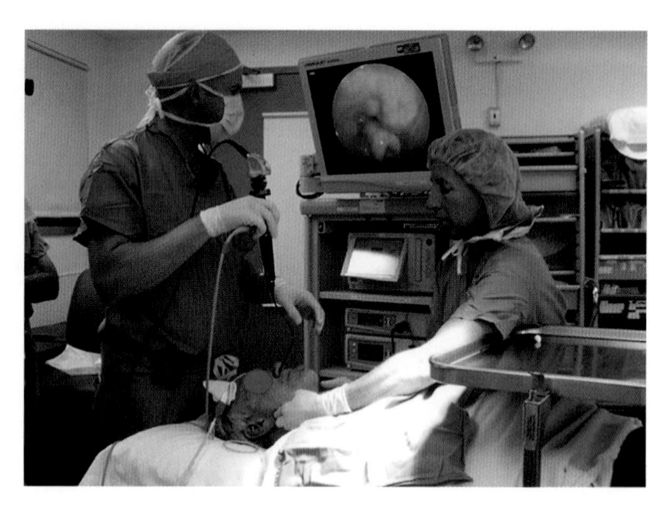

■ 그림 18.6 DISE 검사실 장비

DISE의 적응증에는 명백한 해부학적 폐쇄 부위가 없는 경우의 상기도 재수술과 HNS를 고려하는 모든 환자가 포함된다. DISE는 의식하 임상 검사로 특히 혀 기저부와 성문 상부에서 확인되지 않은 추가 폐쇄 부위를 식별하여 최대 1/3의 경우에서 수술 계획을 변경할 수 있는 것으로 나타났다. 연구개에서 동심(괄약근 같은) 허탈은 성공률 감소와 관련되어 있기 때문에 HNS에 대한 절대 금기 사항이다(■ 그림 18.7).

18.7 치료 알고리즘

하인두의 외과적 치료는 수면 관련 혀 폐쇄를 방지하기 위해 고안된 절차로 구성된다. 대부분의 환자는 지속적 양압기와 같

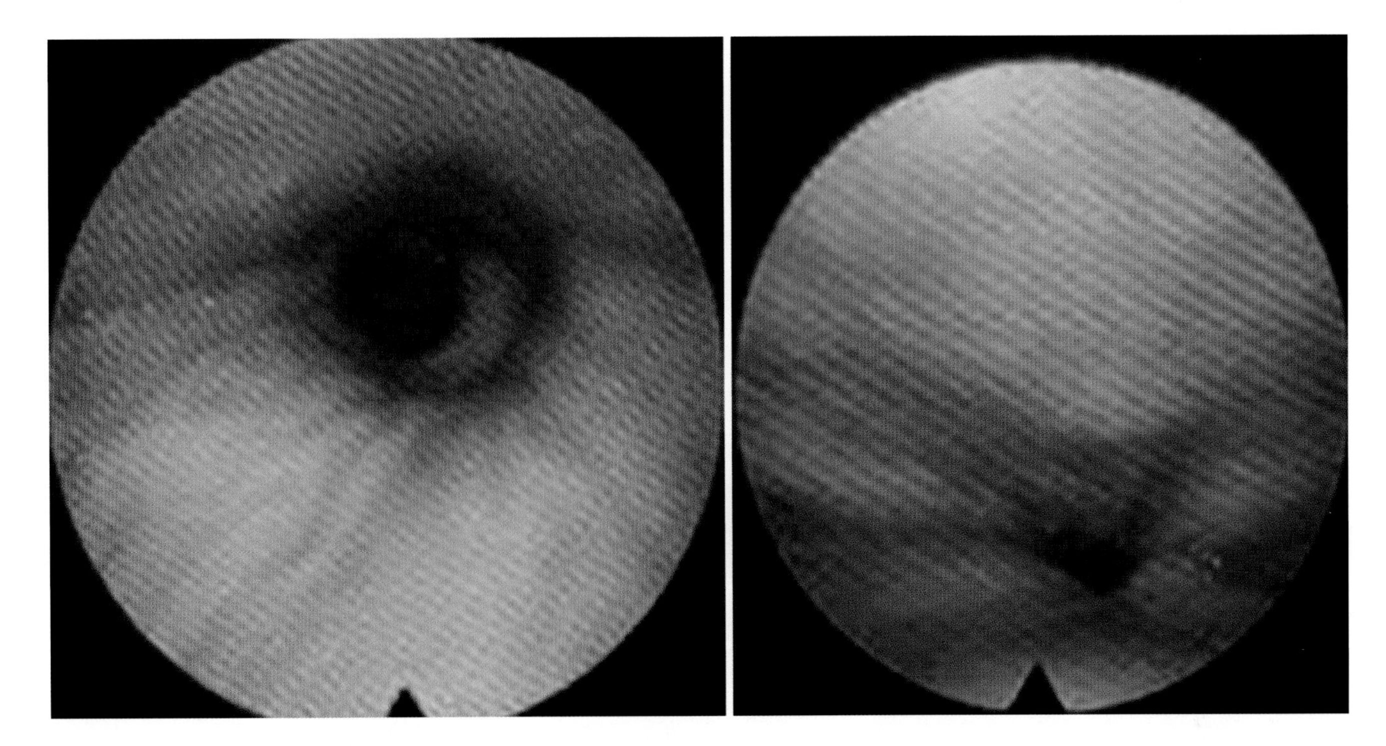

그림 18.7 DISE에서 확인된 피막의 원형 허탈

은 비수술적 치료에 대한 비적응으로 인해 수술을 선택한다. 수술의 목표와 예상되는 수술 결과는 수술 전에 논의되어야 한다. 사전 동의를 얻어야하고, 환자에게 하인두 수술의 잠재적 위험과 이점에 대해 교육해야 한다.

18.8 술식

18.8.1 경구강 로봇 수술

OSA용 경구강 로봇 수술(TORS)은 고도로 선택된 환자에서 다단계 접근 방식의 일부로 수면 외과의들 사이에서 빠르게 수용되고 있다. 2009년 OSA용 TORS의 첫 번째 출판 이후, 800명 이상의 환자를 대표하는 수많은 출판물이 보고되었다. 그러나 수술 이환율과 설하 신경 자극법 등장으로, 최근 OSA에 대한 TORS 술식 건수가 감소하고 있다.[13]

TORS의 후보는 중등증에서 중증 OSA 진단을 받고 체중 감소와 지속적 양압기로 보존적 치료에 실패한 환자이다. 전형적 환자는 BMI가 30 미만이다. 임상 검사의 일부로 외과의는 기도를 평가하고 심각한 하악 후퇴증이 없는 Friedman 혀 위치가 3 이하인 환자를 선택한다.[12] TORS는 여러 전문 팀의 조직과 효율성을 필요로 한다. 이 팀에는 외과의, 마취과의, 로봇 증례에 대한 훈련에 시간을 할애한 외과 기술자와 TORS에 익숙한 병상 조수가 포함된다. 그림 18.8과 같이 TORS의 표준이 되는 기본 장비 설정이 있으며, 이 장비에 대한 팀의 친숙도는 필수이다.

18.8.2 고주파 절제술(RFA)

고주파(RF) 혀 축소술은 종종 혀 기저 조직의 부피 축소를 위해 국소 마취하에 수행되는 통원 수술이다. 근육성 혀 기저부를 가진 림프 비대가 없는 환자에게 특히 도움이 된다. 절연 프로브는 465 KHz에서 무선 주파수 에너지를 전달하는 데 사용된다. 부수적으로 발생하는 마찰열은 조직 손상을 일으키고 응고 괴사와 반흔에 의한 치유를 통해 혀의 부피를 감소시킨다. RFA는 종종 다른 하인두 기도 수술법과 함께 수행되는 보조 술식이다.

RF 혀 축소에 대한 전향적 연구는 말이나 연하의 변화없이 호흡 장애 지수의 상당한 개선을 입증했다.[9] 수술 위험으로는 표재성 혀 궤양, 지속적인 연하통, 감염을 들 수 있다.[10,11]

18.8.3 이설근 전진술

이설근 전진술은 수면 중 혀 근육 조직에 긴장을 가하고 후방 변위를 제한하기 위해, 이설근을 전방으로 삽입하고 이부 결절을 포함하는 양피질 골절술을 포함한다(그림 18.9). 구강내에서 하악 이부를 따라 직사각형으로 골을 절단한다. 그 후 직

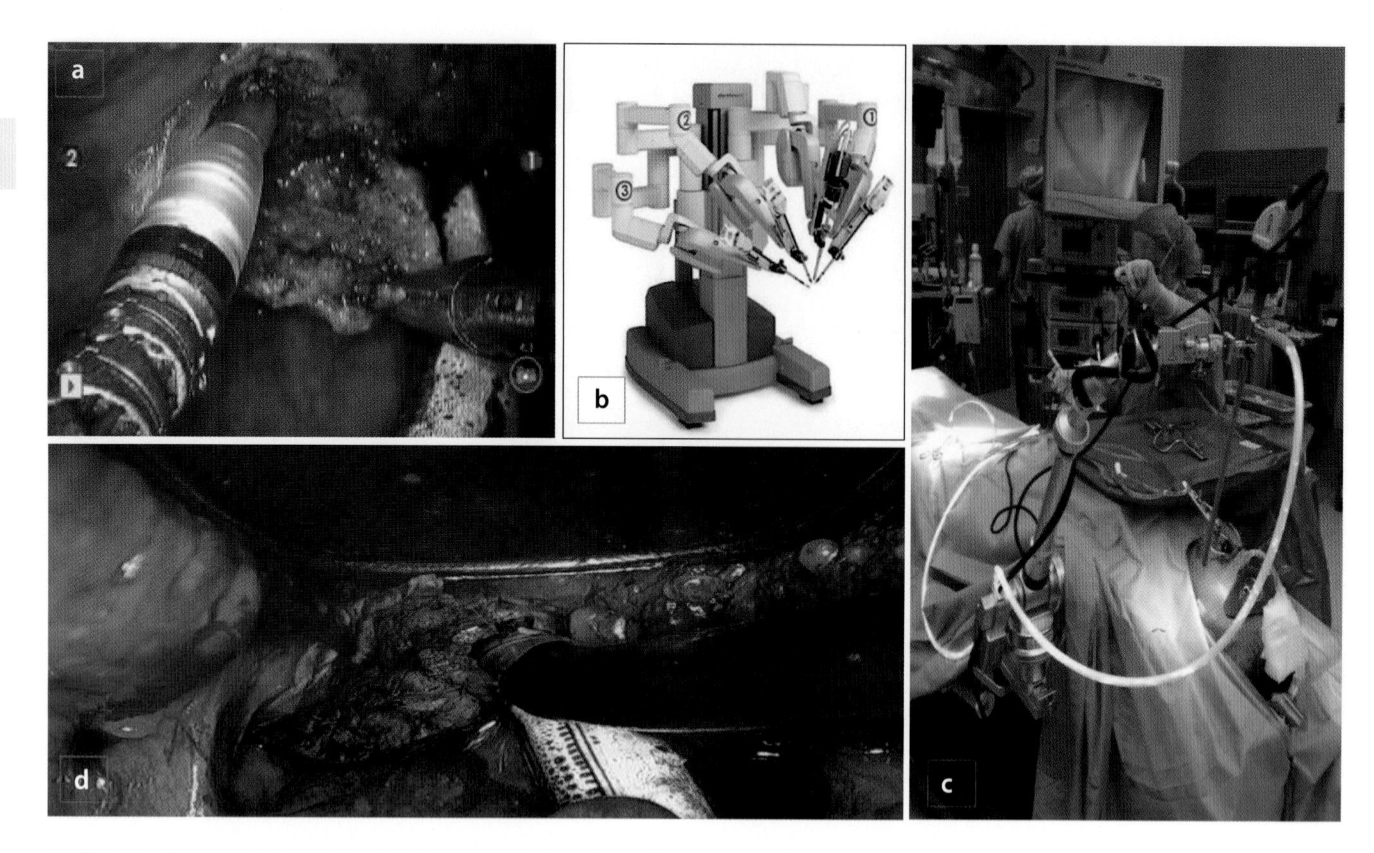

■ 그림 18.8 경구개 로봇 수술(TORS): **a** TORS 설인두 절제술, **b** DaVinci 로봇, **c** CELL 수술실 장비, **d** CELL 술식

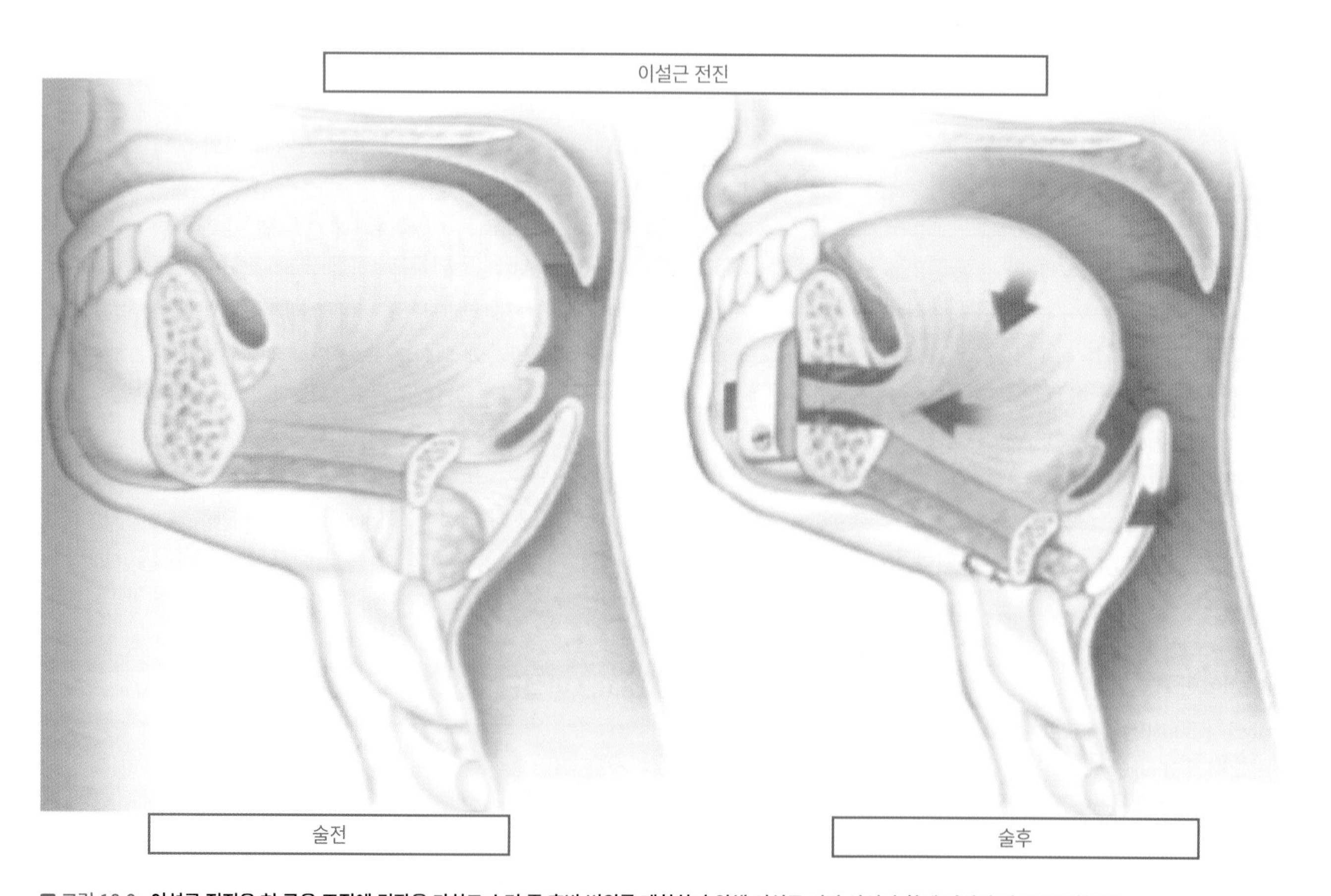

■ 그림 18.9 이설근 전진은 혀 근육 조직에 긴장을 가하고 수면 중 후방 변위를 제한하기 위해 이설근 전방 삽입과 함께 이결절 이동을 포함한다.

사각형 분절을 전진시키고, 재발을 방지하기 위해 회전시키거나 티타늄 마이크로 플레이트로 고정한다. 전형적으로, 이설근 전진술의 성공을 최대화하기 위해 구개 재위치 술식 및 설골 전진과 같은 다른 수면 무호흡 수술법과 함께 수행된다. RFA와 마찬가지로 이설근 전진술은 근육성 혀가 큰 환자에게 도움이 된다. 20-70%에 이르는 이설근 전진술의 다양한 성공률은 정확하게 성공을 예측하는 것이 어렵다는 것을 강조한다. 해부학적 요인, 체질, OSA 중증도가 수술 성공에 영향을 미치는 것으로 입증되었다. 이설근 전진술과 관련된 잠재적 위험에는 감염, 혈종, 하악 골절, 하악 치아 감각 이상 등이 있다.

18.8.4 혀 기저부 부유술

이설근 전진술과 마찬가지로 혀 기저부 부유술은 수면 중 혀 허탈 감소를 목표로 한다(◘ 그림 18.10). 구강-내 또는 이하부 절개를 통해 부유 봉합술을 하악 내부 표면의 고정원 나사에서 혀 기저부까지 가져온다. 그런 다음 혀에 대한 해먹 효과가 생성되도록 조인다. 이 짧고 비교적 간단한 절차는 종종 구개 재위치 술식과 함께 수행된다. 20-82%에 이르는 다양한 성공률이 보도되었다. 술식에는 감염, 치근 외상, 고정원 나사 분리 가능성의 위험이 있다.

18.8.5 설골 부유술

설골 전진술은 설골을 전하방(갑상설골 고정) 또는 전상방(설골하악 고정)으로 전진시켜 수행되고, 종종 OSA에 대한 이설근 전진 및/또는 구개 재위치와 함께 수행된다(◘ 그림 18.11). 갑상설골 고정술은 갑상판 위로 설골을 전진시킨 다음 갑상연골의 상부를 통해 영구 봉합사로 고정한다. 설골을 갑상선 연골에 부착하여 전방으로 재배치하면 기도가 확장된다. 설골 전

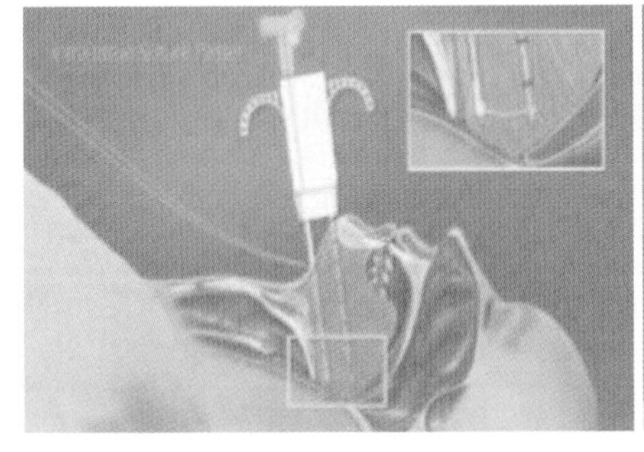

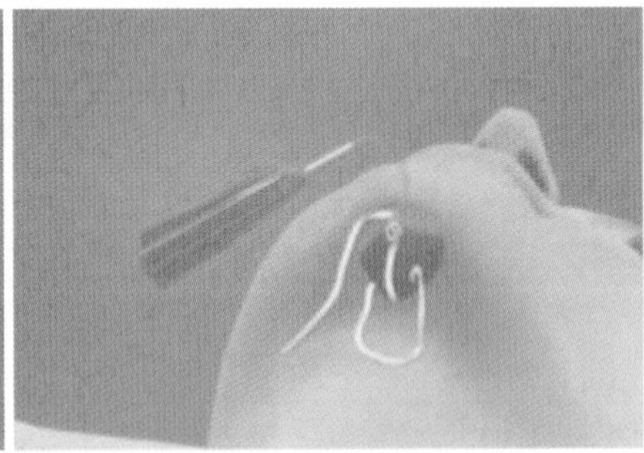

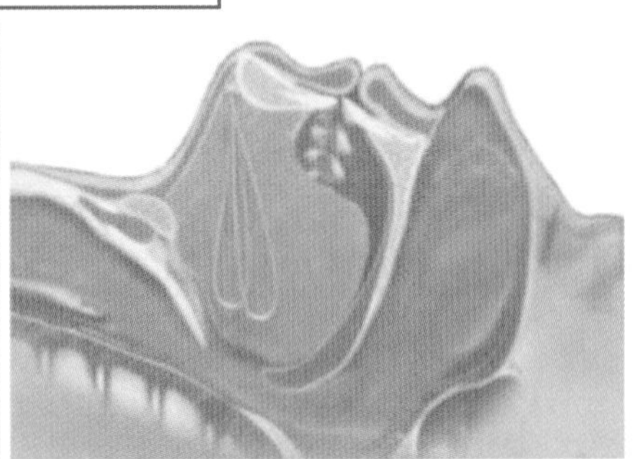

◘ 그림 18.10 **혀 기저부 부유 술식**

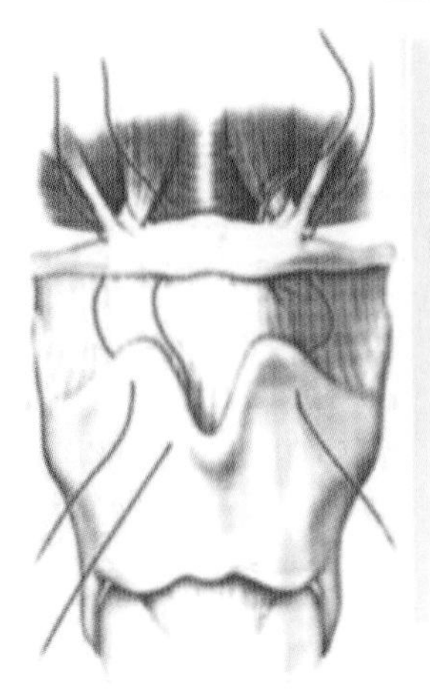

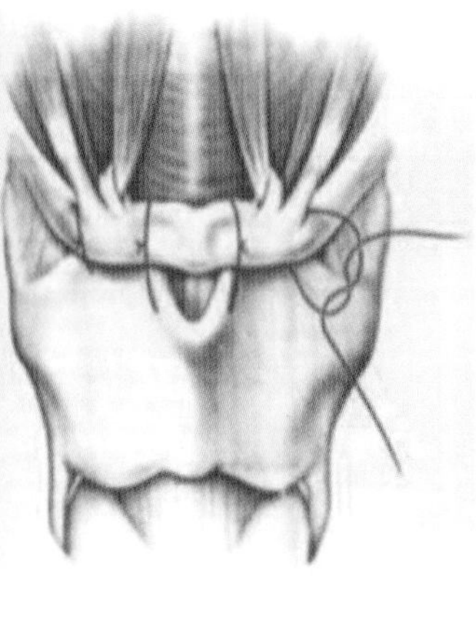

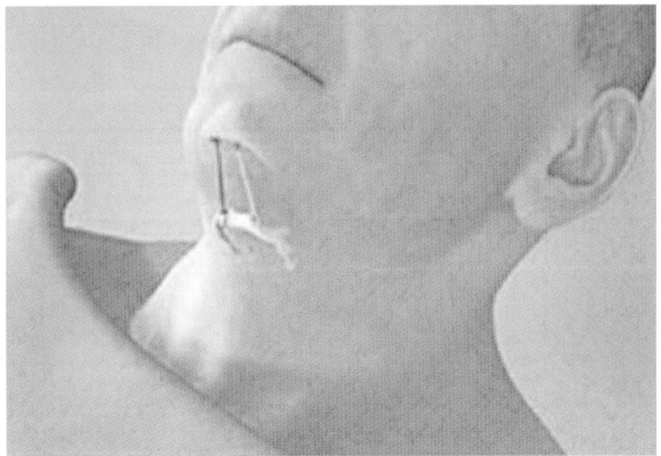

◘ 그림 18.11 **설골 부유 술식**

진의 성공 여부는 다양하지만 일반적으로 감염, 장액 형성, 연하 곤란의 수술 위험이 제한적이고 술식은 효과적이다.

또한 설골은 하악의 후방 표면에 매달릴 수 있으며, 이는 혀 기저부를 전상방으로 당긴다. 설골은 이하부 절개를 통해 위치된 고정원 봉합으로 하악에 고정된다. 이것은 최소 침습 기술이며 림프계 비대가 없는 큰 근육성 혀 기저부를 가진 환자에서 효과가 좋다.

부유 술식은 단독으로 수행될 때 약간의 효과를 보이는 것으로 나타났다; 최상의 결과는 구개 수술과 함께 수행할 때 얻어진다.

18.8.6 상하악 전진술(MMA)

상하악 전진술은 Le Fort I 상악 및 시상 분할 하악 골절단술을 통해 상악과 하악을 전진시켜 구개후 및 설후 기도를 증가시킨다. 전형적으로, 이 술식은 다른 외과적 개입이 성공하지 못한 경우 수행된다. 잠재적인 합병증에는 부정교합, 부전유합이나 유합 결여의 측두하악 관절 문제, 신경 감각이상이 포함된다. 술식의 위험과 상대적인 이환율에도 불구하고, 그 성공률은 80–90%로 보고되었다.

18.8.7 설하 신경 자극기(HNS)

HNS 치료는 BMI 32 미만, 15–65의 AHI, DISE에서 양호한 상기도 폐쇄 양상을 포함하는 제한된 선택 기준을 갖는 중등증에서 중증의 OSA 환자에서 AHI를 상당히 감소시키는 것으로 나타났다. HNS는 이식 가능한 펄스 발생기(IPG), 감지 리드, 자극 리드의 3가지 주요 구성 요소를 가진다(◘ 그림 18.12). IPG는 대흉근 표면의 쇄골하 피하 주머니에 외과적으로 이식되어 전기 자극을 생성한다. 감지 및 자극 리드는 각각 IPG에서 피하로 터널링되어 하방의 늑골과 설하 신경에 위치한다. 폐쇄 루프 자극 시스템은 IPG를 통해 신경 주위를 감싸는 3극 전극을 통해 설하 신경으로 흡입으로 임펄스를 생성하여, 구개설근과 이설근의 기계적 결합으로 설후 기도와 구개후 기도가 열린다(◘ 그림 18.13).

18.9 미래 방향

점차적으로, 신경 자극 치료법은 지속적 양압기 비적응 환자에

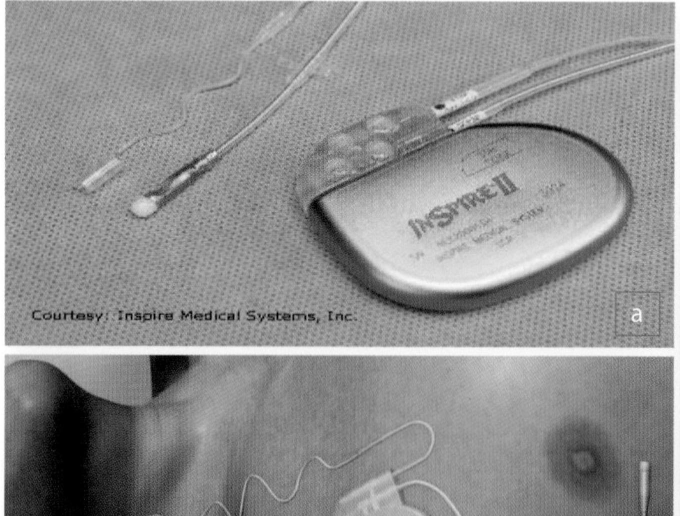

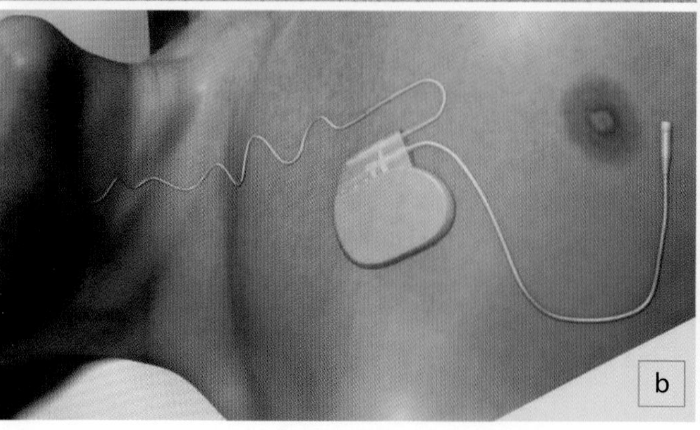

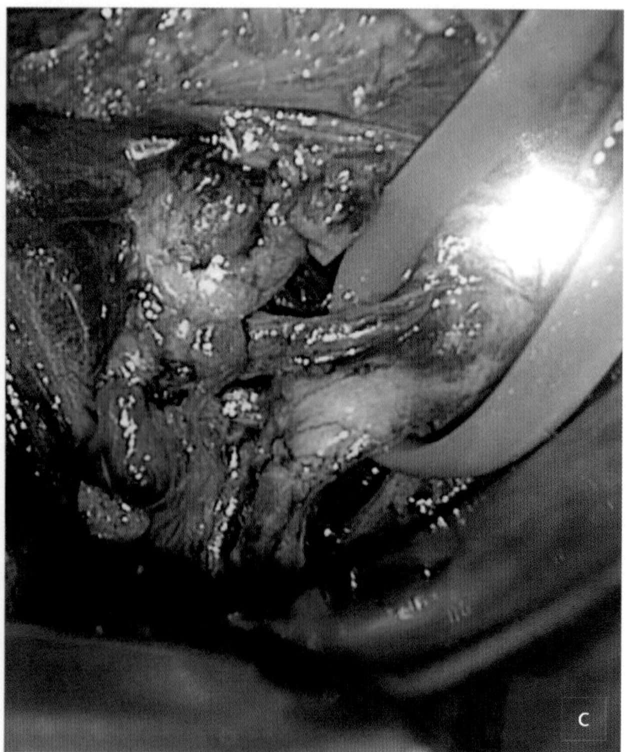

◘ 그림 18.12 Inspire 설하 신경 자극기(HNS): **a** Inspire 펄스 발생기, 감지 리드, 자극 리드. **b** Inspire 배치도. **c** 신경의 포함 가지 주변의 붉은 혈관 루프가 있는 설하 신경 해체의 수술 중 모습

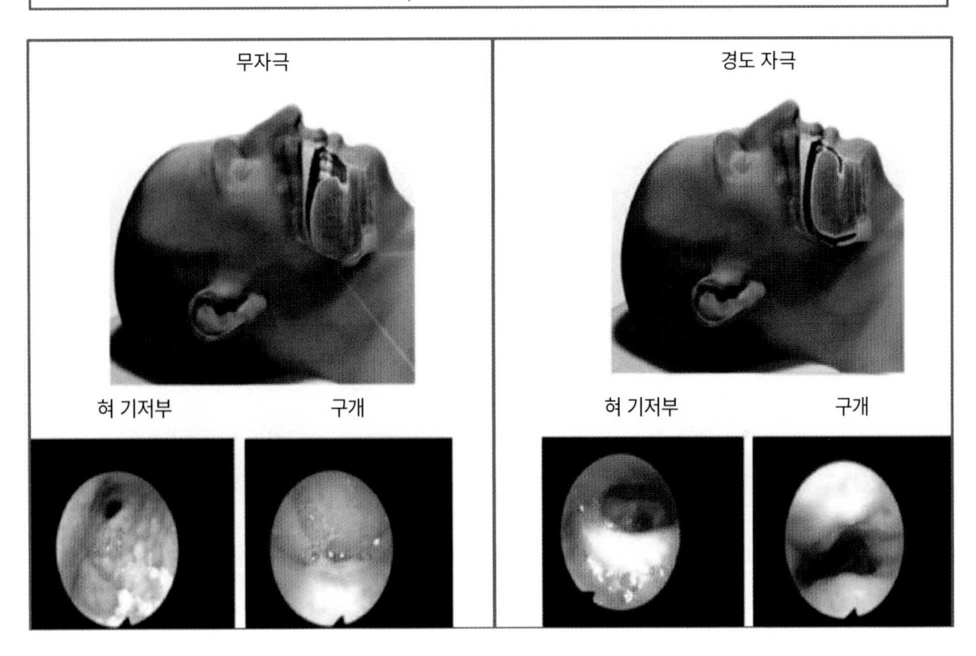

■ 그림 18.13 **설하 신경 자극 효과 (Inspire Medical Systems에서 인용)**

서 OSA 치료를 위한 골이나 연조직 외과적 개입에 대한 선호되는 대안으로 간주된다. 이런 술식은 위험도가 낮고 술후 통증과 회복 시간을 현저히 감소시킨다. 현재 엄격한 포함 기준과 비용이 HNS 채택을 증가시키는 주요 장벽이지만 새로운 자극 전략이 설계되어 수면 의학 분야에 활력을 불어넣고 있다. 외부 HNS 장치의 효능을 평가하는 추가 임상 시험이 진행 중이다.

환자 선택은 활발한 연구 영역이다. OSA에 대한 상기도 수술 후 결과를 더 잘 예측하기 위해서는 생리학 기반 모델을 사용하여 루프 이득(환기 안정성 측정) 및 각성 역치와 같은 해부학 및 비해부학적 매개변수를 모두 다루어야 한다는 사실이 널리 알려져 있다.

추가적으로, 최근 연구에서는 호흡과 상기도 운동 제어 센터에 대한 구심성 입력의 모집을 통해 원심성 운동 경로가 자극될 수 있음을 설명하였다. 직접적인 편측성 설하 신경 자극과 비교하여, 동물 모델에 대한 최근 연구에서는 수면 중 기도 개통을 향상시키기 위해, 식도 팽창, 전기 귀 자극, 좌골 신경 자극, 가열 및 가습된 공기의 펄스 코 흡입이 호흡 뇌간 운동 핵을 활성화하여 여러 뇌간 반응을 포함하는 보다 조정된 뇌간 반응을 시작할 수 있다고 제안했다. 원심성 및 구심성 운동 경로를 활성화하기 위한 유망한 새로운 접근법이 현재 초기 개발 단계에 있으며, OSA 치료를 위한 신경 자극 분야는 흥미로운 신생 단계이다.

참고문헌

1. Stuck BA, Leitzbach S, Maurer JT. Effects of continuous positive airway pressure on apnea-hypopnea index in obstructive sleep apnea based on long-term compliance. Sleep Breath. 2012;16(2):467-71.
2. Fujita S. Obstructive sleep apnea syndrome: pathophysiology, upper airway evaluation and surgical treatment. Ear Nose Throat J. 1993;72(1):67-72. 5-6
3. Riley RW, Powell NB, Guilleminault C. Obstructive sleep apnea syndrome: a review of 306 consecutively treated surgical patients. Otolaryngol Head Neck Surg. 1993;108(2):117-25.
4. Weaver TE, Laizner AM, Evans LK, Maislin G, Chugh DK, Lyon K, Smith PL, Schwartz AR, Redline S, Pack AI, Dinges DF. An instrument to measure functional status outcomes for disorders of excessive sleepiness. Sleep. 1997;20(10):835-43.
5. Thaler ER, Rassekh CH, Lee JM, Weinstein GS, O'Malley BW Jr. Outcomes for multilevel surgery for sleep apnea: obstructive sleep apnea, transoral robotic surgery, and uvulopalatopharyn-goplasty. Laryngoscope. 2015;126:266.
6. Vicini C, Dallan I, Canzi P, Frassineti S, Nacci A, Seccia V, et al. Transoral robotic surgery of the tongue base in obstructive sleep Apnea-Hypopnea syndrome: anatomic considerations and clinical experience. Head Neck. 2012;34(1):15-22.
7. Kezirian EJ. Nonresponders to pharyngeal surgery for obstructive sleep apnea: insights from drug-induced sleep endoscopy. Laryngoscope. 2011;121(6):1320-6.
8. Vicini C, Dallan I, Canzi P, Frassineti S, La Pietra MG, Monte-vecchi F. Transoral robotic tongue base resection in obstructive sleep apnoea-hypopnoea syndrome: a preliminary report. ORL J Otorhinolaryngol Relat Spec. 2010;72(1):22-7.
9. Blumen MB, Coquille F, Rocchicioli C, Mellot F, Chabolle F. Radiofrequency tongue reduction through a cervical approach: a pilot study. Laryngoscope. 2006;116:1887-93.
10. Steward DL, Weaver EM, Woodson BT. Multilevel temperature-con-

trolled radiofrequency for obstructive sleep apnea: extended follow-up. Otolaryngol Head Neck Surg. 2005;132:630-5.

11. Woodson BT, Steward DL, Weaver EM, Javaheri S. A randomized trial of temperature controlled radiofrequency, continuous positive airway pressure, and placebo for obstructive sleep apnea syndrome. Otolaryngol Head Neck Surg. 2003;128:848-61.

12. Lin HS, Rowley JA, Badr MS, Folbe AJ, Yoo GH, Victor L, et al. Transoral robotic surgery for treatment of obstructive sleep apnea-hypopnea syndrome. Laryngoscope. 2013;123(7): 1811-6.

13. Vicini C, Montevecchi F, Campanini A, Dallan I, Hoff PT, Spector ME, et al. Clinical outcomes and complications associated with TORS for OSAHS: a benchmark for evalu-ating an emerging surgical technology in a targeted applica-tion for benign disease. ORL J Otorhinolaryngol Relat Spec. 2014;76(2):63-9.

더 읽을 거리

1. Friedman M, Hamilton C, Samuelson CG, Kelley K, Taylor D, Pearson-Chauhan K, et al. Transoral robotic glossectomy for the treatment of obstructive sleep apnea-hypopnea syndrome. Otolaryngol Head Neck Surg. 2012;146(5):854-62.

19 두개안면 환자의 OSA 관리

Mikhail Daya and Jason E. Portnof

목차

19

19.1 아동기 폐쇄성 수면 무호흡 증후군의 진단과 관리

폐쇄성 수면 무호흡(OSA)이 의심되는 소아 환자의 평가를 위해 많은 선별 도구와 설문지가 설명되었다. 두개안면 증후군 환자들이 인지와 청력 결함, 안구 결함과 같은 다른 징후들을 흔하게 가지기 때문에 이러한 선별 도구를 신뢰할 수 없다.

발전된 영상은 구조적 이상을 평가하고 상기도를 따라 폐쇄의 해부학적 위치를 결정하는데 도움이 되는 것으로 나타난다. 많은 소프트웨어에 기도 평가를 위한 측정 도구가 포함되어 3차원적 측정을 제공한다.

수면 다원 검사는 소아 인구에서 OSA 진단을 위한 황금 표준으로 입증되었다. 그러나 과거에 이 상태의 선별 및 진단을 위해 다른 대안이 제안되었다.

19.1.1 영상화

측면 및 정면 두부계측 영상, 파노라마 사진을 포함한 일반 필름 방사선 사진은 교정과의와 구강외과의가 진료실에서 쉽게 이용할 수 있기 때문에, 치아안면 기형 평가에 있어 효율적이고 저렴한 진단 도구로 과거에 사용되었다. 이러한 X-ray는 골 해부학, 상악과 하악의 위치, 연구개의 길이, 설골 위치를 진단하는데 이용된다. 평면 영상의 주요 단점은 연조직을 볼 수 없다는 것이다.

CT와 cone-beam CT (CBCT)는 연조직 대조도와 상세도를 현저히 향상시킨다. 또한, 3D 연구는 최소 단면적의 정확한 측정과 기도 용적 평가를 허용하고 평면 필름과 비교해서 모든 평면에서 기도를 검사하는 데 도움이 된다. CT는 폐쇄 부위의 상세한 해부학적 정보도 제공하고, 이것은 필요에 따라 상기도 수술 계획 수립과 연관된다. 그러나 비-앙와위 의식하 환자에서 3D 영상의 유용성에 대한 논란이 존재하는데, 의식하 환자의 실제 해부학을 정확하게 평가할 수 없기 때문이다.

수술 전후의 CBCT를 비교하여 기도 용적의 변화를 결정한다. 그러나 이런 소견을 바탕으로 OSA를 진단하기 위한 최소 단면적과 기도 용적에 대한 지침은 확립되지 않았다.

CBCT 및 CT와 비교하여 MRI는 이온화된 방사선이 없고 연조직 구조를 더 잘 분석하는 등 다양한 이점을 제공한다. 이온화된 방시선이 없어 OSA 증후군이 있는 어린이에게 MRI를 사용할 수 있다.

두개안면 환자에게 이러한 영상 기법을 적용하는 것은 환자의 협조 부족으로 인해 어려울 수 있다. 환자가 영상을 획득하는 동안 움직이지 않고 이런 검사를 견디려면 진정제가 필요할 수 있다. 한편, 환자가 앙와위의 진정 상태에서 영상을 얻는 것은 수면 중 기도의 크기와 위치를 재현할 수 있지만, 이것은 논란의 여지가 있으며 이점이 입증되지 않았다.

19.2 OSA 진단에서 수면 상기도 내시경의 역할

수면 내시경은 약물 유도 수면 중 상기도를 검사하기 위해 1991년부터 사용되었다. 현재까지의 목표 기준은 수면 다원 검사 연구로 남아있지만, 수면 내시경 같은 다른 검사는 상기도 허탈의 수준과 정도를 확인하는 데 도움이 된다. 이 진단 도구는 폐색에 대한 치료 계획 개발에 도움이 될 수 있다.

OSA의 중증도를 등급화하기 위해 여러 등급 시스템이 개발되었다. Berchard 등은 코와 비인두(N), 구개 평면, 목젖이나 편도(P), 혀(T), 후두(L), 하인두(H)를 포함하는 5개의 해부학적 부위에 집중한 시스템을 설명했다. 더 나아가, 위의 각 항목에 대해 장애를 부분 폐쇄(1)와 완전 폐쇄(2)로 분류했다. 만약 환자의 코와 편도에 부분 폐쇄가 있고 혀에 완전 폐쇄가 있다면, N1P1T2로 정해지고 4점(1+1+2)이 부여된다. 0–2점 범위는 경증, 3–4점은 중등증, 4점 이상은 중증 OSA와 연관된다.

19.2.1 하악 결핍

19.2.1.1 Pierre Robin Syndrome

Pierre Robin 증후군(PRS)은 30,000명 중 1명꼴로 발생하는 선천성 기형이다. 이 상태는 심각한 하악 저형성, 설하수, 구개열의 3가지로 특징지어 진다. 이런 환자 중 많은 수가 기도 폐쇄를 가진다.

Sher 등은 광섬유 비인두경 검사 소견에 근거하여 PRS 환자에서 기도 폐쇄의 4가지 유형을 설명했다. 가장 흔한 형태인 I형은 인두 후벽에 대한 혀의 후방 운동으로 인한 폐쇄로 정의된다. II형은 혀의 후상방 변위에 기인하고, 혀, 피막, 상부 구인두의 인두벽으로부터의 폐쇄를 유발한다. III형은 인두 내벽의 탈출로 인해 발생한다. IV형은 인두 측벽과 혀에 의해 원주 방향으로 인두가 수축되어 폐쇄가 일어난다.

이런 상태와 함께 나타나는 증후군에는 Stickler 증후군, Nager 증후군, Treacher Collins, 구개심장안면 증후군이 포함된다. Al-Samakri 등은 다른 증후군과 함께 PRS가 나타나는 증례가 60%에 달함을 보여주었다; 이런 환자의 80-90%는 구순구개열도 나타난다.

이 인구에서 OSA의 유병률은 문헌 전반에 걸쳐 46-100% 사이이다. 이것은 소악증, 혀의 후방 위치, 구개열과 관련된 상기도 폐쇄 때문이다.

PRS 환자의 OSA 관리에는 구개열 치료, 인두벽 안정화, 하인두 확장을 통한 상기도 치료가 포함된다. 기도가 심하게 영향을 받는 경우 응급 기관 절개가 필요하다. 기타 필요한 치료에는 하악 견인과 구개 및 상기도를 넓히기 위한 구강 장치 적용이 있다.

19.2.1.2 두개안면 왜소증

두개안면 왜소증은 상하악 복합체, 안면 신경, 귀, 연조직을 포함하는 1, 2번 새궁에서 파생된 구조를 특징으로 한다. 그 발병률은 문헌에 따라 3,500명 중 1명에서, 20,000명 중 1명으로 다양하며, 구순구개열 다음으로 가장 흔한 선천성 안면 기형이다. 반안면 왜소증으로 알려진 편측성 또는 양측성으로 발생할 수도 있다.

하악은 두개안면 왜소증의 영향을 흔하게 받는다. 아데노편도 비대 및 설하수와 함께 상하악 저형성증은 이 환자군에서 OSA의 중요한 기여 요인이다.

안와, 하악, 귀, 신경, 연조직(O.M.E.N.S) 분류는 이 상태의 다양한 해부학적 변형과 중증도를 설명하는 데 널리 사용되었다. 후에, 두개악안면 복합체 외부의 모든 변형을 설명하기 위해 분류에 +가 추가되었다. OMENS-Plus 점수는 각 해부학적 이상을 0에서 3으로 등급을 매기며 계산된다. 여기서 0은 정상, 1은 비정상적 크기, 2는 비정상적 위치, 3은 둘의 통합이다. Pruzansky는 하악에 등급을 매겼고, 이 분류는 나중에 Kaban에 의해 수정되었다. 하악 등급은 하악지와 과두를 평가한다 [0 = 정상; 1 = 작은 하악, 작은 하악지; 2 = 비정상적 모양의 하악지와 과두, (a) 반대측과 비교하여 해부학적으로 허용되는 관절와, (b) 저형성 과두를 가진 전내하방으로 변위된 측두하악관절(TMJ); 3 = 하악지와 관절와의 완전한 부재].

두개안면 왜소증 환자에서 OSA의 유병률은 해부학적 결함의 중증도와 다양한 연구에서 OSA의 정의를 고려하여 문헌에 따라 7%에서 67%까지 상당히 다양하다.

19.2.2 중안면 결핍

19.2.2.1 Crouzon 증후군

Crouzon 증후군은 상염색체 우성 상태이다. 출생 유병률은 60,000명 중 1명인 증후군성 두개골 유합증으로 간주된다. 이 상태는 단독이나 다른 기형과 함께 나타날 수 있다. 이 상태의 중요한 임상적 특징은 다른 변이 중에서, 양측성 관상 두개골 유합증, 양안격리증을 동반한 안구돌출증, 상악 저형성을 포함한다. 두개골과 상악 성장 장애의 조합은 종종 두개 내압 증가와 OSA를 초래한다; 이들 환자의 40-85%는 어느 시점에서 OSA로 진단되며, 중증도는 일반적으로 기도의 해부학적 구조와 안면 중앙부의 결핍 정도에 따라 결정된다.

이런 환자의 OSA 치료는 OSA만 있는 성인과 다르다. Crouzon 증후군 소아는 종종 중증의 중안면 결핍, 증가된 삼백안(하안검 퇴축), 다른 두개안면 기형을 나타낸다. OSA를 유발하는 이런 기형과 골성 결핍이 동시에 해결되어야 한다. 증례의 중증도에 따라 아동 환자의 OSA 치료를 이해 많은 수술 선택지가 제안되었다. 심각한 응급 상황에서는 즉각적인 기도 보호를 위한 기관절개가 필요할 수 있다. 다른 치료법에는 중증의 중안면 결핍을 위한 Le Fort III 골절단술, Le Fort I 골절단술, 견인성 골형성술, 교정/악교정 수술이 있다. 덜 심한 증례의 경우에는 지속적 양압기 적용과 같은 보존적 방법이 권장된다.

19.2.2.2 Apert 증후군

Apert 증후군은 65,000명 중 1명 꼴로 발생하는 희귀 질환이다. 이것은 봉합부의 조기 폐쇄로 인해 두개골과 안면의 비정상적 발달을 초래하는 상염색체 우성 유전성 장애이며, 주로 관상 봉합부로 인해 단두증과 탑상두개가 발생한다(Omar Breik).

이 증후군은 두개골 유합증, 중안면 저형성, 손과 발의 합지증, 사지의 기타 기형이 특징이다(Omar Breik). 여기에는 상악골도 유합증에 연루된다. 따라서, 이런 환자의 75%까지 구개열과 이분구개수가 나타난다.

Apert 증후군 환자에서 OSA의 원인은 Crouzon 증후군에서 언급된 것과 유사하다. 이런 아동에게 OSA는 종종 다단계의 문제이다. 그러나 중안면 결핍이 기도 수축의 주요 원인이므로, 보통 모노블럭이나 Le Fort III 견인 전진이 선택되는 치료법이다(Doerga).

19

19.2.3 중안면 및 하악 결핍

19.2.3.1 Treacher Collins 증후군

Treacher Collins 증후군은 25,000명 중 1명 또는 50,000명 중 1명 꼴로 발생하는 상염색체 우성 상태이다. 이 두개안면 증후군은 1, 2번 새궁의 두개안면 연조직과 골격 저형성을 특징으로 한다. 주요 특징은 하악 왜소증, 전음성 난청, malar 결핍, 쳐진 눈을 포함하고, 33%에서 구개열이 나타난다.

이 환자군의 치료는 다양한 성장 단계를 통해 수행된다. 첫째, 아이가 태어날 때 기도를 지지하기 위해, 그리고 유아기에 식사와 언어를 지지하기 위해, 그리고 성장이 완성되면 안면 결함을 해결하기 위해 최종 치료가 시행된다.

19.2.3.2 Goldenhar 증후군

Goldenhar 증후군은 1, 2번 새궁에 영향을 미치는 선천성 장애로 5,600명 중 1명에 영향을 미친다. Goldenhar 증후군은 왜소증과는 달리 귀, 눈, 척추에도 영향을 미친다. 또한 심장과 신경학적 상태도 이 장애와 관련이 있다; 하지만, 최종 진단에는 필요하지 않다.

이 증후군 환자의 11.6%에서 OSA가 나타난다. 폐쇄의 원인은 해부학적 및 신경학적 변화를 포함하며 다인자적이다. 반안면 왜소증과 달리, 이 증후군 환자는 CO_2 증가를 보인다. 이 추가적 발견은 신경학적 손상으로 인한 수면 중 호흡 조절 기능 장애와 관련이 있을 수 있다.

다른 증후군처럼, OSA의 치료는 그 중증도와 폐쇄된 해부학적 부위에 따라 다르다. 심한 경우에는 최종 치료가 수행되는 동안 기도를 보호하고 산소 수준을 개선하기 위해 기관절개술과 같은 보다 적극적인 접근이 필요하다.

19.3 수술 수정

신생아 응급 상황에서 심한 기도 폐쇄와 호흡 곤란이 있는 두개안면 증후군에서 기도를 확보하고 유지하기 위해 혀-입술 유착 및/또는 기관절개술이 필요할 수 있다. 기관절개술은 기도를 개선하기 위한 다른 술식을 계획하고 수행하는 동안 기도를 유지하기 위한 임시 조치로 사용할 수 있는 우회 술식이다.

출생 직후 기도를 다루기 위해 수행되는 이러한 즉각적 술식은 그 후 수정된다. 안모 성장이 적절하고 생명을 위협하는 폐쇄가 치료되면, 혀-입술 유착을 풀고 기관절개술의 전도가 수행된다.

편도/아데노이드 절제술과 목젖구개인두 성형술(UPPP) 같은 구개 술식으로 구인두 폐쇄를 해결한다. 아데노편도 절제술은 소아에서 OSA의 외과적 처치를 위해 선택되는 술식이다.

설골 부유술, 부분 설절제술, 혀 기저부의 고주파 절제술 같은 술식은 하인두 폐쇄를 해결할 수 있는 연조직 술식이다.

수술 시기는 역동적 성장기나 성장 정지 후가 될 수 있다.

역동적 성장기의 수술은 재발하기 쉽고 원하는 기능적 결과를 얻기 위해 수술 반복을 포함하는 추가적인 수술이 필요하다.

Ilizarov는 1952년에 사지 재건을 위한 견인성 골형성술(DO)의 개념을 설명했고, McCarthy는 1989년에 인간 두개악안면 골격에 DO를 적용하는 것에 대해 설명했다. 기술한 바와 같이, 원칙은 골막하 박리 후 외과적 골절단술을 시행하고, 4-5일의 휴지기 후, 하루에 1.0 mm 이상의 속도로 견인 기간을 갖은 후, 강화 기간을 두는 것이다. 일반적으로 사용되는 견인 프로토콜은 20% 과교정을 임상 목표로 한다. 두개안면 골격의 견인을 위한 전체 치료 시간은 3개월 미만일 수 있다. 성공적인 상악, 중안면, 관골, 안와, 하악, 두개골 견인이 모두 설명되었다.

DO는 두개안면 증후군 환자의 OSA에 대한 실행 가능한 치료 선택지이다. 폐색의 해부학적 위치에 따라 환자는 하악이나 중안면 견인의 대상이 될 수 있다(◘ 그림 19.1). CT나 CBCT를 기반으로 한 가상 수술 계획은 수술 디자인을 예측하는 데 도움이 될 수 있다.

중안면 DO는 강성 외부 견인기를 사용하여 구내나 구외에서 수행할 수 있다. 적절하게 환자를 선택하면 5세부터 성인기까지 적용할 수 있다(◘ 그림 19.2). 유사하게, 하악 견인도 내부 또는 외부 장치로 수행될 수 있다.

하악의 편측 또는 양측성 늑연골 이식편 재건은 하악지와 과두 단위를 포함하는 중증 하악 결핍의 두개안면 환자에서 선택지가 될 수 있다(◘ 그림 19.3). DO나 늑연골 이식술을 사용하여 하악 재건술을 받는 환자는 다음을 포함하는 어린이의 TMJ 경직증 관리에 대해 Kaban 등의 설명과 유사한 프로토콜을 따르는 것이 좋다:

1. 측두근막으로 관절에 막 형성
2. 강성 고정

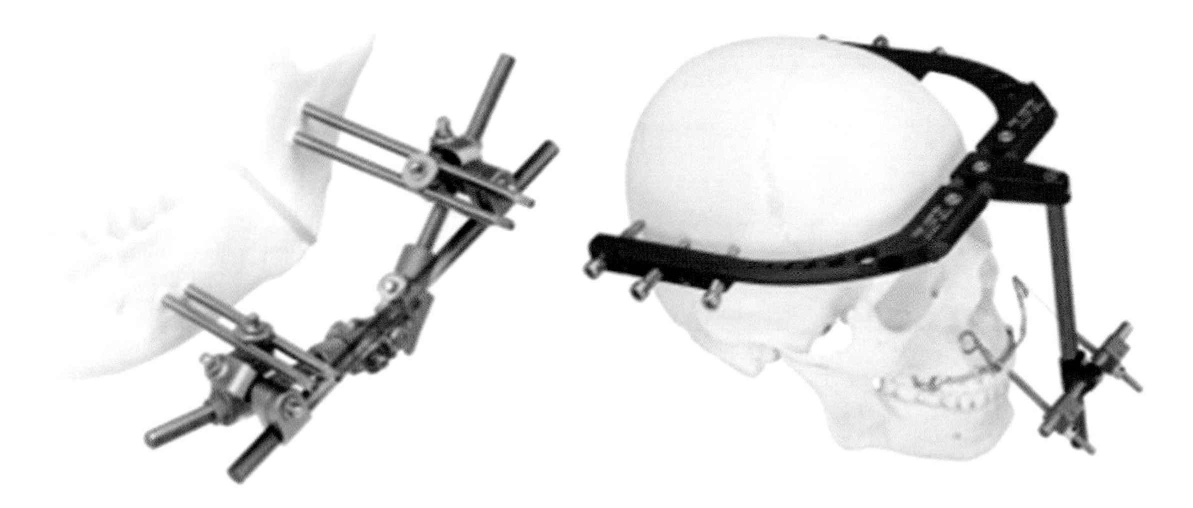

그림 19.1 구강 외 하악 견인기(좌측)와 강성 외측 견인기(RED) 장치(우측)의 그래픽 도해

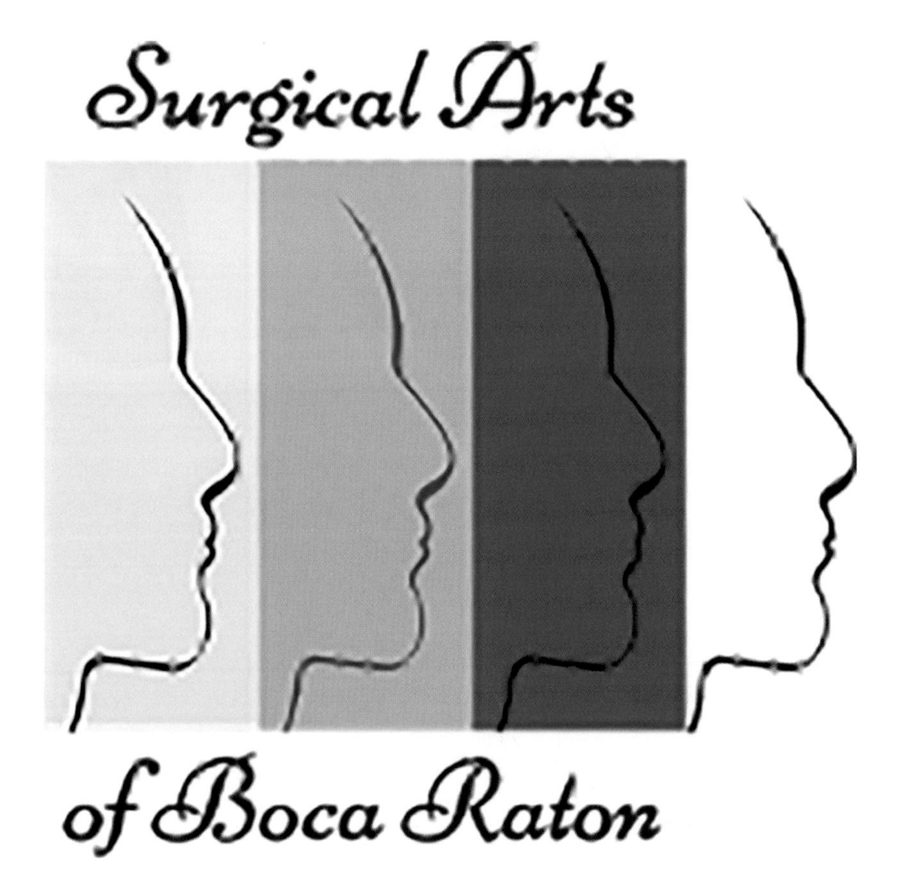

그림 19.2 RED 장치를 이용한 견인성 골형성술을 받은 10대 구순구개열 환자의 중안면 결핍

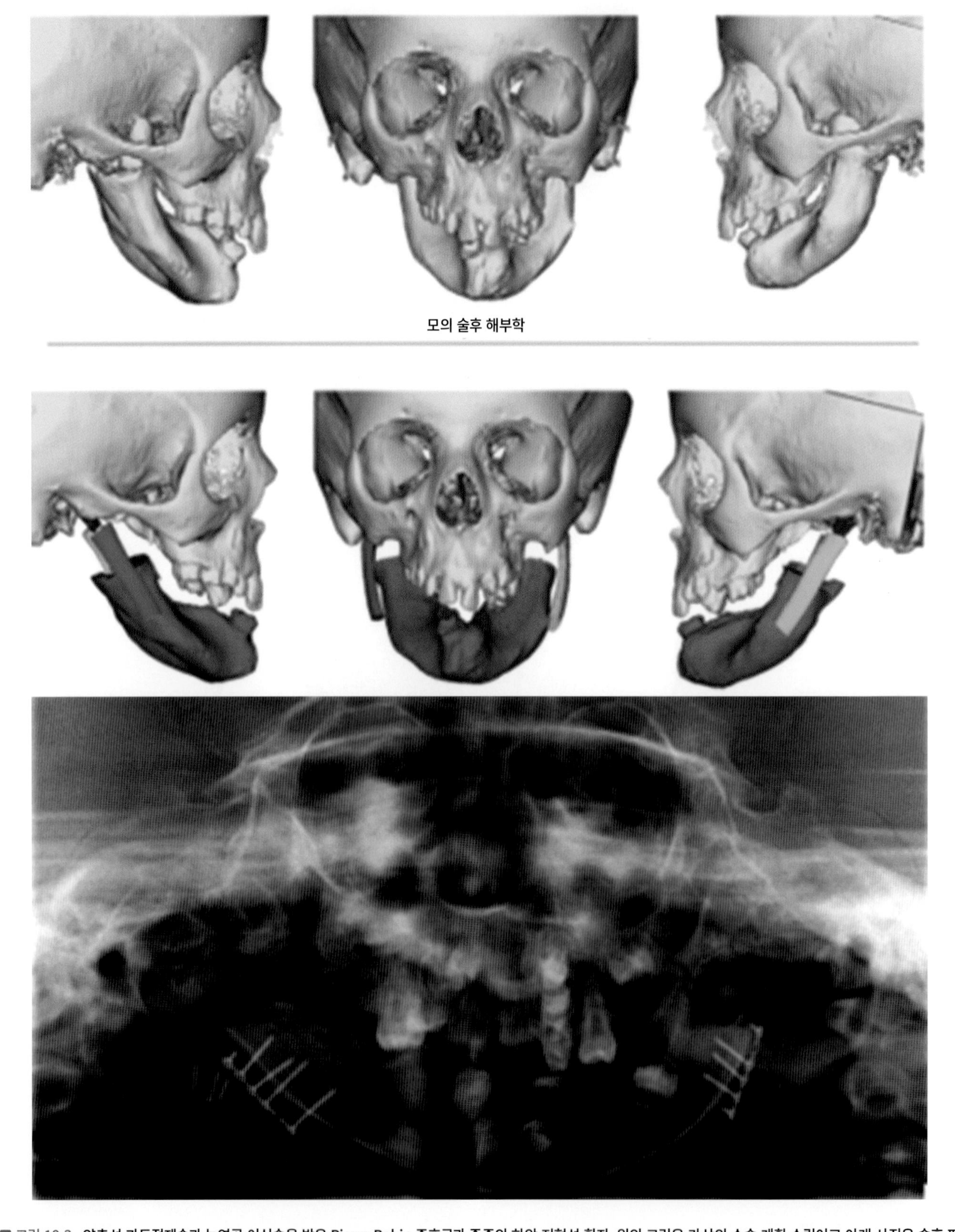

▣ 그림 19.3 양측성 과두절제술과 늑연골 이식술을 받은 Pierre Robin 증후군과 중증의 하악 저형성 환자. 위의 그림은 가상의 수술 계획 수립이고 아래 사진은 술후 파노리미 X-ray이다.

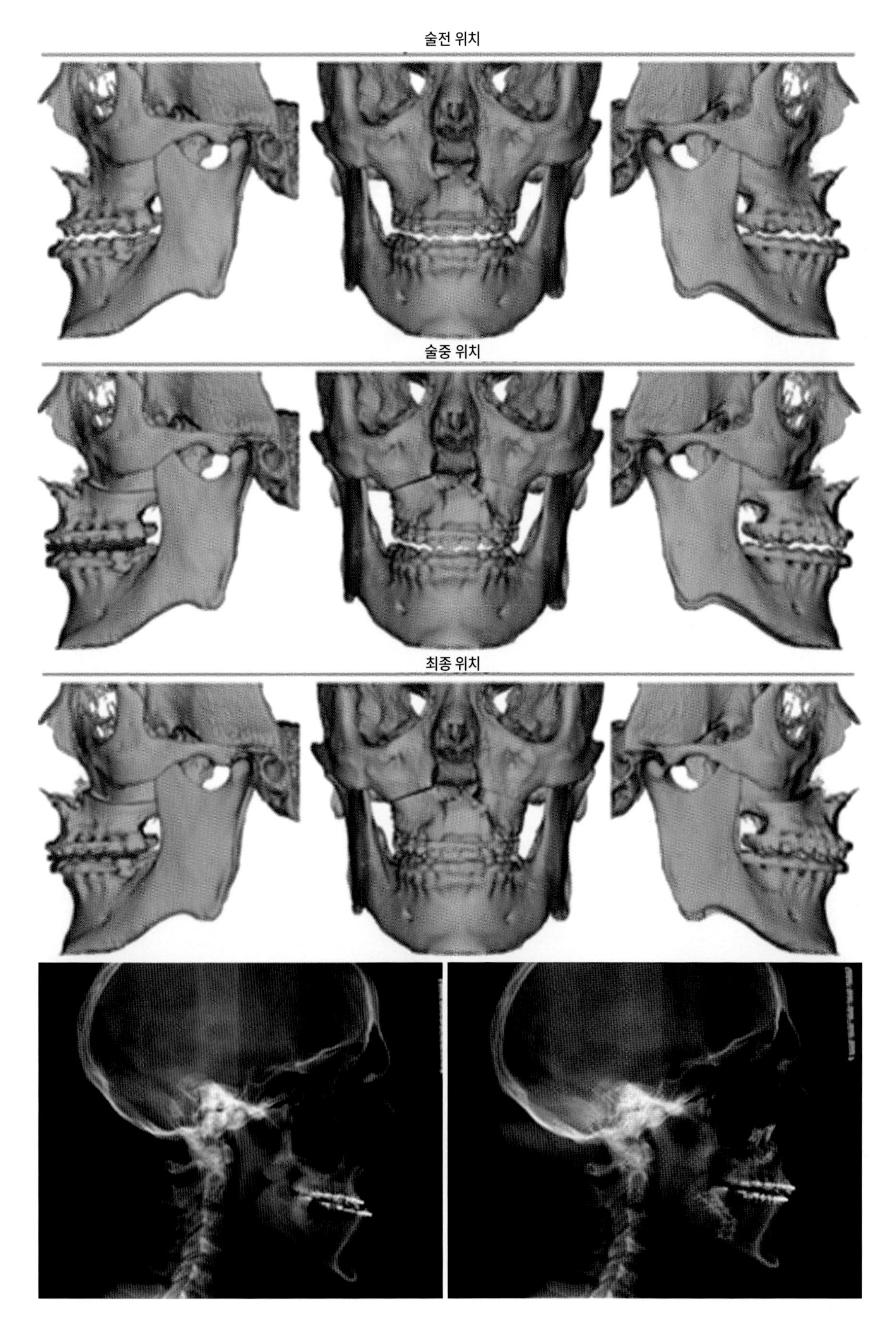

■ 그림 19.4 구순구개열이 있는 환자의 상하악 전진술. 예상 이동의 가상 수술 계획(위). 술전 측면 두부계측 영상(아래 좌측)은 상악의 전후방 결핍을 보여준다. MMA 후 장치가 포함하는 측면 두부계측 영상(아래 우측)

19

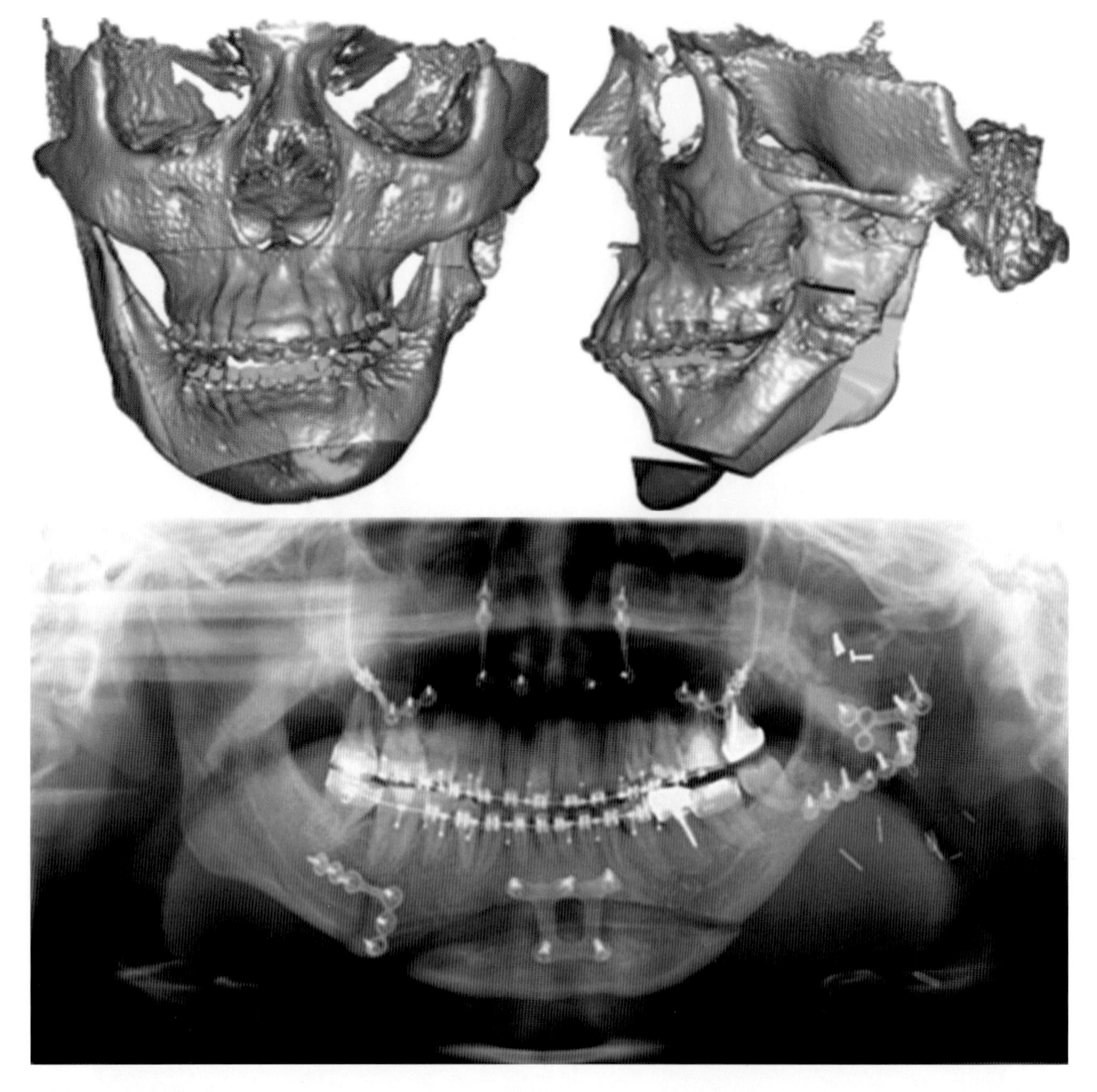

■ 그림 19.5 중증의 안면 비대칭 증례. Le Fort I 골절단술, 우측 시상 분할 골절단술, 좌측 역-L 골절단술로 안면 비대칭 수정을 위한 가상의 수술 계획 수립(위). 비대칭이 교정된 술후 파노라마 영상(아래)

3. 악골의 조기 가동화
   (a) DO가 재건에 사용되는 경우, 수술 당일 가동화
   (b) 늑연골 이식술을 이용하는 경우, 최소의 상하악 고정으로 조기 가동화(10일을 초과하지 않는다)
4. 적극적인 물리치료

OSA를 위해 제공되는 많은 치료법 중에서, 상하악 전진술(MMA)은 상기도 폐쇄 완화를 위한 강력한 술식으로 인식된다. 이 악교정 수술은 일반적으로 Le Fort I 상악 및 시상 분할 하악 골절단술을 포함한다(■ 그림 19.4). 두개안면 환자에서 시상 분할 골절단술은 종종 1 cm을 초과하는 커다란 하악 부조화를 감당하기에 충분하지 않을 수 있다. 이런 환자에서, 골 이식편을 이용한 구외 역-L 골절단술이 필요할 수 있다(■ 그림 19.5).

MMA는 비인두, 구인두, 하인두에서 인두 기도 용적을 동시에 확장한다. 인두 연조직과 혀의 향상된 위치 지정을 기반으로 하는 유익한 기도 효과와 함께 안면 골격구조가 확장된다.

MMA에 추가하여, 간단한 전방 하악 수평 골절단술로 전진 이부성형술을 수행하면 이설근 부착을 전진시켜 기도를 더 개방할 수 있다(◘ 그림 19.6).

그러나 이설근 전진은 이부를 과도하게 돌출시켜 안면의 심미성을 저하시킬 수 있다. 변형된 전방 하악 수평 골절단술은 이부(pogonion)의 과도한 돌출을 피하면서 이설근 부착을 전진시킬 수 있는 회전 재배치를 포함하는 디자인으로 Heggie 등에 의해 설명되었다.

하악 이결절 전진술은, 이결절을 포함하는 하악 전치부에 직사각형 골 창을 형성한다. 골편을 전진시키고 90도 회전하여 고정한다. 골 전진은 이설근을 신장시키고 하인두 연조직 폐쇄를 해결한다. 이 수술로 턱 끝은 변하지 않기 때문에, 안면 심미에 부정적 영향을 미치지 않으면서 악교정 수술을 시행할 수 있다.

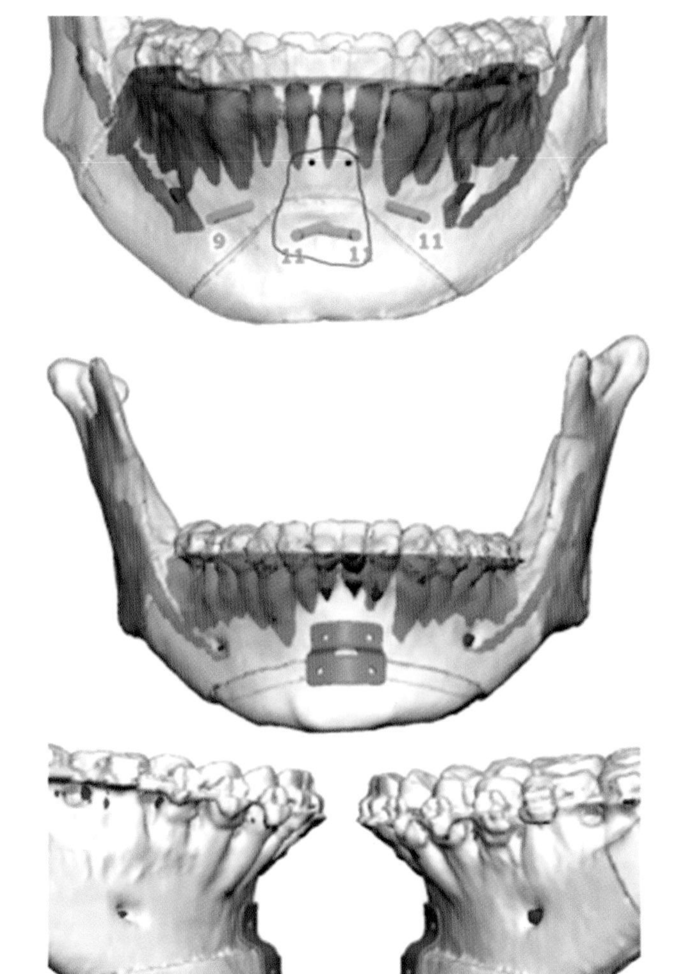

◘ 그림 19.6 **하악 이결절의 정확한 위치 계획 수립을 위한 가상의 전방 하악 골절단술. 이를 통해 근부착 전진을 포함한 골절단술과 강성 고정을 위한 환자-특정 플레이트 제작을 계획할 수 있다.**

두개안면 증후군 환자의 OSA 수정을 위한 외과적 치료 계획 수립은 종종 복합적으로 접근해야 한다.

참고문헌

1. Bell WH, Guerrero CA. Distraction osteogenesis of the facial skeleton. Hamilton: BC Decker Inc.; 2007.
2. McCarthy JG. Distraction of the craniofacial skeleton. New York: Springer; 1999.
3. Yu W, Wang M, Yao K, Cai M. Individualized therapy for treating obstructive sleep apnea in pediatric Crouzon syndrome patients. Sleep Breath. 2016:1119–29. https://doi.org/10.1007/s11325-016-1378-0.
4. Heggie AA, Portnof JE, Kumar R. The rotational genioplasty: a modified technique for patients with obstructive sleep apnoea. Int J Oral Maxillofac Surg. 2015;44(6):760–2. https://doi. org/10.1016/j.ijom.2015.01.019. Epub 2015 Feb 24.
5. Abraham C, Virbalas J, DelRosso LM. Severe obstructive sleep apnea in a child with Goldenhar syndrome and nasal obstruction. J Clin Sleep Med. 2017;13(6):825–7. https://doi. org/10.5664/jcsm.6626.
6. Baugh AD, Wooten W, Chapman B, Drake AF, Vaughn BV. Sleep characteristics in Goldenhar syndrome. Int J Pediatr Otorhinolaryngol. 2015;79(3):356–8. https://doi.org/10.1016/j. ijporl.2014.12.024.
7. Kaban LB, Bouchard C, Troulis MJ. Management of pediatric TMJ ankylosis. J Oral Maxillofac Surg. 2009;67:1966–78.
8. Cohen MM Jr. Perspectives on craniofacial anomalies, syndromes and other disorders. In: Lin KY, Ogle RC, Jane JA, editors. Craniofacial surgery: science and surgical techniques. Philadelphia: Saunders; 2002. p. 3–38.
9. Obstructive sleep apnea. In: Miloro M, Kilokythas A, editors. Management of complications in oral and maxillofacial surgery. West Sussex: Wiley-Blackwell; 2012. p. 149–74.
10. Sher AE, Shprintzen RJ, Thorpy MJ. Endoscopic observations of obstructive sleep apnea in children with anomalous upper air-ways: predictive and therapeutic value. Int J Pediatr Otorhino-laryngol. 1986;11:135–46.
11. Forrest CR, Hopper RA. Craniofacial syndromes and surgery. Plast Reconstr Surg. 2013;131(1):86–109. https://doi. org/10.1097/PRS. 0b013e318272c12b.
12. Paliga JT, Tahiri Y, Silvestre J, Taylor JA. Screening for obstructive sleep apnea in children treated at a major craniofacial center. J Craniofac Surg. 2014;25(5):1762–5. https://doi.org/10.1097/SCS.0000000000001119.
13. Sittitavornwong S, Waite PD. Imaging the upper airway in patients with sleep disordered breathing. Oral Maxillofac Surg Clin North Am. 2009;21(4):389–402. https://doi.org/10.1016/j. coms.2009.08.004.
14. Poon C, Meara J, Heggie A. Hemifacial microsomia: use of the OMENS-plus classification at the Royal Children's Hospital of Melborne. Plast Reconstr Surg J. 2003;11(3):1011–8.
15. Breik O, Mahindu A, Moore MH, Molloy CJ, Santoreneos S, David DJ. Apert syndrome: surgical outcomes and perspectives. J Cranio-Maxillofac Surg. 2016;44(9):1238–45. https://doi. org/10.1016/j.jcms.2016.06.001.
16. Müller-Hagedorn S, Buchenau W, Arand J, Bacher M, Poets CF. Treatment of infants with Syndromic Robin sequence with modified palatal plates: a minimally invasive treatment option. Head Face Med. 2017;13(1): 1–9. https://doi.org/10.1186/s13005-017-0137-1.
17. Gungor A. Advanced airway management strategies for severe OSAS and craniofacial anomalies. Am J Otolaryngol-Head Neck Med Surg. 2017;38(1):77–81. https://doi.org/10.1016/j. amjoto.2016.09.016.

18. Szpalski C, Vandegrift M, Patel PA, Appelboom G, Fisher M, Marcus J, et al. Unilateral craniofacial microsomia: unrecognized cause of pediatric obstructive sleep apnea. J Cra-niofac Surg. 2015;26(4):1277-82. https://doi.org/10.1097/SCS.0000000000001551.

19. Waselchuk E, Sidman JD, Lander T, Tibesar R, Roby BB. Sleep and speech outcomes after superior adenoidectomy in children with cleft palate. Cureus. 2018;10(1):1-6. https://doi.org/10.7759/cureus.2097.

20. Cistulli PA. Craniofacial abnormalities in obstructive sleep apnoea: implications for treatment. Respirology. 1996;1(3):167-74. https://doi.org/10.1111/j.1440-1843.1996.tb00028.x.

21. van Lieshout MJS, Joosten KFM, Koudstaal MJ, van der Schroeff MP, Dulfer K, Mathijssen IMJ, Wolvius EB. Management and outcomes of obstructive sleep apnea in children with Robin sequence, a cross-sectional study. Clin Oral Investig. 2017;21(6):1971-8. https://doi.org/10.1007/s00784-016-1985-y.

22. Bouchard C, Troulis MJ, Kaban LB. Management of obstructive sleep apnea: role of distraction osteogenesis. Oral Max-illofac Surg Clin North Am. 2009;21(4):459-75. https://doi. org/10.1016/j.coms.2009.07.001.

23. Rachmiel A, Aizenbud D, Emodi O. Management of obstructive sleep apnea in pediatric craniofacial anomalies. Ann Maxillofac Surg. 2012;2(2):111. https://doi.org/10.4103/2231-0746.101329.

24. Lee WC, Tu YK, Huang CS, Chen R, Fu MW, Fu E. Pharyngeal airway changes following maxillary expansion or protraction: a meta-analysis. Orthod Craniofacial Res. 2018;21(1):4-11. https://doi.org/10.1111/ocr.12208.

25. Moraleda-Cibrián M, Edwards SP, Kasten SJ, Buchman SR, Berger M, O'Brien LM. Obstructive sleep apnea pretreatment and posttreatment in symptomatic children with congenital craniofacial malformations. J Clin Sleep Med. 2015;11(1):37-43. https://doi.org/10.5664/jcsm.4360.

OSA 치료를 위한 미니스크류 – 이용 상악 확장술

Audrey Jung-Sun Yoon, Stanley Yung-Chuan Liu, and Christian Guilleminault

목차

20

20.1 개요

폐쇄성 수면 무호흡(OSA) 병태생리학의 중요한 요소는 악안면 및 구인두 해부학에 의해 생성되는 위험 인자를 포함한다.[1] 상악 위축은 OSA의 본질적 특징 중 하나인 설후 기도 협착을 초래하는 혀 자세의 변화와 관련이 있다.[1] 높은 구개궁과 함께 상악 위축은 높은 비강 기도 저항의 원인 중 하나로 보이며 이러한 상악의 횡단 결핍은 OSA 발달에 잠재적인 기여요소와 연관된다.[2]

명백한 봉합 접합부가 있는 소아 인구에서, 급속 상악 확장(RME)은 중구개와 상악 주위 봉합을 따라 골을 확장시켜 상악 저형성의 횡측 부조화를 교정한다. 전반적으로, 비강 용적이 증가하고 결과적으로 비강 기류 저항이 감소한다.[3] 또한 상기도 확장근 사이의 거리를 넓혀준다. 상악 확장으로 혀가 전상방으로 돌출되는 연조직 변화가 일어나고 후방 인두 기도 공간이 확장된다.[4] 따라서, RME는 상악 수축 환자에서 OSA에 대한 효과적인 치료법이다.[5] 12년 추적 연구에서 Pirelli는 소아 OSA에 대한 RME 치료 후 안정적이고 장기적인 결과를 확인했다.[6]

아동에서, 상악 확장은 종종 외과적 개입이 필요하지 않다; 간단하게 치아를 고정원으로 구개에 RME 장치를 위치시킴으로써 상악이 확장된다. 생물학적으로 중구개 봉합 융합은 10대 초반에 발생하고 종종 사춘기의 급성장기와 일치한다.[7] 봉합이 융합된 후 상악을 확장하려는 모든 시도는 종종 확장을 용이하게 하기 위한 외과적 골절단술을 포함한다. 그럼에도 불구하고, 확장기는 여전히 치열에 측방력을 가하여, 확장력이 중구개나 비강저 보다는 지지하는 치아 부분에 집중되는 경향이 있다. 1964년, Krebs의 악정형적 횡적 변형에 대한 연구에서, 확장은 어린 아동의 경우 골격 50%와 치아 50%인 반면, 청소년의 경우 골격 35%와 치아 65%에서 일어난다고 하였다.[8] 수년에 걸쳐, 골성 확장을 최대화하면서 치아 부작용을 최소화하기 위한 많은 RME 디자인 수정이 있었다.

임시 골격 부착물의 도입으로, 미니스크류를 상악에 식립하여 RME 장치의 고정원으로 사용하여 효과적으로 치아를 피해 상악에 직접 힘을 가할 수 있다. 이것은 치아가 없는 경우에도 상악 확장을 가능하게 하고 바람직하지 않은 치아 이동을 방지한다. 이 새로운 미니스크류 고정 상악 확장기는 기존의 RME와 비교하여 생리학적 봉합부 확장을 더 크게 하고, 부정적인 치아치조 의인성 영향을 최소화하면서 최대의 비강 확장을 달성할 수 있다.[9,10]

RME 확장 나사의 측방력을 상악골에 직접 전달하기 위한 창의적인 노력에도 불구하고, 성인 OSA군에서 골절단술 없이 봉합부 분할 및 골격 확장의 성공을 항상 예측할 수 있는 것은 아니다. 상악골 확장의 성공률을 높이기 위해, Yoon, Liu, Guilleminault는 최소 침습 골절단술과 미니스크류 고정 상악 RME를 통합하는 "견인성 골형성 상악 확장(DOME)" 프로토콜을 개발했다.[11] 이것은 훨씬 더 예측 가능한 골격 확장 결과와 더 중요하게 신뢰할 수 있는 OSA 개선을 설립한다.[12]

이번 단원에서는 OSA의 최대 개선 달성을 위한 피질절단술을 포함하거나 그렇지 않은 다양한 미니스크류 고정 RME 장치 디자인과 기술을 소개한다.

20.2 미니스크류-이용/골-고정 급속 상악 확장기의 다양한 디자인

OSA 상악 확장 증례에 적용할 수 있는 골-고정 확장기에는 수많은 디자인이 있다: 막대형, 다중 미니스크류-지지 확장기, 아크릴 지지 디자인, 하이브리드 디자인, 맞춤형 "환자 특이" 디자인(◘ 그림 20.1).

각 디자인 유형의 장점과 단점은 표 20.1에 나열되어 있다.

이런 확장기 중 일부는 수술없이 봉합부 장력을 극복하기에 충분하며, 특히 10대와 젊은 성인의 일부 증례에서 외과적 보조 RME에 대한 실용적인 대안이 될 수 있다는 보고가 있다. 그러나 더 나이 든 OSA 인구에서 의인성 치아치주 손상을 최소화하기 위한 가장 신뢰할 수 있고 효과적인 방법은 여전히 골-고정 확장기와 특정 부위 골절단술을 사용하는 것이다.[13,14]

20.3 미니스크류-이용 상악 확장기 설치

외과의는 일반적으로 미니스크류나 막대형 확장기와 같은 특정 유형의 확장기를 배치한다(◘ 그림 20.2).[15]

통상적으로 수술에 앞서 교정과의가 RME 장치를 위치시킨다. 확장기 유형에 따라 설치에 대한 프로토콜이 다르다. 다음은 일반적으로 교정과의가 위치시키는 디자인의 예이다(◘ 그림 20.3–4).

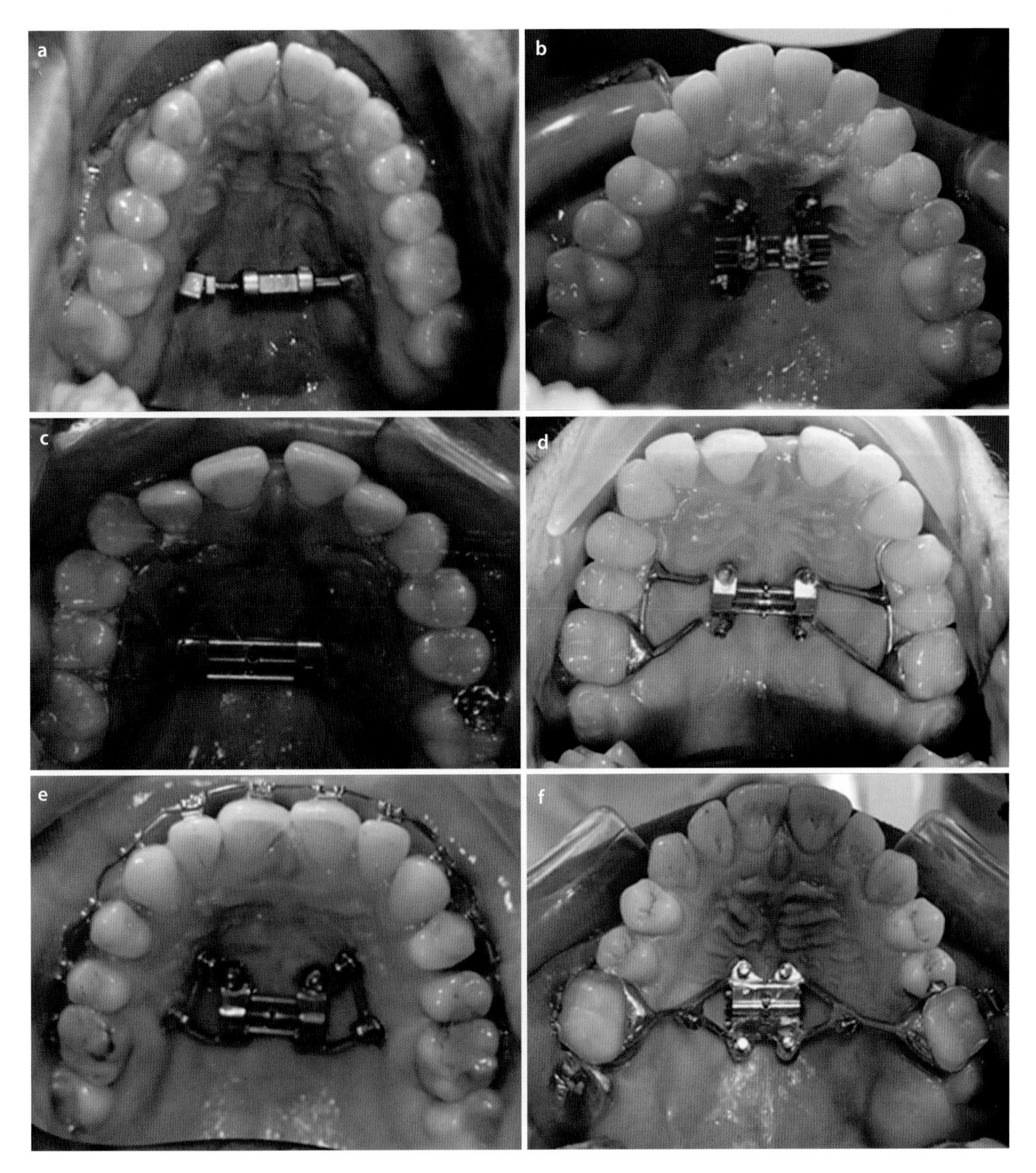

◘ 그림 20.1 미니스크류-이용 상악 확장기의 여러 유형. **a** 막대형. **b** 다중 미니스크류-지지 확장기. **c** 아크릴 지지 디자인. **d** 하이브리드 디자인(치아 및 골-고정 통합 확장기). **e**, **f** 맞춤형 디자인; 구개의 모양과 두께에 특화된 스크류 갯수, 스크류 위치, 잭스크류의 다양한 디자인의 맞춤 조합

20

■ 표 20.1 미니스크류-지지 상악 확장기의 디자인별 장점 및 단점

디자인	장점	단점
막대형 – KLS Martin RPE – TPD (횡구개 견인기)	– 사전 제작 디자인 – 당일 예약 과정(기공실 작업 불필요) – 매우 좁은 구개에도 삽입 가능	– 기술에 민감: 나사 식립 각도가 까다로움 – 위치 지정 어려움: 비대칭 확장을 피하기 위해 확장 벡터와 평행해야 한다. – 팽창 동안 보다 집중된 힘을 일으키는 각 측면의 단일 지점에서만 접촉
다중 미니스크류-지지 확장기	– 미니스크류 고정원을 구개 측면이나 천정에 위치하도록 디자인 선택 – 개인 맞춤형 제작 가능 – 치아 치주 손상을 방지하기 위해 치아 개입 없음	– 높은 제작 비용 – 구성 요소의 고비용 – 여러 조각의 제작 – 완성을 위해 다회 내원 필요
4개의 미니스크류가 있는 아크릴 지지 디자인 – C-expander	– 비용 효율적 – 자체 제작 – 2차 확장기를 위한 손쉬운 재제작 – 개인 맞춤 제작 가능 – 매우 좁은 구개에도 삽입 가능 – 치아 치주 손상을 방지하기 위해 치아 개입 없음	– 기술에 민감 – 사용 후 미니스크류 제거가 어려움 – 음식물 함입, 특히 아크릴과 구개 조직 사이의 계면에서 가능 – 다회 내원 과정
하이브리드 디자인: 2개의 대구치 밴드 + 2개의 미니스크류 – Hybrid hyrax (Ludwig Design)	– 미니스크류의 간편한 식립과 제거 – 재고 감소 – 개인 맞춤 제작 가능 – 2차 확장기를 위한 손쉬운 재제작 – 젊은 성인에서 중구개 봉합 분할의 높은 성공률	– 높은 제작 비용 – 구성 요소의 고비용 – 여러 조각 제작 – 다회 내원 과정 – 매우 좁은 구개에 삽입하기에 너무 큰 부피
하이브리드 디자인: 2개의 대구치 밴드 + 4개의 미니스크류 – MSE(상악 골격 확장기)	– 미니스크류 식립 구멍을 포함한 잭스크류의 사전 제작 디자인 – 미니스크류의 간편한 식립과 제거 – 간단한 기술 – 젊은 성인에서 중구개 봉합 분할의 높은 성공률	– 높은 제작 비용 – 구성 요소의 고비용 – 다회 내원 과정 – 매우 좁은 구개에는 너무 큰 잭스크류 – 골의 미니스크류 식립 위치가 제한되어 있으며 확장기의 사전 제작된 구멍에 의해 결정된다. – 미니스크류 고정원이 실패하면, 위치 변경이 어렵다. – 미니스크류가 종종 비강을 관통(구강상악동 누공)

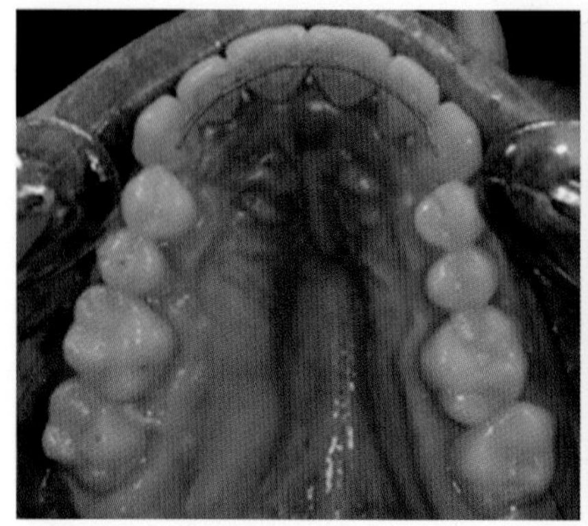
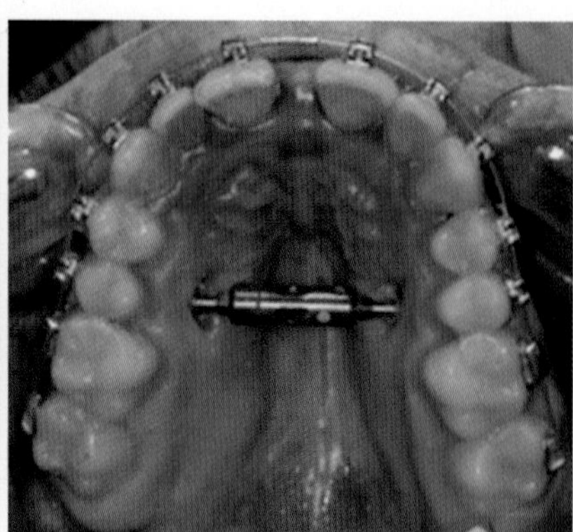
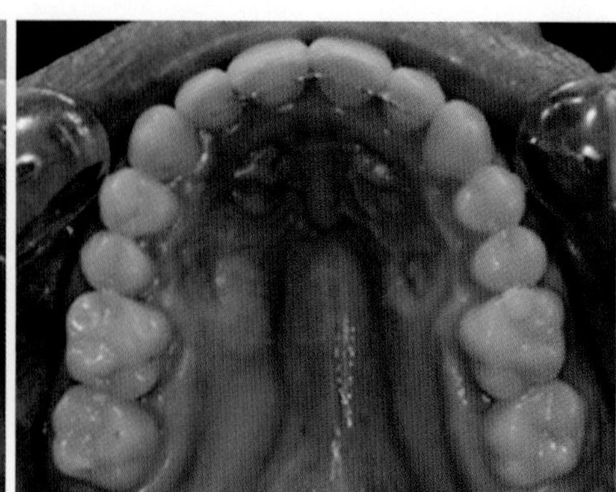

■ 그림 20.2 막대형 확장기: 횡구개 견인기(TPD) (Dr Bart Vande Vannet 제공)

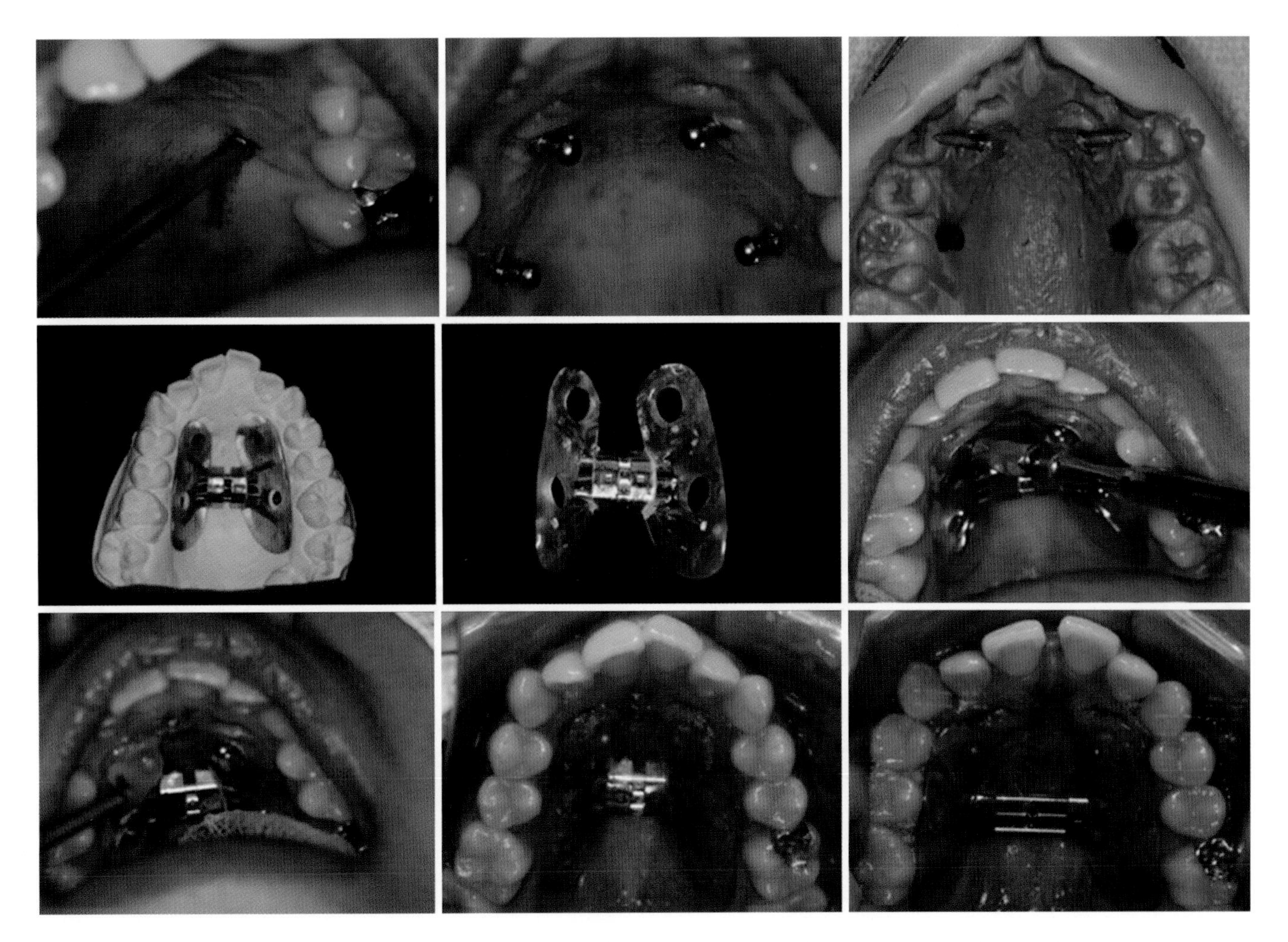

그림 20.3 아크릴-베이스 확장기(C-expander)의 제작, 삽입 및 확장 결과(Dr Seong-Hun Kim 제공). 17세 환자에서 골절단술 없이 봉합부가 분리되었다.

20.4 견인성 골절단 상악 확장(DOME) 프로토콜

20.4.1 확장기의 맞춤 디자인과 설치

모든 사전 제작된 미니스크류-유지 확장기는 미니스크류의 삽입 지점이 놓일 수 있는 위치에 대한 고유 제한성을 가진다. 하나의 미니스크류 위치를 최적화하면 구개 전체의 불규칙한 골 두께와 밀도로 인해 다른 미니스크류들이 손상될 수 있다. 확장 성공률을 높이고 잠재적인 합병증(예: 미니스크류 헐거워짐, 미니스크류에 의한 상악동 천공 등)을 줄이기 위해, 3D cone-beam CT (CBCT)를 이용하여 해부학적 구조(특히 구개의 다양한 위치에서의 골 두께)를 주의깊게 관찰하여 맞춤-제작 확장기 디자인을 만들어야 한다. CBCT 데이터에서 얻은 구개골의 밀도와 두께 정보는 최적의 나사 식립 위치 확인, 적절한 나사 길이 결정, 봉합 위치 파악, 봉합부 융합 상태 평가를 가능하게 한다. 미니스크류의 권장 식립 위치는 골 두께가 충분하고 가능한 중구개 봉합부에 인접한 부위이다. 또한 구개 천정의 이상적인 양측 피질골 고정을 위해 [16] CT에서 최적의 나사 길이를 측정하여 구강상악동 누공 형성과 치근 손상을 피할 수 있다. 교정과의와 외과의는 긴밀하게 협진하고 함께 계획해야 한다(그림 20.5).

20.4.2 수술 방법(DOME)

DOME는 하부 골절없이 Le Fort I 수준에서 제한된 골절단술로 시작된다. 상악 정중선의 추가 보조 골절단술은 압전 톱과 쐐기를 사용하여 수행할 수도 있다. 봉합부가 열리면 중앙 치아 이개가 즉시 발생한다(그림 20.6). 확장 나사를 돌려 나사산이 온전한지 확인한다; 상악이 양측성으로 대칭이고 쉽게 분리되는지 관찰해야 한다. OSA가 심한 환자는 안전 예방책으로 밤새 모니터링해야 하고, 덜 심한 환자는 귀가 조치할 수 있다. 환자는 일주일 내에 통상의 식사를 재개할 수 있다.

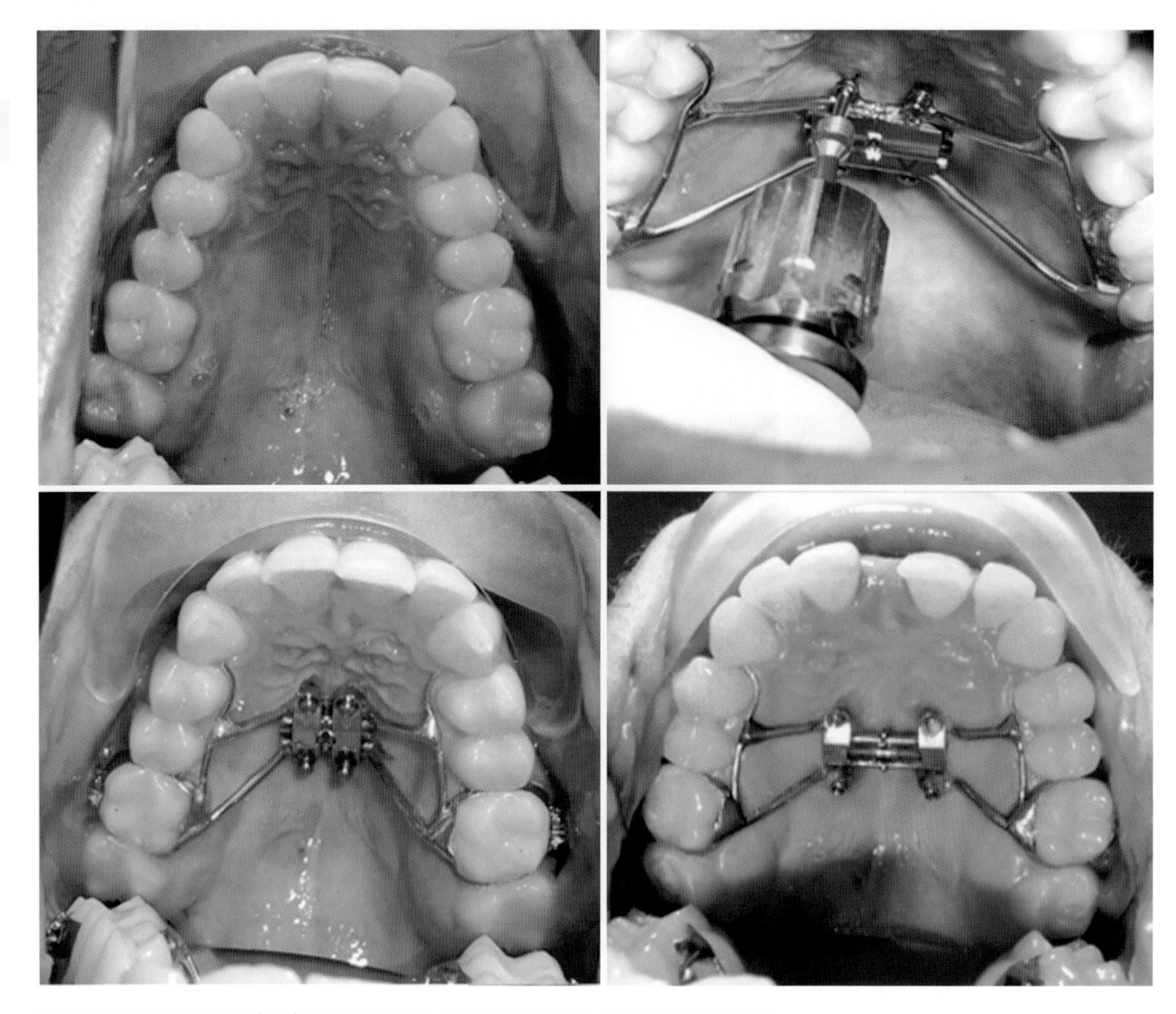

그림 20.4 하이브리드 확장기(MSE)의 설치와 확장 결과. 16세 환자에서 골절단술 없이 봉합부가 분리되었다.

20.4.3 확장기 활성화와 교정 치료

확장 장치는 보통 하루에 0.125–0.25 mm의 확장 속도로, 어떤 유형의 축 나사를 돌려 활성화된다. OSA의 의학적 상태를 해결하려면, 평균적으로 총 8–12 mm의 상악 확장을 달성해야 한다. 계획된 확장이 완료되면 교정 치료를 시작하여 기존의 치아 이개를 닫고 하악궁을 확장하면서 정상 교합을 달성한다.

20.4.4 공고화 단계

전형적으로, 두개안면 DO의 경우 3개월의 공고화 기간이 소요되지만[15,17,18], 골을 최대로 채우고 재발을 최소화하기 위한 이상적인 기간은 6–8개월이다. 미니스크류를 이용한 RME 요법은 치아 이동을 방해하지 않으므로, 교정과의가 교합을 교정하기 위해 치아를 적절한 위치로 이동시키는 동안 확장기를 제자리에 유지한다. 장치가 제자리에 있는 상태에서 더 긴 공고화 기간을 가져 골격 확장의 장기적인 안정성을 증가시킨다.

20.4.5 확장량의 결정

OSA의 개선을 위해 필요한 골격 확장의 양에 대한 정의는 아직 설정되지 않았다. 일반적으로 교정 계측치는 상악과 하악의

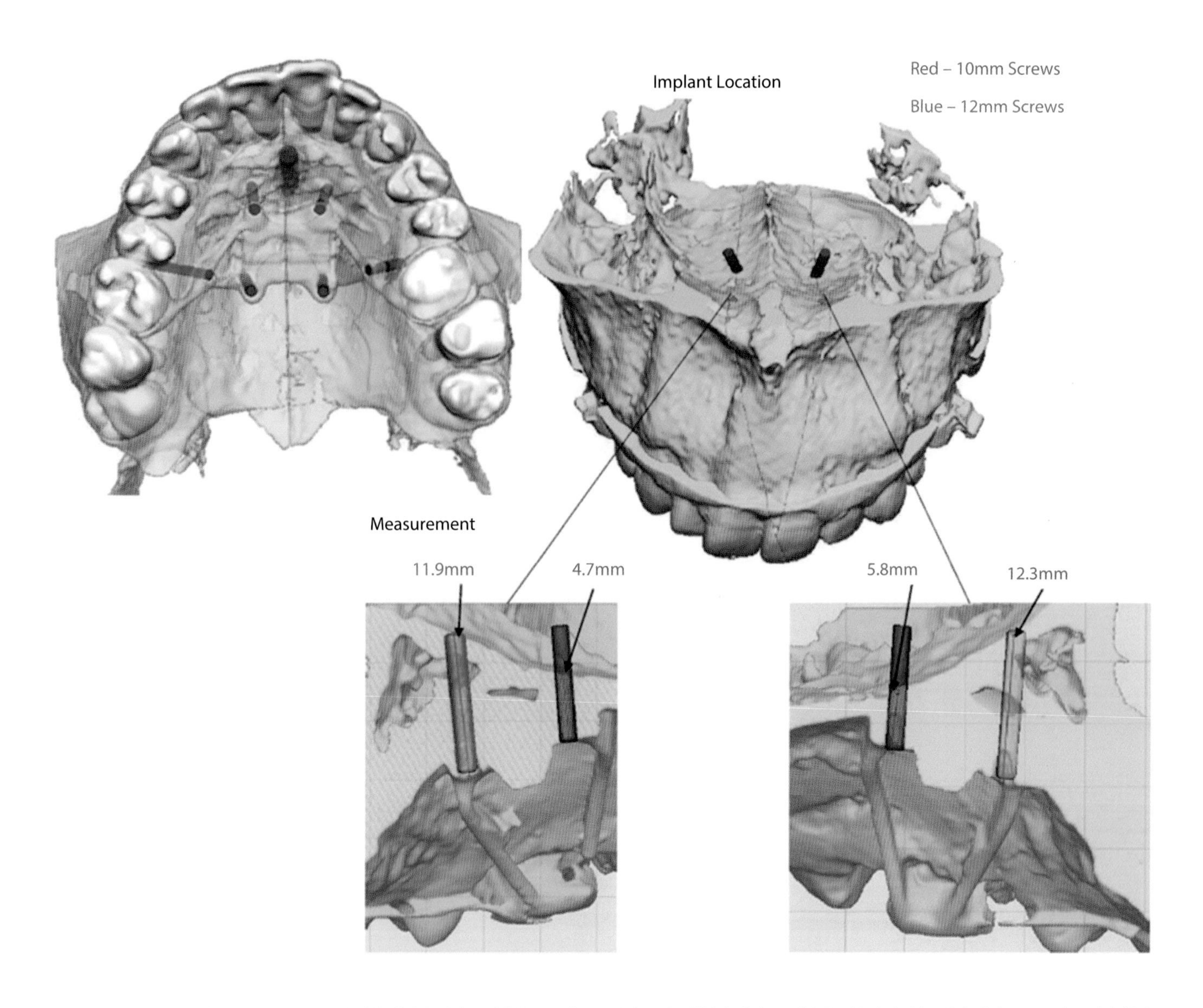

◘ 그림 20.5 **DOME 가상 계획 수립. OSA에 대한 최적의 결과를 성취하고 부작용과 실패를 최소화하기 위해 3D 기술을 이용하여 맞춤-제작 미니스크류-이용 상악 확장기를 디자인하고 미니스크류의 이상적 부위와 길이를 확인한다.**

대구치간 너비 사이의 악궁 너비 차이를 기준으로 한다. 그러나 OSA 개선을 위한 가능한 최대의 상악 확장을 달성하기 위해, 가장 중요하게 고려해야 할 부위는 비강저와 구개저이다. 나사 위치와 힘의 적용에 따라 확장 후 치아치조 반응과 치아 각도의 변화는 기존의 치아 고정 확장기와 상당히 다르다. 예를 들어, 중구개 봉합부에 가까운 구개저에만 미니스크류를 식립하면 확장 후 대구치의 구개측 경사가 발생하는데, 이는 치아 고정 확장기와 반대 현상이다. 따라서 확장기의 디자인, 나사 위치, 기저골의 너비와 각도를 모두 고려해야 한다. 교정과의는 치아 모형 및/또는 3D 영상의 관상 단면을 사용하여 횡단면에서의 골격과 치아 관계를 평가해야 한다.

상악 수축의 많은 증례에서, 하악 치아가 보상적으로 더 설측으로 기울어져 상악 위축을 위장한다. 상악 및 하악 치열 모두에 대해 지지 기저 치조골 위로 구치부를 정상 경사로 세우는 것을 계산해야 한다. 어떤 증례에서는, 하악 구치부를 먼저 세우는 것(즉, 하악 치아 탈보상)이 도움이 될 수 있다.

20.4.6 유지 및 재발

확장의 활성 기간에 이어, 골 충전이 완성된 후에도 유지 장치가 필요하다. 횡적 유지를 보조하기 위해, 확장은 고정식이나 가철식 유지 장치로 수동적으로 유지되어야 한다.

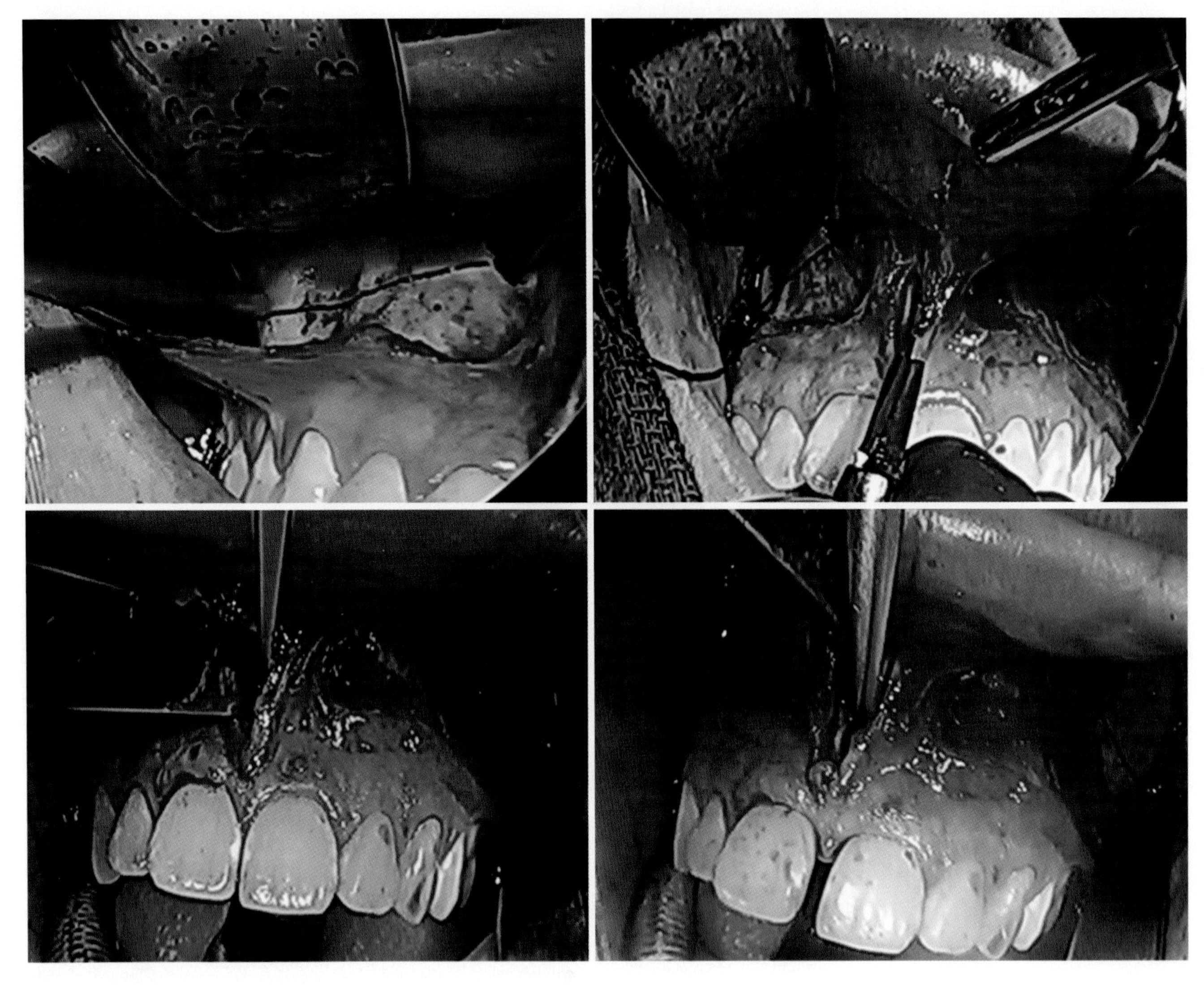

그림 20.6 하방 골절없는 제한된 Le Fort I 및 중시상 분할(Dr. Stanley Liu 제공)

20.5 DOME의 증례 결과

그림 20.7-10은 DOME의 전과 그 결과를 보여준다. 적절한 DOME 술식을 적용한 대부분의 환자에서 잭스크류 장치의 8-9 mm 확장으로 치아 정중 이개가 10-14 mm 정도 발생한다. 이런 환자는 잭스크류 수준에서 9 mm의 횡구개 확장으로, 치아 정중 이개 14 mm, 전비극 12 mm, 후비극 4.5 mm, 비기저부에서 8 mm 확장을 보인다. DOME 후 비강 너비, 대구치간 너비, 비강 내측 판막 모두 유의하게 증가했다. 이런 환자의 무호흡 저호흡 지수(AHI)는 13.8에서 4로, 비강 폐쇄 증상 평가 점수는 17에서 3으로, Epworth 졸음 척도(ESS)는 23에서 6으로 개선되었다.

20.6 고찰

아동의 OSA에 대한 효과적인 치료 방식으로서 상악 확장을 보여주는 많이 연구가 있다[5,6,19]; 그러나 성인 OSA 인구에 대해 사용할 수 있는 발표된 데이터는 매우 제한적이다.[20]

절대적 교정 고정원으로 사용되는 교정용 미니스크류는 골 고정식 상악 확장기 설계(즉, 미니스크류를 사용하여 구개골에 직접 부착된 고정식 상악 확장기)에 통합되었으며, 임상 연구에서는 확장 에너지를 구개골로 직접 전달하면 치조골 굴곡보다 골격 확장이 더 커진다는 이론을 검증하려고 시도했다.[9] 미니스크류-이용 구개 확장기는 생리학적 봉합부 확장을 가능하

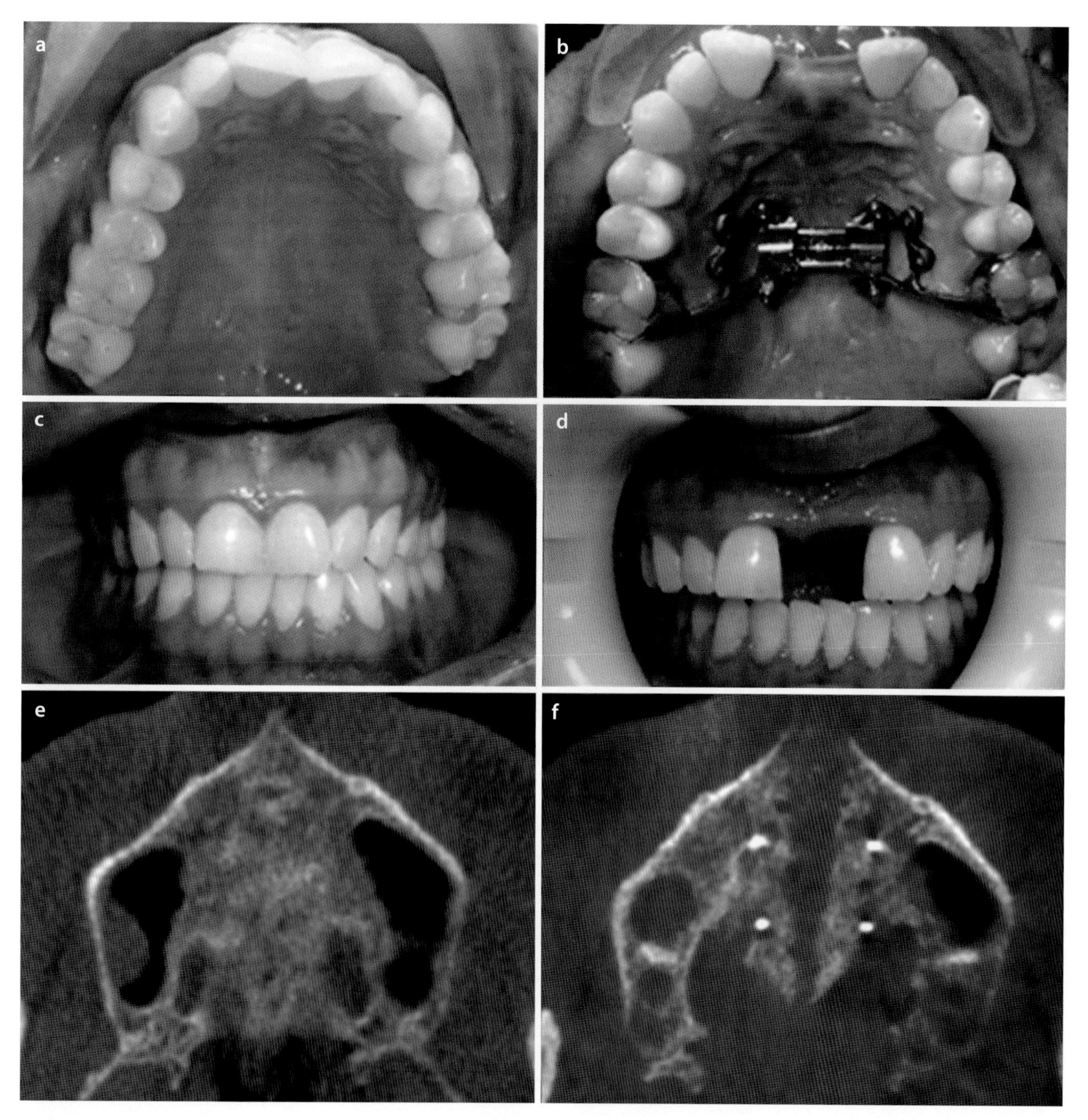

◘ 그림 20.7 DOME 이전(좌측) 및 이후(우측). **a** DOME 이전 교합면. **b** DOME 이후 교합면. 잭스크류 9 mm 확장으로 14 mm의 치아 정중 이개가 보인다. **c** DOME 이전 정면. **d** DOME 이후 정면. 14 mm의 정중이개가 보인다. **e** DOME 이전 CBCT의 구개 횡단면. **f** DOME 이후 CBCT의 구개 횡단면. 잭스크류 수준에서 9 mm의 횡구개 확장으로, 전비극 12 mm, 후비극 4.5 mm 확장이 보인다.

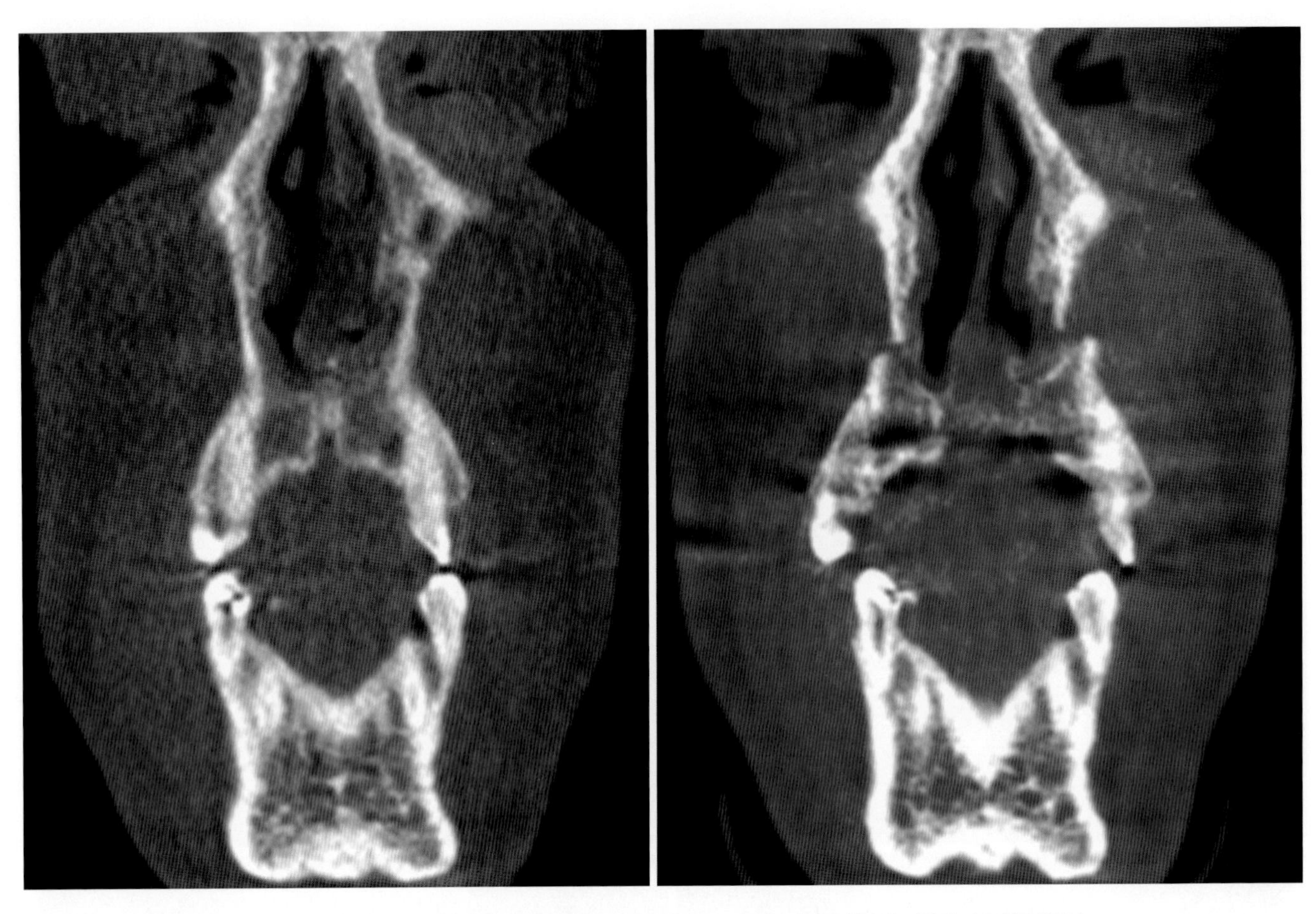

그림 20.8 DOME 이전(좌측)과 이후(우측): 비구개관 수준에서 관상 단면. 비강저에서 8 mm 확장되었고 확장 후 비강이 더욱 분명해졌다.

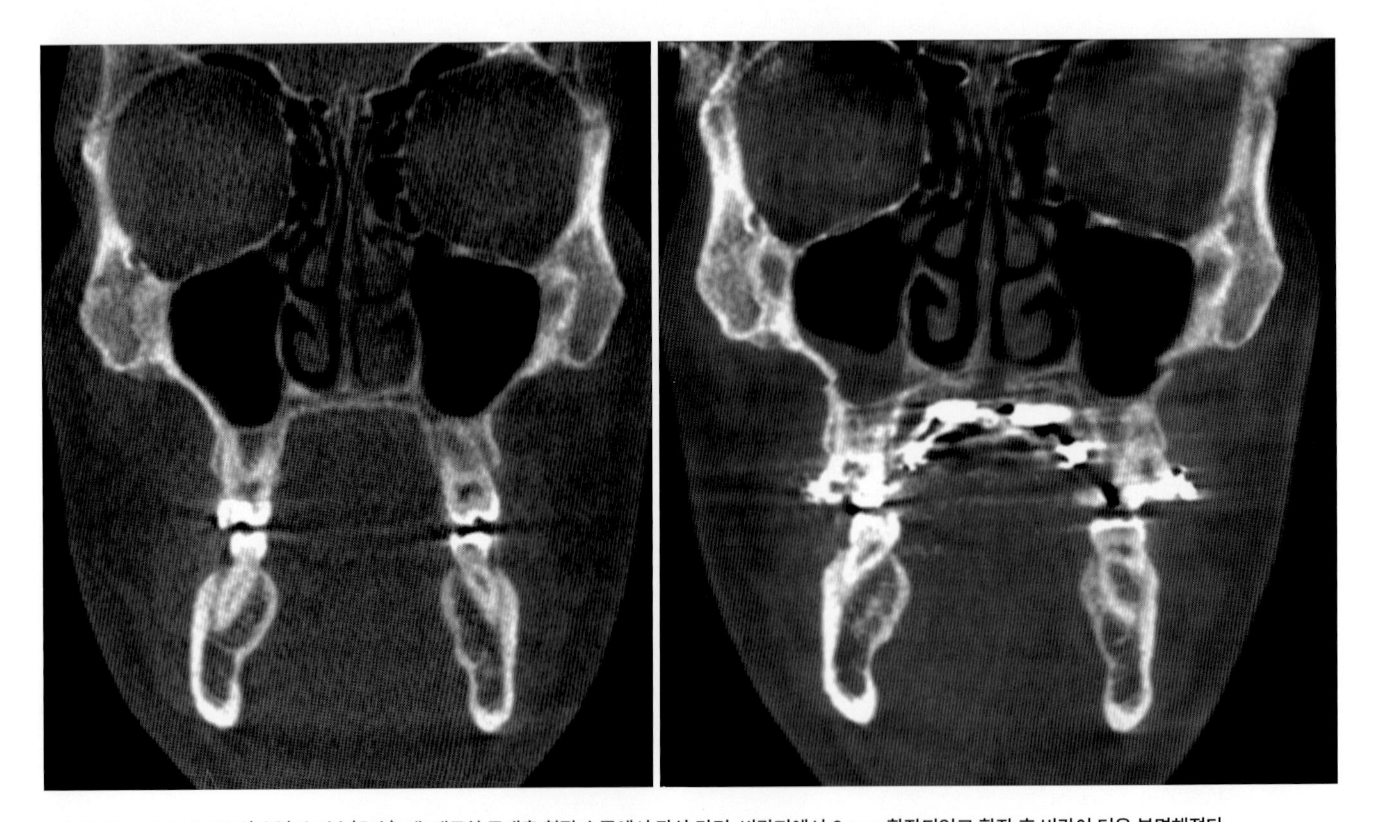

그림 20.9 DOME 이전(좌측)과 이후(우측): 제1대구치 구개측 첨점 수준에서 관상 단면. 비강저에서 6 mm 확장되었고 확장 후 비강이 더욱 분명해졌다.

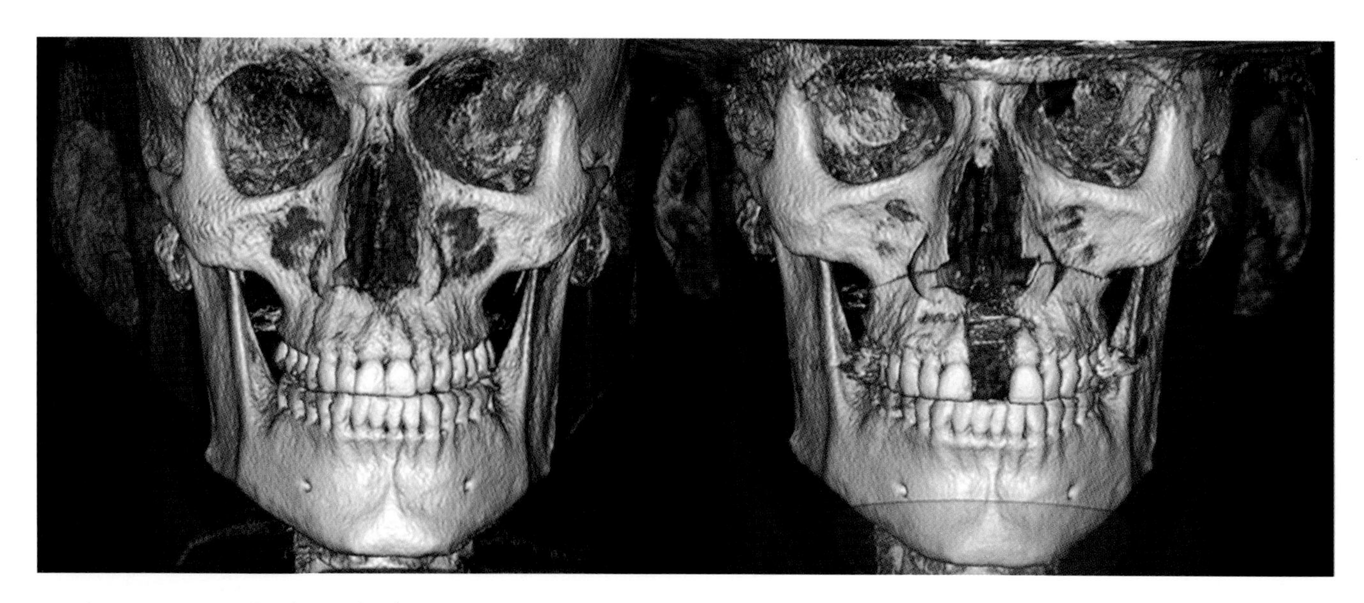

그림 20.10 **DOME 이전(좌측)과 이후(우측): CBCT의 3D 표면 표현**

게 하고 부정적인 치아치조 효과를 줄이며 기존의 RME에 비해 최대 비강 및 구강 용적을 달성하고[9,10], OSA의 예측 가능하고 안정적인 관리에 기여한다. 최근의 무작위 대조 시험에서 골 고정성 상악 확장기(하이브리드 유형, 평균 10.2세)가 치아 고정성 확장기(평균 9.7세)에 비해 확장 후 비강 기류 값이 유의하게 더 높은 것으로 나타났다.[21] 많은 연구에서 미니스크류 이용 상악 확장기가 골절단술 없이 골격 확장과 기도 용적을 증가시키기 위해 기존의 치아 고정형 상악 확장기보다 더 나은 치료 선택지가 될 수 있음을 보여주었지만 대부분 10대 후반 환자를 대상으로 했으며[22], OSA 환자군에서는 아직 연구되지 않았다.

DOME를 사용한 봉합부 분리는 성인 OSA 환자에서 훨씬 더 예측 가능하고 신뢰할 수 있으므로 저자는 OSA의 고령 인구를 위해 미니스크류 이용 RME 장치를 사용하여 상악 확장 동안 최소 골절단술의 지속적인 증대를 옹호한다. 일부 개별 증례 보고가 있지만, 하악 확장 가능성의 여부는 아직 결정되지 않았다.[23] 구개 미니스크류를 사용한 골격 기반 상악 확장은 성인 OSA에 대한 다학제적 접근에 대한 새로운 치료 대안을 제공한다.

참고문헌

1. Cistulli PA. Craniofacial abnormalities in obstructive sleep apnoea: implications for treatment. Respirology. 1996;1(3):167-74.
2. Cistulli PA, Richards GN, Palmisano RG, Unger G, Berthon-Jones M, Sullivan CE. Influence of maxillary constriction on nasal resistance and sleep apnea severity in patients with Marfan's syndrome. Chest. 1996;110(5):1184-8.
3. Zambon CE, Ceccheti MM, Utumi ER, et al. Orthodontic measurements and nasal respiratory function after surgically assisted rapid maxillary expansion: an acoustic rhinometry and rhinomanometry study. Int J Oral Maxillofac Surg. 2012;41(9):1120-6.
4. Iwasaki T, Saitoh I, Takemoto Y, et al. Tongue posture improvement and pharyngeal airway enlargement as secondary effects of rapid maxillary expansion: a cone-beam computed tomography study. Am J Orthod Dentofac Orthoped. 2013;143(2):235-45.
5. Cistulli PA, Palmisano RG, Poole MD. Treatment of obstructive sleep apnea syndrome by rapid maxillary expansion. Sleep. 1998;21(8):831-5.
6. Pirelli P, Saponara M, Guilleminault C. Rapid maxillary expansion (RME) for pediatric obstructive sleep apnea: a 12-year fol-low- up. Sleep Med. 2015;16(8):933-5.
7. Persson M, Thilander B. Palatal suture closure in man from 15 to 35 years of age. Am J Orthod. 1977;72(1):42-52.
8. Krebs A. Midpalatal suture expansion studies by the implant method over a seven-year period. Rep Congr Eur Orthod Soc. 1964;40:131-42.
9. Mosleh MI, Kaddah MA, Abd ElSayed FA, ElSayed HS. Comparison of transverse changes during maxillary expansion with 4-point bone-borne and tooth-borne maxillary expanders. Am J Orthod Dentofac Orthoped. 2015;148(4):599-607.

10. Deeb W, Hansen L, Hotan T, Hietschold V, Harzer W, Tausche E. Changes in nasal volume after surgically assisted bone-borne rapid maxillary expansion. Am J Orthod Dentofac Orthoped. 2010;137(6):782-9.

11. Liu SY, Guilleminault C, Huon LK, Yoon A. Distraction osteo-genesis maxillary expansion (DOME) for adult obstructive sleep apnea patients with high arched palate. Otolaryngol Head Neck Surg. 2017;157(2):345-8.

12. Yoon A, Guilleminault C, Zaghi S, Liu SY. Distraction Osteogenesis Maxillary Expansion (DOME) for adult obstructive sleep apnea patients with narrow maxilla and nasal floor. Sleep Med. 2020;65:172-6.

13. Lee SC, Park JH, Bayome M, Kim KB, Araujo EA, Kook YA. Effect of bone-borne rapid maxillary expanders with and without surgical assistance on the craniofacial structures using finite element analysis. Am J Orthod Dentofac Orthop. 2014;145(5):638-48.

14. Landes CA, Laudemann K, Schubel F, et al. Comparison of tooth- and bone-borne devices in surgically assisted rapid maxillary expansion by three-dimensional computed tomography monitoring: transverse dental and skeletal maxillary expansion, segmental inclination, dental tipping, and vestibular bone resorption. J Craniofac Surg. 2009;20(4):1132-41.

15. Gunbay T, Akay MC, Gunbay S, Aras A, Koyuncu BO, Sezer B. Transpalatal distraction using bone-borne distractor: clinical observations and dental and skeletal changes. J Oral Maxillofac Surg. 2008;66(12):2503-14.

16. Lee RJ, Moon W, Hong C. Effects of monocortical and bicortical mini-implant anchorage on bone-borne palatal expansion using finite element analysis. Am J Orthod Dentofac Orthoped. 2017;151(5):887-97.

17. Yu JC, Fearon J, Havlik RJ, Buchman SR, Polley JW. Distraction osteogenesis of the craniofacial skeleton. Plast Reconstr Surg. 2004;114(1):1E-20E.

18. Swennen G, Schliephake H, Dempf R, Schierle H, Malevez C. Craniofacial distraction osteogenesis: a review of the literature: part 1: clinical studies. Int J Oral Maxillofac Surg. 2001;30(2):89-103.

19. Villa MP, Rizzoli A, Miano S, Malagola C. Efficacy of rapid maxillary expansion in children with obstructive sleep apnea syndrome: 36 months of follow-up. Sleep Breath. 2011;15(2): 179-84.

20. Vinha PP, Eckeli AL, Faria AC, Xavier SP, de Mello-Filho FV. Effects of surgically assisted rapid maxillary expansion on obstructive sleep apnea and daytime sleepiness. Sleep Breath. 2015;

21. Bazargani F, Magnuson A, Ludwig B. Effects on nasal airflow and resistance using two different RME appliances: a randomized controlled trial. Eur J Orthod. 2017;

22. Lin L, Ahn HW, Kim SJ, Moon SC, Kim SH, Nelson G. Tooth-borne vs bone-borne rapid maxillary expanders in late adolescence. Angle Orthod. 2015;85(2):253-62.

23. Nie P, Zhu M, Lu XF, Fang B. Bone-anchored maxillary expansion and bilateral interoral mandibular distraction osteogenesis in adult with severe obstructive sleep apnea syndrome. J Craniofac Surg. 2013;24(3):949-52.

OSA에의 악교정 수술 고려

Yong-Il Kim, Ki Beom Kim, and Reza Movahed

목차

1978년, Bell과 Epker는[1] 술전 교정 치료가 악교정 수술의 결과를 개선하는 데 도움이 된다고 인식했다. Bell 등[2,3] 및 Epker와 Fish[4], 또한 Profitt와 White[5]는 모두 구강악안면 외과의와 교정과의 사이의 긴밀한 협진을 통해 개선된 안정성과 결과를 얻을 수 있다고 결론내렸다. 1975년 이전에는 악교정 수술은 초기에 시상 부조화 치료에 국한되었지만, 이후 범위가 점차 넓어져 횡단 부조화와 다양한 형태의 골격 부조화에 포함되었다. 1990년대에는 강성 고정이 정확한 수술 결과를 달성하고 환자의 불편감(예: 일반적으로 유동식, 양치질 불가, 밀실 공포증과 유사하다고 보고된 심리적 불만을 특징으로 하는 6–8주의 악간 고정)을 줄이기 위해 보편적으로 사용되었다.

1985년 Wolford 등[6]은 악교정 수술의 결과를 예측하는 수술 계획 목표(STO)를 발표했다. Profitt 등[7,8]은 악교정 수술 결과의 안정성 위계를 기반으로 치료 계획을 수립하여 보다 안정적인 결과를 얻을 수 있도록 하였다.[9,10] 중증의 골격 부조화가 있는 환자에서 골격 개선은 더 나은 기능 및 안정성과 함께 개선된 심미적 결과를 가져온다. 악교정 수술의 출현 이전에 임상의들은 보상적 치료를 사용하여 부정교합을 해결하려고 하였다; 그러나 심미적 개선 부족으로 환자와 의사들의 치료 결과 만족도가 낮았다. 악교정 수술법의 발달로 보상적 치료의 한계를 극복할 수 있게 되었고, 골격 부조화를 비교적 수월하게 제거할 수 있게 되었다. 하지만, 악교정 수술은 상악이나 하악의 전후방 또는 수직 위치를 크게 변화시킨다. 이러한 골격 변형은 필연적으로 연조직 변화를 유도하여 상기도 공간의 변화를 유발할 수 있다.

1950년대 초반, King[11]과 Brodie[12]는 각각 비인두의 전후방 크기가 생후 1년과 2년에 거의 완전히 형성된다고 보고하였다. 1976년 Handelman과 Osborne[13]은 비인두 성장이 18세에 완료된다고 제안했지만, 성별에 따라 성장 패턴이 다르다고 언급했다. 성인의 경우 성숙 후 상기도 공간에 구조적 변화가 일어나지 않으며 특정 병리학적 상태나 장기간의 노화 효과를 제외하고는 기도 공간에 구조적 변화가 없다.[14,15] 임상의는 악교정 수술을 시행할 때 이러한 불가피한 기도 공간의 변화를 고려해야 한다.[16]

상기도 공간과 상악 및 하악의 골격 이동이 서로 밀접하게 상호작용한다는 것은 잘 알려져 있다.[17] 그러므로, 상하악 전진술(MMA)을 포함한 악교정 수술은 수면 무호흡이 있는 중증의 골격성 II급 환자에서 폐쇄성 수면 무호흡(OSA)의 효과적인 치료법 중 하나이다. MMA는 코가 크고 하악이 돌출된 백인 환자에게는 비교적 간단한 중재법이지만, 코가 작고 편평한 안모의 동양 환자에게는 더 어렵다. 악교정 수술이 상기도 공간을 개선하고 심미적 변화를 유발하기 때문에 인종과 안면 유형을 모두 고려해야 한다.

또한 하악 운동과 함께 설골과 혀의 위치 변화도 상기도의 공간적 변화와 밀접한 관련이 있다는 점에 주목하는 것이 중요하다.[18,19] 상기도 공간은 비강과 구강을 포함하며, 비인두, 코의 후방 부위, 구인두, 연구개의 후상방 부위, 하인두, 제3, 4번 경추 부위로 구성된다. 상기도 공간은 상악골, 하악골, 구개골, 서골, 경추와 같은 단단한 조직으로 둘러싸여 있다. 근육은 혀와 연구개로 구성된다. 점막은 구강, 비강, 후두인두강에서 시작된다.

하악 돌출과 골격성 III급 부정교합에서, 골격 부조화를 해결하기 위해 하악 후퇴술을 시행한다. 그러나 공간 축소로 일부 환자에서 코골이와 OSA를 유발할 수 있다.[20]

하악 후퇴술 후 상기도 변화를 보고한 대부분 연구의 결과는 수술 직후 상기도 공간이 감소한다는 것을 일관되게 보여준다. 그러나 축소된 공간이 생리적 적응에 의해 회복되는지[21,22], 술후 축소 상태가 유지되는지[23–27], 일정 기간 경과 후 감소가 관찰되는지[28,29]는 논란의 여지가 있다.

악교정 수술은 불가피하게 골격 위치를 변화시키기 때문에 상기도 공간, 연구개, 목젖, 설골 위치 등의 기능적 특성을 정확히 분석하고 계획한 심미적 목표를 달성함으로써 보다 정확하고 안정적인 결과를 얻을 수 있다.[9]

21.1 후방 기도 공간 평가

상기도 공간은 직접 시각화할 수 없기 때문에 평가하기 어려울 수 있다. 상기도 공간, 말초 연조직, 골격 구조를 평가하기 위해 음향 비강측정법, 형광 투시법, 비인두경검사, MRI, 두부계측법, 단층촬영 등의 다양한 영상 기법이 사용되었다.[30] 각 방법에는 고유한 장점과 단점이 있다. 따라서 선택한 영상 방법은 평가의 목표를 기반으로 해야 한다.

두부계측 영상은 교정 치료 계획 수립을 위한 데이터로 일반적으로 사용하는 반면, 상기도에 대한 대부분의 연구는 두부계측치를 사용한다. 그러나 두부계측 영상은 3차원 구조를 2차원으로 투사하여 획득한 것으로 상기도의 크기와 복잡성을 정확하게 밝히는 데에는 단점이 있다.

Cone-beam CT (CBCT)는 최근 널리 사용되고 있고 악안면 복합체의 모든 구조에 대한 3D 입체를 획득할 수 있다. 3D 입체 데이터는 시중에서 판매되는 3D 영상 소프트웨어를 사용하여 다중 평면 재구성 영상으로 변환하여 보다 자세한 영상으로 재구성할 수 있으며, 이는 연조직과 상기도 공간뿐만 아니라 골격 구조까지 모두 3D로 측정할 수 있다.[24]

3D 미가공 영상 데이터 재구성은 다층의 단면을 시각화하여, 인두를 모든 방향에서(가장 일반적인 것은 시상단면, 관상단면, 축단면이다; ◘ 그림 21.1) 이런 2D 영상으로 평가할 수 있다. 시판하는 다양한 영상 소프트웨어 프로그램은 다양한 각도에서 상기도 공간을 관찰할 수 있다. 경조직이나 연조직과 달리 상기도의 빈 공간은 보다 선명하고 명확한 공간 분석을 가능하게 한다. 특정 도구를 사용하여 밀도가 다른 조직을 구분할 수 있다. 투명도를 사용할 수 있는 소프트웨어를 사용하면 연조직으로 덮인 경조직을 관찰할 수 있다. 선형 측정 도구도 사용할 수 있어 전체 인두의 높이, 너비, 깊이를 측정할 수 있다(◘ 그림 21.2).

영상 획득 시 조건의 변화로 인해 CBCT에서 얻은 영상이 항상 일관된 머리 위치를 사용하여 획득되는 것은 아니다. 따라서, 환자의 3D 영상은 영상 분석(측면 두부계측 영상 분석과 유사한 과정)을 용이하게 하기 위해 기준 평면과 재정렬되어야 한다. 이것은 Frankfort 수평면이 축단면과 평행해야 하고 정중시상면이 환자의 정중선과 일치해야 하며 같은 방식으로 관상면이 안와 하연에 접촉해야 함을 의미한다(◘ 그림 21.3–4). 비대칭이 감지되면 방향 조정 프로세스를 신중하게 수행해야 한다. 이 가상 위치는 적절한 머리 회전을 허용하여 양측성 구조물이 서로 일치하도록 하는 데 도움이 된다.[31]

치료 전후의 기도 공간을 정확하게 비교 분석하기 위해 CBCT의 머리 자세를 재현성있게 재구성해야 하며, 기도 공간 평가도구를 사용하여 각 구획에서 상기도 공간을 평가할 필요가 있다. CBCT는 3D 정보를 제공하기 때문에 임상의는 기도 공간과 주변 구조를 효과적으로 평가하고 OSA 증후군 환자에서 전후 방향과 외측 인두 용적에서 가장 작은 부분인 비인구, 구인두, 하인두의 가장 좁은 면적과 부피를 분석할 수 있다. 한층 더 나아가, 치료 전 변화를 평가하는 것이 비교적 간단하기 때문에, 후속 경과 관찰 영상을 중첩하여 치료에 대한 환자의 반응을 시간 경과에 따라 측정할 수 있는 기준선을 제공한다.[32]

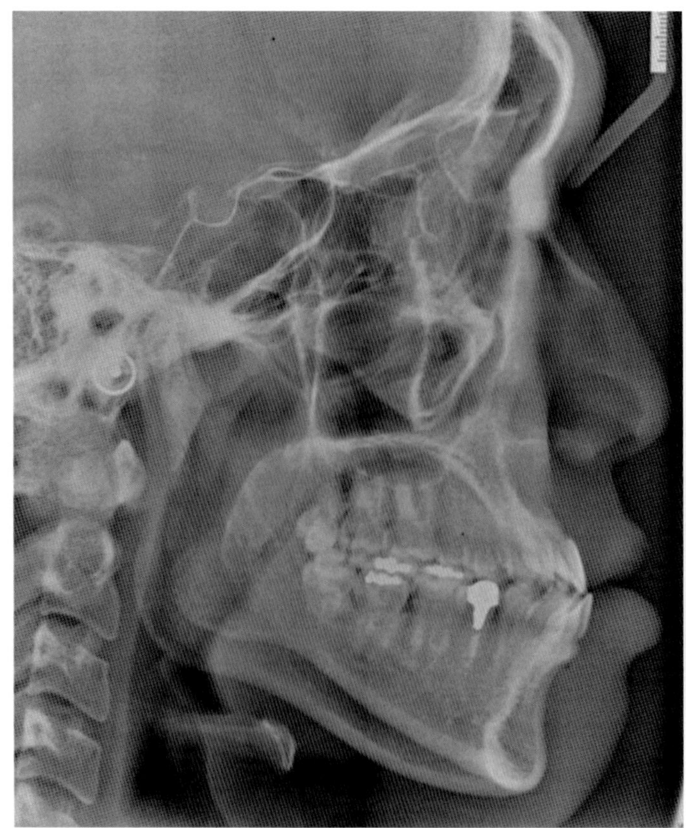
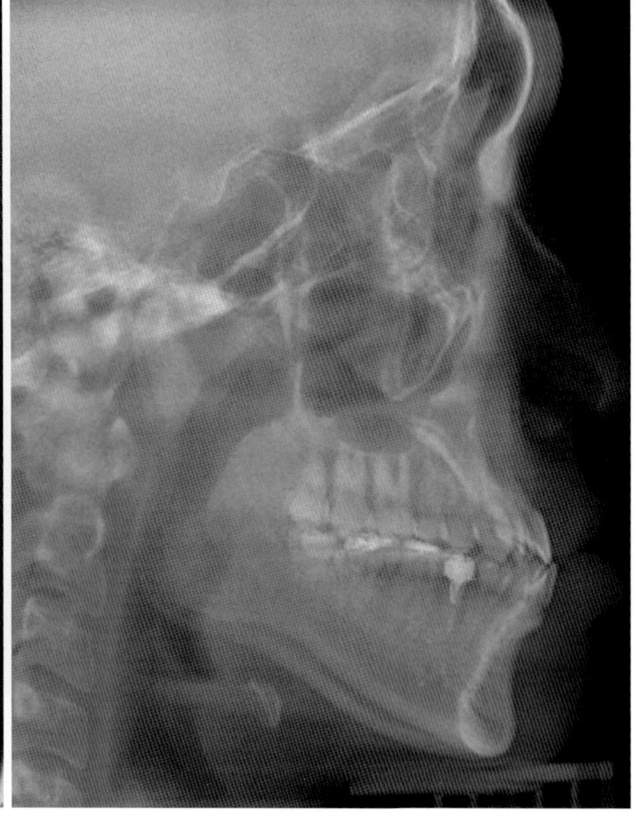

◘ 그림 21.1 **측면 두부계측 영상과 CBCT에서 추출한 두부계측 영상의 비교**

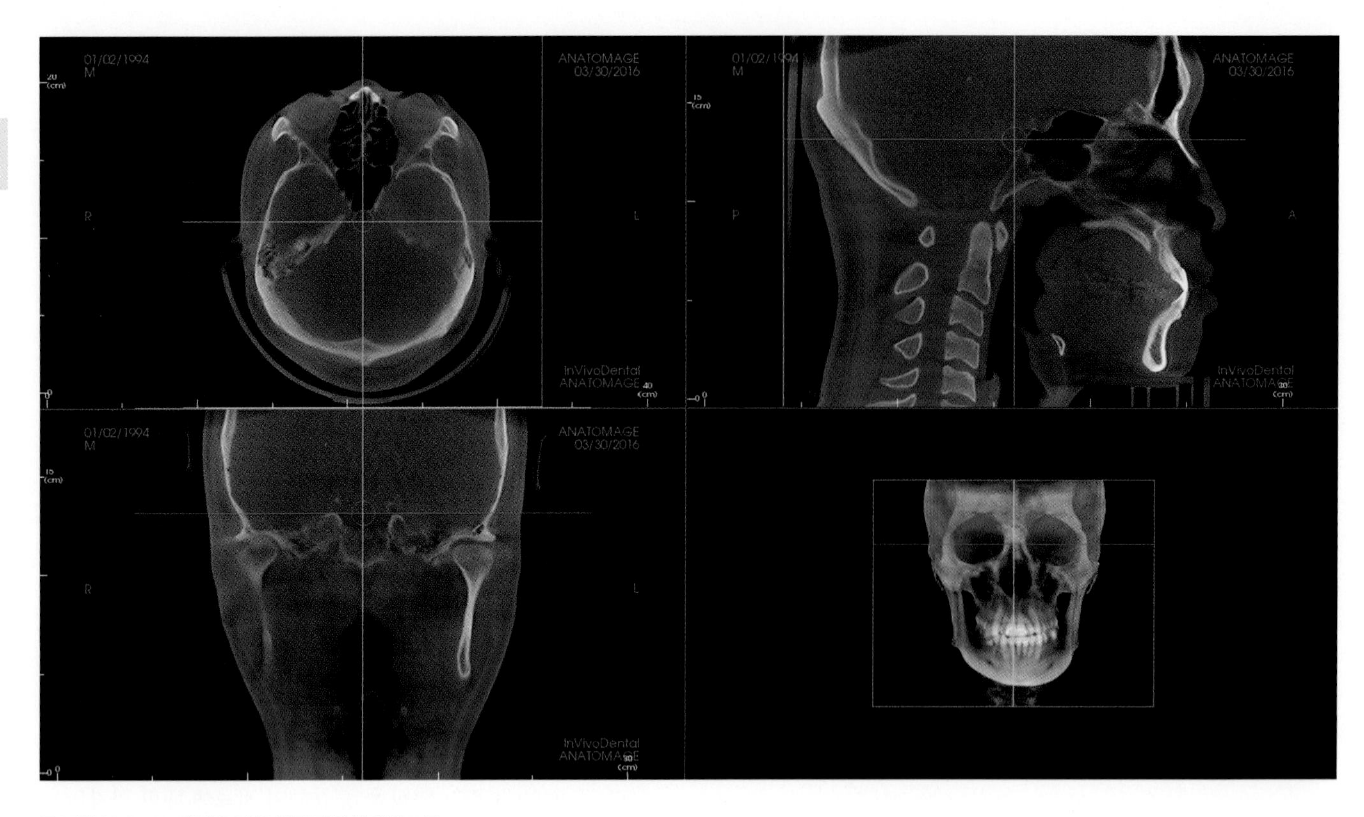

■ 그림 21.2 3D 영상을 다중 평면 재구성 영상으로

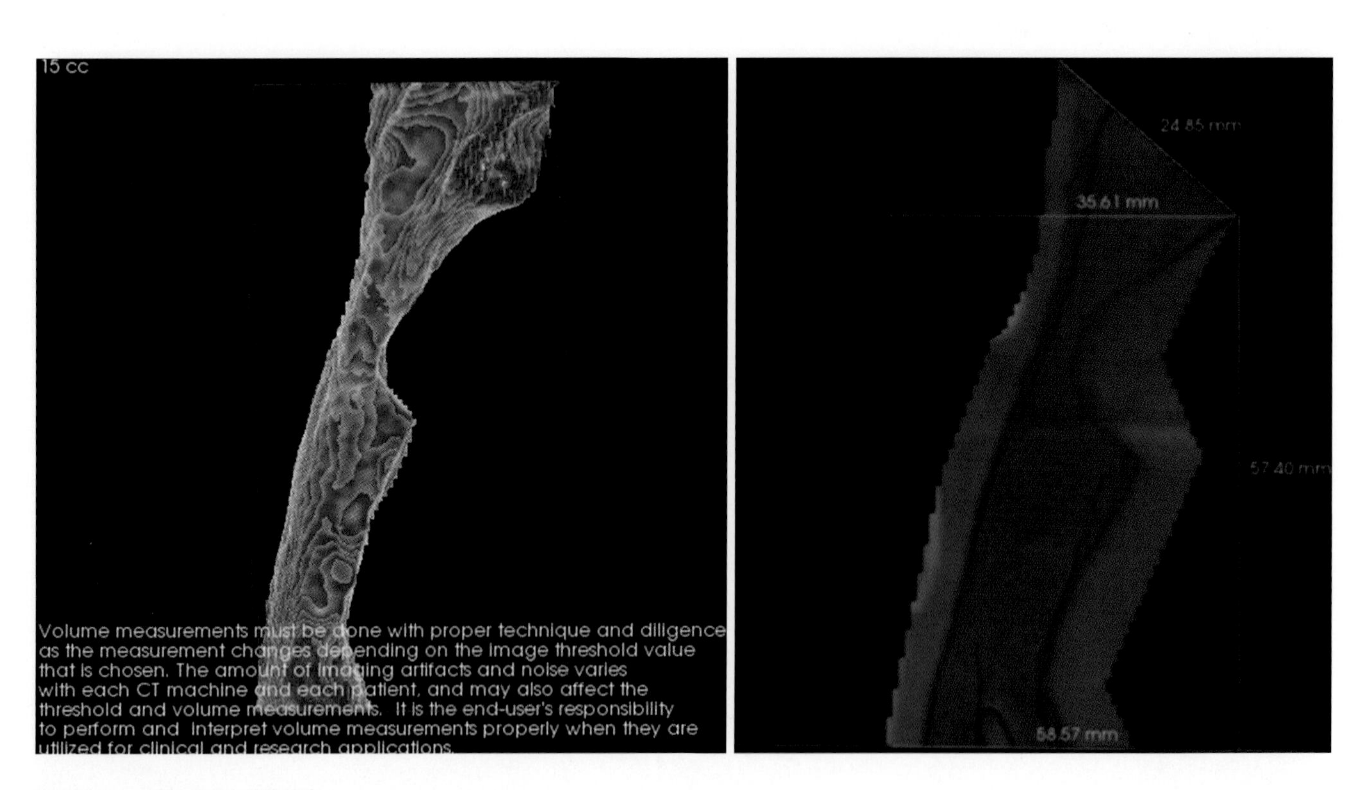

■ 그림 21.3 인두 기도의 경계 설정

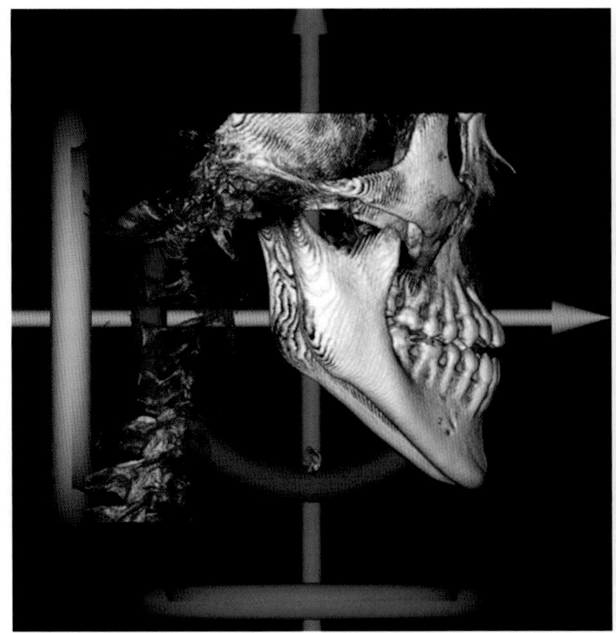
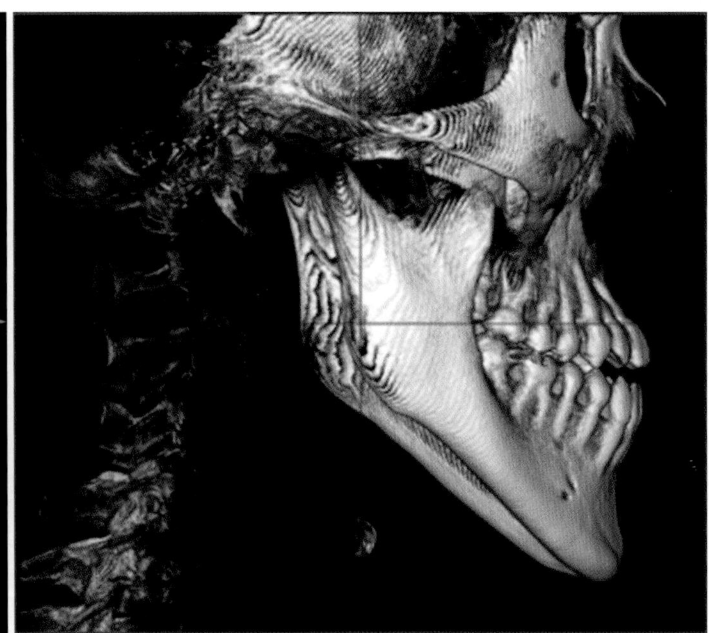

그림 21.4 머리 방향 조정

21.2 용적 분석을 위한 기도 공간의 시각화

상기도 공간을 평가하기 위해 CBCT 영상은 DICOM 파일의 형태로 InVivo5 (Anatomage, San Jose, CA, 미국)를 사용하여 재구성한다. 전체 미가공 데이터 모두의 3D 영상을 생성한 후, Invivo5는 피부과 골에 해당하는 불투명한 영역을 분리하고 삭제할 수 있는 도구(segmentation tool의 volume render의 "removal" 기능 사용)로 기도의 특정 관심 부위의 평가를 촉진한다. 상연은 제1경추의 상부를 가로지르는 평면으로 설정할 수 있다; 하연은 4번 경추의 최하점을 지나는 평면으로 설정할 수 있다. 전후방 벽은 인두의 해부학적 경계로 결정할 수 있다. 미세 조정 막대로 불투명 임계값을 -750으로 조정한 후, 각 인두강의 최종 3D 영상을 volume rendering 기능을 사용하여 구성한다(그림 21.5).[31]

3D 재구성 영상으로 기도 공간의 양상을 자세하게 평가할 수 있다. 예를 들어, 비-OSA군의 기도 공간은 보다 둥글거나 직사각형의 모양을 보이고, OSA 환자는 타원형이나 오목한 모양을 나타낸다.[33] III급 골격성 관계는 전후방으로 더 넓고 편평한 특징을 보이고[31], 연령이 증가하면서 기도 공간이 측방으로 넓어져 더 타원형이 된다.[34] 기류 저항은 직접적으로 기도 크기 및 모양과 연관된다. 일부 경우에서 기도 공간이 커질 수 있지만, 바람 경로는 심각한 저항으로 기류에 불리한 영향을 미쳐 궁극적으로 환기 기능에 충격을 줄 수 있다. 재구성된 3D 영상은 STL 파일로 내보내고 유한 요소 연구를 이용해 기도 기류 분석에 사용될 수 있다.

21.3 악교정 수술과 관련된 기도 공간 변화 및 안정성

21.3.1 하악 후퇴술과 양악 수술

골격성 III급 부정교합은 하악 돌출과 상악 후퇴가 동반되거나 하악 전돌만을 수반할 수 있다.[19,26,35,36] 골격 부조화를 개선하기 위해서, 저작 기능과 심미성 향상을 위해 악교정 수술(하악 후퇴술이나 MMA)이 추천된다.[17] 하악 후퇴를 포함하는 악교정 수술에서, 기도 공간에 대한 술전 및 술후 평가가 CBCT에 의해 시행될 수 있다. CBCT의 장점은 기도 공간을 3D으로 재구성하여 분석을 위한 자세한 시각화를 제공하는 것이다(그림 21.6–7).

몇몇 연구는 기도 공간 변화와 악교정 수술 사이의 상관관계에 대해 보고한다.[22,23,27,28,37–48] 골격성 III급 부정교합을 위한 하악 후퇴술 직후 하악이 후방으로 이동하면서 혀가 후방으로 재위치되기 때문에 상기도 공간이 협착될 수 있다(그림 21.6). 어떤 증례에서는 하악 후퇴술후 설후 및 하인두 기도의 용적 감소와 설골의 위치 변화로 OSA가 발생했다고 보고되었다.[17] 하악이 후퇴하면, 설골이 하방으로 재위치되고, 혀와 연구개의

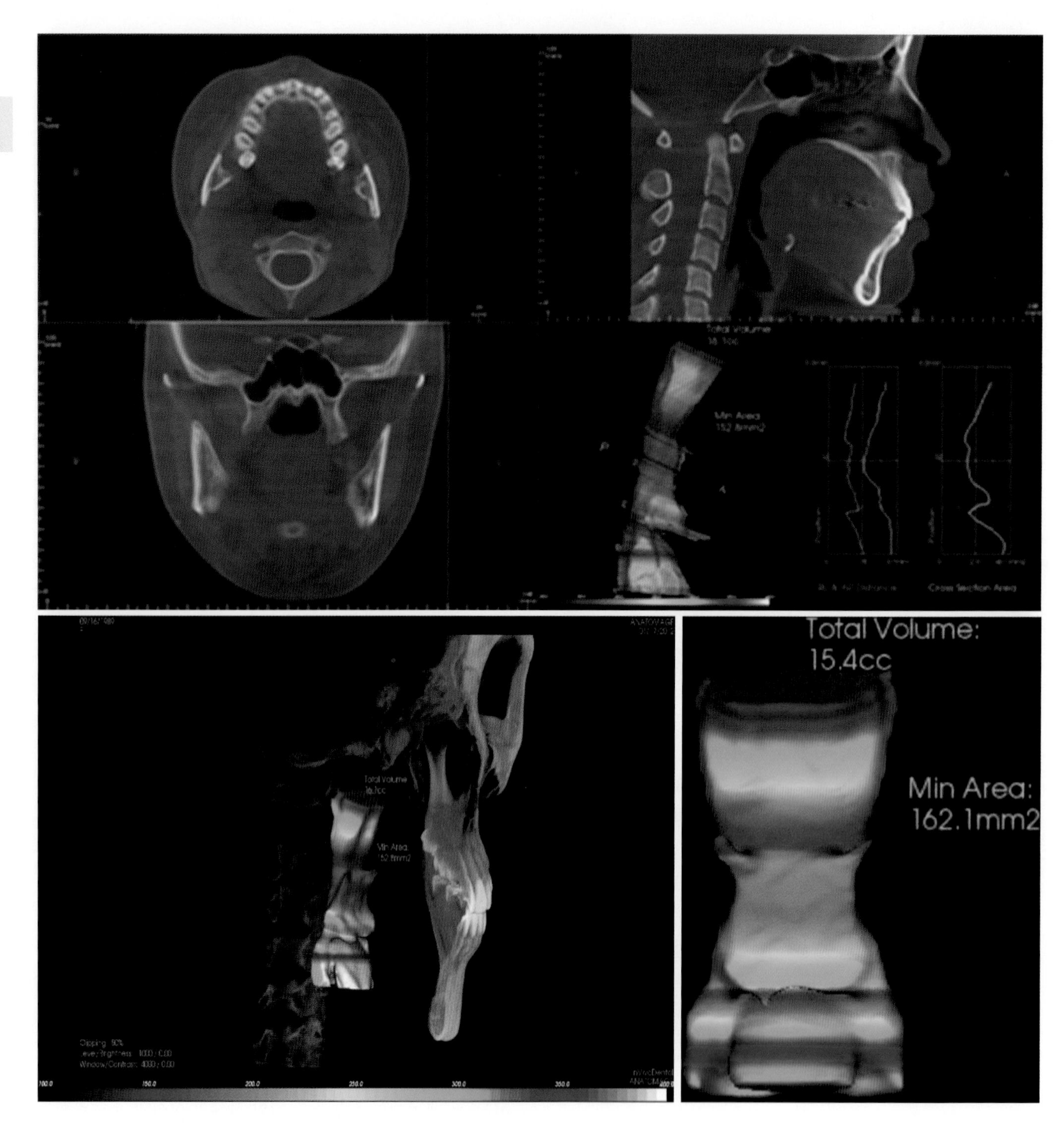

그림 21.5 **인두강의 3D 영상 구성 과정**

후방 변위가 발생한다. 이 움직임은 결국 전후방 및 측방 방향으로 상기도 공간이 좁아지는 결과를 초래한다.[49] 이와 더불어, 인두 기도 용적과 마찬가지로, 상대적 평균 음압이 감소하게 된다.

이와 대조적으로, Wenzel 등[48]은 하악 후퇴술에 연이은 비인두 용적 감소가 장기간 감소된 상태로 유지됨을 발견했다. 하악 후퇴술과 상악 전진술을 함께 수행하면, 기도 협착이 감소할 수 있다. 2008년, Degerliyurt 등[37]은 양악 수술과 하악 후퇴술 사이의 기도 변화를 비교했는데, 양악 수술에서 기도 협착이 방지된다고 제안했다. 어느 정도까지 양악 수술로 비인두 수준에서 기도 용적이 증가하면 하인두 수준에서의 효과를 보상한다.[41] 이런 보고들은 하악 후퇴술 동안 지속적인 인두 기류를 유지하기 위해 더 많은 노력이 필요하다고 제안한다.[29] 분명

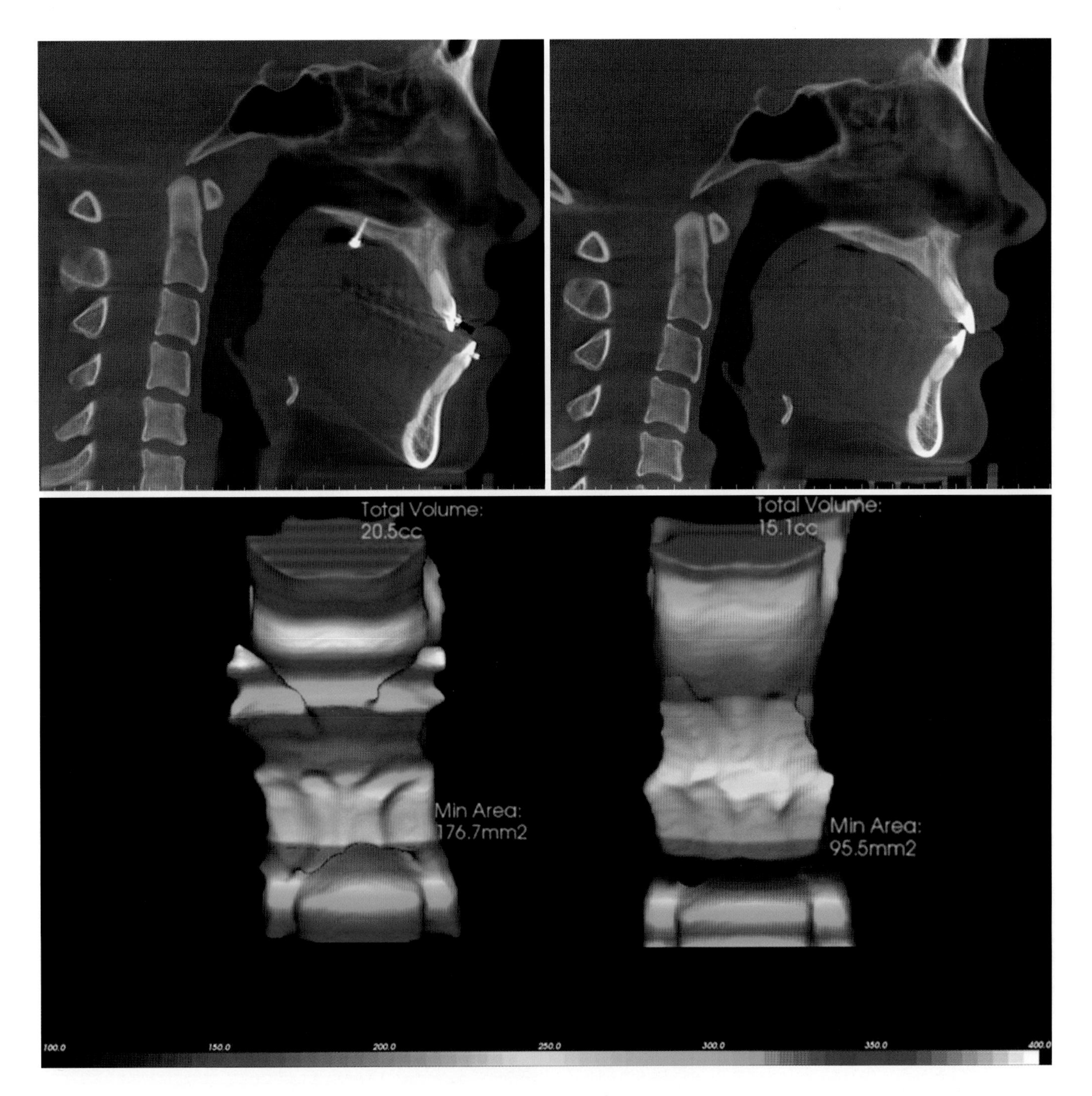

■ 그림 21.6 **이 증례에서 하악 후퇴술로 전체 용적의 4.9 cc 감소와 최소 단면적의 81.2 mm^2 감소를 초래했다.**

한 것은, 3D 영상이 이런 목적을 위한 기도 평가를 적절히 지지할 수 있다는 것이다.

하악 후퇴술을 포함하는 악교정 수술의 유형에 따라, 상기도 공간 각 부위의 감소 정도와 유지 기간에 대한 상충되는 보고가 있다. Park 등[19], Tselnik과 Pogrel[27], Hochban[25], Wenzel 등[48], Holmberg 등[39], Chung과 Lee[50], Lee 등[29]에 의하면, 비인두 공간에 유의한 감소는 없었다; 그러나 구인두와 하인두의 폭은 감소했다. 이러한 연구에서 하악 후퇴술은 혀를 골격 위치에서 후하방으로 변위시켜 기도 너비 변화가 비인두보다 구인두와 하인두에서 더 컸다.

비인두 공간이 하악 후퇴술 동안 거의 변하지 않고 유지된다는 이전 연구와는 대조적으로, Kim 등[16]과 Wenzel 등[48]은 하악 후퇴술 후 비인두가 유의하게 감소하고 시간 경과에도 유지된다고 보고했다. Kim 등의 연구에서[16], 비인두 공간의 감소가

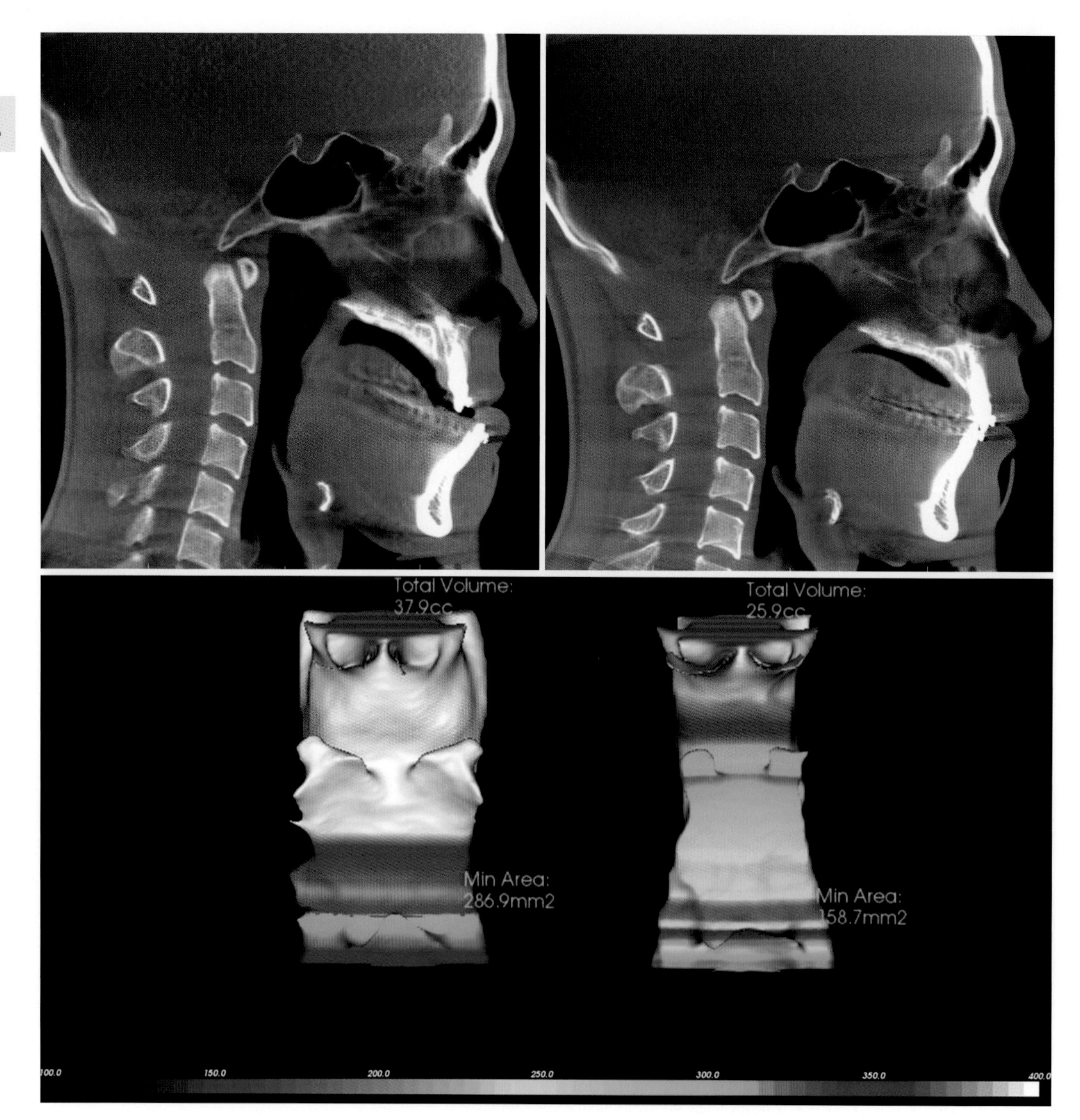

그림 21.7 **상악과 하악을 모두 포함하는 수술로 전체 용적의 12 cc 감소와 최소 단면적의 128.2 mm^2 감소를 초래했다.**

관찰되지만 이 감소는 구인두와 하인두보다 적다고 하였다. 비인두 공간 감소에 관한 상충되는 결과가 있다. 인두 공간 3부분의 감소를 비교하면, 구인두에서의 감소가 가장 현저하고, 하인두와 구인두 순서로 밝혀졌다. 구인두가 하악 후방과 혀와 가장 가깝기 때문에, 수술적 하악 이동의 영향을 가장 크게 받는 것으로 추정된다.

하악 후퇴술 단독과 상악 전진을 수반한 양악 수술 간의 비교에서 유사한 결과가 나왔다. Samman 등[26]은 구인두와 하인두 공간 감소를 보고했고, Cakarne 등[35]은 비인두 공간의 증가를 발견했다. Chen 등[36]은 하악 후퇴술과 양악 수술 후 단기 및 장기 경과 관찰에서 상기도 공간의 변화를 보고했다. 하악 후퇴군은 단기 및 장기 경과 관찰에서 비인두와 하인두 너비의 유의한 감소를 보였다. 양악 수술 후, 단기 경과 관찰에서만, 비인두 너비가 증가하고 구인두와 하인두 너비가 감소했다. 그러나 장기 경과 관찰에서 구조물에서 유의한 공간적 변화는 보이지 않았다. 대부분의 증례에서, 상악 전진이 양악 수술과 같이 수행되고, 이로 인해 하악 후퇴량이 줄어든다. 그러므로, 기도의 감소 지속 기간은 하악 후퇴 단독술과 비교할 때 유의성이 없다.

악교정 수술 후 기도 변화가 장기간 지속되고 기도 용적 감소 또한 지속된다는 보고가 있었다. 또한, 일부 연구는 기도 변화가 조직 재-적응 동안 일시적으로 발생함을 보여준다. Enacar 등[24]은 수술 후 구인두 공간에 변화가 일어나고, 구인두 기도의 감소된 면적이 18개월 이상 지속된다고 보고했다. Kim 등[16]과 Tselnik 등[27], Hochban 등[25]은 술후 구인두 너비가 감소하고 경과 관찰 동안 감소된 용적에 적응한다고 하였다. 술후 하인두 공간의 유의한 감소는 설골, 혀 근육, 목 근육의 기능적 재조정으로 기도 공간에 변화를 초래한다(◘ 그림 21.8).[51]

3D 상기도 영상의 적용을 보고한 연구는 별로 없고, 상기도와 술후 안정성 사이의 관계를 보고한 것은 더 적다. 부산대학교 치과병원의 Park 등[19]은 3D CBCT를 사용하여 골격성 III급 기형이 있는 환자의 악교정 수술 후 상기도가 어떻게 변하는지 평가하고 상기도 변화와 술후 안정성 사이의 관계를 분석했다. 골격성 III급 기형을 진단받고 수술적 교정 치료를 받은 총 36명의 성인(남성 23명, 여성 13명; 평균 22.97 ± 3.01세; 범위 19-29세)이 포함되었다. 상기도의 해부학적 특성의 분석을 위한 대안적 접근으로, 5개의 평면과 4개의 입체에서 단면적 (CSA), 전후방 길이(APL), 최대 횡단 너비(LTW)를 모든 피험자에 대해 계산했다(◘ 그림 21.9).

환자는 수행된 악교정 수술의 유형에 의해 그룹으로 나뉘었다: 그룹 A(n = 20)는 하악 후퇴 시상 분할 하악지 골절단술(강성 고정의 SSRO)을 받았고, 그룹 B(n = 16)는 Le Fort I 골절단 전진과 하악 후퇴의 SSRO를 받았다. 3D CBCT 영상을 3단계에서 수행했다: T0(술전), T1(평균 술후 4.6개월), T2(평균 술후 1.4년). 기도 감소가 양 그룹에서 관찰되었지만, 그룹 A에서 구인두와 하인두 기도가 수술 4.6개월 후 유의하게 감소하였고 ($p < 0.05$), 이 축소된 기도는 수술 1.4년 후에도 회복되지 않았다. 그룹 B는 하인두의 APL에 근거한 술후 안정성을 보였다. 그러나 그룹 A는 비인두 상관관계의 단면적에 근거하여 상악 재발을 보여주었다($p < 00.05$).

여러 연구를 통해, 양악 수술에서(하악 후퇴술과 비교하여) 하악 후퇴의 감소 효과가 완화된다고 제기되었다.[26,36,37,52] Park 등에 의해 보고된 결과도 이런 발견과 일치한다; 그러나 과다한 하악 후퇴술을 받거나 이미 수면 무호흡 징후(예: 비만, 과도한 주간 졸음, 과도한 코골이)를 보였던 환자는, 악교정 수술이 계획되기 전에 다른 OSA 치료를 고려해야 한다.[53] 한층 더 나아가, 하악 후퇴술 4.6개월 후 구인두와 하인두 용적의 감소가 관찰되었다. 이 감소된 용적은 수술 1.4년 후까지 회복되지 않았다. 양악 수술 그룹에서 구인두 기도의 용적이 감소하였다.[19] 12년의 장기간 경과 관찰은 하인두 기도의 감소를 보여주지만, 비인두와 구인두 기도는 12년 동안 계속 감소했다.[17]

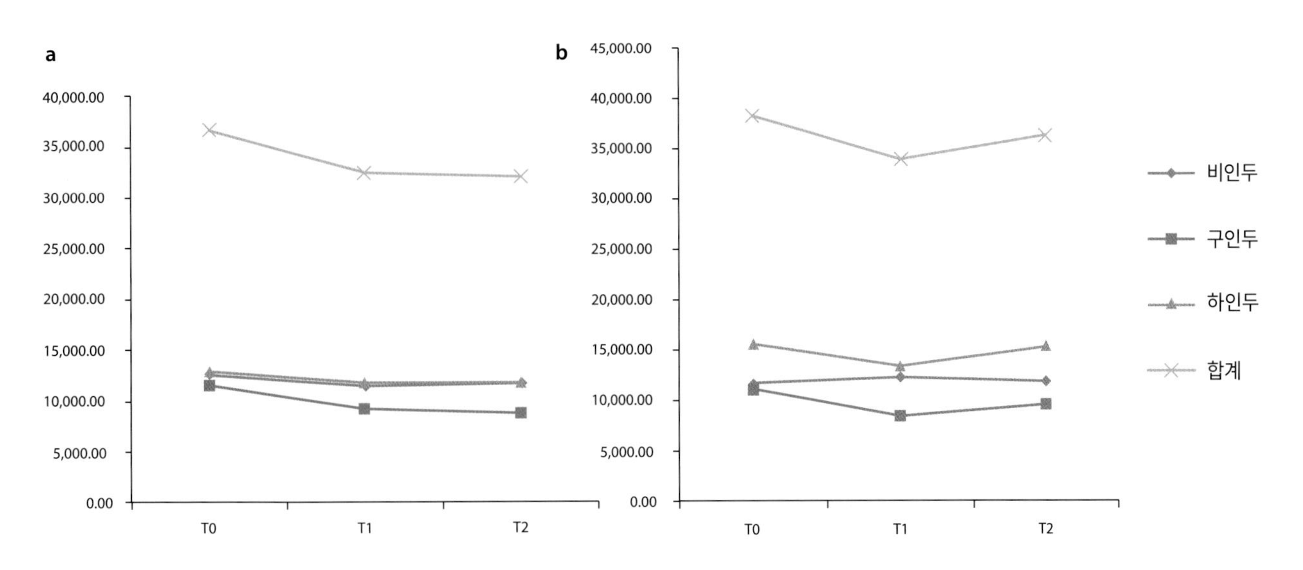

◘ 그림 21.8 **한국의 골격성 III급 부정교합 환자의 악교정 수술 후 기도 공간의 단기 및 장기 변화. a 하악 후퇴술만 시행한 그룹의 기도 용적 변화. b 상악 전진과 하악 후퇴술을 동시에 시행한 그룹의 기도 용적 변화. X-축: T0(술전), T1(술후 4.6개월), T2(술후 1.4년). Y-축: 기도 용적. Y-축(공기 부피)은 X-축(기준선, T1, T2)에서 mm^3로 측정되었다.**

21

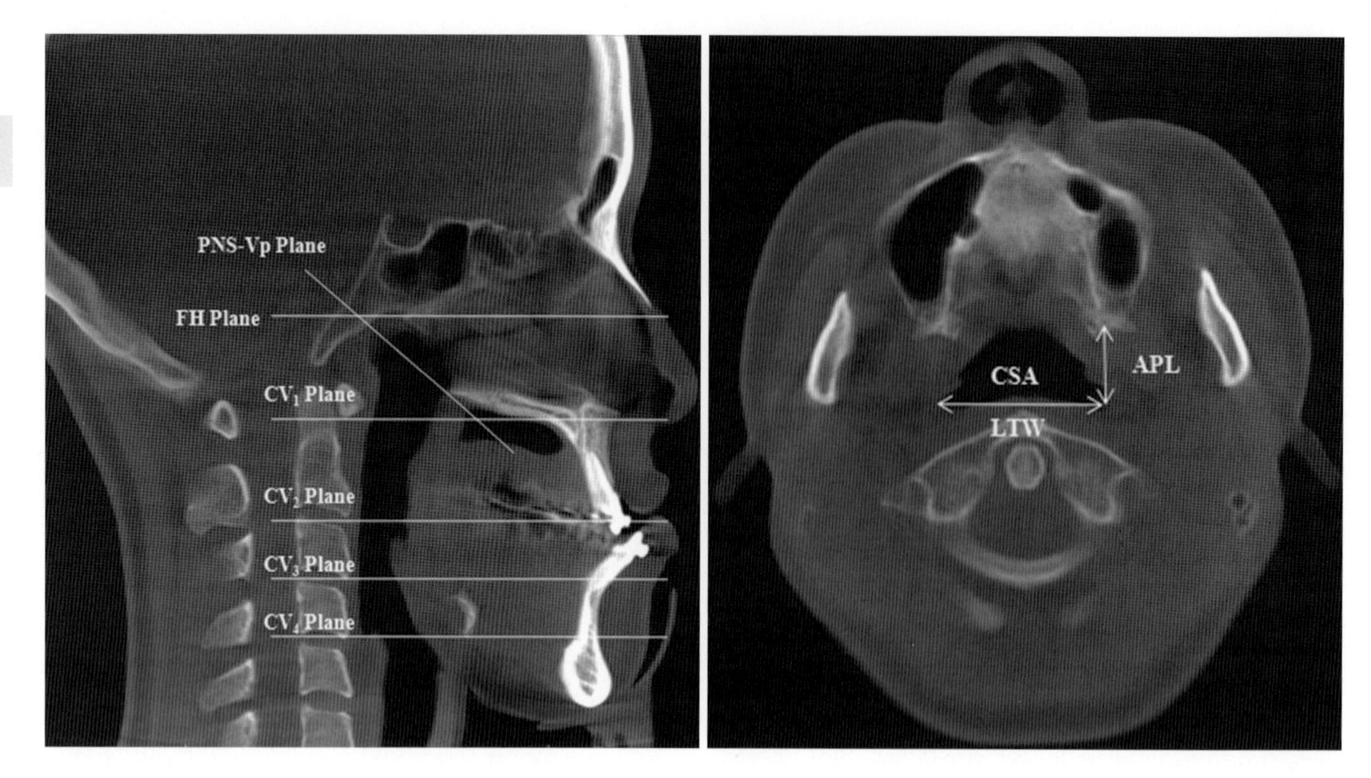

■ 그림 21.9 **상기도 계측. 상기도 계측을 위한 5개의 평면: PNS-Vp, CV_1, CV_2, CV_3, CV_4 평면**

결론적으로, 하악 후퇴 이동은 단기 및 장기간 동안 상기도 공간의 일부를 감소시킨다.[18] Kim 등에 의한 연구는[16] 하악 후퇴량이 11-12 mm 미만이면 상기도 공간의 유의한 변화가 없다고 보고했다; 그러나 후퇴량이 12 mm 이상이었을 때 유의한 변화가 관찰되었다. 이렇게 하악 후퇴량은 상기도 공간의 변화 정도에 영향을 미치는 요인이다. 부위별 기도 변화 및 지속 기간, 하악 후퇴량과 상기도 공간의 변화 사이의 관계를 명확히 하기 위해, 추가적인 연구가 수행되어야 한다.

21.3.2 상하악 복합체의 수직 이동

장안모 증후군과 gummy smile로 대표되는 골격성 III급 부정교합을 가진 장두 환자에서 상악의 수직 교정을 포함하는 악교정 수술이 필요하다. 이 골격성 부조화는 상악의 수직 재배치와 하악의 회전 및 후퇴를 통해 해소될 수 있는데, 보통 교합 평면 회전이 수반된다(■ 그림 21.10).

Gummy smile을 완화하기 위해 상악의 수직 이동과 교합평면 회전을 포함하는 수술이 일반적으로 수행되지만, 악교정 수술에 뒤따르는 상기도 공간 변화에 대한 대부분의 연구는 하악골에서만 수행된 술식이나 상악의 수평적 변화에만 초점을 맞추었다. 그러나 Kim 등은 2008년 연구를 통해[54], 술전 교정 치료와 Le Fort I 골절단술에 의한 상악 수직 이동과 하악 후퇴술을 경험한 평균 나이 22세의 24명 환자(남성 9, 여성 15명)에서 상악 수직 이동 변화를 관찰하였다. 술전(T0), 술후(T1, 수술 직후 또는 2주 이내), 6개월 경과 관찰(T2)에 두부계측 영상을 촬영하였다. 상악의 수직 이동에 근거한 상기도 너비 변화의 차이를 보기 위해 paired t-test를 이용하여 영상을 비교하였다(■ 그림 21.11).

PAS (R)(비인두 기점)는 술후(T1) 감소하는 것으로 관찰되었으나($p < 0.01$), 6개월 경과 관찰(T2)에서 증가함을 보였다. 전신마취 중 삽관으로 인한 연조직 부종은 단기간에 기도 공간을 감소시킬 수 있으나, 연조직은 빠르게 적응하고 수축하는 것으로 알려져 있다. 구개 평면에서 형성된 PAS 영역(NL)은 상악의 수직 이동과 전방 이동 요소로 인해 T1과 T2에서 유의한 증가를 보였다; 그러나 장기 관찰이 필요하다. 교합 평면에 의해 형성된 PAS (OL)는 T1, T2에서 증가하고, 이것은 혀와 연구개의 위치 변화에 기여할 수 있다. T1에서 연구개 두께가 증가하나, T2에서는 초기 두께와 유사하거나 감소하는 것으로 관찰되었다. FH 평면과 연구개 사이의 각도는 T2에서 증가하였고 상악의 수직 이동보다 전후방 이동에 의해 더 많은 영향을 받는 것으로 나타났다. 이러한 변화는 상악 수직 위치 변화로 인한 근육 이완과 수축보다는 상악 전후 위치의 변화와 기도 공간을

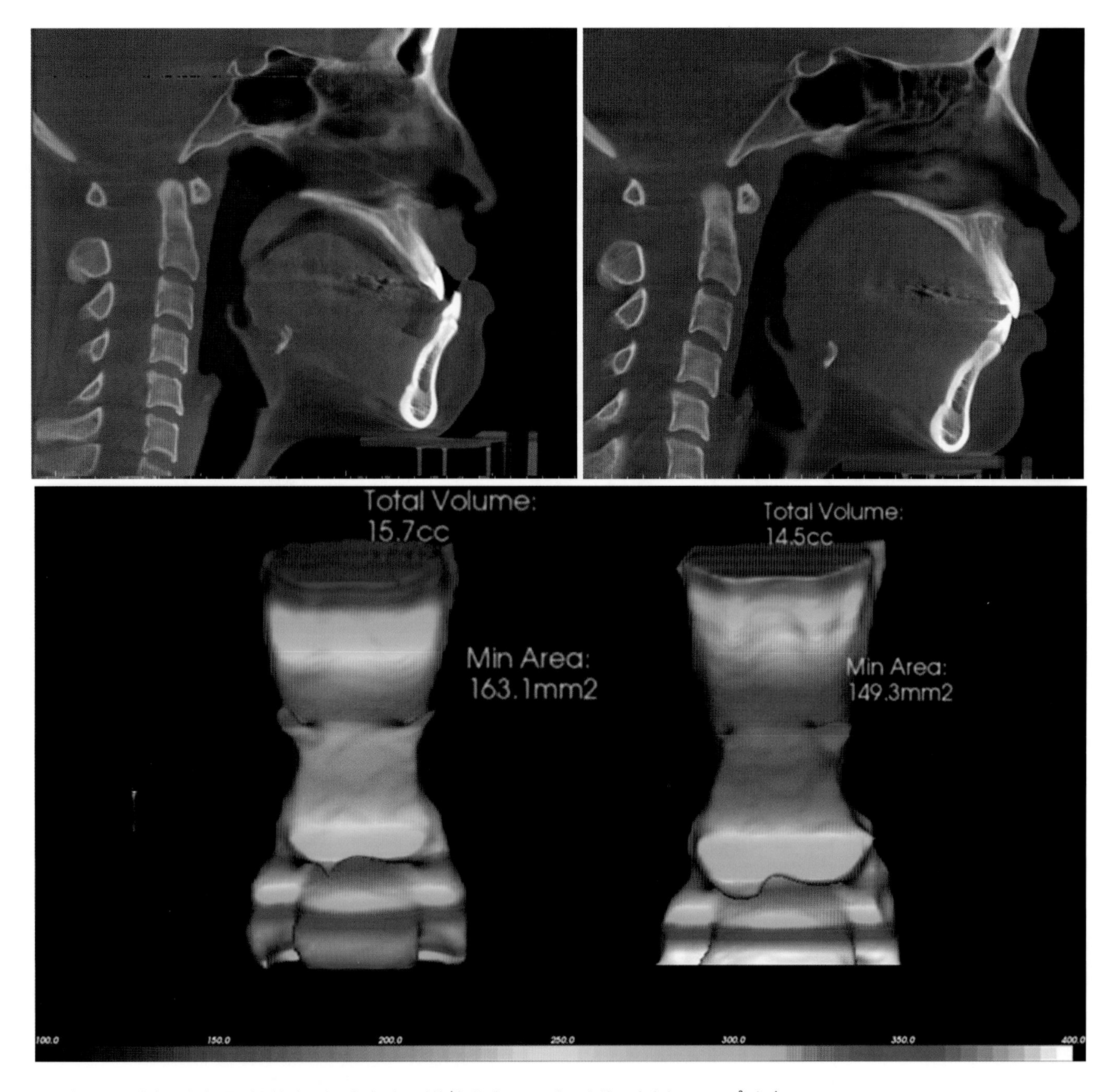

그림 21.10 **상악 수직 이동을 이용한 악교정 수술 후 기도 변화 (총 용적 1.2 cc 감소 및 최소 단면적 13.8 mm^2 감소)**

유지하기 위한 생물학적 반응에 기인한 것으로 보인다.

회귀 분석 결과 상기도 너비의 변화는 상악 수직 이동과 유의한 연관이 없었다. 양악 수술의 상악의 평균 상방 이동은 4.40 ± 1.14 mm로 관찰되었고, 그 결과 상기도 공간에 유의한 변화는 일어나지 않았다. 따라서, 생물학적 적응이 자연스럽게 일어날 수 있다.[54]

그러나 비중격과 같은 해부학적 구조의 존재, 비호흡 습관 등과 같이 상악의 이동을 제한하는 요인이 있다.[55] 양악 수술에서 상악이 수직으로만 이동하는 경우는 드물다; 수직과 전진 이동이 같이 이루어지는 것이 더 흔하다. 이 연구에서 상악 수직 이동의 약 50%가 전진 이동에 포함되었다.[54] 상악 후상방 회전이나 상방 이동으로 인한 변화를 관찰하기 위한 더 많은 연구가 필요하다. 부가적으로, 3D 변화의 생물학적 및 기능적 측면을 이해하기 위해서 3D CT를 이용한 추가적인 연구가 필요하다.

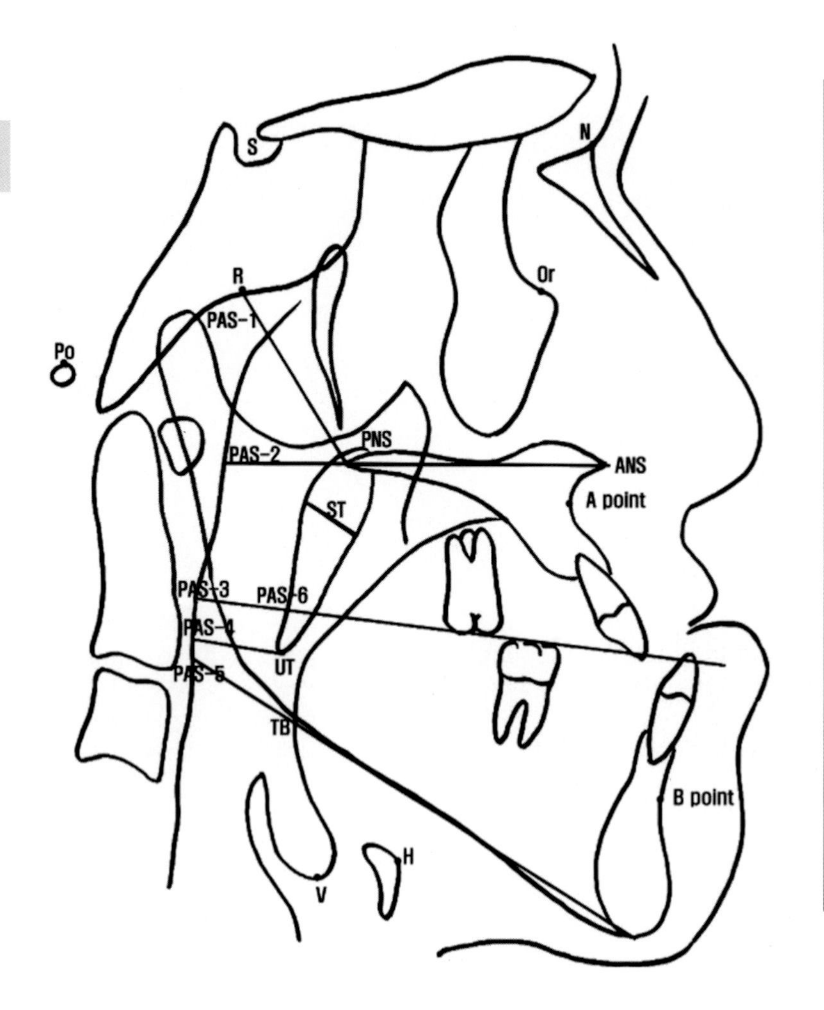

1) 선형 계측

인두 기도 공간 너비

PAS (R): PAS-1과 PNS 사이의 인두 기도 공간 거리

- PAS (NL): PAS-2과 PNS 사이이 거리
- PAS (OL): PAS-3과 PAS-6 사이의 거리
- PAS (UT): PAS-4과 UT 사이의 거리
- PAS (ML): PAS-5과 TB 사이의 거리

골격성 변화

- 수직적 PNS: PNS-FH 평면 거리
- 수직적 ANS: ANS-FH 평면 거리
- 수평적 PNS: PNS-N 수직면 거리
- 수평적 ANS: ANS-N 수직면 거리
- 수평적 B point: B point-S 수직면 거리

2) 각도 측정

- FH-목젖 각도: FH 평면과 PNS-UT 사이 각도

■ 그림 21.11 **인두 기도 공간 점**

21.3.3 상하악 후퇴술

일부 환자는 상악 및 하악의 과다한 예각의 비순각을 동반한 골격성 III급 부정교합을 가진다. 이런 상하악 골격성 문제를 해결하기 위해, 상악 후방견인이 효과적인 치료 선택지가 될 수 있다. 또한, 함몰된 중안면, 편평한 교합 평면, 예리한 비순각의 돌출된 턱을 가진 환자에서 상악을 시계방향으로 회전시켜 심미적인 결과를 얻을 수 있다.[29] 동양인의 III급 부정교합 교정에서 시계방향 회전 유무에 관계없이 상악 후퇴술이 종종 필요하다.

상하악 회전이 필요할 때 상악과 하악 후방견인을 수행하면, 기도가 좁아지고 기도 용적 감소가 발생할 수 있다. 이러한 유형의 상악 이동은 기도 용적을 동시에 감소시킬 수 있다. 상악의 후방 이동은 기동 용적을 감소시킬 수 있다-이는 비인두 기도에 악영향을 미칠 뿐만 아니라 하악 후방 이동량을 증가시킨다.

상악의 후방 함입이나 후퇴를 포함하는 양악 수술 후 상기도 공간의 변화에 대한 연구는 드물다.[56] 2013년 Lee 등[29]은 CBCT를 사용하여 III급의 골격성 기형을 가진 환자의 상기도 용적 변화를 관찰하였다. 그룹 A(n = 24) 환자는 하악 후퇴술을 받았다. 그룹 B(n = 23)는 양악 수술(하악 후퇴와 Le Fort I 골절단을 통한 상악 후퇴술)을 받았다(■ 그림 21.12, 표 21.1).

하악 후퇴 이동은 각각 CV_1, CV_2, CV_3 평면에서 APL, LTW, CSA의 부피를 감소시킬 뿐만 아니라, 구인두와 하인두의 부피도 유의하게 변화시키는 것으로 나타났다($p < 0.05$). CV_4 평면에서 APL과 CSA 용적의 유의한 감소도 관찰되었다($p < 0.05$). 또한, 그룹 A의 구인두 부위가 그룹 B에 비해 유의한 감소를 보였다($p < 0.05$). 이 데이터는 다른 연구들[13,22,27]과 일치한다.

그룹 B에서 상기도 용적은 상악과 후악 후퇴 이동으로 좁아

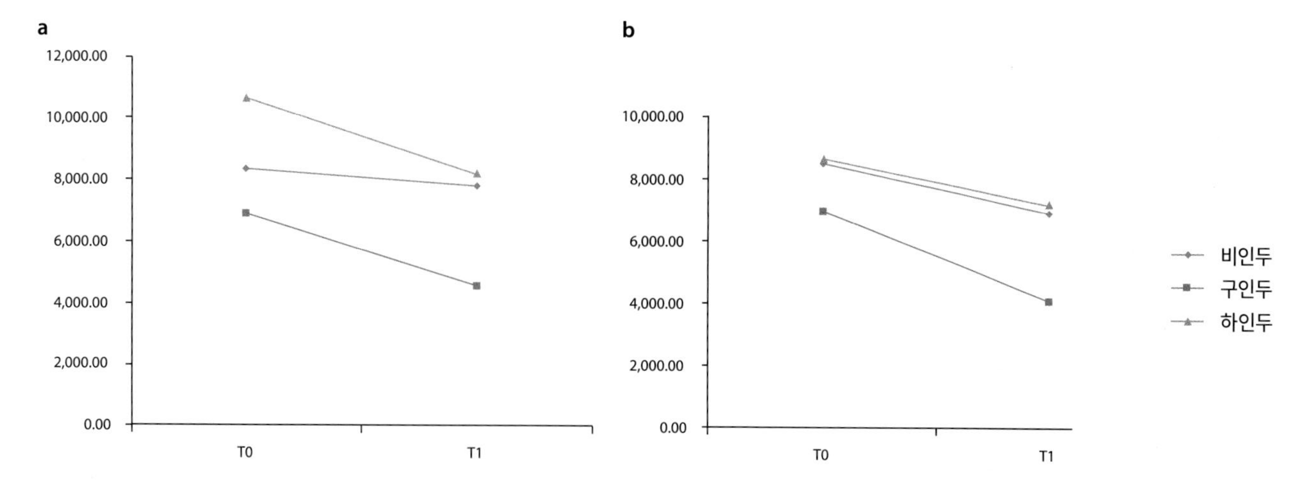

■ 그림 21.12 기도 용적 변화. **a** 하악 후방 이동에 의한 기도 용적의 변화. **b** 상악 후방 이동(시계방향 회전)의 기도 변화; T0 술전, T1 술후 6개월. Y-축 용적(기도 용적)은 X-축의 각 시점(기준선, T1)에서 mm^3 단위로 측정한다.

■ 표 21.1 그룹 간의 기도 변화 비교(그룹 A: 하악 후퇴술; 그룹 B: 양악 수술; Lee 등 제공(2013)[29]

	Group A (n = 24)		Group B (n = 23)		P
	평균	표준 편차	평균	표준 편차	
PNS-Vp 평면					
APL (mm)	1.4	3.15	−2.42	6.49	0.008†
LTW (mm)	1.37	2.73	−4.23	9.35	0.004†
CSA (mm^2)	21.26	123.96	−272	144.86	0.0006
CV_1 평면					
APL	−2.51	2.17	−2.88	7.91	0.869
LTW	−2.99	5.17	−2.22	6.43	0.906
CSA	−74.42	79.56	−94.6	134.7	0.777
CV_2 평면					
APL	−3.39	2.61	−2.52	7.17	0.906
LTW	−5.32	4.98	−3.53	9.34	0.346
CSA	−112.59	85.97	−82.21	119.44	0.081
CV_3 평면					
APL	−2.84	2.64	2.61	4.44	0.715
LTW	−1.74	3.48	−1.59	3.63	0.841
CSA	−98	88.08	−52.53	101.19	0.138
CV_4 평면					
APL	−4.54	3.95	−2.11	2.78	0.944
LTW	−0.32	3.45	−1.58	5.16	0.154
CSA	−35.37	80.89	−45.62	113.34	0.925
용적(mm^3)					
비인두	−555.03	2135.12	−1604.1	2616.34	0.675
구인두	−2345.36	2897.33	−2856.16	2415.32	0.868
하인두	−2455.59	2244.85	−1313.34	2064.61	0.984

*$p < 0.05$
†$p < 0.01$ (Mann-Whitney U test)

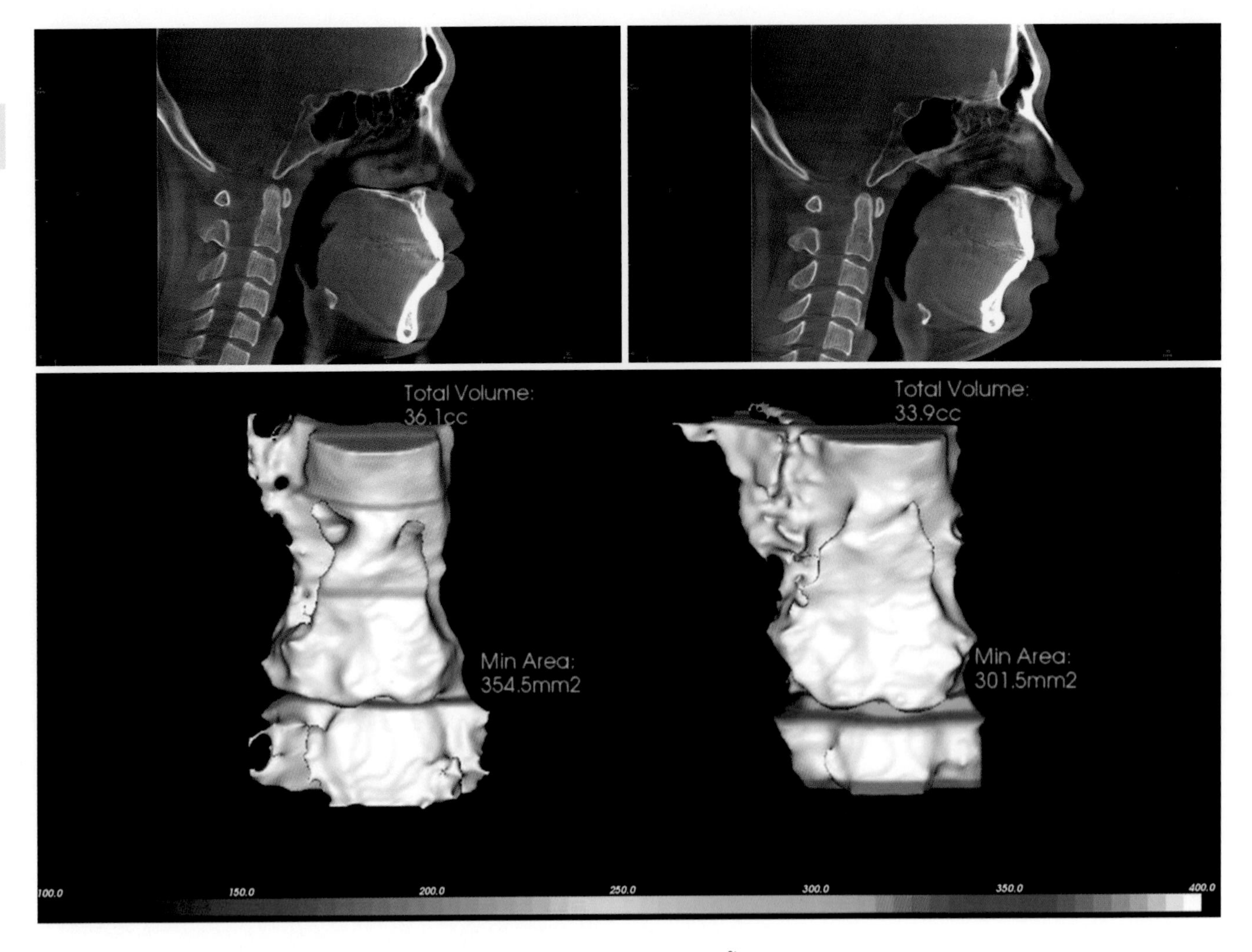

그림 21.13 상악과 하악을 포함하는 후퇴 수술(총 용적 감소: 2.2 cc, 최소 단면적 감소: 53 mm^2)

졌다[CV_1, CV_2, CV_3, CV_4 평면의 APL, PNS-Vp, CV_1, CV_3 평면의 LTW, PNS-Vp, CV_1, CV_2, CV_3, CV_4 평면의 CSA가 수술 후 감소하였다($p < 0.05$)]. 상악 이동은 비인두 기도에 대한 악영향으로 기도 용적을 감소시키는 것으로 알려져 있으며 하악 후퇴 이동 범위도 증가시킬 수 있다. 상기도 용적(비인두 기도 포함)은 그룹 A에 비해 그룹 B에서 유의하게 감소했다($p < 0.01$). 또한, PNS-Vp 평면의 APL, LTW, CSA는 유의하게 달랐다($p < 0.05$).[29] 상악 후퇴 이동은 하악 후퇴 이동 범위를 증가시키는 것으로 나타났지만, 수술 후 OSA가 발생하는 환자는 없었다. 전후방 부조화가 큰 환자, 특히 상악 돌출이 있는 골격성 III급에서, 양악 수술을 수행할 때 특별한 고려와 주의가 필요하다(그림 21.13).[29]

21.3.4 상하악 전진술(MMA)

하악 결핍이 있는 II급 기형은 경증의 경우 성장 조절이나 절충 치료로 치료될 수 있지만, 중증 증례의 경우 양악 수술이 필요하다. 이런 증례에서, 수행하는 수술의 유형은 상악 후퇴보다는 하악 전진이 주를 이룬다. 종종 악교정 수술이 필요한 하악 후퇴증 환자는 이미 코골이 문제나 OSA를 가진다. 1970년대에는 하악의 외과적 전방 견인으로 구개후부 및 설후부 용적을 향상시켜 OSA가 개선될 것으로 추측되었다.

1983년에 Powell 등[57]은 OSA 치료를 위한 하악 전진술의 첫 번째 증례를 보고했는데, 이것은 Le Fort I과 양측 시상 분할 골절단술로 달성되었다. 설골이 이설골근, 설골상근, 전방 이복근, 악설골근에 부착되기 때문에 하악 전진술로 설골과 혀 근육이 전방으로 이동한다. 연구개, 혀, 전방 인두 조직은 턱의 이동을 따른다. MMA는 비인두, 구인두, 하인두의 용적을 증가시키고, PAS 증가도 유발한다.[17] 또한, 비인두의 최소 단면적, 평균 단면적, 구인두의 평균 횡단 지름이 이 술식으로 증가하는 것으로 보고되었다.[58] 결론적으로, MMA는 OSA에 대한 안전

하고 매우 효과적인 치료법으로 간주된다.[59]

참고문헌

1. Bell WH, Epker BN. Surgical-orthodontic expansion of the maxilla. Am J Orthod. 1976;70(5):517-28.
2. Bell WH, Jacobs JD. Surgical-orthodontic correction of maxil-lary retrusion by Le Fort I osteotomy and proplast. J Maxillofac Surg. 1980;8(2): 84-94.
3. Bell WH, Jacobs JD, Legan HL. Treatment of class II deep bite by orthodontic and surgical means. Am J Orthod. 1984;85(1):1-20.
4. Epker BN, Fish LC. The surgical-orthodontic correction of mandibular deficiency. Part I. Am J Orthod. 1983;84(5):408-21.
5. Proffit WR, White RP Jr. Who needs surgical-orthodontic treatment? Int J Adult Orthodon Orthognath Surg. 1990;5(2):81-9.
6. Wolford LM, Hilliard FW, Dugan DJ. STO, surgical treatment objective : a systematic approach to the prediction tracing. St. Louis: Mosby; 1985.
7. Proffit WR, Turvey TA, Phillips C. Orthognathic surgery: a hierarchy of stability. Int J Adult Orthodon Orthognath Surg. 1996;11(3):191-204.
8. Proffit WR, Turvey TA, Phillips C. The hierarchy of stability and predictability in orthognathic surgery with rigid fixation: an update and extension. Head Face Med. 2007;3:21.
9. Wahl N. Orthodontics in 3 millennia. Chapter 13: the temporo-mandibular joint and orthognathic surgery. Am J Orthod Dentofac Orthop. 2007;131(2):263-7.
10. Wahl N. Orthodontics in 3 millennia. Chapter 14: surgical adjuncts to orthodontics. Am J Orthod Dentofac Orthop. 2007;131(4):561-5.
11. King EW. A roentgenographic study of pharyngeal growth. Angle Orthod. 1952;22(1):23-37.
12. Brodie AG. Anatomy and physiology of head and neck musculature. Am J Orthod. 1950;36(11):831-44.
13. Handelman CS, Osborne G. Growth of the nasopharynx and adenoid development from one to eighteeen years. Angle Orthod. 1976;46(3):243-59.
14. Johnston C. Cephalometric changes in adult pharyngeal morphology. Eur J Orthod. 1999;21(4):357-62.
15. Kollias I. Adult craniocervical and pharyngeal changes-a longitudinal cephalometric study between 22 and 42 years of age. Part 1: morphological craniocervical and hyoid bone changes. Eur J Orthod. 1999;21(4):333-44.
16. Kim KWCJ, Kim CH. A cephalometric study on changes in hyoid bone, tongue and upper airway space according to skeletal change in persons with mandible prognathism after orthog-nathic surgery. J Korean Assoc Maxillofac Plast Recontr Surg. 2004;26:349-58.
17. Veena GC, Vivek AJ, Sudarshan GK, Jayagowri M. Orthognathic procedures and its effect on obstructive sleep apnea-a systematic review. Br Biomed Bull. 2014;2(4):765-74.
18. Kim N-R, Kim Y-I, Park S-B, Hwang D-S. Three dimensional cone-beam CT study of upper airway change after mandibular setback surgery for skeletal class III malocclusion patients. Kor J Orthodont. 2010;40(3):145.
19. Park SB, Kim YI, Son WS, Hwang DS, Cho BH. Cone-beam computed tomography evaluation of short-and long-term airway change and stability after orthognathic surgery in patients with class III skeletal deformities: bimaxillary surgery and mandibular setback surgery. Int J Oral Maxillofac Surg. 2012;41(1):87-93.
20. J Oral Maxillofac Surg. 1987 May;45(5):450-2. Obstructive sleep apnea syndrome following surgery for mandibular prognathism. Riley RW, Powell NB, Guilleminault C, Ware W. PMID: 3471930 [Indexed for MEDLINE]
21. Athanasiou AE, Toutountzakis N, Mavreas D, Ritzau M, Wenzel A. Alterations of hyoid bone position and pharyngeal depth and their relationship after surgical correction of mandibular prognathism. Am J Orthod Dentofac Orthop. 1991;100(3): 259-65.
22. Wickwire NA, White RP Jr, Proffit WR. The effect of man-dibular osteotomy on tongue position. J Oral Surg. 1972;30(3): 184-90.
23. Eggensperger N, Smolka W, Iizuka T. Long-term changes of hyoid bone position and pharyngeal airway size following man-dibular setback by sagittal split ramus osteotomy. J Cranio-Maxillofac Surg. 2005;33(2):111-7.
24. Enacar A, Aksoy AU, Sencift Y, Haydar B, Aras K. Changes in hypopharyngeal airway space and in tongue and hyoid bone positions following the surgical correction of mandibular prognathism. Int J Adult Orthodon Orthognath Surg. 1994;9(4): 285-90.
25. Hochban W, Schürmann R, Brandenburg U. Mandibular set-back for surgical correction of mandibular hyperplasia-does it provoke sleep-related breathing disorders? Int J Oral Maxillofac Surg. 1996;25(5):333-8.
26. Samman N, Tang SS, Xia J. Cephalometric study of the upper airway in surgically corrected class III skeletal deformity. Int J Adult Orthodon Orthognath Surg. 2002;17(3):180-90.
27. Tselnik M, Pogrel MA. Assessment of the pharyngeal airway space after mandibular setback surgery. J Oral Maxillofac Surg. 2000;58(3):282-5.
28. Kawakami M, Yamamoto K, Fujimoto M, Ohgi K, Inoue M, Kirita T. Changes in tongue and hyoid positions, and posterior airway space following mandibular setback surgery. J Cranio- Maxillofac Surg. 2005;33(2): 107-10.
29. Lee JY, Kim Y-I, Hwang D-S, Park S-B. Effect of maxillary set-back movement on upper airway in patients with class III skeletal deformities. J Craniofac Surg. 2013;24(2):387-91.
30. Schwab RJ, Goldberg AN. UPPER AIRWAY ASSESS-MENT. Otolaryngol Clin N Am. 1998;31(6):931-68.
31. Grauer D, Cevidanes LSH, Proffit WR. Working with DICOM craniofacial images. Am J Orthod Dentofac Orthop. 2009;136(3):460-70.
32. dos Reis ZIS, de Moraes LC, de Moura P, Ursi W. Assessment of pharyngeal airway space using cone-beam computed tomography. Dent Press J Orthod. 2010;15:150-8.
33. Iwasaki T, Hayasaki H, Takemoto Y, Kanomi R, Yamasaki Y. Oropharyngeal airway in children with class III malocclusion evaluated by cone-beam computed tomography. Am J Orthod Dentofac Orthop. 2009;136(3):318. e311-9.
34. Abramson Z, Susarla S, Troulis M, Kaban L. Age-related changes of the upper airway assessed by 3-dimensional computed tomography. J Craniofac Surg. 2009;20(Suppl 1):657-63.
35. Cakarne DUI, Skagers A. Pharyngeal airway sagittal dimension in patients with class III skeletal dentofacial deformity before and after bimaxillary surgery. Stomatologija. 2003;5:13-6.
36. Chen F, Terada K, Hua Y, Saito I. Effects of bimaxillary surgery and mandibular setback surgery on pharyngeal airway measurements in patients with class III skeletal deformities. Am J Orthod Dentofac Orthop. 2007;131(3):372-7.
37. Degerliyurt K, Ueki K, Hashiba Y, Marukawa K, Nakagawa K, Yamamoto E. A comparative CT evaluation of pharyngeal airway changes in class III patients receiving bimaxillary surgery or mandibular setback surgery. Oral Maxillofac Radiol. 2008;105(4):495-502.
38. Eggensperger N, Smolka K, Johner A, Rahal A, Thüer U, Iizuka T. Long-term changes of hyoid bone and pharyngeal airway size following advancement of the mandible. Oral Surg Oral Med Oral Pathol Oral Radiol Endod. 2005;99(4):404-10.
39. Holmberg H, Linder-Aronson S. Cephalometric radiographs as a means of evaluating the capacity of the nasal and nasopharyngeal airway. Am J

Orthod. 1979;76(5):479–90.

40. Hong J-S, Park Y-H, Kim Y-J, Hong S-M, Oh K-M. Three- dimensional changes in pharyngeal airway in skeletal class III patients undergoing orthognathic surgery. J Oral Maxillofac Surg. 2011;69(11):e401–8.

41. Jakobsone G, Stenvik A, Espeland L. The effect of maxillary advancement and impaction on the upper airway after bimaxillary surgery to correct class III malocclusion. Am J Orthod Den-tofac Orthop. 2011;139(4):e369–76.

42. Kitahara T, Hoshino Y, Maruyama K, In E, Takahashi I. Changes in the pharyngeal airway space and hyoid bone position after mandibular setback surgery for skeletal class III jaw deformity in Japanese women. Am J Orthod Dentofac Orthop. 2010;138(6):708.e701–10.

43. Marşan G, Cura N, Emekli U. Changes in pharyngeal (airway) morphology in class III Turkish female patients after man-dibular setback surgery. J Cranio-Maxillofac Surg. 2008;36(6): 41–5.

44. Mattos CT, Vilani GNL, Sant'Anna EF, Ruellas ACO, Maia LC. Effects of orthognathic surgery on oropharyngeal airway: a meta-analysis. Int J Oral Maxillofac Surg. 2011;40(12):1347–56.

45. Muto T, Yamazaki A, Takeda S, Sato Y. Effect of bilateral sagittal split ramus osteotomy setback on the soft palate and pharyngeal airway space. Int J Oral Maxillofac Surg. 2008;37(5):419–23.

46. Nakagawa F, Ono T, Ishiwata Y, Kuroda T. Morphologic changes in the upper airway structure following surgical correction of mandibular prognathism. Int J Adult Orthodon Orthognath Surg. 1998;13(4):299–306.

47. Saitoh K. Long-term changes in pharyngeal airway morphol-ogy after mandibular setback surgery. Am J Orthod Dentofac Orthop. 2004;125(5): 556–61.

48. Wenzel A, Williams S, Ritzau M. Changes in head posture and nasopharyngeal airway following surgical correction of mandibular prognathism. Eur J Orthod. 1989;11(1):37–42.

49. Lye KW. Effect of orthognathic surgery on the posterior airway space (PAS). Ann Acad Med Singap. 2008;37(8):677–82.

50. Chung DH, Lee KS. A study on changes of airway, tongue, and hyoid position following orthognathic surgery. Korean J Orthod. 1998;28(4):487–98.

51. Greco JM, Frohberg U, Van Sickels JE. Cephalometric analysis of long-term airway space changes with maxillary osteotomies. Oral Surg Oral Med Oral Pathol. 1990;70(5):552–4.

52. Ogawa T, Enciso R, Shintaku WH, Clark GT. Evaluation of crosssection airway configuration of obstructive sleep apnea. Oral Surg Oral Med Oral Pathol Oral Radiol Endodontol. 2007;103(1):102–8.

53. Kitagawara K, Kobayashi T, Goto H, Yokobayashi T, Kitamura N, Saito C. Effects of mandibular setback surgery on oropharyngeal airway and arterial oxygen saturation. Int J Oral Maxil-lofac Surg. 2008;37(4):328–33.

54. Kim Y-I, Park S-B, Kim J-R. A study of upper airway dimensional change according to maxillary superior movement after orthognathic surgery. Korean J Orthod. 2008;38(2):121–32.

55. Sarver DM, White RP, Proffit WR. Contemporary treatment of dentofacial deformity. St. Louis: Mosby; 2003.

56. Kim T, Baek S-H, Choi J-Y. Effect of posterior impaction and setback of the maxilla on retropalatal airway and velopharyngeal dimensions after two-jaw surgery in skeletal class III patients. Angle Orthod. 2015;85(4):625–30.

57. Powell N, Guilleminault C, Riley R, Smith L. Mandibular advancement and obstructive sleep apnea syndrome. Bullin europeen de physiopathologie respiratoire. 1983;19(6):607–10.

58. Zhao X, Liu Y, Gao Y. Three-dimensional upper-airway changes associated with various amounts of mandibular advancement in awake apnea patients. Am J Orthod Dentofac Orthop. 2008;133(5):661–8.

59. Holty J-EC, Guilleminault C. Maxillomandibular advancement for the treatment of obstructive sleep apnea: a systematic review and meta-analysis. Sleep Med Rev. 2010;14(5):287–97.

OSA 증후군이 있는 동양 성인 환자의 호흡 기능 및 안면 심미성 향상을 위한 개별화된 치료 계획 수립: 통상적 상하악 전진술(MMA) 대 분절 골절단술을 사용한 변형 MMA

Sung Ok Hong, Seung-Hak Baek, and Jin-Young Choi

목차

22

22.1 개요

폐쇄성 수면 무호흡 증후군(OSAS)은 흡기 시 상기도 허탈에 의해 유발되는 저호흡과 무호흡이 반복적으로 발생하는 수면 장애이다.[1-4]

연령, 증상, 정도, 기도 폐쇄 수준에 따라, 생활 방식의 변화, 비강 지속적 양압기, 구강 장치, 미니스크류-이용 급속 구개 확장 장치, 연조직 술식, 통상적 및 변형된 상하악 전진술(MMA)을 포함하는 몇 가지 치료 양식이 사용되고 있다(◘ 그림 22.1).[2-8]

이러한 치료 옵션 중 첫 번째 선택으로 간주되는 지속적 양압기는 흡기 시 음압을 극복하기 위한 것이다. 그러나 이행 준수율은 50% 미만으로, 특히 중등증에서 중증의 OSAS에서 그러하다.[4,9] 두 번째는 목젖구개인두 성형술(UPPP), 편도 절제술, 설골 부유술, 이설근 전진(GA) 등의 연조직 술식으로, 이를 통해 인두 기도 협착을 완전히 수정할 수는 없으며 성공률은 약 40-60%로 알려져 있다.[4,10] 세 번째는 반시계방향 회전 여부에 관계없는 MMA 술식으로 안면 골격과 상기도 공간을 확장시켜 기도 허탈을 감소시킬 수 있다.[4,11-16] 그 성공률은 75-100%로 알려졌다.[4,11-16] 백인 환자에서 상기도 최대 확장을 달성하기 위해 9-12 mm의 MMA가 권장되었다.[17,18] 그러나 동양인은 백인에 비해 입술이 더 돌출되고 코가 작기 때문에 이 정도의 MMA는 심미적으로 불리할 것이다.[2-4,19-23] 따라서, 이전의 여러 연구에서 동양인 OSAS 환자의 수면 기능과 안면 심미성 향상을 위해 분절 골절단술을 사용한 변형 MMA를 제안했다.[2-4,16,21-23] 저자들은 MMA와 분절 골절단술로 구성된 변형 MMA 수술의 개념을 보고했다(seg-MMA; Le Fort I 골절단술과 상악 후분절 전진술, 하악의 전방부 골절단술과 전체 전진술).[2-4]

그러나 저자의 지식에 따르면 동양계 OSAS 환자에서 통상적 MMA (con-MMA)나 seg-MMA에 대한 진행 정도를 계획하는 방법이나 차등적인 치료 계획을 설정하는 방법을 세심하게 설명한 연구가 몇 가지 있다.[16] 따라서 이 연구의 목적은 con-MMA 시술을 받은 성인 OSAS 환자의 호흡 기능과 안면 심미 개선에 대한 반시계 방향 회전 유무에 관계없는 seg-MMA의 효과를 비교하는 것이다.

22.2 재료 및 방법

22.2.1 연구 대상

대상은 2009년 1월부터 2015년 7월까지 서울대학교 치과병원에서 한 명의 구강악안면외과의(Choi JY)에 의해 con-MMA

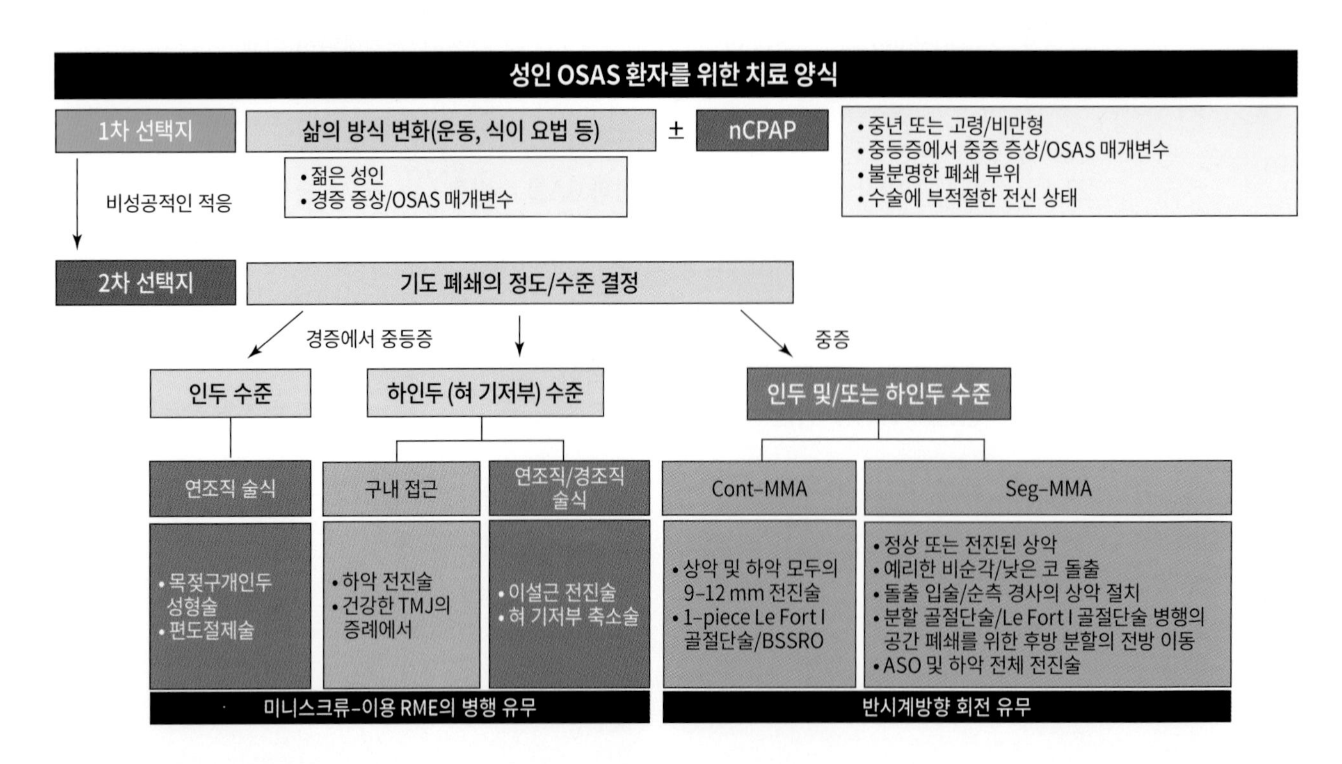

◘ 그림 22.1 폐쇄성 수면 무호흡 증후군(OSAS)의 치료 선택지 흐름도. BMI 체질량 지수, AHI 무호흡 저호흡 지수, nCPAP 비강 지속적 양압기, Con-MMA 통상적 상하악 전진술, Seg-MMA 분절 골절단술을 사용한 변형 MMA, TMJ 측두하악 관절, BSSRO 양측성 시상 분할 하악지 골절단술

또는 seg-MMA 수술을 받은 한국인 성인 OSAS 환자 8명(남성 7명, 여성 1명, 평균 26세)으로 구성되었다. 2명의 환자는 비중격 성형술과 UPPP와 같은 이전 수술 병력이 있었고, 다른 2명의 환자는 지속적 양압기 실패로 인해 con-MMA 또는 seg-MMA 치료의 후보가 되었다. 제외 기준은 다음과 같다: 유전 증후군, 정신질환, 예정된 경과 관찰을 준수할 수 없는 환자. 이 연구는 서울대학교 치과대학 기관심사위원회의 검토 및 승인을 받았다(IRB 번호 S-D20150028).

22.2.2 두 그룹의 인구통계학적 설명

대상을 두 그룹으로 나누었다: con-MMA 그룹[Le Fort I 골절단술, 양측성 시상 분할 하악지 골절단술(BSSRO), 이설근 전진(GA); $n = 4$]과 seg-MMA 그룹[Le Fort I 골절단술, 상악 분절 골절단술과 후방 분절 전진술, 하악의 전방 분절 골절단술(ASO), 전방 분절의 후방 이동, 하악 전체 전진술, GA 없음; $n = 4$](표 22.1). 수술 동안, 두 그룹은 모두 두부계측학적 분석과 치료 계획 수립에 따라 상하악 복합체의 반시계방향 회전이 포함되기도 그렇지 않기도 했다.

GA 술식은 seg-MMA 그룹의 환자가 아닌 con-MMA 그룹에 속한 환자에서만 수행되었다. 그 이유는 ASO와 GA의 동시 수행으로 인한 하악의 바람직하지 않은 골절을 피하기 위해서였다. 두 그룹 모두 컴퓨터-이용 설계/컴퓨터-이용 제조(CAD/CAM) 제작 과두 지그(Orapix Co, Ltd., Seoul, South Korea)를 사용하여 수술 중 중심위(CR) 위치에서 과두를 안정화했다.[24]

22.2.3 수술 전과 후 OSAS 및 두부계측 매개변수의 평가

야간 수면 다원도의 4가지 OSAS 매개변수[체질량 지수(BMI, kg/m^2), 무호흡 저호흡 지수(AHI, 회/시간), 호흡 장애 지수(RDI, 회/시간), 최저 포화율(LSAT, %), 5개의 두부계측치(SNA, SNB, FMA, FH에 대한 U1, 비순 각도; 그림 22.2)를 수술 전(T1)과 술후 6개월(T2)에 조사하였다(표 22.2).

T1과 T2 단계에서 연하 운동없는 자연스러운 머리 위치에서 측면 두부계측 영상을 촬영했다. 단일 작업자(Hong SO)가 V-Ceph 프로그램(Version 5.5, CyberMed, Seoul, Korea)을 이용하여 측면 영상을 트레이싱하고 분석했다.

동일한 작업자(Hong SO)가 2주 간격으로 8명 환자의 모든 변수를 재트레이싱하고 재평가했다. 첫 번째와 두 번째 계측치 사이에 큰 차이가 없었기 때문에, 첫 번째 계측치를 채택하였다.

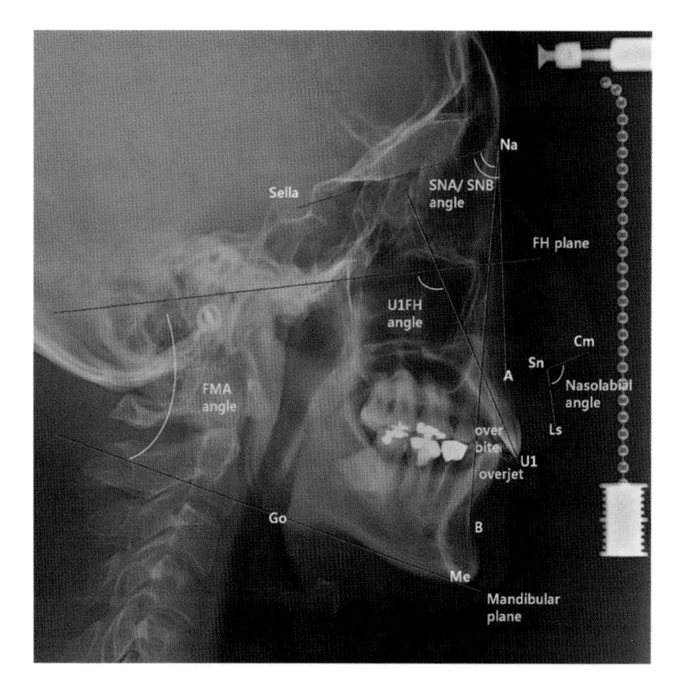

그림 22.2 두부계측 매개변수. SNA; sella-nasion-A point를 연결한 선이 이루는 각도, SNB; sella-nasion-B point를 연결한 선이 이루는 각도, Nasolabial angle(비순각); 비주점(Cm)-비하점(Sn)-상순점(Ls), U1-FH; 상악 절치와 FH 평면이 이루는 각도, FMA; FH 평면과 하악 평면이 이루는 각도, 수평 피개; 상악 절치 끝과 하악 절치 끝 사이의 시상 거리, 수직 피개; 상악 절치 끝과 하악 절치 끝의 수직적 거리

통계 분석을 위해 Wilcoxon signed ranks test와 Mann-Whitney U test를 수행했다.

22.3 결과

22.3.1 성공률

Sher 등[25]의 OSAS 치료 성공 기준(술후 시간당 AHI 20회 미만 및 술전 AHI의 50% 감소)에 따르면, 전체 성공률은 87.5%였다(con-MMA 그룹, $n = 4/4$ 및 seg-MMA 그룹, $n = 3/4$. 표 22.2).

22.3.2 Con-MMA 그룹 및 Seg-MMA 그룹에서 T1 및 T2 단계 사이의 OSAS 매개변수 측정치 비교(표 22.3)

두 그룹에서 T1 단계에서 T2 단계로 OSAS 매개변수 측정치의 변화 경향은 다음과 같이 동일했다: 두 그룹은 AHI, RDI (AHI, con-MMA 그룹은 44.9에서 7.6으로, seg-MMA 그룹은 35.8에서 5.7로; RDI, con-MMA 그룹은 50.7에서 11.0으로, seg-MMA 그룹은 41.6에서 10.8로, 표 22.3)는 감소하

■ 표 22.1 OSAS 환자와 개별 수술 치료 계획에 대한 인구통계학적 자료

그룹	환자 번호	나이 /성별	SNA (°)	SNB (°)	수평피개 (mm)	상악 절치 노출(mm)	FMA (°)	FH에 대한 U1각도(°)	비순 각도 (°)	술전 교정 치료(개월)	수술
그룹 1 (통상적 MMA)	1	22Y/F	83.6	72.7	4.5	8.0	46.7	98.5	105.3	4	MMA: Mx (Total Imp 4 mm) and Mn (Adv 5 mm) GA (4 mm)
	2	23Y/M	75.6	69.9	3.5	3.0	42.1	101.6	105.4	None	MMA: Mx (Adv 7 mm; Ant Imp 3 mm) and Mn (Adv 8 mm) GA (5 mm)
	3	26Y/M	78.0	73.7	3.0	0	42.7	109.0	90.8	None	MMA: Mx (Total Elong 2 mm; Adv7 mm) and Mn (Adv 10 mm) GA (4 mm)
	4	28Y/M	76.8	71.2	5.0	2.0	22.9	102.3	109.0	None	MMA: Mx (Adv5 mm; Ant Imp 1 mm) and Mn (Adv 6 mm) GA (6 mm)
그룹 2 (변형 MMA)	5	40Y/M	85.7	82.1	2.5	1.0	27.7	111.6	98.8	3	Modified MMA: Mx (posterior segment Adv- 6 mm) and Mn (Adv 4.5 mm)
	6	27Y/M	85.1	79.3	3.5	3.0	23.6	99.9	87.8	10	Modified MMA: Mx (posterior segment Adv- 5 mm) and Mn (Adv 11.5 mm)
	7	21Y/M	78.5	73.6	3.5	2.0	32.8	117.2	94.0	0.5	Modified MMA: Mx (Ant Imp, 2 mm; post. Imp, 1.5 mm; posterior segment Adv 9 mm) and Mn (Adv 10.5 mm)
	8	20Y/M	74.7	71.6	5.0	4.0	36.1	113.4	80.0	5	Modified MMA: Mx (posterior segment Adv 5 mm) and Mn (Adv 5 mm)

MMA 상하악 전진술, CCR 반시계 방향 회전, Adv 전진술, Imp 함입, Elong 연장, Ant 전방, Mx 상악, Mn 하악, GA 이설근 전진술, SNA sella-nasion-A point를 연결한 선이 이루는 각도, SNB sella-nasion-B point를 연결한 선이 이루는 각도

■ 표 22.2 con-MMA와 seg-MMA 술전(T1) 및 술후 6개월(T2)의 OSAS 매개변수와 두부계측치의 변화

그룹	환자 번호	수면 다원 검사 결과								두부계측치													
		BMI (kg/m²)		AHI (n/h)		RDI (n/h)		LSAT (%)		SNA (°)		SNB (°)		수평 피개 (mm)		상악 절치 노출 (mm)		FMA (°)		U1-FH (°)		비순각도(°)	
		T1	T2	T1	T2	T1	T2	T1	T2	T1	T2	T1	T2	T1	T2	T1	T2	T1	T2	T1	T2	T1	T2
그룹 1 (통상적 MMA)	1	18.8	17.3	39.8	2.1	53.3	2.6	82	91	83.6	84.5	72.7	75.8	4.5	1.8	8.0	2.5	46.7	43.9	98.5	99.0	105.3	116.4
	2	23.7	22.5	42.9	5.5	42.9	16.6	90	91	75.6	81.1	69.9	76.4	3.5	3.5	3.0	3.0	42.1	39.9	101.6	105.0	105.4	98.2
	3	21.5	21.6	53.5	7.6	55.8	13.9	87	91	78.0	85.5	73.7	79.9	3	3	0	3.0	42.7	42.9	109.0	104.8	90.8	85.4
	4	21.2	23.8	43.2	15.2	NA		79	80	76.8	78.9	71.2	73.6	5	5	2.0	3.0	22.9	19.2	102.3	107.7	109.0	95.6
그룹 2 (변형 MMA)	5	18.9	19.9	60	6	61	11	80	92	85.7	84.7	82.1	82.9	2.5	1.7	1.0	1.5	27.7	29.6	111.6	112.3	98.8	99.0
	6	22.9	22	61	6	64.5	16.9	89	92	85.1	83.5	79.3	79.2	3.5	2.8	3.0	3.0	23.6	23.3	99.9	93.8	87.8	82.7
	7	21.1	21.9	14.2	7.9	28.9	8.3	87	90	78.5	79.2	73.6	75.3	3.5	2	2.0	2.0	32.8	27.2	117.2	107.1	94.0	92.9
	8	24.7	22.7	7.9	2.7	11.9	6.8	91	92	74.7	75.8	71.6	73.1	5	3	4.0	3.5	36.1	35.2	113.4	104.2	80.0	78.1

MMA 상하악 전진술, BMI 체질량 지수, AHI 무호흡 저호흡 지수, RDI 호흡 장애 지수, LAST 최저 산소 포화도, NA 이용 불가능

■ 표 22.3 MMA와 변형 MMA 사이의 수면 다원 검사 결과와 두부계측치의 비교

		그룹1 (통상적 MMA)					그룹2 (변형 MMA)					두 그룹 간 T1 비교	두 그룹 간 T2 비교	두 그룹 간 ΔT1–T2 비교
		T1		T2		p-value[a]	T1		T2		p-value[a]	p-value[b]	p-value[b]	p-value[b]
		mean	SD	mean	SD		mean	SD	mean	SD				
수면 다원 검사 결과	BMI (kg/m^2)	21.3	2.0	21.3	2.8	1.000	21.9	2.5	21.6	1.2	0.715	1.0000	1.0000	1.0000
	AHI (n/h)	44.9	6.0	7.6	5.6	0.068	35.8	28.7	5.7	2.2	0.068	1.0000	1.0000	1.0000
	RDI (n/h)	50.7	6.8	11.0	7.4	0.109	41.6	25.5	10.8	4.5	0.068	1.0000	1.0000	0.629
	LSAT (%)	84.5	4.9	88.3	5.5	0.066	86.8	4.8	91.5	1.0	0.066	0.4860	0.2000	0.886
두부계측 측정치 (한국 정상치)	SNA (81.43° ± 3.10°)	78.5	3.5	82.5	3.1	0.068	81.0	5.3	80.8	4.1	0.715	0.4860	0.6860	0.057
	SNB (79.48° ± 2.85°)	71.9	1.7	76.4	2.6	0.068	76.7	4.9	77.6	4.3	0.144	0.2000	1.0000	0.029*
	FMA (22.51° ± 3.80°)	38.6	10.7	36.5	11.6	0.144	30.1	5.5	28.8	5.0	0.465	0.3430	0.3430	0.686
	U1 to FH (116.0° ±5.60°)	102.9	4.4	104.1	3.7	0.465	110.5	7.5	104.4	7.8	0.144	0.2000	1.0000	0.114
	Nasolabial angle (91.11° ± 8.12°)	102.6	8.1	98.9	12.9	0.465	90.2	8.1	88.2	9.5	0.144	0.1140	0.3430	0.343

SD 표준 편차, MMA 상하악 전진술, BMI 체질량 지수, AHI 무호흡 저호흡 지수, RDI 호흡 장애 지수, LAST 최저 산호 포화도, SNA sella–nasion–A point 각도, SNB sella–nasion–B point 각도, nasolabial angle 비주점(Cm)–비하점(Sn)–순점(Ls)이 이루는 각도, U1 to FH 상악 절치와 FH 평면이 이루는 각도, FMA FH 평면과 하악 평면이 이루는 각도

[a] Wilcoxon signed ranks test 수행

[b] Mann-Whitney test 수행

고, LAST (con-MMA 그룹은 84.5%에서 88.2%로, seg-MMA 그룹은 86.8%에서 91.5%로, ■ 표 22.3)는 증가하였다. 그러나 두 그룹 다 BMI (con-MMA 그룹은 21.3에서 21.3 kg/m², seg-MMA 그룹은 21.9에서 21.6 kg/m², ■ 표 22.3)에서 유의한 변화는 보이지 않았다.

22.3.3 Con-MMA와 Seg-MMA 그룹 사이의 T1-T2 단계의 OSAS 매개변수 측정치 변화량 비교

BMI, AHI, RDI, LAST에서, 두 그룹 사이의 변화량에 대한 유의한 차이는 없었다(모두 $p > 0.05$, ■ 표 22.3).

22.3.4 Con-MMA와 Seg-MMA 그룹 사이의 T1-T2 단계의 두부계측치 비교

두 그룹 사이에 T1에서 T2 단계까지 두부계측치의 변화 경향에는 다음과 같이 약간의 차이가 있었다: Con-MMA 군은 상악과 하악의 전방 위치(SNA 78.5에서 82.5°; SNB 71.9에서 76.4°, ■ 표 22.3)와 둔각의 비순 각도(NLA 102.6에서 98.9°, ■ 표 22.3) 감소를 보였다. 그러나 seg-MMA 그룹은 상악 후방 분절의 전방 이동과 하악의 전방 분절 골절단술 및 전체 전진으로 인해, 상악과 하악의 시상 위치에 유의한 변화는 없었고 (SNA 81.0에서 80.8°; SNB 76.7에서 77.6°, ■ 표 22.3), 예리한 비순 각도의 과장이 없었다(NLA 90.2에서 88.2°, ■ 표 22.3). 그러나 seg-MMA 그룹에서 순측 경사의 상악 절치가 직립되었다(U1-FH 110.5에서 104.4°, ■ 표 22.3). 두 그룹 모두 FMA가 약간 감소했다(con-MMA 그룹에서 38.6에서 36.5°; seg-MMA 그룹에서 30.1에서 28.8°, ■ 표 22.3).

22.3.5 Con-MMA와 Seg-MMA 그룹 사이의 T1-T2 단계의 두부계측치의 변화량 비교

FMA, U1-FH, 비순 각도는 두 그룹 사이에 변화량에서 유의한 차이를 보이지 않았고(모두 $p > 0.05$, ■ 표 22.3), ΔSNA는 두 그룹 사이에 약간의 차이를 보였다(con-MMA 4.0° 대 seg-MMA 0.2°, $p = 0.057$, ■ 표 22.3). seg-MMA 그룹에서 상악 후방 분절의 전방 이동으로 인한 상악의 시상 위치 변화는 유의하지 않았다(SNA 81.0에서 80.8°, ■ 표 22.3).

ΔSNB는 두 그룹 사이에 유의한 차이를 보였다(con-MMA 4.5° 대 seg-MMA 0.9°, $p < 0.05$, ■ 표 22.3). 이러한 차이는 seg-MMA 그룹에서 하악 전방 골절단술과 전체 전진술을 시행하여 하악골의 시상 위치에 큰 변화가 없었기 때문이다(SNB 76.7에서 77.6°, ■ 표 22.3).

결론적으로, 상대적으로 후퇴된 상악, 둔한 비순 각도, 정상 상악 절치 각도를 가진 환자는 con-MMA 술식으로 치료할 수 있다. 그러나 상대적으로 전방 위치된 상악, 예리한 비순 각도, 순측 경사된 상악 절치가 있는 환자는 seg-MMA 술식으로 치료될 수 있다.

22.4 증례

22.4.1 증례 1(환자 #2): 반시계 방향 회전과 GA를 수반한 con-MMA 술식

비-비만 OSAS 환자(23세 남성; BMI 23.7; ■ 표 22.2)가 MMA 수술을 위해 이비인후과에서 의뢰되었다. 초기 수면 다원 검사 결과, 중증의 OSAS를 보였다(AHI 시간당 42.9회; RDI 시간당 42.9회, ■ 표 22.2). 골격성 II급 안면 양상과 비교적 큰 코를 가지고 있었고, 수평 피개가 3.5 mm였으며, 휴식 상태에서 상악 절치가 3.0 mm 정도 노출되었다(■ 그림 22.3, 표 22.2). 측면 두부계측 영상에서 과발산 안면 양상, 후퇴된 상악 및 하악, 둔각의 비순 각도가 보였다(FMA 42.1°; SNA 75.6°; SNB 69.9°; NLA 105.4°; ■ 그림 22.3, 표 22.2).

교합 평면을 개선하기 위해 상악 반시계 방향 회전을 포함하는 con-MMA 술식[Le Fort I 골절단술(전방 함입 3 mm; 후방 함입 0 mm; 상악 전진 7 mm)과 하악의 BSSRO 전진]이 계획되었다(■ 표 22.1). 상악 전진 양은 두부 계측의 정상 범위에 들어갈 수 있도록 결정되었다. 또한, OSAS 매개변수와 턱 돌출의 개선을 최대화하기 위해 GA를 5.0 mm 수행하였다(■ 표 22.1, 그림 22.3).

OSAS에서 유의한 개선이 있었다(AHI 시간당 42.9에서 5.5; RDI 시간당 42.9에서 16.6, ■ 표 22.2). 두부계측치에서도 SNA (75.6에서 81.1°)와 SNB(69.9에서 76.4°)가 유의하게 증가했고, 비순각(105.4에서 98.2°)은 감소하였다(■ 그림 22.3, 표 22.2).

22.4.2 증례 2(환자 #5): seg-MMA 술식

비-비만 OSAS 환자(40세 남성; BMI 18.9; ■ 표 22.2)가 의뢰되었다. 지속적 양압기 치료가 먼저 시도되었으나, 환자가 적응하지 못했다. 초기 수면 다원 검사 결과, 중증의 OSAS를 보였다(AHI 시간당 60회; RDI 시간당 61회; LAST 80%; ■ 표 22.2).

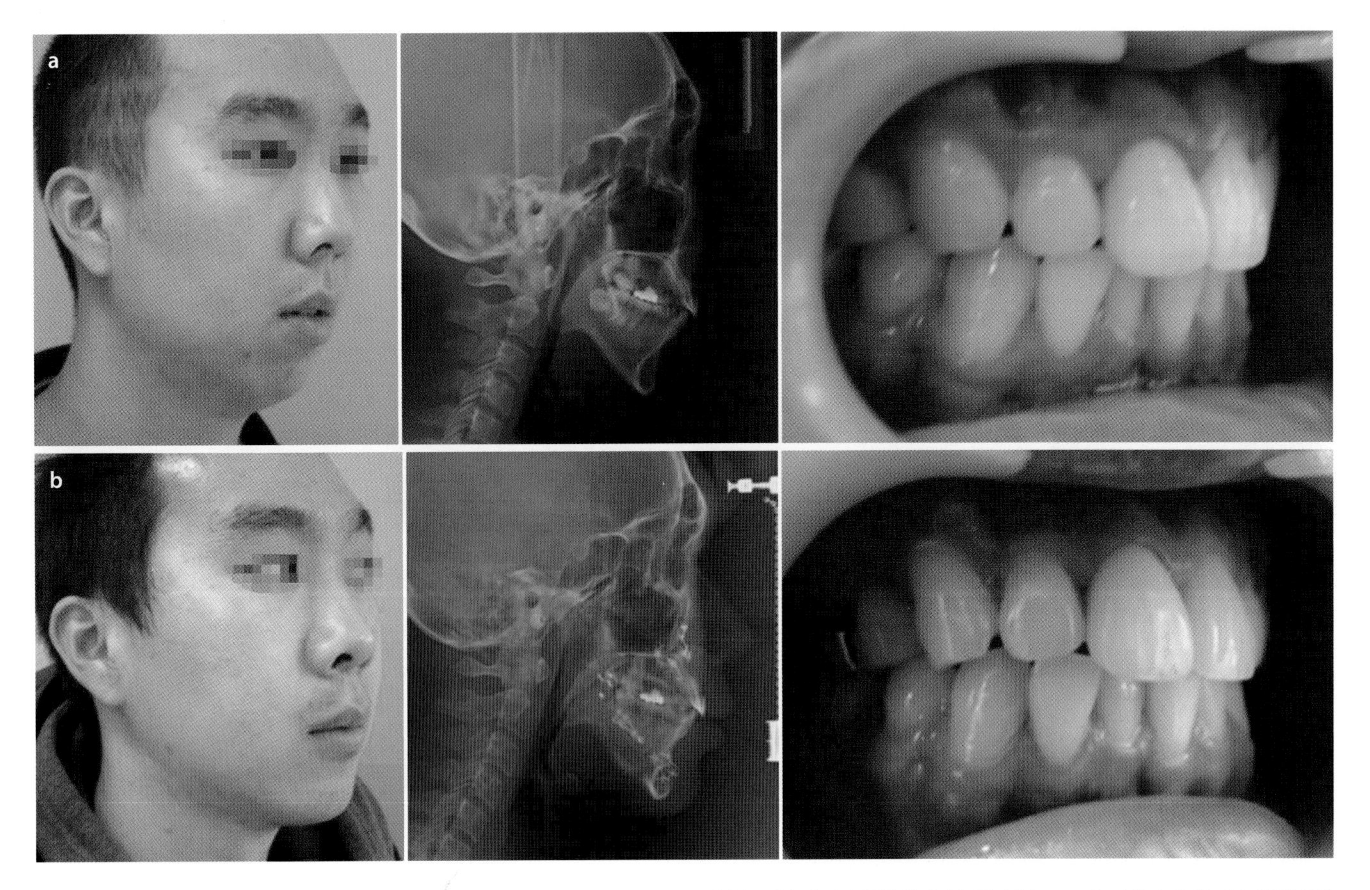

◘ 그림 22.3 증례 1(환자 번호 #2)은 상악의 반시계 방향 회전을 동반한 Le Fort I 골절단술, 양측성 시상 분할 하악지 골절단술(BSSRO), 이설근 전진으로 구성된 통상적 MMA(con-MMA)로 치료받았다. **a** 초진 상태, **b** con-MMA 술후

순측 경사된 상하악 전치와 골격성 II급 안면 양상이 있고 1 mm의 상악 절치 노출과 2.5 mm의 수평 피개가 있다(◘ 그림 22.4, 표 22.2). 측면 두부계측 영상에서 상대적으로 정상발산의 안면 양상, 돌출된 상악 및 하악, 약간 둔각의 비순 각도를 보였다(FMA 27.7°; SNA 85.7°; SNB 82.1°; NLA 98.8°; ◘ 그림 22.4, 표 22.2).

이 환자의 과다한 상악 전진은 양악 돌출 및/또는 상악과 하악 절치의 순측 경사를 일으켜 안면 심미에 좋지 않은 영향을 주게 될 것이다. 그러므로, 상악과 하악 전방부의 원래 시상 위치를 유지하기 위해 반시계방향 회전없는 seg-MMA 술식을 계획하였다. 술전 교정(3개월)으로 치열을 정렬한 후, 상악 제1소구치의 발치 공간을 닫기 위해 상악 후방 분절을 6 mm 전진시켰다(◘ 표 22.1). 하악의 전방 분절을 후방 이동하여 하악 제1소구치의 발치 공간을 닫았고, 하악 전체를 6 mm 전진시켰다(◘ 표 22.1). 지그 플레이트와 나사를 고정할 때 CAD/CAM으로 제작한 과두 지그를 이용해 과두 분절을 안정되게 위치시켰다. 절단된 골분할은 스테인리스 스틸 철사를 이용하여 인접치 브라켓에 연결하여 고정하였다.

OSAS 매개변수에서 유의한 개선이 있었지만(AHI 시간당 60에서 6; RDI 시간당 61에서 11; LAST 80에서 92%, ◘ 표 22.2), 두부계측치에서는 유의한 변화는 없었다(SNA 85.7에서 84.7°; SNB 82.1에서 82.9°; 비순각 98.8에서 99°; ◘ 그림 22.4, 표 22.2).

22.4.3 증례 3(환자 #7): 반시계방향 회전을 수반한 seg-MMA 술식

비-비만 환자(21세 남성; BMI 21.2; ◘ 표 22.2)가 OSAS를 주소로 의뢰되었다. 초기 수면 다원 검사 결과, 경증에서 중등증의 OSAS를 보였다(AHI 시간당 14.2회; RDI 시간당 28.9회; LAST 87%; ◘ 표 22.2). 정상 각도의 상악 전치와 순측 경사된 하악 전치, 골격성 II급 안면 양상, 큰 코, 짧은 턱 길이, gummy smile, 2 mm의 상악 절치 노출과 3.5 mm의 수평 피개가 있다(◘ 그림 22.5, 표 22.2). 측면 두부계측치에서 약간의 수직 양상, 후퇴된 상악 및 하악, 정상의 비순 각도가 나타났다(FMA 32.8°; SNA 78.5°; SNB 73.6°; NLA 94.0°; ◘ 그림 22.5, 표 22.2).

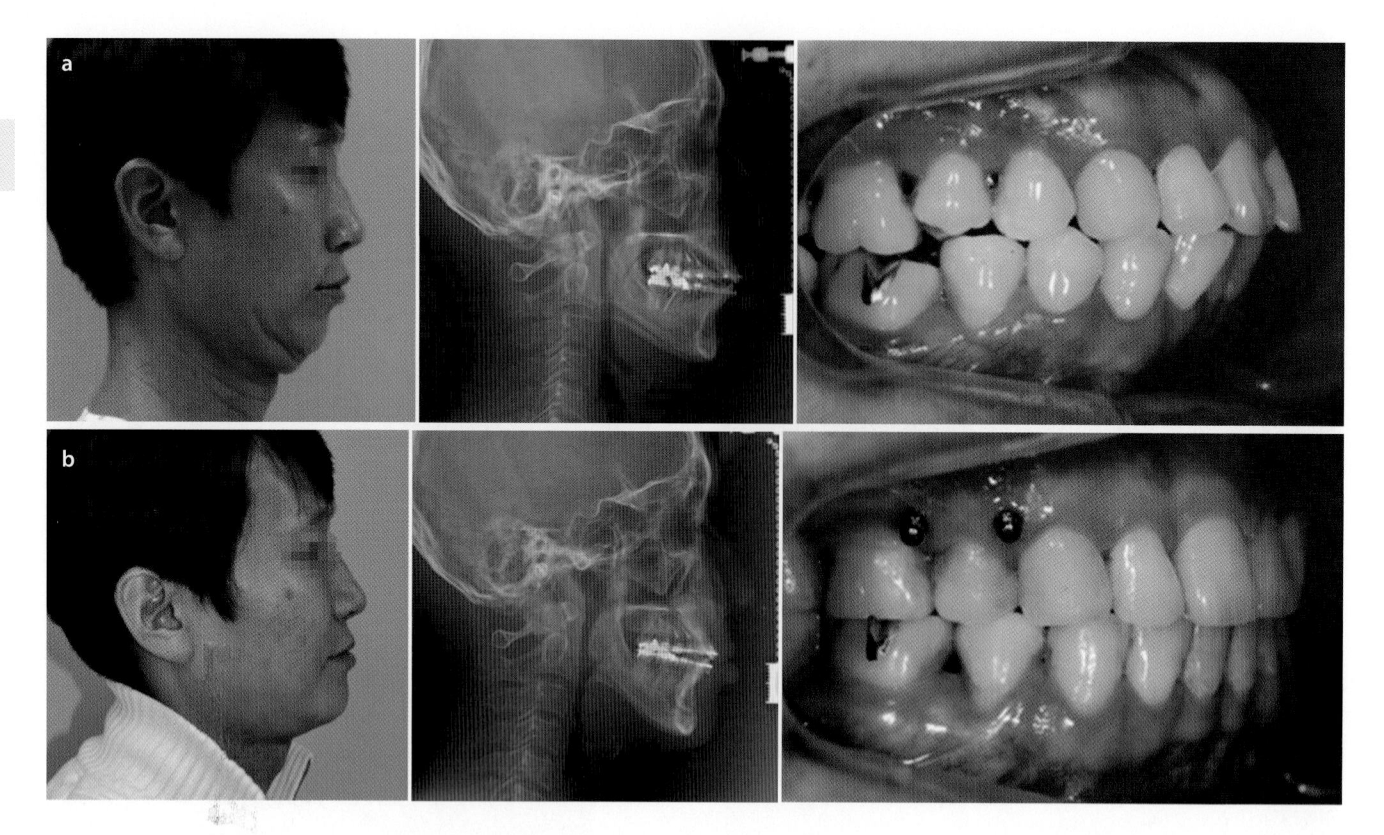

▣ 그림 22.4 증례 2(환자 번호 5)는 #14, #24, #34, #44 발치, 상악의 Le Fort I 골절단술과 후방 분할의 전진, 하악의 전방 분할 골절단술과 전체 전진으로 구성된, 분할 골절단술을 수반한 변형 MMA로 치료되었다. **a** 초진 상태, **b** seg-MMA 술후

그는 후퇴된 상악을 가지고 있었지만, 상악 전진을 거부했다. 그러므로, 상악의 전방부만 최소로 전진시키고 하악 전진양을 증가시키기 위해 seg-MMA 술식에 반시계방향 회전을 포함하기로 계획했다. 술전 교정 치료(반개월)로 치열궁을 최소로 정렬한 후, 상악의 후방 분절을 9 mm 전진시켜 상악 제1소구치의 발치 공간을 폐쇄하고 상악을 함입시켰다(전방 2 mm; 후방 1.5 mm; ▣ 표 22.1). 하악 전방 분절은 후방 이동하여 제1소구치 발치 공간을 닫고 전체 하악을 10.5 mm 전방 이동하였다(▣ 표 22.1). 지그 플레이트와 나사를 고정할 때 CAD/CAM으로 제작한 과두 지그를 이용해 과두 분절을 안정되게 위치시켰다. 절단된 골분할은 스테인리스 스틸 철사를 이용하여 인접치 브라켓에 연결하여 고정하였다.

OSAS 매개변수에서 유의한 개선이 있었다(AHI 시간당 14.2에서 7.9; RDI 시간당 29에서 8.3; ▣ 표 22.2), 두부계측치에서 SNA (78.5에서 79.2°), SNB (82.2에서 82.9°), 비순각(98.8에서 99°) 유의한 변화는 없었음에도 불구하고(▣ 그림 22.5, 표 22.2), 후방 기도 공간에 유의한 증가가 있었다(▣ 그림 22.5).

22.5 고찰

백인은 일반적으로 볼록한 옆모습, 둔한 비순각, 등이 높은 큰 코를 가지고 있다. 이에 반해 동아시아인(즉, 한국인, 중국인, 일본인)은 입술이 돌출되어 있고, 비순각이 예각이고, 코가 작고 콧등이 낮은 경향이 있다. Con-MMA 술식은 많은 양의 전진으로 얼굴이 다소 젊어지고 젊어 보이는 인상을 줄 수 있기 때문에, 볼록한 윤곽과 둔각의 비순각을 가진 중년 비만 OSAS 환자의 안면 심미성을 향상시킬 수 있다.[26] 그러나 돌출된 상악과 예각의 비순각이 있는 비만하지 않는 젊은 OSAS 환자에서 5–10 mm의 전진은 안면 심미성 보존을 위해 절충되어야 한다. 따라서 OSAS 매개변수와 안면 심미성을 동시에 개선하기 위해서는 수술 방법과 진행 정도에 대한 적절한 합의가 필요하다.

두부계측 매개변수의 변화량을 con-MMA 그룹과 비교했을 때, seg-MMA 그룹은 SNA에서 약간 유의한 변화와 SNB에서 유의한 변화를 나타냈다(ΔSNA, 0.2° 대 4°, $p = 0.057$; ΔSNB, 0.9° 대 4.5°, $p < 0.05$; ▣ 표 22.3). 또한, seg-MMA 술식을 받은 환자들은 상악과 하악의 위치가 정상치에 가깝거나 상대적

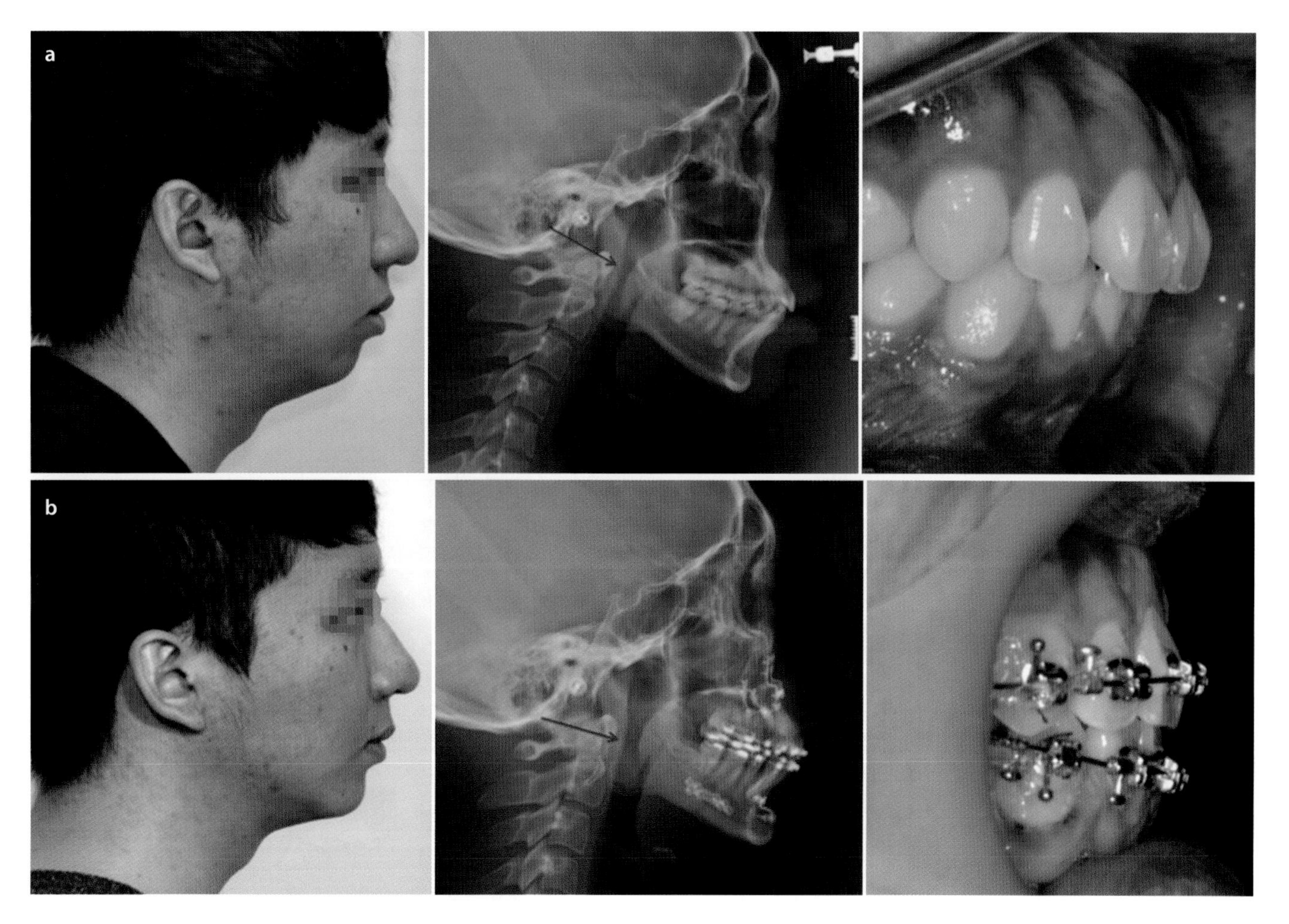

■ 그림 22.5 증례 3(환자 번호 7)은 #14, #24, #34, #44 발치, 상악의 Le Fort I 골절단술과 후방 분할의 전진, 반시계방향 회전, 하악의 전방 분할 골절단술과 전체 전진으로 구성된, seg-MMA로 치료되었다. **a** 초진 상태, **b** seg-MMA 이후. 상기도 공간에 변화를 확인하라(화살표).

으로 전방에 위치하고(SNA, 81.0° 대 78.5°, 한국인 정상, 81.4°; SNB, 76.7° 대 71.9°, 한국인 정상, 79.5°), 적은 과발산(FMA, 30.1° 대 38.6°, 한국인 정상, 22.5°), 큰 상악 절치 경사(110.5° 대 102.9°, 한국인 정상 116.5°), 작은 비순각(90.2° 대 102.6°, 한국인 정상 91.1°)의 경향을 보였다(■ 그림 22.3). 이러한 두부계측 결과는 con-MMA와 seg-MMA의 감별 진단을 위한 참고 자료로 사용될 수 있다.

Seg-MMA 술식은 두부계측 매개변수의 변화량에 큰 차이를 나타내지 않았기 때문에(■ 표 22.3), 상기도 공간을 확장하고 OSAS 매개변수를 개선할 뿐만 아니라 상순이나 상악골 돌출을 최소화하여 안면 심미 변경을 최소화하는 것으로 고려될 수 있다.

성인 OSAS 환자의 외과적 치료 계획은 호흡 기능과 안면 심미에 유리한 변화를 제공하기 위해 개별화되어야 한다.[2,4] 수직 및 수평 골격 양상, 치아 양상, 연조직 모습의 두부계측 분석을 기반으로 하는 con-MMA나 seg-MMA 술식을 계획하기 위한 개별화된 흐름도는 단계별 접근을 사용하여 설정할 수 있다(■ 그림 22.6).

— 1단계. TMJ 상태의 평가

OSAS 환자가 골격성 II급 안면 양상을 갖고 중심위-중심교합(CR-CO) 부조화나 퇴행성 TMJ를 보이면, 하악의 과도한 전진은 TMJ에 과부하를 유발하여 과두 흡수가 초래될 수 있다. 이런 경우, 재발이 불가피하므로 TMJ의 상태를 가장 먼저 확인해야 한다.

— 2단계. 상악, 상순, 코의 전후방 위치 평가

SNA, A-N 수직선, 비순 각도, 코 높이(돌출), Richetts 심미선에 대한 상순, U1-FH 같은 두부계측 매개변수를 평가할 때, 상악의 수평 위치, 비순 각도의 예각도, 상악 절치의 기울기를 봐야 한다. Con-MMA 술식이 안면 심미성을 손상시킬 가능성이 있다면, seg-MMA 술식을 고려해야 한다.

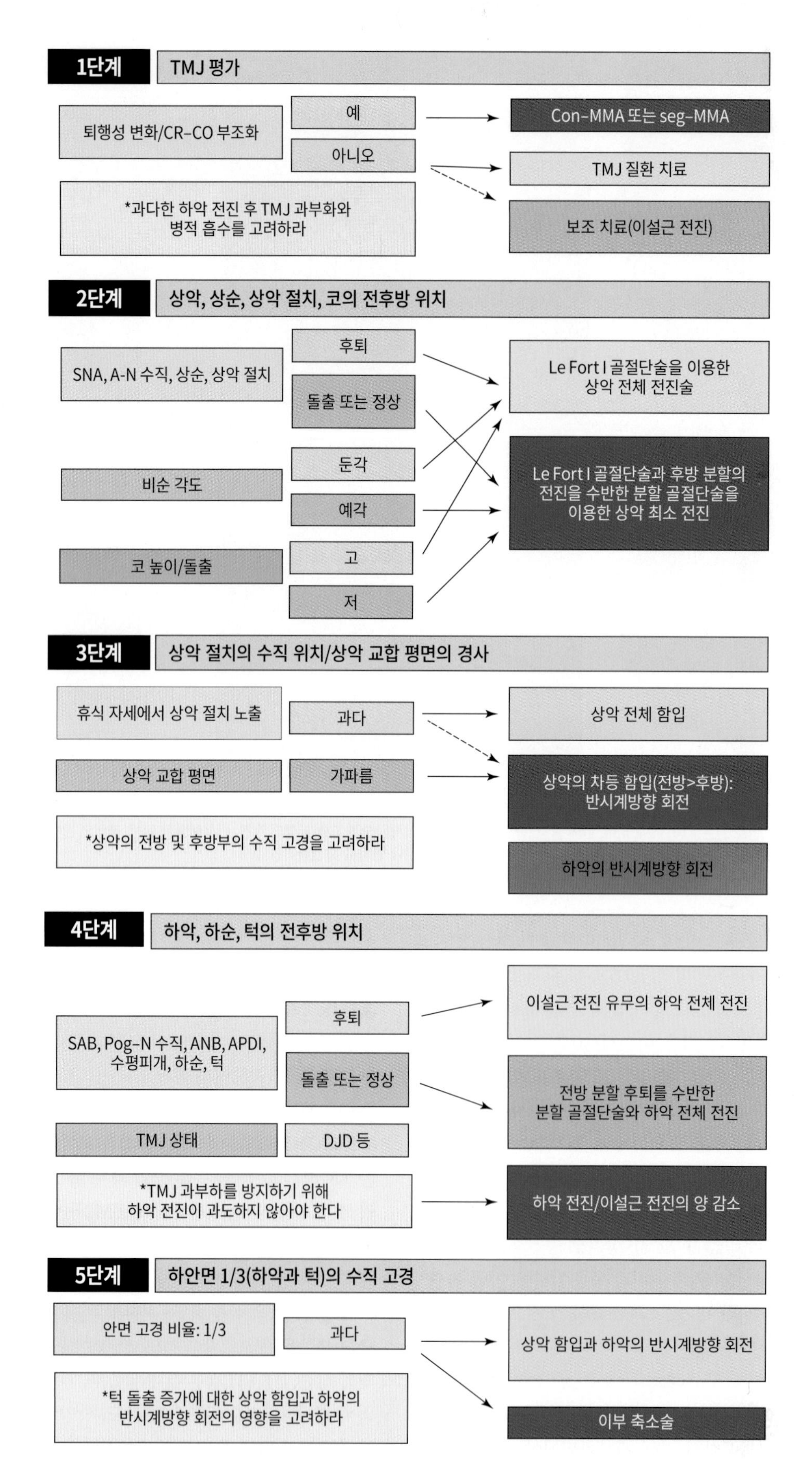

■ 그림 22.6 동양인 OSAS 성인 환자에 대한 con-MMA 또는 seg-MMA의 수술 치료 계획 수립을 위한 개별화된 흐름도

— 3단계. 상악 절치의 수직 위치와 상악 교합 평면의 경사도 평가

휴식 자세에서 보이는 상악 절치의 양이 과도하다면 상악 함입을 고려할 수 있다. 가파른 상악 교합 평면을 가진 골격성 II급 환자에서 상악의 후방보다 전방부의 함입을 더 많이 허용하는 것은, 상악의 반시계 방향 회전을 생성하고 하악 전진량을 증가시키는 효과적인 방법이 될 수 있다.

— 4단계. 하악, 하순, 턱의 전후방 위치 평가

상악 위치가 결정되면, SNB, Pog-N 수직, ANB, 수평/수직피개를 사용하여 하악을 배치할 수 있다. Con-MMA 술식이 안면 심미성을 손상시킬 가능성이 있는 경우, seg-MMA 술식을 고려해야 한다. Arpornmaeklong 등[27]은 하악 평면 각도가 가파르고 하악이 10 mm 이상 전진된 환자는 과두의 재형성 및/또는 흡수로 인해 상당한 재발을 경험했다고 발표했다. 따라서 하악 전진량 감소 및/또는 이설근 전진과 같은 보조 치료를 수행하여 TMJ 과부화를 최소화할 수 있다.

— 5단계. 하안면 1/3의 수직 고경 평가

하안면 1/3의 고경은 상안면 및 중안면 1/3와 비례해야 한다. 하방 1/3이 수직적으로 과다하면, GA 유무와 관계없이 이부 축소술과 같은 보조 수술법을 적용할 수 있다. 그러나 상악 함입과 하악의 반시계방향 회전도 하안면 1/3의 수직 고경 감소량에 영향을 미친다는 것을 고려해야만 한다.

22.5.1 술전 교정 치료 동안 OSAS 증상의 악화

임상의가 교정으로만 상악과 하악 제1소구치의 발치 공간을 닫으려고 하면, 술전 교정 치료 중 치열궁의 수축으로 인해 혀 공간이 줄어들 수 있다.[28] 예를 들어, #6번 환자는 술전 교정 치료 10개월 동안 발치 공간이 부분적으로 폐쇄되어 OSAS 증상이 악화되고 혀 공간이 좁아졌다. 따라서 본 연구에서 대부분의 seg-MMA 증례에서 술전 교정 치료를 최소한으로 하고 수술 우선 접근을 시행하였다(표 22.1). 또한 술전 교정 치료 중 OSAS 증상의 악화에 대한 주의사항을 환자들에게 전달하였다. 술전 교정 치료 중 OSAS 증상의 악화를 호소하는 환자에게 지속적 양압기 사용을 권장할 수 있다.

22.5.2 성공률 향상을 위한 제안

Holty와 Guilleminault[18]는 환자가 젊고, 술전 AHI와 BMI가 낮으며, 상악 전진량이 많을 때 MMA의 성공적인 결과에 대한 긍정적인 예측 인자라고 제안했다. Liu 등[21]은 5-10 mm 전진 증례에서 83.3%의 성공률을 보고했고, 이는 본 연구의 결과와 유사하다(87.5%; con-MMA 그룹 $n = 4/4$, seg-MMA 그룹 $n = 3/4$). Seg-MMA 접근법에서 수술 결과는 성공적이었지만, 몇몇 환자는 수술 후 수면 다원 검사를 거부했다. 따라서 향후 더 큰 표본 크기를 가진 seg-MMA 술식의 성공률에 대한 추가 조사가 필요하다. 또한 전산 유체역학을 이용하여 MMA의 일정량당 기류 변화량을 정확하게 추정하여, 기능적 측면과 심미적 측면 모두를 만족시키는 최적의 전진량을 결정할 필요가 있다.[3]

22.6 결론

반시계방향 회전 유무에 관계없이 seg-MMA 술식은 상악 후방 분절과 하악 전체의 전진으로 상기도를 효과적으로 확장할 수 있고, 상악과 상순의 전방 이동을 최소화하여 안면 심미성을 획득할 수 있다. 그러므로, 상대적으로 전방에 위치한 상악골, 예리한 비순 각도, 순측 경사된 상악 절치는 가진 성인 OSAS 증례에서 seg-MMA 술식은 호흡 기능과 안면 심미성을 동시에 개선하기 위한 con-MMA 술식에 대한 효과적인 대안으로 간주될 수 있다.

이해 상충 저자는 이해 상충 및 자금 출처를 선언하지 않는다.

참고문헌

1. Guilleminault C, Tilkian A, Dement WC. The sleep apnea syn-dromes. Annu Rev Med. 1976;27:465-84.
2. Ahn HW, Cho IS, Cho KC, Choi JY, Chung JW, Baek SH. Surgical treatment modality for facial esthetics in an obstructive sleep apnea patient with protrusive upper lip and acute nasolabial angle. Angle Orthod. 2013;83:355-63.
3. Kim T, Kim HH, So H, Baek SH, Kim KW, Suh SH, Choi JY. Change in the upper airway of patients with obstructive sleep apnea syndrome using computational fluid dynamics analysis: conventional maxillomandibular advancement versus modified maxillomandibular advancement with anterior segmental set-back osteotomy. J Craniofac Surg. 2015;26:e765-70.
4. Baek SH, Choi JY. Treatment of obstructive sleep apnea patients (chapter 16). In: Baik HS, editor. Clinical combined surgico- orthodontics. Seoul: DaehanNarae Publishing Inc.; 2017. p. 525-37.
5. Jenkinson C, Davies RJ, Mullins R, Stradling JR. Comparison of therapeutic and subtherapeutic nasal continuous positive air-way pressure for obstructive sleep apnoea: a randomised pro-spective parallel trial. Lancet. 1999;353:2100-5.
6. Liu Y, Lowe AA, Fleetham JA, Park YC. Cephalometric and physiologic predictors of the efficacy of an adjustable oral appliance for treating obstructive sleep apnea. Am J Orthod Dentofac Orthop. 2001;120:639-47.
7. Goh YH, Lim KA. Modified maxillomandibular advancement for the treatment of obstructive sleep apnea: a preliminary report. Laryngoscope. 2003;113:1577-82.

8. Hur JS, Kim HH, Choi JY, Suh SH, Baek SH. Investigation of the effects of miniscrew-assisted rapid palatal expansion on air-flow in the upper airway of an adult patient with obstructive sleep apnea syndrome using computational fluid-structure interaction analysis. Korean J Orthod. 2017;47:353-364.
9. Engleman HM, Wild MR. Improving CPAP use by patients with the sleep apnoea/hypopnoea syndrome (SAHS). Sleep Med Rev. 2003;7:81-99.
10. Lin HC, Friedman M, Chang HW, Gurpinar B. The efficacy of multilevel surgery of the upper airway in adults with obstructive sleep apnea/hypopnea syndrome. Laryngoscope. 2008;118:902-8.
11. Waite PD, Wooten V, Lachner J, Guyette RF. Maxillomandibular advancement surgery in 23 patients with obstructive sleep apnea syndrome. J Oral Maxillofac Surg. 1989;47:1256-61.
12. Riley RW, Powell NB, Guilleminault C. Obstructive sleep apnea syndrome: a review of 306 consecutively treated surgical patients. Otolaryngol Head Neck Surg. 1993;108:117-25.
13. Hochban W, Brandenburg U, Peter JH. Surgical treatment of obstructive sleep apnea by maxillomandibular advancement. Sleep. 1994;17:624-9.
14. Bettega G, Pepin JL, Veale D, Deschaux C, Raphaël B, Lévy P. Obstructive sleep apnea syndrome: fifty-one consecutive patients treated by maxillofacial surgery. Am J Respir Crit Care Med. 2000;162:641-9.
15. Fairburn SC, Waite PD, Vilos G, Harding SM, Bernreuter W, Cure J, Cherala S. Three-dimensional changes in upper airways of patients with obstructive sleep apnea following maxilloman-dibular advancement. J Oral Maxillofac Surg. 2007;65:6-12.
16. Lee WJ, Hwang DH, Liu SY, Kim SJ. Subtypes of maxilloman-dibular advancement surgery for patients with obstructive sleep apnea. J Craniofac Surg. 2016;27:1965-70.
17. Li KK. Surgical therapy for adult obstructive sleep apnea. Sleep Med Rev. 2005;9:201-9.
18. Holty JE, Guilleminault C. Maxillomandibular advancement for the treatment of obstructive sleep apnea: a systematic review and meta-analysis. Sleep Med Rev. 2010;14:287-97.
19. Li KK, Powell NB, Kushida C, Riley RW, Adornato B, Guilleminault C. A comparison of Asian and white patients with obstructive sleep apnea syndrome. Laryngoscope. 1999;109:1937-40.
20. Gu Y, McNamara JA Jr, Sigler LM, Baccetti T. Comparison of craniofacial characteristics of typical Chinese and Caucasian young adults. Eur J Orthod. 2011;33:205-11.
21. Liu SR, Yi HL, Guan J, Chen B, Wu HM, Yin SK. Changes in facial appearance after maxillomandibular advancement for severe obstructive sleep apnoea hypopnoea syndrome in Chinese patients: a subjective and objective evaluation. Int J Oral Maxillofac Surg. 2012;41:1112-9.
22. Hsieh YJ, Liao YF, Chen NH, Chen YR. Changes in the calibre of the upper airway and the surrounding structures after maxil-lomandibular advancement for obstructive sleep apnoea. Br J Oral Maxillofac Surg. 2014;52:445-51.
23. Liao YF, Chiu YT, Lin CH, Chen YA, Chen NH, Chen YR. Modified maxillomandibular advancement for obstructive sleep apnoea: towards a better outcome for Asians. Int J Oral Maxillofac Surg. 2015;44:189-94.
24. Kim HM, Baek SH, Kim TY, Choi JY. Evaluation of three- dimensional position change of the condylar head after orthog-nathic surgery using computer-aided design/computer-aided manufacturing-made condyle positioning jig. J Craniofac Surg. 2014;25:2002-7.
25. Sher AE, Schechtman KB, Piccirillo JF. The efficacy of surgical modifications of the upper airway in adults with obstructive sleep apnea syndrome. Sleep. 1996;19:156-77.
26. Li KK. Maxillomandibular advancement for obstructive sleep apnea. J Oral Maxillofac Surg. 2011;69:687-94.
27. Arpornmaeklong P, Shand JM, Heggie AA. Skeletal stability following maxillary impaction and mandibular advancement. Int J Oral Maxillofac Surg. 2004;33:656-63.
28. Wang Q, Jia P, Anderson NK, et al. Changes of pharyngeal air-way size and hyoid bone position following orthodontic treatment of Class I bimaxillary protrusion. Angle Orthod. 2012;82:115-21.

Maxillomandibular Advancement for OSA

목차

OSA 환자의 임상, 교합, 두부계측 분석

Larry Wolford

목차

폐쇄성 수면 무호흡(OSA)이 있는 환자는 상기도 폐쇄 및 OSA에 기여하는 관련 치아 안면 기형과 연관될 수 있고, 일반적으로 상악과 하악의 전후 및 후방 수직 저형성을 포함한다. 상기도 폐쇄가 발생할 수 있는 3가지 기본 영역에는 구인두뿐만 아니라, 비강, 구강과 턱이 포함된다. 또한, OSA 환자는 치아 안면 기형과 공존하는 측두하악 관절(TMJ) 상태와 병리를 가질 수 있고, 이는 치아 안면 기형의 원인이거나 기존의 치아 안면 기형의 결과이다. OSA 환자는 임상, 방사선 영상, 수면 다원 검사를 포함한 종합적인 평가와 OSA 기여 요인을 수정하기 위해 진단을 확정하고 포괄적인 치료 계획 수립에 필요하다고 간주되는 추가 평가가 필요하다. 관련 치아 안면 기형이 많은 OSA 환자는 수정적 악교정 수술 치료의 이점을 얻을 수 있다. 환자가 최신의 교정 치료를 받기 위해 악교정 팀은 다음을 수행할 수 있어야 한다: (1) 기존의 치아 안면 기형, 상기도 폐쇄 부위, 현존하는 TMJ 상태가 있다면 그 상태를 정확하게 진단하고, (2) 적절한 치료 계획을 수립하며, (3) 권장 치료를 수행한다. 이번 단원에서는 주로 인상, 방사선 영상, 치아 모델 분석에 초점을 맞추며, 이는 치아 안면 기형이 있는 OSA 환자의 교정을 위한 진단 및 치료 계획에 매우 중요하다.

악교정 수술이 필요한 공존하는 치아 안면 기형이 있는 OSA 환자에 대한 특정 치료 목표는 환자마다 다르다. 이러한 목표는 특정 근골격, 치아치조골, 연조직 기형, 기도 폐쇄 영역, 관련 TMJ 병리의 교정을 향하고 있다. OSA 환자의 구체적인 치료 목표에는 다음이 포함될 수 있다:

1. 치아 안면 기형을 수정하고 최적의 안면 균형을 만든다.
2. 교합 관계, 수직피개, 수평피개, 교합 평면 기울기, 횡적 크기의 정상화를 통해 기능적 교합을 확립한다.
3. 관련 TMJ 병리, 기능 장애, 통증을 수정한다.
4. 좁은 콧구멍, 코 판막 수축, 비갑개 과형성, 비중격 편위, 폴립 등과 관련될 수 있는 비기도 폐쇄를 수정한다.
5. 연구개/목젖 과형성, 편도 비대, 아데노이드 과형성, 구인두 기도 감소 등과 같은 구인두 폐쇄를 수정한다.
6. 근막 통증, TMJ 통증, 두통을 줄이거나 없앤다.

23.1 환자 평가

철저한 평가와 진단은 전반적인 환자 관리의 가장 중요한 측면 중 하나이다. 주요 기능과 미적 문제를 인식하지 못하면, 타협, 합병증, 불리한 결과를 초래할 수 있다. 수정 수술에 대한 OSA 환자 평가는 5가지 주요 영역으로 나눌 수 있다.

1. 환자의 우려사항/주호소
2. 병력
3. 임상 검사
4. 방사선 및 영상 분석
5. 치아 모델 분석

이 진단 순서는 악교정 수술의 후보인 OSA 환자를 식별하고 부수적인 치과 치료, 내과 치료, 다른 외과 술식이 도움이 될 수 있는지 여부를 결정할 수 있다. 이런 환자는 언어, 청력, 치주, 일반 치과, 심리, 신경, 안과, 내과, 이비인후과, 호흡기 등 또는 다른 문제에 대해 추가 전문가 평가가 필요할 수 있다.

23.1.1 환자 우려사항

OSA 환자는 수면 무호흡과 호흡 곤란에 대해 우려할 뿐만 아니라, 심미적 외모, 섭식 곤란, 턱 기능 장애, 통증, 두통 등과 관련된 우려를 표명할 수도 있다. 치료 결과에 대한 환자의 궁극적인 만족은 종종 환자의 우려에 기울인 관심에 의해 결정된다.[1,2] 환자의 우려, 동기화, 기대에 대한 이해는 치료 매개변수를 정의하는 데 도움이 되고 환자의 심리적 건강에 대한 통찰력을 제공한다. 환자의 주요 우려사항을 식별하는데 도움이 될 수 있는 특정 질문은 다음과 같다.

1. 당신의 고민이나 문제는 무엇입니까?
2. 이전에 이 질환에 대한 치료를 받은 적이 있으며 치료는 무엇이고 결과는 어땠습니까?
3. 왜 치료를 원합니까?
4. 치료에서 무엇을 기대합니까?

환자 걱정에 대한 평가는 예비 문제 목록을 개발하고 비현실적 기대를 가진 환자를 식별하는 데 도움이 된다. 환자는 치료 옵션, 예상 결과, 잠재적 위험과 합병증을 이해해야 한다. 따라서 외과의와 교정과의는 환자가 제공할 수 있는 것보다 더 큰 기대를 가지고 내원하지 않도록 주의해야 한다.[3-5]

23.1.2 시스템-지향 신체 검사

일반적으로, 악교정 수술은 비교적 건강한 환자에서 시행된다. 그러나 OSA 환자는 종종 나이가 많고 잠재적 위험과 합병증을 증가시키는 심각한 건강 문제가 있을 수 있다. 의학적 및 치과적 병력, 신체 검사, 적절한 실험실 검사를 포함한 술전 평가가 매우 중요하다.[6] 현재의 병력을 적절하게 확보하는 것은 치료 계획 수립에 영향을 미칠 수 있고 외과의가 잠재적으로 생명을 위협하는 합병증을 피하는 데 도움이 될 수 있다. 환자 검사는 기도 이상, 결합조직이나 자가면역 질환, 출혈 장애, 수술을 방해하거나 변형시킬 수 있는 기타 병리학적 상태가 있는 환자를 배제하거나 식별해야 한다. OSA 환자는 비만, 고혈압, 심장 문제, 호흡기 질환, 통증, 알레르기, 비강 및 부비동 문제, 내분비 문제, 당뇨 등에 대한 경향이 있을 수 있다.

23.1.3 치아 안면 검사를 위한 환자 준비

환자를 등받이가 곧은 의자에 똑바로 앉게 하고 검사자가 눈높이 바로 맞은 편에 앉았을 때 평가가 가장 잘 이루어진다. 일반적으로, 환자의 동공면을 바닥과 평행하도록 하고 검사한다(◘ 그림 23.1a). 안와골 이소증이 있는 환자에게는 보상적 위치를 사용한다. 귓불을 이용하여 바닥과 평행한 면을 구축한다. 임상 Frankfort 수평면(귀의 이주에서 골성 안와 하연까지 연결한 선)이 바닥과 평행하도록 환자의 머리 방향을 조정한다(◘ 그림 23.1b). 이것은 정상적인 안면 균형을 가진 대부분 사람들의 자연스러운 머리 자세를 모방하는 재현 가능한 위치이다. 이것은 치료 전체에 걸쳐 표준화된 측정치를 얻는 데 사용될 수 있다.[7] 치아 안면 기형이 있는 환자는 특히 OSA 환자의 경우 기능적 이유로 대체적인 머리 자세를 발달시키는데, 종종 하악과 턱을 전상방으로 기울이고 머리 자세를 목 앞쪽으로 유지하여, 구인두 기도를 열어 환자의 호흡 능력을 향상시킨다. 이러한 보상적 두부 자세에 대한 조정은 FH 평면을 바닥과 평행하게 하여 임상, 방사선, 사진 평가를 시행한다.[8] 외과 및 교정적 수정 후, OSA 환자는 더 이상 기도 유지를 위한 기능적 및 심미적 보상이 필요하지 않기 때문에, “자연스러운” 머리 자세가 정상적인 위치로 돌아가는 경우가 많다. 표준화되고, 재현성있는 머리 자세 선택은 적절한 진단과 술후 결과 평가에 도움이 된다.

머리 방향이 적절하면, 치아를 가볍게 접촉하여 하악 과두를 관절와 내에 안착시킨다(중심 관계; CR). 중심 교합(CO)을 평가하는 것이 중요하지만, 환자를 CR 상태로 수술 교정 진단과 치료 계획 수립을 위한 확실한 임상 검사를 시행한다. 평가가 CR에서 이루어지지 않으면, 오진, 불완전한 진단, 부적절하거나 손상된 치료 계획, 수용할 수 없거나 손상된 치료 결과가 생길 수 있다.

적절한 평가를 위해서 환자는 입술을 이완하여 힘을 주지 않아야 한다. 이렇게 이완된 입술 자세를 통해 수직 안면 고경과 연조직의 형태와 늘어짐을 평가한다. 입술을 이완한 상태에서, 상순 길이, 치아-입술 측정, 입술 부전증의 가능성, 안면, 치아, 턱 정중선의 일치 여부를 평가한다. 이근과 입술을 이완하면, 턱 위치 평가와 수직적 상악 과다나 결핍 같은 골격성 기형의 존재 유무도 알 수 있다. 수직 상악 결핍이 있는 환자의 입술은

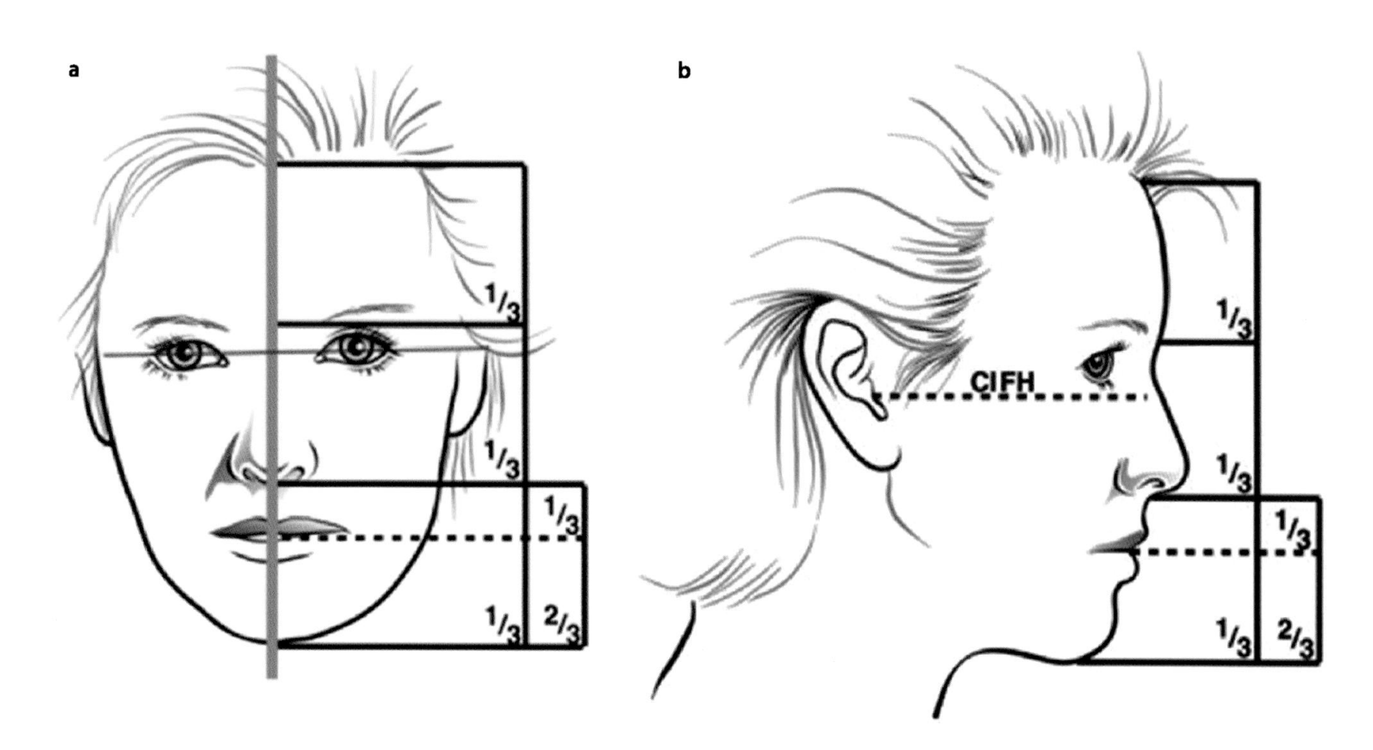

◘ 그림 23.1 **a** 수직적으로, 평가를 위해 안면을 3등분으로 나눌 수 있다. 하안면 1/3을 다시 3등분할 수 있는데, 비하점에서 상순 입중간점까지의 거리가 1/3이고, 하순 입중간점에서 연조직 턱끝점까지의 거리가 2/3이다. 이 비율은 하안면 1/3에서 최적의 수직 안면 균형을 제공한다. **b** 측면에서, 안면은 같은 방식으로 분할된다. 머리 방향이 중요한데, 임상 FH 평면이 바닥과 평행해야 한다. 임상 FH 평면은 귀의 이주에서 골성 안와 하연까지의 선이다.

자주 과도하게 닫힌다.

23.1.4 안면 평가

우리는 앞서 안면 평가를 위한 포괄적인 방법에 대해 자세하게 설명했다.[9] 여기에서는 OSA에 기여할 수 있는 주요 요소인 하안면 1/3과 관련된 기형에 초점을 맞춰, OSA 환자와 가장 흔하게 연관되는 요인을 설명하고자 한다. 수직 안면 분석에서, 안면은 동등하게 3등분된다(◘ 그림 23.1a). 상부 1/3은 헤어라인에서 미간까지 연장된다. 중간 1/3은 미간에서 비하점까지이다. 하부 1/3은 비하점에서 연조직 턱끝점까지이다. 악교정 수술은 주로 안면의 하부 1/3을 변경하고, 중안면도 약간 영향을 받는다. 이 수직 분석 외에도 치료 전 안면 평가는 정면과 측면도 다루어야 한다. 정면에서 본 하안면 1/3의 평가는 다음 7가지의 중요한 해부학적 관계를 포함해야 한다:

1. 상순 길이: 이완된 상태에서 비하점부터 상순 입중간점까지의 거리. 정상 상순 길이는 남성 22 ± 2 mm, 여성 20 ± 2 mm이다(◘ 그림 23.2).
2. 치아와 상순 관계: 휴식 상태의 입술에서 절단연부터 상순까지의 거리이다. 정상 거리는 2.5 ± 1.5 mm이다(◘ 그림 23.3).
3. 정중선: 안면, 코, 입술, 치열, 턱의 정중선이 일치해야 하고, 안면이 수직과 횡적으로 합리적으로 대칭이어야 한다(◘ 그림 23.4, 5).
4. 과도한 입술 닫힘: 환자의 입술이 과도하게 닫혀 있으면, 입술 분리가 시작될 때까지 하악을 회전시킨다. 과두는 CR에 놓여있어야 한다. 그 후, 실제의 입술 길이와 치아-입술 관계를 평가한다.
5. 미소: 미소는 종종 환자의 주요 관심사 중 하나이다. 웃을 때, 상순의 붉은색은 치은이 1–2 mm 이상 노출되지 않은 상태로 치아-치은 경계부에 내려앉아야 한다(◘ 그림 23.4). 이 관계 외에도 수술을 결정할 때 안정 시 입술 상태에서 치아-입술 관계를 고려해야 하는데, 입술을 움직일 때 많은 요인이 입술 자세에 영향을 미칠 수 있기 때문이다. 웃을 때 상순이 올라가는 정도는 다음에 의해 영향을 받을 수 있다:
   (a) 두개골 기저부 및 서로에 대한 상악 및 하악의 전후방 위치
   (b) 수평 및 수직 피개 양
   (c) 전치부와 치조골의 기울기
   (d) 교합 평면 각도
   (e) 임상 치관부 길이
   (f) 입술의 신경근 기능
   (g) 치주조직의 치아 차폐
   웃을 때 치아와 입술 사이의 위치 평가만으로 적절한 상악 수직 위치를 결정한다면, 이러한 요인들 각각은 올바른 상악 수직 위치 결정의 부정확성에 기여할 수 있다.
6. 안면 고경 균형: 상순 길이가 정상이라면, 미간에서 비하점까지, 비하점에서 연조직 턱끝점까지의 거리가 1:1 비율이어야 한다(◘ 그림 23.1a).

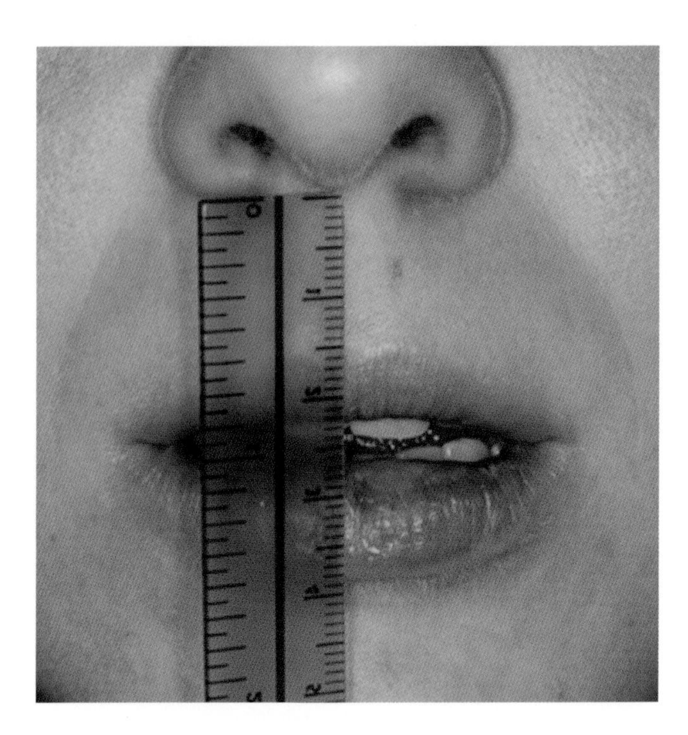

◘ 그림 23.2 **상순 길이는 비하점에서 상순 입중간점까지로 측정된다. 정상값은 남성 22 ± 2 mm, 여성 20 ± 2 mm이다.**

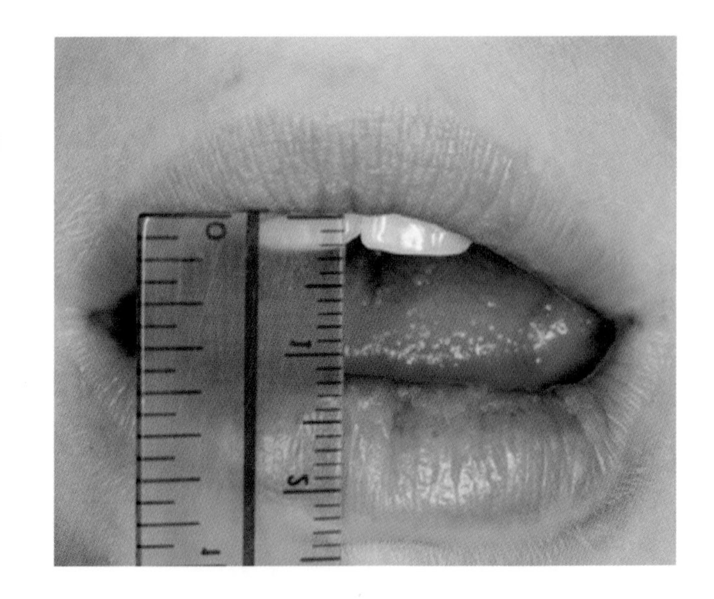

◘ 그림 23.3 **정상의 상악 치아-입술 관계는 2.5 ± 1.5 mm이다.**

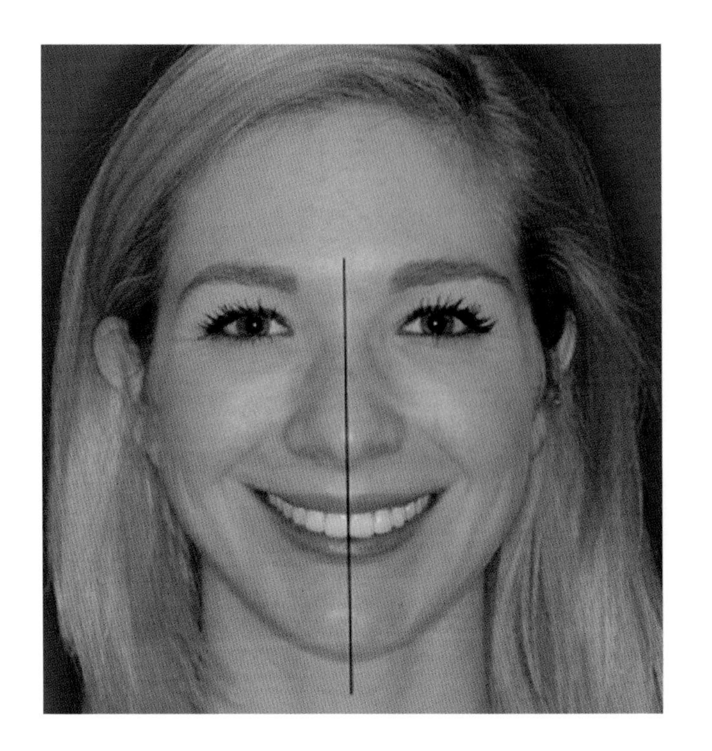

■ 그림 23.4 **안면 정중선을 평가하고, 안면 정중선에 대한 코, 상악과 하악 치아 정중선, 턱 정중선도 평가한다. 좌우 안면 대칭도 평가한다.**

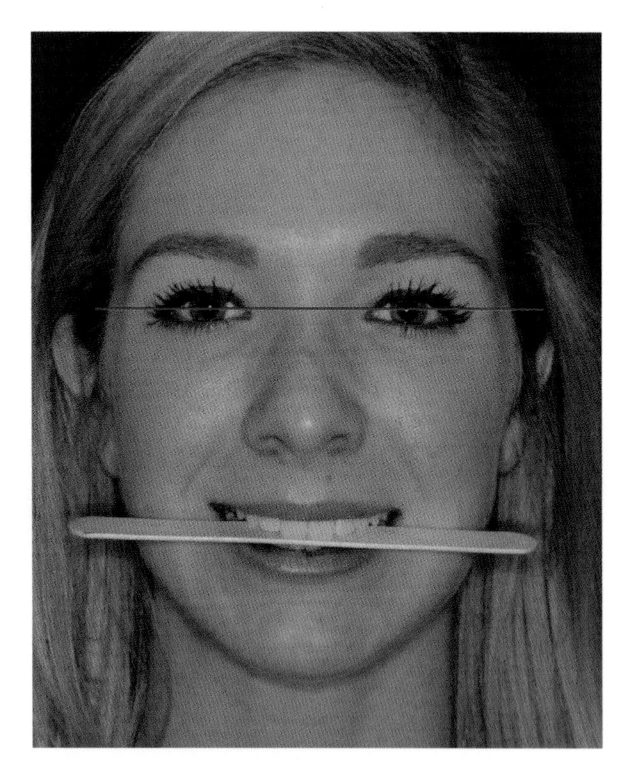

■ 그림 23.5 **안와골 이소증이 없으면, 횡적으로 교합 평면이 동공 평면과 평행해야 한다.**

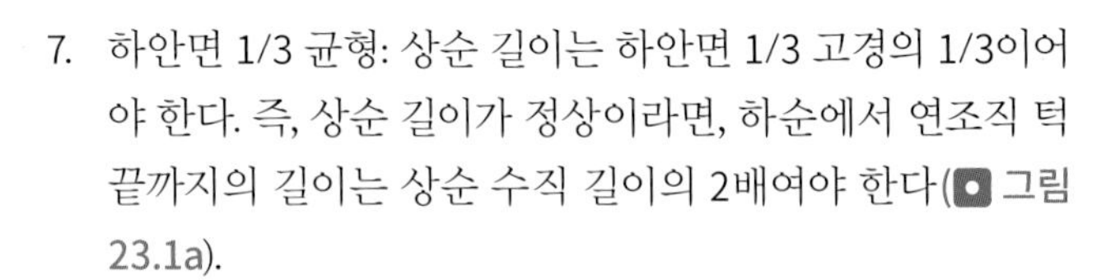

7. 하안면 1/3 균형: 상순 길이는 하안면 1/3 고경의 1/3이어야 한다. 즉, 상순 길이가 정상이라면, 하순에서 연조직 턱끝까지의 길이는 상순 수직 길이의 2배여야 한다(■ 그림 23.1a).

23.1.5 측면

측면 평가는 일반적으로 악골의 수직과 전후방 문제를 결정하는 가장 가치 있는 평가이다.

1. 안면 고경 균형: 상순 길이가 정상이라면, 미간에서 비하점까지의 거리와 비하점에서 연조직 턱끝까지의 거리는 1:1 비율이어야 한다(■ 그림 23.1b).
2. 안면 형태: 코, 입술, 볼, 턱의 형태와 관계를 평가한다.
3. 턱 위치를 기준으로 경부하악 각도를 평가한다.
4. 상순 길이는 하안면 1/3의 1/3이어야 한다. 즉, 상순 길이가 정상인 경우 하순에서 연조직 턱끝점까지의 길이는 상순 수직 길이의 2배여야 한다(■ 그림 23.1b).
5. 상순 돌출: 임상 FH 평면을 수직으로 지나는 비하점 수직 평면 전방 1–3 mm에 상순이 위치한다(■ 그림 23.6).
6. 턱–목 선 및 각도: 연조직 하악점(pogonion)에서 턱–목 각도까지의 거리. 이 치수에는 큰 편차가 있지만, 정상 수치는 남성 65 ± 5 mm, 여성 55 ± 5 mm 정도이다(■ 그림 23.6, 초록색 선).

23.1.6 구강 검사

구강 검사는 치아와 연조직 구조의 기능적 및 미적 기형을 식별하는데 도움이 된다. 구강 검사에서 평가할 교합과 치아 요소는 치아 모델 분석에서 논의한다. 요소 구강 검사는 다음 문제를 평가해야 한다.

1. 교합 관계(I, II, III급)
2. 전방 수직 피개, 개방 교합, 수평 피개, 반대 교합
3. 치아 크기 부조화, 치아 밀집 또는 치간 이개
4. Wilson 만곡, Spee 만곡
5. 상실, 충치, 만기 잔존 유치, 수복 불가능 치아
6. 중심 교합(CO)과 중심위(CR)의 부조화
7. 치주 평가
8. 횡단, 전후방, 수직적 비대칭
9. 해부학적 또는 기능적 혀 이상
10. 저작 곤란 및 기능 장애
11. 기타 병리학적 과정

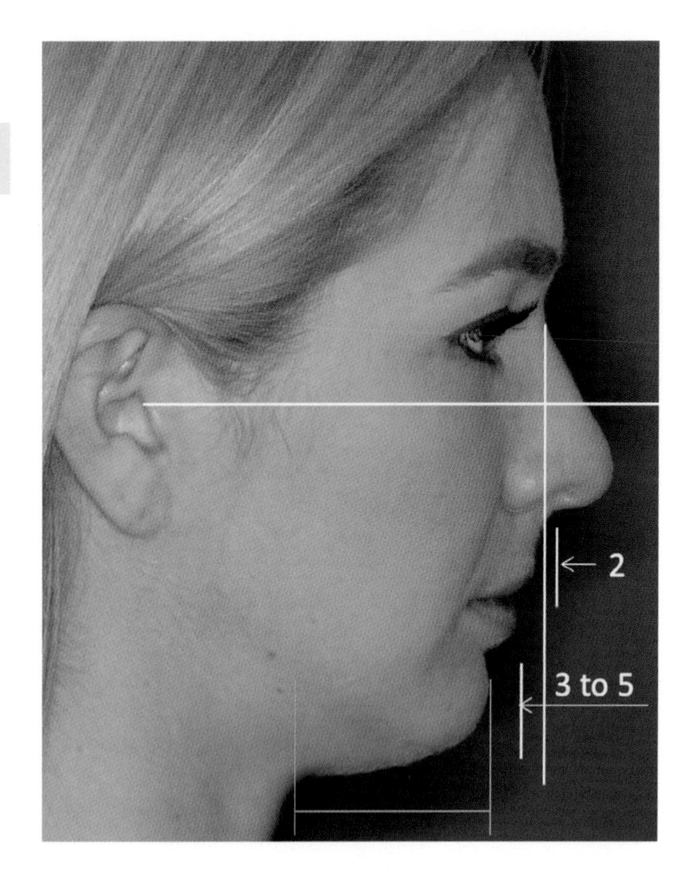

◘ 그림 23.6 비하점(A point)을 통과하는 임상 FH 평면에 수직으로 그은 선은 턱보다 남성 3 ± 3 mm, 여성 5 ± 3 mm 전방을 지난다. 상순 입중간점은 비하점 수직 평면의 전방 2 ± 2 mm에 위치한다.

23.1.7 치주 평가

교정 치료와 악안면 수술에 앞서 몇 가지 치주 요소를 평가해야 한다. 기존의 치주질환이나 치은염이 있는 환자는 교정 치료 동안 및 치료 후, 특히 치간 골절단술이 필요한 부위에서 질병 악화의 위험이 증가한다.[10-16] 악교정 수술과 연관되어 치주 건강에 악영향을 미칠 수 있는 요소에는 흡연, 과도한 알코올이나 카페인 섭취, 이갈이와 이악물기, 결합조직/자가면역 질환, 당뇨, 영양실조 등이 있다.[11] 교정과 악교정 수술 전 모든 치주 질환을 해결해야 한다.

부적절한 부착 치은은 종종 하악 전치부와 연관되어 나타나는데, 이것은 치은 퇴축, 치아 민감성, 골 소실과 같은 치주 문제의 발달에 기여할 수 있다(◘ 그림 23.7). 부착 치은이 부적절한 부위는 치은 이식을 고려한다. 이런 경우, 교정 치료 시작 전 치은 이식을 수행한다. 교정이나 악교정 수술을 시행하기 전에 적절한 부착 치은이 있어야 조직을 보호하고 치은 퇴축을 최소화할 수 있다.

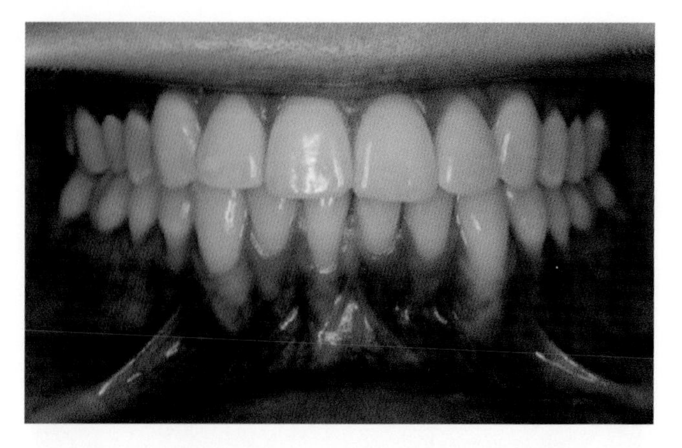

◘ 그림 23.7 건강한 부착 치은이 치아 주변에 존재해야 한다. 이 환자는 전치부 주변의 부착 치은이 부족하다. 이 문제가 치료 전에 적절하게 해결되지 않는 상태로 교정이나 수술이 이 부위에 적용된다면, 치주 문제가 발생할 수 있다.

23.1.8 혀 평가

확대된 혀는 치아골격 기형, 교정과 악교정 수술 치료의 불안정성을 유발할 수 있고, 저작, 언어, 기도 관리 문제도 발생시킬 수 있다. 이 상태는 거대설 또는 위거대설로 정의될 수 있다. 진성 거대설은 일반적으로 (1) 근육 비대(◘ 그림 23.8), (2) 선 과형성, (3) 혈관종, (4) 림프관종으로 인해 발생하는 혀 크기의 불균형한 증가를 의미한다. 진성 거대설은 선천적 및 후천적 원인으로 발생하는데, 여기에는 Down 증후군과 Beckwith–Wiedemann 증후군도 포함된다. 후천적 요인으로는 말단비대증, 점액종, 아밀로이드증, 3차 매독, 낭종이나 종양, 신경학적 손상 등이 있다.[17] 위거대설은 혀의 크기가 정상일 수 있지만, 구강 부피가 감소하는 상악 및 하악 저형성증과 같은 해부학적 상호 관계와 관련하여 크게 나타나는 상태이다. 진성 또는 위성 거대설에서 혀의 상대적인 과도한 크기는 OSA에 크게 기여할 수 있으므로 수술적 수정을 고려해야 할 수 있다. 진성 거대설 환자는 혀축소술의 대상이 될 수 있다. 특정 임상 및 두부계측적 특징은 임상의가 거대설의 존재 여부를 식별하는 데 도움이 될 수 있다.[17]

위거대설은 일반적으로 상악 및 하악의 전후방 저형성과 관련이 있으며, 일반적으로 상하악 복합체의 반시계방향 회전–전진에 의해 수정될 수 있고 구강 용적 증가로 혀를 수용할 수 있는 구내 공간이 증가된다.

대부분의 개방 교합은 거대설과 관련없다. 실제로, 악교정 수술로 개방 교합을 닫으면 변경된 구강 용적에 재조정되는 적응 기관인 정상 혀를 수용할 수 있게 되고, 재발되는 성향은 거의 없다.[18,19] 전치부 개방 교합과 함께 존재하는 진성 거대설은 교

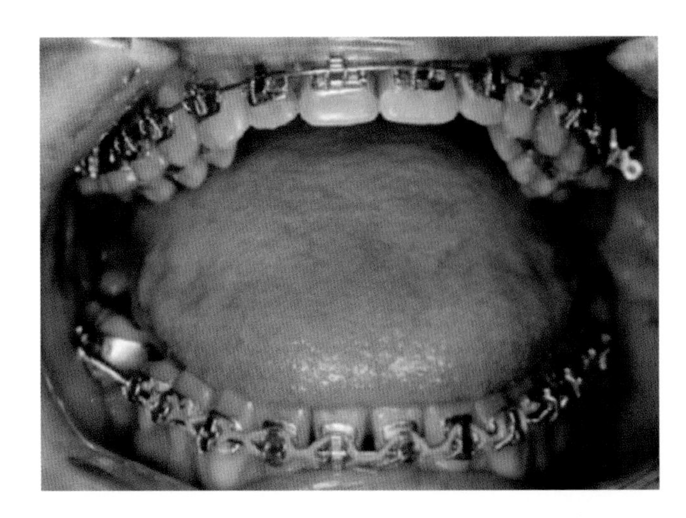

그림 23.8 거대설은 구강 크기에 비해 증가한 혀를 의미하고, 부정교합, 언어와 연하 곤란, 수면 무호흡에 기여하는 구인두 기도 폐쇄를 유발할 수 있다.

정과 악교정 수술의 불안정성을 발생시키고 개방 교합이 재발하는 경향이 있다.

혀축소술 적응증은 적지만, 진성 거대설 수술에 대해 다음과 같은 결론을 내릴 수 있다: (1) 혀축소술은 기능적 및 심미적 결과를 크게 향상시킨다, (2) 정중선 keyhole 유형 술식과 전방 절제술을 결합하면 최고의 술식이 된다, (3) 기도, 언어, 저작에 관련된 기능 향상을 예상할 수 있다, (4) 지나치게 큰 혀가 현저하게 비바람직한 하악 성장을 유발한다면, 혀의 축소가 문제 제어에 도움이 될 수 있다.[17-19]

23.1.9 측두하악 관절(TMJ)

TMJ는 악교정 수술의 기초를 제공한다. OSA 환자는 OSA 수정을 위한 악교정 수술이 필요한 환자에게 결과 안정성을 제공하기 위해 외과적 개입이 필요할 수 있는 TMJ 상태를 가지고 있는 경우가 많다(그림 23.9). 술전 TMJ 기능 장애나 진단되지 않은 TMJ 병리는 악교정 수술을 통해 술후 통증, 과두 흡수, 과두 과성장, 부정교합, 악골 기능장애, 안면 기형, 수면 무호흡 문제의 재발을 초래하는 비바람직한 결과를 야기할 수 있다.[20,21] 일반적인 TMJ 상태와 치료는 24, 34단원에서 다룬다. 치료 전 및 전반에 걸쳐 주기적으로 TMJ를 평가해야 한다. 고려해야 할 기본 TMJ 요소는 다음과 같다:

1. 환자의 병력은 다음을 나타낼 수 있다: TMJ 통증, 기능 장애, clicking 및 popping sound, 개구 제한, 저작 곤란, 두통, 귀 문제, 근막 통증, 하악 후퇴와 개방 교합의 지속적인 발달, 하악과 교합의 변위, 목과 어깨 통증 문제 등등. 병인학적 요인, 발병 시기, 징후와 증상, 이전 치료와 결과, 증상 빈도와 지속 기간, 이상 기능 활동, 기타 변형 요소를 기록한다.
2. 다발성 관절염이나 다른 전신 상태를 확인하고 배제한다. 이런 상태에는 류마티스 관절염, 청소년기 특발성 관절염, 전신성 홍반성 루푸스, 경피증, 유육종증, 반응성 관절염, 건선, 건선성 관절염, Sjögren 증후군, 강직성 척추염, Reiter 증후군 등과 같은 결합조직 또는 자가면역 질환이 포함될 수 있다(그림 23.9c).[20,21]
3. 임상 검사는 통증, 기능, 관절 소음을 평가해야 한다. 예를 들어, 개구 중 하악 편위는 편측성 폐구성 과두 걸림이나 섬유성 강직을 의미할 수 있다. clicking이나 popping 같은 관절 소음은 관절 디스크 변위를 암시한다. 관절 내 염발음은 골관절염이나 디스크 후조직의 천공을 나타낼 수 있다.
4. Conebeam CT (CBCT), 파노라마 영상, 경두개 영상, 경인두 영상, 단층 촬영, CT, MRI(그림 23.9, 24단원 참조) 등과 같은 적절한 영상으로 TMJ를 평가한다.
5. 기존의 TMJ 상태를 적절하게 진단하고 환자와 상담한다. 외과의는 수정이 필요한 상태에 대해 적절한 순서와 치료 계획을 세워야 한다. 환자에게 비정상적 TMJ 소견과 이것이 교정 및 악교정 수술 결과에 미칠 수 있는 영향을 알려

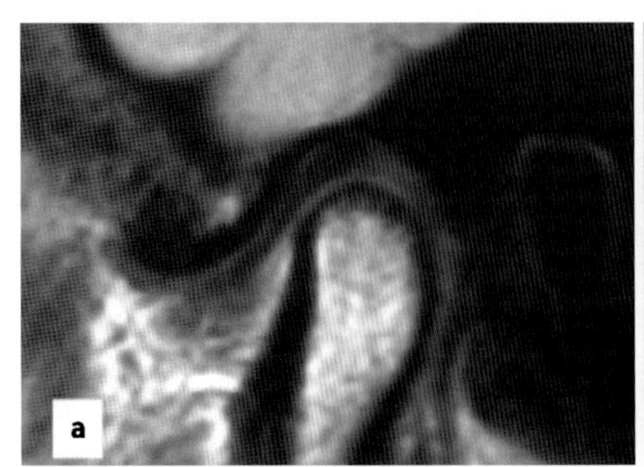

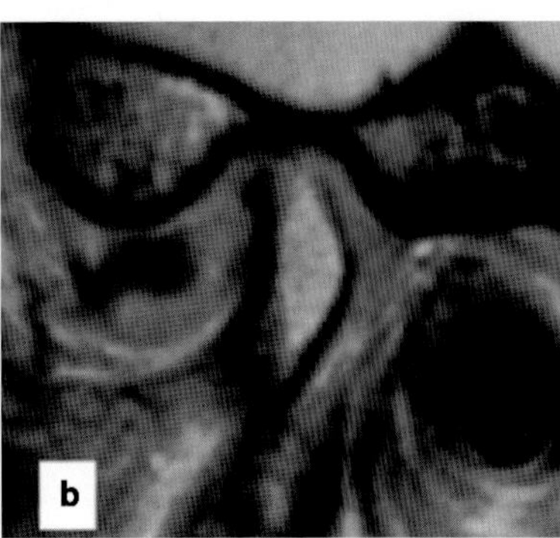

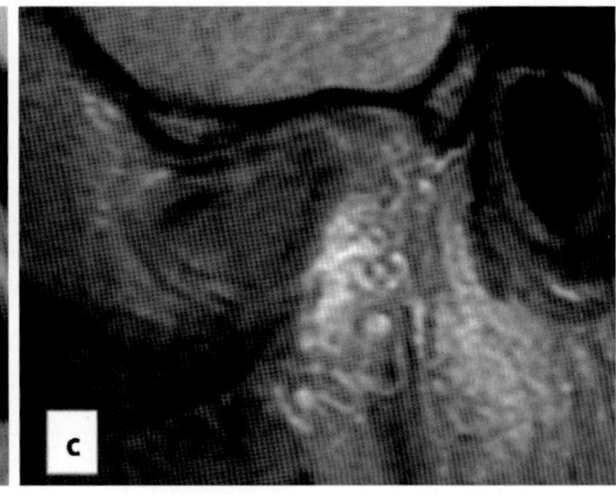

그림 23.9 TMJ의 MRI 영상. **a** 정상 과두 및 관절와 내 디스크. **b** TMJ 관절염과 심각하게 변형된 디스크의 전방 변위. **c** 청소년기 특발성 관절염의 TMJ로 디스크는 정상 위치이나 골과 디스크 파괴를 유발하는 반응성 pannus로 둘러싸여 있고, 과두 수직 고경이 심각하게 소실되었다.

야 하는데, 치료가 필요하지 않은 상태여도 설명한다.
6. OSA 수정을 위한 악교정 수술이 필요한 환자에게 기존의 TMJ 병리나 상태가 있는 경우, 예비 수술이나 필요한 악교정 수술과 동시 술식을 통해 TMJ 병리를 외과적으로 수정하는 것을 고려해야 한다.

23.1.10 코

다음을 포함하여 비강 기도 폐쇄에 기여할 수 있는 많은 해부학적 요인이 있다: (1) 좁은 비공, (2) 넓은 비소주(◘ 그림 23.10), (3) 비강 판막 수축, (4) 코의 횡단 허탈, (5) 편위된 비중격, (6) 위축된 비갑개(◘ 그림 23.11), (7) 비인두 아데노이드 조직(◘ 그림 23.12), (8) 기타 해부학적 변이 및 병리 [22] 임상, 영상, 광섬유경 검사 등을 이용해 비강 기도 폐쇄를 평가한다. 먼저, 비강과 비소주의 비강 너비를 측정한다(◘ 그림 23.10). 비강 검경을 사용하여 비강 판막을 평가하고 비갑개와 비중격의 전방 측면을 평가한다. 비폐색의 가장 흔한 형태는 비갑개 과형성이다(◘ 그림 23.11). 비갑개는 섬모 점막으로 덮인 선 및 발기 조직으로 덮인 벌집 모양의 골구조이다. 이런 비갑개가 커지고 및/또는 중격이 만곡되거나 돌기가 존재하면, 상당한 비강 기도 폐쇄가 일어날 수 있다. 일반적으로, 밤에 누우면 비갑개 부종이 증가하여 기능적 기도가 더 차단된다. 알레르기성 비염은 비폐

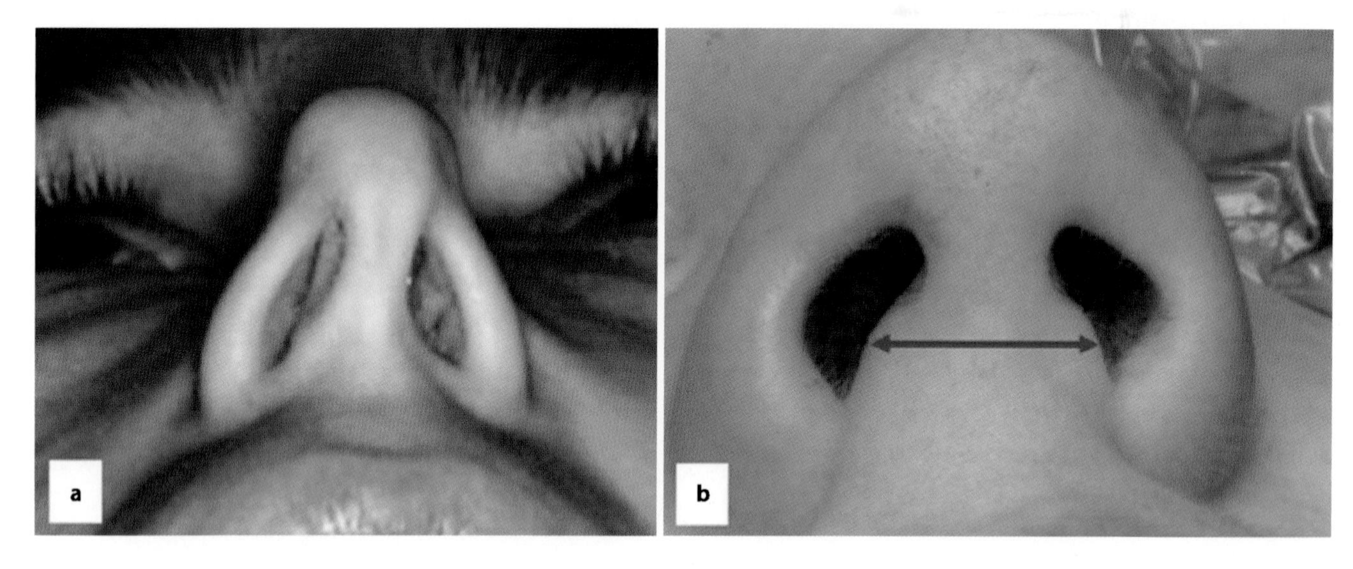

◘ 그림 23.10 **a** 비공과 비강 판막의 심각한 수축. **b** 비공을 좁게 만드는 넓은 비소주. 좁아진 비공이 코로 들어가는 공기를 제한하고 이것이 비강 기도 폐쇄의 일차 인자이다.

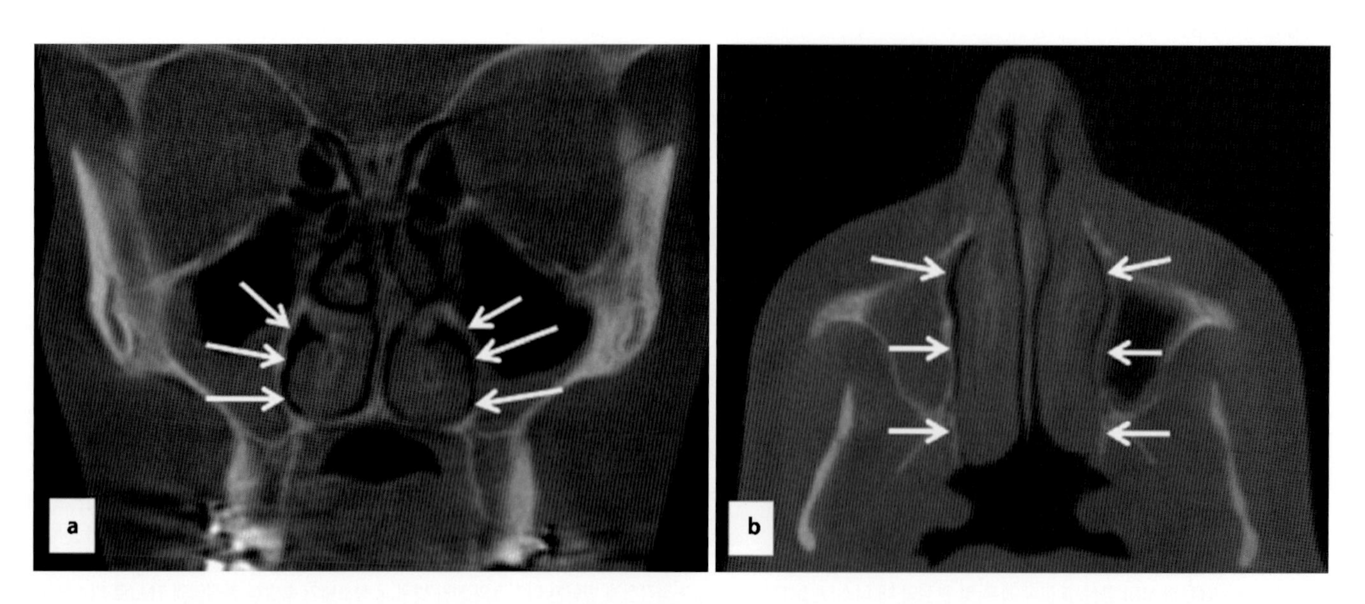

◘ 그림 23.11 **a** 비갑개 과형성에 대한 관상 단층 영상으로 비강 기도가 거의 완전히 폐쇄되었다. **b** 비강 기도 폐쇄를 유발하는 양측성 과형성 비갑개의 축단면

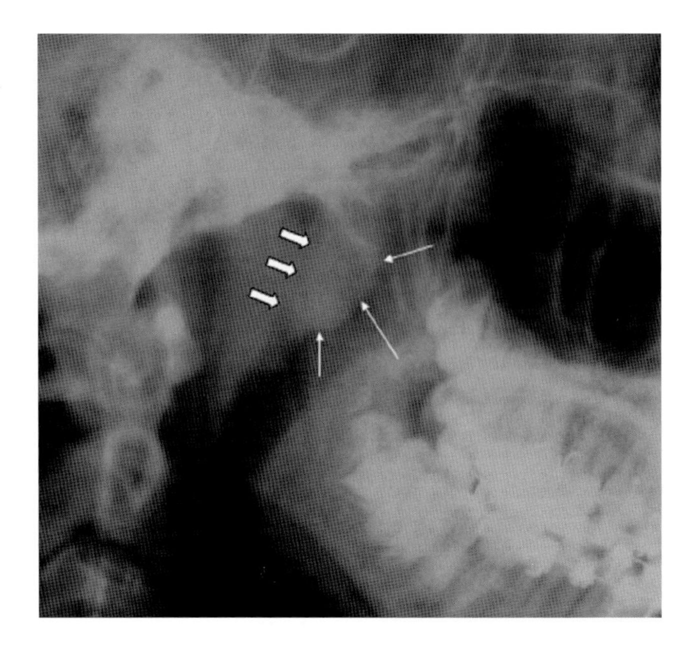

■ 그림 23.12 구인두 기도 폐쇄를 유발하는 과형성 비인두 아데노이드 조직

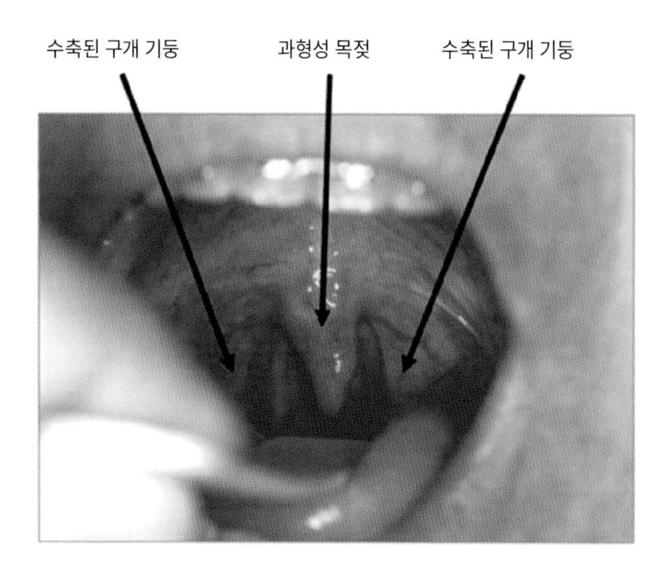

■ 그림 23.13 과형성된 연구개와 목젖이 보이고, 이것은 구인두 기도 폐쇄를 유발할 수 있다. 또한 구개 기둥의 횡적 수축을 일으켜 OSA가 심해질 수 있다.

색의 흔한 원인이다.[23] 비중격 만곡은 코를 한쪽이나 다른쪽으로 구부리고 중격 돌기가 있을 수도 있을 뿐만 아니라 상당한 폐쇄를 유발할 수 있다(■ 그림 23.12). 아데노이드 조직은 일반적으로 14세 이전에 재흡수되지만 일부 환자에서는 몇 년 동안 더 오래 남을 수 있고, 어린 아이들에게 문제가 될 수 있다.

코와 구인두 부위를 포함하는 상기도 폐쇄가 상악 및 하악에 대한 후하방 성장 벡터를 갖는 증가된 수직 안면 성장 양상을 생성하는 성장 중인 어린이에서 발생하는 경우, 안면 성장 및 발달에 중대한 역효과를 가져올 수 있다. 상기도 폐쇄는 이러한 폐쇄의 해부학적 변화에 영향을 받는 아동과 성인의 건강과 웰빙에 영향을 미칠 수 있으며 기능적 및 미적 안면, 골격, 근육, 치아 부조화를 유발할 수 있다.

23.1.11 구인두 기도 평가

구인두 부위의 기도 폐쇄에 기여하는 일반적인 요인은 다음과 같다: (1) 혀를 후방으로 변위시키는 하악 및 상악 저형성, (2) 연장된(과형성) 연구개, (3) 목젖 과형성(■ 그림 23.13), (4) 근막 기둥 수축, (5) 비대해진 편도 및 아데노이드(■ 그림 23.12), (6) 감소된 구인두 기도, (7) 구인두 기도를 감소시키는 종양이나 기타 병리, (8) 인두 판막(구개열 환자에서) [22] 구인두 기도의 임상적 평가는 Mallampatti 점수, 연구개와 목젖의 길이와 기능, 근막 기둥의 횡단 너비와 기능, 편도의 존재 및 크기 평가와 아데노이드 조직의 간접 평가를 포함한다. Mallampatti 점수가 높으면(III, IV급) 하악 후퇴 및 OSA와 관련된 높은 교합 평면 안면 형태를 나타낼 수 있다. 구인두 기도는 저형성 하악과 상악이 있는 경우 현저하게 감소하고, 이것은 반시계방향 회전 여부에 관계없이 상하악 복합체 전진을 위한 악교정 수술이 필요할 수 있다. 과형성된 연구개와 목젖(■ 그림 23.13)은 비강 기도를 차단하는 판막으로 작용하여 심각하게 구인두 기도 폐쇄에 크게 기여할 수 있다. 확장된 목젖은 길쭉하게 축 늘어진 연구개처럼 코골이에 기여하는 진동 구조물로 활동할 수 있다. 구인두 부위의 측면 두부계측 영상 및 3D 연조직 영상으로 연구개/목젖 길이를 평가하여, 구조물이 과형성된 경우 목젖구개인두성형술(UPPP)이 필요할 수 있다.

비대해진 편도와 아데노이드 조직(■ 그림 23.12)도 구인두 폐쇄에 크게 기여할 수 있다. 특히, 재발성 감염으로 고통받는 경우 그 크기가 더 커져 코나 입으로 숨을 쉬기가 어려워질 수 있다. 비후된 편도와 아데노이드 조직은 종종 함께 움직여 상당한 기계적 폐쇄를 제공한다. OSA에 기여하는 요인으로서 편도와 아데노이드 조직을 평가하면 편도 절제술과 아데노이드 절제술의 필요성을 판단할 수 있다.[22]

23.2 영상 평가

23.2.1 영상 기술 양식

CBCT 기술은 3D 영상을 포함하여 파노라마, 두부계측, 단층촬영 영상과 1:1 비율의 영상을 제공하고, 현재 악교정 영상의 황금 표준이다. 치아안면 기형의 진단에 일반적으로 사용되는 다른 방사선 영상에는 (1) 측면 두부계측 영상, (2) 파노라마 영상, 필요에 따라 (3) 치근단 영상이 있다. 파노라마와 치근단 영상은 치열, 치근 각도, 기존 병리를 결정하는데 도움이 될 수 있다. 정면 두부조영술, TMJ 단층 촬영, 경두개 영상, Water's view, CT, MRI(◘ 그림 23.9)와 같은 다른 영상 양식은 개별화된 환자 진단 요구 사항에 따라 결정될 수 있다.

23.2.2 측면 두부계측 영상

측면 두부계측 영상은 악골 기형을 진단하는 가장 중요한 도구 중 하나이다.[9] 측면 두부계측 영상은 전후방 및 수직 크기에서 골격, 치아치조, 연조직 관계를 분석하는 데 사용된다. 측면 두부계측 영상 획득시, 환자는 치아를 가볍게 접촉하고 입술을 이완시켜 악골이 CR로 위치되도록 머리를 위치시킨다. 임상 FH 평면(귀의 이주에서 골성 안와하연을 통과하는 선)이 바닥과 평행하도록 머리를 위치시킨다. 영상에서 연조직과 경조직이 모두 보여야 한다. 환자 교합이 과도하게 닫히면(상악 수직 결핍처럼), 과두가 CR 관계로 유지되고 입술이 벌어지기 시작할 때까지 입을 벌린 상태로 두 번째 측면 두부계측 영상을 촬영한다. 이 자세를 통해 입술 왜곡 없이 연조직과 골 구조를 평가할 수 있다. 정면 두부계측 영상은 특히 심각한 횡단 비대칭이 있는 환자의 진단과 치료 계획 수립에 도움이 될 수 있다.

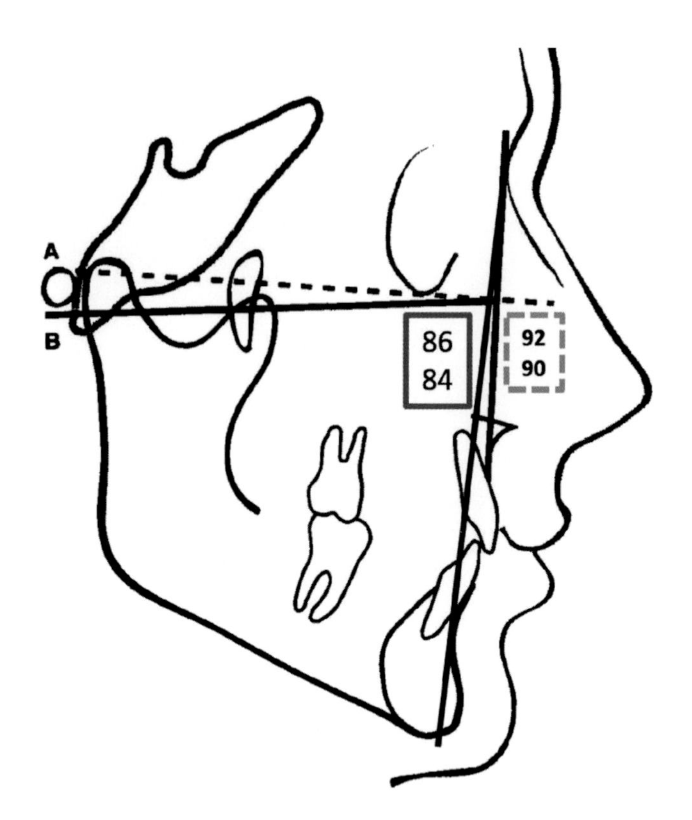

◘ 그림 23.14 (A) 표준 해부학적 랜드마크에 기반한 두부계측치는 임상적 인상이나 환자 기형과 관련성이 없을 수 있다. 해부학적으로 정의된 FH 평면(점선 A)을 사용하여 상악 깊이와 하악 깊이에 대한 두부계측치(주황색 사각형)는 이 환자의 임상 평가와 연관성이 없다. 이러한 상황에서, 수정된 FH 평면이 구축되어(실선 B) 두부계측치(빨간색 직사각형)가 환자의 임상 진단과 연관성을 가질 수 있다. 이후 수정된 FH 평면을 기반으로 한 정상 두부계측치가 진단, 치료 계획 수립, 수술 예측 트레이싱에 사용할 수 있다.

23.2.3 두부계측 분석 대 임상 진단

측면 두부계측 영상을 평가하기 위해 수많은 두부계측 분석을 사용할 수 있다. 임상의가 사용하는 특정 분석과 관계없이, 임상 평가와 두부계측 분석에서 얻은 값 사이에 상당한 차이가 있을 수 있음을 이해하는 것이 중요하다. 유의한 차이가 발생하면 임상 평가가 치료 계획에 훨씬 중요하다.[9] 두부계측 분석은 임상 평가를 위한 보조 도구일 뿐이며 유일한 진단 도구로 사용되어서는 안된다.

23.2.4 수정된 FH 평면

두부계측치가 임상적 인상과 연관성이 없는 증례에서, 기준 두개저 구조물을 조정한다(예: 수정된 FH 선).[9,24] 진단과 치료 계획 수립에 사용하기 위해 임상적 인상과 연관성을 갖도록 값을 조정한다(◘ 그림 23.14). FH 평면은 porion 또는 orbitale의 수직 위치 이상 및/또는 nasion의 전후 위치 이상으로 인해 비정상적으로 배치될 수 있다. FH 평면 상의 해부학적 랜드마크는 또한 porion과 orbitale의 영상 식별 어려움으로 인해 위치를 찾기 어려울 수 있다. 상악 및 하악 전후방 위치에 대한 두부계측치를 임상적 인상과 관련시키기 위해, 수정된 FH 평면은 진단 및 치료 계획 수립을 지원하는 두부계측 분석을 제공한다(◘ 그림 23.14). 좋은 임상적 판단으로 조절된 두부계측학적 분석은 가장 적절한 교정 및 외과 치료 계획 수립에 귀중한 도구가 될 수 있다.

23.2.5. 두부계측 분석

많은 합리적인 두부계측 분석이 임상적 의사결정에 이용가능하다.[25] 저자는 14개의 두부계측 관계를 평가하여 분석에 사용한다. 다음과 같은 분석을 통해 신속한 진단이 가능하다:

1. 상악 깊이: FH 평면과 nasion에서 A-point를 통과하는 선(NA)이 이루는 각도. 정상값은 90 ± 3도이다(◘ 그림 23.15, 각 A).
2. 하악 깊이: FH 평면과 nasion에서 하악의 B-point를 통과하는 선(NB)이 이루는 각도. 정상값은 88 ± 3도이다(◘ 그

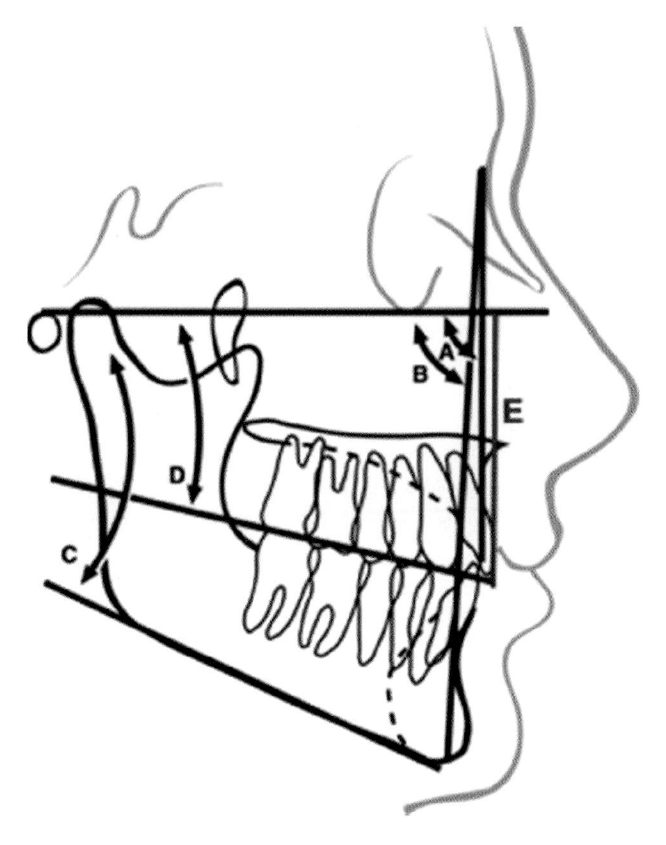

■ 그림 23.15 정상 상악 깊이(A)는 90 ± 3도이다. 정상 하악 깊이(B)는 88 ± 3도이다. FH 평면에 대한 정상 하악 평면 각도(C)는 25 ± 5도이다. 정상 교합 평면 각도(D)는 8 ± 4도이다. 정상 심미적 선(빨간색 E)은 상악 중절치 순측면의 접선으로 상악 중절치의 최고 심미적 위치를 위해 FH 평면과 90 ± 2도를 만들어야 한다.

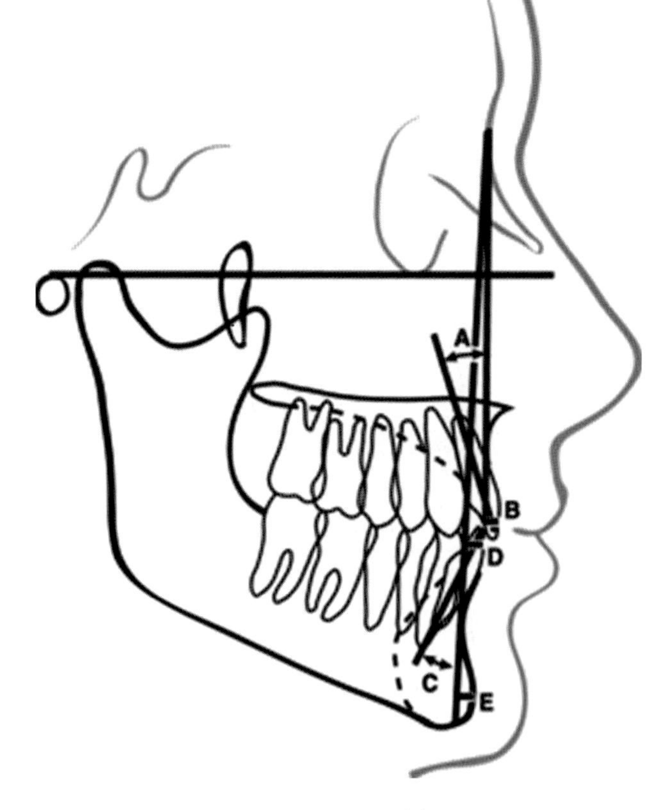

■ 그림 23.16 상악 절치에서 NA선까지의 장축(A)은 22 ± 2도의 정상값을 가진다. 상악 절치의 순측면(B)은 NA선에서 전방으로 4 ± 2 mm이어야 한다. NB선에 대한 하악 중철지의 장축(C)은 20 ± 2도의 정상값을 가진다. 하악 중절치의 순측면(D)은 NB선 전방으로 4 ± 2 mm이어야 한다. 경조직 pogonion (E)은 NB선보다 전방으로 4 ± 2 mm이고, 하악 절치의 순측 표면이 NB선에 대해 1:1의 비율로 전방에 위치할 때 얻어진다.

림 23.15, 각 B).

3. 하악 평면 각도: FH 평면과 menton에서 gonion을 통과하는 선이 이루는 각도. 정상값은 25 ± 5도이다(■ 그림 23.15, 각 C).
4. 교합 평면 각도: FH 평면과 하악 제2대구치 협측 홈의 접선이 소구치의 교두 끝을 통과하도록 그은 선이 이루는 각도. 정상값은 8 ± 4도이다. 교합 평면은 특히 양악 수술이 수행될 때 기능과 심미성에 큰 영향을 미친다(■ 그림 23.15, 각 D).
5. 심미적 선(■ 그림 23.15, 빨간색 선 E): FH 평면을 가로질러 수직으로 연장된 상악 중절치의 접선으로 이상적으로 정렬되면 90도 각도를 형성해야 한다. 이것은 중절치 치관의 가장 심미적인 위치이다.
6. 상악 절치각: 상악 절치의 장축이 NA선에 대해 이루는 각. 정상값은 22 ± 2도이다. 절치연의 순측면은 NA선의 전방 4 ± 2mm에 위치해야 한다. 상악 절치각은 술전 교정 목표 구축에 중요하다(■ 그림 23.16, 각 A와 선 B).
7. 하악 절치각: 하악 절치의 장축이 NB선에 대해 이루는 각. 정상값은 20 ± 2도이다. 절치연의 순측면은 NB선의 전방 4 ± 2mm에 위치해야 한다. 하악 절치각은 술전 교정 목표 구축에 중요하다(■ 그림 23.16, 각 C와 선 D).
8. Pogonion 돌출: 골성 pogonion의 가장 돌출된 지점에서 NB선까지의 거리. 정상값은 4 ± 2 mm이다. 최적의 하악 치아골격 균형은 하악 절치의 순측 표면과 pogonion이 NB선에 대해 1:1의 비율로 전방에 위치할 때 얻어진다(■ 그림 23.16, 선 E).
9. 상순 길이: 코의 기저부(비하점)에서 상순 하방부(상순 입중간점)까지의 거리. 정상값은 성인 남성 22 ± 2 mm, 여성 20 ± 2 mm이다. 상순 길이는 일반적으로 변경되지 않기 때문에, 하안면 1/3에서 수직 안면 고경을 설정하는 기초가 된다. 이 계측치는 하안면 1/3의 하방 2/3의 수직 고경을 설정하기 위한 기초이다(■ 그림 23.17, 거리 A).
10. 상악 치아-상순 관계: 이완된 상순 입중간점에서 상악 절치의 절단연까지의 거리. 정상값은 2.5 ± 1.5 mm이다. 이

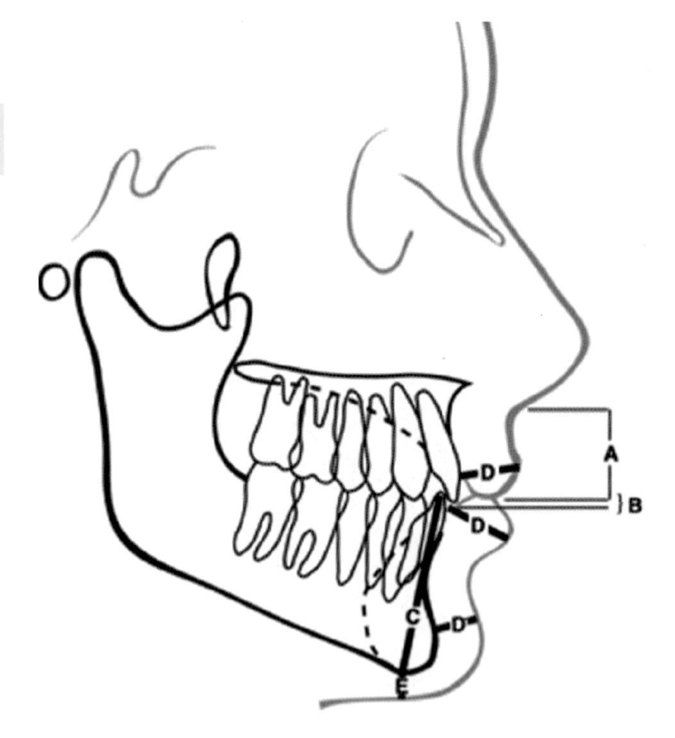

■ 그림 23.17 정상 상순 길이(A)는 남성 22 ± 2 mm, 여성 20 ± 2 mm이다. 정상 치아-입술 관계(B)는 2.5 ± 1.5 mm이다. 하악 전치 고경(C)은 하악 중절치 연에서 경조직 menton까지의 거리로 측정된다. 정상은 남성 44 ± 2 mm, 여성 40 ± 2 mm이다. 상순 길이의 2배가 하악 전치 고경과 같아야 한다. 상순, 하순, 턱의 연조직 두께(D)는 일반적으로 11–14 mm이지만, 중요한 것은 비율이 1:1:1이어야 한다. menton에서 연조직 두께(E)는 정상적으로 7 ± 2 mm이다.

평가는 특히 상악에 수직 이형성이 있는 경우, 안면 수직 고경을 구축하는데 중요하다(■ 그림 23.17, 거리 B).

11. 하악 전치부 고경: 하악 절치연에서 경조직 menton까지의 거리. 정상값은 남성 44 ± 2 mm, 여성 40 ± 2 mm이다. 하안면 1/3에서 최적의 균형을 위해서 하악 전치부 고경이 상순 길이의 약 2배가 되어야 한다. 상순이 정상보다 길면 안면 고경이 하안모 1/3에서 균형을 이룰 수 있도록 하악 전치부 고경이 정상보다 길어야 한다(■ 그림 23.17, 거리 C).
12. 연조직 두께: 상순, 하순, 턱 부위의 두께는 일반적으로 11–14 mm이다. 더 중요한 것은 비율이 1:1:1이어야 한다는 것이다. 이 비율의 변화는 입술과 턱에 대한 치료 계획 수립 결정에 영향을 미칠 수 있다(■ 그림 23.17, 거리 D).
13. 연조직 menton의 두께: 경조직 menton에서 연조직 menton까지 FH 평면에 수직으로 측정한 거리. 정상값은 7 ± 2 mm이다. 이 부위의 두께가 과하거나 모자라면 하악 전방부 고경 변경에 영향을 미칠 수 있다(■ 그림 23.17, 거리 E).
14. 구인두 기도: 구인두 기도는 인두 후벽에서 연구개 후면까지, 그리고 인두 후벽에서 혀 기저부까지로 측정된다. 이 두 부위의 정상 크기는 11 ± 2 mm이다(■ 그림 23.18).

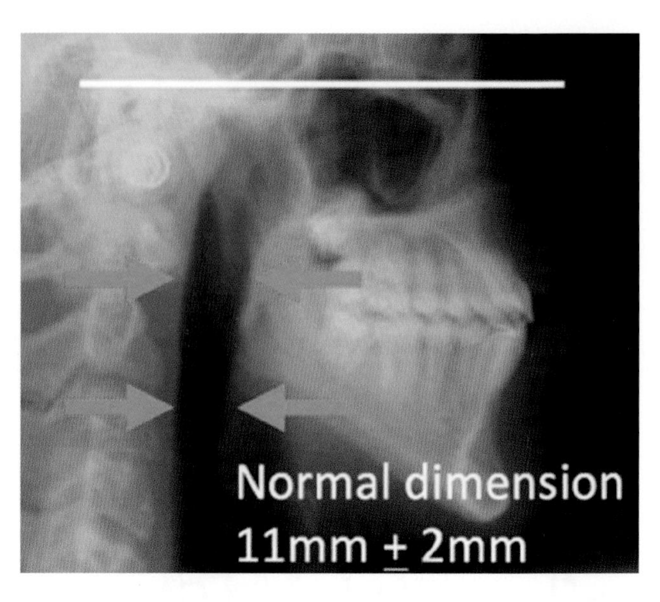

■ 그림 23.18 구인두 기도는 인두 후벽에서 연구개 후면까지, 그리고 인두 후벽에서 혀 기저부까지로 측정된다. 이 두 부위의 정상 크기는 11 ± 2 mm이다.

23.3 치아 모델 분석

치아 모델 분석은 특히 교정과 관련하여 적절한 진단과 치료 목표를 설정하는 데 중요하다. 적절한 치아 모델 분석은 술전 교정 목표에 대한 이해와 개발을 향상시킨다. 몇 가지 기본 치과 모델 평가는 다음과 같다:

1. 악궁 길이 측정
2. 치아 크기 분석
3. 밀집, 치간 이개
4. 치아 위치
5. 악궁 너비 분석
6. 교합 만곡(Spee 만곡)
7. 대구치 교두 위치
8. 치열궁 대칭
9. 협측 치아 기울기(Wilson 만곡)
10. 치아의 결손, 붕괴, 보철 수복

23.3.1 악궁 길이 측정

악궁 길이 측정으로 이용가능한 치조골 양과 치아 너비의 상관관계를 파악한다. 치열궁 길이와 치아 너비의 합을 평가하여 밀집과 치간 이개의 존재 여부를 식별한다. 이 평가는 통해 치아 발치의 필요성, 생성해야 하는 공간, 폐쇄해야 하는 공간에 대한 판단을 내릴 수 있다(■ 그림 23.19).

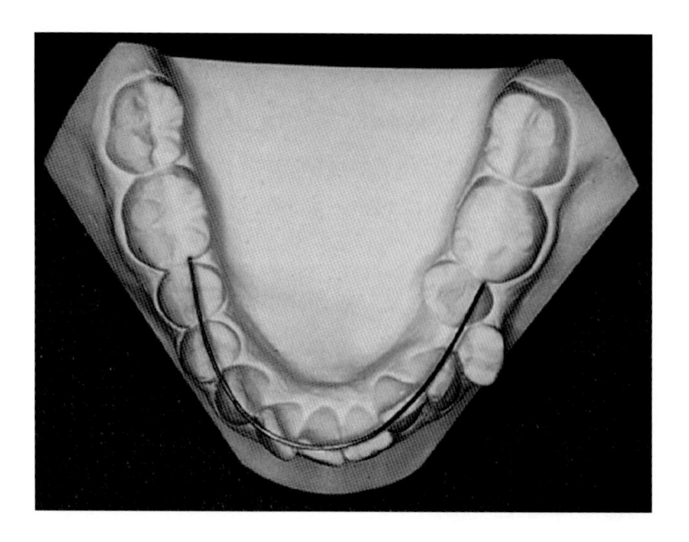

■ 그림 23.19 악궁 길이 측정으로 이용가능한 치조골 양과 치아의 너비의 상관관계를 파악한다. 또한, 치아 발치의 필요성과 치아의 적절한 정렬에 필요한 특정 교정 기전을 결정하는데 도움이 된다.

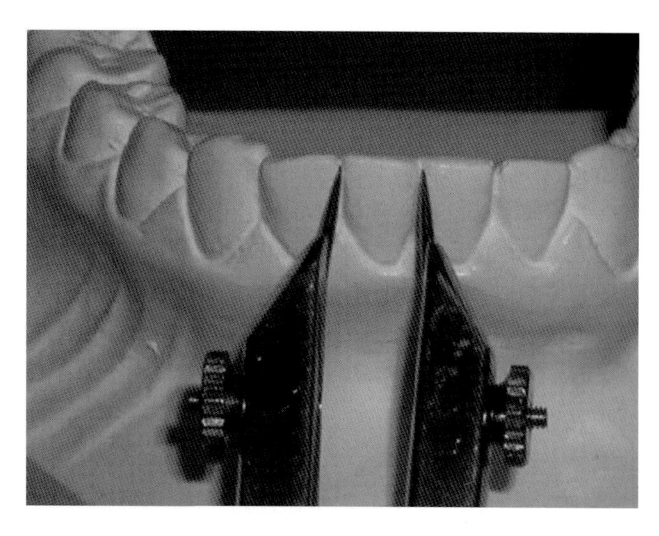

■ 그림 23.20 치아 크기 분석은 상악과 하악 6전치 너비의 합을 평가한다. 치관 근원심 너비의 가장 넓은 부분을 측정한다. 치아 크기 평가는 적절한 술전 교정 치료로 문제를 수정하기 위해 필요하다. 바늘침 캘리퍼가 도움이 된다.

교정 치료는 수면 무호흡에 기여할 수 있는데, 특히 치아 배열을 용이하게 하기 위해 소구치를 발치하는 경우에 그렇다. 현재까지, 일부 교정의는 하악 후퇴의 증례에서 일상적으로 소구치를 발치하고 헤드기어나 다른 기전을 이용하여 상악과 그 치아를 후방 견인하는데, 그 결과 구강 용적이 감소하고 혀가 후방으로 이동하여 수면 무호흡 발생에 기여한다. 불행하게도, 수면 무호흡 증상은 수년 후에 나타나기도 한다. 때로는 교정의가 완전히 뒤집어, 소구치 공간을 재개방하여 혀를 더 잘 수용하기 위해 구강의 크기를 증가시키면서 치아의 더 나은 기능적 및 심미적 정렬을 얻고, 필요에 따라 최고의 결과를 위해 악교정 수술이 필요할 수도 있다.

23.3.2 치아 크기 분석

치아 크기 분석은 상악과 하악 치아의 근원심 너비 관계를 연관시킨다. 치아 크기 부조화는 소구치와 대구치에서도 발생할 수 있지만, 이 분석은 주로 상악과 하악 6전치에 주로 사용된다. 치아안면 기형이 있는 많은 환자는 하악 치아 대비 상악 치아의 너비 감소(주로 작은 측절치에 기인)의 전치부 크기 부조화를 가진다. 이런 증례에서, 공간이 모두 닫힌 상태의 적절한 치아 정렬은 종종 좋은 I급 교두 관계 수립을 방해한다. 대신, 교두간 교합이나 II급 교두 대구치 교합 관계가 야기된다. Bolton 분석은 상악 6전치의 너비에 대한 방법이다. 상악과 하악 전치부 사이의 치아 크기 부조화는 전치부의 직접적인 측정으로 결정한다. 바늘침 캘리퍼(■ 그림 23.20)와 평판을 사용하

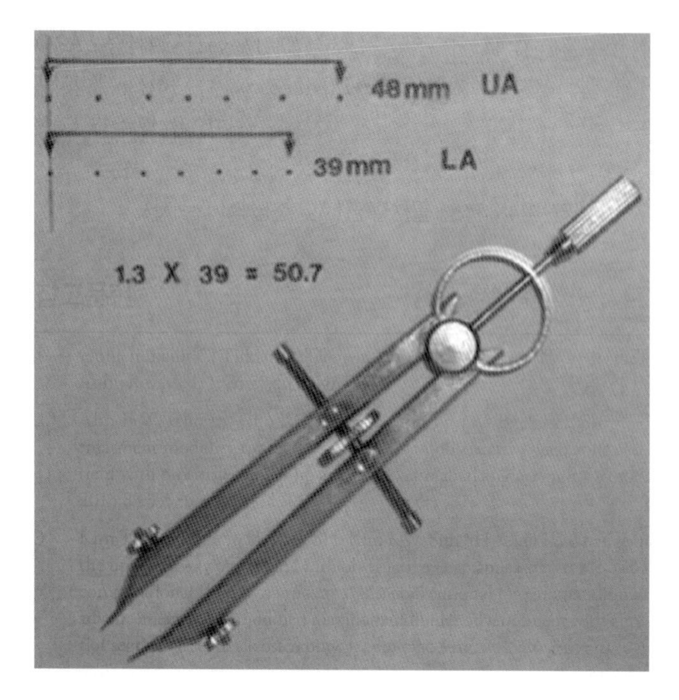

■ 그림 23.21 상악과 하악 전치부 사이의 치아 크기 부조화는 전치부의 직접적인 측정으로 결정한다. 바늘침 캘리퍼와 평판을 사용하면 쉽게 계산할 수 있다. (1) 각 악궁의 6전치를 측정하고 평판의 각 악궁의 해당 치아에 구멍을 뚫는다. (2) 악궁 길이를 결정하기 위해 각 악궁의 길이를 측정한다. (3) 하악 악궁 길이에 1.3을 곱한다. 이 값이 계산된 상악 악궁 길이이고, 상악 전방 악궁 길이는 정상 수평 피개, 수직 피개, I급 교두 관계에서 하악 악궁에 맞아야 한다. (4) 치아 크기 부조화를 결정하기 위해 계산된 상악 악궁 길이에서 실제 악궁 길이를 뺀다.

면 쉽게 계산할 수 있다. (1) 치관의 가장 넓은 너비에서 각 악궁의 6전치를 측정하고 평판의 각 악궁의 해당 치아에 구멍을 뚫는다(◘ 그림 23.21). (2) 악궁 길이 결정을 위해 각 악궁의 길이를 측정한다. (3) 하악궁 길이에 1.3을 곱한다. 이 값이 계산된 상악궁 길이이고, 상악 전방 악궁 길이는 정상 수평 피개, 수직 피개, I급 교두 관계에서 하악 악궁에 맞아야 한다. (4) 치아 크기 부조화를 결정하기 위해 계산된 상악궁 길이에서 실제 악궁 길이를 뺀다. 하악 치아가 상악 치아보다 큰 경우는 일반적으로 작은 상악 측절치와 관련된다. 치아 크기 부조화는 상악과 하악 치아의 근원심 너비가 거의 일치하는 소구치와 대구치 부위에서도 발생할 수 있다. 치아 크기 부조화는 하악 전치부의 위치를 바꾸거나 치간부를 삭제하여 관리할 수 있다. 대안적으로 또는 조합하여, 일반적으로 상악 측절치 주변 치열궁에 공간을 형성하고 보철 수복으로 해결한다.

23.3.3 치아 위치

악교정 분석의 맥락에서 치아 위치는 주로 기저골과 연관된 상악 및 하악 절치의 각도를 주로 나타낸다. 치아 모델은 두부계측 평가와 연관성을 가지고(◘ 그림 23.16), 절치 축의 이상적인 경사가 결정된다. 치아 위치 분석을 통해 발치 필요성 여부, 생성 또는 제거해야 하는 공간, 치열궁이나 악궁 분할부를 정렬하고 레벨링하는데 필요한 메커니즘을 결정한다.

23.3.4 악궁 너비 분석

악궁 너비 분석은 상악과 하악 사이의 악궁내 너비 평가를 의미한다. 이것은 교정 및 수술로 획득해야 하는 교합 위치에서 치아 모델을 잡고 횡적 관계를 평가하는 것이 가장 좋다. 예를 들어, 환자가 진성 골격성 III급 교합, III급 대구치 교두 관계를 가진 경우, 모델을 I급 대구치 교두 관계로 위치시키고 횡적 관계를 평가한다. 이와 같이, II급 대구치 교두 관계의 골격성 II급 환자의 모델을 I급 대구치 교두 관계로 위치시키고 평가한다. I급 교두와 II급 대구치 관계가 특정 환자에게 가장 적합한지 여부를 결정하기 위해 모델을 II급 대구치 위치에 배치하여 횡단 관계 평가하는 것을 고려한다. 악궁 너비 분석은 술전 교정 메커니즘을 결정하고 적절한 수술법을 선택하는 데 도움이 된다.

23.3.5 교합 만곡(Spee 만곡)

교합 만곡은 악궁 내에서 교정적 수정 가능성, 발치의 필요성, 교합 평면 조절을 위한 수술 개입의 필요성 여부에 현저한 영향을 미친다. 하악궁의 두드러진 교합 만곡이 교정으로 레벨링되면, 요구되는 수직적 레벨링의 mm마다 하악 절치는 전방으로 약 1 mm 이동한다(◘ 그림 23.22a). 하악 절치 함입으로 하악궁을 약 2 mm 레벨링하면, 교정 안정성이 낮아진다. 특히 하악궁에서, 교합의 역만곡을 수정하면 절치 정출로 안정적인 결과를 제공하지 못할 수 있다. 반대 만곡을 수정하기 위해, 악궁의 외과적 레벨링이 선호될 것이다. 외과적 레벨링은 하악의 치근첨 하방 골절단술이나 양측성 하악 골절단술이나 상악의 분할 술식으로 달성할 수 있다.

상악궁에서, 두드러진 교합 만곡(◘ 그림 23.22b)이 상대적으로 작을 때는 교정적으로 수정 가능하나, 그 정도가 심하면 수술적으로 잘 수정될 수 있다. 치아의 교정적 정출은 술후 교정

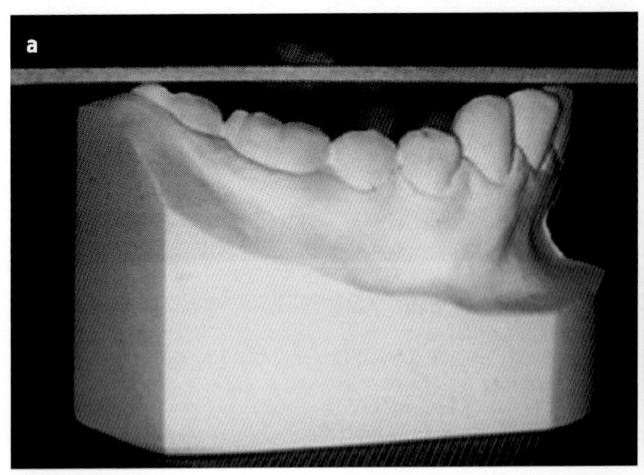

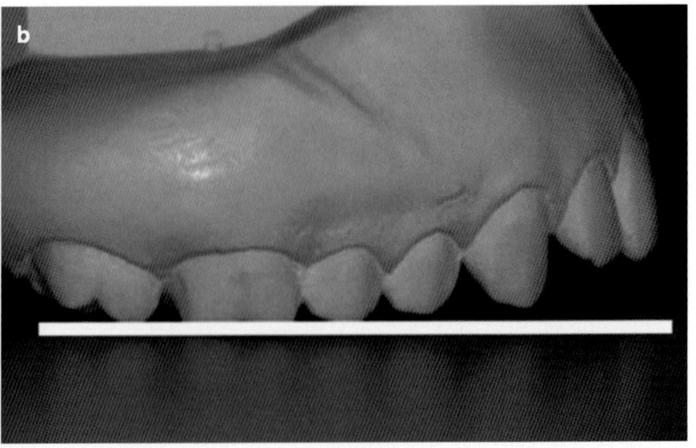

◘ 그림 23.22 **a** 하악궁에서 소구치의 협측면이 절치와 제2대구치에 그은 접선의 수 mm 하방에 위치하며, 두드러진 교합 만곡이 보인다. 하악 절치는 수직적 레벨링의 mm마다 전방으로 약 1mm 이동한다. **b** 상악궁에서, 절치가 구치부의 편평한 평면에서 상방으로 1 mm에 위치한다. 두드러지거나 반대의 교합 만곡 정도는 예측가능한 치료 결과를 획득하기 위해 필요한 교정 및 외과 술식 결정에 도움이 된다.

재발에 대한 경향으로 안정적이지 않을 수 있다. Spee 주요 만곡으로 상악궁을 분할 정렬하고 외과적으로 수정하면 예측가능한 결과를 제공할 것이다. 심한 Spee 역만곡도 마찬가지로 교정 치료와 안정성에 한계를 가질 것이다. Spee 만곡을 평가하고 교정 및 외과적 한계를 이해하면 안정적인 치료 계획 수립에 도움이 될 것이다.

23.3.6 대구치-교두 위치

대구치-교두 위치는 교합 기능을 결정한다. 보통 I급 대구치-교두 관계가 바람직하다; 그러나 II급 대구치 관계도 허용된다. III급 대구치 관계는 덜 바람직하지만, 증례에 따라 허용될 수 있다.

23.3.7 치열궁 대칭

치열궁 대칭은 각 치열궁 내에서 좌우 대칭을 비교한다. 한쪽 교두첨이 반대쪽보다 더 전방에 위치하는 것과 같이 치열궁 내에 상당한 비대칭이 존재할 수 있다. 이 문제는 악궁의 한쪽에 치아가 없을 때 종종 발생한다. 치료를 위해 특별한 교정 메커니즘, 편측성 발치, 추가적인 외과적 술식이 필요할 수 있다.

23.3.8 협측 치아 경사(Wilson 만곡)

협측 치아 경사는 근원심 방향에서 상악 구치부의 교합면 위치를 평가한다(◘ 그림 23.23). 상악 구치부의 교합면이 협측으로 경사되었다면, 적절한 교합 관계를 달성하기 어려울 것이다. 기존의 협측 경사와 횡적 상악 결핍이 있으면, 이런 경사가 교정적, 악정형적, 수술 이용 구개 확장으로 수정되기 더욱 어렵다.

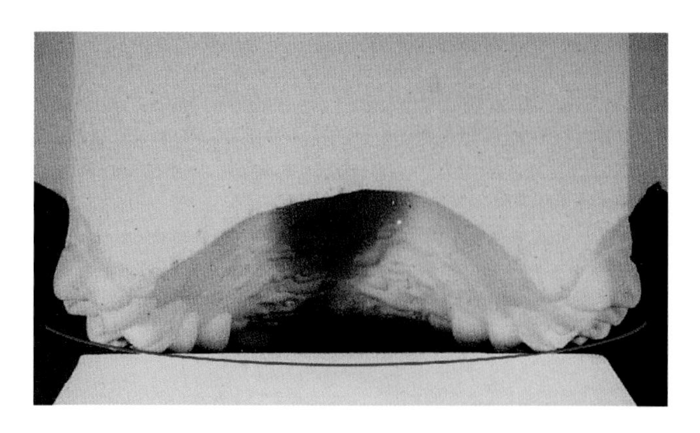

◘ 그림 23.23 후방에서 본 상악 치아 모형. 현저한 협측 경사(Wilson 만곡 증가)가 보이고, 구개측 교두첨이 협측 교두보다 현저하게 낮게 위치한다. Wilson 만곡 증가와 횡단 상악 저형성, 교정적, 악정형적, 수술 보조 구개 확장으로 Wilson 만곡이 한층 더 증가할 수 있다. 수술 확장이 보다 예측 가능하고, 악궁이 팽창하고 Wilson 만곡이 교합 수준보다 구개에서 더 많이 팽창하면서 Wilson 만곡이 감소될 수 있다.

일반적으로 협측 경사는 이러한 역학으로 악화된다. 수술 이용 급속 구개 확장으로도, 구개는 교합 수준에서 발생하는 확장량의 약 1/3정도의 확장만 보여 Wilson 만곡이 증가할 수 있다. 외과적 확장은 필요한 경우 교합 수준보다 더 많은 양의 구개 확장을 달성할 수 있으므로, Wilson 만곡을 감소시키고 상악 분절이 공간의 3평면 모두에서 재배치될 수 있기 때문에 일반적으로 유리하다.

23.3.9 치아의 결손, 붕괴, 보철 수복

결손치, 파절된 치아, 보철 수복된 치아가 치료 디자인에 영향을 줄 수 있다. 잠재적인 골절단술 위치의 치아가 수복 불가능하고 발치가 필요하다면, 발치 공간을 교정적으로 닫거나 공간을 유지할 수도 있다. 어떤 경우에는, 악골이나 분절의 수술 정렬 동안 안정성을 향상시키기 위해 치아를 유지하고 수술 후 발치하는 것이 도움이 될 수 있다.

23.3.10 치아 강직

치아 강직은 치조골이 상아질이나 백악질에 비정상적으로 유착되는 것이다. 치근면의 치주인대와 백악질이 대식세포와 파골세포에 의해 흡수되고, 정상적인 치주인대 형성없이 치근면의 조골세포에 의해 신생골이 생성되어 교정 역학으로 치아가 움직이지 않게 된다. 강직된 치아가 교정력에 반응하지 않으면 치아를 쉽게 이동시킬 수 있도록 외과적 술식이 필요할 수 있다. 여기에는 치아의 아탈구, 분할 골절단술, 발치가 포함될 수 있다.[26,27]

23.4 요약

OSA 환자는 일반적으로 기능적 기도에 영향을 미치는 치아안면 기형과 연관된다. 이번 단원은 치아안면 기형을 평가하고 종합적인 진단을 개발하여 포괄적인 치료 계획 수립을 위한 체계적인 방법을 설명하기 위해 고안되었다. 수면 무호흡에 기여하는 주요 요인은 다음과 같다: (1) 구인두 기도 감소, (2) 비강 인두 폐쇄, (3) 하악 및 상악 저형성. 인두 후벽에서 연구개까지 그리고 인두 후벽에서 혀의 후방 기저부까지의 정상 전후방 크기는 11 ± 2 mm이다. 상악 및 하악 후퇴가 있는 환자(OSA 환자에서 매우 흔함)에서, 기도가 현저하게 감소할 수 있다. 이런 골격성 결핍을 수반하는 것은 일반적으로 높은 교합 평면 각도 안면 형태이다. FH 평면에 대한 정상적인 교합 평면은 8 ± 4도이지만, 상악 및 하악 돌출의 OSA 환자에서 교합 평면이 상당히 증가하여 많은 외과의가 구인두 기도를 수정하고 개방하는 데 어려움이 있을 수 있다. OSA 환자에서 일반적으로 수반되는 3가지 요인이 있으며 다음과 같다: (1) 상악 및 하악 후퇴가 동반된 높은 교합 평면 각도 안면 형태, (2) 과형성된 비갑개 및/또는 비강 중격 편위나 돌기와 연관된 비강 기도 폐쇄, (3) TMJ 병리. 특히, 과두 흡수를 포함하는 TMJ 병리는 하악 및 상악 후퇴의 흔한 병인으로 OSA에 기여한다. TMJ 문제가 관련된 경우는, 안정적인 치료 결과를 제공하고 TMJ과 근막 통증뿐만 아니라 TMJ 관련 두통 및 기타 관련 증상을 감소시키거나 제거하기 위해 TMJ 병리를 해결해야 한다. 상악과 하악이 돌출된 교합면 각도가 높은 안면 형태를 가진 환자는 항상 비강 기도 폐쇄, 구인두 기도 감소, TMJ 병리를 평가해야 한다. 적절한 진단과 치료 계획은 매우 예측 가능하고 안정적이며 지능적이고 심미적인 결과를 가져올 수 있다. 이번 단원에서는 진단과 치료 계획 수립을 위해 OSA 환자의 평가를 위한 기본 프로토콜을 검토했다.

참고문헌

1. Wilmot JJ, Barber HD, Chou DG, et al. Associations between severity of dentofacial deformity and motivation for orthodontic orthognathic surgery treatment. Angle Orthod. 1993;63:283–8.
2. Kiyak HA, Vitaliano PP, Crinean J. Patients' expectations as predictors of orthognathic surgery outcomes. Health Psychol. 1988;7:251–68.
3. Finlay PM, Atkinson JM, Moos KF. Orthognathic surgery: patients expectations; psychological profile and satisfaction with outcome. Br J Oral Maxillofac Surg. 1995;33:9–14.
4. Ouellette PL. Psychological ramifications of facial change in relation to orthodontic treatment and orthognathic surgery. J Oral Surg. 1978;36:787–90.
5. Kiyak HA, McNeill RW, West RA, et al. Predicting psychologic responses to orthognathic surgery. J Oral Maxillofac Surg. 1982;40:150–5.
6. Holtzman LS, Burns ER, Kraut RA. Preoperative laboratory assessment of hemostasis for orthognathic surgery. Oral Surg Oral Med Oral Pathol. 1992;73:403–6.
7. Houston WJ. Bases for the analysis of cephalometric radiographs: intracranial reference structures or natural head position. Proc Finn Dent Soc. 1991;87:43–9.
8. Claman L, Patton D, Rashid R. Standardized portrait photography for dental patients. Am J Orthod Dentofac Orthop. 1990;98:197–205.
9. Wolford LM. Surgical planning in orthognathic surgery (chapter 60). In: Booth PW, Schendel SA, Hausamen JE, editors. Maxillofacial surgery, vol. 2. St. Louis: Churchill Livingstone; 2007. p. 1155–210.
10. Schultes G, Gaggl A, Karcher H. Periodontal disease associated with interdental osteotomies after orthognathic surgery. J Oral Maxillofac Surg. 1998;56:414–7.
11. Wolford LM. Periodontal disease associated with interdental osteotomies after orthognathic surgery. J Oral Maxillofac Surg. 1998;56:417–9.
12. Dorfman HS, Turvey TA. Alterations in osseous crestal height following interdental osteotomies. J Oral Surg. 1979;48:120–5.
13. Shepard JP. Longterm effects of segmental alveolar osteotomy. Int J Oral Surg. 1979;8:327–32.
14. Kwon H, Philstrom B, Waite DE. Effects on the periodontium of vertical bone cutting for segmental osteotomy. J Oral Maxillofac Surg. 1985;43:953–5.
15. Fox ME, Stephens WF, Wolford LM, et al. Effects of interdental osteotomies on the periodontal and osseous supporting tissues. Int J Adult Orthodon Orthognath Surg. 1991;6:39–46.
16. Rodrigues DB, Campos PSF, Wolford LM, Ignácio J, Gonçalves JR. Maxillary interdental osteotomies have low morbidity for alveolar crestal bone and adjacent teeth: a CBCT imagebased study. J Oral Maxillofac Surg. 2018; https://doi.org/10.1016/j. joms.2018.01.031.
17. Wolford LM, Cottrell DA. Diagnosis of macroglossia and indications for reduction glossectomy. Am J Orthod Dentofac Orthop. 1996;110:170–7.
18. Turvey TA, Journot V, Epker BN. Correction of anterior open bite deformity: a study of tongue function, speech changes, and stability. J Maxillofac Surg. 1976;4:93–101.
19. Wickwire NA, White RP Jr, Proffit WR. The effect of mandibular osteotomy on tongue position. J Oral Surg. 1972;30:184–90.
20. Wolford LM, ReicheFischel O, Mehra P. Changes in temporomandibular joint dysfunction after orthognathic surgery. J Oral Maxillofac Surg. 2003;61:655–60.
21. Wolford LM, Cassano DS, Goncalves JR. Common TMJ disorders: orthodontic and surgical management. In: McNamara JA, Kapila SD, editors. Temporomandibular disorders and orofacial pain: separating controversy from consensus, Craniofacial growth series, vol. 6. Ann Arbor: University of Michigan; 2009. p. 159–98.
22. Wolford LM, Movahed R: Concomitant TMJ and orthognathic surgery: diagnosis and treatment planning. Oral Maxillofac Surg Knowl Update. AAOMS.org/OMSKU, 2014.
23. Movahed R, MoralesRyan C, Allen WR, Warren S, Wolford LM. Outcome assessment of 603 cases of concomitant inferior turbinectomy and LeFort I osteotomy. Bayl Univ Med Cent Proc. 2013;26:376–81.
24. Wolford LM, Hilliard FW, Dugan DJ. Surgical treatment objective: a systematic approach to the prediction tracing. St Louis: Mosby; 1985.
25. Chaconas SJ, Fragiskos FD. Orthognathic diagnosis and treatment planning: a cephalometric approach. J Oral Rehabil. 1991;18:531–45.
26. Bedoya MM, Park JH. A review of the diagnosis and management of impacted maxillary canines. J Am Dent Assoc. 2009;140:1485–93.
27. Rodrigues DB, Wolford LM, Figueiredo LMG, Adams GQ. Management of ankylosed maxillary canine with single tooth osteotomy in conjunction with orthognathic surgery. J Oral Maxillofac Surg. 2014; https://doi.org/10.1016/j. joms.2014.07.023.

TMJ 장애 및 OSA 환자의 MRI 평가

Larry Wolford

목차

MRI는 구강악안면외과의가 측두하악관절(TMJ) 장애 환자의 진단과 치료 계획 수립을 위해 사용할 수 있는 가장 중요한 도구 중 하나이다. 그러나 TMJ MRI의 40–60%는 영상전문의가 잘못 판독하는 것으로 추정된다. 따라서, 구강외과의의 TMJ MRI를 해석할 수 있는 능력이 매우 중요하다. 이번 단원에서는 TMJ 병리가 있는 폐쇄성 수면 무호흡(OSA) 환자의 진단 평가에 MRI를 통합한다. TMJ 병리는 치아안면 기형과 공존하거나 OSA를 생성하는 원인이 되는 악골 기형의 원인일 수 있다. 이번 단원에서는 OSA와 관련된 일반적인 TMJ 병리의 MRI 소견을 제안한다. 하악 과두 증식, 양성 및 악성 종양과 관련된 TMJ 병리는 OSA에 기여하지 않으므로 논의되지 않는다.

수면 무호흡에 기여하는 주요 요인 중 하나는 감소된 구인두 기도이다. 측면 두부계측 분석을 사용하면 인두 후벽에서 연구개까지, 인두 후벽에서 혀 기저부까지의 구인두 기도의 정상적인 전후방 치수는 11 ± 2 mm이다. OSA 환자는 일반적으로 감소된 구인두 기도뿐만 아니라 후퇴된 하악과 상악을 포함하는 높은 교합 평면 각도 안면 형태를 가진다. FH 평면에 대한 정상적인 교합 평면 각도는 8 ± 4도이지만, OSA 환자는 일반적으로 교합 평면 각도가 상당히 증가한다. OSA 환자에서 일반적으로 수반되는 3가지 요인이 있으며 다음과 같다: (1) 상악과 하악 후퇴가 동반된 높은 교합 평면 각도 안면 형태, (2) 과형성된 비갑개 및/또는 비강 중격 편위나 돌기와 연관된 비강 기도 폐쇄, (3) TMJ 병리. 교합 평면 각도가 높은 안면 형태를 가진 환자는 항상 비강 기도 폐쇄, 구인두 기도 감소, TMJ 병리를 평가해야 한다.

많은 OSA 환자에서 가장 예측가능한 외과적 치료는 상악과 하악을 반시계방향으로 전진시켜[1-4], 구인두 기도를 현저하게 개방하는 것이다.[5-10] 상하악 복합체의 반시계방향 회전은 일반적으로 구인두 기도 용적 증가를 최대화하면서 최상의 안면 심미적 균형을 제공한다. 대부분 외과의가 수행하는 상악과 하악의 직선이나 시계방향 전진의 통상적인 방법은 심미적 결과를 손상시키고 구인두 기도의 잠재적인 증가를 감소시킬 수 있다.

많은 OSA 환자에서 악교정 수술이 성공하고 안정적이고 예측 가능한 결과를 제공하기 위해 외과적으로 해결해야 하는 TMJ 문제가 존재한다. 기존의 TMJ 병리를 무시할 경우, 술후 과두 흡수 및 하악 재발로 인해 골격 불안정, 부정교합, 통증, 악교정 수술에 의한 구인두 기도 감소가 나타날 수 있다.[11-21] 건강한 TMJ나 외과적으로 수정된 TMJ가 있는 상태에서, 상하악 복합체가 반시계방향으로 전방 전진함에 따라 예상대로 전반적 안면 균형이 개선되고 골격과 교합 안정성이 확립되며 턱 기능이 향상되어 구인두 기도가 확장되면서 통증이 사라진다.

TMJ 병리 유무를 평가하기 위해서는 진단 과정에서 영상학적 평가가 매우 유용하며, conebeam CT (CBCT)는 저비용, 저방사선 CT에 대한 접근성을 제공하지만, 주로 경조직 구조를 평가하는 방법이다. MRI는 과두, 와, 디스크 위치, 형태, 가동성, 관절 골과 연조직의 퇴행성 변화의 범위, 염증, 과두 흡수, 종양, 결합조직/자가면역 질환과 같은 TMJ의 경조직과 연조직을 평가할 수 있다.[22,23] 일부 OSA 환자의 경우 파노라마, 두부계측 영상, CT, CBCT, 골스캔,3D 영상, 3D 모델링과 같은 추가 영상이 필요할 수 있다.

MRI는 디스크 변위와 퇴행성 변화가 있지만 소리를 내지 않고 특별하게 불편하거나 아프지 않을 수 있는, 따라서 임상의가 종종 TMJ 상태를 무시하기도 하는, 조용한 관절인 TMJ 병리 진단에 도움이 될 수 있다. OSA를 수정하기 위해 반시계방향 회전(CCWR) 유무의 상하악 전진술(MMA)의 악교정 수술이 필요한 환자에서 TMJ가 치료되지 않는다면, 수술은 기능, 골격과 교합 안정성, 기도, 통증과 관련하여 좋지 않은 결과를 초래할 수 있다. MRI는 이런 환자와 관련된 TMJ 병리를 식별하는 방법을 제공한다.

Raymond Damadian 박사는 MRI 영상 기술 발전으로 공로를 인정받았고,1977년 7월 3일 최초로 인체 MRI 검사를 시행했다. 영상 획득을 위해 1.5–3.0 tesla (15,000–30,000 gauss)의 초전도 자기가 필요하다. 흥미롭게도, 지구의 자기장은 0.5 gauss와 같다. 몸에 파동을 전달하는 고주파 코일이 있다. 초전도 자기는 양성자의 머리와 발을 정렬한다. 고주파 자기는 양성자의 회전을 변경하여 Larmor 주파수에서 공명을 유발한다. 영상 슬라이스를 생성하는 3개의 경사 자기가 기계 내부에 있다. 생성된 신호는 특수 TMJ 코일에 의해 선택되어 컴퓨터로 전송되고 Fourier 변환 공식이 조직을 매핑한 다음 2D나 3D 영상으로 통합된다. 정상 및 비정상 조직이 다르게 반응하기 때문에 조영제를 주입할 수 있다. 알려진 생물학적 위험은 없다; 그러나 임신 중에는 권장하지 않는다. 신용카드 등과 같은 장치로 인해 자기 코딩이 지워지는 위험이 없다. 심박 조율기가 오작동될 수 있다. 뇌에 있는 동맥류 클립이 움직일 수 있고, 환자 주변이나 내부에 있는 자성 물질이 심각하거나 생명을 위협하는 손상을 일으킬 수 있다.

TMJ 영상을 위한 MRI 요구 사항은 다음과 같다:

1. 폐쇄된 1.5–3.0 tesla MRI 기계

2. TMJ 코일은 영상을 향상시키기 위해 적극 권장된다. 특히 저급 기계(1.5 tesla)에서 코일은 영상을 크게 향상시킨다. 코일이 없으면 영상을 읽거나 진단할 수 없다.
3. 금속 장치가 TMJ 해부학의 왜곡이나 간섭을 일으킬 수 있으므로 교정 장치를 적용하기 전에 MRI를 수행하는 것이 가장 좋다. 그러나 교정 장치가 있는 경우에도 TMJ의 적절한 MRI 영상을 얻을 수 있다. 그러나 교정 장치와 추가적인 제거할 수 없는 금속 장치와 관련된 금속이 많을수록, MRI 영상의 간섭 위험이 커진다. 모든 금속 교정 장치나 기타 장치는 비자성이어야 한다.

적절한 MRI 해석을 위한 권장되는 TMJ 보기에는 다음이 있다:

1. 폐구 관상면 – CR, 최대 폐구, 스플린트 없이
2. 폐구 시상면 – CR, 최대 폐구, 스플린트 없이
3. 개구 시상면 – 최대 개구 상태
4. 운동 시상면 – 약간 개구한 상태(ratchet 장치 수용을 위해)에서 최대 개구 상태로. 운동 보기는 종종 변위된 디스크의 발생 지점이나 과두와 디스크의 정복 유무, 유착 존재 등을 결정하는데 도움이 된다. 그러나 "운동" 보기가 환자의 정상적인 자발적 개구로 얻어지지 않는다는 것을 이해하는 것이 중요하다. 반대로, 환자를 앙와위 자세로 놓고 상악과 하악 절치 사이에 위치한 ratchet 장치를 벌리면서 개구를 획득한다. 이렇게 하면 환자가 전방 개교합이 없는 한, 턱이 약간 벌어진 상태에서 장치를 수용하여 운동 영상이 시작되도록 교합이 열린다. 장치가 차츰차츰 입을 벌리면서 MRI 데이터가 각 증가분을 기록하고, 장치가 제자리에 있는 상태로 최대 개구에 도달한다. 다양한 증분으로 수집된 MRI 데이터는 약간 개구된 상태에서 최대 개구까지 연속적인 움직임으로 나타나도록 통합된다. 이것은 환자가 똑바로 서있을 때 정상 악골 기능을 복제할 수도 그렇지 못할 수도 있다.

MRI에서, 다른 조직은 조직 특성(양성자 밀도)에 따라 대조되고, 펄스 연쇄 매개변수는 일반적으로 T1, T2 강조 영상으로 정의된다. 일반적으로 T1 영상은 디스크 위치, 골이나 연조직 구조의 변화, 골과 연조직의 해부학적 관계를 식별하는데 도움이 된다. T2 영상은 TMJ 내의 염증 반응을 식별하는데 더 유용하다. 디스크 위치의 중요성은 아무리 강조해도 지나치지 않는데, MRI는 디스크 위치, TMJ 병리, 질, 디스크와 과두의 구제 가능성을 결정하고 특히 수술이 필요한 경우 치료 프로토콜을 결정하는 최고의 진단 도구이다.

정상적인 건강한 TMJ(◘ 그림 24.1)에서 과두는 균일한 모양과 일정한 두께의 피질골을 가져야 한다. 과두는 과두 및 관절와 사이의 관절 공간이 후방, 상방, 전방에 균등한 상태로 관절와

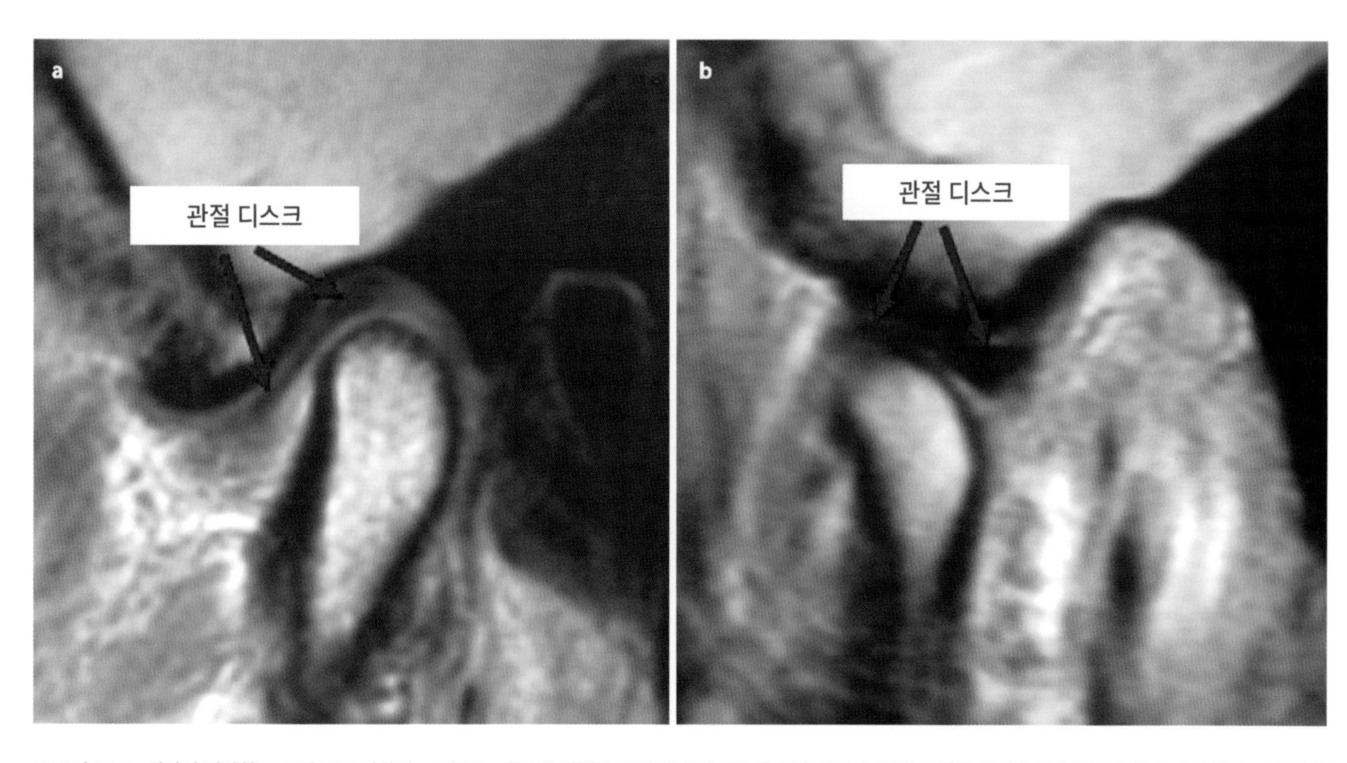

◘ 그림 24.1 정상의 건강한 TMJ의 MRI 시상면. **a** 과두는 과두 및 관절와 사이의 관절 공간이 후방, 상방, 전방에 균등한 상태로 후방 밴드와 함께 과두 상부 12시 방향에 안착해야 한다. 과두는 부드럽고 균일한 모양이다. **b** 개구 시, 과두와 디스크는 관절 융기 아래에서 하나의 단위로 전하방으로 이동한다.

내에 위치해야 한다. 관절 디스크는 후방 밴드와 함께 과두 상부 12시 방향에 안착해야 한다. 디스크는 나비 넥타이 모양으로 후방과 전방 밴드의 두께가 증가하고 중앙부가 얇다. 관절 융기 경사는 매우 다양하지만, 관절 융기는 적절한 경사를 가져야 한다. 관절 삼출, 염증, 활막염이 없어야 한다. 개구 시, 과두와 디스크는 관절 융기 아래에서 하나의 단위로 전하방으로 이동해야 한다. MRI 영상은 관절 공간과 골 병리의 더 나은 해석을 위해 TMJ의 CBCT 및 CT와 연계될 수 있다.

24.1 TMJ 관절 디스크 변위

그림 24.2a에서 보는 것처럼 디스크 변위의 가장 흔한 유형은 전방이다. 디스크의 후방 밴드가 과두 머리보다 전방에 있다. 개구 시, 디스크가 정복되거나(◘ 그림 24.2b) 그렇지 않을 수 있다. 정복이 이루어지는 경우, 과두가 디스크를 정복하면서 후방 밴드 뒤쪽 끝 너머 과두 머리가 전하방으로 오면서 촉진 가능한 것이 일반적이며 가끔 관절 내의 popping 소리를 들을 수 있다(◘ 그림 24.2b). 그 후, 하악은 정상적인 과두–디스크 관계

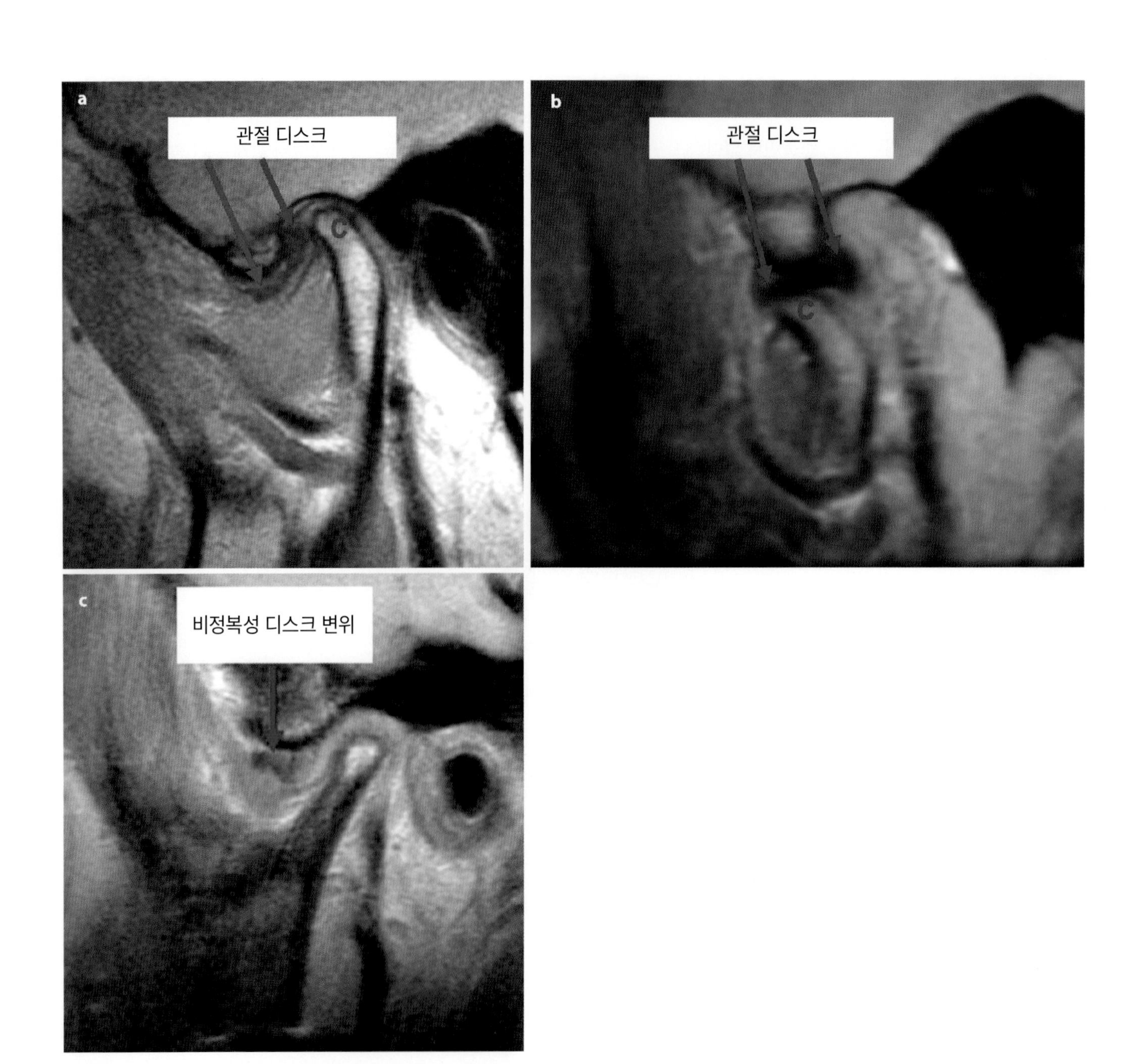

◘ 그림 24.2 **a** 폐구 상태에서, 과두는 관절와 후방에 위치하고 디스크는 10시 위치에 후방 밴드와 함께 전방으로 변위된다. **b** 개구 시, 디스크가 정상 위치로 정복된다. **c** 디스크가 심하게 변형되고 전방으로 변위되었다. 개구 시, 디스크가 정복되지 않을 것이다. 디스크가 관절 융기에 유착되면, “과두 걸림” 상황이 발생할 수 있다.

로 나머지 부분이 개구된다. 폐구 시, 과두가 디스크의 후방 밴드에서 뒤로 미끄러지면서 보상적 폐구가 일어난다. TMJ 질환이 진행됨에 따라, 개구 시 디스크가 후방으로 정복되지 않아 조용한 관절이 되고, 디스크가 악골 기능 내내 전방에 위치하게 된다. 관절 디스크의 변위는 관절염으로 이어지는 일련의 사건을 시작할 수 있다.

전방 변위된 디스크는 결국 변형되고 정복되지 않게 되지만, 여전히 가동적이거나 관절 융기 및/또는 관절와에 유착되어 과두와 디스크의 병진 능력을 제한하여 "과두 걸림" 현상이 발생할 수 있다(◘ 그림 24.2c). 디스크가 관절의 외측면에서 전방으로 변위되는 측방 회전 디스크 변위를 보는 것이 드물지 않지만, 디스크의 보다 정상 위치가 내측을 향하므로, 외측에서 내측의 순서로 시상 MRI를 평가하는 것이 중요하다. 과두에 대한 디스크의 외측 부착이 내측 부착보다 약하기 때문에, 초기에 디스크가 관절의 외측으로 변위되고 점점 내측으로 진행되는 것이 더 흔하다. 이것은 또한 디스크가 내측으로 변위하여 디스크의 전내방 변위를 일으킬 수 있다.

디스크의 내측 변위는 디스크가 관절의 내측으로 탈구되고 과두의 외측부를 덮지 못하여 발생할 수 있다. 전형적으로 외측 관절 공간이 감소하고 관상 단면에서 보다 명확하다(◘ 그림 24.3a). 이것은 디스크가 내측으로 변위되고 관절낭이 외측 극과 와 사이로 당겨져 통증 문제를 일으킬 수 있는 외측 관절낭 충돌이라는 상태를 초래할 수 있다. 디스크는 외측으로도 변위될 수 있지만(◘ 그림 24.3b), 전방 및/또는 내측 변위보다 덜 일반적이다. 내측 극 부착이 파괴되고, 디스크가 과두의 외측으로 변위되어 통증과 기능 장애를 유발할 수 있다.

24.1.1 디스크 변위의 조용한 TMJ

디스크가 변위되는 많은 TMJ 병리학적 과정이 있지만, 디스크는 기능에 대해 침묵한다. MRI는 다음과 같은 조용한 관절 장애를 판단할 수 있다: (1) 개구 시 정복되지 않는 전방 변위 디스크(◘ 그림 24.4a, b); (2) 관절 디스크가 전방 변위된 가파른 관절 융기, 그러나 개구 시 수직적 방향화로 "preclick" 위치에서 디스크의 즉시 정복이 일어난다(◘ 그림 24.5a); (3) 디스크의 내측이나 외측 변위(◘ 그림 24.3a, b); (4) 이층판이 두꺼워지고, 비후된 이층판에서 디스크 변위로 부드럽게 이행되는 청소년기 내부 과두 흡수(AICR)와 같은 특정 병리 상태(◘ 그림 24.5b); (5) 디스크로의 부드러운 이행이 가능하도록 이층판이 비후된 하악 과두의 전하방 위치를 위한 장기 스플린트 치료(◘ 그림 24.5b와 유사); (6) 과두를 인공적으로 디스크의 전하방으로 당기는 II급 역학, 그러나 과두 CR에 비해 불안정한 위치에 있는 상태.

디스크가 장기간 동안 전방으로 변위되면 진행성 관절염으로 디스크가 변형되어 중앙부의 소실과 후방 및 전방 밴드의 비후가 일어나고, 디스크가 어쩌면 과두를 포함하여 회복 불능이 될 수도 있다(◘ 그림 24.2c). 또한, 혈관 침범과 퇴행을 수반한 연골 물질의 파괴가 있는 디스크에서 발달 중인 퇴행성 과정이 있을 수 있다. 디스크가 특정 수준의 변형과 퇴화로 진행되

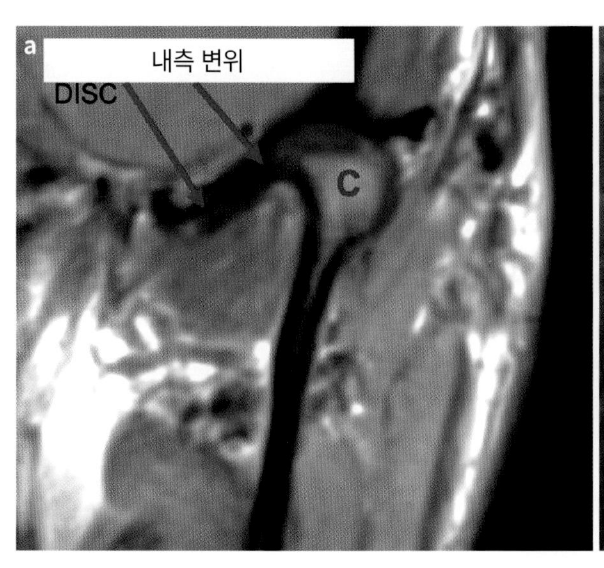

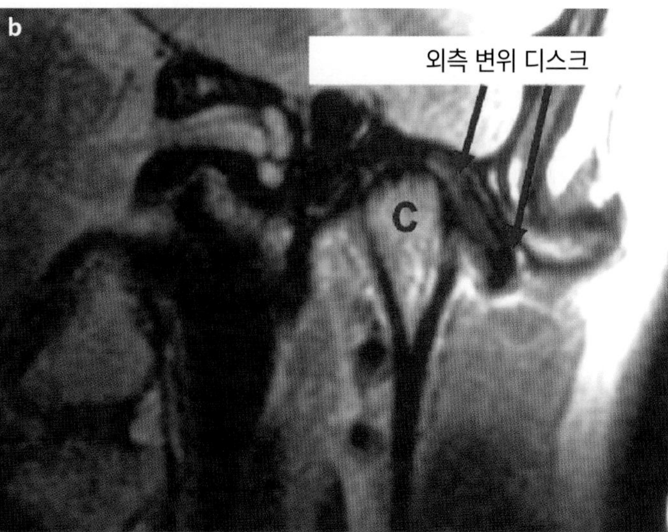

◘ 그림 24.3 **a** MRI 관상면에서 내측으로 변위된 관절 디스크가 보인다. 관절와 외측으로 수직적 관절 공간이 감소되었다. **b** 관상면에서 관절 디스크의 외측 변위가 보인다. 내측 관절 공간이 좁아질 수 있다.

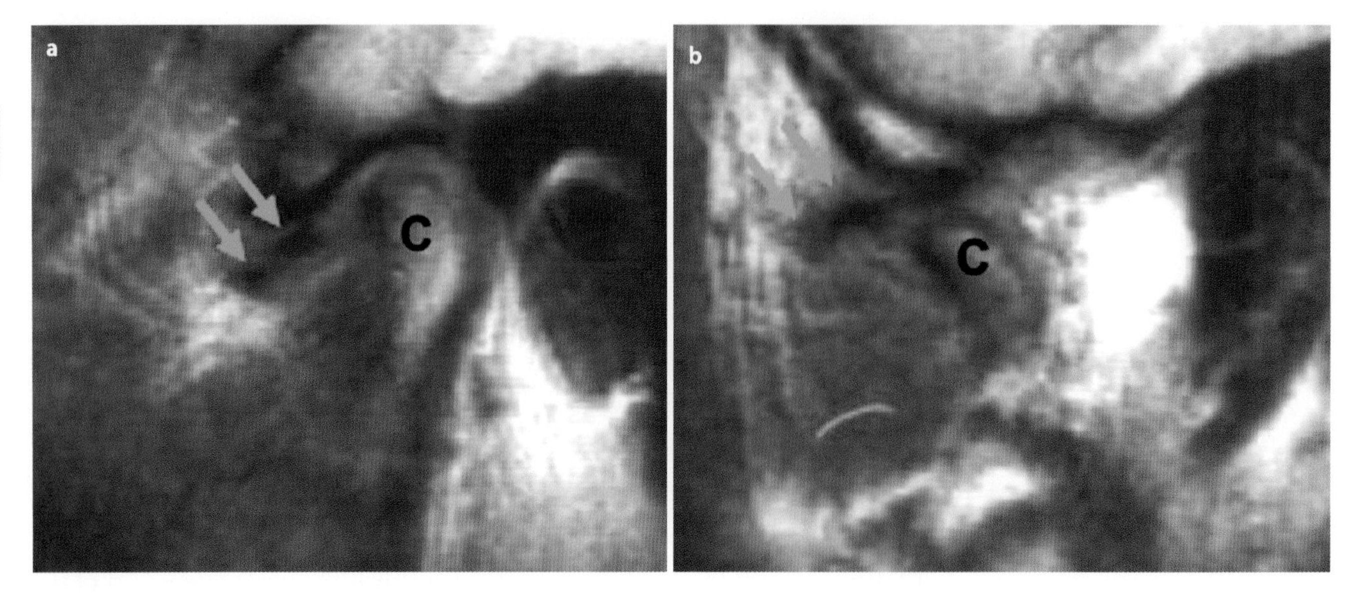

◘ 그림 24.4 **a** 전방으로 변위된 디스크의 시상면. 초록색 화살표는 디스크이고, "C"는 과두이다. **b** 개구 상태에서, 과두가 관절 융기 하방으로 전방 이동하지만, 디스크는 정복없이 전방으로 변위되었다. 초록색 화살표는 디스크이고, "C"는 과두이다.

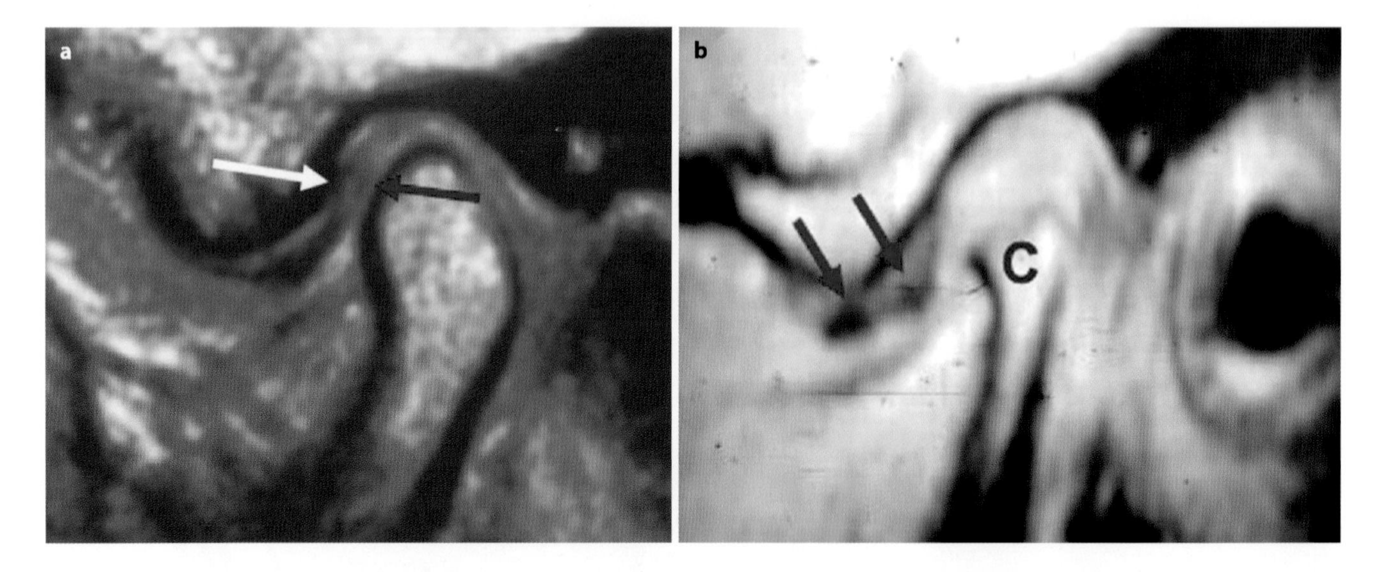

◘ 그림 24.5 **a** 시상면에서, 하얀색 화살표는 전방으로 변위되었지만 수직 방향의 디스크 후방 밴드를 가리킨다. 빨간색 화살표는 과두-디스크 접합면이다. 하악이 개구되면서, 과두와 디스크 사이에 clicking이나 popping 없이 개구가 부드럽게 이행된다. 이것은 변위된 디스크의 조용한 관절이지만 통증과 기능 장애를 유발할 수 있다. **b** AICR의 TMJ 내에서 이층판의 현저한 비후가 보인다. 이층판의 비후는 특정 병리나 장기 스플린트 치료로 발생할 수 있다. 비후된 이층판은 조용한 관절을 유발하는 과두 디스크로의 부드러운 이행을 일으킬 수 있다. 빨간색 화살표는 디스크이고, "C"는 과두이다. 과두 머리와 관절와 사이의 거리는 과형성된 이층판과 활막 조직을 식별한다.

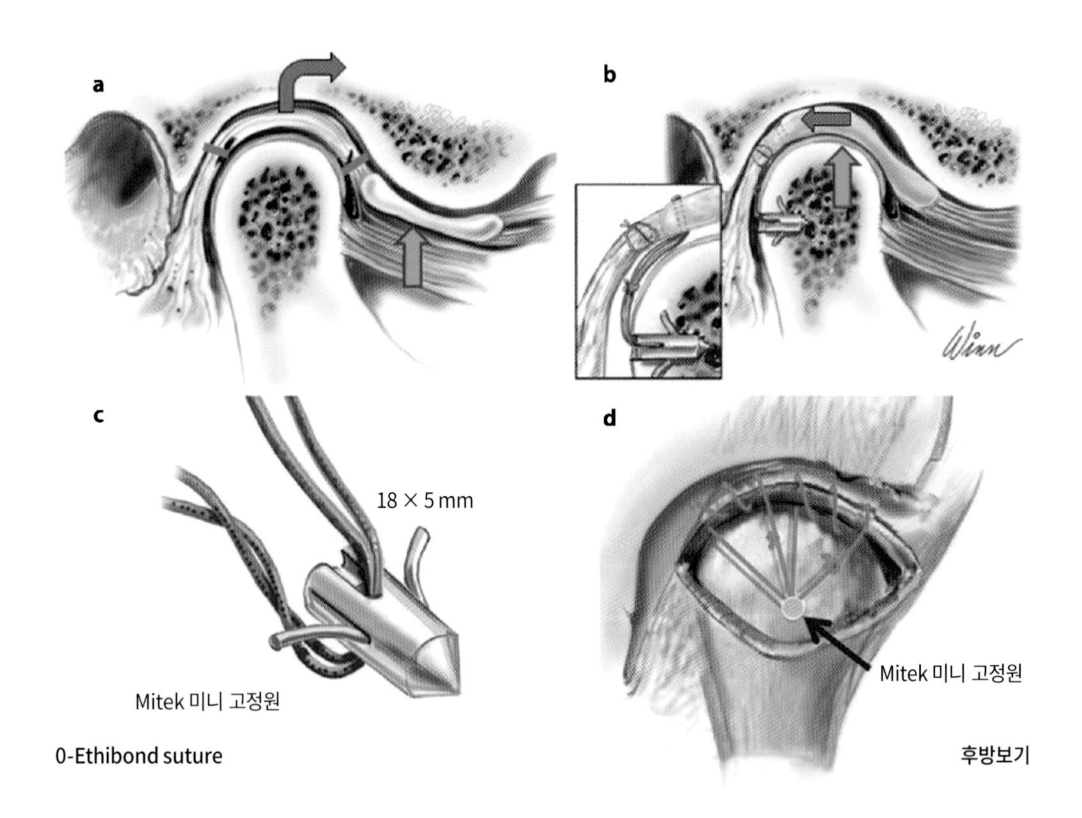

그림 24.6 Mitek 고정원 술식. **a** 디스크가 전방 변위되었다(초록색 화살표). 과두 상부의 이층판을 제거하고 디스크를 움직이게 하였다. **b** 디스크가 과두 상방에 재배치된다. Mitek 고정원을 과두 후방에 삽입하고, 인공 인대(0-Ethibond suture)로 디스크를 제자리에 고정한다. **c** Mitek 고정원과 인공 인대로 작용할 구멍을 통과하는 2개의 0-Ethibond suture를 보여준다. **d** 정중 시상면의 외측면에 삽입한 Mitek 고정원과 디스크의 후방 밴드를 제자리에 고정하기 위해 suture(인공 인대)가 후방 측면을 통과하게 배치한 것을 보여주는 과두의 후방 보기

면, 구제할 수 없게 된다. 비정복성의 변위된 디스크는 정복성의 변위된 디스크에 비해 변형과 퇴행 과정이 더 빠르게 진행된다. 골의 퇴행성 변화도 발생한다. MRI는 관절 구조에 대한 퇴행성 및 변형 변화의 정도와 진행을 결정하고 각 환자의 특정 발현에 대해 가장 예측 가능한 결과를 제공하는 수정 수술 술식을 판단하는데 도움이 된다. 디스크가 구제 가능할 때, 수술 선택지는 Mitek 골 고정원과 인공 인대(Mitek 고정원 술식)를 사용하여 디스크를 정상 위치로 재배치하고 안정화하는 것이다(그림 24.6).[24-33] 이 술식의 성공을 위해서는 특정 기준을 충족해야 한다. MRI는 이 기술이 유익한지 여부를 결정하는 전략이다.

24.1.2 Mitek 고정원 술식을 사용한 관절 디스크 재배치 기준

1. 전방, 내측, 외측 디스크 변위
2. 최초 디스크 변위 이후 4년 이하
3. 구제 가능한 디스크 및 과두
4. 연관된 다른 관절 없음(다발성 관절염 없음)
5. 반응성 관절염 없음
6. 결합조직/자가면역 질환 없음
7. 관절낭 내 유착 없음
8. 다음과 같은 재발성 감염 이력 없음; 성병; 상부 호흡기나 폐 감염; 요로 감염; 생식기 감염이나 자궁 내막증의 병력이나 기타 부인과 병리; 과민성 대장 증후군, GERD, Crohn 병과 같은 위장 문제; 안구 감염. 이러한 상태는 병리학적 과정이 수술 후에도 계속 진행될 수 있으므로, 이상적인 외과적 디스크 재배치에도 불구하고 환자가 조절하기 힘든 반응성 관절염을 유발할 수 있다.

24.1.3 OSA 환자에의 영향

TMJ 디스크 변위가 있지만 디스크 재배치 기준을 충족하는 OSA 환자에서, 이 술식이 반시계방향 회전(CCWR) 유무의 상하악 전진술(MMA)과 함께 혹은 사전에 적절하게 수행되면, 수술 치료는 골격 및 교합 안정성을 제공하고 악골 기능을 향상시키며, 통증을 크게 감소시키거나 제거하고, 구인두 기도의 용적을 증가시킨다. 그림 24.7에서 Mitek 고정원이 있는 재배치

된 디스크의 술후 MRI 시상면을 볼 수 있다. 과두 머리에 위치한 금속 고정원 때문에 MRI 영상에 약간의 왜곡이 있지만, 디스크의 정복 위치를 확인할 수 있다.

디스크 재배치 기준에서 벗어난 OSA 환자는 TMJ를 재건하고 MMA의 하악 전진을 위한 보철물을 사용하는 환자-맞춤형 전관절 보철물[8,34-55]의 이점을 이용할 것이다(◘ 그림 24.8). 가상 수술 계획(VSP)은 정확도와 예상 수술 결과 및 각 환자의 특정 해부학적 요구 사항에 대한 보철물의 맞춤형 적응을 개선했다.[49,56-59] TMJ 수정 수술없는 악교정 단독 수술은 TMJ 통증의 발달이나 악화, 근막 통증, 두통, 귀 증상 등의 부작용을 유발할 수 있다. 술후 통증이 84%에서 발생하고, 술전 통증에 비해 술후 통증 수준의 상당한 증가(84% 증가)가 있다. 술후 과두 흡수가 발생할 위험(30%)이 있다.[11]

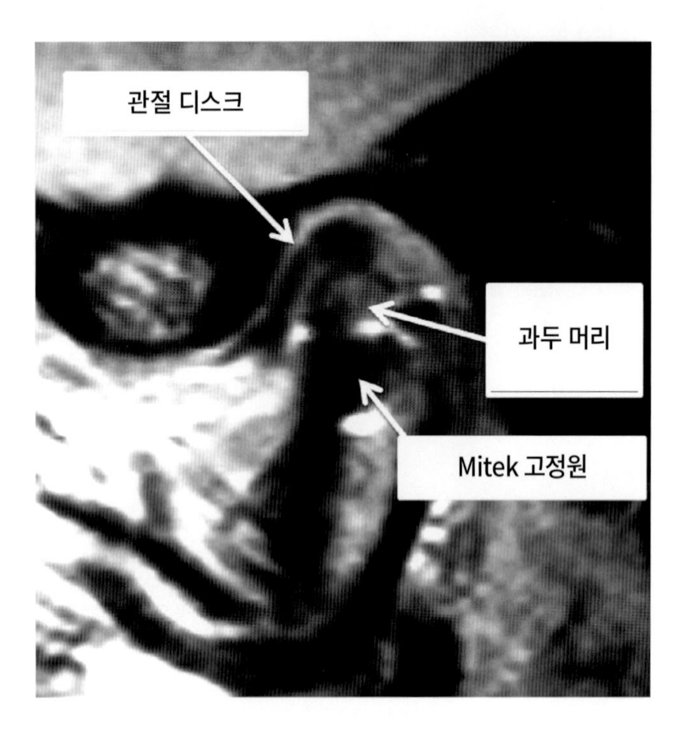

◘ 그림 24.7 MRI를 통해 Mitek 고정원과 인공 인대로 고정된 과두 상방의 관절 디스크 위치를 볼 수 있다. Mitek 고정원은 금속 성분으로 인해 약간의 영상 왜곡을 형성한다. 관절 디스크는 과두에 대해 이상적인 위치이다.

24.2 청소년기 내부 과두 흡수(AICR)

청소년기 내부 과두 흡수(AICR)는 비교적 전형적인 MRI 소견을 보인다. 이 호르몬 매개 상태는 일반적으로 11–15세에 시작하고, 주로 여성에서 발생한다(여성:남성 = 8:1); 유전적 소인은 없다; TMJ 관절만 관련되고 다른 관절은 영향받지 않는다; 디스크가 전방으로 변위된다; 과두의 크기가 점진적으로 감소한다; 하악이 후퇴한다. 과정 발생 후 과두의 흡수율은 연간 약 1.5 mm이다. 하악이 서서히 후퇴하여 교합과 골격관계가 II급으로 되면서 전방 개방 교합의 성향을 가지게 된다. 이 환자들은 모두 높은 교합 평면 각도 안면 형태를 가진다.[60-63]

이런 증례에서 MRI는 공간의 3평면 모두에서 과두 크기가 서서히 작아진다. 어떤 증례에서는, 이 병리학적 과정에서 과두 상단의 피질골이 상당히 얇아져 과두 머리의 내측 붕괴에 기여하게 된다(◘ 그림 24.9). 흥미롭게도, 과두 머리 상부 및 관절와

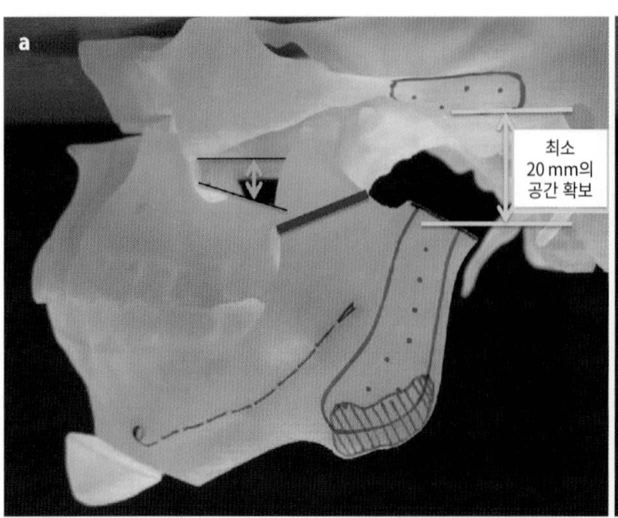

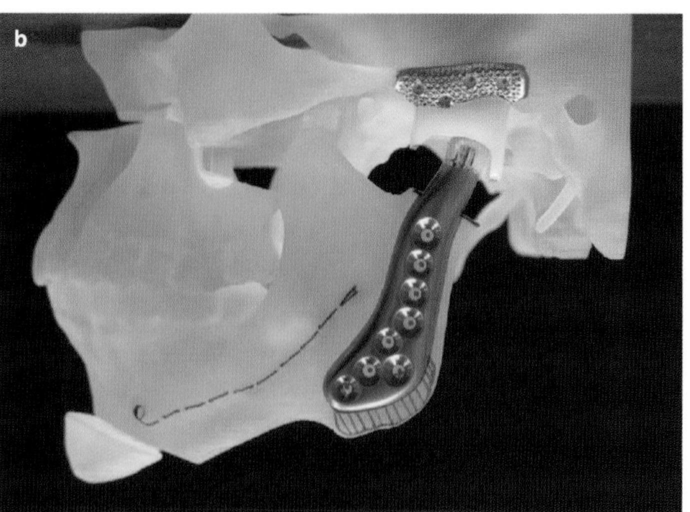

◘ 그림 24.8 **a** 양측성 TMJ 전관절 보철물 재건 및 상하악 복합체의 반시계방향 회전과 전진을 위한 상악 골절단술을 시행하는 환자를 위한 stereolithic 모델 준비. 과두 제거로 보철물 수용을 위한 20 mm의 간격이 형성되었다. 반시계방향 회전을 달성하기 위해 근돌기절제술도 수행되어야 한다. **b** TMJ Concepts 맞춤형 전관절 보철물은 최종 원하는 결과를 얻기 위해 악골을 재배치하여 해당 환자의 특정 해부학적 요구 사항을 충족하도록 제조된다.

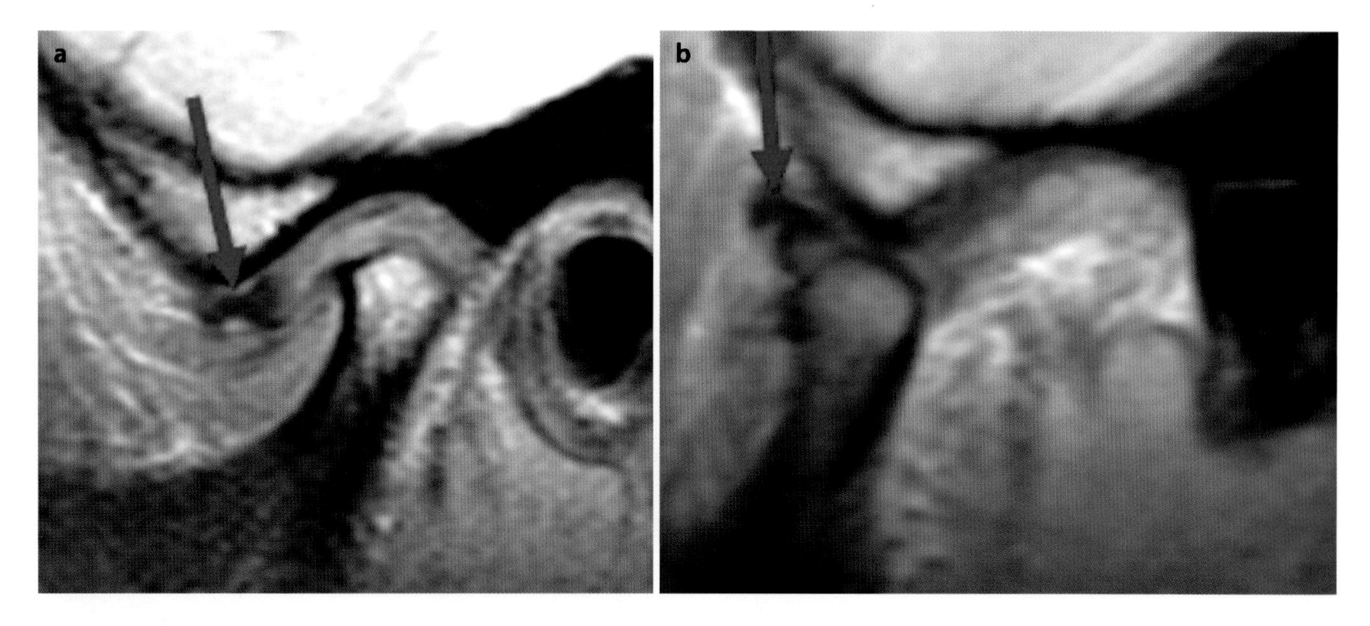

◻ 그림 24.9 **a** AICR TMJ의 MRI. 디스크가 전방으로 변위되었다(빨간색 화살표). 과두 상방의 얇은 피질골과 과두의 수직 고경 소실을 볼 수 있다. **b** 개구 시, AICR에서 일반적으로 관절 디스크가 정복되지 않고 전방 변위된 상태(빨간색 화살표)로 남는다.

내의 섬유연골이 온전하게 남는다. 이것은 섬유연골이 손상되지 않은 상태로 남아있는 유일한 형태의 과두 흡수이다. 관절 디스크는 전방으로 변위되고 개구 시 정복될 수도 그렇지 않을 수도 있다. 비정복성 디스크는 정복성 디스크에 비해 더 빠른 속도로 퇴행 및 변형될 것이다.

24.2.1 OSA 환자에의 영향

AICR이 있는 OSA 환자의 치료 고려 사항은 일반적으로 Mitek 고정원이나 전관절 보철물을 이용한 디스크 재배치를 포함하는 CCWR 유무의 MMA를 필요로 한다. Mitek 고정원을 이용한 디스크 재배치에 대한 고려사항은 이전의 TMJ 디스크 변위에 대한 지침을 따른다. 우리의 연구[60-63]는 관절 디스크가 과두 상부의 제위치로 돌아가고 Mitek 고정원 술식으로 고정된다면 AICR이 정지될 수 있음을 설명한다(◻ 그림 24.6).[24-33] TMJ 병리 발병 4년 이내에 TMJ 수술을 수행하는 경우 AICR의 결과가 가장 좋다. 4년이 지나면 디스크를 구제할 수 없다. 이러한 기준을 벗어난 환자는 전관절 보철물의 후보가 될 것이고[8,34-59], 안정성, 기능 개선, 기도 관련 결과 예측 가능성이 상당히 향상되고 통증 감소가 나타난다.

적절한 TMJ 외과적 치료 없이 MMA를 경험한 AICR의 OSA 환자는 과두 흡수로 인해 예상대로 불안정한 골격과 교합이 나타날 것이다. 많은 외과의들의 일반적인 접근 방식은 "과두 흡수 소진"시까지 환자를 관찰한 후 시계방향 회전의 MMA를 시행하여 이미 높은 교합 평면 각도를 더 증가시킨다. 그러나 MMA로 TMJ에 대한 부하가 증가하게 되고 과두 흡수 과정이 다시 시작될 수 있다. 이런 환자들에 대한 추가적인 MMA의 부정적 영향에는, TMJ 통증, 근막 통증, 두통, 귀증상 등이 발생하거나 악화된다는 것이다. 또한, OSA를 수정하기 위해, 구인두 개방을 위해 하악을 전진시킨 만큼 상악이 더 많이 전진되어야 하는데 이것은 안면 심미를 저하시킨다. TMJ 병리 수정, 안면 균형 수복, 구인두 기도 증가, 잔류 통증 제거를 위한 MMA와 CCWR뿐만 아니라, 전관절 보철물(◻ 그림 24.8)을 포함하거나 원래의 실패한 수술을 수정하기 위해 악교정 수술 반복과 같은 추가적인 수술이 필요할 수 있다.

24.3 반응성 관절염(ReA)

반응성 관절염(ReA) 또는 혈청음성 척추관절병증은 일반적으로 성병이나 호흡기 세균에 의해 유발되는 관절의 염증성 질환이다. ReA는 관절염의 가장 흔한 형태 중 하나이지만, 거의 알려져 있지 않다. TMJ에서 ReA는 일반적으로 10대 후반에서 40대 사이에 주로 여성에서 발생하며, TMJ 통증, 관절염, 과두 흡수를 유발할 수 있다. ReA의 전신 증상에는 관절통, 발열, 피로, 요통, 퇴행성 관절 질환, 다발성 관절염, 면역 체계 기능 장애가 포함될 수 있다. ReA를 일으키는 가장 흔한 세균 속은 chlamydia와 mycoplasma이다. 무릎과 TMJ ReA에 기여하는 것으로 확인된 특정종에는 *C. trachomatis, C. pneumoniae, C. psittaci, M.*

*genitalium, M. pneumoniae, M. fermentans*가 있다.[64-75]

Chlamydia와 mycoplasma에 의해 유발된 TMJ ReA에 대한 그럴듯한 이론은 종종 무증상인 신체의 다른 곳에 구축된 유발 감염 부위에서 시작된다. 대식세포 및 단핵구와 같은 숙주 세포가 감염된다. TMJ에서 손상이나 염증 반응이 발생하면, 숙주 세포가 반응하고 조혈 시스템을 통해 세균을 수송하고 활막 조직과 이층판을 팽창시키고 세균을 집락화한다; TMJ 감염이 시작된다; 골과 연골의 퇴화가 시작되고, 통증이 발생한다. Chlamydia와 mycoplasma 균은 조직 괴사 인자-α, 산화질소, cytokine, chemokine, interleukin (IL-1, IL-6, IL-8) 같은 염증 유발 및 통증 매개체를 자극하며 많은 TMJ 환자가 경험하는 통증의 주요 원인이 될 수 있다.[1,6-8] 현재, 일부 유망한 기술이 개발 중임에도 불구하고, 이런 TMJ 병리를 제거할 수 있는 예견성 있는 비수술적 치료법은 없다.

초기 ReA의 MRI는 디스크 변위와 과두 및/혹은 관절와의 미란이 있거나 없는, 국부적인 체액 삼출, 염증, 활막염을 보일 수 있다. 질병의 진행에 따라, 보다 많아진 염증 과정이 디스크를 둘러싸고 이층판과 관절낭을 통해 나타날 수 있다(◘ 그림 24.10). ReA는 TMJ 구조의 상당한 파괴를 일으킬 수 있다. MRI는 흡수를 포함하는 과두 변성과 연관된 삼출, 활막염, 연

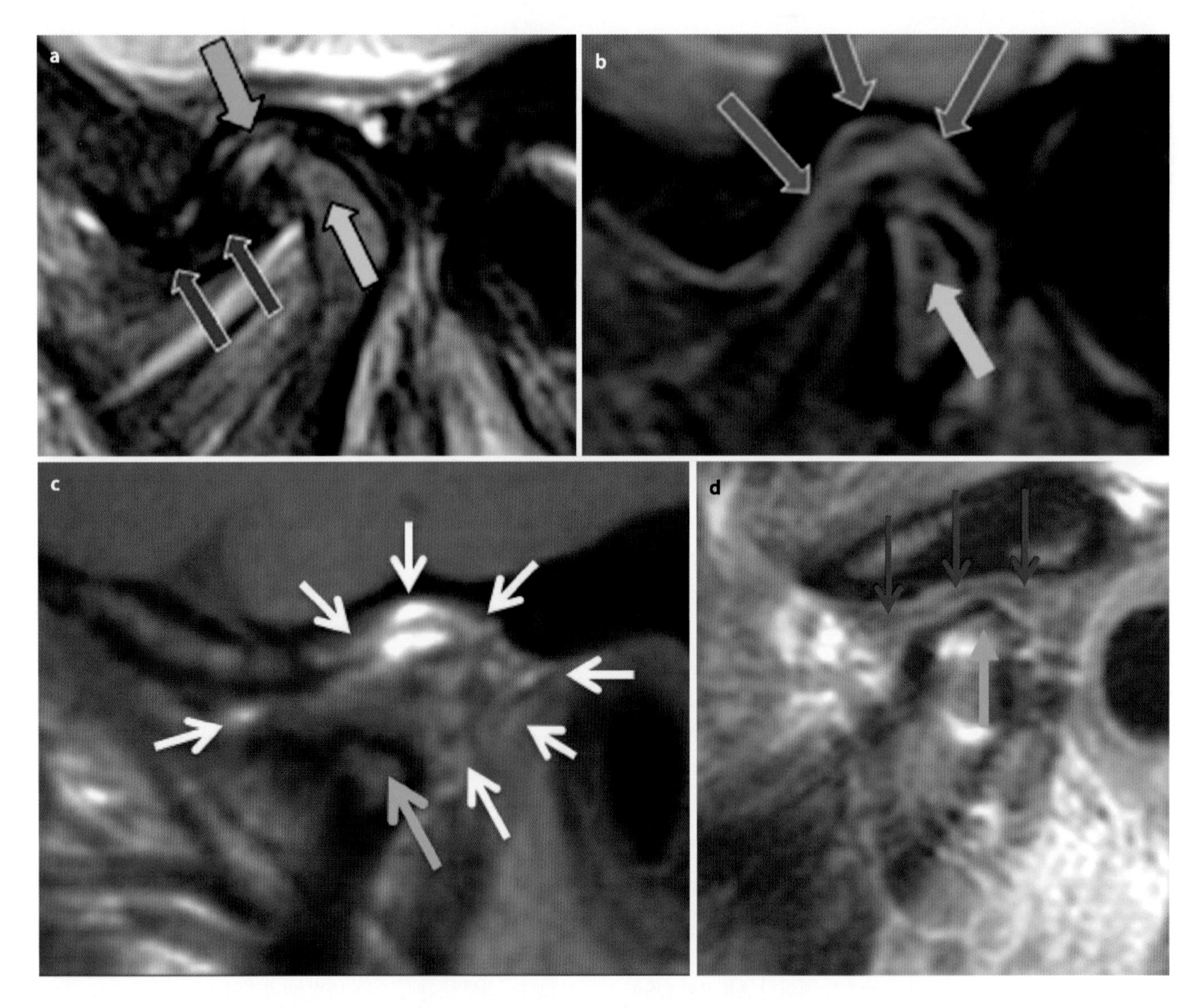

◘ 그림 24.10 **a** 디스크와 이층판을 둘러싸는 흰색 조직(초록색 화살표)으로 보이는 관절 내 염증 과정(반응성 관절염 – ReA)과 함께 디스크가 전방 변위(빨간색 화살표)되었다. 과두(노란색 화살표)는 전상방 측면에서 퇴행성 변화를 겪고 있다. **b** 더 진행된 형태의 ReA. 파란색 화살표는 관절 내의 염증 조직을 가리킨다. 노란색 화살표는 침식과 수직 고경 소실의 증거가 있는 과두를 가리킨다. 디스크의 일부가 남아있을 수 있지만 대부분의 경우 염증 과정에 의해 파괴되었다. **c** 흰색 화살표로 표시된 것처럼 관절 공간 내 반응성 조직의 큰 덩어리와 함께 과두(초록색 화살표)의 상당한 파괴를 야기한 중증 ReA. 관절융기 마저도 흡수되었다. **d** ReA 환자에서 관절 디스크에 Mitek 고정원 재위치술을 시행한 MRI. 디스크(빨간색 화살표)는 주변의 반응성 조직(회색 조직)에 의해 천천히 흡수되고 관절염으로 과두 머리가 변화될 것이다.

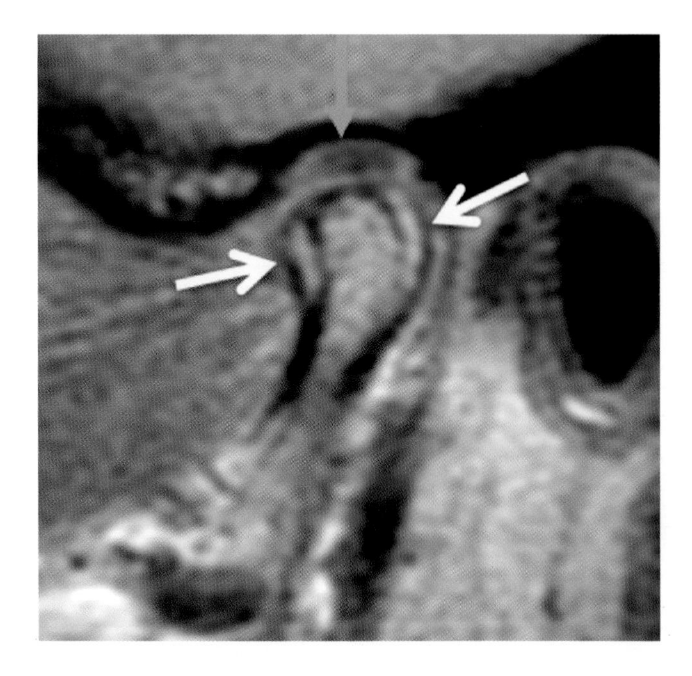

▣ 그림 24.11 낮은 등급의 ReA로 실제적으로 과두와 관절와를 둘러싼 골 침착(흰색 화살표)이 일어나고, 디스크가 서서히 파괴된다(초록색 화살표). 골 파괴를 자극하는 ReA로 골성 강직이 유발될 수 있다.

조직 염증뿐만 아니라 디스크 변위의 존재를 보여준다. 그러나 낮은 등급의 염증 상태에서는, 골증식, 이소성 골 침착, 강직을 유발하는 과두와 관절와에 골 침착이 발생할 수 있다(▣ 그림 24.11).

24.3.1 OSA 환자에의 영향

ReA를 치료하기 위한 외과적 선택지에는 일시적으로 증상을 감소시키지만 세균을 제거하지 않는 관절경이나 관절천자가 포함된다. 개방 관절 괴사조직 절제술과 디스크 재위치는 매우 초기 단계에서는 효과적일 수 있지만, 더 진행된 질병에서는 효과가 없을 것이다. MMA가 필요한 ReA가 있는 OSA 환자에 대한 가장 예측성 있는 TMJ 치료 선택지는 CCWR과 MMA로 하악을 전진시키고 개인 맞춤형 전관절 보철물로 TMJ를 재구축하는 것이다(▣ 그림 24.8).[8,34-59] 이런 접근은 보통 골격과 교합 안정성, 악골 기능 개선, 기도 용적 증가, 통증 감소, 안면 균형 최대화와 관련하여 예측 가능한 최상의 결과를 제공할 것이다.

적절한 TMJ 수술 관리없이 CCWR 유무의 MMA를 경험한 ReA를 가진 OSA 환자는, ReA가 술전 과두 흡수를 유발했다면 예상대로 불안정한 골격 및 교합 결과가 야기되거나 수술로 흡수가 시작될 수 있다. 많은 외과의의 일반적인 접근법은 "과두 흡수 소진"까지 환자를 관찰한 다음 MMA를 수행하는 것이다. 그러나 MMA는 TMJ에 부하를 가하고 과두 흡수 과정이 다시 시작될 수 있다. TMJ 외과적 관리가 없는 이 환자군에 대한 MMA의 추가적인 부정적 영향은 TMJ 통증, 근막 통증, 두통, 귀 증상 등의 발병이나 악화를 초래할 수 있다.

24.4 결합조직 및 자가면역 질환(CT/AI)

TMJ에 영향을 줄 수 있는 일반적인 CT/AI 질환에는 소아 특발성 관절염(JIA), 류마티스 관절염, 건선 관절염, 강직성 척추염, Sjögren 증후군, 전신성 홍반성 루푸스, 경피증, 혼합 결합조직 질환 등이 있다. 흔하게 여러 기관계가 이런 질환에 연루된다. 보통 말초 관절은 양측성으로 영향받아 대칭적으로 염증이 발생하고 점진적인 관절 구조가 파괴된다. 안면 기형은 TMJ를 침범하여 과두 흡수와 함께 발생할 수 있다. 임상 및 영상적 특징은 다음을 포함한다: (1) 하악 후퇴, (2) 상악 후방 수직 저형성, (3) 점진적 안면 및 교합 기형 악화, (4) 높은 교합 평면 각도 안면 형태, (5) II급 교합 및 전방 개방 교합, (6) 소음, 통증, 악골 기능 장애, 두통, 귀 증상과 같은 TMJ 증상.[45,76]

MRI 특징에는 과두 수직 고경 소실, 상당한 내외측 과두 협착이 포함되지만, 잔여 과두 밑동은 버섯 모양으로 퍼지거나 전후방 방향으로 넓어질 수 있다; 관절 융기 흡수; 관절 디스크가 재위치에 있지만 pannus(반응성 조직)로 둘러싸여 과두와 관절 융기가 흡수될 뿐만 아니라 결국 디스크 파괴가 일어난다(▣ 그림 24.12). 더 중증의 증례에서는, 특히 JIA 환자에서, 과두 밑동이 잔여 관절 융기 전하방에서 기능할 수 있다.

24.4.1 OSA 환자에의 영향

CT/AI 질환의 영향을 받은 TMJ를 가진 OSA 환자에 대한 가장 예측가능한 치료는 다음을 포함한다: (1) 하악의 CCWR과 전진 및 개인 맞춤형 전관절 보철물을 이용한 양측 TMJ 재구축(▣ 그림 24.8); (2) 하악지가 현저하게 전진되었거나 수직적으로 연장된 경우 보철물을 이용한 근돌기절제술; (3) 복부나 둔부에서 채취한 자가 지방 이식편을 관절 부위 내 보철물 주변에 보충[76-79]; (4) CCWR을 수반한 상악 전진 골절단술; (5) 필요한 경우 추가적인 보조 술식(예: 이부성형술, 비성형술, 비갑개절제술, 중격성형술)[8,34-59] 이 환자군을 위한 TMJ 재구축에 적절한 다른 술식에는 측두근막 및 근육 판막술, 진피 이식술, 늑골 이식술, 흉쇄골 이식편, 수직 활주 하악지 골절단술과 같은 자가 조직 사용이 포함된다. 그러나 원래의 TMJ 병리를 생성한 질병 과정이 TMJ 재건에 사용된 자가 조직을 공격하여

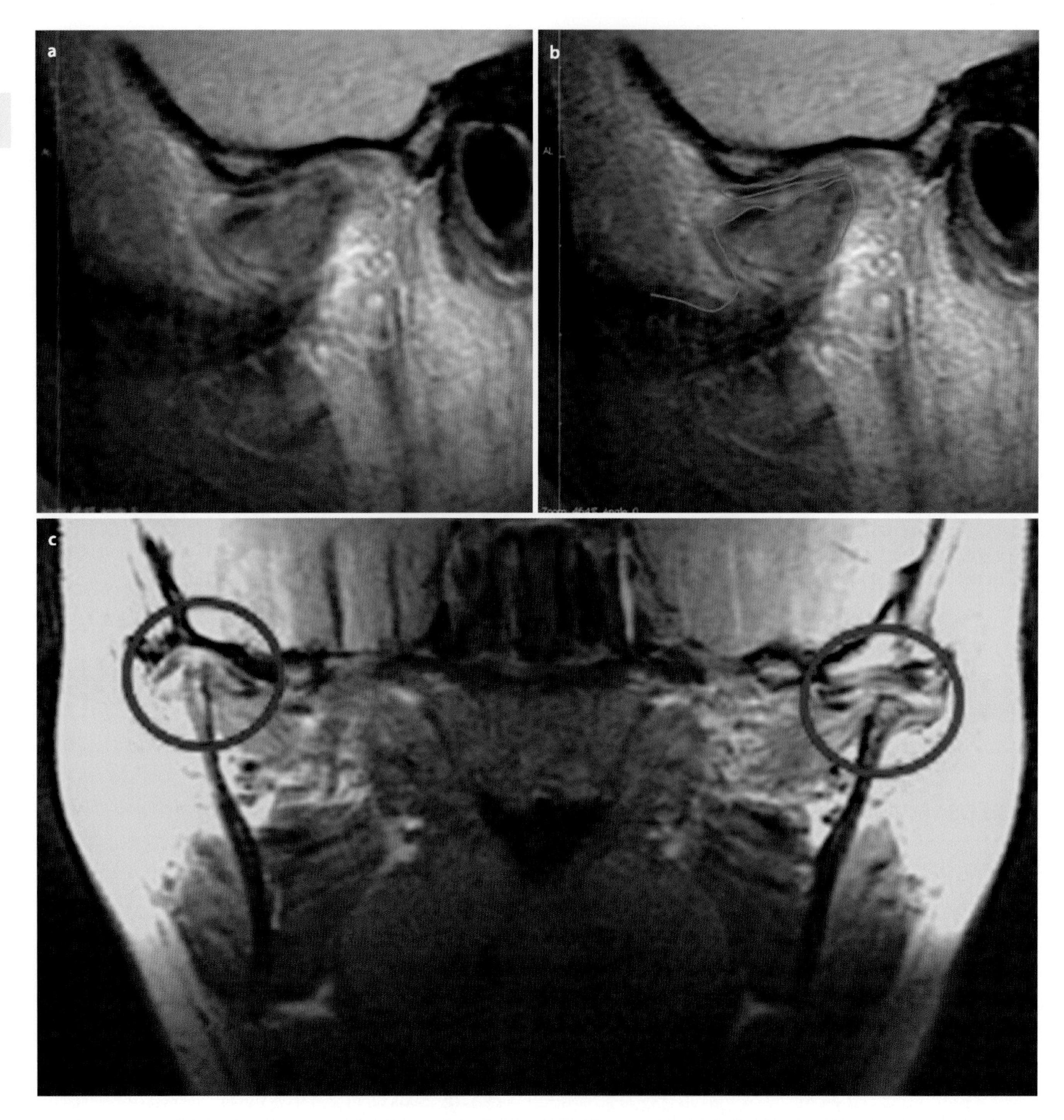

▣ 그림 24.12 **a** JIA 관절의 시상면. 과두 수직 고경에 상당한 감소가 있고, "버섯 모양화"(잔존 과두의 전후 길이 증가)가 흔하게 발생한다. 관절 디스크는 일반적으로 재위치에 있지만 반응성 pannus(디스크를 감싸는 얇은 회색 조직)로 둘러싸인다. **b** 같은 영상에서, 버섯 모양의 과두 머리와 디스크를 표시하였다. 디스크를 감싸는 회색 조직이 관절 파괴를 유발한다. 뿐만 아니라 관절 융기가 현저하게 흡수되었다. **c** JIA 환자의 관상면은 상당한 과두 흡수와 잔존 과두 요소의 횡단 협착의 전형적인 모습을 보인다.

이식편의 실패를 야기할 수 있다. CCWR 유무의 MMA에 대해서만 악교정 수술을 수행하는 것은 골격과 교합 안정성, 통증, 구인두 기도 유지에 대해 실패율이 높다.

24.5 외상

하악의 외상성 손상은 OSA로 이어지는 안면 기형을 유발할 수 있으며, 특히 치료되지 않은 전위된 양측 또는 편측성 과두하 골절을 포함한다. 환자는 다음의 증상이 나타날 수 있다: (1) 편측성에서, 이환측으로 편향된 하악 후퇴; (2) 통증 및 악골 기능 장애; (3) 성장 중인 환자에서 이환측의 성장 결핍; (4) 전방 개방 교합을 수반한 II급 골격 및 교합 관계; (5) 편측 증례에서, 전방 및 반대측 개방 교합을 수반한 이환측의 구치부 교합 조기 접촉. 영상적 특징은 다음과 같다: (1) 과두하 골절 소견; (2) 과두의 하방, 전방, 내측 이상 위치; (3) 수직적 하악지/과두 길이 감소.

MRI는 디스크 위치와 상태도 보여준다. 디스크가 과두와 함께 변위되거나, 디스크는 과두만 변위된 상태로 관절와 내에 남아 있을 수 있다(◘ 그림 24.13).

24.5.1 OSA 환자에의 영향

외상 존재의 초기 시, 과두하 골절의 치료 선택지는 개방 정복, 폐쇄 정복, 방치이다. 변위의 양과 골절의 상태에 따라 문제 해결을 위해 필요한 치료를 선택한다. 골절이 조기에 확인되면, 대칭적 안면과 안정적인 교합을 얻기 위해 변위가 심한 경우 개방 정복술로, 변위가 작은 경우 폐쇄 정복술로 잘 치료될 수 있다. 과두가 최소에서 중간 정도로 변위되면 관절 디스크 복구가 여전히 가능하지만, 이미 치유가 일어났다면 악교정 수술로 악골을 적절히 재정렬하고, 디스크가 변위되었다면 Mitek 고정원으로 재위치시킨다(◘ 그림 24.2).[24–33] 과두가 심하게 변형되어 회복이 불가능한 경우, TMJ 재건을 위해 맞춤형 전관절 보철물(◘ 그림 24.8)[8,34–59], TMJ 지방 이식[76–79], 관련된 하악 이상 정렬이 있다면 하악 재배치를 사용하여 재건하는 것이 가장 예측 가능하다. 변위된 과두를 제거하고 TMJ 재건을 위한 다른 치료 선택지에는 늑골 이식, 흉쇄골 이식, 수직 하악지 골절단술 등이 있지만, 이 결과들은 예측가능성이 훨씬 낮다.

부전유합과 이상 정렬을 수반한 과두하 골절과 하악 후퇴가 있는 OSA 환자에서 하악 전진과 맞춤형 전관절 보철물을 이용한 TMJ 재건, 필요에 따라 CCWR과 MMA가 가장 예견 가능한 결과를 가진다.

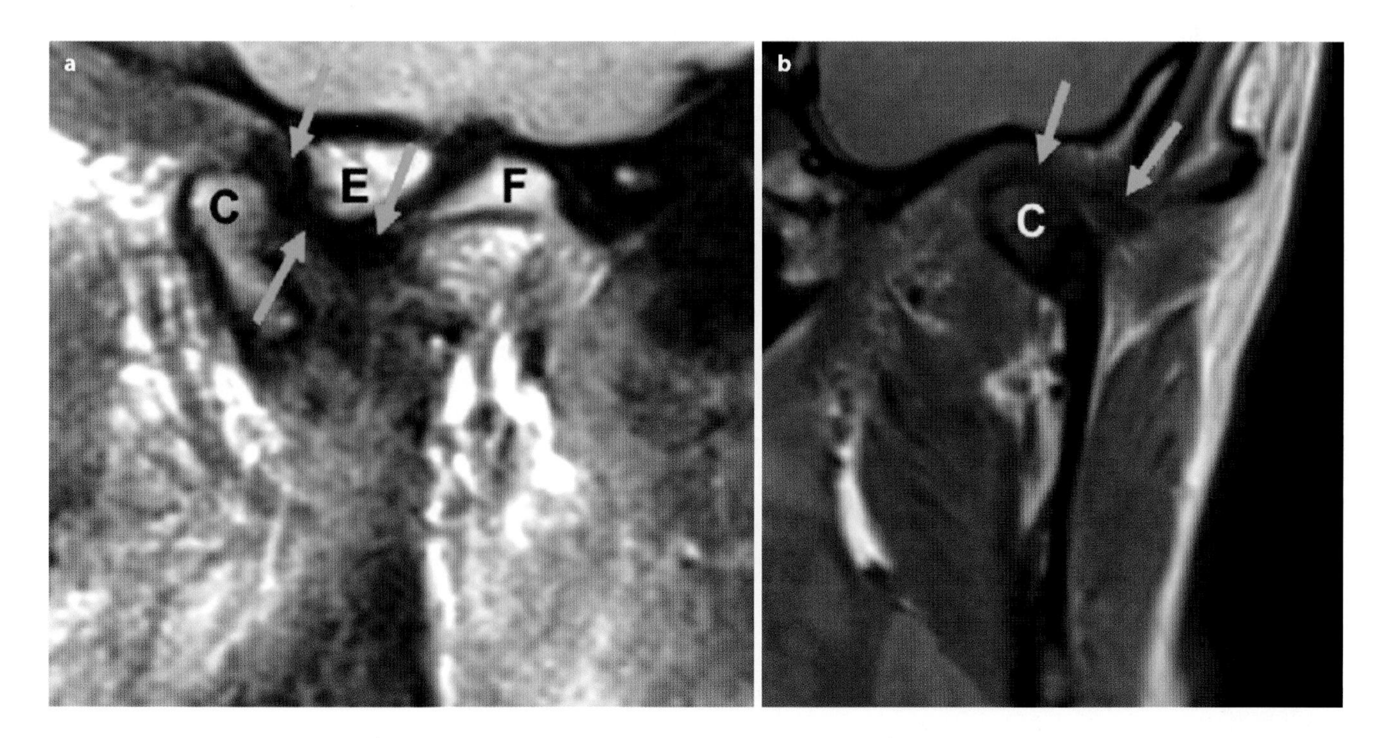

◘ 그림 24.13 **a** 좌측 하악 과두하 골절의 시상면으로 과두가 하악지의 전내측으로 변위되었다. 관절 디스크(초록색 화살표)는 관절와에 비해 전방으로 변위되었지만, 과두 머리에 비해 후방에 위치한다. C 과두, E 관절 융기, F 관절와. **b** 관상면에서 과두 머리의 내측 변위를 볼 수 있다. **c** 디스크(초록색 화살표)가 과두 머리보다 외측으로 변위되었다.

24

24.6 TMJ 강직

TMJ 골 강직은 편측성 및 양측성으로 발생할 수 있으며, 보통 외상, 염증, 패혈증, 및/또는 전신 질환의 결과로 발생하며, 악골 기능이 심하게 제한되고 구강 위생과 영양 문제가 발행한다. 이 상태가 성장 동안 발생하면 악골 성장과 발달에 심각한 영향을 미치고 OSA에도 기여할 수 있다. 편측성 강직에서, 다른 쪽 과두는 계속 성장할 것이지만 진정한 성장 잠재력은 지체될 수 있다. 특히 아동에서 발생하는 TMJ 강직증의 일반적인 임상 및 영상 특징은 다음과 같다: (1) 악골 운동성과 기능 감소; (2) 이환측의 성장 감소; (3) 하악 후퇴; (4) 편측 이환인 경우 하악의 동측으로 이동하는 안면 비대칭; (5) II급 부정교합; (6) 영상에서 TMJ 주변에 이소성 골 소견; (7) 하악지와 후방 악골의 수직 고경 감소; (8) 구인두 기도 감소.[80]

MRI에서 과두와 관절와 사이의 섬유성 및 골성 강직이나 관

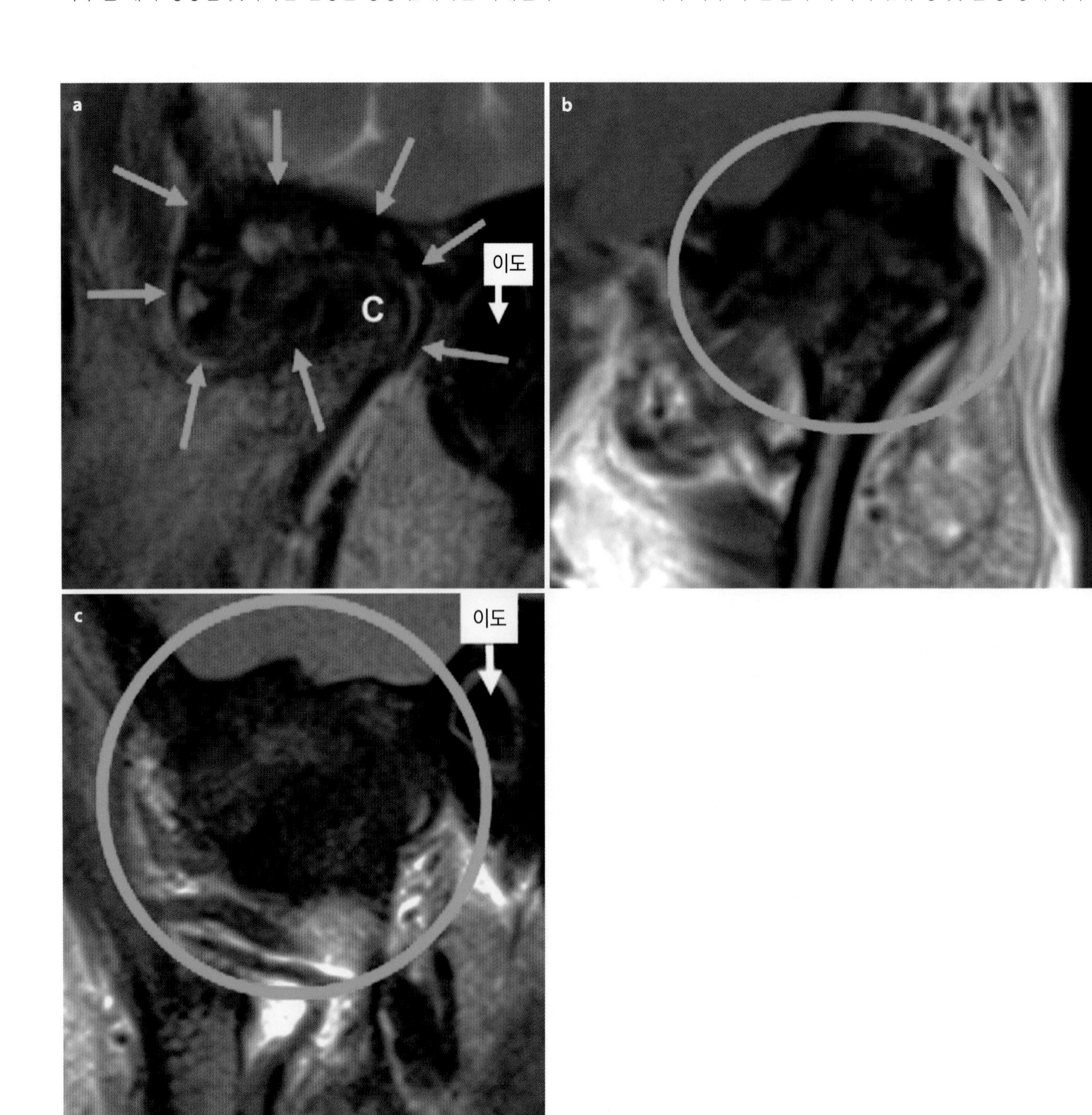

그림 24.14 **a** TMJ 강직의 MRI 시상면. "C"는 과두 머리이다. 과두 주변의 골 덩어리를 초록색 화살표로 표시하였다. **b** 관상면으로 과두와 관절와의 골 연속성을 보여준다. **c** 다른 증례의 시상면으로 강직성 척수염과 연관된 과두 주변에 고밀도의 골 덩어리가 보인다.

절 주변의 이소성 골(■ 그림 24.14)이 조밀한 흑색 덩어리로 보인다. 초기 단계에는 디스크의 변위 유무에 관계없이 식별할 수 있고 특히 원인이 염증이나 감염 과정과 연관이 있는 경우에 염증의 증거가 있을 수 있다. 석회화 부위와 골돌기가 보일 수 있다. 질환이 진행되면서, 디스크와 관절 공간이 시각화되지 않을 것이다.

24.6.1 OSA 환자에의 영향

강직이 있는 OSA 환자에 대한 가장 예측가능한 치료에는 다음이 있다: (1) 강직된 관절의 해제, 과두절제술, TMJ와 인접 부위의 완전한 괴사조직 제거를 통한 이소성 및 반응성 골 제거; (2) 보철물에 의해 하악지가 상당히 전진되거나 수직으로 연장된 경우 및 특히 어린 아이의 강직에서 근돌기의 과성장 위험이 있는 경우 근돌기절제술; (3) 맞춤형 전관절 보철물로 TMJ 재건 및 하악 전진(■ 그림 24.8); (4) TMJ 관절 부위 보철물 주변에 자가 지방 이식 보충; (5) CCWR을 수반한 MMA를 위한 상악 골절단술; (6) 이부성형술, 비갑개절제술, 비중격성형술, 비성형술과 같은 보조 시술.[80-83]

TMJ 강직의 재건에 적절한 다른 기술로 측두근막과 근육 판막술, 진피-지방 이식술, 늑골 이식술, 흉쇄골 이식술, 수직 활주 골절단술, 간극 인공관절이 있다. 전관절 보철물 주변을 지방 이식으로 보충하는 것은 우수한 기술이다.

24.7 기타 말기 TMJ 상태

OSA에 기여할 수 있는 또 다른 TMJ 말기 상태에는 다음이 있다: (1) 선천적 기형(예: 반안모 왜소증, Treacher-Collins 증후군); (2) 다중 작동 관절; (3) 실패한 TMJ 이종 이식물; (4) TMJ 재건에 사용된 실패한 자가 조직.

이러한 상태에 대한 MRI 평가는 심각한 왜곡이나 간섭으로 인해 MRI를 판독이나 진단할 수 없게 만들 수 있으므로 특히 진단과 치료 계획 수립에 도움이 되지 않을 수 있다. CBCT와 CT는 이러한 조건에서 초기 평가를 위한 선택 영상이 될 것이다.

이러한 TMJ 병리는 가진 OSA 환자는 맞춤형 전관절 보철물을 사용한 TMJ 재건과 하악 전진(■ 그림 24.8), 보철물 관절 부위 주변에 지방 이식편 보충으로 이점을 얻을 수 있고, 기능, 안정성, 심미성, 통증 제거와 관련한 최상의 결과를 얻기 위해 CCWR와 MMA를 위한 상악 골절단술 수반뿐만 아니라, 필요한 다른 보조 술식도 수행할 수 있다.

연구는 이런 치료 프로토콜로 좋은 결과를 보여준다. 그러나 특히 통증 완화 및 악골 기능과 관련하여 이전 TMJ 수술의 횟수가 증가할수록 결과의 질은 떨어진다. TMJ Concepts의 전관절 보철물 시스템을 1차나 2차 TMJ 수술로 사용할 경우, 악골 기능, 안정성, 안면 균형, 통증 완화에 대한 성공률이 매우 좋다. 2회 이상의 TMJ 수술 후, 통증 해소와 악골 기능 감소에 대한 예측가능성이 떨어진다.[8,34-59,76-87]

24.8 요약

건강하고 안정적인 TMJ는 OSA 환자의 악교정 수술에서 양질의 치료 결과를 얻기 위해 필요하다. TMJ 병리학이 이미 존재하는 경우, 악교정 수술의 결과는 기능, 심미, 골격, 교합 안정성, 통증에 대해 만족스럽지 않을 수 있다. 구강외과의는 다음의 상태에서 OSA 환자의 TMJ 문제 가능성을 의심해야 한다: (1) 하악 후퇴를 수반한 II급의 높은 교합 평면 각도 안면 형태; (2) II급 교합 및 악골 관계의 점진적인 악화; (4) 전방 개방 교합 및/또는 측방 개방 교합; (5) 환자가 두통, TMJ 통증, 근막 통증, TMJ의 clicking 및 popping 소리 이력, 및/또는 귀 증상을 보고; (6) CT/AI 질환, 다른 관절 문제, 안면 외상의 병력 등. 외과의는 이런 증상들은 무시하지 말아야 한다. 이런 증상이 하나 이상 있는 경우, OSA 환자의 가능한 TMJ 병리를 평가해야 한다. TMJ의 MRI는 특정 TMJ 병리 및 질병 과정의 진행을 식별하는데 도움이 될 수 있으며, 치료 결과를 최대화하는데 필요한 수술법을 판단할 수 있을 것이다. 이런 상태를 인식하고 치료하지 못하면 심각한 재발, 통증 증가, 구인두 기도 감소, 후속 치료의 복잡성 증가가 유발될 수 있다.

지난 30년 동안 TMJ 진단에 커다란 발전이 있었고, 병적, 기능장애, 통증성의 TMJ를 치료하고 재활하기 위한 수술 술식도 발달하였다. 연구에 따르면, TMJ와 악교정 수술이 동시에 수행되면 안전하고 예측 가능하지만, 이를 위해 정확한 진단 및 치료 계획과 TMJ 및 악교정 수술에 대한 전문 지식이 있는 외과의가 필요하다. 술식은 2단계 이상으로 나뉠 수 있지만, TMJ 수술이 먼저 시행되어야 한다. 정확한 진단과 치료 계획 수립으로, TMJ와 악교정 수술을 병행한 접근 방식은 공존하는 TMJ 병리와 치아안면 기형이 있는 OSA 환자의 완전하고 포괄적인 관리를 제공한다.

참고문헌

1. Chemello PD, Wolford LM, Buschang MS. Occlusal plane alteration in orthognathic surgery – part II: longterm stability of results. Am J Orthod Dentofac Orthop. 1994;106:434–40.
2. Wolford LM, Chemello PD, Hilliard F. Occlusal plane alteration in orthognathic surgery – part I: effects on function and esthetics. Am J Orthod Dentofac Orthop. 1994;106:304–16.
3. Wolford LM, Chemello PD, Hilliard FW. Occlusal plane alteration in orthognathic surgery. J Oral Maxillofac Surg. 1993;51:730–40.
4. AlMoraissi E, Wolford LM. Is counterclockwise rotation of the maxillomandibular complex stable compared with clockwise rotation in the correction of dentofacial deformities? A systematic review and metaanalysis. J Oral Maxillofac Surg. 2016;74:2066.e1–2066.e12.
5. Kortebein M, Wolford LM. The effect of maxillary and mandibular advancement with decrease of occlusal plane on the posterior airway space. J Oral Maxillofac Surg. 1991;49:93.
6. Mehra P, Downie M, Pitta MC, Wolford LM. Pharyngeal airway space changes after counterclockwise rotation of the maxillomandibular complex. Am J Orthod Dentofac Orthop. 2001;120:154–9.
7. Goncalves JR, Buschang PH, Goncalves DG, Wolford LM. Postsurgical stability of oropharyngeal airway changes following counterclockwise maxillomandibular advancement surgery. J Oral Maxillofac Surg. 2006;64:755–62.
8. Coleta KE, Wolford LM, Gonçalves JR, Pinto AS, Cassano DS, Gonçalves DA. Maxillomandibular counterclockwise rotation and mandibular advancement with TMJ concepts total joint prostheses: part II–airway changes and stability. Int J Oral Maxillofac Surg. 2009;38(3):228–35.
9. Wolford LM, Perez D, Stevao E, Perez E. Airway space changes after nasopharyngeal adenoidectomy in conjunction with Le Fort I osteotomy. J Oral Maxillofac Surg. 2012;70:665–71.
10. Goncalves JR, Gomes LCR, Vianna AP, Rodrigues DB, Goncalves DAG, Wolford LW. Airway space changes after maxillomandibular counterclockwise rotation and mandibular advancement with TMJ concepts total joint prostheses: three dimensional assessment. Int J Oral Maxillofac Surg. 2013;42:1014–22.
11. Wolford LM, ReicheFischel O, Mehra P. Changes in TMJ dysfunction after orthognathic surgery. J Oral Maxillofac Surg. 2003;61:655–60.
12. Worms FW, Speidel TM, Bevis RR, et al. Post treatment stability of esthetics of orthognathic surgery. Angle Orthod. 1980;50:251–73.
13. Kerstens JCK, Tuinzing DB, Golding RP, et al. Condylar atrophy and osteoarthrosis after bimaxillary surgery. Oral Surg Oral Med Oral Pathol. 1990;69:274–80.
14. Moore KE, Gooris PJJ, Stoelinga PJW. The contributing role of condylar resorption to skeletal relapse following mandibular advancement surgery. J Oral Maxillofac Surg. 1991;49:448–60.
15. De Clercq CA, Neyt LF, Mommaerts MY, et al. Condylar resorption in orthognathic surgery: a retrospective study. Int J Adult Orthod Orthognath Surg. 1994;9:233–40.
16. Arnett GW, Tamborello JA. Progressive Class II development: female idiopathic condylar resorption. Oral Maxillofac Surg Clin North Am. 1990;2:699–716.
17. Crawford JG, Stoelinga PJW, Blijdorp PA, et al. Stability after reoperation of progressive condylar resorption after orthognathic surgery. J Oral Maxillofac Surg. 1994;52:460–6.
18. Merkx MAW, Van Damme PA. Condylar resorption after orthognathic surgery. J Cranio MaxilloFac Surg. 1994;22:53–8.
19. Huang YL, Pogrel MA, Kaban LB. Diagnosis and management of condylar resorption. J Oral Maxillofac Surg. 1997;55:114–9.
20. Arnett GW, Milam SB, Gottesman L. Progressive mandibular retrusion–idiopathic condylar resorption. Part I. Am J Orthod Dentofac Orthop. 1996;110:8–15.
21. Arnett GW, Milam SB, Gottesman L. Progressive mandibular retrusion–idiopathic condylar resorption. Part II. Am J Orthod Dentofac Orthop. 1996;110:117–27.
22. Harms SE, Wilk RM, Wolford LM, et al. The temporomandibular joint: magnetic resonance imaging using surface coils. Radiology. 1985;157:133–6.
23. Wilk RM, Harms SE, Wolford LM. Magnetic resonance imaging of the temporomandibular joint using a surface coil. J Oral Maxillofac Surg. 1986;44:935–43.
24. Wolford LM, Cottrell DA, Karras SC. Mitek mini anchor in maxillofacial surgery. In: Pelton AR, Hodgson D, Duerig T, editors. Proceeding of the first international conference on shape memory and Superelastic technologies: Asilomar Conference Center, Pacific Grove, CA, MIAS, Monterey, CA; 1994. p. 477–82.
25. Mehra P, Wolford LM. Use of the Mitek anchor in temporomandibular joint disc repositioning surgery. Bayl Univ Med Cent Proc. 2001;14:22–6.
26. Mehra P, Wolford LM. The Mitek mini anchor for TMJ disc repositioning: surgical technique and results. Int J Oral Maxillofac Surg. 2001;30:497–503.
27. Wolford LM, Cassano DS, Goncalves JR. Common TMJ disorders: orthodontic and surgical management. In: McNamara JA, Kapila SD, editors. Temporomandibular disorders and orofacial pain: separating controversy from consensus, Craniofacial growth series, vol. 46. Ann Arbor, MI: The University of Michigan; 2009. p. 159–98.
28. Goncalves JR, Cassano DS, Wolford LM, et al. Postsurgical stability of counterclockwise maxillomandibular advancement surgery: effect of articular disc repositioning. J Oral Maxillofac Surg. 2008;66:724–38.
29. Fields RT Jr, Cardenas LE, Wolford LM. The pullout force of mini and micro suture anchors systems in human mandibular condyles. J Oral Maxillofac Surg. 1996;55:483–7.
30. Fields RT Jr, Franco PF, Wolford LM. The osseointegration of Mitek mini suture anchors in the mandibular condyle. AAOMS 78th Annual Meeting and Scientific Sessions. J Oral Maxillofac Surg. 1997;55:92–3.
31. AlMoraissi EA, Wolford LM. Does temporomandibular joint pathology with or without surgical management affect the stability of counterclockwise rotation of the maxillomandibular complex in orthognathic surgery? A systematic review and metaanalysis. J Oral Maxillofac Surg. 2017;75(4):805–21. https://doi. org/10.1016/j.joms.2016.10.034.
32. Goncalves JR, Cassano DS, Rezende L, Wolford LM. Disc repositioning: does it really work? Oral Maxillofac Surg Clin North Am. 2015;27(1):85–107.
33. Wolford L. Can orthodontic relapse be blamed on the temporomandibular joint? J Orthod Sci. 2014;3:95–105.
34. Wolford LM, Cottrell DA, Henry CH. Temporomandibular joint reconstruction of the complex patient with the Techmedica custommade total joint prosthesis. J Oral Maxillofac Surg. 1994;52:2–10.
35. Mercuri LG, Wolford LM, Sanders B, White RD, Hurder A, Henderson W. Custom CAD/CAM Total temporomandibular joint reconstruction system: preliminary multicenter report. J Oral Maxillofac Surg. 1995;53:106–15.
36. Wolford LM, Mehra P. Custommade total joint prostheses for temporomandibular joint reconstruction. Bayl Univ Med Cent Proc. 2000;13:135–8.
37. Wolford LM, Pitta MC, ReicheFischel O, et al. TMJ concepts/Techmedica custommade TMJ total joint prosthesis: 5year follow up. Int J Oral Maxillofac Surg. 2003;32:268–74.
38. Mercuri LG, Wolford LM, Sanders B, et al. Longterm followup of the

CAD/CAM patient fitted total temporomandibular joint reconstruction system. J Oral Maxillofac Surg. 2002;60:1440–8.

39. Mercuri LG, Edibam NR, GiobbieHurder. Fourteenyear follow up of a patientfitted total temporomandibular joint reconstruction system. J Oral Maxillofac Surg. 2007;65(6):1140–8.

40. Mercuri LG, GiobbiHurder A. Long term outcomes after total alloplastic TMJ reconstruction following exposure to failed materials. J Oral Maxillofac Surg. 2004;62:1088–96.

41. Mercuri LG. Subjective and objective outcomes for patients reconstructed with a patientfitted Total temporomandibular joint prosthesis. J Oral Maxillofac Surg. 1999;57:1427–30.

42. Mercuri LG. The TMJ concepts patient fitted total temporomandibular joint reconstruction prosthesis. Oral Maxillofac Surg Clin North Am. 2000;12:73.

43. Mercuri LG. The use of alloplastic prostheses for temporomandibular joint reconstruction. J Oral Maxillofac Surg. 2000;58:70.

44. Wolford LM, Pinto LP, Cardenas LE, Molina OR. Outcomes of treatment with custommade temporomandibular joint total joint prostheses and maxillomandibular counterclockwise rotation. Bayl Univ Med Cent Proc. 2008;21:18–24.

45. Mehra P, Wolford LM, Baran S, Cassano DS. Singlestage comprehensive surgical treatment of the rheumatoid arthritis temporomandibular joint patient. J Oral Maxillofac Surg. 2009;67(9):1859–72.

46. Coleta KE, Wolford LM, Gonçalves JR, Pinto AS, Cassano DS, Gonçalves DA. Maxillomandibular counterclockwise rotation and mandibular advancement with TMJ concepts((R)) total joint prostheses part IV – soft tissue response. Int J Oral Maxillofac Surg. 2009;38(6):637–46. Epub 2009 Jan 8

47. Pinto LP, Wolford LM, Buschang PH, Bernardi FH, Gonçalves JR, Cassano DS. Maxillomandibular counterclockwise rotation and mandibular advancement with TMJ concepts total joint prostheses: part III–pain and dysfunction outcomes. Int J Oral Maxillofac Surg. 2009;38(4):326–31. Epub 2009 Jan 6

48. Coleta KE, Wolford LM, Gonçalves JR, Pinto AS, Pinto LP, Cassano DS. Maxillomandibular counterclockwise rotation and mandibular advancement with TMJ concepts total joint prostheses: part I–skeletal and dental stability. Int J Oral Maxillofac Surg. 2009;38(2):126–38. Epub 2009 Jan 14

49. Movahed R, Teschke M, Wolford LM. Protocol for concomitant temporomandibular joint customfitted total joint reconstruction and orthognathic surgery utilizing computerassisted surgical simulation. J Oral Maxillofac Surg. 2013;71:2123–9.

50. Movahed R, Wolford LM. Protocol for concomitant temporomandibular joint customfitted total joint reconstruction and orthognathic surgery using computerassisted surgical simulation. Oral Maxillofac Surg Clin North Am. 2015;27(1):37–46.

51. Wolford LW, Mercuri LG, Schneiderman ED, Movahed R, Allen W. Twentyyear followup on a patientfitted temporomandibular joint prosthesis: the Techmedica/TMJ concepts device. J Oral Maxillofac Surg. 2015;273:952–60.

52. Giannakopoulos HE, Sinn DP, Quinn PD. Biomet microfixation TMJ replacement system: a 3year followup study of patients treated during 1995 to 2005. J Oral Maxillofac Surg. 2012;70:787–94.

53. Machon V, et al. Total alloplastic TMJ replacement: the Czech Slovak initial experience. Int J Oral Maxillofac Surg. 2012;41:514–7.

54. AJ S, E G. Oneyear prospective outcome analysis and complications following total replacement of the TMJ with the TMJ concepts system. Br J Oral Maxillofac Surg. 2013;51:620–4.

55. Murdock B, Buchanan J, Cliff J. TMJ replacement: a New Zealand perspective. Int J Oral Maxillofac Surg. 2014;43:595–9.

56. Xia J, Ip HH, Samman N, et al. Computerassisted threedimensional surgical planning and simulation: 3D virtual osteotomy. Int J Oral Maxillofac Surg. 2000;29:11.

57. Gateno J, Xia J, Teichgraeber J, et al. Clinical feasibility of computer aided surgical simulation (CASS) in the treatment of complex craniomaxillofacial deformities. J Oral Maxillofac Surg. 2007;65:728.

58. Movahed R, Wolford LM. Protocol for concomitant temporomandibular joint customfitted total joint reconstruction and orthognathic surgery using computerassisted surgical simulation. Clin North Am. 2015;27:37–45.

59. Wolford LM. Concomitant TMJ Total joint replacement and orthognathic surgery. In: Mercuri LG, editor. Temporomandibular joint total joint replacement – TMJ TJR. Switzerland: Springer; 2016. p. 133–64.

60. Wolford LM, Cardenas LE. Idiopathic condylar resorption: diagnosis, treatment protocol, and outcomes. Am J Orthod Dentofac Orthop. 1999;116:667–77.

61. Wolford LM. Idiopathic condylar resorption of the temporomandibular joint in teenage girls (cheerleaders syndrome). Bayl Univ Med Cent Proc. 2001;14:246–52.

62. Wolford LM, Galiano A. Adolescent internal condylar resorption (AICR) of the temporomandibular joint part 1: a review for diagnosis and treatment considerations. Cranio. 2019;37(1):35–44. https://doi.org/10.1080/08869634.2017.1386752.

63. Galiano A, Wolford LM. Adolescent internal condylar resorption (AICR) of the temporomandibular joint can be successfully treated by disc repositioning and orthognathic surgery part 2: treatment outcomes. Cranio. 2019;37(2):111–20. https://doi.org /10.1080/08869634.2017.1386753.

64. Wolford LM. Understanding TMJ reactive arthritis. Cranio. 2017;35(5):274–5.

65. Henry CH, Hudson AP, Gérard HC, Franco PF, Wolford LM. Identification of Chlamydia trachomatis in the human temporomandibular joint. J Oral Maxillofac Surg. 1999;57(6): 683–8.

66. Henry CH, Hughes CV, Gérard HC, Hudson AP, Wolford LM. Reactive arthritis: preliminary microbiologic analysis of the human temporomandibular joint. J Oral Maxillofac Surg. 2000;58(10):1137–42.

67. Hudson AP, Henry C, Wolford LM, Gerard H. Chlamydia psittaci infection may influence development of temporomandibular joint dysfunction. J Arthritis Rheumatism. 2000;(43):S174.

68. Henry CH, Pitta MC, Wolford LM. Frequency of chlamydial antibodies in patients with internal derangement of the temporomandibular joint. Oral Surg Oral Med Oral Pathol Oral Radiol Endod. 2001;91(3):287–92.

69. Kim S, Park Y, Hong S, Cho B, Park J, Kim S. The presence of bacteria in the synovial fluid of the temporomandibular joint and clinical significance: preliminary study. J Oral Maxillofac Surg. 2003;61:1156–61.

70. Gérard HC, Carter JD, Hudson AP. Chlamydia trachomatis is present and metabolically active during the remitting phase in synovial tissues from patients with chronic Chlamydiainduced reactive arthritis. Am J Med Sci. 2013;346(1):22–5.

71. Paegle DI, Holmlund AB, öStlund MR, Grillner L. The occurrence of antibodies against Chlamydia species in patients with monoarthritis and chronic closed lock of the temporomandibular joint. J Oral Maxillofac Surg. 2004;62(4):435–9.

72. Henry CH, WhittumHudson JA, Tull GT, Wolford LM. Reactive arthritis and internal derangement of the temporomandibular joint. Oral Surg Oral Med Oral Pathol Oral Radiol Endod. 2007;104:e22–6.

73. Zeidler H, Hudson AP. New insights into chlamydia and arthritis. Promise of a cure? Ann Rheum Dis. 2014;73:637–44.

74. Carter JD, Hudson AP. Recent advances and future directions in understanding and treating Chlamydiainduced reactive arthritis. Expert Rev Clin Immunol. 2017;13:197–206.

75. Zeidler H, Hudson AP. Causality of Chlamydiae in arthritis and spondyloarthritis: a plea for increased translational research. Curr Rheumatol Rep. 2016;18:9–18.

76. Freitas R, Wolford LM, Baran S, Cassano DS. Autogenous versus alloplastic TMJ reconstruction in rheumatoidinduced TMJ Disease. American Association of Oral and Maxillofacial Surgeons Annual Meeting; 2002:S1, 58:43.

77. Wolford LM, Karras SC. Autologous fat transplantation around temporomandibular joint total joint prostheses: preliminary treatment outcomes. J Oral Maxillofac Surg. 1997;55(3):245–51; discussion 251–2

78. Wolford LM, MoralesRyan CA, Morales PG, Cassano DS. Autologous fat grafts placed around temporomandibular joint total joint prostheses to prevent heterotopic bone formation. Bayl Univ Med Cent Proc. 2008;21(3):248–54.

79. Mercuri LG, Ali FA, Woolson R. Outcomes of total alloplastic replacement with periarticular autogenous fat grafting for management of reankylosis of the temporomandibular joint. J Oral Maxillofac Surg. 2008;66:1794–803.

80. Wolford LM, Rodrigues DB. Temporomandibular joint (TMJ) pathologies in growing patients: effects on facial growth and development. In: Preedy VR, editor. Handbook of growth and growth monitoring in health and disease. New York: Springer; 2012. p. 1809–28.

81. Wolford LM, McPhillips A, Rodrigues D. TMJ ankylosis in children: comparison of 3 methods of joint reconstruction: AAOMS; 2009.

82. Frietas RZ, Mehra P, Wolford LM. Autogenous versus alloplastic TMJ reconstruction in rheumatoidinduced TMJ disease. J Oral Maxillofac Surg. 2002;58:43.

83. Wolford L, Movahed R, Teschke M, Fimmers R, Havard D, Schneiderman E. Temporomandibular joint ankylosis can be successfully treated with TMJ concepts patientfitted Total joint prosthesis and autogenous fat grafts v122115. J Oral Maxillofac Surg. 2016;74(6):1215–27. https://doi.org/10.1016/j. joms.2016.01.017.

84. Wolford L. Diagnosis and management of TMJ heterotopic bone and ankylosis. In: Bouloux GF, editor. Complications of temporomandibular joint surgery. Cham: Springer; 2017.

85. Wolford LM, Bourland TC, Rodrigues D, Perez DE, Limoeiro E. Successful reconstruction of nongrowing hemifacial microsomia patients with unilateral temporomandibular joint total joint prosthesis and orthognathic surgery. J Oral Maxillofac Surg. 2012;70:2835–53.

86. Mercuri LG. Chapter 52: endstage TMD and TMJ reconstruction. In: Miloro M, Ghali G, Larsen P, Waite P, editors. Peterson's principles of oral & maxillofacial surgery. 3rd ed: PMPH, USA Ltd; 2012. p. 1173–86.

87. Wolford LM, Goncalves JR. Condylar resorption of the temporomandibular joint: how do we treat it? Oral Maxillofac Surg Clin North Am. 2015;27(1):47–67.

OSA 수정을 위한 상악 수술법

Will R. Allen and Matt J. Madsen

목차

25.1 개요

폐쇄성 수면 무호흡(OSA)은 일반 성인 인구의 약 5–15%에 영향을 미치는 수면 장애이다.[1] 기도 허탈에 의한 수면 중 반복적이고 간헐적인 완전 또는 부분적 호흡 폐쇄를 특징으로 한다. 이러한 호흡 중단 때문에 주간 졸음을 야기하는 지속적인 각성으로 수면 양상에 영향을 미치고 환자에게 의학적 동반 질환을 기여한다. 이런 폐쇄는 산소 포화도를 감소시키고 혈액 CO_2 수준의 부분 압력을 증가시킨다. 이것은 환자 생활에 영향을 미치고 고혈압[2–6], 심혈관 질환[4], 심부전[4–6], 대사 증후군[3,4,6], 뇌졸중[5,6]과 연관된다고 보고된다.

OSA는 비만[6], 굵은 목 둘레, 남성, 상악 또는 하악 결핍[7,8], 긴 상기도 길이[8–13], 좁은 비강 통로[14], 상악 수축[14], 좁은 인두[15]가 있는 환자에서 흔하게 관찰된다. 해부학, 신체 검사, 진단의 보다 자세한 사항은 다른 단원에서 자세히 설명된다.

OSA에 대한 1차 치료는 지속적 양압기를 사용한 비수술적 의료 관리이다. 이 치료 양식은 수술 개입을 포함한 다른 진료가 필요한 일부 환자에게 잘 적응되지 않는다. 수술적 개입이 필요한 대상으로는 시간당 호흡 장애 지수(RDI) 20회 초과, 산소 포화도 90% 미만, 고혈압, 부정맥, 상기도의 해부학적 기형, 의료 관리에 실패한 환자들이 있다.

수술 관리는 전통적으로 2단계로 나뉜다. 1단계는 비정상적 비강, 구개, 혀, 중격 해부학의 수정에 중점을 둔다. 치료에는 비중격성형술, 비갑개절제술, 혀 전진술, 목젖구개인두 성형술(UPPP), 설골 근막절제술이 있다. 2단계는 골격 수정을 포함하고, 상하악 전진술(MMA)이 가장 일반적인 형태이다.

1단계 치료법이나 비외과적 치료를 통해 외과적 개입이 실패한 환자의 경우, 하악의 반시계방향회전(CCWR)을 종종 수반하는 MMA가 선택의 수술이었다. 이 수술은 Le Fort I 골절단술에 의한 상악 전진과 하악의 양측성 시상 분할 골절단술(BSSO)에 의한 약 10 mm의 전진으로 구성된다. 종종, 외과적 수정은 교합 평면의 CCWR을 포함한다. MMA는 CCWR 전진으로 환자의 무호흡 저호흡 지수(AHI), 산소 포화도, Epworth 수면 척도(ESS) 점수를 향상시키는 기도 용적 증가에 대한 결정적인 요인인 인두 측벽 장력을 감소시킨다.[16–18] 이런 CCWR로 OSA 환자에서 임상 증상과 전반적인 삶의 질을 향상시키는 AHI 감소[7,12,17–24], ESS 개선[16,17,20,21], 산소 포화도 증가[7,16,19], 기도 직경 증가[11,12,15,20,25–28], 기도 길이 감소[11,12]가 나타난다.

전통적인 접근법은 양악 수술이나 하악 단독 수술, 특히 설후 기도 공간 증가를 위한 하악 전진에 중점을 두었다. 그러나 최근 연구는 상악 악교정 수술법을 통해 OSA를 개선하는 역할을 이해하려고 노력했다. 아동의 급속 상악 확장(RME)[29–35], 성인의 수술 보조 급속 구개 팽창(SARPE)[14,36–39], Le Fort 분할술 같은 악정형적 술식은 OSA을 개선시킨다. AHI가 개선되는 기전은 비강을 확대하는 비강저의 확장에 의한 것으로 보인다.[29,30,33] 이는 기류에 대한 비강 저항을 감소시켜 비정상적인 치아안면 발달에 기여하는 요소로 보이는 절대적인 구호흡을 감소시킨다.[40] 또한, 병리학적으로 위축된 상악궁은 정상적인 혀 자세를 허용하지 않아 혀를 후하방에 위치시킨다.[41] 상악궁 너비를 정상화하고 치아치조 골조의 수평적 크기를 증가시키면, 치아치조 돌기 내에 혀에 대한 충분한 공간이 허용된다. 이런 새로운 혀 자세로 인두 기도가 개선되고[35] 후두개 근처의 하기도 용적도 증가한다.[14] 혀 위치, 골격성 랜드마크의 수정과 확장 외에도, 기도 주변의 연조직 해부학 구조가 비슷하게 반응한다. 상악 전진은 연구개와 구개범인두근을 전방으로 잡아당겨 장력을 낮춘다.[7,19,27]

MMA 또는 단독 악골 수술의 상악이나 하악 전진의 최대 이점은 기도 저항을 감소시키는 것이다. Pouiseuilles의 법칙 $\Delta P = 8\mu LQ/\pi r4$에서, P는 기도 끝의 압력 차이, L은 기도 길이, Q는 주어진 시간당 통과하는 공기의 양, μ는 동적 점도, r은 기도 반경이다. 즉, 관의 저항은 반경의 4제곱에 반비례한다. 우리가 수술로 기도 반경을 증가시키면 저항이 크게 감소한다. 이번 단원에서는 OSA 환자의 상악 술식에 관해 논의할 것이다.

25.2 상악 수술 치료 계획 수립

수술에 앞서, 정확하고 포괄적인 검사를 시행하여 환자를 진단한다. 악교정 수술을 위한 임상 기록은 임상 검사, 영상, 모델, 측면 두부계측 영상의 예측 트레이싱으로 구성된다. 임상 검사는 환자의 안면 및 교합 랜드마크를 계측하고, 환자의 나이, 인종, 성별을 고려하여 표준과 비교한다. 영상은 파노라마, 측면 두부계측 영상, 3D CBCT가 포함된다. 임상적 인상과 함께 진단 결정에 도움이 되는 환자의 현재 상태에 대한 예측 트레이싱을 구성한다(◘ 그림 25.1). 수술 치료 목표 트레이싱(◘ 그림 25.2)은 수술 중 계획된 이동을 보여준다. 보다 최근에는 일부 증례에서, 발전된 영상기법에 근거한 가상 수술 계획(VSP)이 전통적인 촉각 방법을 대체하고 있다(◘ 그림 25.3). 상악과 하악 모델을 중심 관계(CR)로 교합기에 장착하여 계획된 전진의 공간적 방향에서 수술용 스플린트를 제작한다(◘ 그림 25.4).

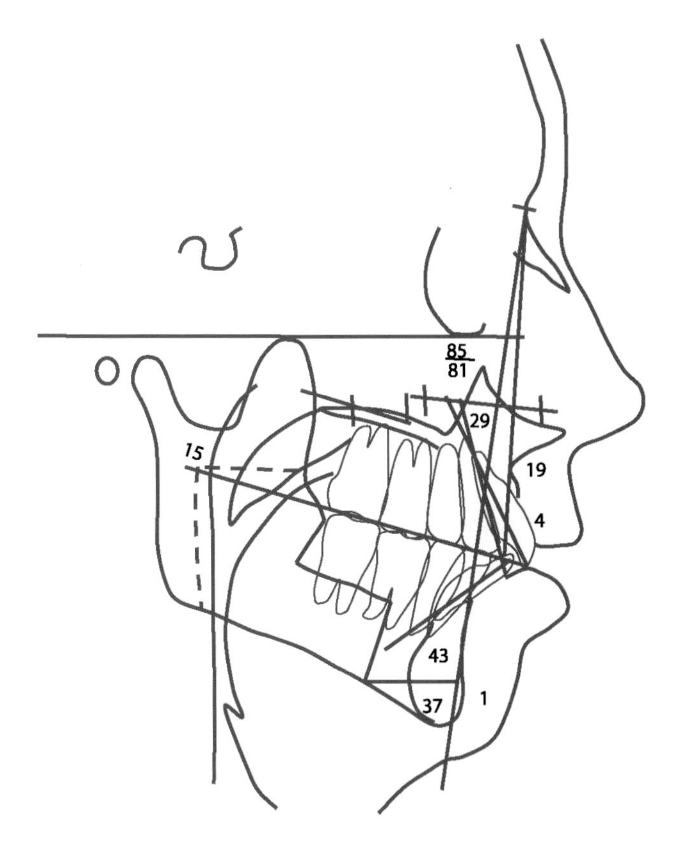

그림 25.1 Wolford 분석을 이용한 술전 환자의 측면 두부계측 영상의 트레이싱[42]

그림 25.2 Wolford 분석을 이용한 수술 치료 목적 트레이싱으로 수술 동안 계획된 상악과 하악의 이동[42]

25.2.1 골 해부학

상악체는 전두, 관골, 치아치조, 구개 돌기라고 불리는 4개의 돌출부를 포함한 2개의 반쪽이 정중선에서 융합된 것이다. 상악의 전두 돌기는 코의 외측면과 안와의 내측면을 구성하기 위해 상방으로 연장된다. 안와연의 하내측면이 상악에서 형성된다. 대략, 안와연 하방 5–7 mm에서 안와하 신경이 관을 통과한다. 관골 돌기는 외측으로 연장되어 관골을 만난다. 구개 돌기는 중구개 봉합으로 정중선에서 융합하는 골의 수평 절반으로 내측으로 연장된다. 이 과정은 후방으로 연장되어 구개골과 결합하여 연구개를 형성한다. 상악 결절 원심부에 Le Fort I 및 SARPE 수술의 외측 익상판 분리 부위인 상악의 측두하 표면이 있다(그림 25.5).

25.2.2 혈관 해부학

Le Fort I 골절단술은 혈관 해부학이 완전히 이해되기 전에 수행되었다. 수술 중 비구개 동맥과 하행 구개 동맥이 분리될 수 있고, 상악 연조직으로부터 직접적인 관류가 차단된다. 이것은 연구개로부터의 이차 순환이 상악에 혈관 지원을 제공하기에 충분하다는 믿음으로 이어졌다. Bell은 상악으로의 혈액 공급이 상행 인두 동맥과 상행 구개 동맥에서 나온다는 것을 연구를 통해 입증했다.[43] 상행 구개 동맥은 안면 동맥의 가지이고, 상행 인두 동맥은 외경 동맥의 가지이다(그림 25.6).

25.3 변형을 포함한 Le Fort I 골절단술

Le Fort I 골절단술의 OSA 적용은 1965년 Obwegeser의 설명과 유사하다.[44] 목표는 상당한 전진을 가능하게 하는 상악의 완전한 가동화이다. 올바른 방향 설정을 위해 외부 참조가 권장된다. 이를 위해 nasion(비근점) 부위에 Kirschner wire (0.035 inch)를 삽입한다(그림 25.7). 그 후, 캘리퍼로 중절치 브라켓부터 K-wire까지 측정하고 참조용으로 기록한다(그림 25.8). 제1대구치에서 제1대구치까지 이어지는 상악 전정 절개를 이용해 외과적으로 노출시킨다. 봉합을 위해 비각화 점막에 적절한 마진을 남겨두는 것이 필수적이다. 절개는 점막치은 접합부 상방 5 mm에서 이루어져야 한다(그림 25.9). 전층 점막골막 피판을 거상하고 piriform rim과 전비극 주변의 골막을 절개하여 거상한다. 안와하 신경과 안와하공을 식별하고 상방

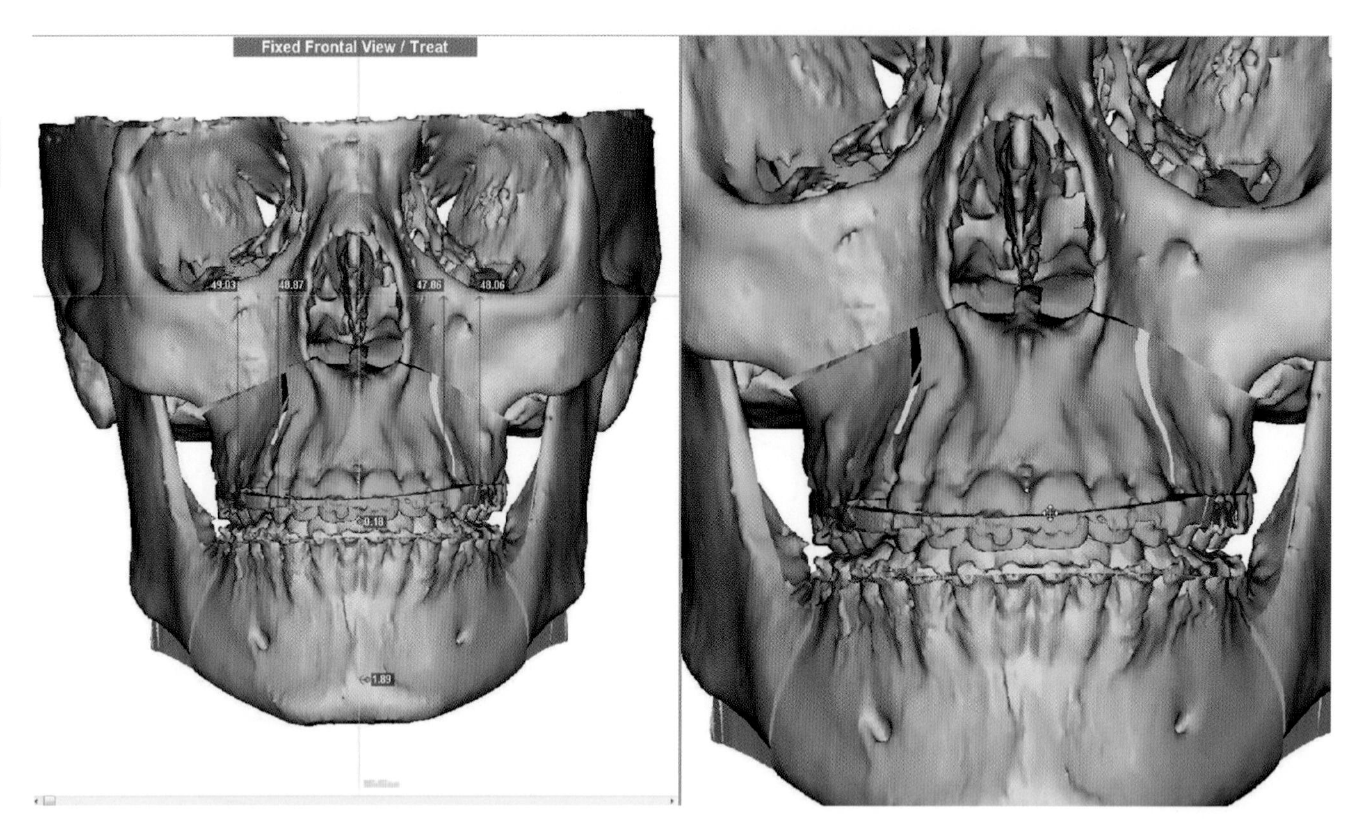

■ 그림 25.3 가상 수술 계획 수립(VSP)이 3D CBCT와 구강내의 디지털 스캔을 이용해 수행된다. 이 계획 수립은 통상의 측면 두부계측 트레이싱을 보충하거나 대체할 수 있다.

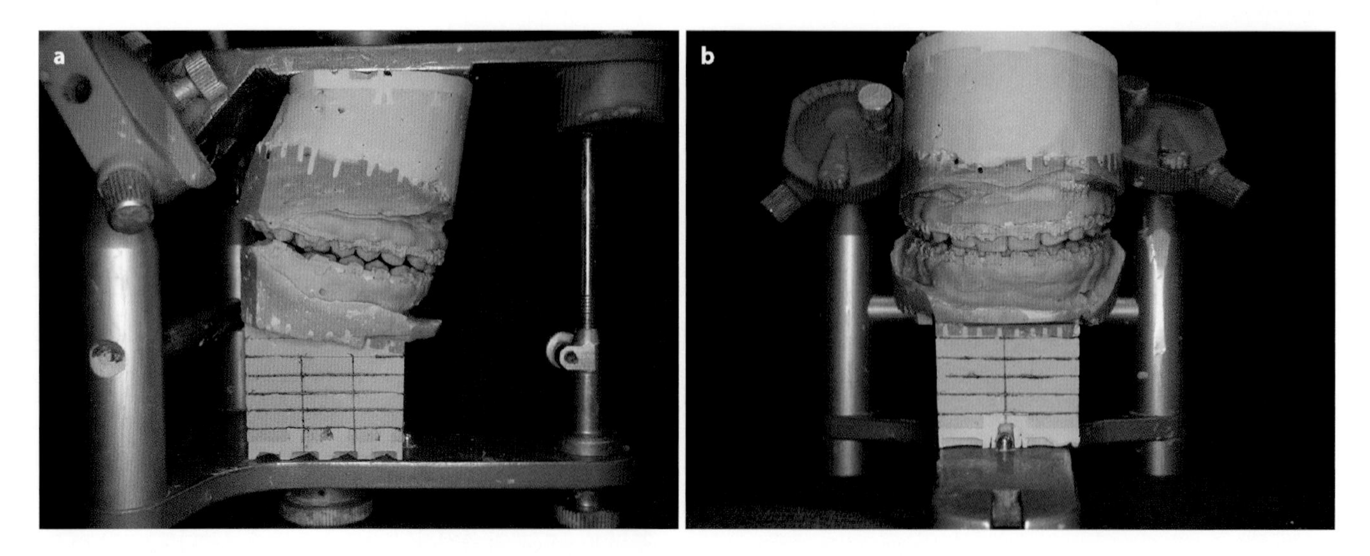

■ 그림 25.4 상악궁과 하악궁의 치아 모델이 안궁을 이용하여 중심 관계(CR)로 교합기에 장착되었다. 모델 수술을 시행하여 아크릴 스플린트를 제작하여, 수술 동안 각 악궁의 이동을 조절한다.

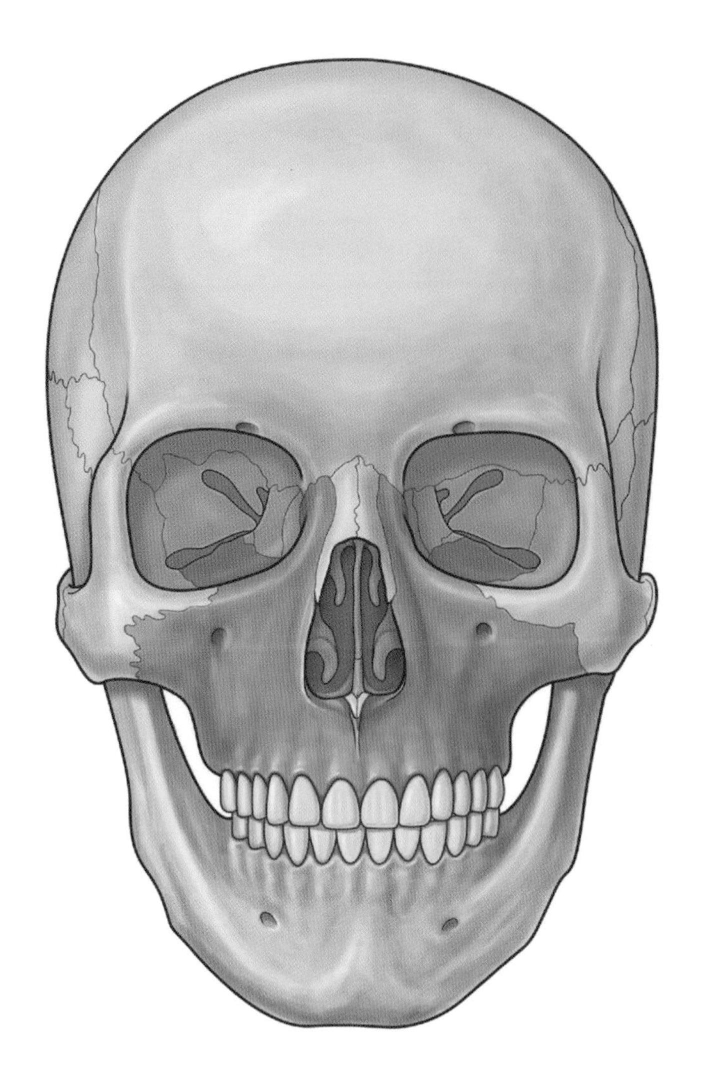

■ 그림 25.5 **상악에는 중안면 및 두개골의 9개 골과 연결된 전두, 관골, 치아치조, 구개 돌기라고 불리는 4개의 돌출부가 있다.**

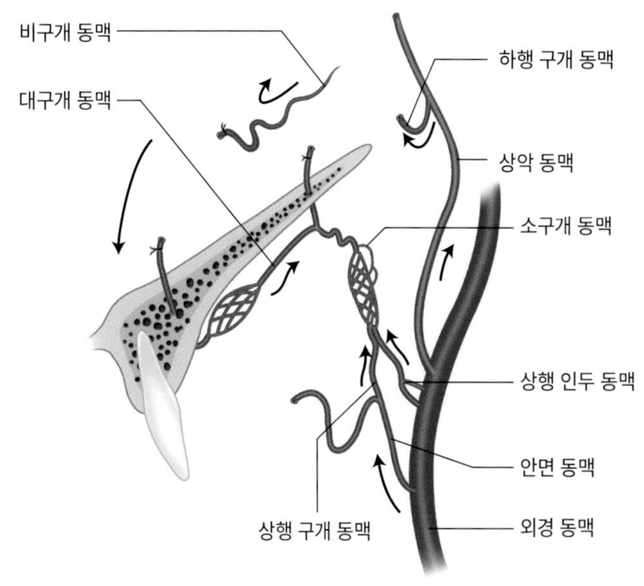

■ 그림 25.6 **상행 구개 동맥과 상행 인두 동맥이 대구개 동맥과 문합하여 상악에 혈관을 공급한다.**

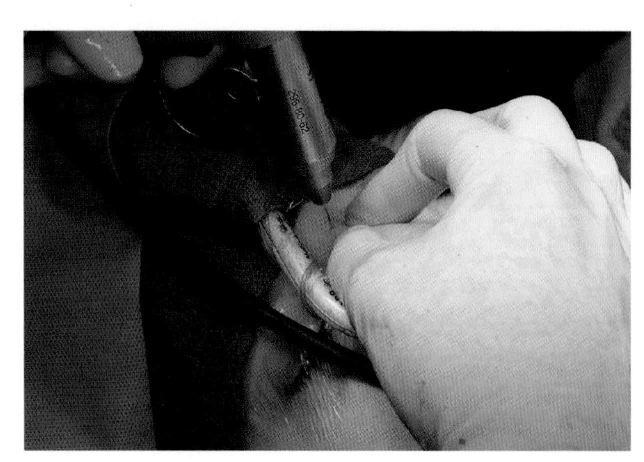

■ 그림 25.7 **외측 참조를 위해 전두골과 비골 교차부에 K-wire를 삽입한다.**

으로 절개한다. 그 다음, 외측 상악을 관골상악 접합부까지 절개하고 익돌상악 접합부까지 진행한다. Curved Freer elevator나 Molt 9 elevator로 비강저와 비강 외측벽에서 비강 점막을 거상한다. 외과적 노출이 완성되면, 기구가 골막하에 있는지 확인하면서 조심스럽게 curved tip Obwegeser retractor를 익돌상악 접합부에 위치시키고 외측 익돌판에 안착시킨다. 비강 측벽을 따라 Seldin retractor를 점막하에 위치시킨다. 그 후, 익돌상악 접합부에서 시작하여 내측으로 디자인에 따라 piriform rim이나 비강 외측벽까지 reciprocating saw를 이용하여 수평 골절단술을 완성한다. 수평 골절단은 치근단에서 최소 5 mm 거리를 유지하도록 주의를 기울여야 한다. 수평 골절단 전에, 내부 참조점을 골면에 표시할 수 있지만 항상 필요하지는 않다. 그 다음, 비중격, 비강 외측벽, 익상판의 순서로 분리한다. Spatula나 straight edge osteotome을 사용하여 비중격을 전비극에서 분리하기 시작한다. 이중 보호 중격 골절단기로 중격 골절단술을 완성한다. 비강저 점막이 찢어지지 않도록 골성 비강저와 접촉을 유지하는 것이 중요하다. 공간적 참조를 위해 구개골 후면에 한 손가락을 유지하면서 망치로 골절단기를 후하방으로 유도한다. 비강 외측벽 절단은 단일 보호 골절단기를 사용하여 완성한다. 구개골의 피라미드 돌기에서 저항감이 느껴질 때까지 비강저에 평행하게 후방으로 망치로 골절단기를 유도한다. 마지막 골절단은 익상판에 대한 것으로, 익상판과 상악 후부의 골 접합부에 곡선의 골절단기로 수행한다. 망치로 골절단기를 내하방으로 유도한다. 공간적 방향성을 위해 손가

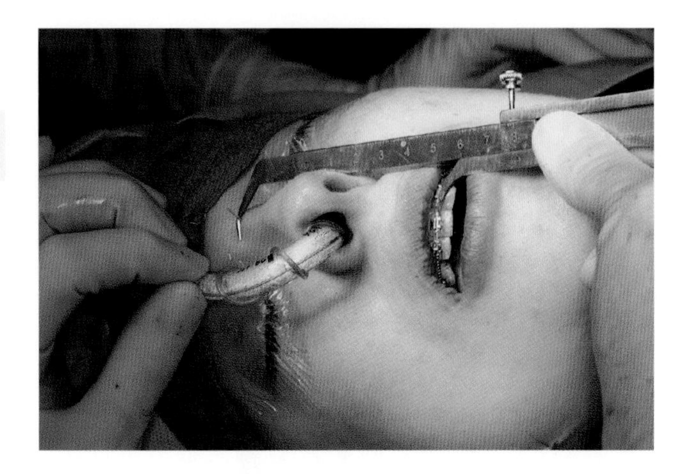

◘ 그림 25.8 **캘리퍼로 K-wire부터 중절치의 교정용 브라켓까지 측정하여 상악의 수직 고경을 확인한다.**

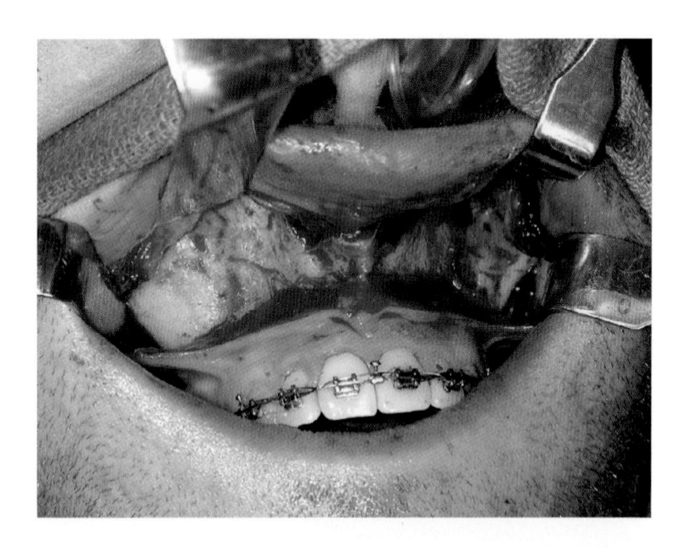

◘ 그림 25.9 **각화 치은 상방 5 mm에서 치조점막을 절개한다. 이 치조점막 고랑은 수술 후 적절한 봉합을 가능하게 한다.**

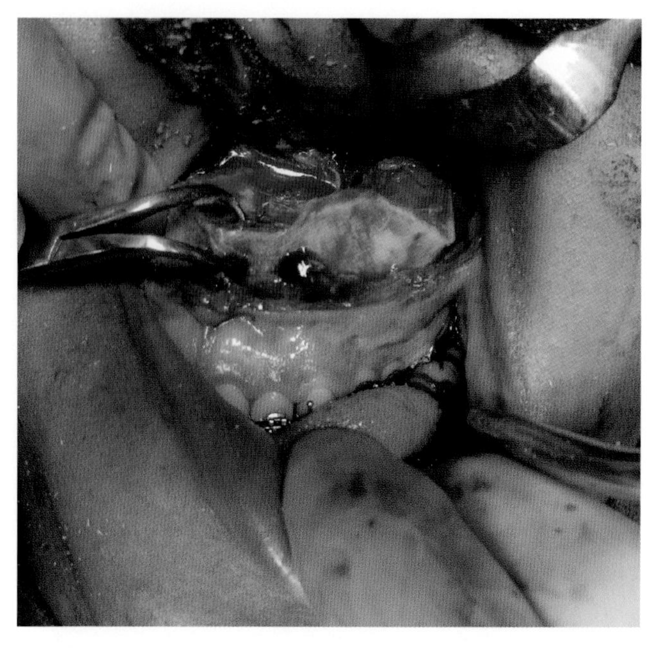

◘ 그림 25.10 **비강 중격, 융기, 피라미드 돌기, 관골 지지대의 골 삭제로 고정 전 과두를 적절하게 배치한다.**

락을 구내의 결절 근처에 놓을 수 있다. 수술 중 출혈을 최소화하기 위해 저혈압 마취를 사용할 수 있다. 이 시점에서 손가락으로 상악 전방에 하방 압력을 가하여 상악 하방 골절을 시작한다. 저항이 느껴지면, 저항이 있는 부위의 골절단을 다시 조정한다. 하방 골절이 완성되면, Rowe disimpaction forcep이나 Tessier mobilizer를 사용하여 상악을 하전방으로 당길 수 있다. 상악은 모든 골 부착물로부터 자유롭게 움직여야 한다. Seldin 또는 Obwegeser retractor를 사용하여 가동화 동안 비강저와 상악 후방의 연조직에 외상이 가하지 않게 보호해야 한다. 하방 골절과 가동화 후에(◘ 그림 25.10), 상악의 전방 배치를 방해하는 모든 골 방해를 제거한다. 여기에는 보통 상악 골 중격, 후방 결절 부위, 피라미드 돌기, 상악 외측벽, 관골 지지대 부위의 골 삭제가 포함된다. 상악이 가동화되고 방해가 제거되면 상악의 분절 수술이 완성된다. 수술 계획에 따라, 통상적 Le Fort I 골절단술의 2, 3개 조각 변형을 사용하여 상악을 확장한다. 치간 골절단술은 fine-tapered fissure bur, oscillating saw, 압전 전기 장치를 이용한다(◘ 그림 25.11). Spatula 골절단기로 다듬는다(◘ 그림 25.12). 상악 후방의 시상 또는 정중옆 절단을 전상악의 치간 수직 절단에 연결하여 분절에 가동성을 부여한다(◘ 그림 25.13a–c). 치간 절단술은 상악골의 가동성 보다는 안정적인 정확한 골절단술을 위해 하방 골절 전에 윤곽을 잡아주어야 한다. 구개 절개로 상악 분절의 확실한 가동성을 부여할 수 있다(◘ 그림 25.14a, b). 이 절개는 술후 구비강 누관을 예방하기 위한 골절단술이 아니기 때문에, 정중옆의 지지골상에서 이루어진다. 수술용 스플린트를 위치시키고 최종 조정을 시행한다. 교합기 모델에서 술전에 제작한 아크릴 스플린트를 26 gauge wire로 상악궁에 결찰한다. 분절 수술의 경우, 모든 조각이 스플린트에 수동적으로 단단히 결찰되도록 주의한다. 그 후 하악을 스플린트에 연결한다. 이렇게 하여 상악과 하악을 하나의 단위로 조작할 수 있다. 하악 과두를 상방으로 안착시키려고 시도하는 동안, 후방 압력이 후상방 벡터에 가해지고 최종 방해를 식별하여 제거할 수 있다. 수직 참조는 캘리퍼를 이용하여 확인한다(◘ 그림 25.8). 강성 고정은 miniplate를 이용하여 piriform과 관골 지지대에 수행한다(◘ 그림 25.15). 절개 봉합은 심미적 결과를 최적화하기 위해 V–Y 봉합을 시행한다(◘ 그림 25.16). Single skin hook을 사용하여 절개부의 상부 마진을 위쪽으로 당긴다. 절개의 수직 중간부를 먼저 닫고, 나

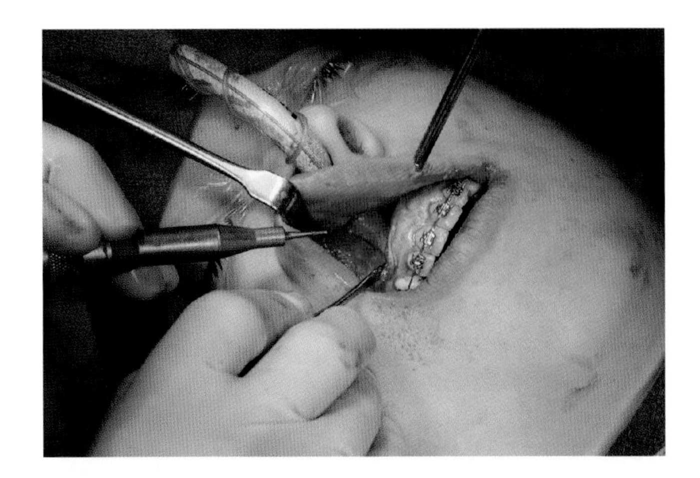

그림 25.11 편측 피질골 치간 골절단을 이용한 상악 분할

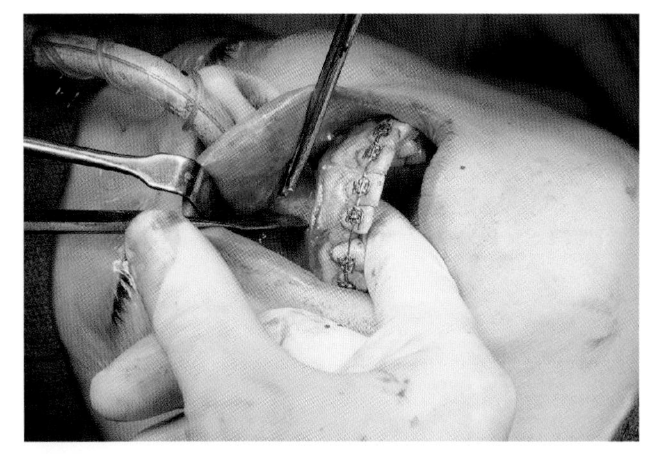

그림 25.12 Spatula 절단기로 편측 피질골절단술을 완성하였다. 집게 손가락을 구개에 위치시킨다. 구개 연조직이 천공되지 않게 주의한다.

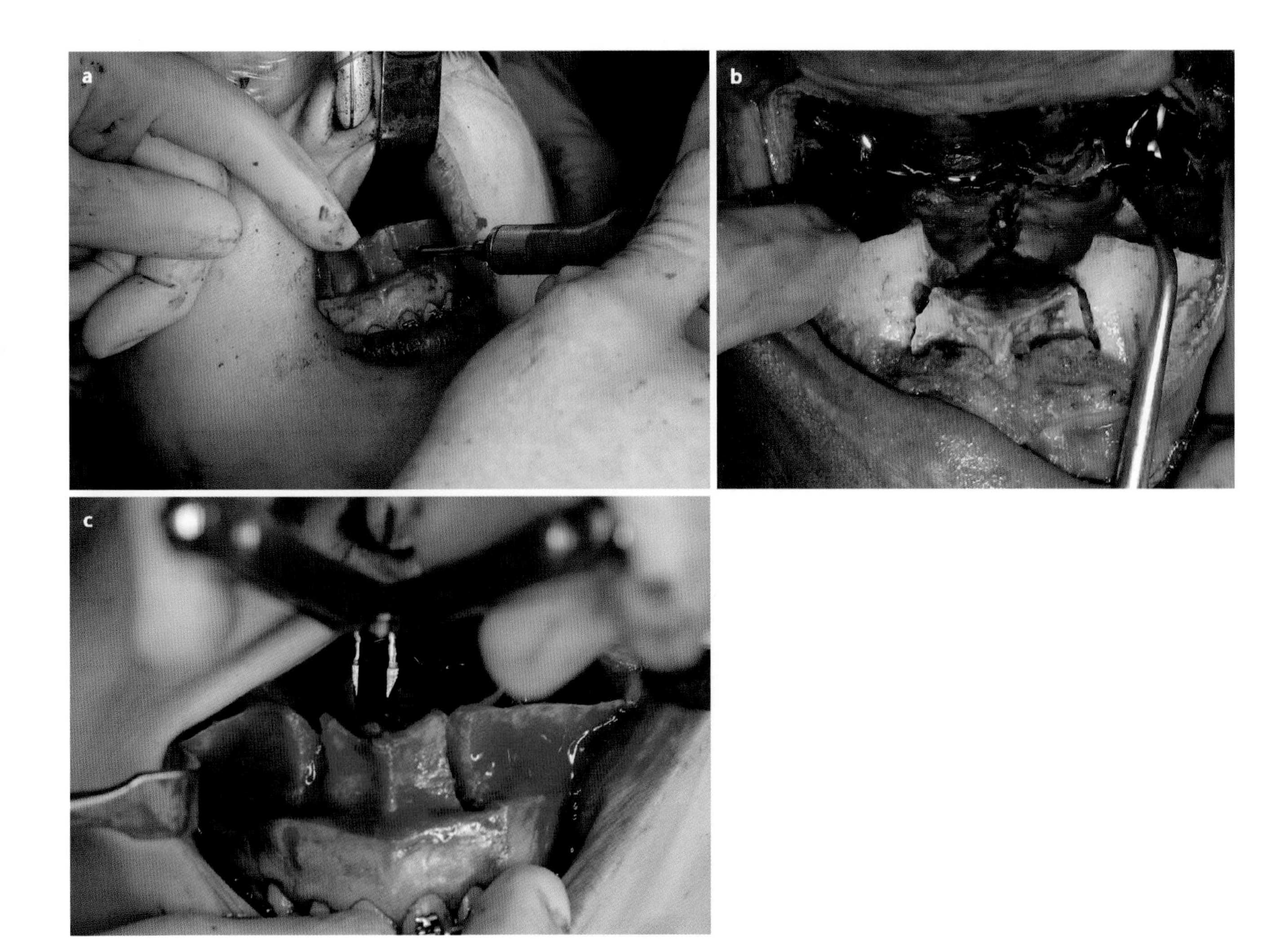

그림 25.13 시상 골절단술을 정중선이나 골이 약간 얇은 정중옆에서 수행한다. 이것을 치간골절단과 연결한다. Turvey 상악 확장기로 상악을 확장할 수 있다.

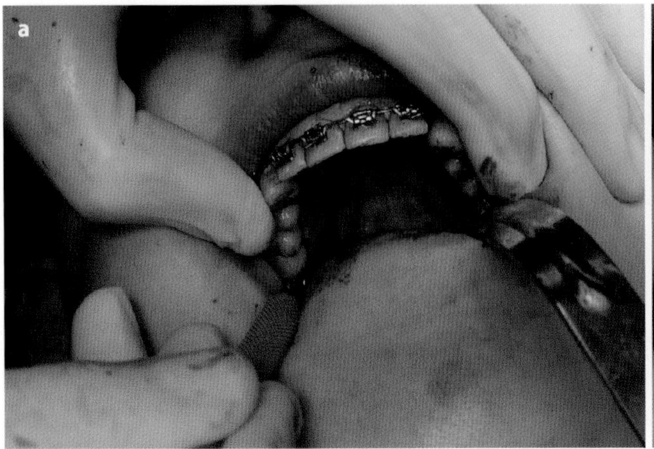

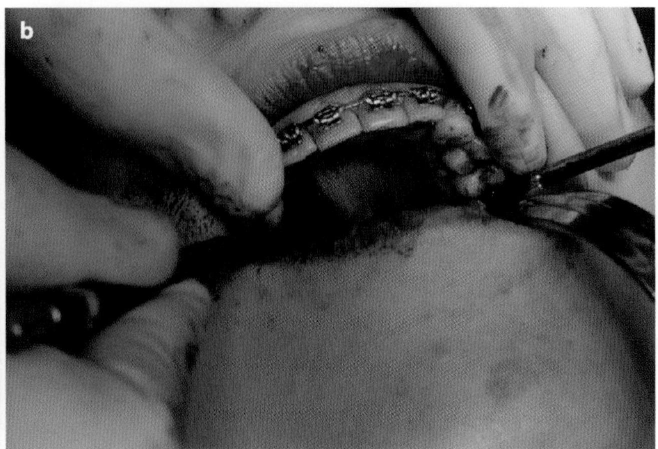

◘ 그림 25.14 5 mm 이상의 상악 확장은 골 확장에 앞서 연조직 분리를 위한 구개 감장 절개가 필요하다. 절개는 지지골 상에서 이루어진다. 연조직을 정중선까지 분리한다. 구비강 천공을 야기하는 찢어짐을 방지하기 위해 신연된 구개 연조직이 없는 수동적 상악 확장이 중요하다.

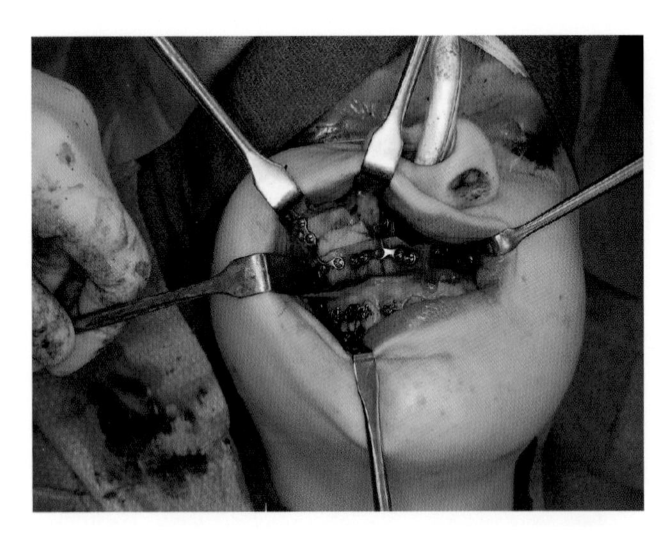

◘ 그림 25.15 고정하는 동안, 수동적 미니플레이트 적용 및 구멍 형성으로 플레이트와 분절의 이동을 예방하도록 한다.

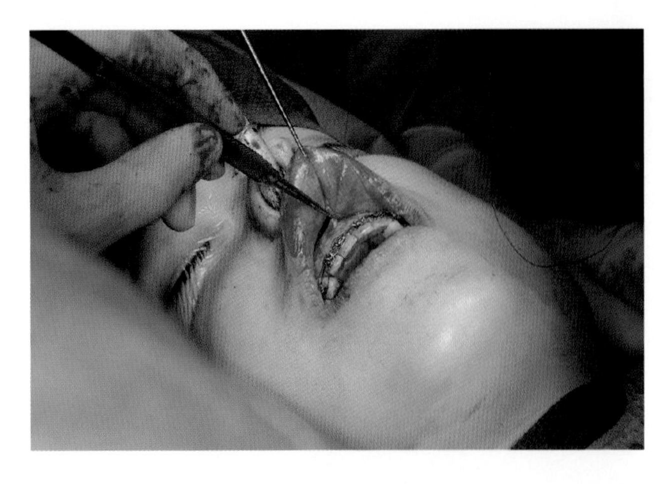

◘ 그림 25.16 V-Y 봉합으로 술후 입술 수축을 최소화한다. 상방 견인으로 절개의 수직 중앙부를 먼저 봉합한다. 그 후 남은 부분은 표준화된 전정 봉합을 따른다.

머지는 표준 전정 봉합을 시행한다. 이 봉합은 상순의 수축을 예방하기 위한 것이다.

25.4 수술 보조 급속 구개 확장(SARPE)

성장 변형에 의한 상악 횡단 확장이나 중구개 봉합의 수술 분리는 치아안면 기형에 대한 신뢰할 수 있는 수정으로 종종 사용된다. SARPE를 사용하여 OSA를 치료할 때의 이점은 비강과 상기도 횡단 너비 증가와 연관된다. 급속 상악 확장(RME) 대 SARPE 선택 결정은 성장 잠재력의 문제일 뿐이다. 수술 선택지는 보통 16세 이상으로 추천된다.[45] 이것은 OSA 치료의 1차 치료로 고려되지 않지만, 경도 AHI의 환자에서 통상의 Le Fort I 수술에 대한 효과적인 대안으로 등장하였고 의료 관리가 선택 사항이 아닐 때 사용할 수 있다. 추가적으로, SARPE는 통원 치료로 가능하다는 장점도 가진다.

SARPE 수술법은 Le Fort I 골절단술과 동일한 원칙을 많이 공유한다. 수술은 혈관 수축제를 포함한 국소 마취제를 주입하는 것으로 시작한다. 제1대구치에서 견치 부위까지 전정 절개를 한다. 절개는 정중선을 가로지르지 않는다. 점막치은 접합부 상방 5 mm의 점막 조직 고랑이 적절한 봉합을 허용하기 위해 보존된다는 같은 원리가 적용된다. Piriform, 관골상악, 익돌상악 부위 주변으로 전층 점막골막 피판을 거상한다. 그 다음 관골상악 지지대 부위에서 수평 골절단술을 시작하여 상악 외측을 통해 piriform 부위까지 내측으로 연장한다. Obwegeser retractor로 익돌상악부를 보호하면서 결절을 통한 back cut을 만들 수도 있다. 치근단에서 5 mm 이상의 안전 거리를 확보하는 같은

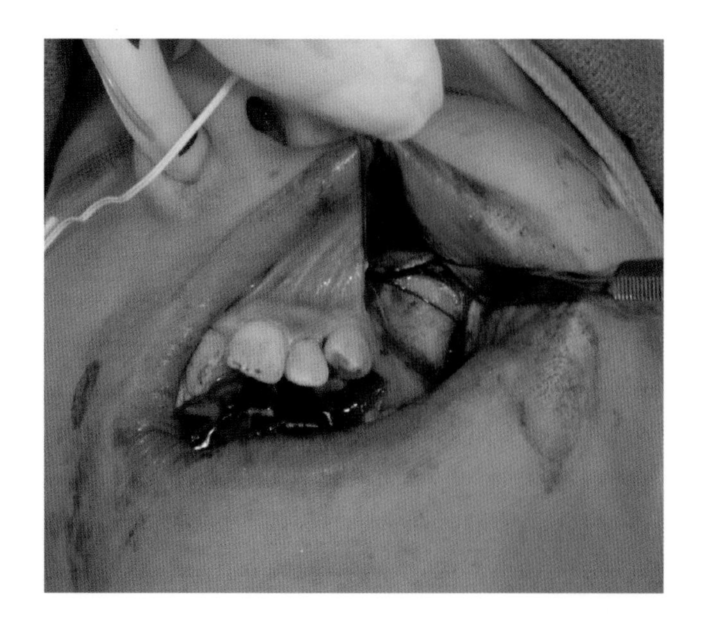

◘ 그림 25.17 **SARPE: 수평 골절단술이 치근단 상방 5 mm에서 수행되었다.**

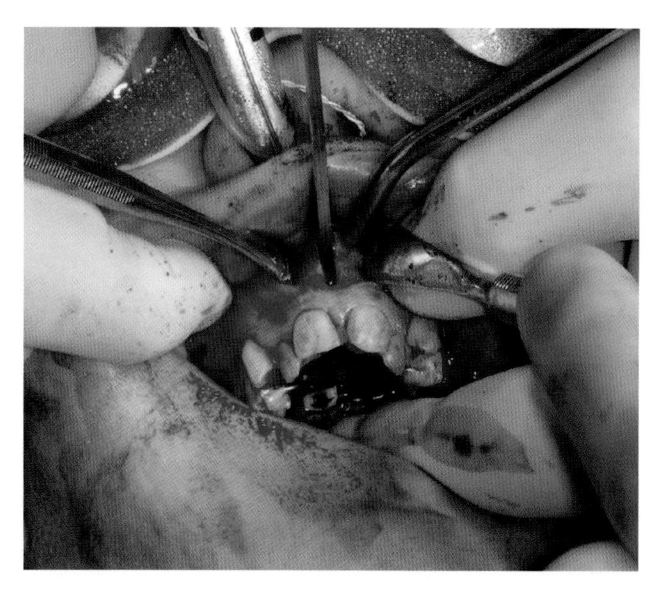

◘ 그림 25.18 **SARPE: 수직 절개를 따라 시상 골절단을 수행한다. 골절단은 oscillating, reciprocating saw를 사용한다. 골절단기를 위치시키고 상악을 완전히 둘로 나누기 위해 후방으로 진행한다.**

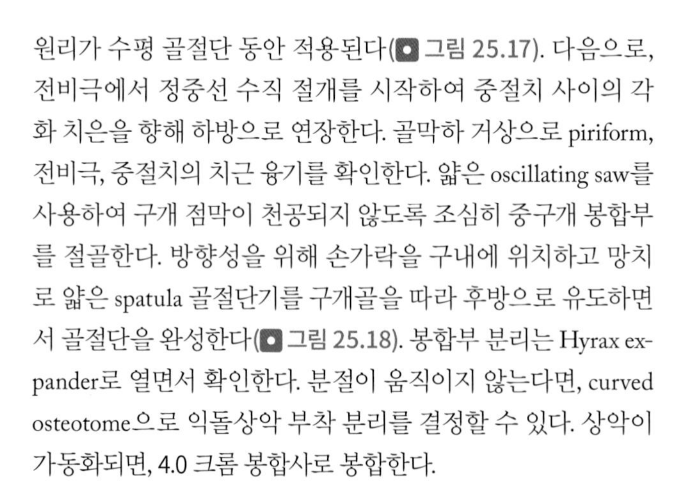

원리가 수평 골절단 동안 적용된다(◘ 그림 25.17). 다음으로, 전비극에서 정중선 수직 절개를 시작하여 중절치 사이의 각화 치은을 향해 하방으로 연장한다. 골막하 거상으로 piriform, 전비극, 중절치의 치근 융기를 확인한다. 얇은 oscillating saw를 사용하여 구개 점막이 천공되지 않도록 조심히 중구개 봉합부를 절골한다. 방향성을 위해 손가락을 구내에 위치하고 망치로 얇은 spatula 골절단기를 구개골을 따라 후방으로 유도하면서 골절단을 완성한다(◘ 그림 25.18). 봉합부 분리는 Hyrax expander로 열면서 확인한다. 분절이 움직이지 않는다면, curved osteotome으로 익돌상악 부착 분리를 결정할 수 있다. 상악이 가동화되면, 4.0 크롬 봉합사로 봉합한다.

25.5 보조 술식

기도 저항을 줄이기 위해, 상악과 주변 구조에 대한 여러 변형도 시행될 수 있다. 여기에는 하비갑개 절제술, 중격 성형술, 비강저 윤곽술과 같은 쉬운 접근이 있다. 상악 하방 골절 상태에서, 하비갑개를 직접 시각화하고 대형 지혈기와 Dean scissor로 제거할 수 있다. 중격 편위가 있는 증례에서는 중격 성형술도 쉽게 수행될 수 있다. 뿐만 아니라 언급한 바와 같이, OSA가 위축된 상악과 연관되어 나타날 수 있다. 이런 증례에서, 위축될 가능성이 있는 콧볼 기저부와 해당 골 piriform도 주의해야 한다. Piriform을 외과적으로 노출시키면, 비강 기류를 개선하기 위해 piriform의 너비 확장을 목표로 골성형이나 절단을 위해 round bur나 pineapple bur로 골 윤곽을 다듬는다(◘ 그림 25.19a, b).

25.6 합병증

즉각적인 합병증에는 출혈, 분절된 상악의 바람직하지 않은 골절, 치아나 치근에의 외상, 미확인 간섭으로 인한 부정교합, 중격 편위가 있을 수 있다. 상악의 최종 배치나 플레이팅 시, 상악 최종 위치가 중격 편위를 유발할 수 있기 때문에, 중격 최종 위치에 주의를 기울여야 한다. 중격 위치는 관 제거 중에도 변경될 수 있다.

지연된 합병증으로 위동맥류로 인한 출혈이 있을 수 있는데, 영상의학과의 색전술 치료가 필요할 수 있다. 실활치아는 골절단이 치아에 너무 가깝게 시행되었을 때 발생한다. 종종 수 주 내에 확인될 것이며 신경치료가 필요하다. 장치가 노출될 수 있으나, 이런 경우 대부분 항생제 복용, daily irrigation, 각별한 위생 관리로 재점막화될 수 있다.

가장 어려운 두가지 합병증은 감염과 혈관 손상이다. 경미한 감염은 경구 항생제와 daily irrigation을 통해 외래에서 치료할 수 있다. 더 심각한 감염의 경우, 수술적 irrigation과 장치 교체를 위해 수술실로 돌아가야 한다. 흡연 환자나 분절 절단술에서 하행 구개 동맥 결찰 후에 경미한 혈관 부전으로 치은 괴사가 초래될 수 있다(◘ 그림 25.20). 동맥 손상이나 침범으로 인

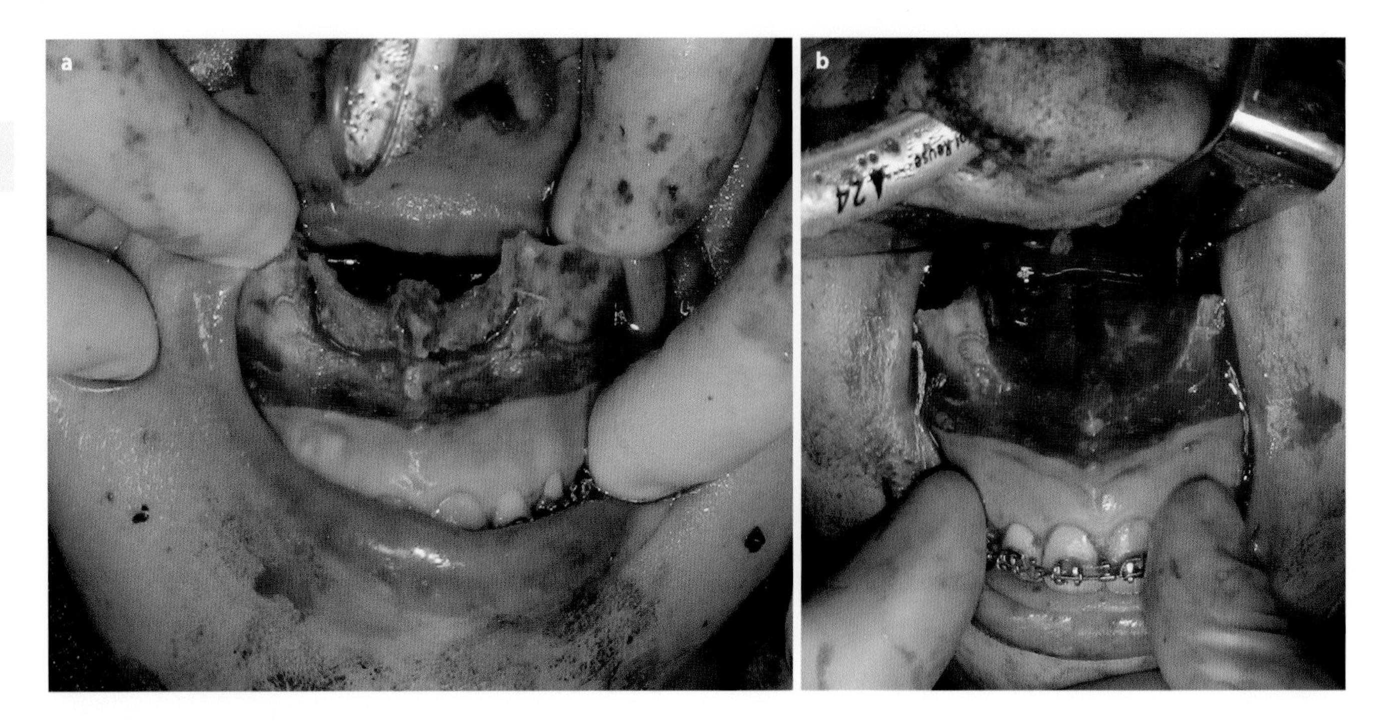

◘ 그림 25.19 **Piriform aperture에서 골을 다듬기 위해 bur를 이용하여 확장을 시행하기 전과 후의 비공**

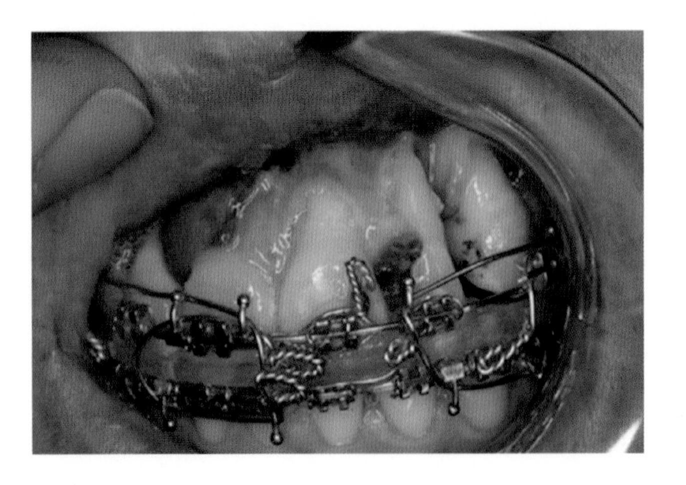

◘ 그림 25.20 **술후 경미한 혈관 기능 부전이 치은 연조직의 괴사를 초래한다. 이 환자는 골은 유합되었지만 연조직 결손으로 연조직 이식을 위한 추가 수술이 필요하다.**

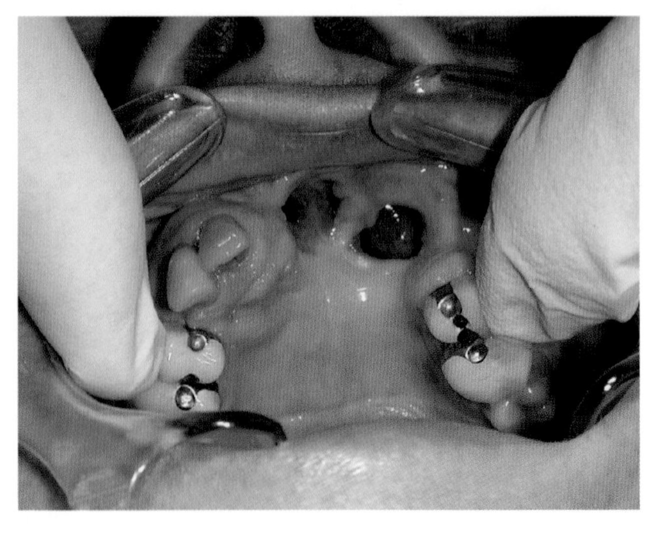

◘ 그림 25.21 **심각한 혈관 손상으로 치아 및/또는 분절이 소실될 수 있다.**

한 상악 관류 저하가 장기간 지속되면 상악 분절 소실이 발생할 수 있다. 또한 정맥 배수 손상으로 인한 혈관 충혈로도 발생할 수 있다. 신속한 식별이 필수적이다. 장치 제거를 통한 재진입으로 재관류를 허용할 수 있다. 혈관 부전이 조기에 발견되면 고압 산소 요법도 고려할 수 있다. 이를 식별하거나 수정하지 못하면, 결국 골 괴사가 야기될 것이다(◘ 그림 25.21). 괴사골은 제거되어야 하고 결과적인 결함을 수정하기 위해 종종 이식술이 필요하다.

마지막으로, 이런 환자군은 종종 OSA의 의학적 문제를 나타낸다. OSA가 있고 I단계 치료에 실패한 환자는 대수술에 대한 의학적으로 최적화된 환자가 아닐 수 있다. 심근경색, 뇌졸중, 신부전, 기타 의학적 응급 상황에 직면할 수 있는 경우 수술 후 주의를 기울여야 한다.

참고문헌

1. Stierer T, Punjabi NM. Demographics and diagnosis of obstructive sleep apnea. Anesthes Clin North Am. 2005;23:405–20.
2. Peppard NR, Young T, Palta M, Skatrud J. Prospective study of the association between sleepdisordered breathing and hypertension. N Engl J Med. 2000;342(19):1378–84.
3. Pedrotti E, Demasi CL, Bruni E, et al. Prevalence and risk factors of eye diseases in adult patients with obstructive sleep apnea: results from the SLE. E.P.Y cohort study. BMJ Open. 2017;7:e016142. https://doi.org/10.1136/bmjopen2017016142.
4. Elshaug AG, Moss JR, Southcott AM, Hiller JE. Redefining success in airway surgery for obstructive sleep apnea: a meta analysis and synthesis of the evidence. Sleep. 2007;30(4):461–7.
5. Somers VK, White DP, Amin R, et al. Sleep apnea and cardiovascular disease: An American Heart Association/American College of Cardiology Foundation Scientific Statement from American Heart Association Council for High Blood pressure Research Professional Education Committee, Council of Clinical Cardiology, Stroke Council and Council on Cardiovascular Nursing. J Am Coll Cardiol. 2008;52:686–717.
6. Epstein LJ, Kristo D, Strollo PJ, et al. Clinical guideline for evaluation, management and longterm care of obstructive sleep apnea in adults. J Clin Sleep Med. 2009;5(3):263–76.
7. Holty J, Cuilleminault C. Maxillomandibular advancement for the treatment of obstructive sleep apnea; a systemic review and meta analysis. Sleep Med Rev. 2010;14:287–97.
8. Dentino K, Ganjawalla K, Inverso G, et al. Upper airway length is predictive of obstructive sleep apnea is syndromic craniosynostosis. J Oral Maxillofac Surg. 2015;73:S20–5.
9. Susarla SM, Abrahamson ZR, Dodson, et al. Cephalometric measurement of upper airway length correlates with presence of severity of obstructive sleep apnea. J Oral Maxillofac Surg. 2010;68:2846–55.
10. Abrahamson Z, Susarla SM, Lawler M, et al. Threedimensional computed tomographic airway analysis of patients with obstructive sleep apnea treated by maxillomandibular advancement. J Oral Maxillofac Surg. 2011;69:677–86.
11. Sursarla SM, Abramson ZR, Dodson TB, et al. Upper airway length decreases after maxillomandibular advancement in patients with obstructive sleep apnea. J Oral Maxillofac Surg. 2011;69:2872–8.
12. Zinser MJ, Zachow S, Sailer HF, et al. Bimaxilary 'rotational advancement' procedures in patients with obstructive sleep apnea: a 3dimensional airway analysis of morphological changes. Int J Oral Maxillofac Surg. 2013;42:569–78.
13. Butterfield KJ, Marks PL, McLean L, et al. Pharyngeal airway morphology in healthy individuals and in obstructive sleep apnea in patients treated with maxillomandibular advancement: a comparative study. Oral Surg Oral Med Oral Pathol Oral Radiol. 2015;119(3):285–92.
14. Vinha PP, Faria AC, Xavier SP, et al. Enlargement of the pharynx resulting from surgically assisted rapid maxillary expansion. J Oral Maxillofac Surg. 2016;74:369–79.
15. Yu CC, Hsiao HD, Lee LC. Computational fluid dynamic study on obstructive sleep apnea syndrome treated with maxillomandibular advancement. J Craniofacial Surg. 2009;20(2):426–30.
16. Liu SYC, Huon LK, Powell NB, et al. Lateral pharyngeal wall tension after maxillomandibular advancement for obstructive sleep apnea is a marker for surgical success: observations from drug induced sleep endoscopy. J Oral Maxillofac Surg. 2015;73:1575–82.
17. Goodday RH, Bourque SE, Edwards PB. Objective and subjective outcomes following maxillomandibular advancement surgery for treatment of patients with extremely severe obstructive sleep apnea. J Oral Maxillofac Surg. 2016;74:583–9.
18. Zaghi S, Holty JE, Certal V, et al. Maxillomandibular advancement for treatment of obstructive sleep apnea, a meta analysis. JAMA Otolaryngol Head Neck Surg. 2016;142(1):58–66.
19. Yu W, Wang M, He J, et al. Combined counterclockwise maxillomandibular advancement and uvulopalatopharyngoplasty surgeries for severe obstructive sleep apnea. J Craniofacial Surg. 2017;28(2):366–71.
20. Islam S, Uwadiae N, Ormiston IW. Othognathic surgery in the management of obstructive sleep apnea: experience from maxillofacial surgery unit in the United Kingdom. Br J Oral Maxillofac Surg. 2014;52:496–500.
21. Boyd SB, Walters AD, Waite P, et al. Long term effectiveness and safety of maxillomandibular advancement for treatment of obstructive sleep apnea. J Clin Sleep Med. 2015;11(7):699–708.
22. Won CH, Li KK, Guilleminault C. Surgical treatment of obstructive sleep apnea. Proc Am Thorac Soc. 2008;5:193–9.
23. Varghese R, Adams NG, Slocumb NL, et al. Maxillomandibular advancement in the management of obstructive sleep apnea. Int J Otolaryngol. 2012;2012:373025.
24. Butterfield KJ, Marks PL, McLean L, et al. Quality of life assessment after maxillomandibular advancement surgery for obstructive sleep apnea. J Oral Maxillofac Surg. 2016;74:1228–37.
25. Lee KW. Effect of orthognathic surgery on posterior airway space. Ann Acad Med. 2008;37(8):p677–82.
26. Fairburn SC, Waite PD, Vilos G, et al. Threedimensional changes in upper airways of patients with obstructive sleep apnea following maxillomandibular advancement. J Oral Maxillofac Surg. 2007;65:6–12.
27. Faria AC, Xavier SP, Silva SN, et al. Cephalometric analysis of modifications of the pharynx due to maxillamandibular advancement surgery in patients with obstructive sleep apnea. Int J Oral Maxillofac Surg. 2013;42:579–84.
28. Schendel SA, Broujerdi JA, Jacobson RL. Three dimensional upper airway changes with maxillomandibular advancement for obstructive sleep apnea treatment. Am J Orthod Dentofac Orthop. 2009;135:468–79.
29. Comacho M, Chang ET, Song SA, et al. Rapid maxillary expansion for pediatric obstructive sleep apnea: a systematic review and metaanalysis. Laryngoscope. 2017;127:1712–9.
30. Villa MP, Rizzoli A, Miano S, et al. Efficacy of rapid maxillary expansion in children with obstructive sleep apnea syndrome: 36 months of followup. Sleep Breath. 2011;15:179–84.
31. McNamara JA, Lione R, Franchi L, et al. The role of rapid maxillary expansion in the promotion of oral and general health. Prog Orthod. 2015;16:33.
32. Galeotti A, Pavone M, De Vincentiis DE. Effects of simultaneous palatal expansion and mandibular advancement in child suffering from OSA. Acta Otorhinolaryngol Ital. 2016;36:328–32.
33. Villa MP, Malagola C, Pagani J, et al. Rapid maxillary expansion in children with obstructive sleep apnea syndrome: 12 month followup. Sleep Med. 2007;8:128–34.
34. Pirelli P, Saponara M, Guilleminault C. Rapid maxillary expansion (RME) for pediatric obstructive sleep apnea: a 12 year follow up. Sleep Med. 2015;16:993–35.
35. Iwasaki T, Saitoh I, Takemoto Y, et al. Tongue posture improvement and pharyngeal airway enlargement as secondary effects of rapid maxillary expansion: a cone beam computed tomography study. Am J Orthod Dentofac Orthop. 2013;143(2):235–45.
36. Bach N, Tuomilehto H, Gauthier C, et al. The effect of surgically assisted rapid maxillary expansion on sleep architecture: an exploratory risk study in healthy young adults. J Oral Rehabil. 2014;40:818–25.

37. Conley SR, Legan HL. Correction of severe obstructive sleep apnea with bimaxillary transverse distraction osteogenesis and maxillomandibular advancement. Am J Orthod Dentofac Orthop. 2006;129:283–92.

38. Foltan R, Hoffmannova J, Pavlikova G, et al. The influence of orthognathic surgery on ventilation during sleep. Int J Oral Maxillofac Surg. 2011;40:146–9.

39. Liu SYC, Guilleminault C, Huon LK, et al. Distraction osteogenesis maxillary expansion (DOME) for adult obstructive sleep apnea patients with high arched palate. Otolaryngol Head Neck Surg. 2017;157(2):345–8.

40. Posnick JC, Agnihotri N. Consequences and management of nasal airway obstruction in the dentofacial deformity patient. Curr Opin Otolaryngol Head Neck Surg. 2010;18(4):323–31.

41. Abdullatif J, Certal V, Zaghi S. Maxillary expansion and maxillomandibular expansion for adult OSA: a systematic review and metaanalysis. J Craniomaxillofac Surg. 2016;44(5):574–8.

42. Wolford LM, Hilliard FW, Dugan DJ. Surgical treatment objective. A systematic approach to the prediction tracing. St Louis: Mosby Year Book; 1985. p. 54–74.

43. Bell WH. Revascularization and bone healing after anterior maxillary osteotomy: a study using adult rhesus monkeys. J Oral Surg. 1969;27:249–55.

44. Obwegeser HL. Surgical correction of the small or retrodisplaced maxilla: the "dishface" deformity. Plast Reconstr Surg. 1969;43:351.

45. Epker BN, Wolford LM. Transverse maxillary deficiency dentofacial deformities: integrated orthodontic and surgical correction. St. Louis: Mosby; 1980.

하악 수술법

Larry Wolford

목차

26.9 수직적 하악지 골절단술

26.10 하악지 역-L 골절단술

26.10.1 성장에의 영향
26.10.2 수술 연령

26.11 하악지 수술의 합병증

26.11.1 조기 재발
26.11.2 과두 처짐
26.11.3 TMJ 관절혈증
26.11.4 비바람직한 분할 또는 골절
26.11.5 치아 정출
26.11.6 치주 결손
26.11.7 TMJ 기능 이상
26.11.8 신경 손상
26.11.9 감염
26.11.10 유착 불량
26.11.11 출혈 문제

폐쇄성 수면 무호흡(OSA) 환자는 일반적으로 관련된 하악 기형, 특히 OSA에 기여하는 감소된 인두 기도를 생성할 수 있는 하악 저형성(후퇴증)을 가지고 있다. OSA 환자는 혀가 구인두 공간까지 후방으로 이동하여 기능적 기도를 심각하게 손상시킬 수 있는 하악 후퇴증(종종 상악 후퇴 및 높은 교합 평면 각도와 관련된)을 나타낼 수 있다. OSA 환자는 예상대로 구인두 기도를 증가시키는 반시계방향 회전(CCWR)으로 상하악 복합체를 전방으로 이동시키기 위해 악교정 수술의 이점을 얻을 수 있다. 감소된 구인두를 포함하는 OSA의 수정을 위해 보통 전진을 위한 상악과 하악 연합 골절단술이 필요함에도 불구하고, 이번 단원에서는 청소년과 성인 OSA 환자의 관리에 통합될 수 있는 다양한 하악 골절단술에 초점을 맞춘다. 상악 골절단술은 다른 단원에서 다루어진다. 또한, 하악견인 술식은 이번 단원에서 다루지 않는다. 하악 전진을 위한 기본 골절단술로의 하악지 시상 분할 골절단술은 OSA 환자의 예측가능한 결과에 필수적이므로 특별한 관심을 기울일 것이다.

구강악안면외과의는 최적의 기능적, 심미적 결과를 제공하는 계획을 개발하기 위해, 하악과 상악 술식에 대한 경험과 합리적인 치료 목표에 대한 철저한 이해가 있어야 한다.[1] 의사는 각 하악 술식에서 발생할 수 있는 잠재적인 위험과 합병증을 알고 있어야 한다. 이런 지식을 통해 외과의는 자신의 기술 수준에 따라 최적의 치료 계획과 대체 치료법을 개발할 수 있다. 외과의는 환자에게 기존 문제, 이런 문제의 크기, 권장되는 치료, 대체 치료 선택지, 잠재적 위험과 합병증에 대해 알려야 한다.

설명할 수술법은 다음과 같다:

1. 이부성형술
2. 치근하 골절단술
3. 하악체 골절단술
4. 하악지 골절단술

26.1 이부 성형술식

이부성형술식은 공간의 3평면 모두에서 턱의 위치를 변경할 수 있다. 턱 위치는 활주 수평 골절단술을 사용하거나 합성 식립물을 사용하여 가장 일반적으로 변경된다. OSA 환자에서, 설골상근 전진이나 안면 균형 향상을 위해 증강형 이부성형술이 적용될 수 있다.

26.2 골성 이부성형술

골성 턱을 재배치할 때, 연조직 유경을 유지하여 절단된 분절의 생존을 보장해야 한다. 전통적인 수평 골절단술(◘ 그림 26.1a)을 사용할 수 있으며 와이어링, 골 나사, 및/또는 골 플레이트를 이용하여 안정성을 얻을 수 있다.

26.2.1 전후방 증강술

OSA 환자는 골증강 이부성형술의 이점을 얻을 수 있다. 심미적 이점뿐만 아니라, 턱이 전진되면 설골상근의 긴장이 증가하여 상대적으로 미미하지만 혀의 기저부를 더 앞으로 당기는 긍정적인 효과를 얻을 수 있다. 일반적으로 턱 전진에서, 절골된 분절이 외과적으로 층층화되지 않는 한 이부결합부의 전후 크기가 제한 요소가 된다. 턱이 횡단으로 좁으면, 전진술 후 안면 하부가 더 가늘어지는 경향이 있다. 전후방 연조직 변화는 골성 턱 전진 양의 약 80–85%이다(◘ 그림 26.2a).

26.2.2 수술법

견치에서 견치까지 전방 전정 절개를 시행하고 골성 턱의 전하방연에서 이근과 골막을 거상한다. 수평 골절단술은 일반적으로 이공 하방 4–5 mm에서 시작하여, 하연에서 전방으로 비스듬하게 골성 턱끝 위 1–1.5 cm 수준까지 진행한다. 이 높이에서, 이부 결절과 관련 근육은 원심 분절에 부착상태로 유지되어 혈관을 공급한다. 분절이 가동되고 전진되면 분절을 안정화시키는 다양한 방법이 있으며, 가장 일반적인 이부 플레이트를 사용하는데 대부분의 턱 전진술을 수용할 수 있는 다양한 길이(3, 5, 7, 9 mm)로 제공된다(◘ 그림 26.3). 절개는 2층으로 봉합되는데, 이근을 재부착한 후 점막을 봉합한다.

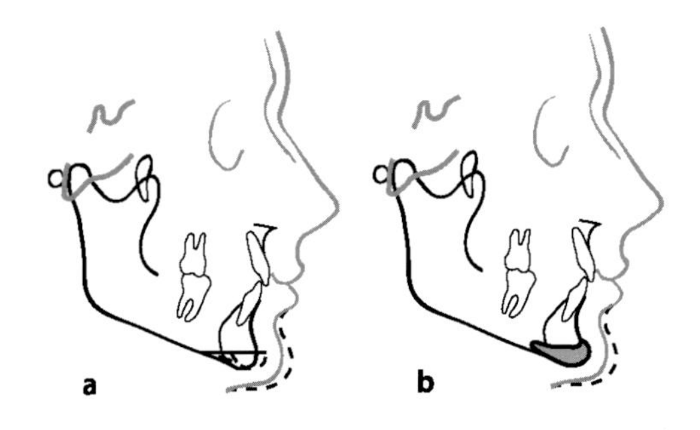

◘ 그림 26.1 **a** 골성 이부성형술은 턱의 증강, 후방 이동, 수직적 위치 변경, 횡단 위치 변경을 이룰 수 있다. **b** 이종 식립물로 턱의 전방 및 외측을 증강할 수 있다.

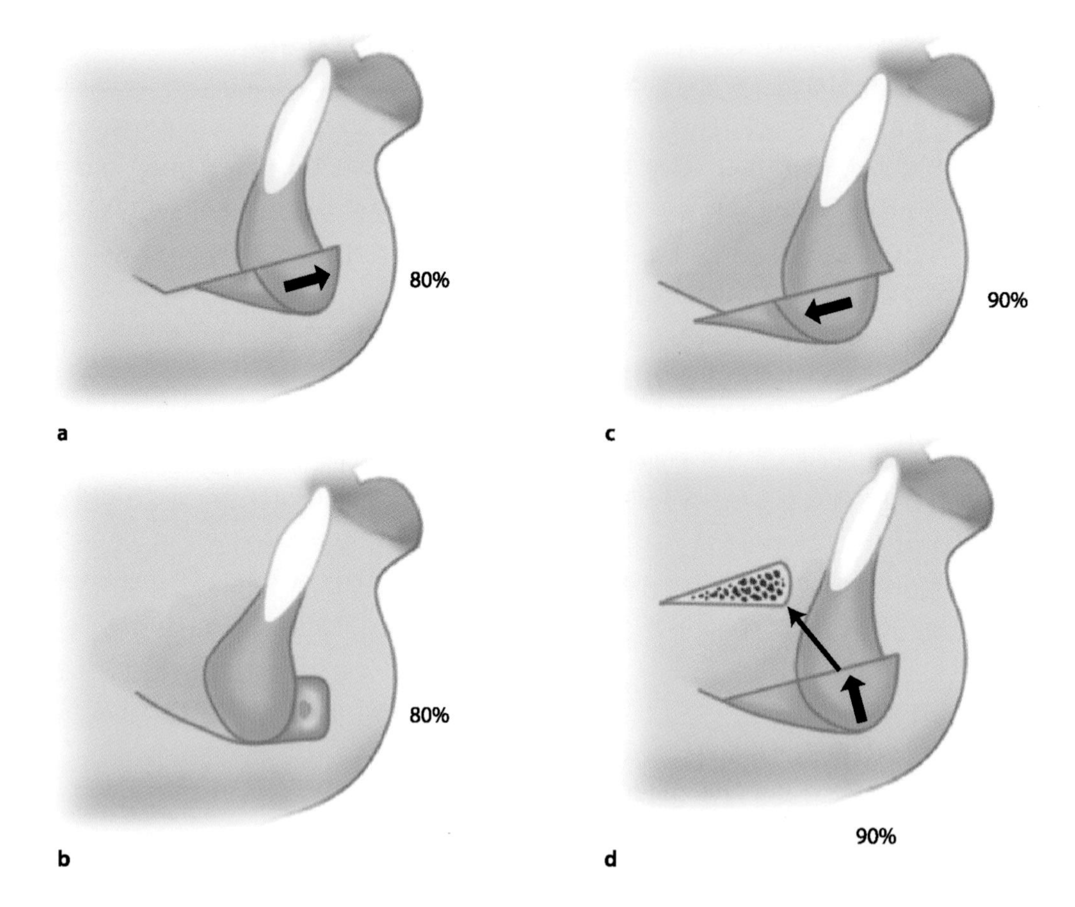

◘ 그림 26.2 이부성형술식과 연관된 연조직 변화는 수술 방법과 이동 방향에 따라 달라진다. **a** 골증강 이부성형술에서 연조직 돌출은 골 전진양의 80–85% 정도 변화한다. **b** 턱에 대한 이종 증강술은 연조직을 삽입물 두께의 약 80–85% 정도 전진시킨다. **c** 턱을 후방에 위치시키기 위한 골성 이부성형술은 턱 후퇴양의 90% 정도 연조직 변화를 초래한다. **d** 수평 이부성형술에서 골을 쐐기 모양으로 제거한 턱의 수직 감소에서 연조직은 골 수직 감소양의 90% 정도 수직 이동한다.

26.2.3 전후방 감소

일부 증례에서, 턱이 너무 강하여 최대의 심미적 결과를 위한 감소가 필요할 수 있다. 악교정 재수술 증례에서, 간혹 치아안면 기형과 관련된 OSA를 적절하게 수정하지 않고 턱 돌출을 증가시키기 위한 보상적 심미 술식으로 과도하게 전진된 이부성형술이 이전에 수행된 경우가 있다. 이런 상황에서, 상하악 복합체의 CCWR로 턱이 너무 강해지므로 전후방 축소 이부성형술이 필요할 수 있다. 수술 접근은 동일하지만, 턱을 후방으로 재배치하는 것이 필요하다. 이렇게 하면 혀가 약간 후방으로 정착될 수 있다. 수평 활주 골절단술을 시행하고 턱과 부착된 연조직을 후방으로 이동시켜 pogonion에서 최적의 연조직 변화를 얻을 수 있다. 일반적으로 이 술식 후 턱이 더 넓어보이고 입술턱 주름이 감소한다. 연조직이 턱의 전방 및 하방에 부착된 상태로 남아 있는 경우 연조직 변화는 일반적으로 전후방 골 감소의 90%이다(◘ 그림 26.2c). 전후방 돌출을 줄이기 위해 골성 턱의 전면을 삭제하면, 제거된 골량과 관련하여 연조직은 20–30%만 후방으로 이동하는데, 이것은 연조직이 이 접근 방식에 따라 두꺼워지는 경향이 있기 때문이다.

26.2.4 수직 증강술(하방 이식)

수직 증강술은 수평 골절단과 턱 분절의 하방 재위치, 강성 고정 제공을 통해 달성될 수 있다. 이 술식은 보통 근심 및 원심 분절 사이에 골 또는 합성골 이식을 수반한다. 수직적 연조직 변화는 골성 변화의 약 100%이다.

26.2.5 수직 감소술

턱 높이를 수직적으로 감소시키는 가장 예측가능한 방법은 쐐기형 절제술과 하방 턱 분절을 상방으로 회전시키는 것이다. 연조직이 하연에 부착되어 있을 때, 연조직 변화는 수직 골 변화의 약 90%이다(◘ 그림 26.2d). 하연을 절제하고 제거하여 수직 감소를 수행하면, 수직 연조직 변화는 골 제거양의 25–30%에 불과하다.

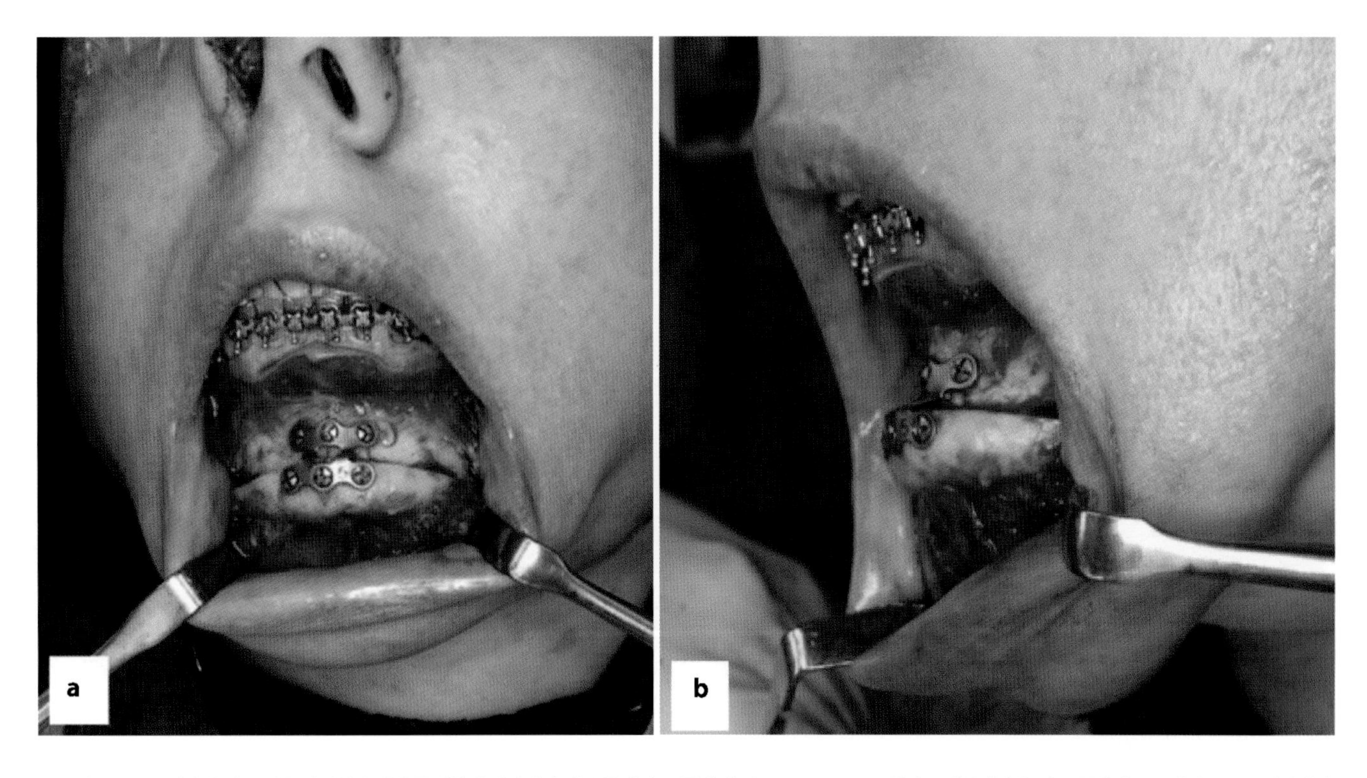

◘ 그림 26.3 **a** 전진된 턱 분절을 지지하기 위해 특별하게 디자인된 이부 플레이트. 플레이트는 3, 5, 7, 9 mm 길이로 제공된다. **b** 이부 플레이트로 턱이 5 mm 전진된 측면 모습

26.2.6 골성 이부성형술의 연령

골성 이부성형술은 하악 영구 견치와 소구치의 치근 손상 가능성을 줄이기 위해 12세 이후에 수행하는 것이 좋다.

26.3 이종성형 증강술

턱 증강을 위해 다양한 합성 재료가 사용된다(◘ 그림 26.1b). 삽입물의 강성 고정은 가동성이 위치 이상, 골 흡수, 감염을 유발할 수 있기 때문에 중요하다. 턱 삽입물 감염의 대부분은 부적절한 고정이나 연조직 봉합으로 발생한다. 다음 권장 술식은 안전하고 장기간 좋은 안정성을 제공한다:

1. 턱 삽입물은 다른 모든 악교정 술식이 완료되고 관련된 절개가 봉합된 후 마지막 단계로 진행한다.
2. 삽입물 부위를 노출시켜 준비한 후, 베타딘 용액으로 마지막 세척하고 멸균 식염수로 철저하게 세척한다.
3. 삽입물을 다루기 전에 장갑을 교체하고 장갑 분말을 씻어낸다.
4. 가동성과 이동성을 제거하기 위해 골 나사, 플레이트, 골내 와이어링을 사용하여 삽입물을 하악에 고정한다.
5. 수술 부위를 철저히 세척하고, 마지막으로 베타딘으로 헹군 후, 이근 층의 재근접화와 단단한 점막 봉합의 2층으로 절개를 봉합한다.

많은 합성 재료가 턱 증강술에 사용되었지만, 현재 권장되는 것은 Medpor (Pores, Newnan, GA)이다; 다양한 크기와 디자인의 다공성 폴리에틸렌 삽입물(◘ 그림 26.4a, b). 이종 증강 이부성형술은 하악 전치 맹출 후 수행할 것을 권장한다.

26.3.1 수술법

수술법은 견치에서 견치까지 전방 전정 절개, 이근 거상, 골성 턱에서 골막 거상을 포함한다. 턱 삽입물은 계획된 심미 결과를 제공하기 위해 필요에 따라 윤곽을 다듬는다. 골 나사를 삽입하여 고정한다(◘ 그림 26.4c). 수술 부위를 식염수와 베타딘 용액으로 마지막 세척한다. 절개부는 이근 재부착과 단단한 점막 봉합의 2층으로 닫는다.

26.4 이부성형술 합병증

골이나 이종의 턱 증강술과 연관된 잠재적 합병증에는 몇 가지가 있다:

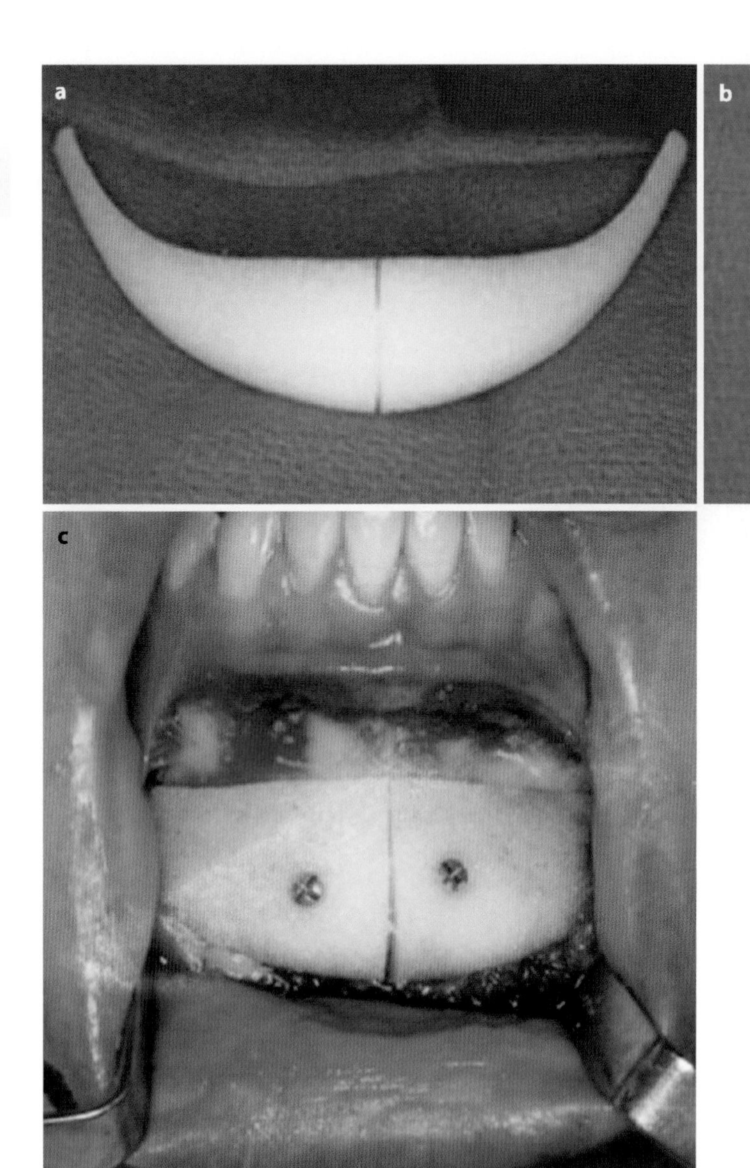

■ 그림 26.4 **a, b** Medpor 턱 이식물은 턱 전방의 증강뿐만 아니라, 턱과 하악의 측방 모습도 향상된다. **c** 2개의 골 나사로 고정된 턱 이식물. 연조직은 이근을 다시 부유시켜 부착하고 점막층은 빈틈없이 봉합하여 2층으로 폐쇄된다.

- 절단된 골 분할의 소실
- 골 흡수
- 감염
- 삽입물 소실
- 변위/오정렬
- 하순과 턱의 이상감각/무감각
- 하순 하수증
- 이근 기능 장애
- 불만족스러운 심미적 결과

무혈성 괴사 후에 절단된 골 분할이 소실될 수 있다. 무혈성 괴사는 일반적으로 연조직 부착 소실이나 감염으로 발생한다. 분절 소실로 추가적인 합성물 또는 골 이식 재건이 필요할 수 있다. 자유 골 이식이 턱 증강에 사용되거나 가동성 턱 분절의 연조직 유경이 소실되면, 다량의 골 흡수가 발생할 것이다. 유경골성 이부성형술은 보통 10–20%의 전방 골 흡수를 경험한다. 감염은 주로 무혈성 괴사, 오염, 상처 붕괴에 의해 발생한다. 이식물의 전위는 외상이나 부적절한 안정화 후에 발생할 수 있다. 이런 경우 이식물의 재안정화를 위해 추가 수술이 필요할 수 있다. 하순 하수증은 이근과 관련 연조직의 부적절한 위치, 재부유, 고정에 의해 발생할 수 있다. 정상적으로 이완된 하순은 하악 절치연 높이에 위치한다. 하순 하수증의 수정은 이근의 재배치와 재부유가 필요하다. 하순과 턱의 무감각 및 이상감각은 절개 디자인, 거상, 견인, 골절단 수행 시 직접 손상으로 인한 하치조신경 및/또는 이신경 가지 외상의 결과일 수 있다. 신경 손상은 신중한 절개 위치, 신중한 거상, 최소의 신경 견인, 주의 깊게 계획된 골 절단으로 피할 수 있다. 신경 절개가 보이면, 신속하게 보수해야 한다.

26.5 하악 치근하 술식

이 술식은 하악 치아 치조의 일부를 변경하도록 고안되었는데, 3가지 유형으로 나눌 수 있다: 전방, 후방, 전체 치근하 골절단술. 전방 하악궁을 포함하는 두드러진 Spee 만곡이나 역만곡과 같이 잘못된 위치의 전치부를 수정하는 데 사용할 수 있으므로, 여기서는 전방 치근하 술식만 설명한다.

26.5.1 전방 하악 치근하 골절단술

골절단술 설계는 수직 치간 골절단을 포함하고 관련된 치아 치근단 하방 최소 5 mm에서 수평 골절단과 결합한다(◘ 그림 26.5). 하악 수평 전정 절개를 통해 접근한다. 가동 분절의 혈관은 설측 연조직 유경에 의해 유지된다. 전방 하악 치근하 골절단술 적응증에는 교합 평면의 평탄화, 하악 전치부의 전후방 위치 변화, 비대칭성 수정, 하악 전치 장축 경사 변화 등이 있다.

술전 교정으로 수직 골절단부에 인접한 치근을 분리하여 골 절단 후 치근 손상을 최소화한다. 골 나사, 골내 와이어링, 골 플레이트를 사용하여 골 분절을 고정한다. 연조직 폐쇄는 먼저 근육층을 봉합하여 하순을 재부유하고 단단하게 점막을 봉합한다.

26.5.2 수술 연령

치간 절골술의 수직 성장 효과에 대한 연구는 없지만, 여성 14세, 남성 16세 이후에 시행하는 것이 좋다.

26.5.3 가능한 합병증

잠재적인 합병증에는 치근 절단, 치아 강직, 치주 결함, 치아와 골 소실을 포함한다. 치간골의 과다 제거로 심각한 치주 문제도 야기될 수 있다. 수직 위치의 주요 변화는 수직 골절단부의 기존 치주 문제가 악화될 수 있다. 추가적인 합병증으로는 하순 이상감각/무감각, 하순 하수, 병리적 골절 등이 있다. 입술, 치아, 치은의 무감각이나 이상감각은 하치조나 이신경혈관 다발의 외상으로 야기될 수 있다. 일반적으로 몇 주에서 몇 개월 안에 해결된다. 신경학적 결함이 1년 이상 지속되면 회복 예후가 좋지 않다. 신경이 절단된 경우, 1차 수복이 최상의 결과를 제공한다. 치근하 분할에서 치아와 치은은 주로 무감각이나 이상감각은 장기간에 걸쳐 나타난다.

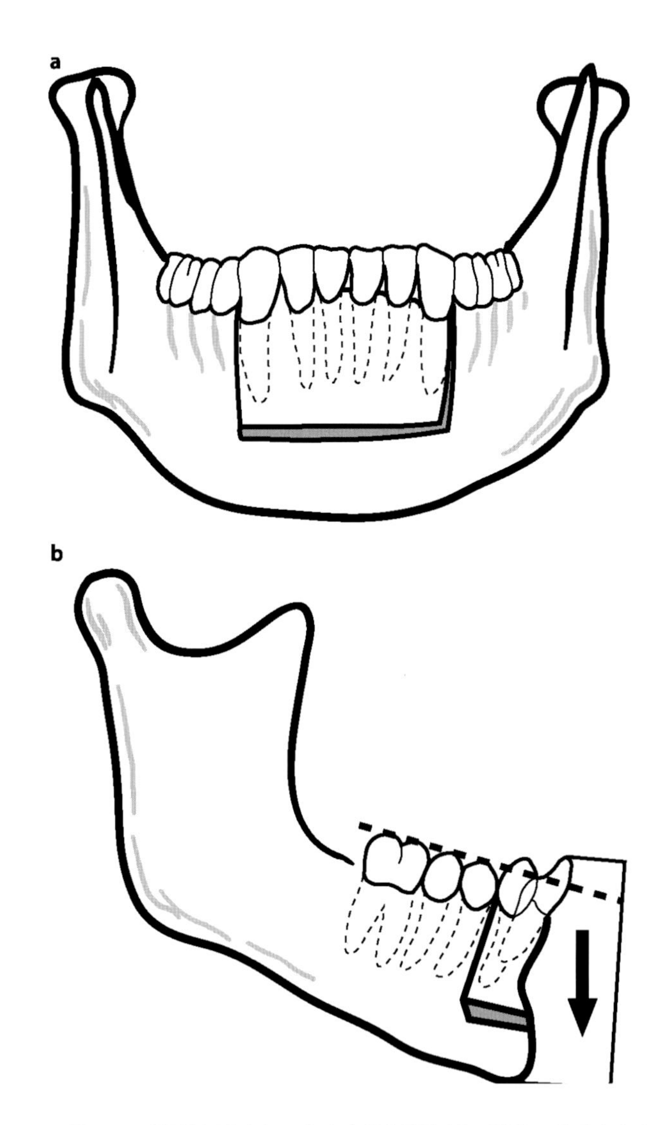

◘ 그림 26.5 **치근하 골절단술. a, b 수직 치간 골절단을 시행하고, 치아 손상의 위험을 최소화하기 위해 치근단 하방 최소 5 mm에서의 수평 골절단과 연결한다. 분할부는 골 플레이트, 골내 나사, 와이어로 고정된다.**

26.6 하악체 수술

하악체 수술은 전방 및 후방 하악체 수술로 구분된다. 전방 하악체 수술은 하악 이부를 포함하여 이공 전방의 골절단술을 말한다. 후방 하악체 수술은 이공 주변이나 더 후방에서 골절단술을 포함한다(◘ 그림 26.6). 후방 하악체 수술은 하치조 신경혈관 다발 보존을 위한 특별한 관리를 필요로 한다. 하악체 골절단술의 기본 적응증은 (1) 교합면 평탄화, (2) 하악 후퇴,

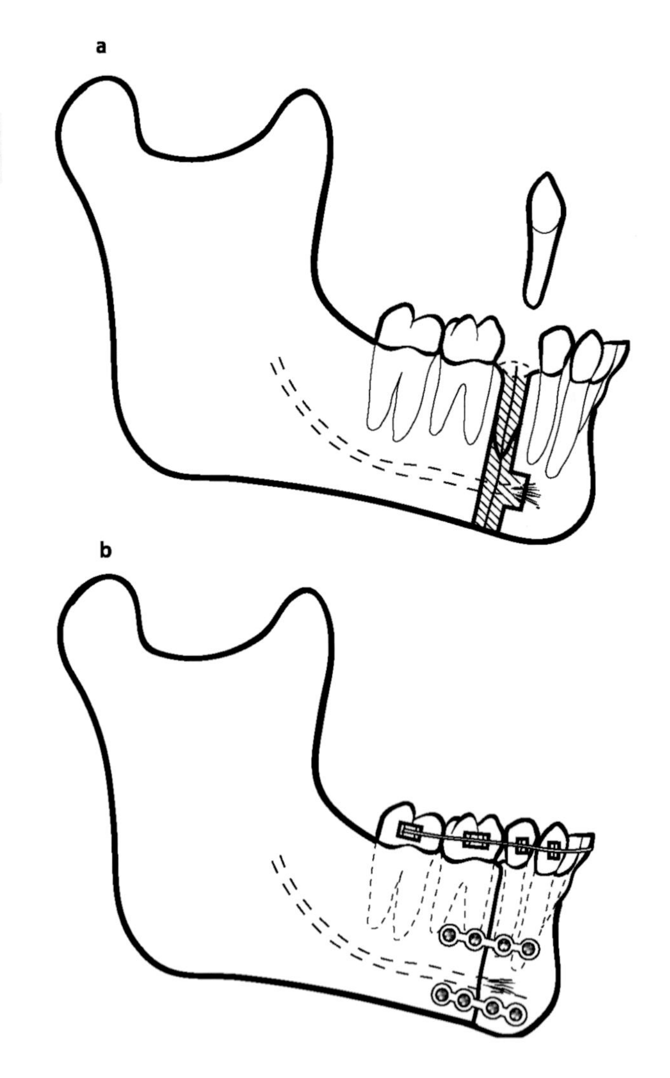

■ 그림 26.6 **a 하악체 수직 골절단술 또는 골절단술은 하악의 전방 부분을 후방으로 이동시키거나 수직 및 횡단 위치를 변경하기 위해 하악의 모든 영역에서 수행된다. 하악체 절단술과 하악지 시상 분할 절단술을 결합하면 서로 독립적인 후방 및 전방 분절의 유연한 이동을 허락한다. b 강성 고정은 안정성을 향상시키고 치유를 촉진한다.**

(3) 무치악 공간이나 치아와 관련 골의 제공, (4) 하악의 축소나 확장, (5) 하악 연장, (6) 견인성 골형성이다. 금기증에는 지나치게 근접한 치근 및 인접 연조직과 골에 대한 혈관 손상이 포함된다. 골절단술을 시행하여 분할부의 재배치 후 충분한 골 계면이 형성되도록 한다. 지나치게 많은 골 제거로 형성된 다량의 골 간격은 치유를 방해할 수 있다. 모델 수술과 예측 트레이싱의 정확한 치료 계획 수립은 하악체 수술 성공을 위해 가장 중요하다. 강성 고정은 분할부의 안정을 위해 선호된다.

26.6.1 성장 효과

치간 골절단술은 치근을 손상시키지 않고, 치아 강직을 유발하거나 수직 치아치조 성장에 결핍을 초래할 수 있는 치조의 수직 성장에 영향을 주어서는 안된다.

26.6.2 수술 연령

수술은 여성 14세, 남성 16세 이후가 권장된다.

26.7 하악체 수술의 잠재적 합병증

26.7.1 유착 불량 또는 부전유합

유착 불량이나 부전유합은 일반적으로 골 경계가 불량하거나 골 분절의 부정확한 위치, 분절의 부적절한 고정으로 인해 발생한다. 유착 불량이나 부전유합은 골 이식 여부에 관계없이 재위치, 분절 안정화와 강성 고정을 위한 추가 수술이 필요할 수 있다.

26.7.2 치아와 골의 소실

혈관 손상으로 인해 치아와 골 손실이 발생하여 감염, 골수염, 무혈관성 괴사가 발행할 수 있다. 혈관 기능 부전은 파괴적일 수 있으며 고압 산소 요법과 골 분절을 재안정화하거나 재구성하는 2차 술식이 필요할 수 있다.

26.7.3 감염

감염이나 골수염은 항생제와 괴사조직 제거가 필요할 수 있다. 수술 중 골, 치아, 연조직에 심각한 손상이 발생하지 않는 한 감염은 드물다. 고압 산소 요법과 2차 재건이 필요할 수 있다.

26.7.4 치주 결손

치주 결손은 혈관 손상, 치경부 치간골의 우발적 제거, 치주 조직의 주요 손상의 결과로 발생할 수 있다. 골절단부에 구멍이나 수직 절개로 결함이 발생할 수도 있다.

26.7.5 신경 손상

하악체 수술의 가장 흔한 합병증은 하순, 턱, 치은의 무감각이나 이상감각이다. 일반적으로, 신경감각 결손은 일시적이지만, 영구적일 수 있다. 신경 손상은 보통 신경혈관 다발의 부종 및 조작으로 인해 발생한다. 하치조 신경의 전방 가지가 손상되는 전방 하악체 골절단술에서, 전치부와 치은은 수개월 또는 영구적으로 마비될 수 있다. 수술 동안 하치조 신경이나 이신경 손상이 발생하면, 즉각적인 수복이 가장 예측가능한 결과를 가져온다.

26.7.6 하악체와 하악지 동시 술식

연조직을 적절하게 관리하면 하악체와 하악지를 동시에 시술할 수 있다. 특히 후방 분절에서 하치조 신경혈관 다발의 완전성을 유지하는 것이 중요하다. 설측 조직의 세심한 관리와 보호도 중요하다. 하악체 시술과 함께 하악지 시상 분할 절단술을 수행하는 경우, 일반적으로 하악체 골절단 전에 시상 분할술을 완료하는 것이 좋다. 하악체 절단을 먼저 수행하면, 강성 고정이어도, 시상 분할을 완료하는데 필요한 파고드는 힘이 하악체 분절을 변위시킬 수 있다. 수직 사선이나 역-L 절단을 하악체 절단과 함께 수행하는 경우 두 술식 중 하나는 먼저 완료될 수 있다. 하악체와 하악지 절단술이 완료되면 강성 고정에 유리하게 교합 스플린트를 사용하여 분할을 적절하게 정렬한다. 하악체 골절단술을 강성 고정으로 안정화하고 그 다음 하악지 강성 고정을 수행한다.

26.8 하악지 수술

하악지 시상 분할 절단술은 OSA 환자에게 가장 흔한 하악 악교정 술식이다. 이 골절단술은 1957년 Trauner와 Obwegeser에 의해 처음 기술되었다.[2-4] 양측성 시상 분할 하악지 절단은 하악 전진이나 후퇴, 중등증 비대칭 수정, 교합 조절, 과두 위치화를 위해 사용될 수 있다. 술식은 다양한 변형을 거쳤다.[5-10] 여기에 서술하는 술식은 하연에서 하악 분할에 의한 골계면을 최대화하고, 근심 분절의 제어된 위치화와 강성 고정을 쉽게 적용할 수 있게 한다(◘ 그림 26.7).[11] 큰 전진에도 불구하고, 골이식은 거의 필요하지 않다.

시상 분할 하악지 절단술 적응증에는 하악 전진, 후퇴, 하악 비대칭 수정 등이 있다. 금기증에는 심각한 후방 하악체 고경 감소, 하악지의 극심하게 얇은 근원심 너비, 심각한 하악지 저형성, 과두 부재, 심각한 비대칭 등이 있다.

장점은 다음과 같다:

1. 좋은 골계면으로 인해 치유력이 향상된다.
2. 하악을 전진 또는 후퇴시키고, 대부분의 비대칭을 수정하고, 교합 평면을 변경하여, OSA 환자를 위한 상하악 복합체의 CCWR 전진을 가능하게 한다.

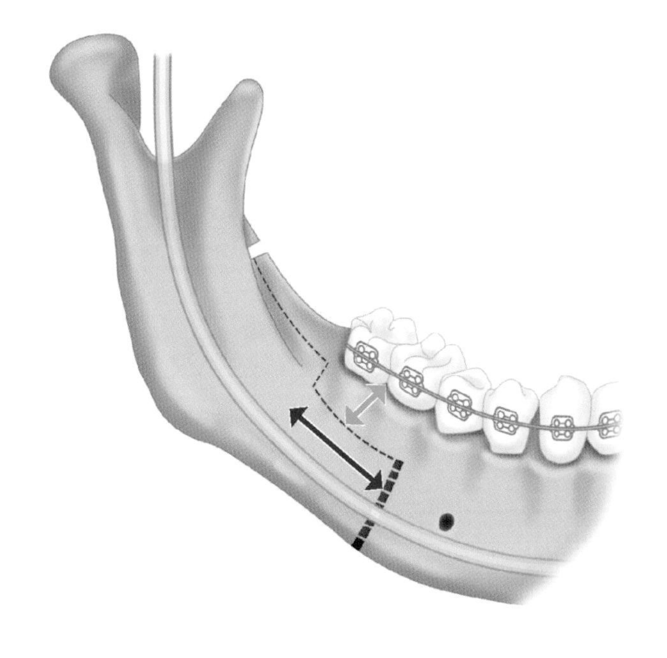

◘ 그림 26.7 **하악지 시상 분할 절단술의 Wolford 변형의 개요. 초록색 화살표: 치조골 능선 하방 8–10 mm에 수평 절단. 빨간색 화살표: 수평 골절단술은 하악 전진량보다 8 mm 더 연장되어 근심 및 원심 분할 사이의 골계면을 제공한다.**

3. 강성 고정을 적용할 수 있어 상하악 고정이 필요없다. 강성 고정이 적절하게 적용되면 결과의 안정성과 예측가능성이 크게 향상된다. 단일 혹은 양측 피질골 나사를 이용한 골 플레이트는 좋은 안정성을 제공할 수 있다.
4. 외과적 변형은 큰 전진에서도 원래의 공간적 위치에서 하악의 각도를 유지할 수 있다.
5. 저작근은 원래의 공간적 위치를 유지한다.

단점은 다음과 같다:

1. 신경 손상은 일시적인 것이 보통이지만, 다른 술식(예: 수직 하악지 절단술, 역-L 골절단술)에 비해 발생률은 증가한다.
2. 바람직하지 않은 분할은 안정화의 위험을 증가시킬 수 있다.
3. 수술로 하악지 설측면에 골절을 유발해야 한다.
4. 심한 비대칭은 수정하기 더 어렵다.

26.8.1 하악지 시상 분할 술식의 Wolford 하연 골절단 변형술

시상 분할 술식의 이러한 변형은 통상의 골절단술 디자인과 관련된 여러 가지 불리한 특징을 해결할 수 있다. 이 술식은 하연 골절단술을 시상 분할 디자인에 통합하여 더 쉬운 분할, 더 큰 전진 능력, 하치조신경(IAN) 침범 감소, 과두 및 근심 분절의 위치 제어, 강성 고정의 쉬운 적용을 가능하게 한다.[11] 술식은 이러하다.

1. 상행 하악지를 따라 절개하고, 전방으로 제1대구치부까지 연장하거나 하악 전진량이 더 크다면 더 연장한다.
2. 짧은 Lindenman bur를 이용하여 소설 바로 위 설측 피질에서 내측 단일 피질골 절단술을 시작하여 소설, 하악공 후방까지 진행한다(그림 26.8).
3. 701번 fissure bur로 수직 하악지 절단을 시작한 후, 얇은 reciprocating saw로 협측 피질에 인접한 상행 하악지 하방으로 골을 절단하고 제2대구치 원심면에서 정지한다(그림 26.9).
4. 수평 단일 피질골 절단은 701번 fissure bur로 치조능 하방 8–10 mm에서 협측 피질에 수직으로 접근하여(그림 26.9,10, 초록색 화살표) 의도하는 하악 전진량보다 8 mm 크게 형성한다(그림 26.9, 빨간색 화살표). 이후 원심 분절에

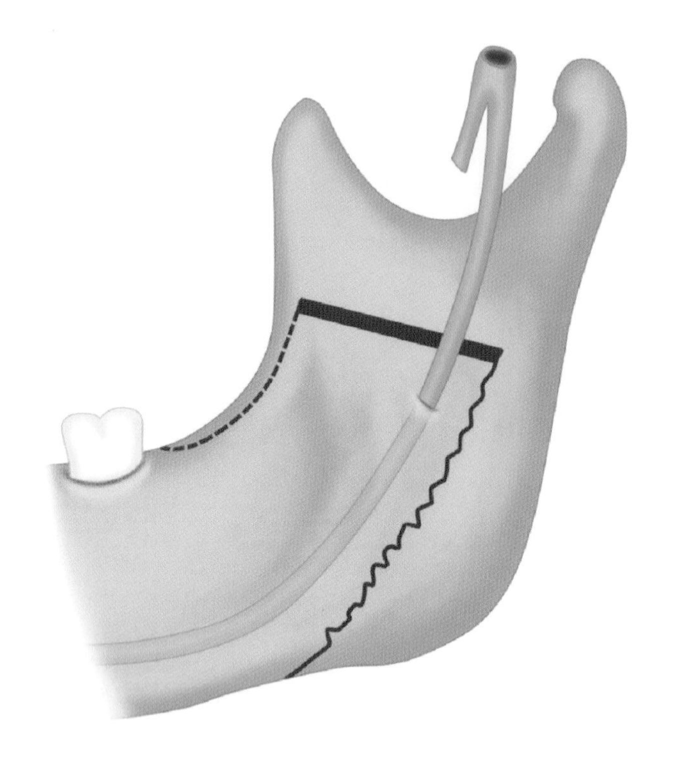

그림 26.8 하악지의 내측면에서 소설 바로 위의 내측 수평 절단의 위치와 내측 골절선을 볼 수 있다.

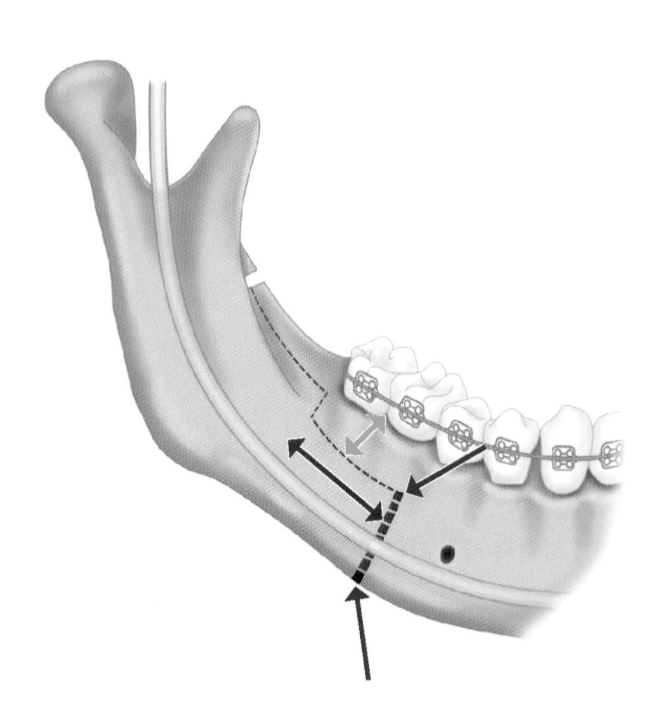

그림 26.9 수직 협측 단일 피질 절개를 하악 하연을 통과하여 절반만 수행하여 완성한다. 703번 bur를 이용하여 시상 분할 도구 삽입에 충분한 공간을 부여한다.

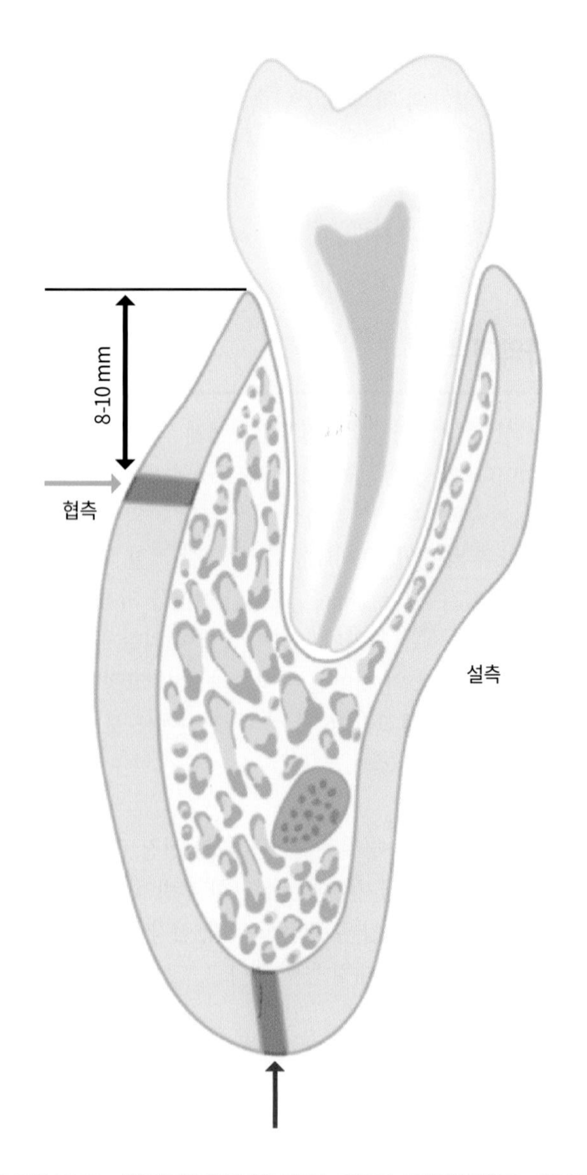

그림 26.10 제1대구치 원심면을 지나는 횡단면. 초록색 화살표는 치조골 능선 하방 8 mm 높이에서 협측 피질에 수직으로 수행되는 수평 절단을 보여준다. 빨간색 화살표는 하연 절단의 위치를 가리킨다.

골성 선반을 형성하여 근심 분절의 위치를 조절하기 위한 수직 정지와 안정화 골판을 적용할 영역을 제공한다. 하악의 CCWR을 위해 협측 수평 절단을 곡선화하여 분절의 접근을 용이하게 할 수 있다.

5. 수평 절단의 후방면은 701번 fissure bur로 상행 하악지 절단의 전방 측면과 연결한다.
6. 703번 fissure bur로 하악 하연에 수직으로, 수평 절단의 전방면에서 협측 피질을 통해 수직 절단한다(◘ 그림 26.9). 하연은 통상의 골절단술 디자인처럼 완전히 통과하지 않고, 중간 정도만 자른다.
7. 하연 골절단술은 Stryker, Inc. (Kalamazoo, Michigan)와 Hall Surgical Division of Zimmer (Largo, Florida)의 두 회사에서 특별히 고안된 reciprocating 하연 골절단기(IBO) 톱날로 수행된다(◘ 그림 26.11-12). 전방 수직 협측 피질골에서 절단을 시작하여 후방으로 향하고 gonial notch의 후면에서 설측으로 병합된다(◘ 그림 26.13). 이 하연 절단은 근심과 원심 분절의 분리에 필요한 토크 힘을 상당히 감소시켜, 바람직하지 않는 골절의 위험을 줄이고 IAN의 침범을 감소시키기 위해 설측 골절의 보다 예측가능한 경로를 제공한다(◘ 그림 26.12). 하악 하연의 분할로 하악이 전진되고 설측

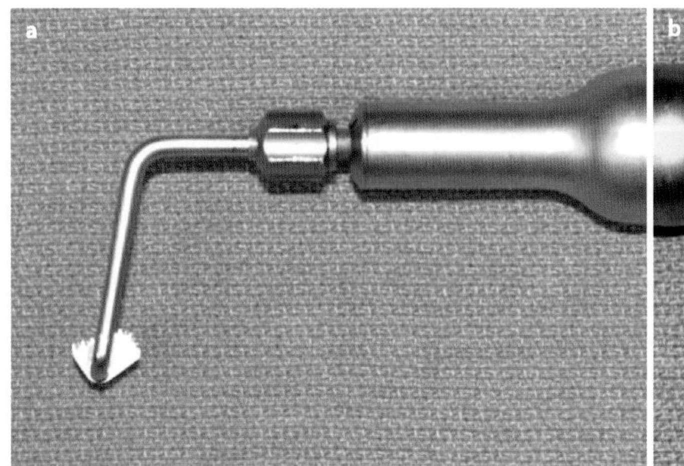

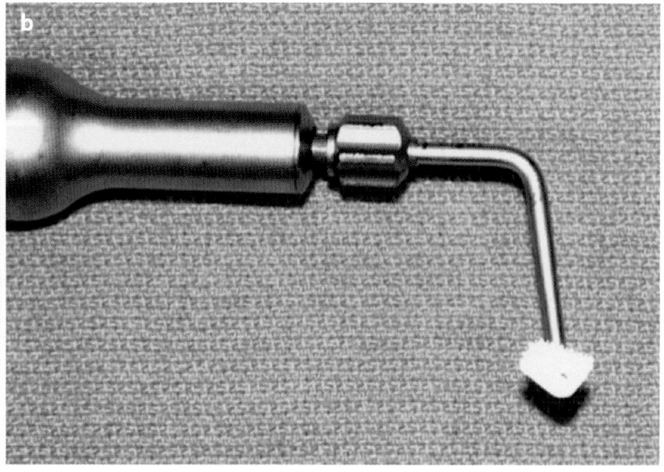

◘ 그림 26.11 **하연 톱 날은 좌우측 따로 고안되었다. 하악 하연을 가로질러 절반 정도 절단하고 하치조 신경의 손상을 예방하기 위해 5 mm 수직 정지부가 있다.**

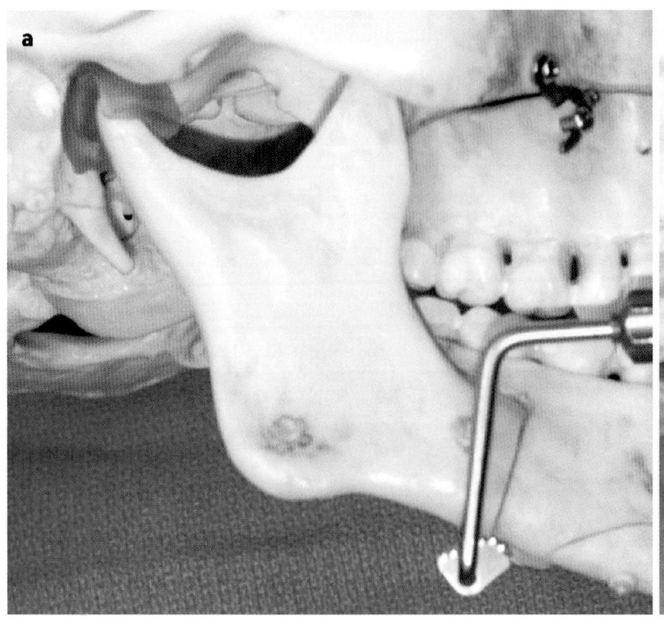

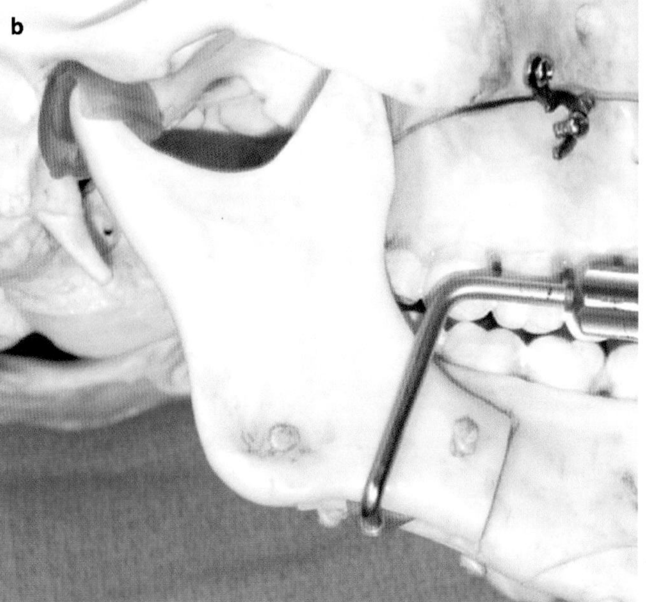

◘ 그림 26.12 **a** **하연 골절단은 전방에서 시작하여 수직 협측 절단에 가까이 진행한다. 톱날의 수직부를 하악의 외측 피질판에 위치시켜, 톱날의 절단면이 하악 하연을 가로질러 중간에 위치하게 한다. 톱날에는 수직 정지부가 있어 하연에서 약 5 mm만 관통할 수 있다.** **b** **톱날이 활성화되어 골내로 들어가면, gonial notch의 후방면에서 설측판을 향해 진행하게 된다.**

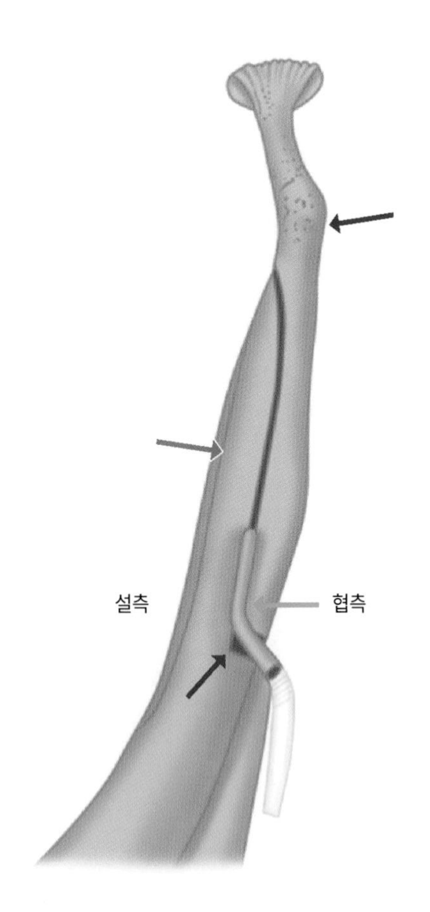

▣ 그림 26.13 하악 하연의 우측 모습. 주황색 화살표는 하악 하연을 가리킨다. 파란색 화살표는 하악각을 가리킨다. 초록색 화살표는 협측 수직 절단(빨간색 화살표)에 인접한 전방에서 골절단을 시작하는 하연 톱을 나타낸다. 톱은 gonial notch의 후방으로 유도되고 설측판쪽으로 기울어진다.

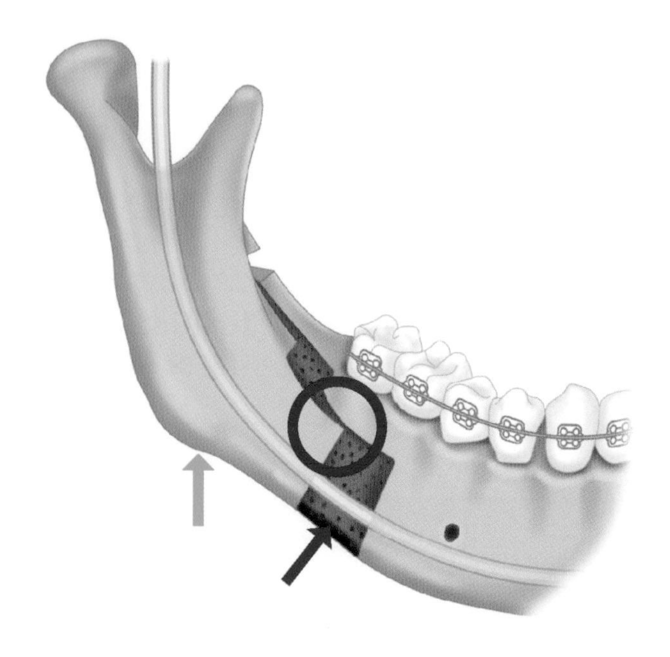

▣ 그림 26.14 하악이 전진한다. 빨간색 원은 근심 분절의 수직적 위치를 제어하는 근심과 원심 분절 사이의 골계면을 보여준다. 빨간색 화살표는 원심 분절에 남아있는 하연 피질을 가리키는데, 통상의 시상 분할 술식에서 발생하는 하연 홈을 제거한다. 초록색 화살표는 강성 고정을 적용하는 동안 과두를 관절와에 안착시키기 위한 부드러운 상향 압력의 방향을 보여준다.

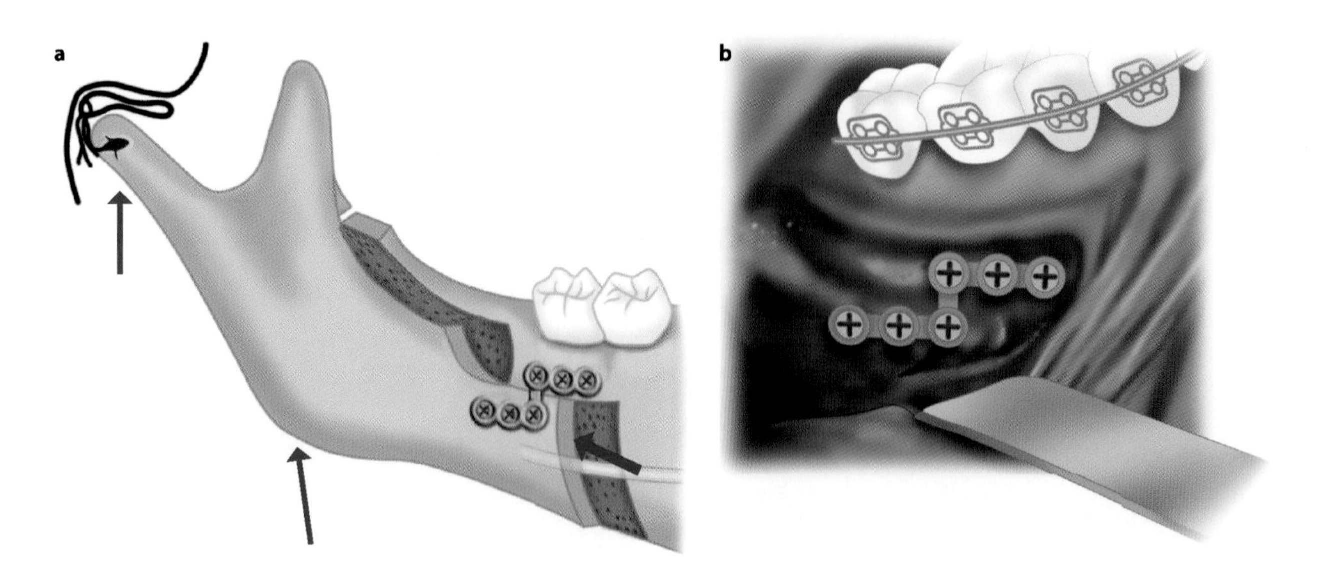

▣ 그림 26.15 **a** 분절이 적절하게 정렬되면 그림과 같이 구멍 6개 Z-플레이트를 적용하여 분절을 안정화한다. 골이 심하게 얇거나 전진량이 10–12 mm 이상이라면, 추가적인 지지 나사를 상행 하악지에 위치시켜 추가적인 안정성을 제공할 수 있다. **b** 구멍 6개 Z-플레이트가 적용된 임상 모습. 근심과 원심 분절 사이의 골계면을 확인하라.

피질은 원심 분절에서 제자리에 남게 되어(◘ 그림 26.14, 빨간색 화살표), 특히 전진량이 많을 때 통상의 골절단술 디자인에서 흔하게 발생하는 홈을 제거하게 된다.

8. Smith angled separator와 3–prong Smith spreader (W. Lorenz Surgical, Jacksonville, Florida)를 이용하여 근심과 원심 분절부를 완전히 분리한다. 일반적으로 시상 분할 절단술을 수행하는 데 끌이나 망치가 필요하지 않으므로, 기구를 사용하는 동안 바람직하지 않은 골절이나 의도하지 않는 신경 손상의 가능성이 최소화된다. 근심 분절에 남아 있는 IAN의 비정상은, 보통 신경을 감싸는 관의 피질골과 연관된다. 때때로 관을 이루는 잔존골 제거가 필요한 분절에서 IAN을 조심스럽게 분리한다.
9. 제3대구치가 있다면 매복이나 맹출의 여부와 관계없이 분할 완료 후 제거한다.
10. 근심 분절의 내측면은 reciprocating bone file로 부드럽게 다듬고, 수질골 잔사와 IAN 관을 제거하여 분절을 재정렬할 때 IAN에 대한 후속 손상을 최소화한다.
11. 하악을 가동화하여 중간 스프린트를 삽입하고 상하악 고정(MMF)을 적용한다.
12. 근심 분절의 전면을 원심 분절 선반 아래(◘ 그림 26.14, 빨간색 원)에 배치한다. 이 지점은 하악각(◘ 그림 26.14, 초록색 화살표)에 압력을 부드럽게 적용하여 과두를 관절와로 쉽게 밀어넣는 받침점이 된다(◘ 그림 26.15a).
13. 강성 고정을 시행한다. 구멍 6개의 "Z–플레이트"를 사용하지만(◘ 그림 26.15 a, b), 외과의는 강성 고정 시행에 몇 가지 선택지가 있다.
14. 수술 부위를 식염수로 철저하게 세척하고 베타딘 용액으로 최종 세척한다. 절개를 봉합하고 MMF와 스프린트를 제거한다.

이 변형으로 근심 분절과 원심 분절 선반 사이의 계면으로 인해 근심 분절의 위치가 제어된다. 이 분절들을 골 플레이트와 나사로 고정한다. 전돌 증례에서, 근심 분절의 전방면에서 골을 제거하고, 원심 분절의 선반 하방에 적절하게 들어맞도록 근심 분절의 상행 하악지를 향한 전상연을 제거한다(◘ 그림 26.16–17). 하악의 5 mm나 20 mm의 후방이나 전방으로 설정되었는지에 관계없이, 보통 원심 분절 선반과 근심 분절 계면에 위치한 단일 골 플레이트로 안정화시킨다. 더 큰 하악 전진이나 피질골이 얇은 경우, 추가적인 지지를 위해 1–2개의 골 나사를 상행 하악지의 전방면을 따라 양측피질골에 삽입할 수 있다.

변형 하연 골절단술의 한가지 장점은 전통적 디자인에 필요한 큰 토크 힘과 비교해 시상 분할을 완성하는데 더 적은 양의 힘

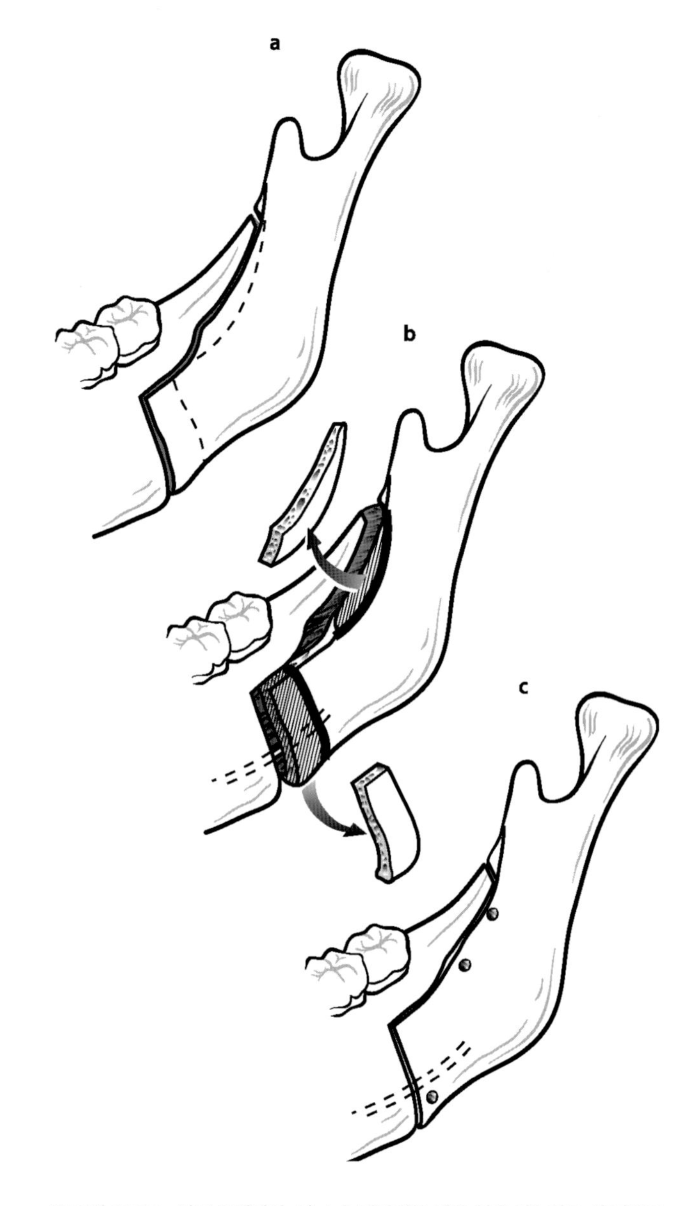

◘ 그림 26.16 **전돌 증례에서, 이 수술 디자인은 매우 적용 가능하고, 추가적인 골절단 술식이 필요하지 않다. a–c 하악 후퇴를 위해, 점선으로 골성 간섭을 없애기 위해 골 제거가 필요한 부분을 표시했다. 보통, 근심 분절의 수직 협측 골절단 부위와 상행 하악지를 따라 골 제거가 필요하다. 두 분절의 근접화 수행 시, 내측골을 제거하여 두 분절의 상호교차를 가능하게 한다.**

만이 필요하다는 것이다. 이 사실은 최근 Bockmann 등[12]의 연구에 의해 지지되는데, 여기에서 그들은 35개의 하악에서 전통적인 Obwegeser/Dal Pont 디자인을 사용하여 시상 분할 골전단술을 실험실에서 비교하였는데, 35면에서는 하악 하연 절단을 사용하였고 35면에서는 사용하지 않았다. 하악 분할에 사용된 토크를 측정하고 하악 내측면에서 골절선 위치를 기록하였다. 하연을 절단하지 않은 원래 기술의 평균 토크를 하악관을 따라 설측 골절선에서 1.38 Newton–meter (Nm)나 1.02–foot pound force (ft.1bf)인 반면, 하연을 절단한 경우 하악을 분할하는데 필요한 평균 토크는 1.02 Nm 또는 0.75 ft.1bf ($p < 0.001$)

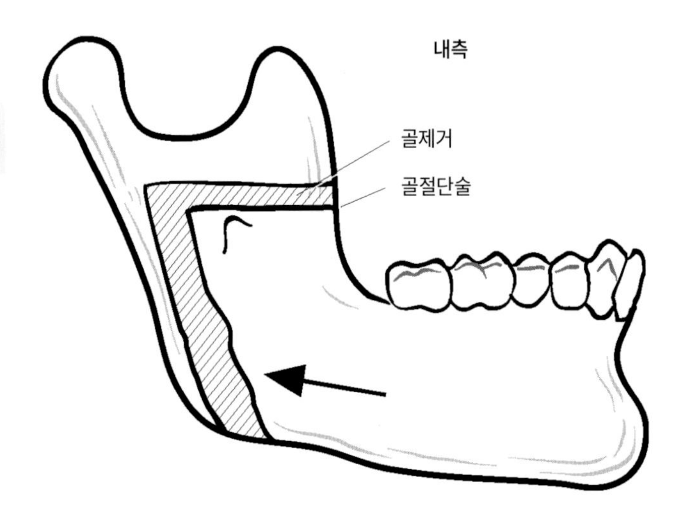

그림 26.17 **하악지 내측의 빗금친 부위는 분절이 수동적으로 안착할 수 있도록 설측 피질 골 제거가 필요한 영역을 나타낸다.**

이었고, 골절선이 하악지 후방과 좀더 평행했다. Bockmann 등은 시상 분할 골절단술에 하연 절단을 추가하면 하악골 분할에 필요한 토크가 줄어들고 골절선이 더 유리하고 예측 가능하다고 결론지었다.

26.8.2 제3대구치의 유무

우리는 한 연구[13]를 통해 3대구치의 존재 여부와 관련하여 두 환자 그룹에서 하악 시상 분할 절단술의 결과를 평가했다. 그룹 1은 매복 제3대구치를 제거한 250건의 시상 분할 절단술로, 그룹 2는 Wolford 변형 하연 시상 분할 절단술 250건으로 구성되었다. 술식과 강성 고정은 두 그룹에서 동일한 방법으로 시행되었다. 바람직하지 않은 분할의 발생은 그룹 1에서 3.2%, 그룹 2에서 1.2%였으나, 두 그룹 간에 통계적으로 유의한 차이는 없었다. 그룹 1에서는 모두 10대에서 이런 현상이 발생했으며, 8건의 골절 중 7건은 제3대구치 소켓을 통해 원심 분절의 후방 측면에서 발생했다. 이러한 유형의 골절은 기본적으로 강성 고정의 Wolford 방법에서는 문제가 되지 않았다. 그룹 2에서 3건의 골절이 발생했고 모두 근심 분절의 협측 피질의 골절을 포함했으나, 시상 분할은 완성되었고 골절된 협측 분절은 골 플레이트로 근심 분절의 후방부에 재안정되었고 근심 및 원심 분절은 같은 방법으로 고정되었다. 분할의 상태와 관계없이, 결과는 안정성과 관련하여 모든 환자에서 동일했다.

26.8.3 하치조 신경(IAN)의 감각 평가

우리는 체성 감각 유발 전위(SEP) 컴퓨터 분석과 기존의 2점 판별을 이용하여 시상 분할 골절단술의 IAN에 대한 신경 감각 결과를 평가했다.[14] Wolford 변형 술식을 사용하여 양측성 하악지 시상 분할 골절단술을 시행한 40명의 환자를 평가했다. 모든 대상자는 술후 2주, 1개월, 6개월, 1년에 평가되었다. 술후 2주에 거의 모든 환자가 비정상적인 IAN SEP 기록을 보인 반면, 3개월에는 환자의 80%가 감각을 완전히 회복했고, 1년 후에는 환자의 100%가 완전히 회복했다. 이 연구는 적절하고 신중하게 수행된 Wolford 변형이 IAN에 대한 장기 손상율이 낮아짐을 보여주었다.

다른 연구[15]는 Wolford 시상 분할 변형을 사용하여 양측성 시상 분할 골절단술을 받은 10명의 환자에 대한 수술 중 SEP 평가를 포함했다. 마취 기술은 모든 환자에게 표준화되었다. SEP은 다음을 포함하여 술식 중에 발생가능한 잠재적인 IAN 손상을 식별하기 위해 수술 중에 기록되었다: (1) 골 절단 전, (2) 내측 골 절단의 접근을 위한 내측 견인, (3) 하악의 절단 및 분할, (4) 강성 고정후 즉시. SEP에 대한 가장 큰 영향은 하악지에 대한 내측 절단 시행 동안의 IAN의 내측 견인이었다. 나머지 술식들은 유의미한 신경 손상이 없었다.

변형 Wolford 하연 절단술의 장점은 다음과 같다:

1. 분절 간의 더 나은 골계면 치유 촉진
2. 존재한다면, 매복되거나 맹출된 제3대구치를 비바람직한 분할이나 골절의 심각한 위험없이 동시 제거 가능
3. 근심 분절뿐만 아니라 과두 위치의 정확한 제어
4. 술후 MMF가 불필요하여 더 나은 구강 위생, 발음, 영양 제공
5. 전통적인 디자인에 비해 유의하게 많은 양의 하악 전진 가능
6. 구내 강성 고정 적용 용이
7. TMJ 수술과 시상 분할 절단술의 동시 수행 가능[16-23]
8. IAN 손상 위험 낮음[14,15]
9. 상하악 복합체의 CCWR-전진 촉진[24-27]

이 술식의 단점은 다음과 같다:

1. 하악연 톱 구매 비용 추가
2. 하악연 절단을 익히기 위한 학습 곡선
3. 하악 전돌 치료의 경우, 수직적 하악지나 역-L 골절단술에 비해 수술 시간이 더 오래 걸림

하악지 시상 분할 절단술은 하악 저형성(후퇴증), 하악 전돌, 대부분의 비대칭을 위한 매우 효과적인 술식이다. 악골 정렬을 수정할 수 있고, 1차 골 치유를 촉진하는 우수한 골계면, 안정성을 위한 강성 고정의 용이한 적용, 과두 위치의 정확한 제어, 술후 IMF가 없다는 장점들이 사용 가능한 다른 술식에 비해

시상 분할 하악지 절단술을 선호하는 이점이다. Wolford 하연 절단술식은 악교정 수술 반복이 필요한 환자에게 하악 시상 분할 절단술 재실행의 예측가능성을 촉진한다.

26.9 수직적 하악지 골절단술

이 술식은 OSA 환자에게 거의 적용되지 않지만, 하악지 절단술의 완전성을 위해 여기에 포함하였다. 수직적 하악지 절단술은 구외나 구내 접근법으로 사용가능하다. 이 술식은 sigmoid notch에서 하악지 하연, 소설 후방까지 수직으로 절단한다 (◘ 그림 26.18).

적응증은 다음과 같다:

1. 하악 후퇴술
2. 적은 이동량(측두근, 내측 익상돌기, 교근이 원심 분절에서 분리되지 않는 한)
3. 하악 후퇴가 필요한 비대칭.
4. 하악 전진술에서 분절 사이에 골 이식뿐만 아니라 근돌기 절제술이 필요한 경우

골내 와이어링이나 강성 고정으로 분절을 안정시키면 가장 예측가능한 결과를 얻을 수 있다. 이 술식은 하악의 과두와 후방연을 본질적으로 원래 위치로 유지되도록 하면서(과두 머리에 약간의 회전과 토크가 있음에도 불구하고), 하악체와 가지는 후방으로 이동된다.

금기증은 다음과 같다:

1. 후퇴량이 많은 경우(측두근, 내측 익상돌기, 교근이 원심 분절에서 분리되지 않는 한)
2. 하악 전진술
3. 하악지의 연장(측두근, 내측 익상돌기, 교근이 원심 분절에서 분리되지 않는 한)

수직 경사 골절단술의 장점은 다음과 같다:

1. 기술적 용이성
2. 하악 전돌증이나 비대칭 수정

이 술식의 단점은 다음과 같다:

1. 분절이 와이어나 강성으로 고정되지 않으면, 과두의 위치를 제어하기 어려울 수 있다. 과두 처짐으로 술후에 전방 개방 교합이 유발될 수 있다.
2. 분절 사이의 골계면이 좋지 않아 치유 기간이 길어질 수 있다.
3. 강성 골격성 고정(즉, 골 나사)은 구내로 접근하기 어렵기 때문에, 보통 4–8주간의 MMF가 필요하다.
4. 치유 기간이 증가하고 과두 위치 제어가 부족하기 때문에 MMF 제거 후 비교적 장기간의 악궁간 고무줄 사용이 필요할 수 있다.

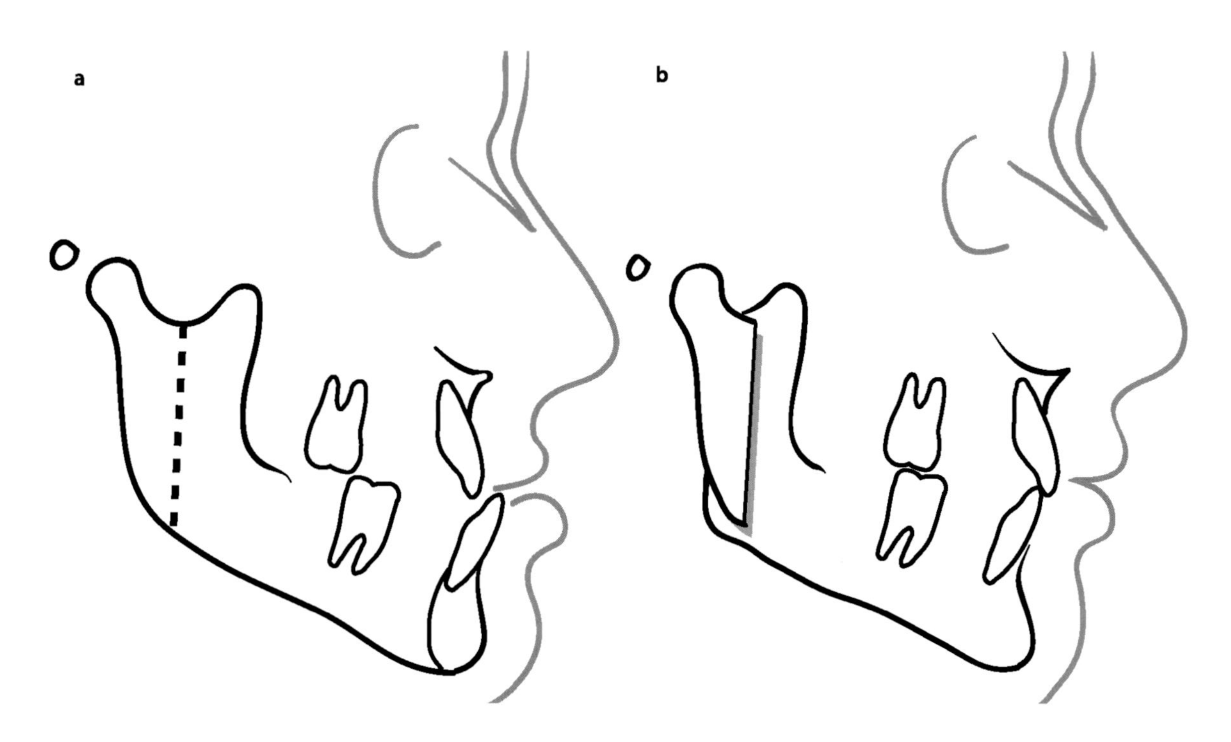

◘ 그림 26.18 **a** 수직적 하악지 절단술로, 골절단이 sigmoid notch에서 하악 하연을 통해 소설까지 연장된다. 이 절단 디자인은 전돌의 증례에 적용할 수 있지만 하악 전진술에 대해서는 드물게 적용된다. **b** 하악 후퇴술에서, 원심과 근심 분절이 중첩된다.

26

26.10 하악지 역-L 골절단술

하악지 역-L 골절단술을 수행하기 위한 구외와 구내 접근법은 하악 후퇴 또는 전진을 위해 허용되는 술식이다(◘ 그림 26.19). 적응증에는 적거나 많은 후퇴, 비대칭, 하악 전진, 하악지 연장(◘ 그림 26.20), 내외측으로 얇은 하악지, 후방 하악지 고경의 심각한 감소가 있다. 금기증에는 하악공의 비정상적 후방 위치 및 이식술을 병행하지 않은 하악 전진이 있다.

장점은 다음과 같다:

1. 하악 전돌이나 비대칭을 수정한다.
2. 근돌기와 측두근이 원래 위치에 유지된다.
3. 하악골을 상당량 후퇴시킬 수 있다.
4. 골이나 합성골 이식이 수반될 경우 하악지 연장이나 하악 전진이 가능하다.
5. 강성 골성 고정을 사용할 수 있다.

단점은 다음과 같다:

1. 상당한 하악지 연장이나 하악 전진을 위해 골이나 합성골 이식이 필요하다.
2. 이식편을 사용하지 않을 경우, 분절의 근접화가 좋지 않아 다른 술식에 비해 치유 기간이 길어질 수 있다.

26.10.1 성장에의 영향

하악지 술식은 하악 성장 속도에 유의한 영향을 미치지 않아 술전의 정상 성장을 제공하지만, 근심 분절의 위치와 방향 변경으로 후속 하악 성장의 벡터가 바뀔 수 있다.[28,29]

26.10.2 수술 연령

수술은 정상 하악이 성장하고 기존의 TMJ 병리가 없다면 12세 이상부터 예측성있게 수행될 수 있다. 시상 분할 골절단은 제2대구치 맹출 후 시행하여, 맹출 전 수술로 인해 다치지 않도록 하는 것이 가장 좋다.

26.11 하악지 수술의 합병증

26.11.1 조기 재발

조기 재발은 일반적으로 치유 단계에서 부적절한 과두 위치나 분절 사이의 미끄러짐과 관련된다. 보통 재발은 비강성 고정에 비해 강성 방법에서 훨씬 적다.

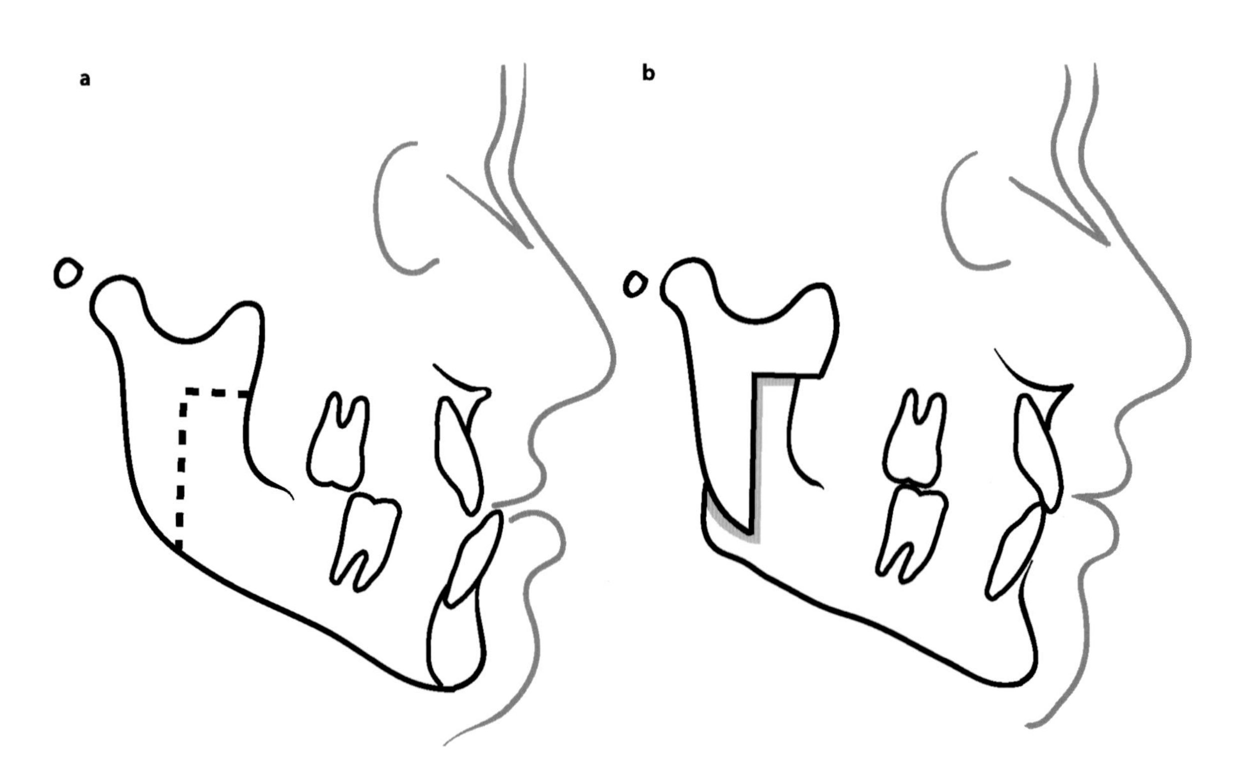

◘ 그림 그림 26.19 역-L 골절단술은 특정 OSA 환자에게 적용가능한 술식이다. 수평 절단은 소설 상방에서, 수직 절단은 소설 후방에서 이루어진다. 전돌 증례에서, 원심 분절은 근심 분절이 중첩되면서 후방으로 이동한다.

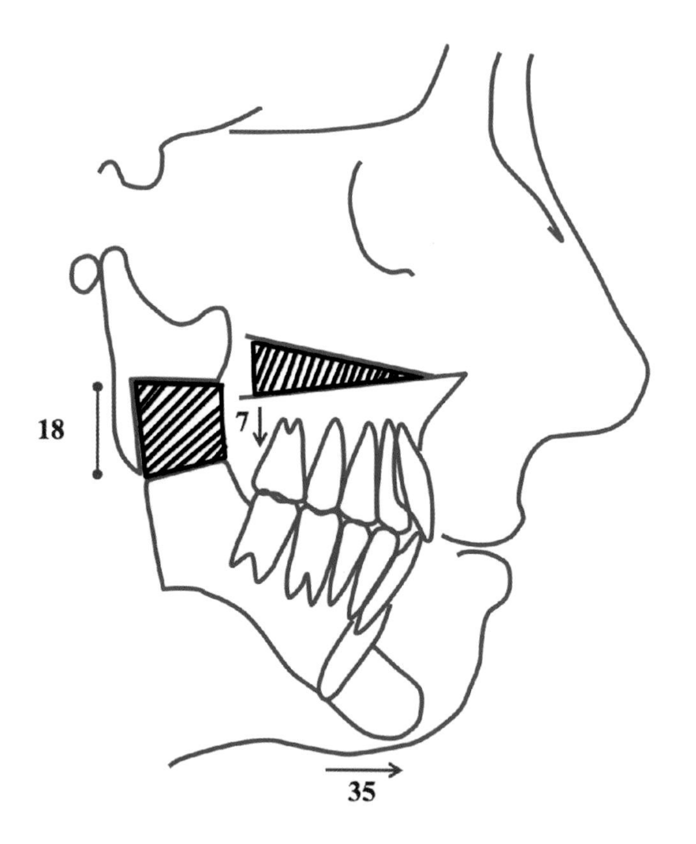

■ 그림 그림 26.20 골 이식을 필요로 하는 역-L 골절단술로 하악지가 18 mm 연장된 실제 증례로 상악 골절단 하방 골절부에도 골 이식이 수반되었다. 두 부위 모두 안정화를 위한 강성 고정이 필요하다.

26.11.2 과두 처짐

과두 처짐은 하악지 수술의 합병증으로, 일반적으로 외과의의 부적절한 수술 중 과두 위치 지정, 근심 분절의 부적절한 안정화, 관절 부종, 과두가 관절와에 완전히 안착되지 않은 관절혈증으로 인해 발생한다. 이것이 수정되지 않으면, MMF 제거 후 후방으로 이동하여 II급 개방 교합이 형성된다. 과두 처짐 수정에 선호되는 방법은 하악 분절을 즉시 재배치하고 근심 분절과 과두의 위치를 보장하기 위해 고정을 적용하는 것이다. 과두 처짐은 주의깊은 수술, 수술 시 과두의 적절한 안착, 나사, 플레이트 및/또는 와이어를 이용한 안정화로 피할 수 있다.

26.11.3 TMJ 관절혈증

다른 가능한 합병증으로 TMJ 관절염과 부종이 있다. 이로 인해 과두가 전하방으로 변위될 수 있다. 관절혈증과 관절 부종은 외상성 수술과 이층판이나 관절 공간으로의 체액 유입으로 발생한다. 와이어나 강성 안정화로 발생할 수 있다. 부종의 경우, 근심 분절에 몇 분 동안 견고하게 상향 압력을 주어 이층판에서 대부분의 체액을 내보내고 과두가 좀더 적절하게 안착되도록 한다. 강성 고정과 주의깊은 수술법으로 이런 합병증을 예방한다.

26.11.4 비바람직한 분할 또는 골절

바람직하지 않은 분할이나 골절은 근심 분절의 협측 피질 또는 원심 분절의 제3대구치 부위를 통해 수직으로 가장 흔하게 발생한다. 관리를 위해서는 주의깊게 분할을 완성하고 골 플레이트와 나사를 이용하여 분절을 안정화해야 한다. 이런 불리한 분할이 발생했을 때, 분절을 적절하게 안정화하면 바람직한 분할과 비교하여 동등한 안정적인 결과를 얻을 수 있다.

26.11.5 치아 정출

이것 또한 하악지 수술의 합병증이다. 하악 분절의 안정화를 위해 골내 와이어링이나 MMF를 사용할 때 꽤 흔하다. 또한 술후 고무줄로 발생할 수 있고, 특히 술후 부정교합과 관련된다. 치아 정출의 원인은 부적절한 골격 안정화, 5 mm 이상의 전진, 짧은 치근, 흔들리는 치아, 과두 처짐, 치주 질환 등이 있다. 정출이 발생하면, 교정 재발의 가능성도 있다. 광범위한 교정에 의한 정출 치료나 재수술은 나중에 한다. 세심한 교정 및 수술, 그리고 적절한 골격 안정화로 정출을 예방한다.

26.11.6 치주 결손

일반적으로 특히 하악에서, 치아의 정출이나 전돌에 의해 일어난다. 위생 관리가 좋지 않은 경우에도 술후 치주 결손 발달에 기여할 수 있다. 기존의 치주질환은 교정과 수술로 악화될 수 있다. 부적절하게 수행된 치간 골절단술은 혈관과 치주 손상을 일으킬 수 있다. 무감각한 치아와 잇몸이 있는 경우 술후 구강 위생이 어려워, 환자의 치주 질환 발생률을 높인다. 치료를 위해 자주 치과를 방문하고 집에서도 특별한 주의를 기울여야 한다. 치주 질환의 예방에는 적절한 술전 치주 관리, 우수한 술전 교정, 주의깊은 수술, 적절한 골격 안정, 적절한 구강 위생 관리 등이 있다.

26.11.7 TMJ 기능 이상

OSA 환자 집단에서 기존의 TMJ 상태/병리는 흔하고 TMJ 불안정성, 기능 장애, 통증, 부정교합, 외과적 재발과 같은 술후 합병증에 기여할 수 있다. 이런 합병증은 다음의 상황에서 발생할 수 있다:

- 관절내장애, 청소년기 내부 과두 흡수, 반응성 관절염, 결합조직/자가면역 질환, 기타 말기 TMJ 질환과 같은 기존의 TMJ 상태[16-24]
- 술중 또는 술후 관절 외상
- 하악 전진과 관련된 TMJ 과부하, 수술 시 스플린트로 후방 교합을 열고 스플린트 제거 후 교합을 닫는 후방 수직 고무줄과 III급 고무줄 사용
- 골내 와이어링(강성 고정 없음)으로 요구되는 장기간 MMF는 정상 영양 요소와 디스크 및 관절 연골 기능을 방해하여 퇴행성 변화의 잠재성을 증가시킨다.
- 개구 장애, 이갈이, 이악물기와 같은 통제되지 않은 술후 근기능 장애
- 후속 치유를 방해할 수 있는 영양실조, 흡수장애, 당뇨, 흡연, 면역 결핍과 같은 기존의 내과적 상태

술후 TMJ 합병증의 예방은 적절한 술전 평가, 진단, 악교정 수술 전후의 환자 관리를 기반으로 한다.[1] TMJ에 대한 치료전 및 술후 평가는 적절한 임상 및 영상 검사를 포함해야 한다. 기존의 TMJ 질환을 적절히 식별하고 관리한다. III급 고무줄과 같은 과다한 힘을 사용하여 관절에 과부하를 주지 말아야 한다. 야간 이악물기와 이갈이의 병력이 있는 환자는 이런 습관으로 인한 과부화 효과를 감소시키기 위해 술후 약물이 필요할 수도 있다. 하악 전진은 연조직이 하악 정렬과 재평형을 맞출 때까지 휴식 시 관절 내 압력을 증가시킬 것이다. 특히 중요한 것은 외과의가 해당 부위에 심각한 수직적 재발을 예상하지 않는 한 수술로 후방 폐쇄 교합이 유지된다는 것이다. 외과적으로 후방 개방 교합을 생성하면 개방 교합을 닫기 위한 수직 고무줄 적용이 필요한데, 이것이 관절에 과부하를 가할 수 있다. 관절에 부하되는 힘을 최소화하는 주의깊은 수술과 수술 전, 중, 후의 TMJ 합병증을 최소화하기 위한 TMJ의 적절한 관리가 필요하다.

26.11.8 신경 손상

신경 합병증도 여러 가지로 발생할 수 있다. IAN이나 그 가지는 하악지, 하악체, 치근하, 턱 술식 동안 손상될 수 있다.[14-16]

신경차단(1형) 손상은 이런 술식에서 드물지 않으며 보통 일시적이다. 원인은 신경혈관 다발의 부종, 조작, 신연, 경미한 꼬집힘일 수 있다. 이런 문제가 발생하면 복구에 2주에서 수 개월이 소요될 수 있다.

축삭단열(2형) 손상은 신경이 짓눌리거나 현저히 늘어나서 발생한다. 이로 인해 신경 말단부에 퇴행성 변화가 일어날 수 있고, 손상의 정도와 위치에 따라 회복에 3개월에서 2년이 걸릴 수 있다.

신경단열(3형)은 단절이나 절단의 결과이다. 회복은 예측할 수 없다. 성공적인 회복을 위한 가장 좋은 기회는 즉각적인 직접 문합이다. 외과적 처치가 늦어질수록 신경 말단부가 위축되어 회복의 질이 현저하게 낮아질 것이다.

전돌 수정에서 IAN이 절단되면, 대개 신경에 큰 장력을 주지 않고 직접 복구할 수 있다. 그러나 하악 전진에서 신경이 절단되면, 1차나 2차 수복을 수행할 때 적절한 관리법은 신경혈관 다발을 덮고 있는 하악 외측의 피질을 벗겨내야 한다. IAN의 전방부를 절단하여 IAN이나 이신경의 말단부를 후방에 재배치할 수 있다. 최소한의 장력으로 수복을 완료해야 한다. 1차 수복이 최상의 결과를 제공한다. 2차 수복은 좋지 않은 결과를 가져오고, 특히 지연 기간이 길수록 그렇다(6개월 이상). 수복 결과는 신경 손상 유형과 정도, 손상 이후 경과 시간, 수복의 질과 유형, 수복된 신경의 장력 정도, 수복 부위의 혈관 공급에 따라 달라진다. 신경 이식이 필요하다면, 크기, 길이, 섬유속 양상이 결과에 영향을 미친다. 외과적 수복 지연이 필요한 신경 손상의 경우 정상적인 감각의 완전한 회복이 불가능할 것이다.[14-16]

26.11.9 감염

감염은 일반적으로 오염이나 무혈성 괴사로 인한 절개부 붕괴로 인해 발생한다. 적용가능한 치료에는 병리학적 검사, 적절한 항생제, 보존적 괴사조직제거, 식염수를 사용한 풍부하고 잦은 세척 등이 있다. 가장 흔히 감염되는 수술 부위는 하악 시상 분할 절단부이다. 적절히 관리하면, 문제는 거의 또는 완전히 없다. Candida albicans 감염은 일부 환자에서 구강 내에서도 흔하다. 전신 항생제는 Candida 감염의 발병률을 증가시킬 수 있다.

26.11.10 유착 불량

유착 불량은 불량한 분절 정렬, 부적절한 골 접촉이나 가동성, 부적절한 안정화로 인해 보통 발생한다. 이를 위한 최적의 치료는 조기에 분절 사이에 적절한 골 접촉과 안정성을 제공하는 것이다. 장기간의 유착 불량은 골이나 합성골 이식을 수반한 재수술이 필요할 수 있다. 유착 불량은 주의깊은 수술, 강성 고정을 이용한 적절한 분절 고정, 분절 사이의 적절한 골 접촉으로 예방할 수 있다.

26.11.11 출혈 문제

하악지 절단술에서, 출혈 문제와 가장 흔하게 연루되는 주요 혈관은 치조, 안면, 하악후, 교근, 상악 혈관을 포함한다. 하악체 절단술에서, 출혈은 하치조, 설, 안면 혈관을 포함할 수 있다. 출혈 조절은 조기에 압력 패킹, 원인 혈관 식별, 소작에 의한 지혈, Avitene(미세섬유 콜라겐 지혈제), 기타 지혈제, 결찰을 시행한다. 2차 출혈은 드물지만 국소 탐폰 삽입, 상처 재탐색, 색전술로 조절할 수 있다.

요약하면, OSA 환자 치료에 관여하는 구강외과의는 다양한 하악 절단술 방법의 적용을 이해하고, 적응증의 술식을 실행할 수 있는 기술을 보유하고, 잠재적인 합병증과 이의 관리법을 알아야 한다. OSA 환자의 경우, 기도 폐쇄 제거, 좋은 기능적 교합 구축, 통증 제거, 안면 균형성 촉진을 위해, 하악 전진을 위한 하악 절단술은 종종 상하악 복합체의 반시계방향 회전을 위한 상악 절단술과 함께 부분 비갑개절제술, 중격성형술, 목젖구개인두 성형술, 이부성형술과 같은 다른 보조 술식을 결합한다. 목표는 OSA 환자에게 최적의 결과를 제공하는 것이다.

참고문헌

1. Wolford LM, Goncalves JR: Surgical Planning in Orthognathic Surgery and Outcome Stability. In Brennan PA, Schliephake H, Ghali GE, Cascarini L (Editors) Maxillofacial Surgery (3rd Edition). Elsevier Inc., St. Louis, pp 1048–1126, 2017.
2. Trauner R, Obwegeser H. Zora Operationstechnik bei der progenie und anderen unterkieferanomalien. Dtsch Zahn Mund Kieferhlkd. 1955;23:1–26.
3. Trauner R, Obwegeser H. The surgical correction of mandibular prognathism and retrognathia with consideration of genioplasty. 1. Surgical procedures to correct mandibular prognathism and reshaping of the chin. Oral Surg Oral Med Oral Pathol. 1957;10:677–89.
4. Obwegeser HL. Chapter 20; the sagittal splitting of the mandible procedure. In: Mandibular growth anomalies. Berlin: Springer Verlag; 2001. p. 359–84.
5. Verweij JP, Mensink G, Houppermans P, Van Merkesteyn R. The angled osteotomy design aimed to influence the lingual fracture line in bilateral sagittal split osteotomy: a human cadaveric study. J Oral Maxillofac Surg. 2015;73:1978–2003.
6. Dal Pont G. Retromolar osteotomy for the correction of prognathism. J Oral Surg. 1961;19:42–7.
7. Hunsuck EE. A modified intraoral sagittal splitting technique for correction of mandibular prognathism. J Oral Surg. 1968;26:250–3.
8. Wolford LM, Bennett MA, Rafferty CG. Modification of the mandibular ramus sagittal split osteotomy. O Surg O Med O Path. 1987;64:146–55.
9. Wolford LM, Davis WM Jr. The mandibular inferior border split: a modification in the sagittal split osteotomy. J Oral Maxillofac Surg. 1990;48:92–4.
10. Wolford LM. The sagittal split ramus osteotomy as the preferred treatment for mandibular prognathism. J Oral Maxillofac Surg. 2000;58:310–2.
11. Wolford LM. The influence of osteotomy design on the bilateral mandibular ramus sagittal Split osteotomy. J Oral Maxillofac Surg. 2015;73:1994–2004.
12. Bockmann R, Schon P, Neuking K, Meyns J, Kessler P, Eggeler G. In vitro comparison of the sagittal split osteotomy with and without inferior border osteotomy. J Oral Maxillofac Surg. 2015;73:316–23.
13. Mehra P, Castro V, Freitas RZ, Wolford LM. Complications of the mandibular sagittal split ramus osteotomy associated with the presence or absence of third molars. J Oral Maxillofac Surg. 2001;59:854–8.
14. Jones DL, Wolford LM, Hartog JM. Comparison of methods to assess neurosensory alterations following orthognathic surgery. Int J Adult Orthod Orthognath Surg. 1990;5:35–42.
15. Jones DL, Wolford LM. Intraoperative recording of trigeminal evoked potentials during orthognathic surgery. Int J Adult Orthod Orthognath Surg. 1990;5:167–74.
16. Wolford LM, Cardenas L. Idiopathic condylar resorption: diagnosis, treatment protocol, and outcomes. Am J Orthod Dentofac Orthop. 1999;116(6):667–77.
17. Wolford LM. Idiopathic condylar resorption of the temporomandibular joint in teenage girls (cheerleaders syndrome). Bayl Univ Med Cent Proc. 2001;14(3):246–52.
18. Wolford LM, Dhameja A. Planning for combined TMJ arthroplasty and orthognathic surgery. Atlas Oral Maxillofac Surg Clin North Am. 2011;19:243–70.
19. Wolford LM, Cottrell DA, Karras SC. Mitek mini anchor in maxillofacial surgery. In: SMST94 first international conference on shape memory and superelastic technologies. Monterey, CA: MIAS; 1995. p. 477–82.
20. Mehra P, Wolford LM. The Mitek mini anchor for TMJ disc repositioning: surgical technique and results. Int J Oral Maxillofac Surg. 2001;30(6):497–503.
21. Wolford LM, Karras S, Mehra P. Concomitant temporomandibular joint and orthognathic surgery: a preliminary report. J Oral Maxillofac Surg. 2002;60:356–62.
22. Wolford LM. Concomitant temporomandibular joint and orthognathic surgery. J Oral Maxillofac Surg. 2003;61(10): 1198–204.
23. Wolford LM, Cassano DS, Gonçalves JR, Common TMJ. Disorders: orthodontic and surgical management. In: JA MN, Kapila SD, editors. Temporomandibular disorders and orofacial pain: separating controversy from consensus. Ann Arbor, MI; 2009. p. 159–98.
24. Gonçalves JR, Cassano DS, Wolford LM, SantosPinto A, Márquez IM. Postsurgical stability of counterclockwise maxillomandibular advancement surgery: affect of articular disc repositioning. J Oral Maxillofac Surg. 1999;66(4):724–38.
25. Wolford LM, Chemello PD, Hilliard F. Occlusal plane alteration in orthognathic surgery–part I: effects on function and esthetics. Am J Orthod Dentofac Orthop. 1994;106:304–16.
26. Chemello PD, Wolford LM, Buschang PH. Occlusal plane alteration in orthognathic surgery–part II: longterm stability of results. Am J Orthod Dentofac Orthop. 1994;106:434–40.
27. Wolford LM, Chemello PD, Hilliard FW. Occlusal plane alteration in orthognathic surgery. J Oral Maxillofac Surg. 1993;51:730–40; Discussion 740–741.
28. Wolford LM, Karras SC, Mehra P. Considerations for orthognathic surgery during growth, part 1: mandibular deformities. Am J Orthod Dentofac Orthop. 2001;119:95–101.
29. Wolford LM, Rodrigues DB. Orthognathic considerations in the young patient and effects on facial growth. In: Preedy VR, editor. Handbook of growth and growth monitoring in health and disease. New York: Springer; 2012. p. 1789–808.

치아안면 기형과 수면 무호흡 수정을 위한 상하악 복합체의 반시계방향 회전

Larry Wolford

목차

27.1 교합 평면 변경

27

치아안면 기형의 수정은 종종 양질의 기능 및 심미적 결과를 위해 악교정 수술을 필요로 한다. 진단과 치료에서 종종 무시되지만 중요한 두부계측과 임상 상호 관계는 교합 평면 각도(OPA)이다. OPA는 Frankfort 수평면(FH 평면; porion 상부에서 안와하연에 그은 접선)과 하악 소구치 교두첨 및 제2대구치 협측 구의 접선이 이루는 각으로 정의된다(◘ 그림 27.1). 성인의 정상값은 8 ± 4도이다. 증가하거나 높은 교합 평면 각도(HOP)는 증가된 하악 평면 각도(장두증)에 반영되고, 감소하거나 낮은 교합 평면 각도(LOP)는 감소된 하악 평면 각도(단두증)과 관련된다. 이번 단원은 HOP 안면 형태가 수면 무호흡증과 관련이 있으므로 HOP 안면 형태에 초점을 맞춰 진단 특성, 치료 프로토콜, 치료 결과를 설명할 것이다.

양악 수술에서 OPA의 외과적 관리를 위해 대부분의 임상의가 사용하는 전통적인 방법은 일반적으로 다음 3가지 방법 중 하나로 해결된다: (1) 술전 OPA 유지, (2) 수직 상악 과형성 수정에서 하악의 자동 회전(보통 전상방)으로 OPA 구축, (3) FH 평면에 대해 OPA를 선택적으로 증가시켜 상악 후방 함입과 하악 후방 고경 감소에 의한 "안정성 향상"(원래의 OPA 경사에 관계없이). 이러한 방법은 중심 관계(CR)로 치아의 허용 가능한 관계를 달성할 수 있지만, 근골격 구조, 치열, 기도 용적의 최적 기능, 심미적 관계를 제공하지는 못할 수 있다. OPA가 가파르게 증가하고 TMJ 관절 융기의 경사에 근접하기 시작하면, (1) 견치 유도 교합 상실, (2) 절치 유도 상실, (3) 작업측 및 균형측 구치부 기능 간섭의 발달을 포함하는 기능적 문제가 발생할 수 있다. 임상의가 유도 교합 개념을 믿는다면 초기에 HOP 안면 형태를 보이는 환자에서 OPA의 각도를 증가시키는 전통적인 치료 방법의 적용에 대해 우려가 있을 수 있다.

추가적으로, OPA의 경사도는 구인두 기도의 크기와 부피에 심각한 악영향을 미칠 수 있다. OPA가 가파를수록 일반적으로 상기도 저항 증후군과 수면 무호흡에 기여할 수 있는 구인도 기도의 크기와 부피가 감소한다.

27.1.1 배경

상하악 복합체(MMC)의 반시계방향 회전(CCWR) 또는 시계방향 회전(CWR)에 의한 OPA의 의도적 변경의 원리와 구현은 1981년 Wolford에 의해 개발되었으며, 후방 상악과 하악의 수직적 연장에 의한 MMC의 양악 CCWR이 성공적으로 수행되었다. 이 술식은 강성 고정 사용 가능 전에 시행되었다. MMC의 CCWR 원리와 수술 계획 수립을 언급한 최초의 출판은 1985년 Wolford 등[1]에 의해 이루어졌다. 1987년 Wolford와 Hilliard[2]가 두번째로 발표하였는데, MMC의 CCWR을 수행한 첫 번째로 알려진 증례가 설명되었다(수술은 1981년에 수행). 환자 수술은 중증의 수면 무호흡과 심한 안면 기형을 교정

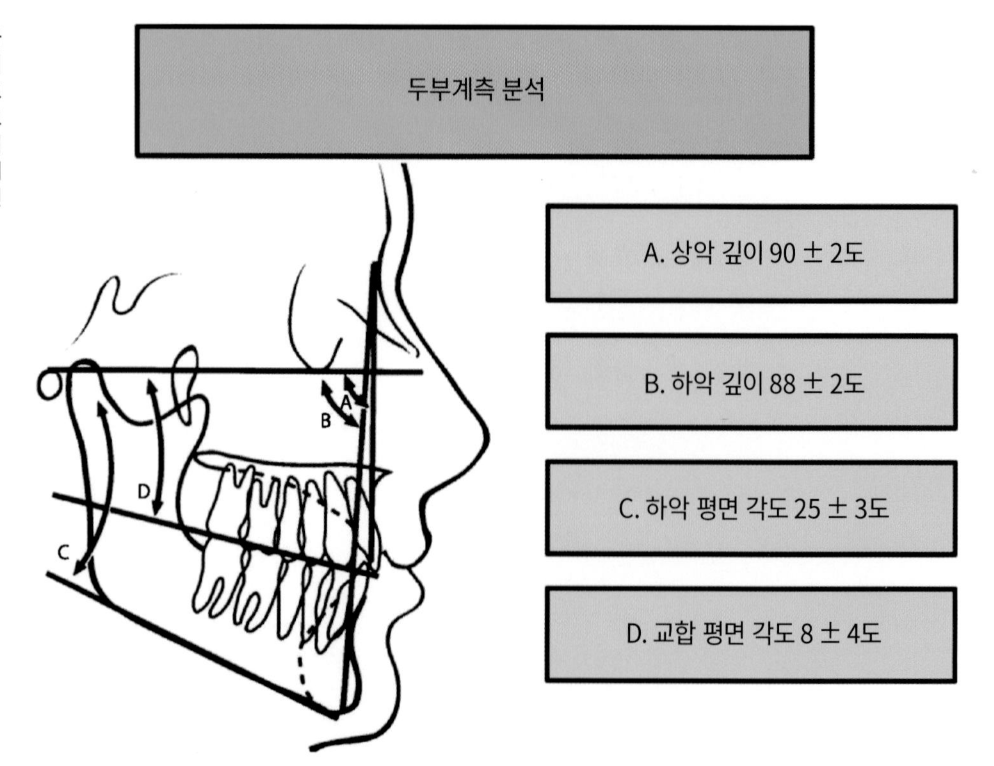

◘ 그림 27.1 두부계측 분석은 환자 진단과 치료 계획 수립에 중요한다. 종종 간과되지만, 필수적인 상호 관계는 FH 평면에 대한 교합 평면 각도(OPA)이다. OPA는 악골과 교합 기능, 안면 심미, 기도에 지대한 영향을 미칠 수 있다. 악교정 수술이 고려되는 환자에서, 최상의 치료 결과를 얻기 위해 교합 평면의 변경이 필요할 수 있다.

하기 위해 특별하게 수행되었다. 이와 같이, HOP 안면 기형 환자의 기능, 심미, 기도 결과를 극대화하기 위한 효과적인 수단으로서 MMC의 CCWR 개념과 적용이 소개되었다.

Wolford 등[3,4]은 MMC의 CCWR 이점을 얻을 수 있는 HOP 안면 유형의 임상 및 영상학적 특성에 대한 자세한 설명과 외과적 관리를 위한 프로토콜을 발표했다. 1991년 Kortebein과 Wolford[5]는 MMC의 CCWR이 수면 무호흡 환자의 치료에서 구인두 기도 증가와 안면 균형 개선에 유의하고 긍정적인 효과를 보여주었다. 1994년 Chemello 등[6]은 MMC의 CCWR과 CWR 사이의 비교 안정성 연구를 발표하여 건강한 TMJ가 있는 경우 둘 모두에 대해 우수한 안정성을 보여주었다.

그럼에도 불구하고, 많은 임상의들은 MMC의 CCWR 수술 후 안정성에 대해 관심이 많은데, 이것은 단순한 외과적 하악 전진으로 인한 과두 흡수와 연관되어 하악이 재발된 수많은 보고가 있고, 후방 안면 고경 증가와 관련된 잘못 인식된 문제(설골상, 익상, 교근의 신장, TMJ에 대한 악영향)가 있기 때문이다.[7-21] MMC의 CCWR 후 골격 안정성은 다른 하악 수술법과 유사하지만[6,22,23], CCWR 후 수용 가능한 수준의 안정성을 얻기 위해 적절한 술전 교정 치료, 수술법의 적절한 수행, 건강하고 안정적인 TMJ의 존재가 필수 요소이다. 그러나 Proffit 등[24]은 하악 CCWR에 의한 전방 안면 고경의 외과적 감소가 결과의 안정성을 위태롭게 한다는 것을 발견하였다. 그러나 강성 고정술의 발달, 외과 술식의 향상, 기존의 TMJ 병리 인식과 적절한 관리 덕분에, MMC의 CCWR이 매우 안정적인 술식임이 입증되었다.[6,22,23]

27.2 수정된 FH 평면

두부계측 분석이 환자의 안면 형태에 대한 임상적 평가와 관계성이 없는 경우가 종종 있다. 이것은 "정상" 해부학과 비교하여 porion이나 orbitale의 수직 위치 및/또는 nasion의 전후방 위치 오류로 인해 비정상적인 위치의 FH 평면과 관련될 수 있다. 이런 상황에서, 상악과 하악의 전후방(A–P) 위치에 대한 두부계측치가 환자의 임상 인상과 상관 관계가 있도록 FH 평면을 재조정(예: FH 평면의 기준선 수정)할 수 있다. 이것은 진단과 치료 계획 수립을 돕기 위해 정상적인 두부계측치의 적용을 제공한다(◘ 그림 27.2). 좋은 임상 판단으로 조정된 두부계측 분석은 가장 적절한 교정과 수술 치료 계획 수립에 유용한 도구가 될 수 있다.

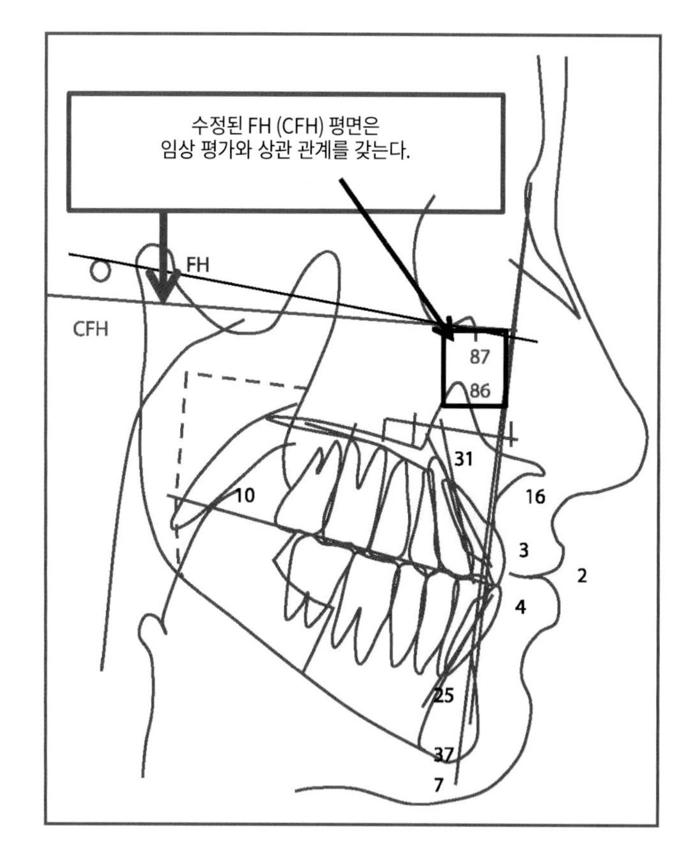

◘ 그림 27.2 상악과 하악 A–P 돌출의 기준으로 두부계측치는 환자의 임상 인상을 나타내지 않을 수 있다. 이런 상황에서, 상악과 하악 A–P 위치에 대한 두부계측치가 환자의 임상 인상과 상관 관계가 있도록 FH 평면을 재조정(예: FH 평면의 기준선 수정)할 수 있다. 이것은 진단과 치료 계획 수립을 돕기 위해 정상적인 두부계측치의 적용을 제공한다.

27.3 높은 교합 평면(HOP) 안면 유형

수면 무호흡과 관련된 가장 일반적인 안면 형태는 HOP 안면 유형이다(◘ 그림 27.3a, b, 4a, b,5a). HOP 안면 유형의 일반적인 특징은 다음의 일부 혹은 모두를 포함한다: (1) OPA 증가(12도 이상); (2) 하악 평면 각도 증가; (3) 횡단 상악 저형성을 비롯한 전방 수직 상악 과형성 및/또는 후방 수직 상악 저형성; (4) 전방 하악의 수직 고경 증가 및/또는 후방 하악의 수직 고경 감소; (5) 턱의 돌출 감소 (A–P 소하악증); (6) A–P 및 후방 수직 하악과 상악 저형성; (7) 과각도가 발생할 수 있지만, 상악 절치 각도의 감소; (8) 하악 절치 각도 증가; (9) I급 및 III급 교합도 발생할 수 있지만, 흔하게 II급 교합 발생; (10) 상악궁에서 두드러진 Spee 만곡을 동반할 수도 있는 전방 개방 교합의 존재; (11) 비갑개 과형성, 중격 편위, 비강 기도 폐쇄; (12) 절치 유도 소실, 견치 유도 교합 소실, OPA가 관절 융기의 경사에 근접하는 보다 확연한 증례에서 작업측 및 균형측 구치부 간섭의 존재; (13) 더 심한 경우 혀 기저부와 연구개가 후방 변위되고 구인

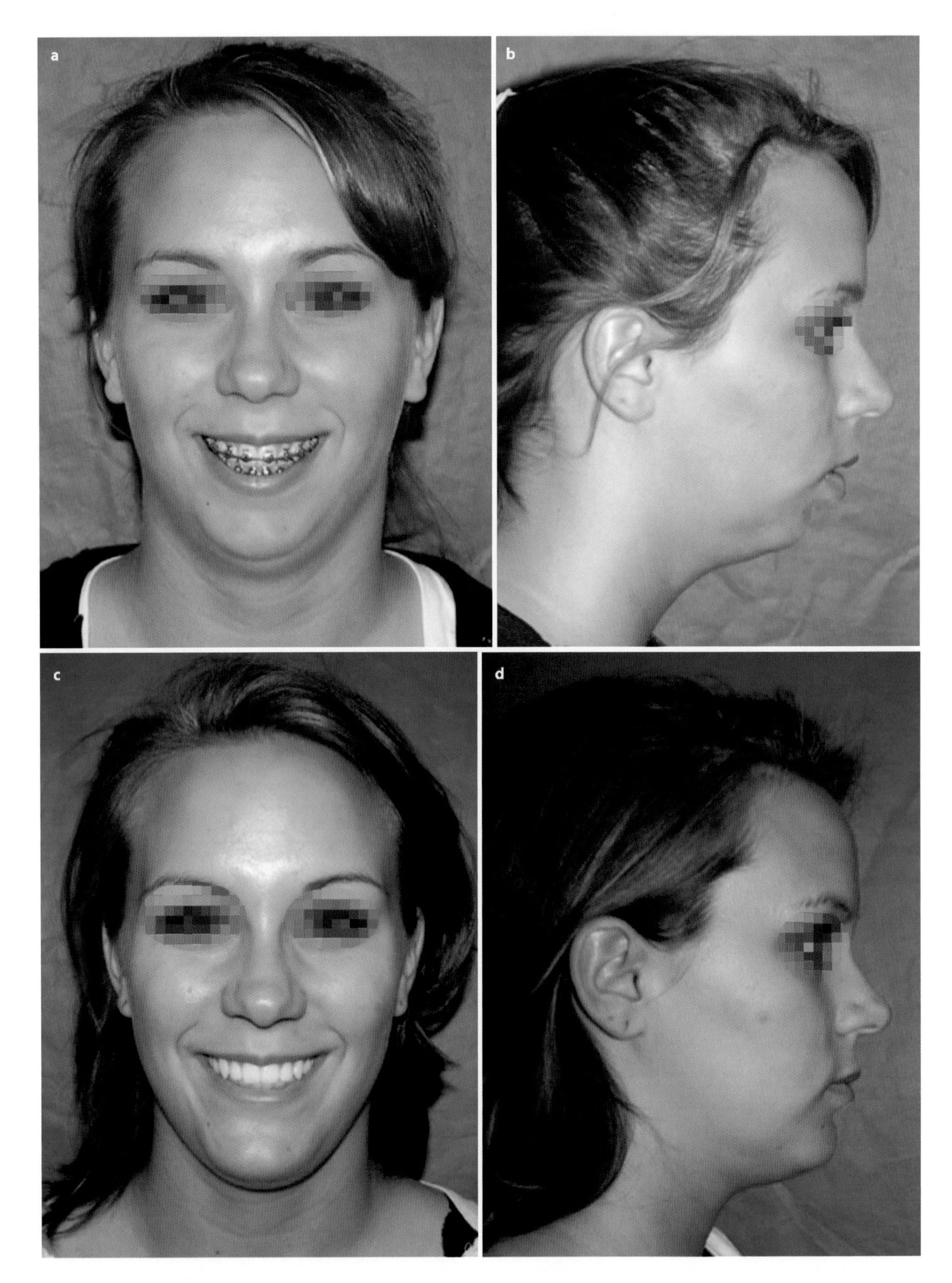

◘ 그림 27.3 **a** 좋은 정면 대칭을 보여주는 AICR의 18세 여성. **b** 측면에서, 하악 후퇴와 HOP 안면 형태가 분명하다. **c, d** 환자는 수술 3년 후 좋은 안면 균형을 보인다.

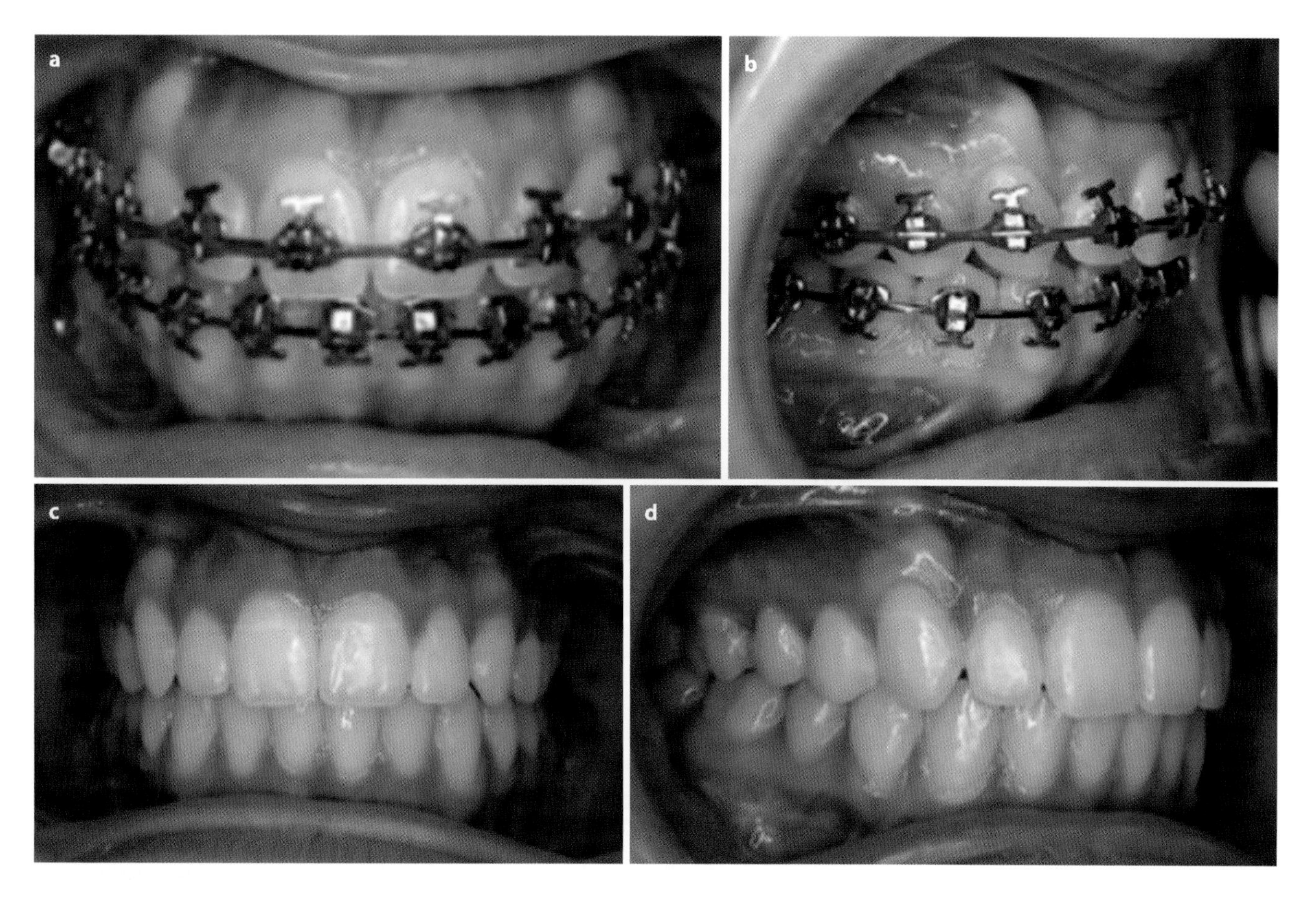

■ 그림 27.4 **a, b** II급 교합이 점점 악화되고 있다. **c, d** 수술 3년 후, 환자는 안정적인 좋은 교합 관계를 보인다.

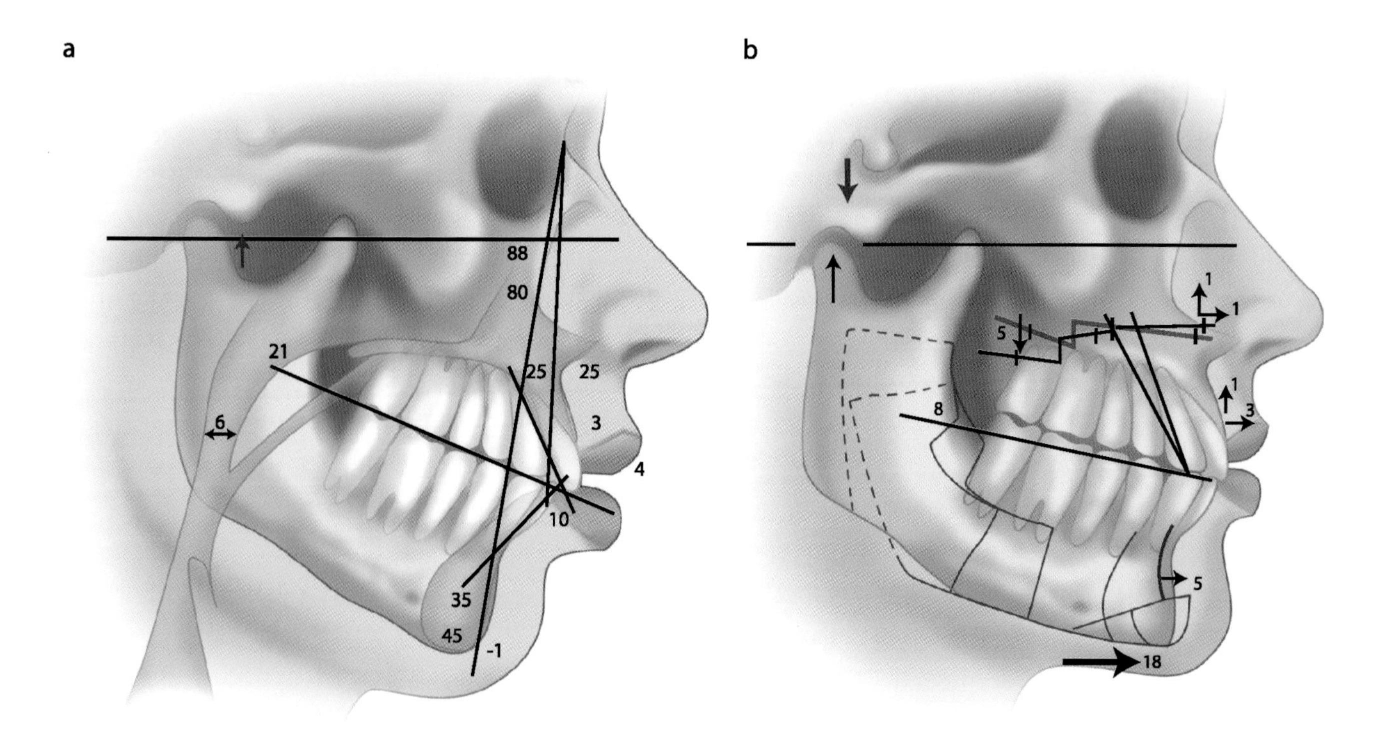

■ 그림 27.5 **a** 술전 두부계측 분석에서 HOP 안면 형태와 하악 후퇴가 보인다. **b** 수술 예견 트레이싱으로 상하악 복합체의 반시계방향 회전과 관절 디스크 재위치 및 증강형 이부성형술을 보여준다.

두 기도를 수축시킴으로써 중등증에서 중증의 수면 무호흡을 나타낼 수 있는 구인두 기도 감소. 인두 후벽에서 연구개와 혀 기저부까지 측정한 정상 구인두 기도 공간은 11 ± 2 mm이다.

27.3.1 HOP 안면 유형의 교정적 고려 사항

HOP 안면 유형에서, 술전 교정 단계에서 상악 절치 각도를 정상 이하로 낮추고 하악 절치 각도는 증가시켜 수술로 OPA를 감소시키면, 상악 절치 각도 증가와 하악 절치 각도 감소가 동일한 양만큼 변화한다(◘ 그림 27.6).

HOP 안면 유형에서 수술 시 상악이 분절되면, 상악 절치 각도에 대한 술전 교정 목표는 분절없는 상악만큼 중요하지 않다. 상악을 측절치와 견치 사이에서 양측성으로 절단하면, 다음의 이동을 달성할 수 있다: (1) 최종 수술 위치에서 최적의 상악 절치 각도; (2) 상악과 하악 전치 사이의 치아 크기 부조화에 대한 조정; (3) 횡단, 수직, 전후방 악궁 부조화의 수정; (4) Spee 및 Wilson 만곡의 레벨링

27.3.2 OPA의 수술적 감소

HOP 안면 유형에서 적용된 수술에는 MMC의 CCWR이 포함되어야 한다. 개방 교합이나 과개 교합의 증례에서, 상악 OPA와 하악 OPA가 다를 수 있으므로, 독립적으로 평가해야 한다. 설명을 위해, I급 교합 증례는 상악 절치연을 회전 중심으로 사용한다(◘ 그림 27.6). MMC의 CCWR로 발생하는 해부학적 변화는 다음을 포함한다: (1) OPA 감소; (2) 하악 평면 각도 감소; (3) 상악 절치 각도 증가 (상악 OPA 감소와 같은 양); (4) 하악 절치 각도 감소 (하악 OPA 감소와 같은 양); (5) 하악 절치연에 비해 턱 돌출 증가; (6) 후방 안면 고경 증가 가능; (7) 하악각의 두드러짐 감소 가능; (8) 상악 절치연에 비해 비주위 영역의 후방 이동; (9) 절치 유도 및 견치 유도 교합 향상, 작업측 및 균형측의 구치부 간섭 제거; (10) 구인두 기도 증가.

회전 중심은 턱과 다른 안면 구조의 심미적 관계에 영향을 미친다. 그림 27.6처럼 회전 중심이 상악 절치연에 위치하면, 코 주위, 밑, 끝 부위는 후방으로, 턱은 전방으로 이동한다. 회전이 A-point나 더 높은 점을 중심으로 일어나면, 코 주변과 코는 덜 영향을 받지만, 상악 절치연이 전방으로 이동하고 상순의 A-P 지지가 증가하며 턱이 더 전방으로 이동한다. CCWR과 하악 전진에 대한 OPA 감소에서, 구인두 기도는 상당히 증가한다. OPA 감소는 하악과 턱의 전방 돌출에 가장 눈에 띄는 변화를 가져올 수 있는 상당한 심미성 개선이 일어난다.

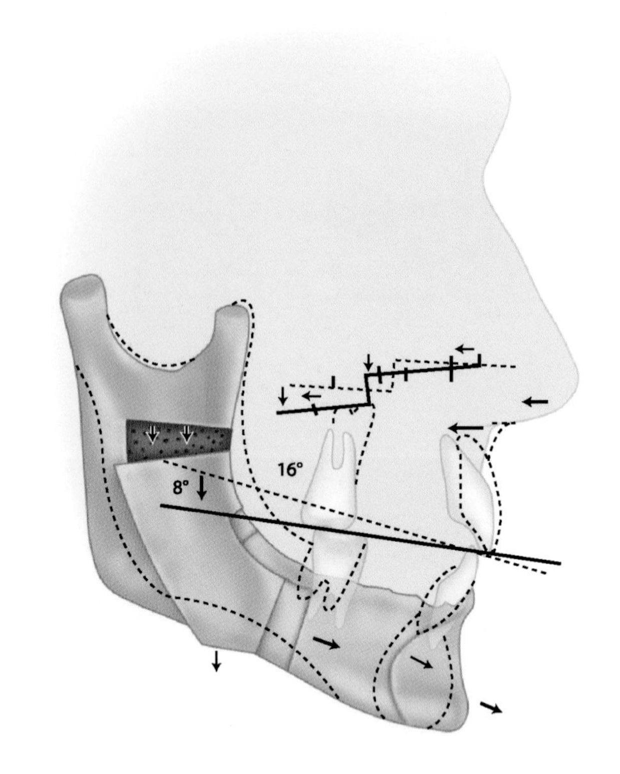

◘ 그림 27.6 이해를 위해, I급 교합 증례에서 상악 절치연을 회전 중심으로 사용한다. MMC의 CCWR과 함께 발생하는 해부학적 변화는 다음과 같다: [1] OPA 감소; [2] 상악 절치 각도 증가 (상악 OPA 감소와 같은 양); [3] 하악 절치 각도 감소 (하악 OPA 감소와 같은 양); [4] 하악 절치연에 비해 턱의 돌출 증가; [5] 상악 절치연에 비해 비주위 부위의 후방 이동

27.3.3 하악 수술 우선: 건강한 TMJ에서의 순서

OPA가 외과적으로 감소되면, 보통 하악 절단술을 먼저 수행하는 것이 더 쉬워지는데, 보통 수술용 중간 스플린트를 이용하여 후방 하악을 전하방으로 이동시켜 양측성 후방 개방 교합을 만든다. 많은 외과의가 상악 절단술을 먼저 수행하는 것을 선호하지만, 이 순서는 후방 상악이 새로운 위치로 하방 재배치되고 하악이 후하방으로 회전하면서 중간 스플린트로 상당한 전방 개방 교합이 형성된다. 그 후, 하악 절단술이 완성되지만, 이후의 하악 CCWR과 상하악 고정(MMF)의 적용으로 상악에 과다한 스트레스를 가하고 강성 고정의 경우에도 약간의 상악 변위를 유발하여, 차선의 결과를 초래할 수 있다.

따라서, 하악 우선의 순서는 CCWR 술식에 상당한 이점이 될 수 있으며, 건강한 TMJ가 있는 경우 다음과 같이 진행된다: (1) 양측성 하악지 시상 분할 절단술 및 존재하는 경우 제3대구치 제거; (2) 중간 스플린트와 MMF의 적용; (3) 하악 강성 고정 적용; (4) MMF 및 중간 스플린트 제거; (5) 상악 절단, 가동화, 존재하는 경우 제3대구치 제거, 필요한 경우 분할, 구개 스플

린트 적용; (6) 필요한 경우 부분 비중격절제술, 중격성형술 등; (7) 교합 맞춤 최대화 및 MMF 적용 (8) 상악 강성 고정 적용 및 필요한 경우 골 이식; (9) MMF 제거; (10) 이부성형술 및 비성형술과 같이 필요한 보조 술식.

OPA가 감소하면 양측성 하악지 시상 분할 절단술을 사용하여 하악을 먼저 최종 위치로 설정하는 것이 훨씬 쉬워져 양측성 구치부 개방 교합이 생성된다. 중간 스플린트는 하악을 새 위치에 정렬한 다음 하악에 강성 고정을 적용한다. 일반적으로 단일성 피질 나사가 있는 6개 구멍의 Z-플레이트는 하악 후퇴와 대부분의 하악 전진에 대해 적절한 안정성을 제공한다 (◘ 그림 27.7). 그러나 전진량이 더 크면, 추가적인 안정성을 위해 상행 하악지에 1, 2개의 골 나사를 식립한다. 하악 수술을 먼저 시행하면 위치 정확도가 높아져 상악 수술이 훨씬 수월해진다. 상악골의 안정화는 4개의 골 플레이트와 골결손을 메우기 위한 골 또는 수산화인회석 다공성 블록으로 이식하여 달성한다. 일부 증례에서, 하악지 수직 고경을 증가시킬 수도 있다. 그러나 CCWR을 필요로 하는 대부분의 증례는 골격 및 치성 II급 부정교합이기 때문에, 원심 분절이 하방으로 이동하지만 익상-교근 슬링의 전방까지 이동한다. III급 HOP 골격 및 교합관계에서는 원심 분절의 하악지 부분이 슬링을 통과해 하방으로 움직여야 하기 때문에, 익상-교근 슬링을 분할하여 원심 분절의 후하방 면이 슬링을 통해 하방으로 회전하게 할 수 있다. 결국 골이 슬링 높이까지 다시 개조된다. MMC의 CCWR 술식으로, 저작근이 늘어나지 않고 원래의 위치에 유지된다. 강성 고정으로 술후 MMF의 필요성을 제거하고, 보통 가벼운 힘의 고무줄이 술후 교합 제어에 필요한 모든 것이 된다.

27.3.4 TMJ 평가와 치료 고려사항

수술 전 TMJ의 상태에 대한 평가는 특히 수술에서 OPA 감소를 고려할 때, 결과 안정성에 매우 중요하다. MMC의 외과적 CCWR은 기능적 모멘트 암(하악)을 연장하여 설골상근, 골막, 피부, 연조직 요소의 신장과 장력의 결과로 TMJ에 대한 부하를 증가시킨다. 연조직이 적응하고 평형 상태를 회복하는 데 수개월이 걸릴 수 있다. TMJ가 건강하고 안정적이라면, 적응 단계를 거치면서 증가된 부하를 견딜 수 있어야 한다. TMJ 병리가 있으면, 골격과 교합의 안정성이 위험하다. 기존의 TMJ 장애가 있는 환자의 포괄적인 평가와 적절한 관리가 관절을 적절하게 치료하고 수술을 완료했을 때 안정되기 위해서 매우 중요하다.

Al-Moriassi와 Wolford[22]는 치아안면 기형 수정에서 CCWR과 CWR의 안정성을 비교한 체계적 고찰과 메타 분석을 발표했는데, 이 술식은 TMJ가 건강하고 안정적일 때 안정적이고 예측가능한 악교정 수술과 동등함을 보여주었다. 수정되지 않은 TM 병리가 있는 경우, CCWR이나 CWR에 대한 악교정 수술 결과가 안정성, 기능, 통증 요소과 관련하여 예측 불가능할 것이다.

Al-Moriassi와 Wolford[23]는 TMJ가 건강하거나 병리가 있는 경우, MMC의 CCWR 결과의 안정성을 비교하는 체계적 고찰과 메타 분석도 발표했다. 이 메타 분석 결과는 MMC의

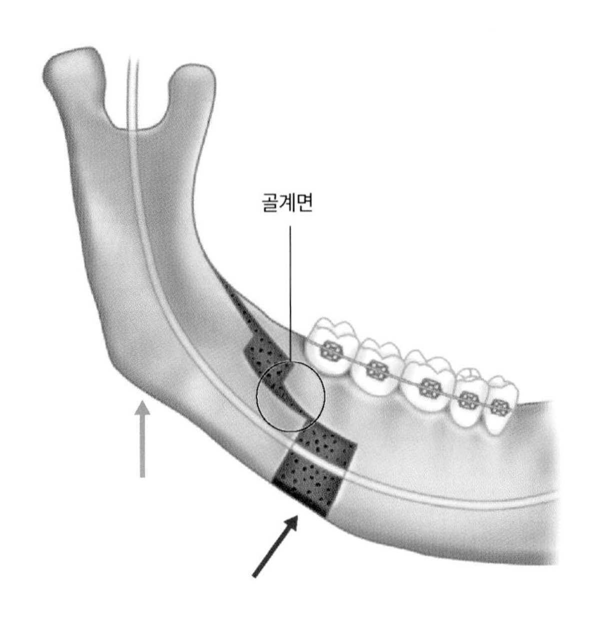

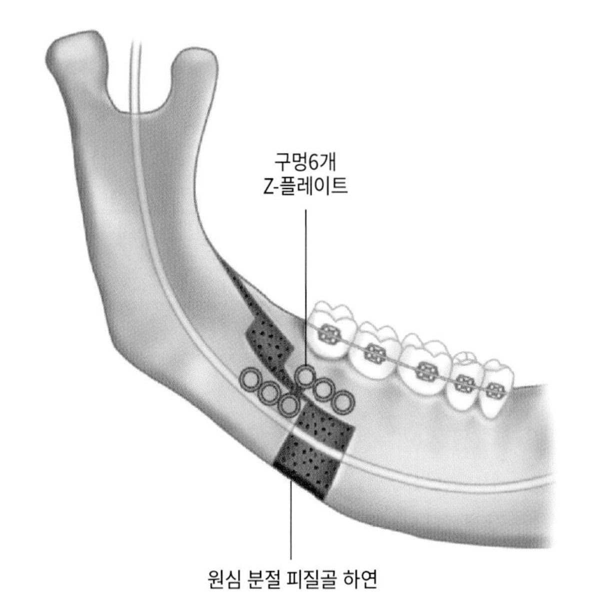

◘ 그림 27.7 하악지 시상 분할 절단술의 Wolford 변형은 근심과 원심 분절 사이의 골계면을 최대화하고 분절 사이에 수직 정지부를 제공하며, 구멍 6개의 Z-플레이트를 적용하여 분절을 안정화시킨다.

CCWR이 건강한 TMJ를 가진 환자 및 Mitek 고정원 방법이나 맞춤형 전체 TMJ 보철물을 사용하여 TMJ 재건을 동시에 받는 환자에게 안정적인 술식임을 시사한다. 치료되지 않은 TMJ 디스크 변위가 있고 TMJ 상태가 평가되지 않은 경우 수술 결과가 불안정할 수 있다.

27.3.5 MMC의 CCWR 수술 결과에 영향을 미칠 수 있는 TMJ 상태

TMJ 장애나 병리와 치아안면 기형이 일반적으로 공존한다. TMJ 병리는 악골 기형의 원인 요소이거나, 악골 기형의 결과로 발달하거나, 두 개체가 서로 독립적으로 발달할 수 있다. HOP 안면 형태와 공존하거나 생성할 수 있는 일반적인 TMJ 병리에는 (1) 관절 디스크 탈구; (2) 청소년기 내부 과두 흡수(AICR); (3) 반응성 관절염; (4) 과두 과성장; (5) 강직증; (6) TMJ의 선천적 기형이나 결손; (7) 결합조직 및 자가면역 질환; (8) 외상; (9) 기타 말기 TMJ 병리[25-28] 이러한 TMJ 상태는 치아안면 기형, 부정교합, TMJ 통증, 두통, 근막 통증, TMJ과 악골 기능 장애, 귀 증상, 구인두 기도 감소, 비강 기도 폐쇄, 수면 무호흡 등과 관련될 수 있다. 이러한 상태의 HOP 환자는 TMJ와 악교정 수술을 포함한 수정 수술적 개입의 이점을 얻을 수 있다.

많은 임상의들이 TMJ 병리와 증상을 무시하고 이런 증례에서 악교정 수술만을 선호하지만, 이런 치료 철학은 수술 전 TMJ 병리, 통증, 악골 기형의 재발, 부정 교합, 다른 악영향의 지속이나 악화를 초래할 수 있다. 대부분의 TMJ 환자는 관련 증상이 있지만, 심각한 TMJ 병리/장애가 있는 환자의 약 25%는 수술 전 통증, TMJ 소음, 악골 기능 장애와 관련하여 무증상일 수 있다. 이 환자들은 TMJ 병리가 인식되지 않을 수 있기 때문에 악교정 수술을 받을 때 진단이 어려울 수 있다. 유증상이나 무증상의 환자에서 TMJ 병리를 인지하고 적절하게 치료하지 못하면, 일반적으로 지속적인 과두 흡수나 과두 과발달 지속에 의한 골격성 및 교합 기형의 잠재적인 재발생, 통증의 시작이나 악화, 두통, 악골이나 TMJ 기능 장애를 포함하는 좋지 않은 치료 결과가 흔하게 생긴다. 그러나 유증상과 무증상 환자에서 TMJ 병리의 존재를 나타낼 수 있는 임상 및 영상적 요소가 있다.

TMJ 병리와 공존하는 치아안면 기형의 환자는 TMJ와 악교정 수술 동반술(CTOS)로 1단계 또는 2단계로 나누어 수정될 수 있다. 2단계 접근은 환자가 2번의 개별 수술(TMJ 병리 수정의 수술과 악교정 수술을 시행하기 위한 두 번째 수술)과 2번의 전신 마취를 받아야 하고, 전체 치료 기간이 상당히 길어진다. 한 번 수술로 CTOS를 시행하면 치료 기간이 현저하게 감소하고 더 나은 결과를 얻을 수 있지만, 두 수술 부위에 대한 주의깊은 수술 계획 수립과 수술 숙련도가 필요하다. 가상 수술 계획(VSP)은 수술 계획 수립, 수술 순서, 예상 결과를 개발하는 데 상당한 이점이 될 수 있다.

수면 무호흡으로 진단된 많은 환자들은 감소된 구인두 기도 및 비기도 폐쇄를 동반하는 HOP 안면 형태를 갖고 있지만, 또한 안정적이고 예측가능한 결과와 기존 통증의 감소를 제공하기 위해, 악교정 수술이 수행되기 전 또는 동시에 해결되어야 하는 TMJ 문제가 있다. 인두 후벽에서 연구개까지 및 인두 후벽에서 혀 기저부까지의 정상적인 두부계측 A–P 수치는 11 ± 2 mm이다. 상악과 하악이 후퇴된 HOP 환자에서 기도가 상당히 감소할 수 있다. CCWR로 MMC를 전진하면 안면 균형이 개선되고 구인두 기도가 크게 열려 호흡이 개선된다(그림 27.8). 우리는 연구[5,29-33]를 통해, MMC의 CCWR을 사용한 양악 수술은 첫 10 mm의 하악 전진으로 구인두 기도가 약 65–70% 증가할 것이라는 것을 보여주었다. 10–15 mm 전진 시, 구인두 기도는 계속 열리지만 하악 전진량의 약 55–60%로 적은 비율이다. 하악이 15–20 mm 전진되면, 구인두는 계속 열리지만 하악 전진량의 약 40–45%에 불과하다.[34]

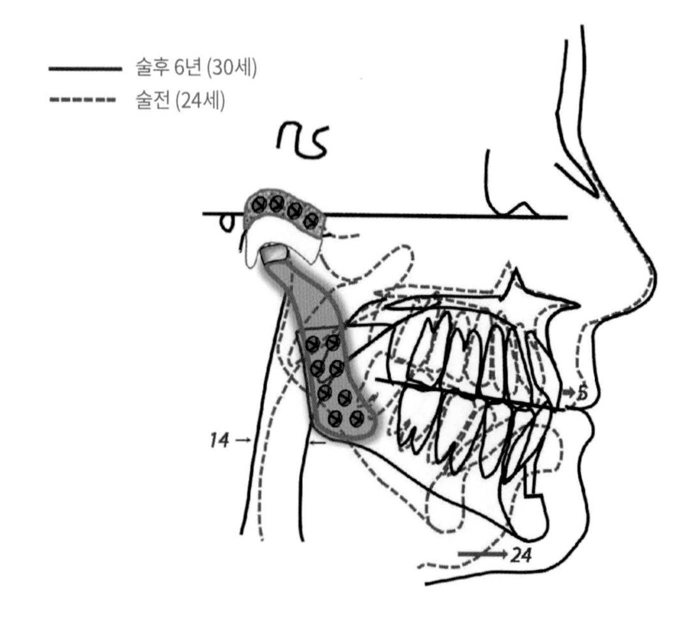

그림 27.8 중증 수면 무호흡이 있는 중증 류마티스 관절염 환자의 술전(빨간색 점선) 및 술후 6년(검은색 실선) 트레이싱으로, TMJ 전관절 보철물과 상악 절단술 및 pogonion을 24 mm 전진시키는 골성 이부성형술을 수반한 양측성 TMJ 재건 및 하악의 CCWR을 포함하는 MMC의 CCWR 시행 술후 기도 변화를 보여준다. 구인두 부위에서 빨간색 선과 후방 검정색 선 사이의 거리(2 mm)는 심각한 술전 기도 수축을 나타낸다. 장기간의 술 후 변화는 14 mm의 기도 치수를 검은색 선 사이에서 볼 수 있다. 이 부위의 정상 A–P 수치는 11 ± 2 mm이다.

HOP 환자에서 일반적으로 함께 작용하는 3가지 요소가 있다: (1) 상악 및 하악 후퇴와 관련된 높은 OPA 안면 형태 및 이와 수반되는 구인두 기도 감소, (2) 비갑개 비대 및 비중격 편위나 돌기와 관련된 비기도 폐쇄, (3) TMJ 병리. 우리는 최소 상악 절단술이 필요한 악교정 수술을 위해 의뢰된 1234명의 환자를 평가했다.[35] 부분 비갑개절제술이 필요한 비갑개 비대 환자는 603명(49%), 비중격성형술이 필요한 환자는 278명(23%) 이었다. 부분 비갑개절제술이 필요한 환자(n = 603)의 경우 84%는 상악 저형성, 72%는 하악 저형성, 69%는 높은 OPA를 가졌고, 환자의 49%는 CTOS가 필요하였다. 하비갑개 비후, 상하악 저형성, 가파른 교합 평면 사이에 강한 상관관계가 확립되었다. 우리의 소견은 구호흡과 비강 폐쇄 환자의 안면 형태를 평가하는 다른 연구들과 관련성이 있다.[36–38] 그러므로, 상악과 하악이 후퇴된 HOP 안면 형태를 가진 환자는 비강 폐쇄, 구인두 기도 감소, 수면 무호흡, TMJ 병리(증상이 없더라도)에 대한 평가를 받아야 한다.

27.3.6 MRI 평가

MRI는 골과 연조직 구조, TMJ 디스크의 위치, 형태, 가동성, 관절 퇴행성 변화의 범위, 염증, 결합조직/자가면역 질환의 존재 등을 평가할 수 있으므로, TMJ 병리의 평가, 진단, 치료 계획 수립에 가장 중요한 진단 도구 중 하나이다(◘ 그림 27.9). MRI는 디스크 변위와 퇴행성 변화가 있을 수 있는 조용한 관절의 TMJ 기능 장애 진단에 도움이 될 수 있지만, 악교정 수술만 수행될 경우 좋지 않은 결과에 기여할 수 있다.

27.3.7 TMJ 디스크 변위

디스크 전방 변위에서, 반응성 관절염, 결합조직/자가면역 질환, 대사 질환 등이 공존하지 않는 한 예측 가능한 결과를 위한 수복을 수행할 수 있는 디스크 변위 발병 후 4년의 기회가 있고, 디스크 회복의 실패 결과로 TMJ 내에서 퇴행성 과정이 지속될 수 있다. 디스크 재배치에 잘 반응하는 TMJ 상태에는 디스크와 과두의 심각한 유착, 변성, 앞서 언급한 TMJ 질환이 없는 좋은 상태에서 디스크 변위 발병 4년 이하일 때, 개구 시 디스크 정복을 수반 또는 수반하지 않은 디스크 변위 및 AICR를 포함한다(◘ 그림 27.9). Mitek 고정원 술식은 디스크를 과두에 예측가능하게 재배치하는 유일하게 입증된 방법이다(◘ 그림 27.10). Mitek 고정원을 사용한 디스크 재위치는 악교정 수술과 동시에 수행할 수 있다.[22,23,25–28]

그러나 4년 후에는 디스크가 정복되지 않고, 중간부의 소실, 전방과 후방 밴드의 비후, 디스크내 퇴행성 변화, 혈관 침범이 발생할 수 있다. 변위된 디스크가 TMJ 관절염으로 이어지는 일련의 과정을 시작한다. 변위된 디스크가 정복되지 않으면, 정복되는 디스크 변위에 비해 퇴행성 과정이 보다 빠르게 진행된다. 디스크가 변형 및 퇴행의 일정 수준으로 진행되면, 맞춤형 전관절 보철물로 TMJ 재건이 필요한 회복 불능의 상태가 된다. TMJ 재건과 악교정 수술을 병행하면, 가장 예측 가능하고 고품질의 결과를 얻을 수 있다.

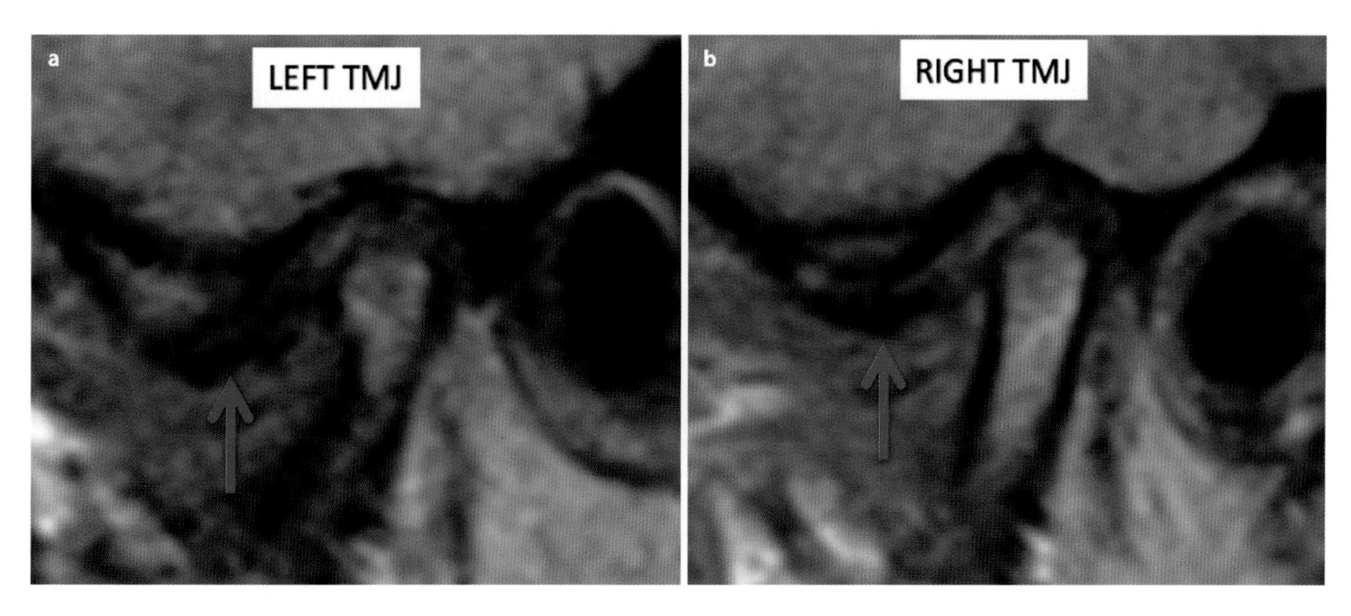

◘ 그림 27.9 AICR이 있는 환자의 양측 MRI. 과두는 전반적으로 크기가 작고 과두 위쪽 피질골이 약간 얇아질 수 있다. AICR 환자에서, 개구 시 관절 디스크가 정복될 수도 않을 수도 있다.

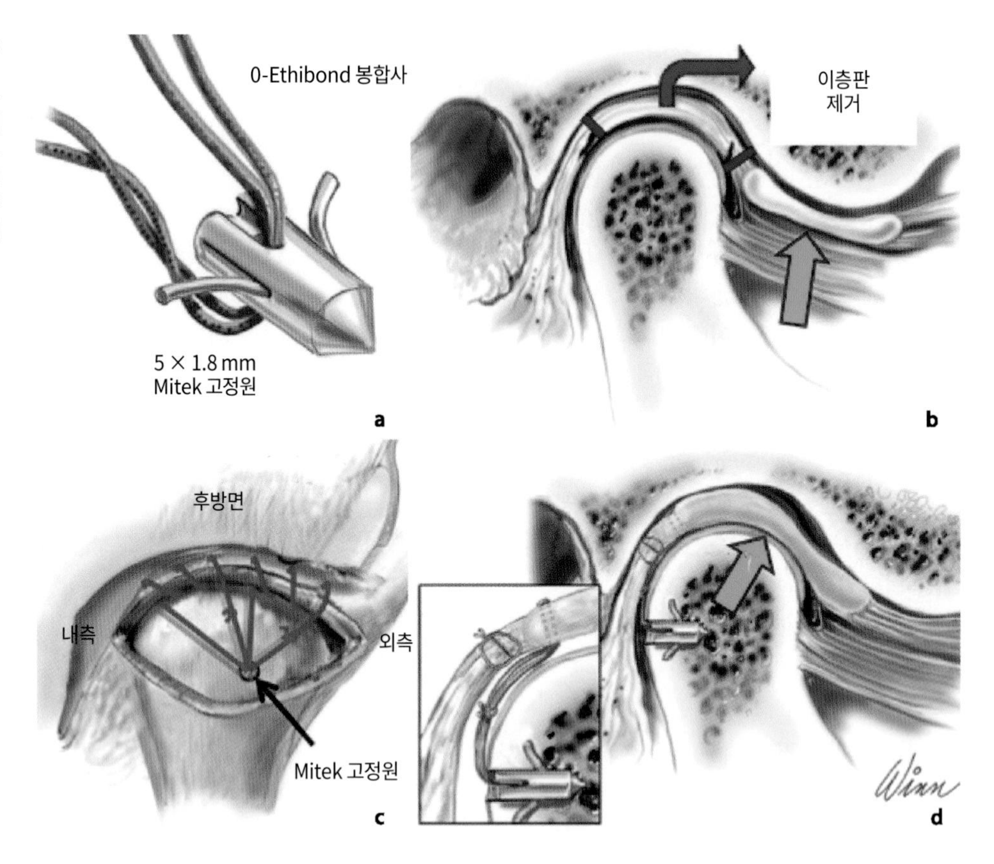

■ 그림 27.10 **Mitek 고정원 술식: a Mitek 미니고정원의 크기는 5 × 1.8 mm로 2개의 인공 인대(0-Ethibond 봉합사)를 지지하는 바늘구멍을 가지고 있다. b 이층판을 절제하고 디스크를 가동화한다. c 디스크를 과두 상방에 수동적으로 위치시키고 Mitek 고정원은 후방 머리의 외측, 과두 꼭대기 하방 약 8 mm에 위치시킨다. d 봉합사를 디스크의 후방 밴드에 부착하여 안정화한다.**

27.3.8 청소년기 내부 과두 흡수(AICR)

청소년기 내부 과두 흡수(AICR)는 11–15세 사이의 사춘기 성장 중에 주로 발생하며 여성에서 많이 나타난다(여성:남성 = 8:1)[39,40] 임상적으로 하악이 전방 개방 교합 성향을 보이는 II급 교합 및 골격 관계로 서서히 후퇴하는 것을 확인할 수 있다. 이런 환자 모두는 HOP 안면 형태 특징을 가진다. MRI에서 과두가 3 평면 모두에서 작아지고 디스크가 그림 27.9와 유사하게 전방 변위되어 있다. 일부 증례에서, 병리적 과정으로 과두 머리의 내향 붕괴에 기여하는 과두 꼭대기 피질골의 현저한 빈약이 나타난다. 관절 디스크가 전방으로 변위되어 개구 시 정복되지 않을 수 있다. 일반적으로, 디스크는 병리학적 진행의 비교적 초기에 정복되지 않게 된다. 비정복성 디스크는 정복성 디스크에 비해 빠른 속도로 퇴화되고 변형될 것이다.

우리 연구[39,40]는 관절 디스크를 과두 위에 재위치시키고 Mitek 고정원 술식으로 안정화하면 AICR이 정지한다는 것을 보여준다. 같은 수술에서 악교정 수술을 시행하여 흡수를 예측 가능하게 정지시킬 수 있다. 이 치료 프로토콜은 디스크 재위치를 위한 TMJ 수술이 병리 발병 4년 이내에 수행되는 경우 AICR에 대한 최고의 결과를 가져온다. 4년 후, 디스크가 회복불능 상태가 되고 과두가 현저하게 흡수되어, 악교정 수술을 수반한 MMC의 CCWR와 TMJ 수복을 위한 맞춤형 전관절 보철물로 치환 술식의 적응증이 될 수 있다.

27.3.9 반응성 관절염

반응성 관절염은 일반적으로 세균이나 바이러스에 의해 발생하고[41–47], 과두 및/또는 관절와의 미란과 함께 국소적인 염증(활막염) 부위를 나타낼 수 있다. 또한 디스크 파괴와 과두 흡수로 진행될 수 있는 디스크를 둘러싸는 캡슐, 이층판을 통해 염증 과정이 더 심해질 수 있다. 무릎과 TMJ에서 반응성 관절염을 일으키는 가장 흔한 세균으로 Chlamydia trachomatis, Chlamydia pneumoniae, Mycoplasma pneumoniae, Mycoplasma genitalium을 들 수 있다.[46–52] 이들은 비–배양성, 비–운동성, 필수 세포내 세균으로 전염증성/통증 매개체(예: TNFα, cytokine, chemokine, substance P 등)의 생성을 자극하여 후속적으로 연골 및 골 파괴와 통증 발생을 야기한다. 그들은 숙주 세포(단핵구와 대식세포 포함)에 대한 세포자멸 방지 효과가 있으며 면역 기능 장애를 일으킨다. 표준 항생제 치료는 이러한 세균이 관여하는 요로, 생식기, 안구, 호흡기, 위장관 감염에 효과적일 수 있지만, 활액 감염에는 효과적이지 않아 TMJ를 비롯한 관절에서 이런 세균을 제거하기 매우 어렵다.[46-52] 현재, 이런 특정 세균과 관련된 반응성 관절염을 보존적으로 치료하는 예측가능한 방법이 없다. 그러나 감염이 활막과 이층판의 작은 부분에 국한되는 경우, TMJ에 괴사조직 절제술이 적용될 수 있지만, 예후는 억제될 수 있다. 외과적 적응증에는 염증 병소 제거와 회복 가능한 경우 관절 디스크 재위치가 포함될 수 있다. 상당한 TMJ 연루와 특히 그 조직의 광범위한 파괴가 있는 경우, 전관절 보철물이 적응증이 될 수 있다.

27.3.10 결합조직/자가면역 질환

결합조직/자가면역 질환의 MRI는 상당히 병리학적이다. 이런 질환에는 류마티스 관절염, 특발성 과두 흡수, 소아 특발성 관절염, 건선성 관절염, Sjögren 증후군, 루푸스, 경피증 등이 있다. 이런 상태에서, 관절 디스크는 종종 비교적 정상 위치에 있지만, 반응성 pannus로 둘러싸여 있다. 일반적으로 진행성 과두 흡수, 잔존 과두의 "버섯모양화", 종종 과두 융기의 흡수가 일어나고, 느리지만 점진적으로 디스크가 파괴된다. 이런 경우, 거의 항상 관절의 병리 진행을 제거하고, 관련된 악골 변형과 부정교합의 수정, 통증 제거, 좋은 기도 구축, 좋은 안면 균형 제공을 위한 악교정 수술을 동반하는 악골 재건을 위한 전관절 보철물의 적응증이 된다.[25-28] 이 시나리오에서 자가 조직을 사용하면 관절에 배치된 자가 조직을 공격하는 질병 과정이 발생하여 실패로 이어질 수 있다.

27.3.11 다른 말기 TMJ 병리

다른 말기 TMJ 병리에는 (1) 강직, (2) 외상에의 2차적인 과두나 TMJ의 부재, 반안면 왜소증과 Treacher Collins 증후군 같은 선천성 기형, (3) 종양, (4) 대사성 관절 질환, (5) 자가 이식 실패, (6) 이종 TMJ 삽입물 실패 등이 있다. 이런 상태는 대체적으로 맞춤형 TMJ 전관절 보철물로 최상의 결과를 얻을 것이다.

27.3.12 TMJ 수술을 동반한 하악 우선 재위치(회복 가능한 디스크)

TMJ 수술은 디스크 재배치 및/또는 높거나 낮은 과두절제술(활동성 과두 과형성이 있다면)을 포함할 수 있으므로 하악의 공간적 위치가 변경될 수 있기 때문에 TMJ 수술을 먼저 수행해야 한다. TMJ 수술로 하악 위치가 아무리 많이 변화하더라도 TMJ 수술에 따르는 하악 재위치는 하악을 최종 위치로 놓이게 할 것이다. 유일한 효과는 TMJ 수술에서 최종 하악 위치까지의 하악 위치 변화량의 차이이다. 다음으로 상악 수술이 진행된다. HOP 안면 환자에서는 이것이 최고의 수술 순서이다. 하악이 상악보다 먼저 재배치되는 경우 수술 순서는 다음과 같다: (1) 디스크 재배치 및 높거나 낮은 과두절제술, 기타 관절낭 내 술식을 포함하는 TMJ 수술; (2) 하악 시상 분할 절단술, 계획된 경우 제3대구치 제거, 중간 스플린트로 하악 재위치, MMF 및 강성 고정 적용; (3) 상악 절단술 및 가동화, 계획된 경우 비갑개절제술 및 비강성형술과 같은 비강내 술식; (5) 구개 스플린트, MMF, 상악의 강성 고정, 계획된 경우 골이나 다공성 수산화인회석 블록을 이용한 적절한 골 이식, MMF 제거와 교합 확인; (6) 기타 보조 술식 (예: 이부성형술, 비성형술 등).

27.3.13 TMJ 수술을 동반한 상악 우선 재위치(회복 가능한 디스크)

일부 외과의는 이런 경우 상악을 먼저 재배치하는 것을 선호하므로 순서가 다르다. 하악 수술 전 상악 우선 수술은, TMJ 수술이 하악의 위치를 변경하기 때문에 상악이 TMJ 수술 전에 재배치되어야 하는데, TMJ 수술이 먼저 시행되면 상악의 위치 이상이 발생할 수 있다. 상악 우선 수술을 결정했다면, 순서 변화는 다음과 같다: (1) 상악 절단술 및 가동화 완료, 계획된 경우 제3대구치 제거 및 분절화; (2) 계획된 경우 비갑개절제술 및 비중격성형술 같은 비강내 술식; (3) 구개 스플린트와 중간 스플린트, MMF, 강성 고정 적용, 계획된 경우 골이나 다공성 수산화인회석 블록을 이용한 적절한 골 이식; (4) MMF 해제와 중간 스플린트로 교합 확인, 중간 스플린트 제거; (5) 디스크 재배치와 높거나 낮은 과두절제술 또는 다른 관절낭 내 술식을 포함하는 TMJ 수술; (6) 하악 시상 분할 절단술, 계획된 경우 제3대구치 발거, 최상의 교합으로 재배치, MMF와 강성 고정 적용, MMR 제거와 교합 확인; (7) 기타 보조 술식(예: 이부성형술, 비성형술 등).

27.3.14 TMJ 전관절 교체를 동반한 하악 우선 재위치

말기 TMJ 병리로 과두와 디스크가 회복 불능인 경우 일반적으로 TMJ 교체 수술 적응증이 된다. 가장 예측가능한 치료 방법은 TMJ 전관절 보철 시스템을 이용하는 것이다. TMJ 전관절 보철물에는 기성품과 맞춤형 장치의 2가지 기본 유형이 있다. 기성품에는 관절와 및 하악 구성 요소를 포함하여 사전 제작된 다양한 선택이 있다. 외과의는 환자의 해부학적 구조에 가장 잘 맞는 관절와 및 하악 구성 요소의 크기와 모양을 선택한다. 맞춤형 장치는 환자의 특정 해부학적 요구 사항에 맞게 맞춤 설계된다. 하악 전진이 계획되면, TMJ 보철물로 하악을 전진시키기 위해 맞춤형 장치를 구성할 수 있다. 악교정과 TMJ

수술이 동시에 수행될 때, 수술 순서는 다음과 같다: (1) 내이 또는 전이개 절개를 통해 과두절제술, 디스크절제술, 관절 괴사 조직 제거; (2) 하악을 상당히 전진시키거나 수직적으로 연장할 때 측두근 분리를 동반한 근돌기절제술; (3) 하악하 절개를 통해 교근과 내측 익상근 분리, 하악의 새로운 위치 획득을 위한 하악 가동화; (4) 중간 스플린트와 MMF 적용; (5) TMJ 보철물 배치; (6) 복부(또는 선호하는 다른 부위)에서 지방 이식편을 채취하여 TMJ 보철물의 관절부 주변 보충; (7) MMF와 중간 스플린트 제거; (8) 상악 절단술, 가동화, 계획된 경우 분절화, 구개 스플린트 적용; (9) 계획된 경우, 비갑개절제술 및 비성형술 같은 비강내 술식; (10) 교합 맞춤의 최대화, MMF 적용, 상악의 강성 고정, 계획된 경우 골이나 다공성 수산화인회석 블록으로 적절한 골 이식, MMF 제거와 교합 확인; (11) 기타 술식 (예: 이부성형술, 안면 증강술, 비성형술).

27.4 증례 1 (그림 27.3–5)

이 18세의 여성은 약 13세 때 관절에서 clicking과 popping sound가 시작되었다고 진술했다. 16세가 되자 소리는 멈췄으나 TMJ 연관통과 두통이 현저하게 증가했다. 18세에 치료를 위해 의뢰되었다. 그녀의 정면은 좋은 안모 대칭성을 보였으나, 측면에서 II급 교합과 하악 및 턱의 후퇴를 수반한 AICR에서 흔히 보이는 HOP 안면 형태를 보였다(그림 27. 3a, b, 4a, b, 5a). 통증의 0에서 10까지 척도에서, 그녀는 두통 6, TMJ 통증 7, 근막 통증 8로 표시했다. 통증 문제와 관련하여 먹고 씹는데 상당한 어려움이 있었고, 상대적으로 부드러운 음식을 먹고 있었다. 그녀는 자신의 가능 장애에 대해 10의 완전 장애에 비해 7이라고 평가하였다. 예전에 광범위한 교정치료를 받았고, 결과는 불안정하였다. 초기 수술 평가 시, 두 번째 교정 치료 중이었다. 진단 결과는 다음과 같다: (1) 양측성 TMJ AICR; (2) 상악 AP 및 후방 수직 저형성; (3) 하악 AP 및 후방 수직 저형성; (4) II급 교합; (5) HOP 각도; (6) 4개의 제3대구치 매복; (7) 비강 기도 폐쇄를 동반한 비갑개 비대; (8) TMJ 통증, 근막 통증, 두통. 수술은 1단계로 다음과 같이 구성되었다; (1) Mitek 고정원을 사용한 양측성 TMJ 관절 디스크 재위치와 인대 수복(그림 27.10); (2) 하악을 CCWR로 전진시키기 위한 양측성 하악지 절단술; (3) 후방면을 하향 이식하기 위한 다중 상악 절단술; (4) 턱을 증강하기 위한 전방 하악 수평 절단술(그림 27.5b); (5) 매복된 4개의 제3대구치 제거; (6) 양측성 부분 하비갑개절제술.

환자의 수술 3년 후 평가 소견은 다음과 같다: TMJ 통증, 두통, 근막 통증이 없다; 절치 개구량 43 mm (술전 28 mm); 각 방향으로 5 mm의 측방 이동; 기능장애가 없는 좋은 악골 기능; 높은 안면 균형(그림 27.3c, d) 및 안정적인 교합(그림 27.4c, d)이 관찰된다.

27.4.1 악교정 수술 안정성에서 관절 디스크의 중요성

Goncalves 등[53]은 MMC의 CCWR을 받은 72명의 환자 기록을 평가한 후향적 연구를 보고했다. 술후 안정성과 관련된 TMJ 건강 및 관절 디스크 수술 재배치의 영향을 다루기 위해 표본을 세그룹으로 나누었다. 건강한 TMJ를 가진 그룹 1은 악골 수술만 받았다. 관절 디스크 변위가 있는 그룹 2는 악교정과 Mitek 고정원 술식을 사용한 관절 디스크 재배치 수술을 동시에 받았다. 그룹 3은 관절 디스크 변위가 있으나 악교정 수술만 받았다. 모든 환자의 술전 특징은 HOP 각도, 상악과 하악 후퇴, 전방 안면 고경 증가를 포함하였다. 세그룹 모두 유사한 치아안면 기형을 보였고, 동일한 외과의가 강성 고정과 동일한 방법으로 악정형적 수술을 시행하였다. 각 환자의 측면 두부계측 영상을 2번 트레이싱 및 디지털화하고 평균화하여 수술 변화와 술후 안정성을 도모했다. MMC는 세그룹 모두에서 유사하게 CCWR로 전진되었다; menton 기준으로 약 13 mm. 술후 교합면 각도는 그룹 3에서 증가했지만(재발률 37%), 그룹 1, 2에서는 안정적으로 유지되었다. 술후 수평 방향의 하악 변화는 그룹 3의 menton (28%), B-point (28%), 하악 절치연(34%)에서 유의한 AP 재발을 보여주었지만, 그룹 1, 2에서는 안정적으로 유지되었다. OPA의 CCWR을 사용한 MMC 전진술은 건강한 TMJ의 환자와 Mitek 고정원 술식을 사용한 동시 TMJ 디스크 재배치를 받은 환자에서 안정적인 술식이다. TMJ 치료없이 양악 수술만 받은 술전 TMJ 디스크 변위가 있는 환자는 심각한 재발을 경험했다.

Chemello 등[6]과 Satrom 등[54]은 건강한 TMJ와 강성 고정을 사용한 양악 수술(CCWR과 관계없이)에서 하악 전진을 수행된 전진량과 관계없이 B-point에서 평균 A-P 재발률은 평균 6%로 장기간에 걸친 안정적인 술식이라고 보고하였다. 한편으로는, Wolford 등[55]이 악골 기형과 관절 디스크 변위(MRI로 확인)가 있는 25명의 환자를 악교정 수술만으로 하악을 전진시키고 강성 고정으로 치료하고 평가했다. B-point에서의 술후 재발은 평균 하악 전진의 36%였으며, 과두에서 B-point까지의 평균 거리는 34% 감소하여 과두 흡수를 시사하였다. 6명의 환자(24%)는 술후 유의한 과두 흡수(3–8 mm)를 보여 II급 전방 개방 교합을 초래했다. 하악 전진의 결과로 TMJ의 부하가 증가하여 흡수 과정을 자극했을 것이다. TMJ 증상(예: 통증, 기능장애)의 새로운 발병이나 악화가 술후 평균 14개월에 발생했다. 연구가 완료되었을 때, 환자 48%에서 TMJ와 반복적인 악교정 수술을 필요했다. 수술 전에는 환자의 36%가 통증이나 불편함을 호소했으나, 수술 2.2년 후 환자의 84%가 술전에 비해 통증 강도가 75% 증가한 통증을 진술했다. 25명의 환자 중 4명(16%)만이 통증없는 안정적인 결과를 보였다. 이 연구는 TMJ 관절 디스크 변위가 공존하는 환자에게 악교정 수술만을 수행하는 것과 관련된 문제를 명확하게 보여준다.

27.5 증례 2(그림 27.11–13)

20세 여성으로 대략 5세에 발병한 유년기 특발성 관절염(JIA)로 내원했지만, 임상적으로 12세에 TMJ에 영향을 미치는 것으로 처음 기록되었고, 과두 흡수와 관련된 안면 기형이 점진적으로 악화되었다(그림 27.11a, b, 12a, b, 13a). 목, 손, 발, TMJ를 포함하는 다발성 관절염이 있고, 머리와 목 주위에 중등증의 통증 문제(0–10 척도 중 4)가 있었고, 악골 기능은 3, 식이는 2였다. 절치 개구량은 38 mm, 측방은 좌우 6 mm였다. 진단으로 (1) 양측성 TMJ JIA; (2) 상악 A–P 및 후방 수직 저형성; (3) 하악 A–P 및 후방 수직 저형성; (4) 전방 개방 교합이 있는 II급 교합; (5) 소하악증; (6) 심각한 수면 무호흡 증상을 수반한 구인두 기도 감소(A–P 크기 3 mm); (7) 비갑개 비대로 비강 기도 폐쇄가 있었다. MRI는 과두 흡수와 관절 융기의 현저한 파괴, 디스크를 둘러싼 반응성 pannus를 보여준다(그림 27.14a, b). 수술을 위해 술전 교정을 시행하였다.

수술은 다음과 같다(그림 27.13b); (1) 맞춤형 전관절 보철물로 양측성 TMJ Concepts 재건과 하악의 CCWR; (2) 양측성 근돌기절제술; (3) 양측 TMJ의 보철물 관절부 주변으로 복부에서 채취한 지방 이식 보충; (4) CCWR과 전진을 위한 다중 상악 절단술; (5) 턱 증강을 위한 전방 하악 수평 절단술; (6) 양측성 부분 하비갑개절제술.

수술 4년 후 통증이 없고 다음과 같이 평가되었다: 절치 개구량 42 mm, 양방향으로 3 mm의 측방 이동, 안정적인 I급 교합, 좋은 안면 균형, 정상 식이, 좋은 비강과 구인두 기도, 수면 무호흡 증상 소실(그림 27.11c, d, 12c, d).

27.5.1 TMJ Concepts 맞춤형 전관절 보철물의 결과 안정성

Dela Coleta 등[56]은 47명의 여환을 평가하였는데, 평균 18.4 mm의 menton 전진, OPA 14.9도 감소의 MMC의 CCWR과, TMJ Concepts 맞춤형 전관절 보철물, TMJ 지방 이식을 사용한 양측성 TMJ 재건의 술후 안정성에 대해 평가했다. 평균 관찰은 40.6개월 동안 이루어졌다. 하악 계측치는 매우 안정적으로 유지되는 반면, 상악은 약간의 수평 변화를 보여주었다.

Pinto 등[57]은 통증과 기능 장애 결과가 같은 여환 47명을 평가했다. 환자는 이전 수술 횟수에 따라 2개 그룹으로 나눴다. 그룹 1은 이전 수술이 0–1회, 그룹 2는 2회 이상이었다. TMJ 통증, 두통, 악골 기능, 식이, 장애에 대한 상당한 개선(37–52%)이 관찰되었다. 최대 절치 개구량이 14% 증가했다. 그룹 1 환자는 그룹 2에 비해 통증과 악골 기능에서 더 좋은 결과를 보였다. 보철 주변 지방 이식을 받지 않고 이종 TMJ 삽입물의 이전 실패 경험이 있는 환자에서, 절반 이상이 이물 거대–세포 반응, 섬유화, 및/또는 이소성 골 형성의 제거를 위한 TMJ 괴사 조직 제거를 포함하는 2차 수술이 필요했다. Dela Coleta 등과 Pinto 등의 연구에 의하면, 말기 TMJ 환자의 관련 치아안면 기형을 수정하기 위해 TMJ Concepts 맞춤형 전관절 보철물, 지방 이식, MMC의 CCWR을 이용하여 1회 수술법으로 치료하면 좋은 안정성과 통증 및 TMJ 기능 향상을 이룰 수 있다.

이 장치의 기대 수명은 알려지지 않았지만, Wolford 등[58]은 1989년과 1993년 사이에 Techmedica 전관절 보철물을 이식받은 56명의 환자에 대한 20년 경과 관찰에 대한 연구를 발표했다. 절치 개구, 악골 기능, TMJ 통증, 식이를 포함한 모든 매개변수에서 통계적으로 유의한 개선이 있었으며, 환자의 85.7%가 삶의 질이 유의하게 개선되었다고 대답했다. 이전 TMJ 수술 횟수가 많을수록 환자의 주관적 개선 정도가 낮다고 했지만, 객관적인 하악 기능 증가와 삶의 질 향상이 보고되었다. 재료 마모나 실패에 의한 장치 제거는 보고된 적이 없다.

Wolford 등[56–65], Mercuri 등[66–72], 그리고 다른 연구자[73–76]들은 맞춤형 TMJ 전관절 보철물을 사용한 결과에 대한 데이터와 관련한 수많은 연구를 발표했다. 이 발표들의 TMJ Concepts 전관절 보철물과 관련된 사실은 다음과 같다: (1) TMJ Concepts 보철물은 말기 TMJ 재건에서 자가 조직에 비해 주관적 및 객관적 결과가 우수하다; (2) 2번의 이전 TMJ 수술 후 자가 조직은 매우 높은 실패율을 보이나, 맞춤형 전관절 보철물은 높은 성공률을 보인다; (3) 공여부 이환율이 없다; (4) 이전 TMJ 수술 횟수가 증가하면 1회 이하의 이전 TMJ 수술을 받은 환자에 비해 통증과 기능 결과와 관련된 개선 수준이 낮다; (5) 실패한 TMJ 이형 재건(예: P/T, silastic, metal-on-metal 관절 등)은 이물 거대–세포 반응 및/또는 metallosis를 유발할 수 있고, 관절 괴사조직 제거와 맞춤형 전관절 보철물을 이용한

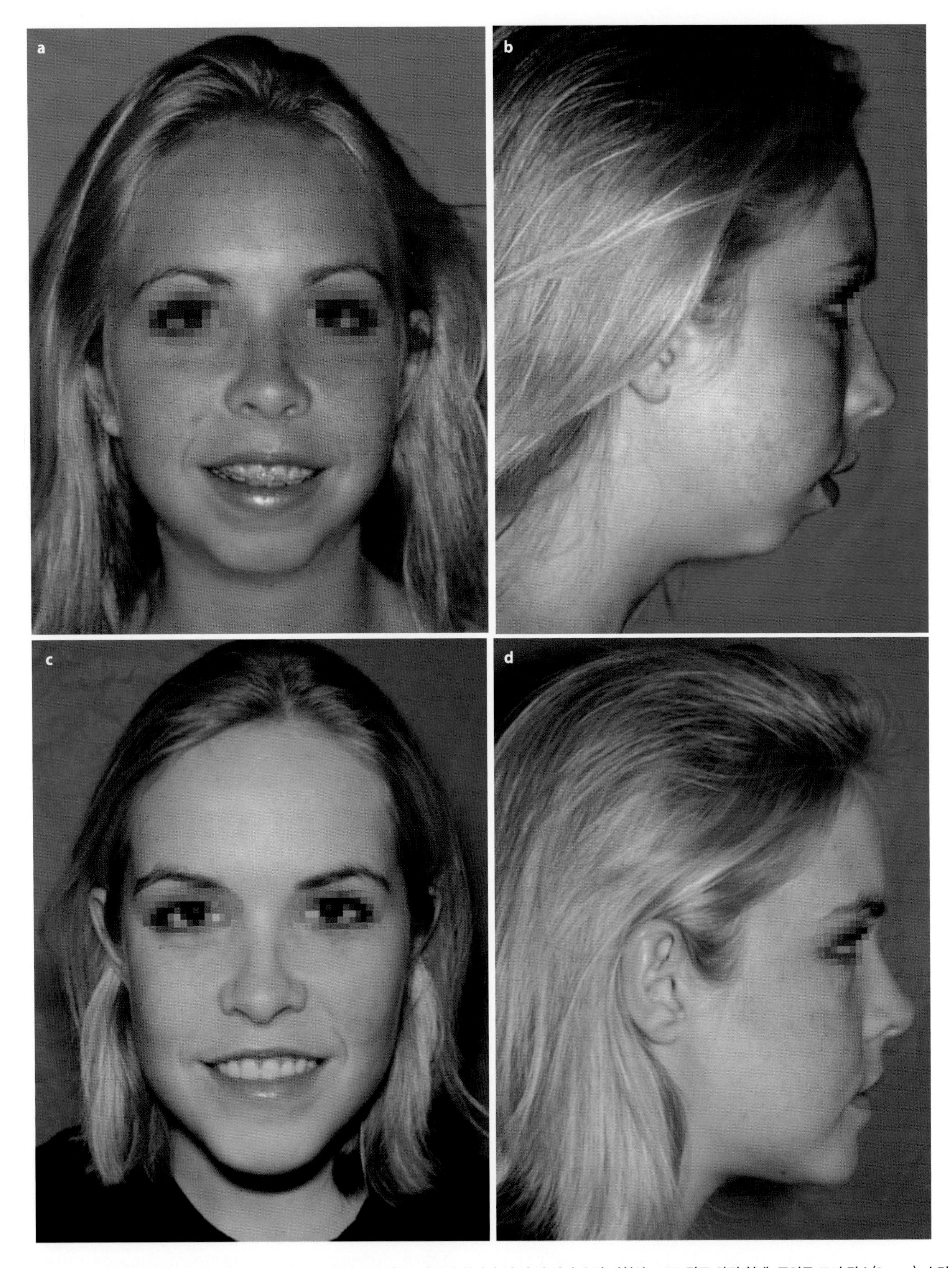

▣ 그림 27.11 증례 2: **a, b** 20세 여성으로 JIA, 극도의 하악 과두 흡수, 상악과 하악 후퇴, 후방 상악 수직 저형성, HOP 각도 안면 형태, 구인두 크기 감소(3 mm), 수면무호흡, 비갑개 비대, 비호흡 곤란을 보인다. **c, d** 술후 4년의 환자는 안정적인 교합과 상당한 안면 균형 및 기능 향상을 보여준다.

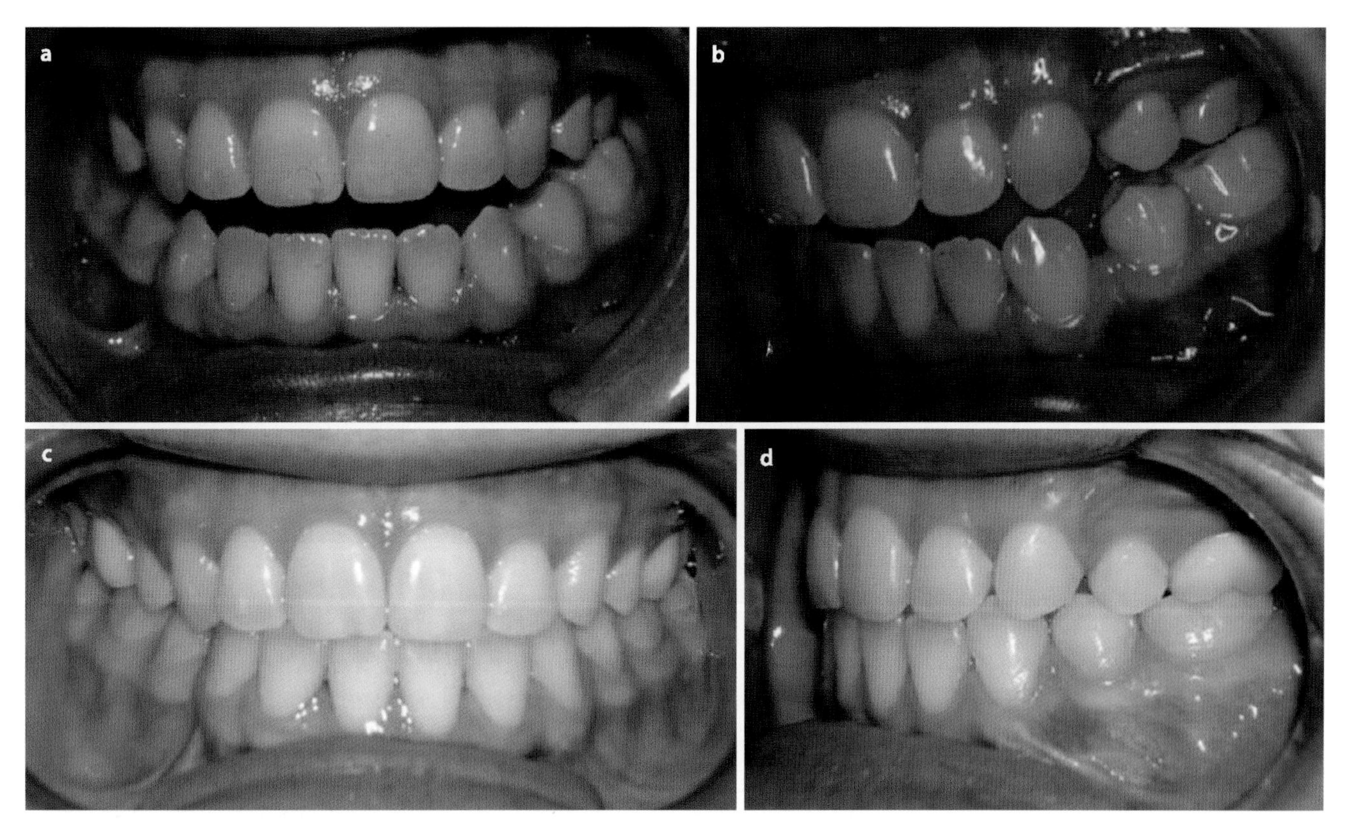

■ 그림 27.12 증례 2: **a**, **b** 술전 II급의 전방 개방 교합을 보인다. **c**, **d** 술후 4년. 안정적인 I급 교합을 보인다.

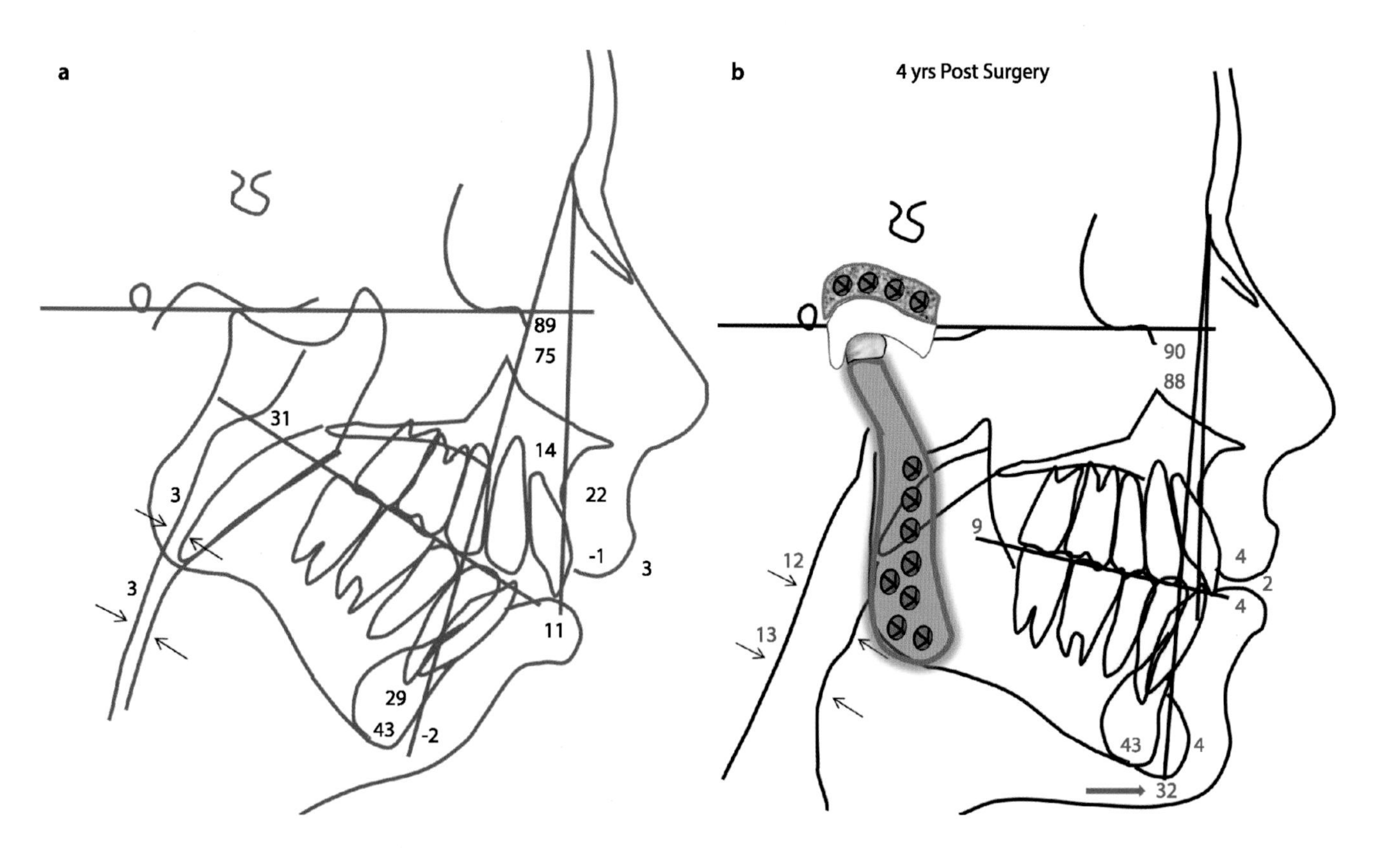

■ 그림 27.13 증례 2: **a** 두부계측 분석으로 상하악 후퇴, HOP 각도, 감소된 구인두 기도를 보여준다. **b** 술후 4년 두부계측 분석에서 TMJ 전관절 보철물을 수반한 MMC의 CCWR을 보여준다. 턱은 골성 이부성형술로 증강되었다. 상악 절치는 4 mm, pogonion은 32 mm 전진하였고, 교합 평면은 22도 감소하여 기능과 안면 균형이 향상되었다. 13 mm의 정상 구인두 기도가 확보되었다.

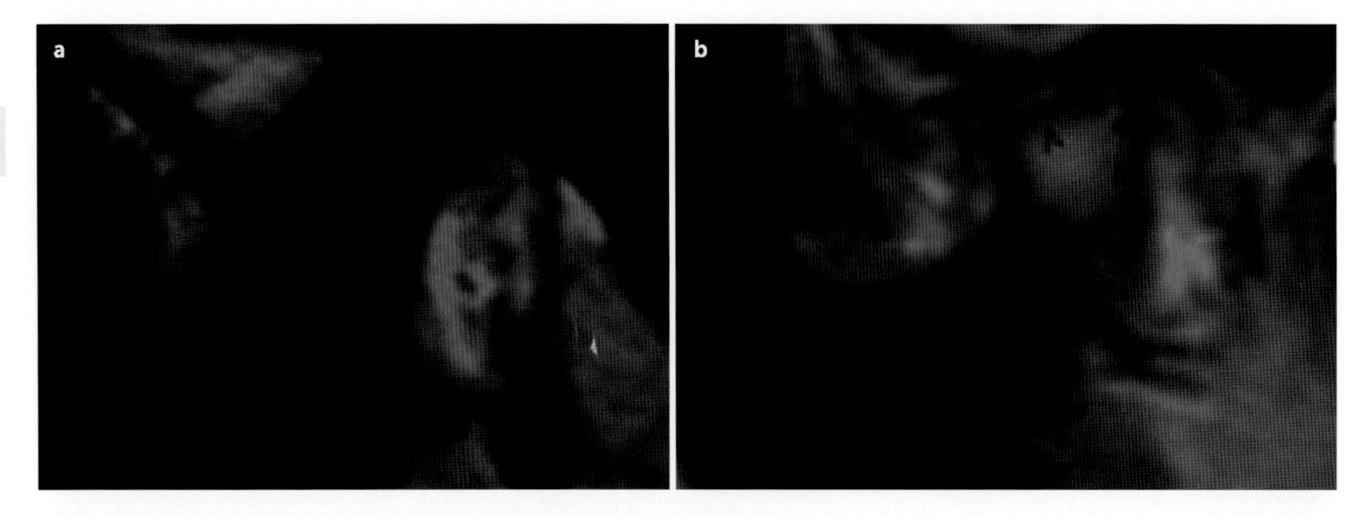

◘ 그림 27.14 증례 2: TMJ의 MRI. **a** 우측 TMJ 시상면, **b** 좌측 TMJ의 시상면. JIA 증례에서 흔하게 나타나는 과두와 관절 융기의 파괴가 보인다. 과두 목 돌기 잔존부가 "버섯모양화" 되어 있다. 관절 디스크가 상대적으로 정상 위치이나 반응성 pannus로 둘러싸여 있다.

재건으로 가장 잘 치료될 수 있다; (6) 보철물의 관절부 주위에 채워진 지방 이식편은 통증 감소, 악골 기능 향상, 수술 반복의 필요성 감소와 관련된 결과를 향상시킨다.[77–80]; (7) TMJ 보철물과 하악 구성 요소의 골융합 형성과 장기간 안정성을 위해 중요하다; (8) 관절와 구성 요소의 후방 정지부가 관절, 악골 위치, 교합을 안정화하기 위해 중요하다; (9) TMJ가 재건될 때, 악교정 수술을 동시에 수행할 수 있다; (10) 20년의 추적 연구[58]는 통증, 악골 기능, 식이, 절치 개구, 삶의 질의 개선을 보여주었다.

27.6 요약

MMC의 CCWR은 TMJ가 건강하고 안정적인 경우, 악교정 수술에서 양질의 치료 결과를 예측할 수 있다. TMJ 상태가 그렇지 않은 경우, 악교정 수술을 위한 CCWR은 기능, 심미성, 골격 및 교합 안정성, 통증과 관련한 불만족이 있을 수 있다. 구강외과의는 다음 유형의 환자에서 TMJ 문제 가능성을 의심해야 한다: (1) 상악과 하악 후퇴의 HOP 각도 안면 형태; (2) 전방이나 측방 개방 교합의 점진적 발달; (3) 교합과 악골 관계의 점진적 악화; (4) 안면 비대칭, 특히 점진적 악화; (5) 동통, TMJ 통증, 근막 통증, clicking 및 popping sound 이력, 귀증상에 대한 환자의 보고. 외과의는 이런 증상을 무시하지 않아야 한다. 하나 이상의 증상이 있다면, 환자의 TMJ 병리 가능성을 평가해야 한다. TMJ의 MRI는 특정 TMJ 병리를 식별하는 데 도움이 될 수 있다. 이런 상태를 인식하여 치료하지 못하면, 심각한 악교정 수술 재발, 통증 증가, 후속 치료의 복잡성 증가를 초래할 수 있다.

지난 30년 동안 TMJ 진단 및 병리, 기능 장애, 통증을 치료하고 재활하기 위한 외과 술식의 발전에 많은 진전이 있었다. 연구에 의하면, MMC의 CCWR을 포함하는 악교정과 TMJ 수술은 동일 수술에서 안전하고 예측 가능하게 수행될 수 있지만, 정확한 진단과 치료가 필수적이고, TMJ와 악교정 수술 모두에 대해 전문적인 외과의가 필요하다. 외과 술식은 2단계 이상으로 나눌 수 있고, TMJ 수술을 먼저 수행해야 한다. 정확한 진단과 치료 계획으로, TMJ와 악교정 수술을 조합하여 MMC의 CCWR을 필요로 하는 TMJ 병리와 치아안면 기형이 공존하는 환자에게 완전하고 포괄적인 관리를 제공한다.

참고문헌

1. Wolford LM, Hilliard FW, Dugan DJ. Surgical treatment objective: a systematic approach to the prediction tracing, the C. B. Mosby company. St. Louis; 1985. p. 29–32.
2. Wolford LM, Hilliard FW. Chapter 22, Correction of dental deformities. In: Waite DE, editor. Textbook of practical oral and maxillofacial surgery. Philadelphia: Lea & Febiger; 1987. p. 427–71.
3. Wolford LM, Chemello PD, Hilliard FW. Occlusal plane alteration in Orthognathic surgery. J Oral Maxillofac Surg. 1993;51:730–40.
4. Wolford LM, Chemello PD, Hilliard F. Occlusal plane alteration in Orthognathic surgerypart I: effects on function and esthetics. Am J Orthod Dentofac Orthop. 1994;106:304–16.
5. Kortebein M, Wolford LM. The effect of maxillary and mandibular advancement with decrease of occlusal plane on the posterior airway space. J Oral Maxillofac Surg. 1991;49:93.
6. Chemello PD, Wolford LM, Buschang MS. Occlusal plane alteration in Orthognathic surgerypart II: longterm stability of results. Am J Orthod Dentofac Orthop. 1994;106:434–40.
7. Wolford LM, Cardenas LE. Idiopathic condylar resorption: diagnosis, treatment protocol, and outcomes. Am J Orthod Dentofac Orthop. 1999;116:667–77.
8. Wolford LM. Idiopathic condylar resorption of the temporomandibular

joint in teenage girls (cheerleaders syndrome). Bayl Univ Med Cent Proc. 2001;14:246–52.

9. Worms FW, Speidel TM, Bevis RR, et al. Post treatment stability of esthetics of orthognathic surgery. Angle Orthod. 1980;50:251–73.

10. Kerstens JCK, Tuinzing DB, Golding RP, et al. Condylar atrophy and osteoarthrosis after bimaxillary surgery. Oral Surg Oral Med Oral Pathol. 1990;69:274–80.

11. Moore KE, Gooris PJJ, Stoelinga PJW. The contributing role of condylar resorption to skeletal relapse following mandibular advancement surgery. J Oral Maxillofac Surg. 1991;49:448–60.

12. De Clercq CA, Neyt LF, Mommaerts MY, et al. Condylar resorption in orthognathic surgery: a retrospective study. IntJ Adult Orthod, Orthognath Surg. 1994;9:233–40.

13. Arnett GW, Tamborello JA. Progressive class II development: female idiopathic condylar resorption. Oral Maxillofac Surg Clin North Am. 1990;2:699–716.

14. Crawford JG, Stoelinga PJW, Blijdorp PA, et al. Stability after reoperation of progressive condylar resorption after orthognathic surgery. J Oral Maxillofac Surg. 1994;52:460–6.

15. Schellhas KP, Wilkes CH, Fritts HM, et al. MR of osteochondritis dissecans and avascular necrosis of the mandibular condyle. Am J Neurorad. 1989;10:3–12.

16. Copray JCVM, Jansen HWB, Duterloo HS. The role of biomechanical factors in mandibular condylar cartilage growth and remodeling in vitro. In: McNamara Jr JA, editor. Craniofacial growth series. Center for Human Growth and Development. Ann Arbor: MI, University of Michigan; 1984.

17. Will LA, West RA. Factors influencing the stability of the sagittal split osteotomy for mandibular advancement. J Oral Maxillofac Surg. 1989;47:813–8.

18. Merkx MAW, Van Damme PA. Condylar resorption after orthognathic surgery. J Cranio MaxilloFac Surg. 1994;22: 53–8.

19. Huang YL, Pogrel MA, Kaban LB. Diagnosis and Management of Condylar resorption. J Oral Maxillofac Surg. 1997;55:114–9.

20. Arnett GW, Milam SB, Gottesman L. Progressive mandibular retrusionidiopathic condylar resorption. Part I. Amer J Orthod Dentofac Orthop. 1996;110:8–15.

21. Arnett GW, Milam SB, Gottesman L. Progressive mandibular retrusionidiopathic condylar resorption. Part II. Amer J Orthod Dentofac Orthop. 1996;110:117–27.

22. AlMoraissi E, Wolford LM. Is counterclockwise rotation of the maxillomandibular complex stable compared with clockwise rotation in the correction of dentofacial deformities? a systematic review and metaanalysis. J Oral Maxillofac Surg. 2016;74:2066.e1–2066.e12, Pages 1–12.

23. AlMoraissi EA, Wolford LM. Does temporomandibular joint pathology with or without surgical management affect the stability of counterclockwise rotation of the Maxillomandibular complex in Orthognathic surgery?: a systematic review and meta analysis. J Oral Maxillofac Surg. 2016:1–17. https://doi. org/10.1016/j.joms.2016.10.034.

24. Proffit WR, Turvey TA, Phillips C. The hierarchy of stability and predictability in orthognathic surgery with rigid fixation: an update and extension. Head Face Med. 2007;3:21.

25. Wolford LM, Cassano DS, Goncalves JR. Common TMJ disorders: orthodontic and surgical management. In: McNamara JA, Kapila SD, editors. Temporomandibular disorders and orofacial pain: separating controversy from consensus, vol. 46. Ann Arbor (MI): Craniofacial Growth Series. The University of Michigan; 2009. p. 159–98.

26. Wolford LM, Movahed R. Concomitant tmj and orthognathic surgery: diagnosis and treatment planning. Oral and Maxillofacial Surgery Knowledge Update. AAOMS on line. 2014.

27. Wolford LM, Dhameja A. Planning for combined TMJ arthroplasty and Orthognathic surgery. Ness GM (guest Ed.). In: Atlas of the Oral and maxillofacial clinics of North America. Philadelphia: WB Saunders Co; 2011. p. 243–70.

28. Wolford LM. Surgical planning in Orthognathic surgery (chapter 60). In: Booth PW, Schendel SA, Hausamen JE, editors. Maxillofacial surgery, vol. 2. St Louis, MO: Churchill Livingstone; 2007. p. 1155–210.

29. Goncalves JR, Gomes LCR, Vianna AP, Rodrigues DB, Goncalves DAG, Wolford LW. Airway space changes after Maxillomandibular counterclockwise rotation and mandibular advancement with TMJ concepts Total joint prostheses: three dimensional assessment. Int J Oral Maxillofac Surg. 2013;42(8):1014–22.

30. Wolford LM, Perez D, Stevao E, Perez E. Airway space changes after nasopharyngeal adenoidectomy in conjunction with Le fort I osteotomy. J Oral Maxillofac Surg. 2012;70:665–71.

31. Coleta KE, Wolford LM, Gonçalves JR, Pinto AS, Cassano DS, Gonçalves DA. Maxillomandibular counterclockwise rotation and mandibular advancement with TMJ concepts total joint prostheses: part IIairway changes and stability. Int J Oral Maxillofac Surg. 2009;38(3):228–35. Epub 2009 Jan 9.

32. Goncalves JR, Buschang PH, Goncalves DG, Wolford LM. Postsurgical stability of oropharyngeal airway changes following counterclockwise Maxillomandibular advancement surgery. J Oral Maxillofac Surg. 2006;64:755–62.

33. Mehra P, Downie M, Pitta MC, Wolford LM. Pharyngeal airway space changes after counterclockwise rotation of the maxillomandibular complex. Am J Orthod Dentofac Orthop. 2001;120:154–9.

34. ReicheFischel O, Wolford LM. Posterior Airway Space Changes After Double Jaw Surgery With CounterClockwise Rotation. AAOMS 78th Annual Meeting and Scientific Sessions. J Oral Maxillofac Surg. 1996;54:96.

35. Movahed R, MoralesRyan C, Allen WR, Warren S, Wolford LM. Outcome assessment of 603 cases of concomitant inferior Turbinectomy and LeFort I osteotomy. Bayl Univ Med Cent Proc. 2013;26:376–81.

36. Adenoids LAS. Their effect on mode of breathing and nasal airflow and their relationship to characteristics of the facial skeleton and the dentition. A biometric, rhinomanometric and cephalometroradiographic study on children with and without adenoids. Acta Otolaryngol Suppl. 1970;265:1–132.

37. Harari D, Redlich M, Miri S, Hamud T, Gross M. The effect of mouth breathing versus nasal breathing on dentofacial and craniofacial development in orthodontic patients. Laryngoscope. 2010;120(10):2089–93.

38. Hultcrantz E, Larson M, Hellquist R, AhlquistRastad J, Svanholm H, Jakobsson OP. The influence of tonsillar obstruction and tonsillectomy on facial growth and dental arch morphology. Int J Pediatr Otorhinolaryngol. 1991;22(2):125–34.

39. Wolford LM, Cardenas L. Idiopathic condylar resorption: diagnosis, treatment protocol, and outcomes. Am J Orthod Dentofac Orthop. 1999;116:667–76.

40. Wolford LM. Idiopathic condylar resorption of the temporomandibular joint in teenage girls (cheerleaders syndrome). Bayl Univ Med Cent Proc. 2001;14:246–52.

41. Henry CH, Hudson AP, Gerard HC, Franco PF, Wolford LM. Identification of chlamydia trachomatis in the human temporomandibular joint. J Oral Maxillofac Surg. 1999;57:683–8.

42. Henry CH, Hughes CV, Gerard HC, Hudson AP, Wolford LM. Reactive arthritis: preliminary microbiologic analysis of the human temporomandibular joint. J Oral Maxillofac Surg. 2000;58:1137–42.

43. Henry CH, Pitta MC, Wolford LM. Frequency of chlamydial antibodies in patients with internal derangement of the temporomandibular joint. O Surg O Med O Pathol O Radiol Endod. 2001;91(3):287–92.

44. Henry CH, Nikaein A, Wolford LM. Analysis of human leukocyte antigens in patients with internal derangement of the temporomandibular joint. J Oral Maxillofac Surg. 2002;60:778–83.

45. Henry CH, WhittumHudson JA, Tull GT, Wolford LM. Reactive arthritis and internal derangement of the temporomandibular joint. Oral Surg Oral Med Oral Pathol Oral Radiol Endod. 2007;104:e22–6.

46. Zeidler H, Hudson AP. New insights into chlamydia and arthritis. Promise of a cure? Ann Rheum Dis. 2014;73:637–44.

47. Zeidler H, Hudson AP. Coinfection of Chlamydiae and other bacteria in reactive arthritis and spondyloarthritis: need for future research. Microorganisms. 2016;4:30–41. https://doi. org/10.3390/Microorganisms4030030.

48. Gérard HC, Carter JD, Hudson AP. Chlamydia trachomatis is present and metabolically active during the remitting phase in synovial tissues from patients with chronic chlamydiainduced reactive arthritis. Am J Med Sci. 2013;346:22–5.

49. Carter JD, Hudson AP. Recent advances and future directions in understanding and treating chlamydiainduced reactive arthritis. Expert Rev Clin Immunol. 2017;13:197–206.

50. Zeidler H, Hudson AP. Causality of Chlamydiae in arthritis and spondyloarthritis: a plea for increased translational research. Curr Rheumatol Rep. 2016;18:9–18.

51. Carter JD, Espinoza LR, Inman RD, et al. Combination antibiotics as a treatment for chronic chlamydiainduced reactive arthritis: a doubleblind, placebocontrolled, prospective trial. Arthritis Rheum. 2010;62:1298–307.

52. Wolford LM. Understanding TMJ reactive arthritis. CRANIO® J Craniomand Sleep Practice. 2017;35(5):274–5.

53. Goncalves JR, Cassano DS, Wolford LM, SantosPinto A, Marquez IM. Postsurgical stability of counterclockwise maxillomandibular advancement surgery: effect of articular disc repositioning. J Oral Maxillofac Surg. 2008;66:724–38.

54. Satrom KD, Sinclair PM, Wolford LM. The stability of double jaw surgery: a comparison of rigid versus wire fixation. Am J Orthod. 1991;6:550–63.

55. Wolford LM, ReicheFischel O, Mehra P. Changes in temporomandibular joint dysfunction after orthognathic surgery. J Oral and Maxillofacial Surg. 2003;61(6):655–60; discussion 661.

56. Coleta KED, Wolford LM, Goncalves JR, SantosPinto A, Pinto LP, Cassano DS. Maxillomandibular counterclockwise rotation and mandibular advancement with TMJ Concepts1 Total joint prostheses: part I skeletal and dental stability. Int J Oral Maxillofac Surg. 2008;38:126–38.

57. Pinto LP, Wolford LM, Buschang PH, Bernardi FH, Goncalves JR, Cassano DS. Maxillomandibular counterclockwise rotation and mandibular advancement with TMJ concepts Total joint prostheses: Part III pain and dysfunction outcomes. Int J Oral Maxillofac Surg. 2009;38:326–31.

58. Wolford LW, Mercuri LG, Schneiderman ED, Movahed R, Allen W. Twentyyear followup on a patientfitted temporomandibular joint prosthesis: the Techmedica/TMJ concepts device. J Oral Maxillofac Surg. 2015;273:952–60.

59. Henry CH, Wolford LM. Treatment outcomes for temporomandibular joint reconstruction after Proplast Teflon implant failure. J Oral Maxillofac Surg. 1993;51:352.

60. Wolford LM, Cottrell DA, Henry CH. Temporomandibular joint reconstruction of the complex patient with the Techmedica custommade total joint prostheses. J Oral Maxillofac Surg. 1994;52:2.

61. Wolford LM, Pitta MC, ReicheFischel O, Franco PF. TMJ concepts/Techmedica custommade TMJ total joint prosthesis: 5 year followup study. Int J Oral Maxillofac Surg. 2003; 32:268.

62. Franco PF, Talwar RM, Wolford LM. Unilateral TMJ Total joint reconstruction and the effects on the contralateral joint. AAOMS 79th annual meeting and scientific sessions. J Oral Maxillofac Surg. 1997;55:113.

63. Wolford LM, Bourland TC, Rodrigues D, Perez DE, Limoeiro E. Successful reconstruction of n ongrowing Hemifacial Microsomia patients with unilateral temporomandibular joint Total joint prosthesis and Orthognathic surgery. J Oral Maxillofac Surg. 2012;70:2835–53.

64. Wolford LM, Pinto LP, Cardenas LE, Molina OR. Outcomes of treatment with custommade temporomandibular joint Total joint prostheses and Maxillomandibular counterclockwise rotation. Bayl Univ Med Cent Proc. 2008;21:18–24.

65. Wolford LM, Dingwerth DJ, Talwar RM, Pitta MC. Comparison of 2 temporomandibular joint Total joint prosthesis systems. J Oral Maxillofac Surg. 2003;61:685–90.

66. Mercuri LG, Edibam NR, GiobbieHurder A. Fourteenyear followup of a patientfitted total temporomandibular joint reconstruction system. J Oral Maxillofac Surg Jun. 2007;65(6):1140–8.

67. Mercuri LG, GiobbiHurder A. Long term outcomes after Total alloplastic TMJ reconstruction following exposure to failed materials. J Oral Maxillofac Surg. 2004;62:1088–96.

68. Mercuri LG. Subjective and objective outcomes for patients reconstructed with a patientfitted Total temporomandibular joint prosthesis. J Oral Maxillofac Surg. 1999;57:1427–30.

69. Mercuri LG. The TMJ concepts patient fitted total temporomandibular joint reconstruction prosthesis. Oral Maxillofac Surg Clin North Amer. 2000;12:73.

70. Mercuri LG. The use of alloplastic prostheses for temporomandibular joint reconstruction. J Oral Maxillofac Surg. 2000;58:70.

71. Mercuri LG. Temporomandibular joint reconstruction. In, Oral and maxillofacial surgery. Fonseca, R (Ed). Elsevier. Philadelphia. Chapter. 2008;51:945–60.

72. Mercuri LG. Endstage TMD and TMJ reconstruction. In, Peterson's principles of Oral & Maxillofacial Surgery. 3rd edition. Miloro M, Ghali G, Larsen P and Waite P (Eds). PMPH, USA ltd. Chapter. 2012;52:1173–86.

73. Giannakopoulos HE, Sinn DP, Quinn PD. Biomet Microfixation TMJ replacement system: a 3year followup study of patients treated during 1995 to 2005. J Oral Maxillofac Surg. 2012;70: 787–94.

74. Machon ea. Total alloplastic TMJ replacement: the CzechSlovak initial experience. Int J Oral Maxillofac Surg. 2012;41:514–7.

75. AJ S, E G. Oneyear prospective outcome analysis and complications following total replacement of the TMJ with the TMJ concepts system. Br J Oral Maxillofac Surg. 2013;51:620–4.

76. Murdock B, Buchanan J, Cliff J. TMJ replacement: a New Zealand perspective. Int J Oral Maxillofac Surg. 2014;43:595–9.

77. Wolford LM, Karras SC. Autologous fat transplantation around temporomandibular joint total joint prostheses: preliminary treatment outcomes. J Oral Maxillofac Surg. 1997;55:245–51.

78. Wolford LM, MoralesRyan CA, GarciaMorales P, Cassano DS. Autologous fat grafts placed around temporomandibular joint (TMJ) total joint prostheses to prevent heterotopic bone. Baylor Univ Med Center Proc. 2008;21:248–54.

79. Wolford LM, Cassano DS. Autologous fat grafts around temporomandibular joint (TMJ) Total joint prostheses to prevent heterotopic bone. In: Shiffman MA, editor. Autologous fat transfer. Berlin Heidelberg: Springer; 2010. p. 361–82.

80. Mercuri LG, Ali FA, Woolson R. Outcomes of total alloplastic replacement with periarticular autogenous fat grafting for management of reankylosis of the temporomandibular joint. J Oral Maxillofac Surg. 2008;66:1794–803.

상하악 전진술

Reza Movahed

목차

28

개요

폐쇄성 수면 무호흡(OSA)은 수면 동안 일시적인 기도 허탈에 의한 기류의 부분적 또는 완전한 차단을 특징으로 하는 흔한 수면 및 호흡 장애이다. 불충분한 수면 및 이와 관련된 주간 졸림은 환자의 직장 생활과 기타 일상 생활 활동에 상당한 지장을 줄 수 있는 흔한 증상이며, OSA를 중재하기 위해 지속적 양압기, 다양한 증상 완화 장치, 구강 장치나 약물 요법 같은 부속 치료, OSA 치료까지 포함하는 가장 효과적이고 장기간 신뢰성이 입증된 상하악 전진술(MMA)을 포함하는 수술적 개입을 포함하는 방법들이 시행된다.

별개의 병리적 장애로서의 OSA 존재는 1918년 William Osler가 OSA 환자를 "Pickwickian"이라고 제안하면서 처음 기술되었는데, 이것은 그가 만든 용어로, Charles Dickens의 소설 The Pickwick Papers에서 Joe라는 인물을 언급하면서 배고프고 붉은 얼굴의 지속적으로 특정 작업을 방해하는 주간 졸음으로 고통받는 환자를 의미한다.[1,2] 1956년 Bickelmann 등[3]은 OSA에 대해 최초로 알려진 설명 중 하나를 발표했는데, 주간 졸음이 있는 환자(n = 346)를 "Pickwickian 증후군"이란 용어로 표현했다. 그 이후, OSA 해결을 위한 비침습적 방법과 외과 술식 몇 가지가 개발되었으며, 각각은 다양한 성공을 거두었다. 이번 단원에서는 OSA의 전망과 이 광범위한 증후군을 치료하기 위한 MMA의 이론과 접근 방식을 설명한다.

28.1 폐쇄성 수면 무호흡의 성장 문제

OSA는 인구의 상당 부분에 영향을 미친다. Young 등은 2002년에 성인 5명 중 1명에서 경증 OSA가, 15명 중 1명에서 중등증 OSA가 발견될 수 있다고 추정했다.[4] Wisconsin Sleep Cohort[5]는 OSA를 시간당 5회 이상의 무호흡 저호흡 지수(AHI)로 정의했으며, 30–60세의 여성과 남성에서 각각 9%와 24%의 유병률을 보인다고 하였다. 2013년 Peppard 등의 Wisconsin Sleep Cohort 재분석에서[6], 30–70세 사이의 여성 17.4%와 남성 34%에 영향을 미치는 것으로 추정되는 OSA 유병률의 현저한 증가를 예측한 보다 최근의 과체중과 비만인 비율을 기반으로 데이터를 조정했다(시간당 AHI 5회 이상의 동일한 기준으로).

28.1.1 증상

OSA의 가장 흔한 증상은 불충분한 수면과 주간 졸음이다. 그러나 이러한 증상은 구강 건조, 야간 빈뇨, 아침 두통, 인지 장애/두뇌 혼탁, 기분 과민성, 더 오래 지속되는 정신과적 영향(예: 인지, 기억 상실)의 다양한 증상과 연관될 수도 있고, 이 모두는 삶의 질에 매우 현저한 영향을 미치고[7-10] 개인적 고통의 원인이 될 수 있다. OSA는 작업장 생산성을 낮추고[11], 산업재해의 위험을 증가시킬 뿐만 아니라 최대 사망까지 이르게 하는 자동차 사고 부상[12-14]과 관련이 있다. 특히 OSA를 수반하는 다양한 동반 질환의 형태로 OSA가 치료되지 않는다면, 이는 개인과 의료 시스템에 상당한 비용[15]과 관련된 공중 보건 부담을 의미한다.

28.1.2 OSA와의 동반질환 연관성

OSA에 대한 인식 부족은 일반 대중뿐만 아니라[16-18], 1차 진료 제공자[19]도 마찬가지이다. 따라서, 동반이환 상태도 과소 인식될 가능성이 있다. 그러나 동반질환을 감지하는 것은 임상의가 OSA와 OSA에 대한 선별검사 및 배제를 잠재적으로 정당화할 수 있는 많은 보고된 연관성 사이의 잠재적 연관성을 인식하고 탐색할 수 있는 기회를 제공한다. 여러 의학적 상태가 OSA를 유발하거나 악화시킬 수 있다. 체질량 지수(BMI)와 목둘레가 더 큰 경우, OSA의 더 큰 위험을 포함하는 대사 증후군과 비만과 같은 대사 장애가 많다[20-28]

28.1.2.1 비만과 목 둘레

비만은 OSA의 자연적 경과에 기여하는 가장 흔한 주요 위험요인 중 하나이며 OSA 중증도와 직접적인 관련이 있다.[29] 많은 OSA 환자의 BMI가 30을 초과하므로 전문 교육과 추가 관리가 필요하며 비만 환자에게는 술후 추가로 비인후경 검사가 권장된다.[30] 불균형적인 환자수에서 BMI가 높거나 목둘레가 더 크며[31], 후자는 치료 실패의 예측인자로 확인된다.[31] 2014년 Cizza 등은 목둘레가 6.5시간 미만의 수면을 취하는 비만 남성과 폐경 전 비만 여성 모두에서 OSA 및 대사 증후군과 관련이 있다고 보고했다.[26] Katz 등[32]은 연령과 성별에 따라 보정된 목둘레의 95번째 백분위수에 있는 어린이가 OSA에 대한 위험이 상당히 증가했다고 보고했으며, 목둘레가 소아 OSA에 대한 검증된 선별 도구임을 제안했다. 증거에 따르면 OSA를 치료하면 비만이 감소하지만, 그 역방향도 사실일 수 있다.[33] 비만이나 하악 후퇴술을 받은 고령의 환자는 수면 장애 호흡이 발생할 위험이 더 높다. 그러므로, 이러한 골격성 III급 환자에게 하악 후퇴술로 인한 인두 공간 감소가 예상되므로 양악 수술이 옹호되었다.[34]

28.1.2.2 기타 중요 동반 질환: 심혈관, 일주기, 면역/자가면역, 암, 영양, 정신적/인지

OSA는 심혈관 질환과도 양의 관계를 보이고[35], 여기에는 고혈압 동반의 광범위한 증거[23,35-45], 뇌졸중(독립적인 OSA 연관성이 잠재적으로 뇌졸중을 유발할 뿐만 아니라 뇌졸중 후 환자의 결과 및 회복에 영향을 미칠 수 있다[46-60])이 포함되며, 기타 생명 위협 사건, 일주기 조절 장애[21,61](심폐 계통과 관련이 있다고 강력하게 의심되는 OSA 연구에서 "차세대"로 제안된[62]), 면역(자가면역 포함) 장애 및 염증 반응[20,63-65], 암 위험 증가[66], 영양(예: 높은 알코올 소비, 기타 식이 양상 및 위험 요인, 체중 감소 및 영양 부족 해결을 목표로 하는 잠재적인 생활 방식 수정[10,67-71]), 정신 장애(예: 우울증, 불안, 정신 분열증[10,72-76]), 인지 장애[53,57,77-79]와도 연관된다.

28.1.3 혼합된 성공을 보이는 전통적인 OSA 치료법

위험인자와 OSA가 양성으로 진단되면, OSA 증상과 후유증을 치료하고 완화하기 위한 다양한 치료법이 있다.[13,80-82] 많은 환자들이 기도 개방, AHI, 주간 졸음의 관련 감소를 개선하는 효과가 입증된 "일차적인" 치료법 중 하나인 지속적 양압기로 치료를 시작한다.[8,13,81,83,84] 그러나 지속적 양압기의 불편함 때문에 많은 환자가 적응에 어려움을 겪고[85-87], 많은 경우 포기하게 되므로 OSA에 대한 보편적으로 신뢰할 수 있는 치료가 아니다.

28.1.3.1 비침습적 치료

다른 비침습적 생활 방식 개선도 OSA의 1차 중재로 사용되었지만, Araghi 등은 2013년 체계적 고찰과 메타 분석[88]에서 체중 감소 계획을 평가하는 7개의 무작위 대조 시험($n = 519$)을 평가하였는데, 각각의 성공은 제한적이었다. 이 프로그램에는 체지방률을 낮추기 위한 운동과 체중 관리, 흡연 관련 위험 요인을 줄이기 위한 금연, 기도 개통을 개선하기 위한 간단한 수면 자세 변경, 진정제와 술 절제가 포함되었다. 저자들은 다양한 생활 방식 개선이 OSA의 일부 향상을 가져올 수 있지만, 특히 심한 증상의 환자에서는 궁극적으로 이를 정상화하기에는 불충분하다고 결론지었다.[88]

수년에 걸쳐, 몇 가지 구강 장치가 비침습성 및 사용 용이성으로 인해 제공자와 환자에 의해 판매되고 선택되었다. 그러나 이러한 보조법은 기도 폐쇄의 근본 원인을 해결하지 못하는 완화 조치이기 때문에 이상적이지 않다; 그들은 또한 다양한 비율의 비적응과 실패를 보인다.[89] 지속적 양압기 대 구강 장치 요법의 최근 2년 추적 연구에 따르면, 경증에서 중증 OSA 환자의 치료 성공에는 유의한 차이가 없었다.[90] 앞에 설명한 OSA 관련 증상 정도의 완화를 위한 치료법의 적당한 효과에도 불구하고, OSA 자체의 근본 병적 원인을 해결하지 못하고 궁극적으로 영구적인 해결책을 제공하지 못한다.

28.1.3.2 수술적 개입

기도 특성을 변형하기 위해 다양한 외과적 개입이 시도되었다(■ 표 28.1).

기관절개술은 오랫동안 잠재적인 치료 방법으로 간주되어 왔다. 1960년대 후반부터 1980년대 초반까지 기관절개술은 이전 전통적인 의료 관리 시도에 실패한 OSA 피험자들을 위한 주요 외과적 접근 방식이었다. 기관절개술로 치료된 첫 번째 대상 중 하나는 1965년 Valero와 Alroy에 의해 보고되었으며[92], 외상성 소하악증이 지속되고 입원 중 재발성 무호흡이 관찰되는 환자에 대해 자세히 설명하였다. 기관절개술을 시행하여 환자의 수면과다증을 해결했다. 상기도 폐쇄에 대해 초기에 기록된 또 다른 기관절개술은 1969년 Kuhlo에 의해 전형적인 "Pickwickien" 환자에 대해 기술되었다.[93]

2014년 Camacho 등[94]은 OSA 치료를 위한 기관절개술에 대한 체계적 고찰과 메타 분석을 수행했다. 18개의 연구를 대상으로, 기관절개술이 BMI와 상관없이 관찰된 평균 무호흡 지수의 임상적 및 통계적으로 유의한 감소, 산소 불포화 지수 개선, 졸음 감소, 사망률의 유의한 감소를 보여주는 매우 효과적인 중재임을 발견했다. 그들은 2015년에 병적으로 비만한 OSA 환자에 대해 기관절개술 대 MMA(기관절개술 14명과 MMA 34명)에 대한 또 다른 체계적 검토와 메타 분석[95]을 수행했다. 표본이 작기 때문에, 저자는 확실한 결론을 도출할 수 없다고 보고했으며 더 높은 수준의 연구를 요청했다. 또한 2016년 그들은

■ 표 28.1 OSA에 대한 수술법(Fleisher와 Krieger, 2007[91])

	술식	위치
1단계	비강 수술(중격성형술, 비갑개절제술)	코
	목젖구개인두성형술(UPPP)	구인두(구개후 기도)
	이설근 전진술	구인두(구개후 기도)
	고주파 절제술	구인두(구개후 기도)
	변형 이부성형술	구인두 + 하인두
	설골 근절개 부유술	구인두 + 하인두
2단계	상하악 전진술	비인두/구인두/하인두
	기관절개술	기관
	Bariatric 수술	위

4 mm 정도의 작은 기관절개술이 상기도 폐쇄의 단기 치료에 사용될 가능성이 있다고 제안했다.[96]

매우 효과적이고 치료적이지만, 기관절개술은 빈번한 점액 가래와 튜브 막힘, 기관-무명 누관의 위험, 흡인, 감염에 취약(예: 폐렴), 육아 조직 형성, 보기 흉한 외모, 수영 불가능, 성대 마비와 같은 다양한 이유로 대부분의 환자에게 적합하지 않다.[97-99] 현재 이상적인 기관절개술 후보는 거의 없으며 일반적으로 최후의 수단으로 간주된다. 그러나 일부 환자는 의료 관리에 실패했거나, MMA 거부 또는 금기 조건이고 다른 후보 연조직 술식에 대한 금기/거절의 경우, 유익하고 잠재적인 후보로 간주될 수 있다.

OSA 환자에서, 비강 기도를 표적으로 하는 술식(예: 중격성형술, 부분 하비갑개절제술, spreader batten 이식편 사용), 구개후부위 술식[목젖구개인두 성형술(UPPP), 다른 술식 중에서 연구개 표적 수술], 설후 부위 표적 술식(혀 기저부 폐쇄의 이설근 전진술[100], 정중선 설절제술, 설골 부유술, 설골 근절개 부유술)을 포함하는 다양한 술식을 고려해야 한다. 그러나 이런 술식의 성공은 잘해도 질이 낮고 특정 해부학적 부위만을 대상으로 한다.

28.1.4 1차 요법으로서의 MMA

OSA를 해결하기 위한 다양한 외과 술식이 있지만, (체계적 고찰과 메타 분석을 포함하여) 증거-기반 데이터의 성장은 외과적 중재, 특히, 상대적으로 낮은 주요 합병증 비율(1%)[101]의 OSA에 대한 잘 구축된 악교정 술식인 MMA가 현재 OSA에 대한 가장 효과적이고 장기적인 해결책으로 보인다. 1993년에 Riley 등은 그들의 2단계 Stanford 프로토콜을 제시했는데(◘ 그림 28.1)[102], 그 중 1단계는 수많은 표적 술식을 포함하는 술전 평가로 구성되었다.

앞서 이설근 전진, 설절제술, 설골 부유술은 OSA에 대한 1단계 치료로 간주되었다. 그러나 시간이 지남에 따라 이러한 치료법은 수용 가능한 성공률을 나타내지 못했다. 예를 들어, UPPP는 단기적으로 40–50%의 성공률을 보였으며[103], 장기적 결과는 4년 경과 관찰후에 더 낮은 성공률(35%)을 보인다.[104] 코골이를 위한 외래환자 시술인 레이저 이용 UPPP (LAUP)는 다회 술식이 필요하며 술후 상당한 통증을 유발할 수 있다.[105] LAUP 후 결과를 개선하기 위해 구개 임플란트가 필요할 수 있다고 제안되었다.[106] 2003년 LAUP 치료 환자와 비치료 환자를 대상으로 한 무작위 시험에서, 과다 주간 시간 및 삶의 질 측정에 그룹간 차이가 없음이 드러났다.[107] 저자들은 OSA에 대한 LAUP의 사용을 지지하지 않는다고 결론지었다. 부분 설절제술 역시 성공률이 의심스럽고 연하 곤란, 연하 통증, 미각 상실, 혀 운동성 감소와 같은 여러 합병증을 동반하는 것으로 알려져 있다.[108,109] 설골 부유술의 성공률도 17%로 낮다.[110] 수술 후 수면 다원 검사는 궁극적으로 술식 성공을 평가하기 위해 이러한 술식 후에 수행된다. 이 단계가 성공하지 못하면 환자는 2단계인 MMA로 넘어갈 것이다.

술후 치유, 회복, 삶의 질을 최적화하는 현재 치료법의 개선된 성공을 감안할 때, 현재 치료 접근은 환자가 지속적 양압

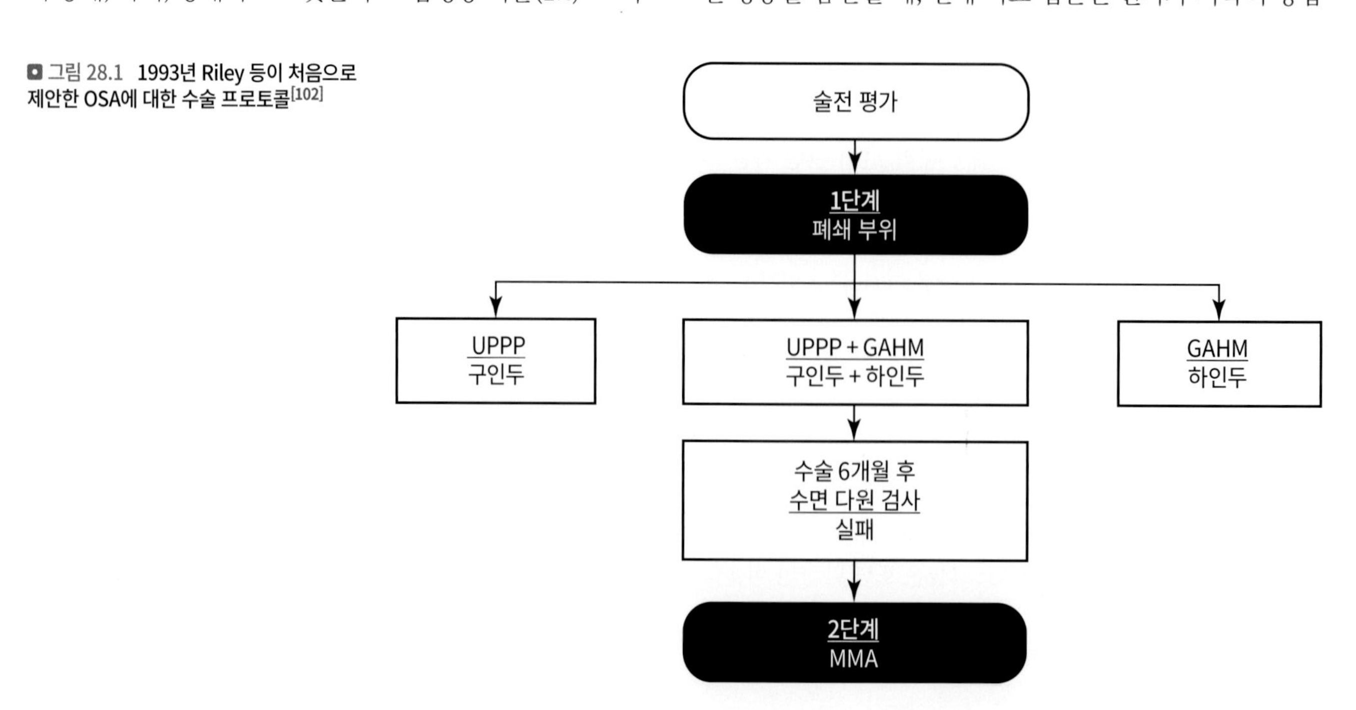

◘ 그림 28.1 1993년 Riley 등이 처음으로 제안한 OSA에 대한 수술 프로토콜[102]

기에 적응하지 못하는 경우 MMA로 직접 전환하는 것이다. 일부 환자에서, 시간이 경과하면서 양압기의 효과가 감소한다. MMA는 해부학적 부위를 확장시켜 인두 및 하인두 기도 용적을 현저하게 증가시킬 수 있다. 여러 수면 연구에 따르면, MMA는 기도 용적을 상당히 증가시켜 AHI의 커다란 감소 및 OSA 완화의 긍정적인 변화를 달성하는 장기간 지속되는 치료법이다. 유체 역학 연구에 따르면, MMA가 음압 감소와 기도 허탈(인두벽 붕괴)의 역전을 담당하고[111], MMA 후 호흡에 더 적은 노력이 필요하며[112], MMA는 여러 건강 관련 기능적 결과와 삶의 질을 향상시키고[113-117], 긍정적 기도 변화로 수면 중 정상 호흡을 촉진하여 상태의 표면적 치유에 이르게 한다.[80,101,111,113,118,119]

비침습적이든 기관절개술이나 다른 상기도 수술-특히 MMA-을 포함하는 외과적이든 선택된 술식에 관계없이, 개별 환자는 항상 증례별로 평가되어야 한다. 그들은 병력, 동반된 의학적 상태, 약물 요법, 치료에 대한 적합성을 기반으로 면밀히 평가되어야 한다. 외과적 개입의 경우, 외과의 교육, 자신감, 선호도, 기관 자원, 이용가능한 영상, 수술 장비, 직원, 궁극적으로 환자 선택을 포함하여 수술 선택에 영향을 미치거나 심지어 지시할 수도 있는 다른 요인이 있을 수 있다.

28.2 OSA를 위한 최종 치료법으로의 MMA

28.2.1 MMA 술후 안정성: 장기 및 단기 안정성과 효율성

지난 25년 동안 MMA가 OSA 결과와 삶의 질을 개선하는데 안전하고 효과적이며 많은 환자에게 지속적 양압기에 대한 실행 가능한 1차 치료 대안이라는 증거가 부족하지 않았다.[120] Makovey 등은 2017년에 OSA용 MMA가 중등증에서 중증 OSA로 치료받은 환자군에 매우 효과적이며 20명의 환자 표본(평균 48.8 ± 12.3세)에서 기도 용적이 2.5배 증가했음을 확인했다. 또한 2017년 11편 체계적 고찰에 대한 총람에서 MMA가 OSA 환자의 인두 기도 용적을 안정적이고 긍정적으로 개선시킨다고 결론지었다. 2010년 Holty와 Guilleminault[101], 2016년 Zaghi 등[121]의 MMA 술후 데이터의 메타 분석은 통합 연구[101,121]에서 통계적으로 유의한 AHI 감소와 호흡 장애 지수(RDI)[121], 야간 산소 헤모글로빈의 최저 최적값(SpO_2 최하점)과 같은 다른 측정치의 개선을 보여주었다. 최근 MMA 술후 인두 후벽의 안정성을 결정하기 위해 AHI, 산소 포화 지수, Epworth 수면 척도(ESS)의 합성으로 구성된 또 다른 지표가 제안되었다.[122] MMA는 높은 치료 성공률로 보고되었다.[101,123] 예를 들어, Zaghi 등은 85.5%의 성공률과 38.5%의 치료율을 보여주었다[121]; 한층 더 나아가, 체계적 고찰은 수술 성공의 예측 인자가 더 젊은 환자이고 술전 AHI가 낮고 상악 전진 범위가 더 높다는 것을 확인했다.

— John 등의 2018년 체계적 고찰 및 메타 분석은 2000년에서 2015년 사이에 발표된 20개의 연구와 462명(남성 85.3%, 여성 14.7%)을 분석했다. 그들은 MMA 수술 성공이 AHI (MMA 후 50% 초과 변화나 시간당 20회 미만) 및 RDI(시간당 15 미만 및 MMA 후 50% 이상 감소)와 관련하여 100%라고 보고했다. 또한 분석에 포함된 중재 연구 중 저자는 AHI, RDI, ESS, 최저 산소 포화도(LSAT)의 측정 결과에서 상당한 개선을 보고했다. AHI (12개 연구, $n = 251$), RDI (6개 연구, $n = 163$), ESS (7개 연구, $n = 118$), LSAT (16개 연구, $n = 397$), BMI (11개 연구, $n = 217$)에 대한 MMA 전과 후의 평균 변화는 각각 –44.76, –59.71, –8.02, +10.83%, –1.02 kg/m^2으로 보고되었다(◘ 표 28.2). 통합 숲 도표 분석은 모든 보고된 측정에 대한 메타 분석에서 MMA가 선호되는 것을 보여준다: AHI ($p < 0.00001$), RDI ($p < 0.00001$), ESS ($p < 0.00001$), LSAT ($p < 0.00001$), BMI ($p = 0.007$) (◘ 그림 28.2-6). 이 메타 분석의 한계를 확인하는 것이 중요하다. 포함된 모든 시험은 2000년 이후에 보고되었으며, 이는 일부 선택 편향을 나타낸다. 오직 단 하나의 시험이 무작위 배정되었다(Vicini 등 2010년[124]). 또한 Dattilo와 Drooger[125]의 연구는 정보 편향의 위험이 높았고, Cohen-Levy 등[126], Abramson 등[127], Li 등[128]에서는 선택 편향의 위험이 불명확했지만, 모든 전향적 코호트에서 편향 위험이 낮았다. John 등은 MMA가 OSA에 대한 성공적인 치료법이라고 결론지었고, 2016년 Zaghi 등[121]과 2010년 Holty와 Guilleminault[101]의 이전 메타 분석에서 동일한 결과를 확인했다.

28.2.1.1 장기 경과 관찰, 치료 실패 위험, 합병증

2015년 Boyd 등은 MMA의 OSA에 대한 장기적인 안전성과 효과에 대한 증거를 MMA 후 평균 6.6 ± 2.8년의 경과 관찰을 통해 전향적인 2개 센터 코호트 연구(n = 30)에서 확인했는데, 짧은 기간의 연구에서 환자가 부작용(예: 부정교합, 경미한 출혈, 항생제로 치료 가능한 국소 감염, 일반적으로 12개월내에 해결되는 빈번한 신경 감각 변화, 낮은 비율의 환자에서 보고되는 안면 외형 악화)을 경험했다고 보고했다.[118] 2009년 Blumen 등도 MMA 술후 50명의 환자를 대상으로 한 연구에서 중요 합병증은 없다고 보고했는데, 가장 흔한 합병증은 이신경 감각 소실이며 환자들은 압도적으로 긍정적인 수술 결과에 대한 이차적인 것으로 간주한다고 언급했다.[136]

■ 표 28.2 John 등에 의한 20개 연구를 포함한 메타 분석의 MMA 전과 후의 평균(SD)값(2018)[129]

Study	AHI		RDI		ESS		LSAT		BMI	
	Pre-MMA	Post-MMA	Pre-MMA	Post-MMA	Pre-MMA	Post-MMA	Pre-MMA	Post-MMA	Pre-MMA	Post-MMA
Liu (2015)[122]	59.8 (25.6)	9.3 (7.1)	–	–	19.5 (2.9)	7.1 (2.6)	80.8 (7.6)	88.9 (3.4)	29.4 (5.1)	29.6 (4.1)
Butterfield (2015)[130]	45.54 (27.6)	7.71 (6)	–	–	13.15 (4.14)	6.14 (3.13)			30.33 (4.18)	30.05 (3.78)
Liao (2015)[131]	41.6 (19.2)	5.3 (4)	–	–	11.9 (7.3)	7 (3)	80.2 (9.7)	88.9 (5)	–	–
Schendel (2014)[132]	42.91(21.17)	5.17 (8.34)	–	–	–	–	–	–	–	–
Cohen-Levy (2013)[126]	51.07(15.21)	10.3 (7.24)	–	–	12.3 (5)	3.9 (2.8)	79.5 (13)	82.2 (5.4)	27.41 (3.5)	25 (2.6)
Boyd (2013)[133]	56.3 (22.6)	11.4 (9.8)	–	–	–	–	74.2 (13.8)	83.6 (10.5)	–	–
Serra (2012)[134]	–	–	–	–	–	–	85(6.8)	86(7)	–	–
Abramson (2011)[127]	–	–	–	–	–	–	80.5 (11.4)	90 (2.68)	–	–
Lin (2011)[135]	35.9 (17.95)	4.6 (4.03)	–	–	12.4 (4.5)	6 (2.3)	83 (7.2)	90.6 (3.6)	22.4 (2.73)	21.6 (2.35)
Vicini (2010)[124]	56.8 (16.5)	8.1 (7)	–	–	11.6 (2.8)	7.7 (1.3)			32.7 (5.8)	31.4 (6.5)
Blumen (2009)[136]	65.5 (26.7)	14.4 (14.5)	–	–	–	–	70.7 (19.2)	84.2 (7.4)	28.9 (4.6)	28.4 (4.2)
Fairburn (2007)[137]	69.22 (35.8)	18.57 (16.29)	–	–	–	–	80.45 (10.49)	87.8 (5.58)	33.85 (8.54)	34.65 (9.16)
Dattilo (2004)[125]	–		76.15(45.71)	12.59 (12.11)	17.86 (3.76)	4.73 (2.6)	–	–	–	–
Goh (2003)[138]	70.7 (15.9)	11.4 (7.4)	–	–	–	–	58.6 (12.3)	83.9 (8.8)	29.4 (4.6)	27.2 (3.3)
Li 2002[111]	–	–	75.3 (26.4)	10.4 (10.8)	–	–	74.2 (12)	86.9 (6.7)	33.5 (6.2)	32.3 (4.1)
Li (2001)[139]	–	–	61.6 (23.9)	9.2 (8)	–	–	75.9 (10.6)	87.5 (4.7)	–	–
Li (2001)[140]	–	–	60.3 (22.2)	10.8 (9.4)			75.8 (12.4)	86.7 (6.1)	–	–
Li 2000[141]	–	–	60.3 (22.2)	10.8 (9.4)	–	–	73.3 (13.2)	88.1 (4.1)	–	–
Bettega (2000)[142]	59.3 (29)	11.1 (8.9)	–	–	–	–	82 (11)	90 (7)	26.9 (4.3)	25.4 (3.3)
Li (2000)	–	–	83 (30.1)	10.6 (10.8)	–	–	63.9 (17.7)	86 (7.9)	45 (5.4)	43 (4.3)
술전 및 술후 MMA의 평균 변화	−44.76		−59.71		−8.02		+10.83%		+1.02 kg/m^2	

AHI 무호흡 저호흡 지수(회/시간), RDI 호흡 장애 지수(회/시간), ESS Epworth 수면 척도, LSAT 최저 산소 포화도(%), BMI 체질량 지수(kg/m^2), MMA 상하악 전진술, SD 표준 편차

Study	Weight	Mean Difference 95% CI
Bettega G et al., 2000	6.7%	-48.20 [-61.51, -34.89]
Blumen MB et al., 2009	10.2%	-51.10 [-59.52, -42.68]
Boyd SB et al., 2013	10.6%	-44.90 [-52.84, -36.96]
Butterfield KJ et al., 2015	6.1%	-37.83 [-52.12, -23.54]
Cohen-Levy J et al., 2013	10.1%	-40.77 [-49.29, -32.25]
Fairburn SC et al., 2007	4.8%	-50.65 [-67.89, -33.41]
Goh YH et al., 2003	8.6%	-59.30 [-69.66, -48.94]
Liao YF et al., 2015	10.0%	-36.30 [-44.90, -27.70]
Lin CH et al., 2011	8.5%	-31.30 [-41.75, -20.85]
Liu SY et al., 2015	6.8%	-50.50 [-63.52, -37.48]
Schendel SA et al., 2014	6.2%	-37.74 [-51.84, -23.64]
Vicini C et al., 2010	11.4%	-48.70 [-55.73, -41.67]
Overall	**100%**	**-44.76 [-49.29, -40.23]**

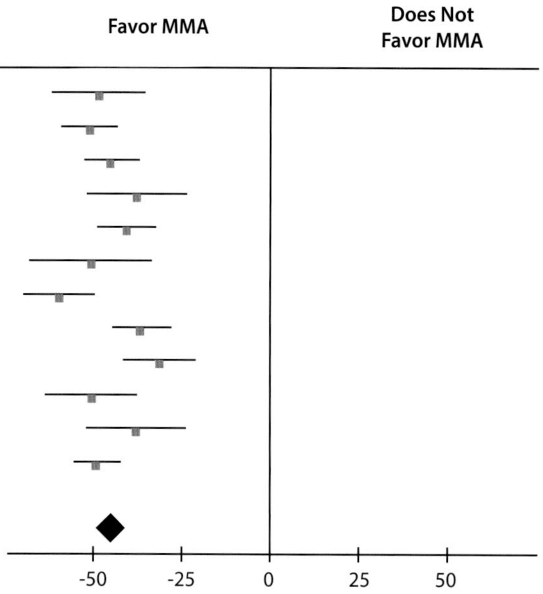

Favor MMA / Does Not Favor MMA

-50 -25 0 25 50

Cochran Q=25.19; p=0.009; I^2=56%

그림 28.2 AHI에 대한 숲 도표(John 등, 2018)[129]

Study	Weight	Mean Difference 95% CI
Dattilo DJ et al., 2004	6.2%	-63.56 [-87.49, -39.63]
Li KK et al., 2000a	19.4%	-55.50 [-65.22, -45.78]
Li KK et al., 2000b	13.7%	-72.40 [-86.08, -58.72]
Li KK et al., 2001a	24.6%	-52.40 [-59.25, -45.55]
Li KK et al., 2001b	24.8%	-49.50 [-56.24, -42.76]
Li KK et al., 2002	11.2%	-64.90 [-81.04, -48.76]
Overall	**100%**	**-57.12 [-63.72, -50.52]**

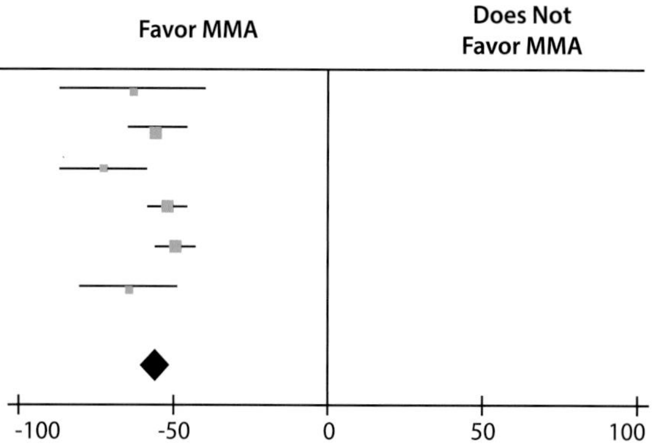

Favor MMA / Does Not Favor MMA

-100 -50 0 50 100

Cochran Q=11.24; p=0.05; I^2=55%

그림 28.3 RDI에 대한 숲 도표(John 등, 2018)[129]

Study	Weight	Mean Difference 95% CI
Butterfield KJ et al., 2015	13.9%	-7.01 [-9.64, -4.38]
Cohen-Levy J et al., 2013	13.6%	-8.40 [-11.30, -5.50]
Dattilo DJ et al., 2004	14.3%	-13.13 [-15.44, -10.82]
Liao YF et al., 2015	14.6%	-4.90 [-6.92, -2.88]
Lin CH et al., 2011	13.7%	-6.40 [-9.26, -3.54]
Liu SY et al., 2015	14.7%	-12.40 [-14.31, -10.49]
Vicini C et al., 2010	15.2%	-3.90 [-5.11, -2.69]
Overall	**100%**	**-8.00 [-11.04, -4.97]**

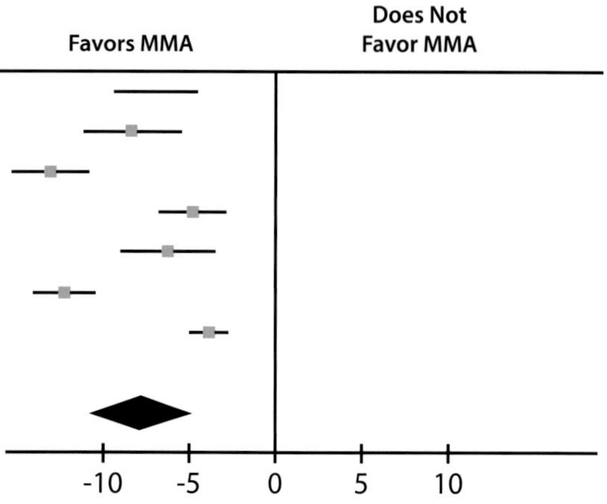

Favors MMA / Does Not Favor MMA

-10 -5 0 5 10

Cochran Q=88.23; p<0.00001; I^2=93%

그림 28.4 ESS에 대한 숲 도표(John 등, 2018)[129]

28

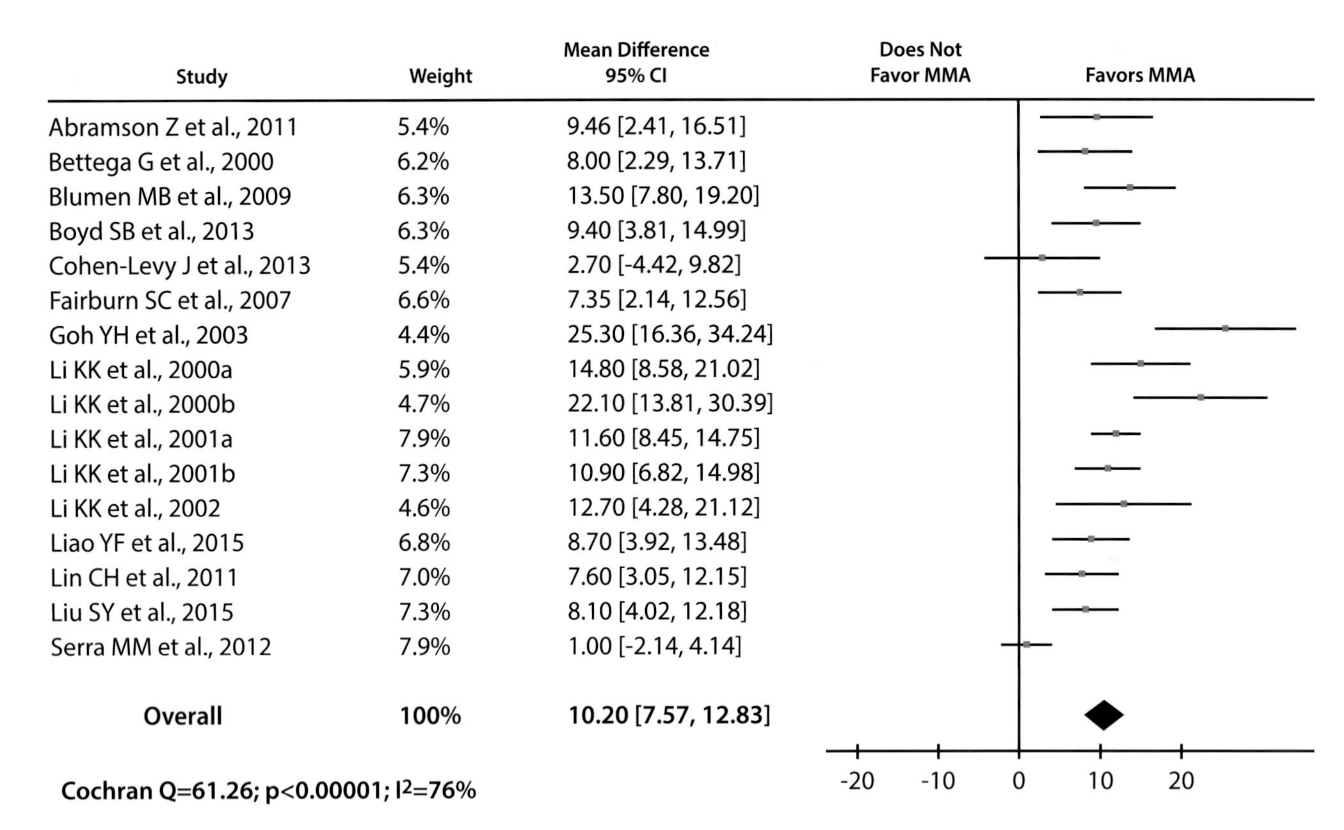

그림 28.5 LSAT에 대한 숲 도표(John 등, 2018)[129]

Study	Weight	Mean Difference 95% CI
Bettega G et al., 2000	11.5%	-1.50 [-3.88, 0.88]
Bumen MB et al., 2009	21.8%	-0.50 [-2.23, 1.23]
Butterfield KJ et al., 2015	8.0%	-0.28 [-3.13, 2.57]
Cohen-Levy J et al., 2013	13.3%	-2.41 [-4.62, -0.20]
Fairburn SC et al., 2007	2.2%	0.80 [-4.69, 6.29]
Goh YH et al., 2003	5.8%	-2.20 [-5.55, 1.15]
Li KK et al., 2000b	7.4%	-2.00 [-4.95, 0.95]
Li KK et al., 2002	3.7%	-1.20 [-5.41, 3.01]
Lin CH et al., 2011	14.4%	-0.80 [-2.92, 1.32]
Liu SY et al., 2015	6.3%	0.20 [-3.01, 3.41]
Vicini C et al., 2010	5.6%	-1.30 [-4.71, 2.11]
Overall	**100%**	**-1.10 [-1.91, -0.30]**

Favors MMA | Does Not Favor MMA

4 -2 0 2 4

Cochran Q=4.20; p=0.94; I^2=0%

그림 28.6 BMI에 대한 숲 도표(John 등, 2018)[129]

■ 표 28.3 치료 실패의 위험(Vigneron 등, 2017[143])

위험 매개변수	승산비	95% CI
술전 BMI > 24.8 대 < 24.8 kg/m^2	14.00	1.43; 137.32
술전 연령 > 45.01 vs. < 45.01	14.00	1.43; 137.32
성별 남성 대 여성	33.33	2.83; 392.60
술전 AHI >44.5 vs <44.5	6.25	1.03; 38.08
술전 SNB >75% vs <75%	14.17	1.83; 109.86
상악 전진량 > 11 대 < 11 mm	11.00	1.06; 114.09
술후 MRBL > 8 대 < 8 mm	6.25	1.03; 38.08

BMI 체질량 지수, AHI 무호흡 저호흡 지수, SNB 두부계측영상에서 측정된 Sella-nasion-B point 각도, MRBL 두부계측영상에서 측정된 최소 설후부 거리

2017년 Vigneron 등은 1995–2009년 사이에 치료받은 88명의 MMA 환자를 대상으로 최소 3년, 평균 13.8 ± 3.9년을 추적하여 OSA에 대한 MMA의 장기 결과를 보고했다. 치료 실패와 성공의 AHI는 각각 33.4 ± 18.7, 4.7 ± 3.2였다($p < 0.004$). 장기적인 성공 인자로는 젊은 연령(45세 미만의 환자는 성공률 100%), BMI < 25, AHI < 45, SNB < 75%, 좁은 설후 공간(< 8 mm), 술전 교정 치료를 받은 환자를 포함한다. 치료 실패의 위험은 표 28.3에서 볼 수 있다.

치료 성공과 합병증 위험은 상호 배타적이지 않을 수 있다. 많은 연구에서 OSA 종료점 충족 여부[예: AHI, 혈압, 졸음(ESS), 삶의 질 등]에 따라 치료 성공을 정의한다; 그러나 이것이 반드시 합병증이 완전히 없다는 것을 의미하지 않는다. MMA가 OSA에 우수한 결과를 가진 필수적이고 영구적인 치료가 되었지만, 그 자체로도 인식되어야 한다: 즉, 하악 기형의 수정을 위한 침습적인 대수술법으로 합병증의 위험과 발생에 둔감하지 않다. 2017년, de Ruiter 등[31]은 OSA로 MMA를 받은 62명의 환자를 대상으로 치료 성공과 실패 요인을 연구했다. 그들은 AHI 측정이 양쪽 끝점에 대한 치료 측정으로 유용한 것을 확인하였다. 그들은 71%의 성공률(AHI의 평균 69% 감소)을 보고했고, 치료 실패의 주요 예측 변수로 연령(각각 58세 대 53세; $p = 0.037$)과 상당히 큰 목 둘레($p = 0.008$)가 있음을 확인했다. 특히, MMA 시술에서 가장 흔한 합병증은 하치조 신경의 감각 장애(60%)와 부정교합(24%)이었다.[31]

일반적으로, 치료 실패는 합병증과 관련이 있을 수 있지만 현재까지의 증거는 입증되지 않았다. 그러나 저자들의 전문적 의견에 따르면, 실제로 합병증 발생과 치료 실패 사이에는 상관관계가 있을 수 있다. 이 관계는 외과의의 훈련과 기술[144], 긴 수술 시간, 감염 감수성과 상처 오염, 환자의 심리적 회복력, 술후 관리의 질을 포함한 여러 변수에 의해 영향을 받을 수 있다.

28.3 기도 개선과 안모 심미의 균형 문제

정상적인 안면 윤곽을 가진 OSA 환자는 엄청난 도전을 제기한다. MMA는 상당한 기도 개선을 달성할 수 있지만, 전진술은 이미 조화로운 안면을 가지고 있는 환자의 안면 심미를 잠재적으로 방해할 수 있다. 이것은 환자의 심미적 측모를 보존 또는 개선하면서 환자의 OSA에 대한 좋은 결과를 얻기 위해 기도의 잠재적 개선의 균형을 맞추는 MMA 외과의에게 도전이 될 수 있다.

28.3.1 반시계방향 회전, 이부성형술, 기타 중재 선택지

MMA 후 심미적 부조화를 최소화하기 위해 다양한 수술 변형이 제안되었지만, 상하악 복합물의 반시계방향 회전(CCWR)과 교합 평면 변경이 이와 관련하여 가장 좋은 완화 조치일 가능성이 높다. 잠재적으로 불리한 심미적 결과의 관점에서 환자와 잠재적 위험에 대해 상담하는 것은 항상 중요하다. Li 등은 MMA를 받는 모든 환자와의 의사 소통 중요성을 강조했지만, 심미적 결과에 불만족할 위험이 더 큰 것으로 보이는 환자 하위 그룹이 있다는 점에 주목했다: 젊은 환자, 기존 양악 돌출 환자, 비-비만 환자.[145] 그러나 전체 전방으로 10 mm 이동하는 대신 CCWR을 사용하는 것은 외과의에게 이러한 환자군조차 이런 장애물을 협상할 수 있는 실행 가능한 도구를 제공했다.

반시계방향으로 교합면을 8도 이하로 떨어뜨리면, 외과의는 더 나은 기도를 확보할 수 있을 뿐만 아니라, 코끝이 위로 올라가거나 돌출된 상악 및/또는 하악과 같은 부정적인 심미적 결과를 예방할 수 있다.[80,146] 상악과 하악 전체가 똑바르게 전진하는 경우의 심미적 위험은 비순 각도를 과도하게 증가시키고 환자의 콧구멍이 정면에서 더 잘 보이도록 하고 입술이 더 돌출되어 보일 수 있다. 측면에서, 상하악 복합체 전체가 과다한 전돌은 코가 위로 올라가고 턱이 심미적으로 돌출되는 원인이 될 수 있다. CCWR의 이점은 특히 더 오목한 안면 윤곽을 가진 동양인과 같은 일부 민족에게 유리하다.[147]

일부 증례에서 전진을 줄이거나 최소화하기 위해, 혀가 구개쪽으로 상향 확장될 수 있도록 치열궁의 횡단 크기 확장과 같은 다른 선택지를 탐색할 수 있다. 또 다른 선택지는 같은 정도의 기도 확장을 달성하기 위해 구강을 통해 혀기저부 절제술을 동시에 수행하는 것이나, 이 접근 방식에 대한 주의사항은 잠재적으로 회복기간이 길어질 수 있고 환자는 최대 36시간 동안 삽관을 유지해야 한다.

28.4 MMA 전 환자 평가

28.4.1 술전 의학적 평가

환자에 내원하면, 수술 계획 및 준비에 앞서 환자의 두경부에 대한 철저한 종합 평가를 수행한다. 처음 내원 후 Cone beam CT (CBCT)를 촬영한다. 환자는 비폐색 검사(NOSE) 척도를 작성한다. CBCT에서 측면 두부계측 영상, 비강 평가, 용적 분석(기도의 가장 관련성이 높은 3D 평가인 최소 단면적 평가 포함)을 포함한 수많은 영상을 추출하고, 파노라마를 촬영하여 치열을 평가한다. 추가적으로, 비갑개 형태를 포함한 중격 모양을 확인하기 위해 비강 평가를 시행한다. 임상적으로, 비강검경을 사용하여 환자 비공을 시각화한다. 약물-유도 수면 내시경(DISE) 동안 비강 조직, 하인두, 인두 외벽 허탈에 대한 광섬유 평가를 시행한다. 이것으로 혀기저부도 평가할 수 있고 CBCT 평가와 상관관계가 있다. 부비동의 병리학적 기형을 선별한다. 구강내에서, 악궁의 형태, 치열 밀집, 악궁 너비를 기록하고 평가한다.

상순 조직의 임상 검사로 달성할 수 있는 최대 전진량에 대한 이해를 얻고 이것이 비순 각도에 미치는 잠재적 영향을 결정한다. 상악의 과도한 전진이 비강 구조와 광범위한 입술 돌출에 잠재적으로 부정적인 영향을 미칠 수 있기 때문에 환자의 근막조직을 촉진한다. 이미 악교정 수술을 받은 환자에게 문제가 있다고 판단되는 증례에는, 향후 비성형의 필요성에 대해 환자와 상의해야 한다. 압통의 모든 부위를 0–10의 척도로 기록한다. 두통/편두통의 존재, 중증도, 부위도 기록한다. MMA 후보자에서 종종 무시되는 매우 중요한 해부학적 지표가 측두하악관절(TMJ)이다. TMJ는 악골 위치, 교합, 안면 균형, 악골 기능, 성장, 발달, 기도 기능에 대한 기초이다. TMJ 병리는 이런 요소에 부정적인 영향을 미칠 수 있다.

MMA 이동이 상당하기 때문에, TMJ 안정성에 대한 철저한 평가가 미래 안정성 보장을 위해 가장 중요하다. TMJ 부위에 증상이 있고 이명과 귀 통증이 있는 환자의 경우, TMJ의 골과 연조직 구조에 대한 철저한 평가가 필요하다. TMJ의 MRI는 관절 디스크의 시각화를 가능하게 할 수 있다. 상당한 MMA/CCWR이 필요한 약하고 염증성의 관절로 진단된 환자의 세부항목을 위해, 전관절 보철물을 이용한 통합 수술이 권장된다는 점에 유의해야 한다. 이것으로 환자의 기도 개방을 유지하고 미래의 재발을 방지하기 위해 하악의 오래 지속되는 안정적인 위치를 가질 수 있게 한다.

28.4.2 MMA에 대한 지침과 적응증

MMA의 첫 번째 적응증은 수면 다원 검사와 시간당 15회 이상의 AHI에 근거한 OSA의 정확한 진단이다. 2000년 Prinsell[148]이 제안한 OSA 수술의 초기 지침은 다음과 같다:

1. **외과적 전제 조건**
   (a) 임상적으로 심각한 OSA (AHI > 15 또는 무호흡 지수 > 5, LSAT < 90%, 과도한 주간 졸음)
   (b) 보존적 치료(예: 지속적 양압기) 적용불가/실패/적응불가
   (c) 의학적/심리적으로 안정적
   (d) 수술 진행에 대한 의지(즉, 사전 동의)
2. **명확하게 식별가능한 특정 부위/분할 영역의 경우**
   (a) 이런 특정 부위를 해결하는 적절한 술식으로 치료
   (b) 단계적 접근을 권장/희망하는 경우, 가장 심각/중요 부위 먼저 치료
3. **광범위하게 복잡하거나 쉽게 구분할 수 없는 여러 부위의 경우**
   (a) 인두 기도 확대/안정화를 위한 골격성 전진술
      (i) 원발성 1단계 완전 치료; 또는
      (ii) 후속 인두 수술과 관련된 술후 부종-유도 기도 곤란의 위험 최소화
   (b) 임상적으로 심각한 잔존 OSA에서(여전히 필요한 경우) 두 번째 인두 연조직 술식

이러한 지침이 모든 환자, 그들의 기대, 삶의 질, 지속적 양압기의 이행 준수 능력에 적용되는 것은 아니라는 것에 유의해야 한다. 특정 환자에서, 밀실 공포증이나 기타 적응하지 못하는 이유로 지속적 양압기를 사용할 수 없다. 궁극적으로 이런 환자들에게 수술이 이상적인 해결책이지만, 각 환자에 맞게 조정되어야 한다. MMA의 적응증은 상당한 인두 조직 잉여없이 OSA가 심한 환자, 심한 상하악 결핍 환자, OSA의 장기간 해소가 필요한 젊은 환자, 가장 효과적인 1단계 수술을 원하는 환자를 포함한다.[142] 임상적으로 건강하고 심혈관 상태가 양호한 젊은 환자가 이 술식에 가장 적합하다. 여러 동반 질환이 있는

환자는 적절한 최적화가 필요하며 술전에 철저한 위험 평가를 받아야 한다. 그러나 산소 포화도와 병적 비만이 MMA 개입을 필요로 하는 유효한 2차 인자로 제안되었다.

혈액 소실 위험과 저혈압 마취의 필요성은 신체에 상당한 부담을 가한다. 이런 동반 질환이 있는 환자의 경우 전신 평가를 위해 여러 번 의뢰한다. 위험과 합병증이 높지 않더라도, 환자를 위한 최적의 수술 계획 수립과 술후 관리를 맞춤화하기 위해, 외과의, 마취과의, 1차 및 2차 진료 의사 간의 의사 소통이 가장 중요하다.

수술 중 동맥혈 산소와 심장 기능의 신속한 평가를 위해 동맥 라인을 사용하면, 마취과의가 평균 동맥압을 더 잘 제어하는 동시에 소변 배출을 통해 신장 기능을 모니터링할 수 있다. 평균 동맥압을 낮추면 수술 중 혈액 손실을 최소화할 수 있다. Cardine, propofol 주입, nitroglycerin 등을 사용할 수 있다.

28.4.3 MMA 수술의 금기증

MMA는 다수의 동반 질환(다중 질환이라고도 알려진)이 있거나 수술에 대한 고위험군의 특정 환자 하위군에게는 선택되지 않을 것이다. 증례의 복잡성이 환자마다 다르므로, MMA는 4–7시간이 소요될 수 있다. 시술 기간은 환자의 병력과 생리학적 예비력과 비교해야 한다.

OSA로 고통받는 많은 환자는 OSA 병리와 열악한 수면 위생으로 인해 cortisol 수준이 높아 이미 심장과 다기관 결함으로 손상되었을 수 있지만, 회복력을 결정하기 위해 각 환자에 대해 이런 과정을 측정하고 고려해야 한다. 고령 환자(65세 이상)의 경우 마취시간이 길어지면 술후 기억상실이 발생할 수 있고, 3–4일 동안 지속될 수 있다. 다시 말해, 포괄적인 마취 이력은 이러한 유형의 사건들은 예측하고 계획을 세우는데 도움이 될 수 있다.

항응고제 복용 환자는 과다 출혈의 위험이 높고, Le Fort I 골절단술의 경우 특히 기도 손상 유발 가능한 비출혈의 위험이 높다. 병적 비만 환자의 기도는 합병증과 허탈의 위험이 더 높으므로, 경우에 따라 금기일 수 있다. 신장이 좋지 않은 환자는 마취 합병증과 추가 신장 손상의 위험이 더 높기 때문에 일반적으로 수술 대상이 아니다. 심한 흡연자도 Le Fort I 골절단술 후 괴사의 위험이 높고, 특히 분절 술식인 경우 피판 실패의 위험이 높을 수 있다. 또한 수술 중 성공적 기능 달성뿐 아니라 분절 혈관과 치유의 실패 위험이 높다: 그러므로, 술전 금연이 의무화된다. HBA1c가 7을 넘는 당뇨 환자는 심근경색, 뇌졸중, 술후 감염의 위험이 더 높다. 이런 환자들은 항생제를 더 길게 유지해야 한다; 따라서, HBA1c가 잘 조절될 때까지 수술을 연기해야 한다.

28.5 술식

악교정 수술은 수십 년 동안 치아안면 기형을 수정하기 위해 사용되었다. 악교정 술식은 1980년대와 90년대 들어서 다소 줄었지만, MMA 변형과 특히 OSA 환자를 비롯해 TMJ 재건(TMJR)이 필요한 측두하악 장애(TMD) 환자에서 수술 성공으로, 지난 20년 동안 다시 부각되었다.

28.5.1 시상 및 Le Fort I 골절단술

28.5.1.1 시상 골절단술의 전진 한계

1957년 Trauner와 Obwegeser[149]가 (1942년 Schuchardt에 의해 처음 도입[150]된 후) 처음 개척한 양측성 시상 분할 골절단술(BSSO) 변형은 악안면 수술을 안전하고 표준화된 술식으로 도입되었고, 그들의 접근 방식을 약간 변형하여 여전히 전 세계적으로 수행되고 있다. Schuchardt 술식에 대한 그들의 변형은, 외사능에서 (하악지의 후연을 피해) 2개의 수평 피질 절단부를 연결하여 하치조 신경(IAN)을 수용하도록 수평 절단부 사이의 간격을 25 mm로 넓히고, 외측 피질을 깎아 하악연의 골절을 유도하는 것이다.

이 술식을 통해 외과의는 대부분의 비대칭을 수정할 수 있고, 술후 즉각적으로 악골 기능이 가능하다. 게다가, 플레이트를 안정화하는 강성 고정이 치유를 허용한다. 이것은 근심과 원심 분절의 골 접촉의 넓은 계면 덕분이다. 강성 고정을 위한 플레이트를 적용하기 전에, 위치 나사를 사용하여 근심과 원심 분절을 고정한다. 그러나 플레이트의 사용은 외과의가 이중피질 나사 삽입에 사용하는 전통적인 구강외 절개를 피할 수 있다. 우리는, 나사와 플레이트를 구내로 배치한다.

그 후 시상 분할의 변형은 1961년 Dal Pont와 1968년 Hunsuck에 의해 제안되었다. 1977년 Bell과 Schendel은 시상 하악지 분할 변형을 위한 생물학적 기초를 탐구하는 중대한 논문을 발표했다. 같은 해 말에 Epker는 그의 논문을 통해 새로운 변형을 발표했다. 1987년, Wolford, Bennett, Rafferty[151]는 하악지 시상 분할 절단술의 중요한 변형을 소개했는데, 보다 통제된 분절 분할과 근심 분절을 더 잘 통제하였다. 1990년대 후반에 Wolford

와 Davis[152]는 IAN을 보존하면서 낮은 설측 분할을 달성하기 위한 목적으로 하연 절단을 위한 새로운 맞춤형 톱을 사용하였다. 이것이 IAN이 절차상 외상에 더 취약한 근심 분절에서 발견될 가능성을 줄였기 때문에, 중요한 발전이었다.

상악 계단 절단술의 경우, 1985년에 Bennett와 Wolford[153]가 개선을 설명했다. 전통적인 Le Fort I 상악 절단술은 전후방으로 기울어져 있다. 상악 계단 절단술의 가장 큰 장점은 전통적인 기술의 경사 효과를 없애 "순수한" 전후방 움직임을 허용한다는 것이다.

28.5.1.2 플레이트 대 나사

BSSO에 사용되는 가장 일반적인 고정 장치는 단일피질 미니 플레이트와 이중피질 티타늄 나사이다(◘ 그림 28.7). Al-Moraissi와 Al-Hendi의 2016년 체계적 고찰과 메타 분석에서[154], BBSO 술후 고정에 관한 3개의 연구에서 단일피질 플레이트($n = 67$)나 이중피질 나사($n = 60$)의 사용을 비교했을 때 술후 안정성에 큰 차이가 없음을 발견했다. 이중피질 나사는 술후 안정성을 달성하기 위해 6 mm 이상의 전진이 필요한 경우에 유용할 수 있으며, 플레이트 고정은 이중피질 나사 배치를 위한 근심 및 원심 분절 사이의 골 중첩이 충분하지 않은 경우 유용하다. 하악 locking 플레이트를 사용하면 나사 머리가 플레이트에 완전히 고정되어 향후 풀림 및 감염을 방지할 수 있다.

이 플레이트는 골 구조에 수동적으로 맞게 휘어 있다. 수동적 적합과 잠금 나사의 조합은 향후 장치 실패나 감염을 예방한다. BSSO의 고정과 중간 스플린트 사용 후, 절개선을 세척하고 봉합한다. 다음으로, Le Fort I 골절단술이 완성되면, 미리 제작한 스플린트를 사용하여 압전수술기로 분절 골절단을 수행한다.

필요한 경우, 더 큰 너비와 적절한 교합을 얻기 위해 상악 확장을 사용하는 것이 중요하다. 이것은 분절 골절단술이나 MMA 이전에 수술 보조 급속 상악 확장(SARPE)을 통해 달성할 수 있다. 술자는 SARPE 대규모 확장의 약 1/3이 나중에 소실될 수 있다는 것을 염두해야 하지만, 확장시 골격 안정성은 완만하지만 안정적인 것으로 보인다.[155,156] 임상 경험을 바탕으로 MMA 이전에 SARPE를 수행하거나 전진술 중에 확장을 수행하여, 효과적으로 단일 술식에 두 수술을 통합할 수 있다. 분절 골절단술의 안정성을 보장하기 위해, 구개 스플린트를 치아간 와이어로 상악에 고정하여 골 치유동안 부목 같은 기전으로 작용하고 3–4개월 후에 제거한다(◘ 그림 28.8).

Le Fort I 절골술 동안 마취팀은 평균 동맥압을 50 mmHg로 유지한다. 중격과 비갑개에 필요한 수정은 과도하게 비갑개 조직을 제거하지 않고 최대 비갑개 부분의 1/2에서 2/3를 감소시키도록 주의하면서 술식의 이 부분을 수행한다.[157]

연속체에서, 분절 수술을 위해 정중옆 절단을 수행한다. 상악 이식은 단단한 고정에 중요하다. 상악 전면 이식은 상악 운동의 장기간 안정성을 촉진하고, 특히 교합 평면의 광범위한 CCWR의 환자에서 중요하다. 마지막으로, 계획된 경우, 적절한 강성 고정으로 이설근 전진을 수행한다. 이 전진술은 전진된 골이 축소에 의해 변형될 수 있으므로 증례의 미적 요구사항을 충족하도록 형성될 수 있다.

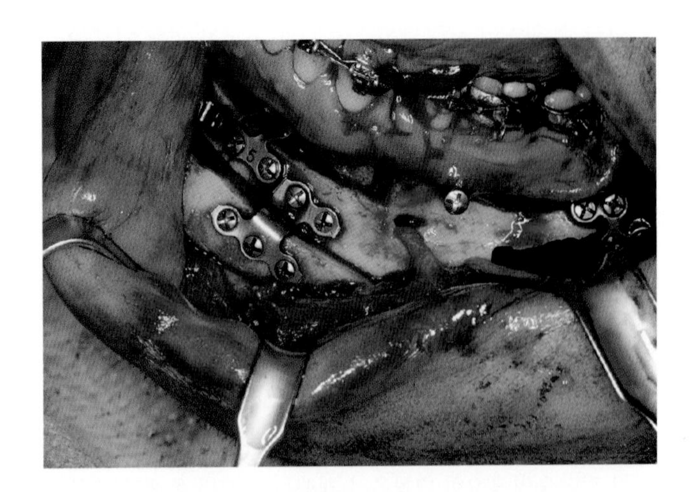

◘ 그림 28.7 시상 분할편에 L-플레이트와 Z-플레이트를 이용하여 고정

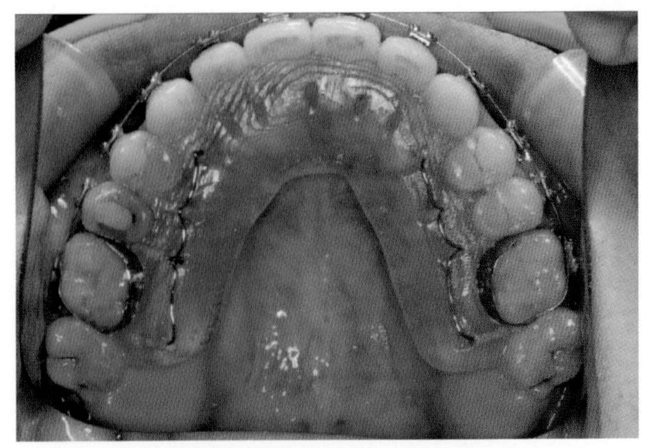

◘ 그림 28.8 분절 골절단술과 상악 확장 후, 구개 스플린트를 삽입하고 치아간 와이어 고정으로 안정화한다. 이 스플린트는 술후 3–4개월간 구개에 유지될 것이다.

28.6 하악 전진술에서 전관절/TMJ 고려사항

28.6.1 TMJ 병리와 수술 적응증

TMJ는 악골 위치와 기능, 교합, 성장 및 발달, 안면 균형, 기도 기능을 결정하는 해부학적 중심물이다. 그 병리는 이러한 요인에 부정적인 영향을 미칠 수 있다. CT 장애와 다양한 형태의 관절염, 디스크 변위, 강직(또는 강직을 야기하는 외상), 유증상의 TMJ, 안면 비대칭(TMJ 종양으로 발생 가능한), 무형성이 TMJ 병리에 포함되고, 이 모든 것이 술식의 적응증이다. TMJ 병리와 치아안면 기형에 대한 진단과 치료 계획 수립은 병력, 치과 모델 분석, CBCT 및 MRI로 구성된 완벽한 임상 평가의 일상적 단계로 이루어진다. MRI는 진단과 치료 계획 수립의 매우 중요한 도구로 연조직과 경조직을 모두 평가한다. MRI의 약 40-60%가 부적절하게 판독되는 것으로 추정된다. TMJ 수술은 치아안면 기형이 있는 OSA 환자의 대다수에게 필요할 수 있으며, 필요한 경우에만 수행해야 한다. 2008년에 Goncalves 등[158]은 관절 병리, 디스크 변위, 재발 사이의 관계를 설명했다.

현대의 진료에서, TMJ 수술과 악교정 수술의 통합은 장기간 경과 관찰에서 성공적인 것으로 입증되었다.[159] 지난 10년 동안 다듬어진 디지털 작업 흐름을 통해 보다 정확한 결과를 얻을 수 있었다. 이것은 MMA를 시작하기 전에 관절을 평가하는 것이 중요함을 의미한다.

28.7 MMA 술후 경과 관찰 관리

환자의 대부분은 술후 기준이 충족되면 삽관을 제거한다. 환자를 마취 후 회복실로 이송한다. 회복되는 동안, 환자의 기도 개방을 유지하기 위해 양측 비강 트럼펫을 사용한다. 활력 징후와 통증 조절이 기준을 충족하면 환자를 중환자실로 이송하여 간호사가 일대일 모니터링한다. 침대 헤드를 45도로 유지하고 술후 3일 동안 아이스 팩을 사용한다. 환자를 위해 가습 산소 텐트를 제공하고 맥박 산소 측정기로 지속적인 모니터링을 시행한다. 수술 다음날, 폴리 카테터와 동맥 라인을 중단하고 환자를 전환 치료실로 이송한다. 전환 치료실에 있는 동안 목표는 도보 요구, 전신 및 구강 통증 조절, 수분과 단백질 섭취를 충족하도록 설정된다. 영양과 물리 치료 상담을 시작한다. 감염 예방을 위해 구강 위생을 유지한다. 필요에 따라 정맥 항생제, 스테로이드, 항구토제를 사용한다. 평균적으로 환자는 MMA 수술 2-3일 후에 퇴원하고, 첫 2-3주 동안 1주에 2-3회 개인 치과에서 고무줄 교체와 수술부위 확인을 받는다.

3주차에, 물리 치료를 시작하여 환자 개구를 위해 근육을 이완시킨다. 술후 교정은 수술 6주 후에 시작한다. 첫 달이 지나면, 환자를 3-4개월에 내원시켜 구개 스플린트를 제거한다(분절 절골술 수행의 경우). 이런 일정은 환자마다 다를 것이다. 대부분의 환자는 3-4주 휴가로 회복을 도모하는 것이 권장되나, 환자의 생리적 상태와 치유 과정으로 단축 또는 연장될 수 있다.

28.7.1 재발 및 재수술로 이어지는 위험

위에서 언급한 것처럼, OSA의 재발은 술후 체중 증가와 다른 동반 질환의 자연적 병력과 약물 변화에 기인할 수 있다.[160] 그러나 과두 흡수 및 관련 골격 불안정성, 식립 장치 실패, 술후 외상과 같은 다양한 문제가 불안정성을 유발할 수 있다. 그러나 재발이 발생할 수 있고 설명이 불가능하다. 그러나 여러 구조적 요소가 재발과 연관되는데, 여기에는 과도한 골의 움직임 및/또는 회전, 치아의 변화, 술전 교정 치료 동안 해결되지 않은 부정교합, 과두의 위치 변화, 하악지 경사 및 하악 평면의 상당한 변화에 기여하는 변화들이 포함된다.[161,162]

28.7.2 증례 1: 지속적 양압기에 실패한 38세 여성

호흡기 내과에서 의뢰한 38세 여성으로, OSA 병력과 이전 비갑개절제술을 받은 적이 있고, 그 당시에 복용하는 약은 없었다. 환자는 OSA를 진단받고 내 진료실로 의뢰되었다. 환자는 2011년부터 지속적 양압기로 치료받았지만, 견딜 수 없다고 보고했고 준수하지 않게 되었다. 철저한 환자 평가와 위험 및 이점에 대한 상담 후 환자는 MMA를 선택했고, 술전 교정을 시작했다. MMA는 CCWR로 수행했다. 수술 5주 후 교정치료를 시작했다. 술전(2013년 수면 검사) 및 술후(2015년 수면 검사) AHI는 53과 0.3이었다. 수면 효율은 92%의 최저 산소 포화도로 91%까지 향상되었다. 4년의 경과 관찰에서, 환자는 OSA의 유의한 증거를 보고하지 않았다(◘ 그림 28.9-12).

28.7.3 증례 2: 경피증을 수반한 59세 여성

경피증 병력이 있는 59세 여환으로, 1990년대 초반의 첫 내원 이후 1990년대 후반에 TMJ 관절경, 디스크절제술, 실리콘 스페이서와 양측성 늑골 이식의 다중의 TMJ 술식을 받았다. 그녀는 1993년부터 비강 캐뉼라를 통해 산소를 공급받았고, 수면을 위해 지속적 양압기를 준수했다. 최대 개구량은 5 mm에 불과했다. 2016년 수면 검사에서 AHI가 28로 나타나 OSA 진

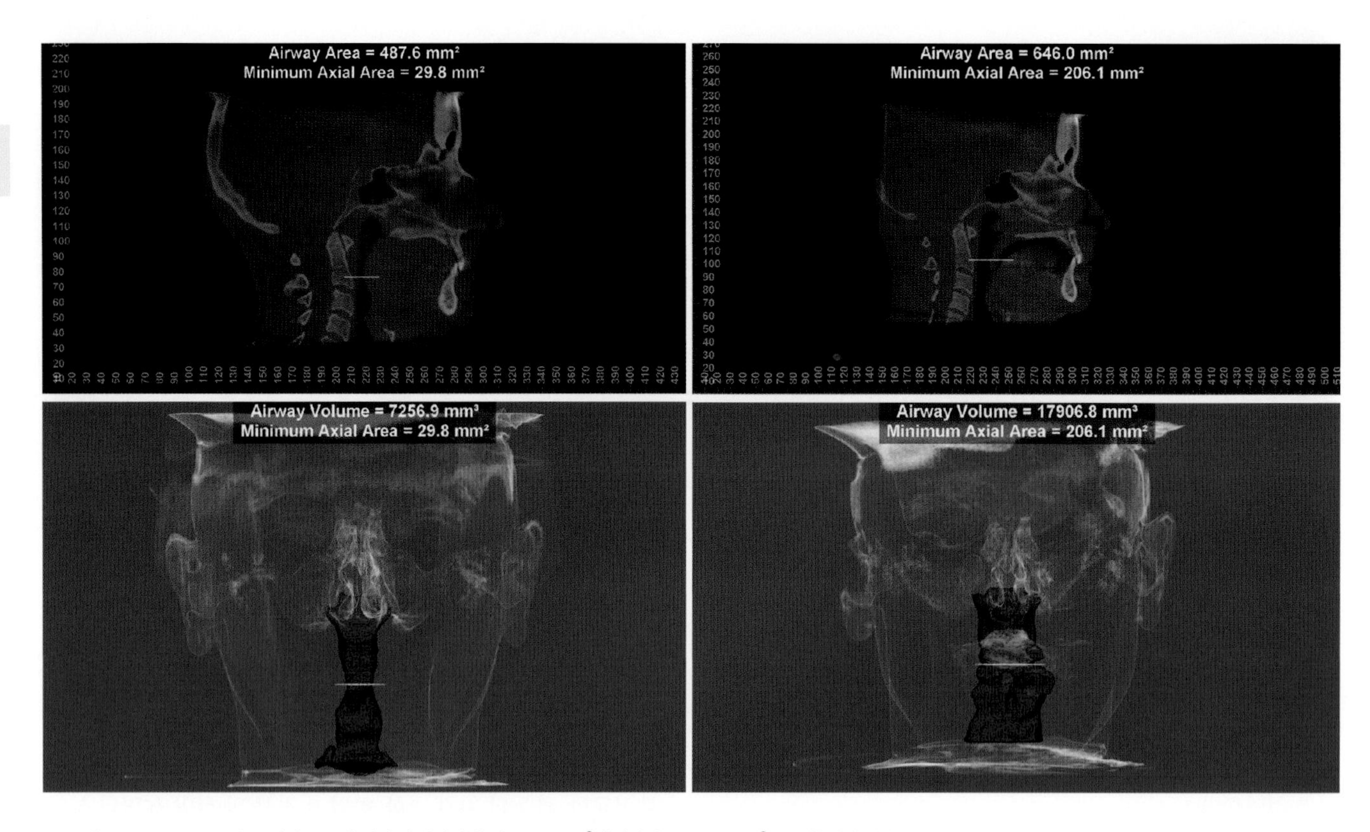

그림 28.9 Dolphin 기도 영상으로 최대 축단면적이 술전 29.8 mm^{3}에서 술후 206.1 mm^{3}으로 향상되었다.

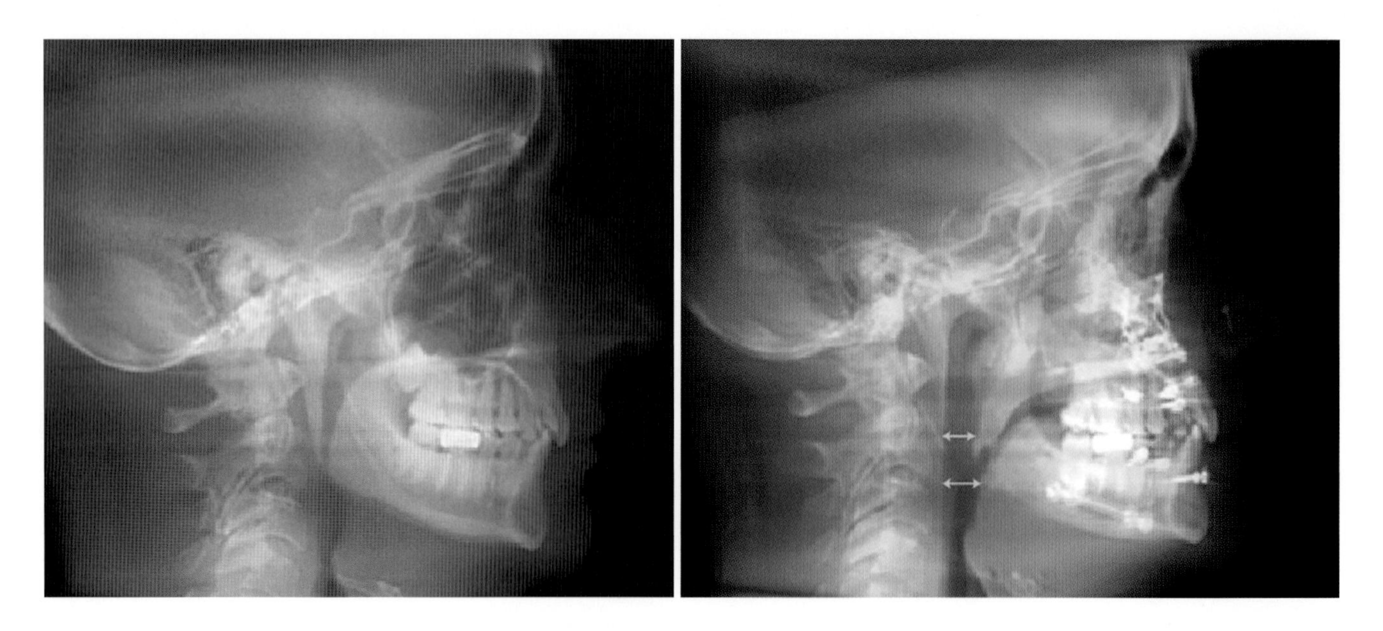

그림 28.10 술전 및 술후 두부계측 영상 비교에서 중간 후방 기도 공간(MPAS)이 2 mm에서 9 mm로 증가하였고 하방 후방 기도 공간(IPAS)이 3 mm에서 11.5 mm로 증가하였다.

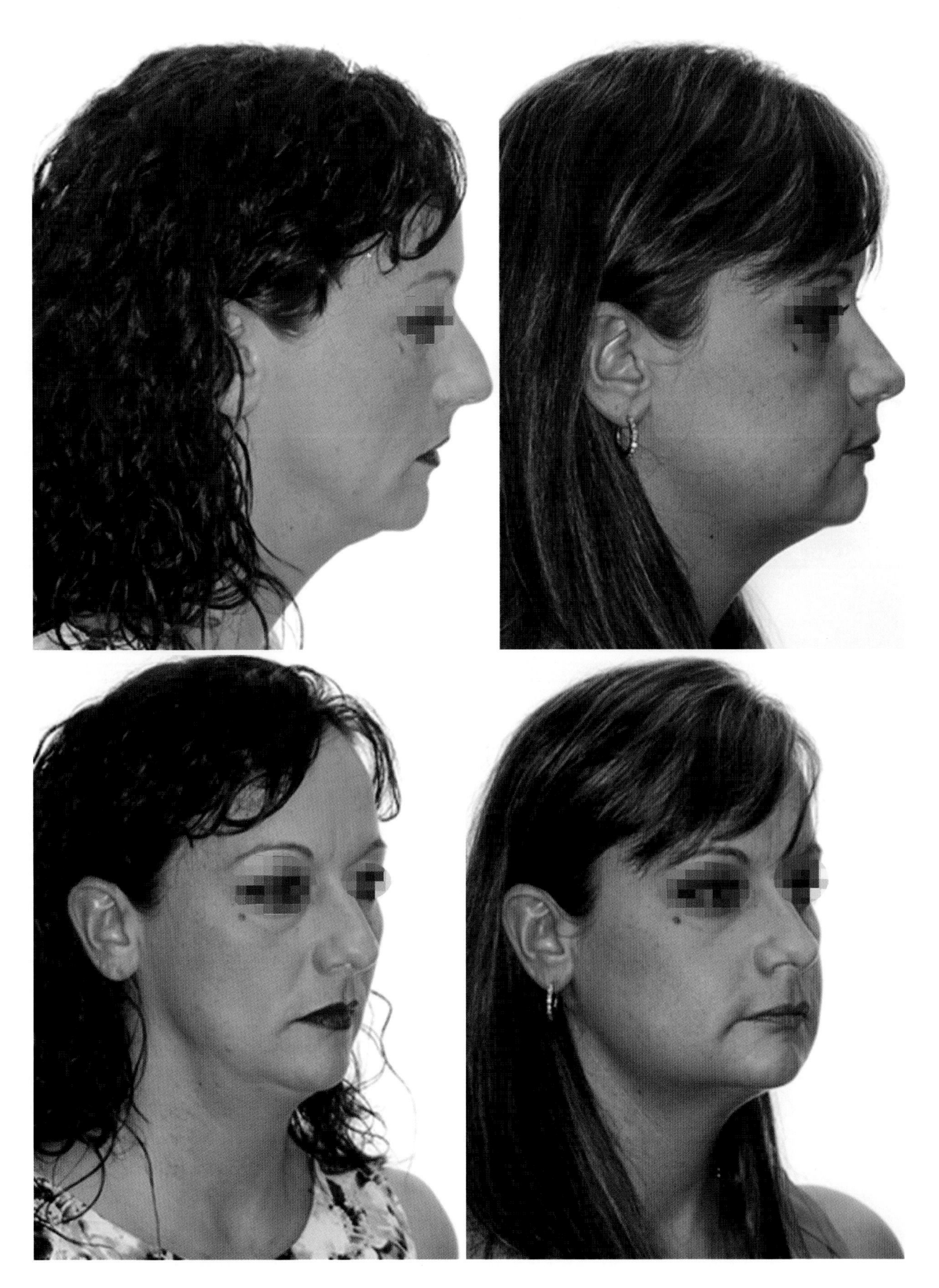

그림 28.11 술전 및 술후 측면 사진(측방 및 45도)은 향상된 두개안면 조화와 콧등 돌출부 소실을 보여준다.

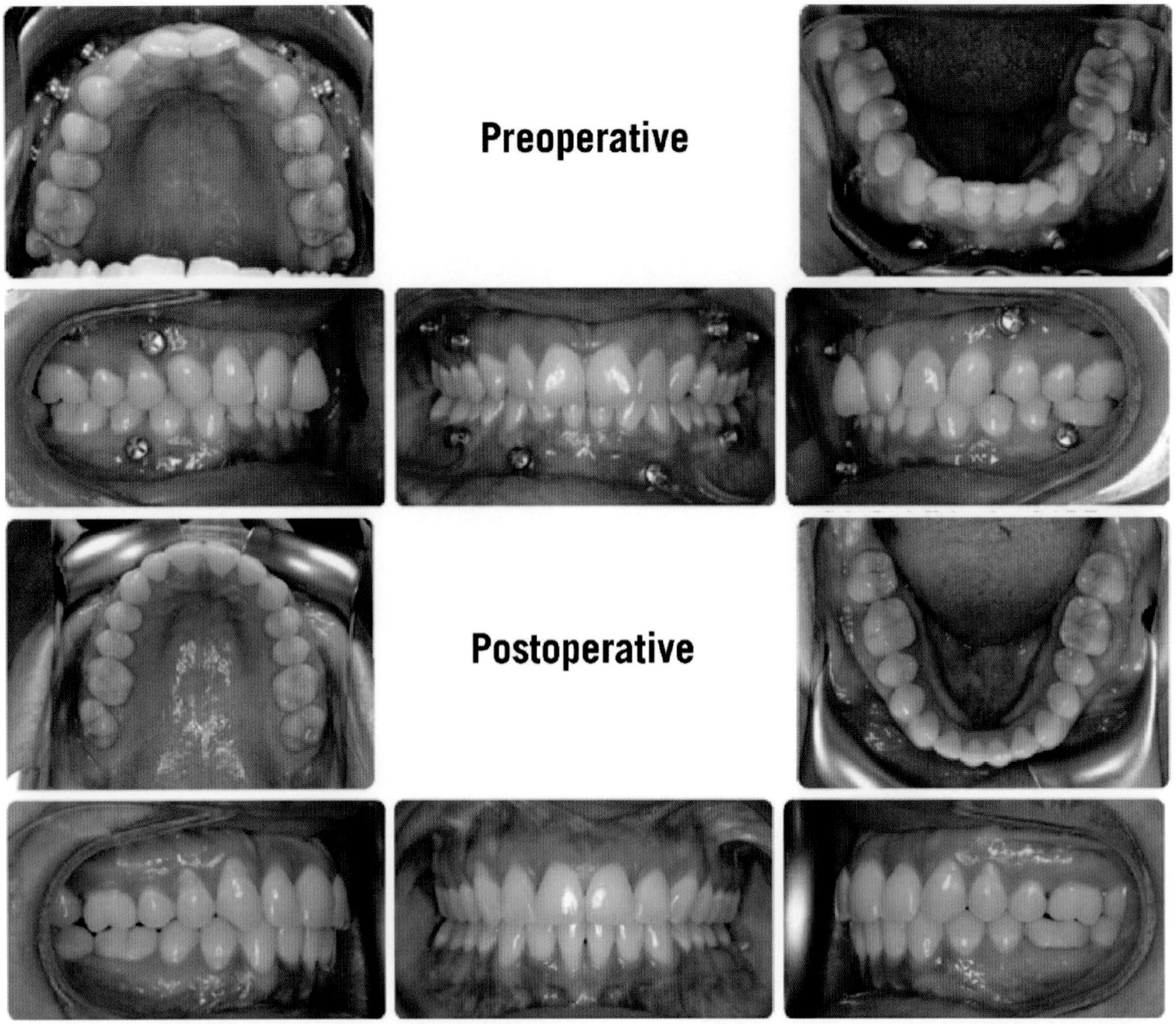

Preoperative

Postoperative

그림 29.12 술전 및 술후 치아 사진으로 치아 배열의 향상, 악궁 개선, 교합 보존, 만족스러운 심미적 결과를 보여준다.

단이 내려졌다. 환자는 새로운 TMJ 보철물과 동시 TMJR이 있는 MMA를 선택했다. 술전 준비는 치아 교정으로 시작되었다. 2016년 수술은 전관절 보철물과 MMA로 계획된 재건이었다. 2016년 Le Fort I 골절단술 당시 1999년에 시행된 늑골 이식편을 제거하고 상악골에 이식술을 시행하였다. 환자는 술후 매주 내원하다가 그 후 1년간 2개월마다 내원하였다. 1년 경과 관찰에서, 기도의 최소 축단면적이 88 mm^2에서 186 mm^2으로 향상되었다(그림 28.16 하방). 환자의 폐와 신장 기능 검사 결과, 복용 약물이 9개에서 4개로 감소하였다. 술후 환자는 더 이상 비강 캐뉼라나 지속적 양압기를 필요로 하지 않았고, OSA의 표면적 치유로 평가되었다. 통증 없는 최대 개구량은 5 mm에서 38 mm로 증가하여 기능이 향상되었다(그림 28.13-16).

28.7.4 증례 3: 중증 OSA와 확연한 하악 후퇴증

52세의 남환으로 중증의 OSA와 확연한 하악 후퇴증, 고혈압, 다양한 약물 복용이 있었다. 지속적 양압기를 사용하고 있었으나, OSA 관리에 효과적이지 않았다. 이전의 수면 검사에서 AHI가 57이었다. CBCT를 촬영하고 DISE에 앞서 기도를 분석하였는데, 평균 이상의 기도를 가지고 있었고, 허탈이 발생 가능했다. 그의 기도가 영상 3D 분석에서 수축을 보이지 않았기 때문에 MMA가 해결책으로 신중하게 권장되었다. 또 다른 문제는 하악 절치 경사 과다로 인한 MMA 이동 역학이었다. 이 문제를 해결하기 위해, 하악 전진 촉진을 위한 제1소구치 발치와 치근하 절단술이 추천되었다. 치근하 골절단술 후퇴로 광범

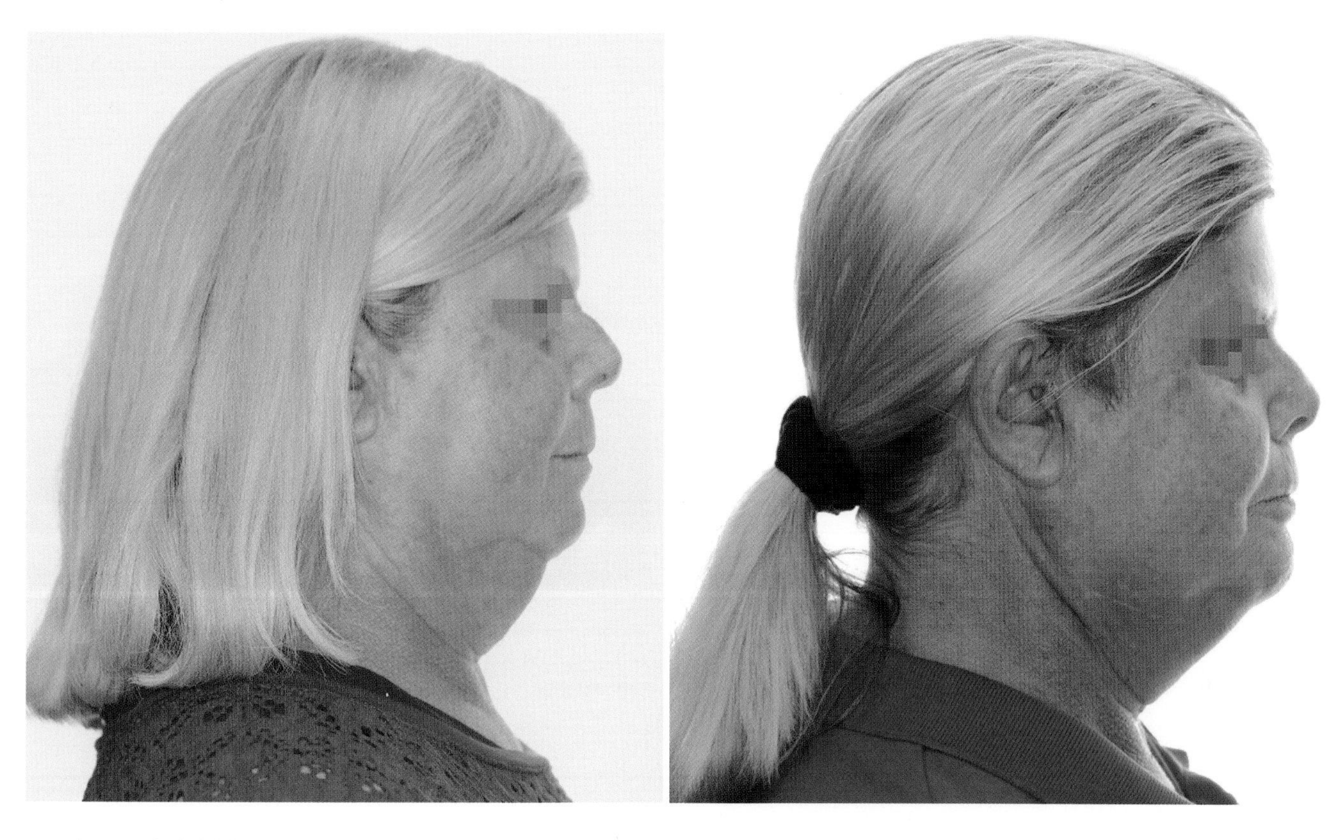

그림 28.13 **술전 및 술후 사진**

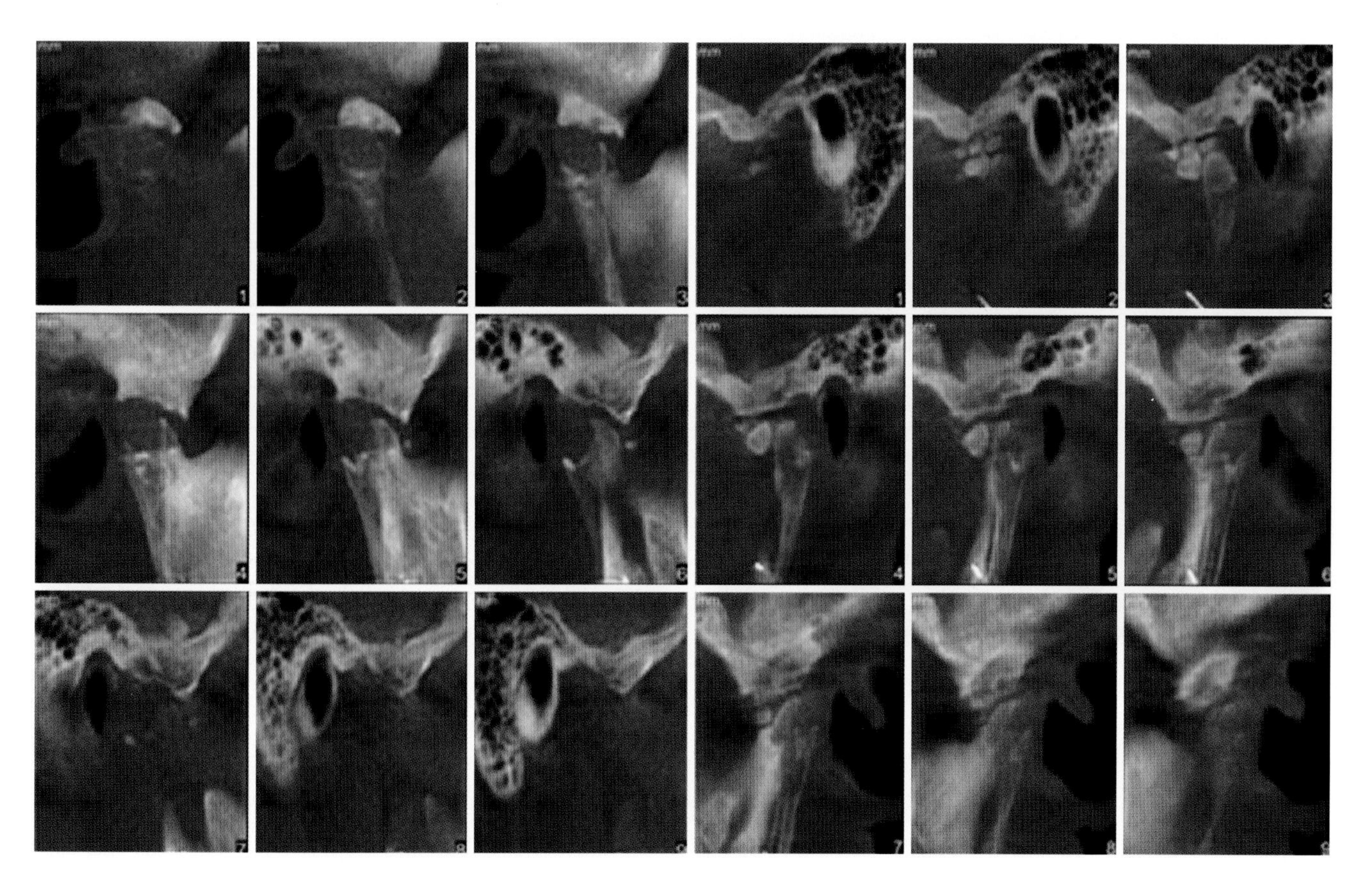

그림 29.14 **TMJ의 시상면에서 관절와 내 부유된 골 조각으로 관절의 강직을 볼 수 있다. 최대 개구량이 5 mm이다.**

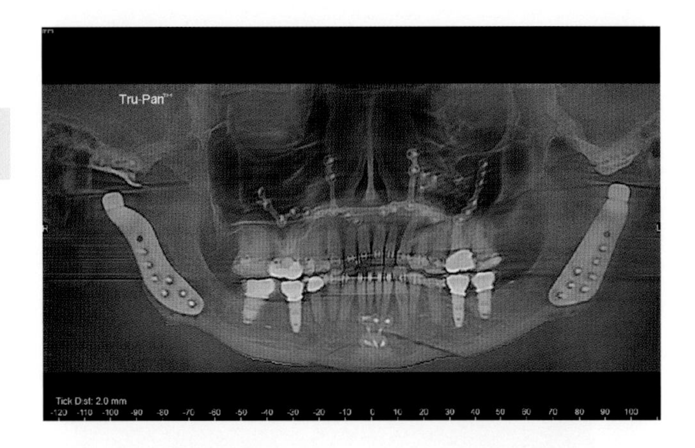

■ 그림 28.15 **파노라마 영상**

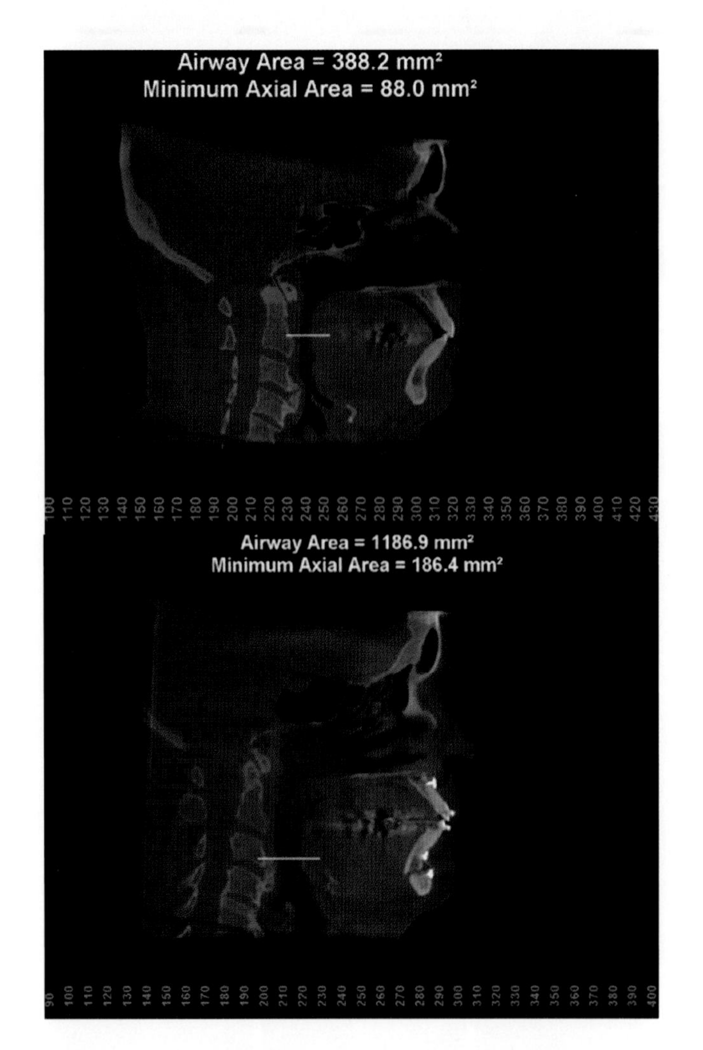

■ 그림 28.16 **최소 단면적이 88 mm²에서 186 mm²으로 향상되었다.**

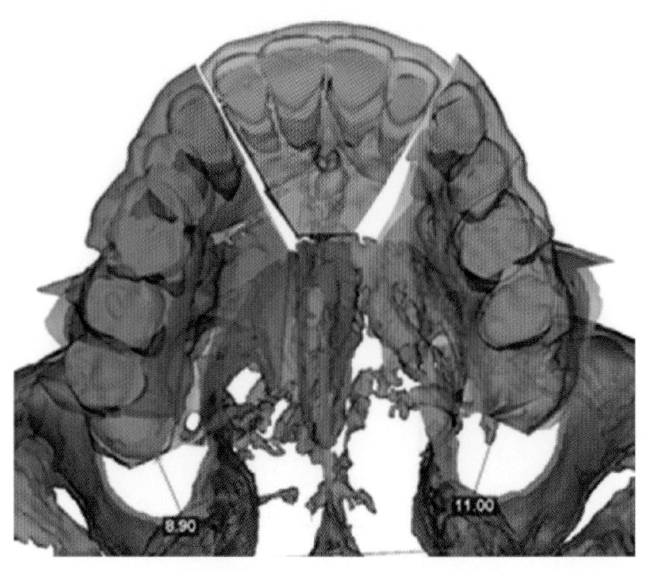

■ 그림 28.17 **익상판에서 상당한 전진을 달성하였다(좌측에서 11 mm, 우측에서 9 mm). 구개 스플린트를 디지털로 제작하여 횡단 확장의 안정성을 확보하기 위해 사용했다.**

위한 Spee 만곡도 해결할 수 있을 것이다. MMA 후, 상악 7 mm, pogonion 22 mm 전진시켰다. 직립된 구치부에 맞추기 위해 상악을 12 mm 확장시켰다. 익상판을 좌측 11 mm, 우측 9 mm 전진시켰다. 환자의 최소 단면적은 169 mm^2에서 308 mm^2으로 증가했다. 이 용적 증가는 유체 역학에 적절한 영향을 주어, 기도의 연조직 허탈 가능성을 감소시켜 OSA가 치료되었다.

이 증례에서 술전 기저골에 하악 치아의 직립에 따라 추가적인 횡단 너비를 얻기 위해 구개 확장을 수행하였다(■ 그림 28.17–21).

28.7.5 증례 4: 높은 BMI와 중증 OSA

BMI가 높고 중증의 OSA가 있는 54세 남성이 내원했다. 연구개 부위에서 기도가 감소하였다. 지속적 양압기에 적응하지 못하여 관리 방식으로 비효과적이었다. BMI가 높아 술전 체중 감량을 권장했다. 체중은 변했지만, 연구개 부분의 수축으로 AHI가 충분히 감소되지 않았다. 최소 단면적의 변화가 관찰되지 않았다. MMA 후 OSA의 모든 징후와 증상이 해결되었고, 환자는 완치되었으며 지속적 양압기는 더 이상 필요하지 않았다. 상악 10 mm, pogonion 18 mm의 전진이 있었다(이설근 전진 포함). 상악은 14 mm 확장되었고 술후 4개월에 구개 스플린트를 제거하였다. 기도 증가를 위해 8도의 CCWR 시행하였다. 최소 단면적은 29 mm^2에서 340 mm^2로 증가했다(■ 그림 28.22–24).

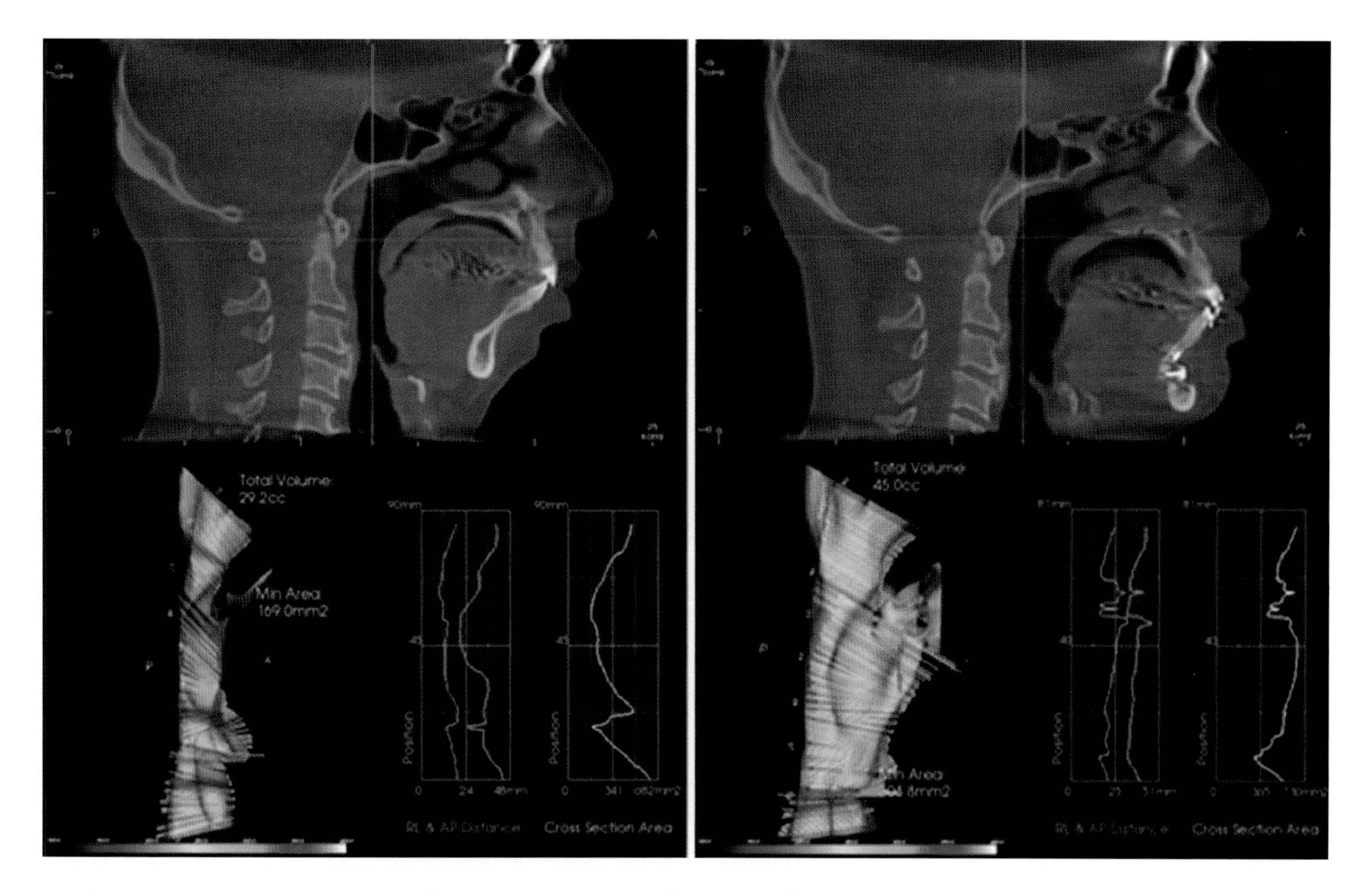

그림 28.18 기도와 용적이 모든 높이에서 향상되었다. 최소 단면적이 169 mm^2에서 308 mm^2로 증가했다.

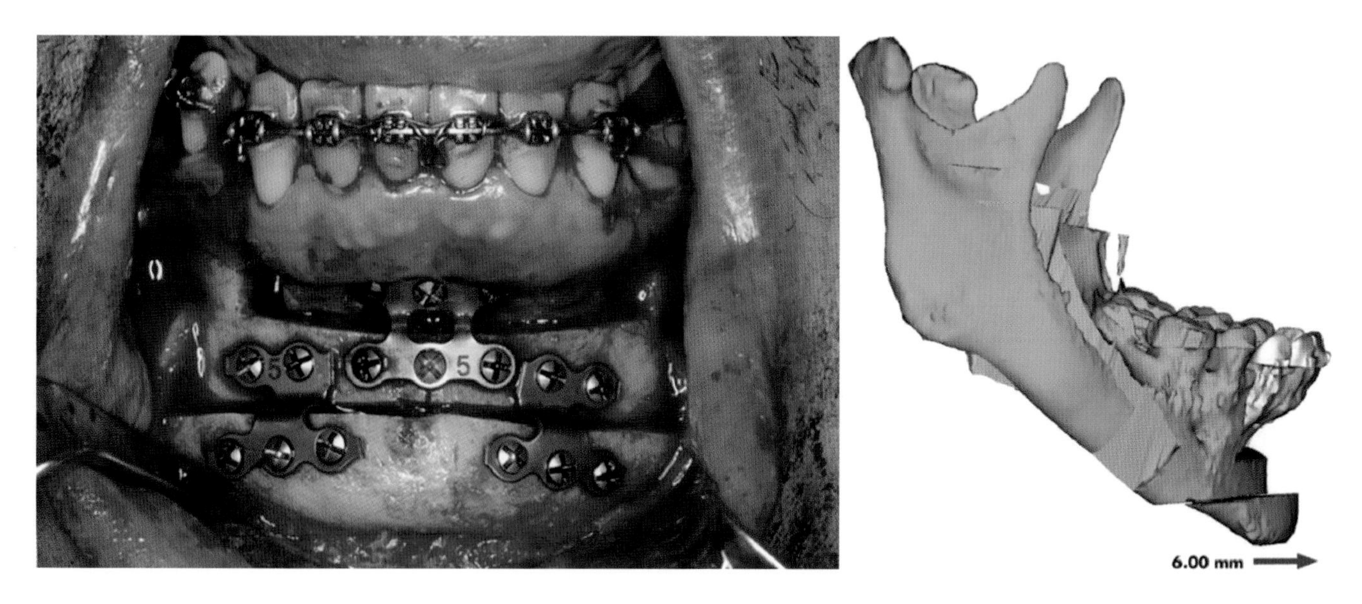

그림 28.19 하악의 치근하 절단술을 수행하여 강성 고정하고, 이설근 전진을 시행하여 전방 이동을 촉진하였다.

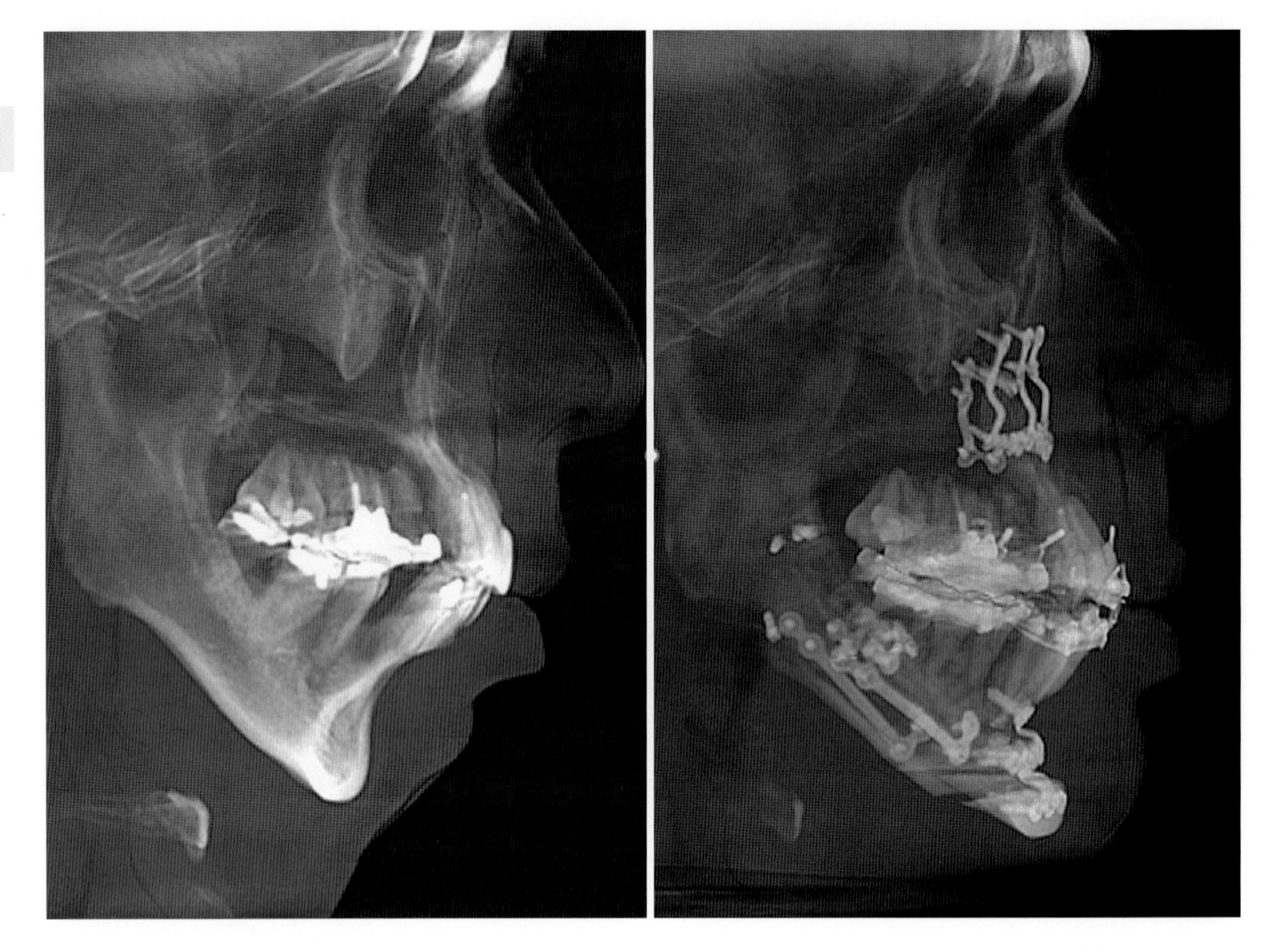

그림 28.20 **술전 및 술후 측면 두부계측 영상**

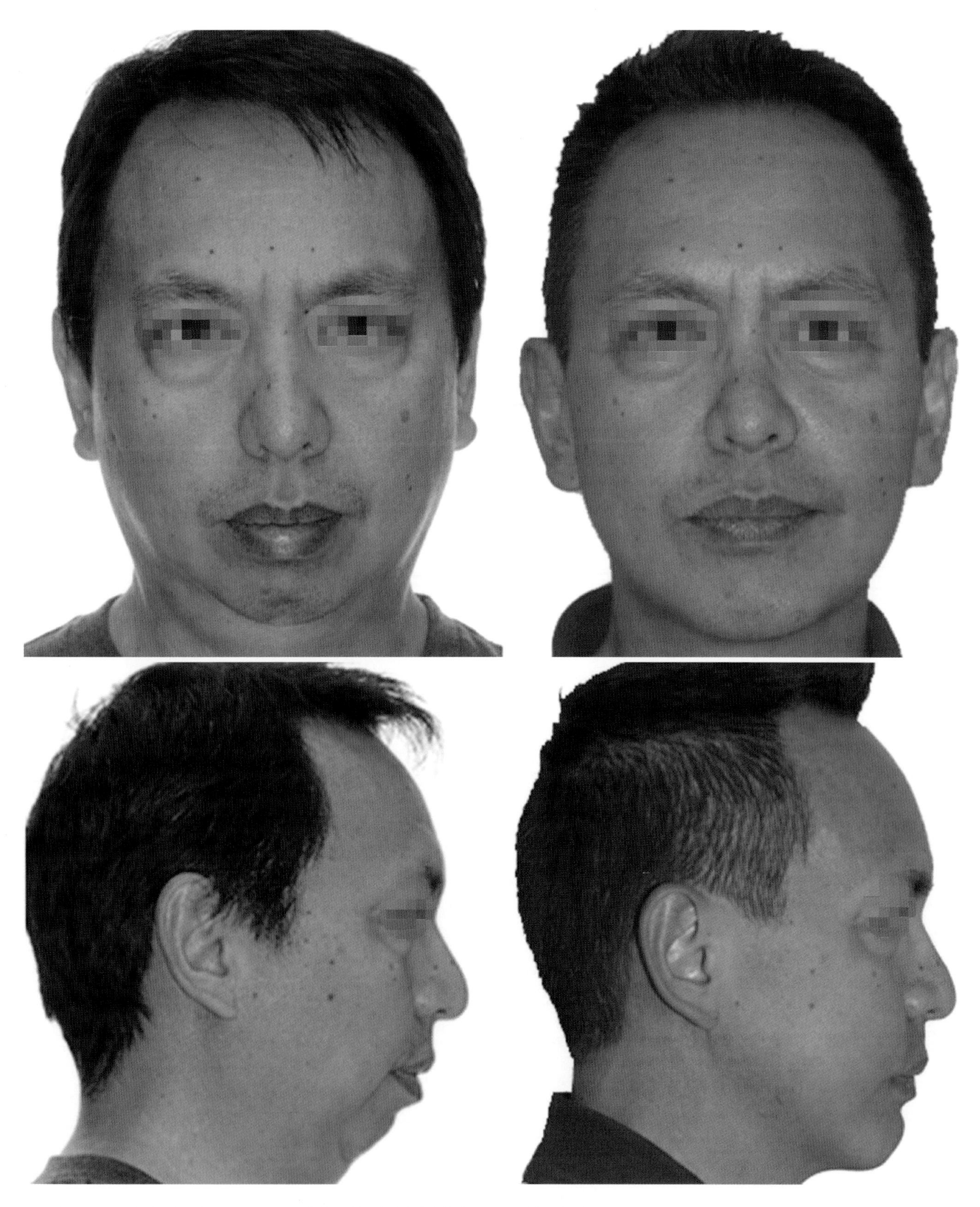

그림 28.21 술전 및 술후 1년 사진으로 안면 조화가 상당히 개선되었다. 환자의 OSA도 치료되었다.

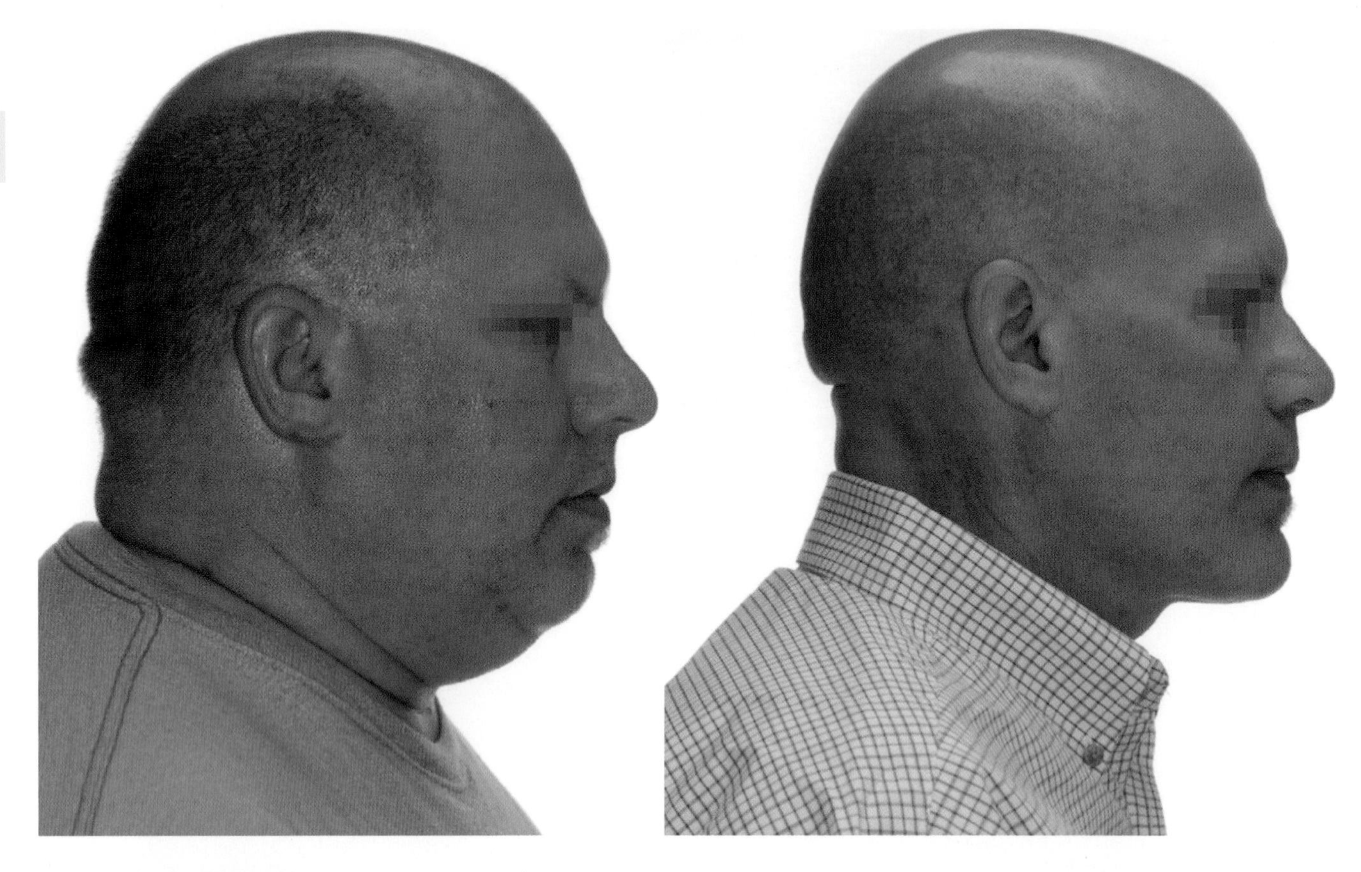

그림 28.22 **술전 및 술후 사진**

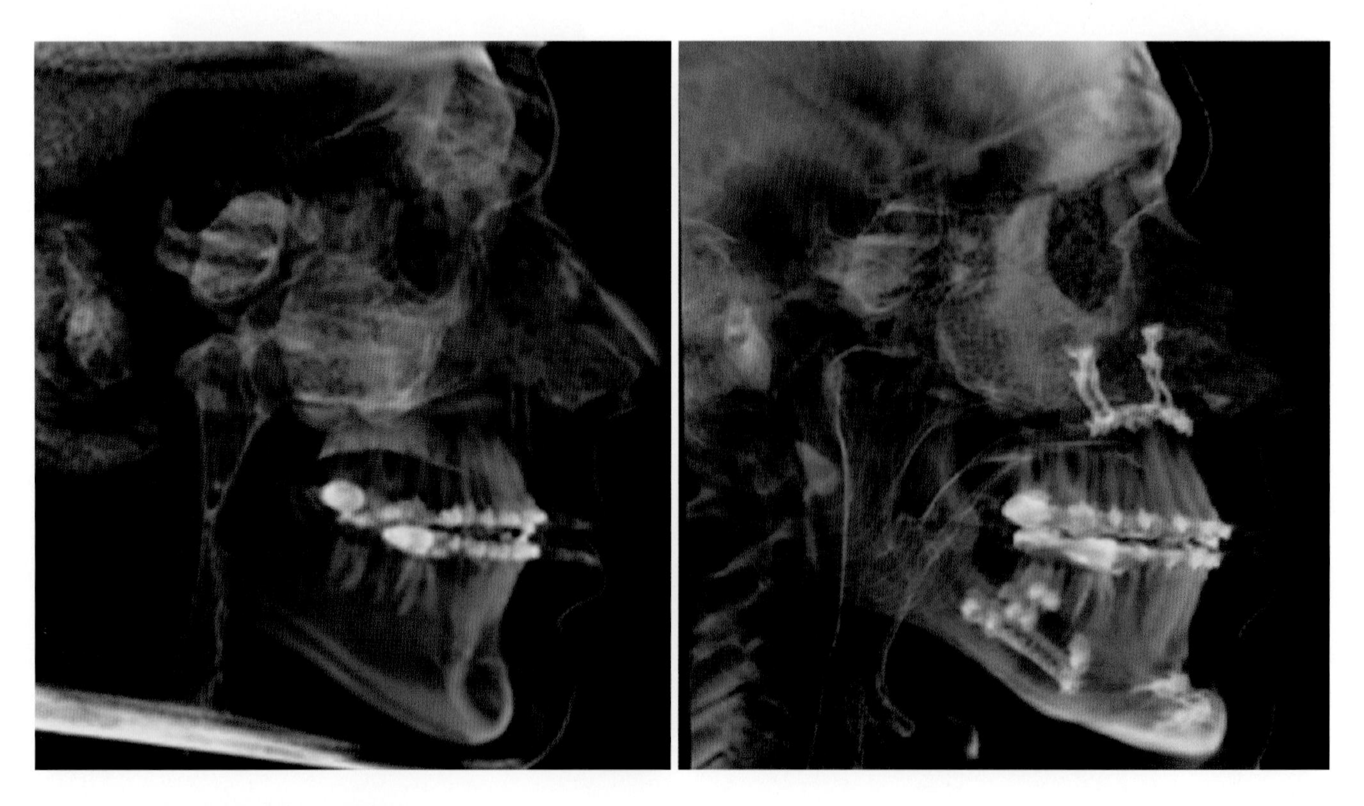

그림 28.23 **술전 및 술후 측면 두부계측 영상**

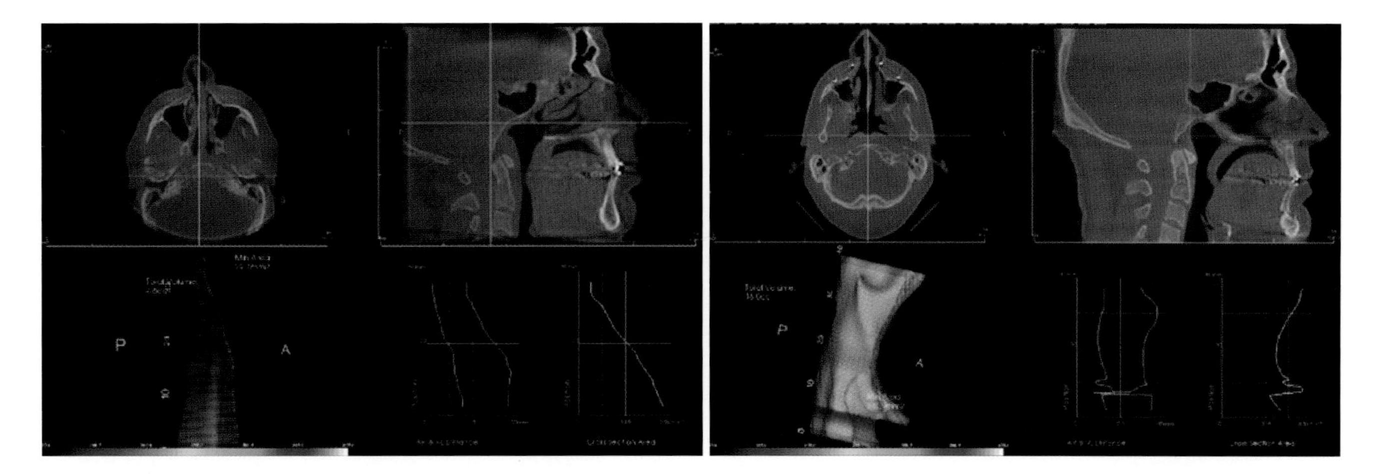

그림 28.24 **최소 단면적이 29 mm²에서 340 mm²으로 증가하였다.**

28.8 결론

지속적 양압기는 오랫동안 OSA의 표준 치료법으로 간주되어 왔으며 특히 경미한 경우에 비침습적 생활 방식 수정과 함께 일차적으로 시작되는 경우가 많다. 구내 장치도 비교적 사용하기 쉽고 비침습적이어서 사용이 증가하고 있다. 그러나 외과적 개입은 많은 환자에서 OSA를 치료하는 유일한 효과적인 방법일 수 있다. 기관절개술이 없는 MMA는 OSA의 최종적이고 영구적인 치료법이 되었다. OSA에 대한 최종 치료법으로서 MMA는 풍부한 체계적 고찰, 메타 분석, 코호트 연구에 의해 뒷받침된다. 그러나 현재의 기술과 혁신에 대한 개선을 알릴 수 있는 전향적 무작위 대조 시험 및 기타 연구 형태의 더 많은 데이터가 필요하다. MMA 기술의 추가 변형은 가상 계획 과정의 간소화를 포함하여 수용을 최적화할 수 있다. 추천 제공자, 잠재적 후보 환자, 이전 환자에 대한 교육 및 지원, 지역 사회의 일반 인식 개선은 OSA에 대해 더 수용 가능하고 선호되는 치료 방식으로 만드는데 도움이 될 것이다.

참고문헌

1. Kryger MH. Fat, sleep, and Charles Dickens: literary and medical contributions to the understanding of sleep apnea. Clin Chest Med. 1985;6(4):555–62.
2. Kryger M. Charles Dickens: impact on medicine and society. J Clin Sleep Med. 2012;8(3):333–8. https://doi.org/10.5664/jcsm.1930.
3. Bickelmann AG, Burwell CS, Robin ED, Whaley RD. Extreme obesity associated with alveolar hypoventilation; a Pickwickian syndrome. Am J Med. 1956;21(5):811–8.
4. Young T, Peppard PE, Gottlieb DJ. Epidemiology of obstructive sleep apnea: a population health perspective. Am J Respir Crit Care Med. 2002;165(9):1217–39.
5. Young T, Palta M, Dempsey J, Skatrud J, Weber S, Badr S. The occurrence of sleepdisordered breathing among middleaged adults. N Engl J Med. 1993;328(17):1230–5. https://doi. org/10.1056/NEJM199304293281704.
6. Peppard PE, Young T, Barnet JH, Palta M, Hagen EW, Hla KM. Increased prevalence of sleepdisordered breathing in adults. Am J Epidemiol. 2013;177(9):1006–14. https://doi. org/10.1093/aje/kws342.
7. Romero E, Krakow B, Haynes P, Ulibarri V. Nocturia and snoring: predictive symptoms for obstructive sleep apnea. Sleep Breath. 2010;14(4):337–43. https://doi.org/10.1007/s1132500903102.
8. Antic NA, Catcheside P, Buchan C, Hensley M, Naughton MT, Rowland S, et al. The effect of CPAP in normalizing daytime sleepiness, quality of life, and neurocognitive function in patients with moderate to severe OSA. Sleep. 2011;34(1):111–9.
9. Appleton SL, Vakulin A, McEvoy RD, Vincent A, Martin SA, Grant JF, et al. Undiagnosed obstructive sleep apnea is independently associated with reductions in quality of life in middle aged, but not elderly men of a population cohort. Sleep Breath. 2015;19(4):1309–16. https://doi.org/10.1007/s1132501511715.
10. StelmachMardas M, Mardas M, Iqbal K, Tower RJ, Boeing H, Piorunek T. Quality of life, depression and dietary intake in obstructive sleep Apnea patients. Health Qual Life Outcomes. 2016;14(1):111. https://doi.org/10.1186/s1295501605165.
11. Mulgrew AT, Ryan CF, Fleetham JA, Cheema R, Fox N, Koehoorn M, et al. The impact of obstructive sleep apnea and daytime sleepiness on work limitation. Sleep Med. 2007;9(1):42–53. https://doi.org/10.1016/j.sleep.2007.01.009.
12. Stoohs RA, Guilleminault C, Itoi A, Dement WC. Traffic accidents in commercial longhaul truck drivers: the influence of sleepdisordered breathing and obesity. Sleep. 1994;17(7):619–23.
13. George CF. Reduction in motor vehicle collisions following treatment of sleep apnoea with nasal CPAP. Thorax. 2001;56(7):508–12.
14. Howard ME, Desai AV, Grunstein RR, Hukins C, Armstrong JG, Joffe D, et al. Sleepiness, sleepdisordered breathing, and accident risk factors in commercial vehicle drivers. Am J Respir Crit Care Med. 2004;170(9):1014–21. https://doi.org/10.1164/rccm.200312178２OC.
15. Hillman DR, Murphy AS, Pezzullo L. The economic cost of sleep disorders. Sleep. 2006;29(3):299–305.
16. Walker SL, Saltman DL, Colucci R, Martin L. Canadian Lung Association Advisory C. Awareness of risk factors among persons at risk for lung

cancer, chronic obstructive pulmonary disease and sleep apnea: a Canadian populationbased study. Can Respir J. 2010;17(6):287–94. https://doi. org/10.1155/2010/426563.

17. Jung Y, Junna MR, Mandrekar JN, Morgenthaler TI. The National Healthy Sleep Awareness Project Sleep Health Surveillance Questionnaire as an obstructive sleep Apnea surveillance tool. J Clin Sleep Med. 2017;13(9):1067–74. https://doi. org/10.5664/jcsm.6724.

18. Sia CH, Hong Y, Tan LWL, van Dam RM, Lee CH, Tan A. Awareness and knowledge of obstructive sleep apnea among the general population. Sleep Med. 2017;36:10–7. https://doi. org/10.1016/j.sleep.2017.03.030.

19. Reuveni H, Tarasiuk A, Wainstock T, Ziv A, Elhayany A, Tal A. Awareness level of obstructive sleep apnea syndrome during routine unstructured interviews of a standardized patient by primary care physicians. Sleep. 2004;27(8):1518–25.

20. Fleming WE, FerouzColborn A, Samoszuk MK, Azad A, Lu J, Riley JS, et al. Blood biomarkers of endocrine, immune, inflammatory, and metabolic systems in obstructive sleep apnea. Clin Biochem. 2016;49(12):854–61. https://doi.org/10.1016/j.clinbiochem.2016.05.005.

21. Chen H. Circadian rhythms might be the key joint role in intricate effects among metabolic syndrome, obstructive sleep apnea, and hypertension. J Clin Hypertens (Greenwich). 2018; https://doi.org/10.1111/jch.13384.

22. Drager LF, Togeiro SM, Polotsky VY, LorenziFilho G. Obstructive sleep apnea: a cardiometabolic risk in obesity and the metabolic syndrome. J Am Coll Cardiol. 2013;62(7):569–76. https://doi.org/10.1016/j.jacc.2013.05.045.

23. Lochan S. Understanding sleepdisordered breathing as a risk factor for hypertension and metabolic diseases: implications for clinical assessment. Can J Cardiovasc Nurs. 2011;21(2):7–14.

24. Onat A, Hergenc G, Yuksel H, Can G, Ayhan E, Kaya Z, et al. Neck circumference as a measure of central obesity: associations with metabolic syndrome and obstructive sleep apnea syndrome beyond waist circumference. Clin Nutr. 2009;28(1):46–51. https://doi.org/10.1016/j.clnu.2008.10.006.

25. Ahbab S, Ataoglu HE, Tuna M, Karasulu L, Cetin F, Temiz LU, et al. Neck circumference, metabolic syndrome and obstructive sleep apnea syndrome; evaluation of possible linkage. Med Sci Monit. 2013;19:111–7. https://doi.org/10.12659/MSM.883776.

26. Cizza G, de Jonge L, Piaggi P, Mattingly M, Zhao X, Lucassen E, et al. Neck circumference is a predictor of metabolic syndrome and obstructive sleep apnea in shortsleeping obese men and women. Metab Syndr Relat Disord. 2014;12(4):231–41. https://doi.org/10.1089/met.2013.0093.

27. Carneiro G, Zanella MT. Obesity metabolic and hormonal disorders associated with obstructive sleep Apnea and their impact on the risk of cardiovascular events. Metabolism. 2018; https://doi. org/10.1016/j.metabol.2018.03.008.

28. Patinkin ZW, Feinn R, Santos M. Metabolic consequences of obstructive sleep Apnea in adolescents with obesity: a systematic literature review and Metaanalysis. Child Obes. 2017;13(2):102–10. https://doi.org/10.1089/chi.2016.0248.

29. Berger G, Berger R, Oksenberg A. Progression of snoring and obstructive sleep apnoea: the role of increasing weight and time. Eur Respir J. 2009;33(2):338–45. https://doi. org/10.1183/09031936.00075408.

30. Li KK, Riley RW, Powell NB, Zonato A. Fiberoptic nasopharyngolaryngoscopy for airway monitoring after obstructive sleep apnea surgery. J Oral Maxillofac Surg. 2000;58(12):1342–5.; ; discussion 56. https://doi. org/10.1053/joms.2000.18255.

31. de Ruiter MHT, Apperloo RC, Milstein DMJ, de Lange J. Assessment of obstructive sleep apnoea treatment success or failure after maxillomandibular advancement. Int J Oral Maxillofac Surg. 2017;46(11):1357–62. https://doi.org/10.1016/j. ijom.2017.06.006.

32. Katz S, Murto K, Barrowman N, Clarke J, Hoey L, Momoli F, et al. Neck circumference percentile: a screening tool for pediatric obstructive sleep apnea. Pediatr Pulmonol. 2015;50(2):196–201. https://doi.org/10.1002/ppul.23003.

33. Shah N, Roux F. The relationship of obesity and obstructive sleep apnea. Clin Chest Med. 2009;30(3):455–65., , vii. https://doi.org/10.1016/j.ccm.2009.05.012.

34. Uesugi T, Kobayashi T, Hasebe D, Tanaka R, Ike M, Saito C.Effects of orthognathic surgery on pharyngeal airway and respiratory function during sleep in patients with mandibular prognathism. Int J Oral Maxillofac Surg. 2014;43(9):1082–90. https://doi.org/10.1016/j.ijom.2014.06.010.

35. Kapur VK, Resnick HE, Gottlieb DJ. Sleep heart health study G. sleep disordered breathing and hypertension: does selfreported sleepiness modify the association? Sleep. 2008;31(8):1127–32.

36. Walia HK, Li H, Rueschman M, Bhatt DL, Patel SR, Quan SF, et al. Association of severe obstructive sleep apnea and elevated blood pressure despite antihypertensive medication use. J Clin Sleep Med. 2014;10(8):835–43. https://doi.org/10.5664/jcsm.3946.

37. Torres G, SanchezdelaTorre M, Barbe F. Relationship between OSA and hypertension. Chest. 2015;148(3):824–32. https://doi. org/10.1378/chest.150136.

38. Reid J, Glew RA, Skomro R, Fenton M, Cotton D, Olatunbosun F, et al. Sleep disordered breathing and gestational hypertension: postpartum followup study. Sleep. 2013;36(5):717–21B. https://doi.org/10.5665/sleep.2634.

39. Kucuk U, Kucuk HO, Balta S, Demirkol S. Sleepdisordered breathing and resistant hypertension (February 2013). Cleve Clin J Med. 2013;80(6):340. https://doi.org/10.3949/ccjm.80c.06001.

40. Wang AY. Sleepdisordered breathing and resistant hypertension. Semin Nephrol. 2014;34(5):520–31. https://doi. org/10.1016/j.semnephrol.2014.08.006.

41. Geiger SD, Shankar A. The relationship between sleepdisordered breathing and hypertension in a nationally representative sample. Sleep Disord. 2015;2015:769798. https://doi. org/10.1155/2015/769798.

42. Sawatari H, Chishaki A, Ando SI. The epidemiology of sleep disordered breathing and hypertension in various populations. Curr Hypertens Rev. 2016;12(1):12–7.

43. Eskandari D, Zou D, Grote L, Hoff E, Hedner J. Acetazolamide reduces blood pressure and sleepdisordered breathing in patients with hypertension and obstructive sleep Apnea: a randomized controlled trial. J Clin Sleep Med. 2018;14(3):309–17. https://doi. org/10.5664/jcsm.6968.

44. Nakamoto T. Sleepdisordered breathinga real therapeutic target for hypertension, pulmonary hypertension, ischemic heart disease, and chronic heart failure? J Nippon Med Sch. 2018;85(2):70–7. https://doi.org/10.1272/jnms.2018_8512.

45. Marin JM, Agusti A, Villar I, Forner M, Nieto D, Carrizo SJ, et al. Association between treated and untreated obstructive sleep apnea and risk of hypertension. JAMA. 2012;307(20):2169–76. https://doi.org/10.1001/jama.2012.3418.

46. Barone DA, Krieger AC. Stroke and obstructive sleep apnea: a review. Curr Atheroscler Rep. 2013;15(7):334. https://doi. org/10.1007/s1188301303348.

47. Camilo MR, Sander HH, Eckeli AL, Fernandes RM, Dos Santos Pontelli TE, Leite JP, et al. SOS score: an optimized score to screen acute stroke patients for obstructive sleep apnea. Sleep Med. 2014;15(9):1021–4. https://doi.org/10.1016/j.sleep.2014.03.026.

48. Chen CY, Chen CL, Yu CC. Obstructive sleep apnea is independently associated with arterial stiffness in ischemic stroke patients. J Neurol. 2015;262(5):1247–54. https://doi.org/10.1007/s0041501576992.

49. Ramos AR, Seixas A, Dib SI. Obstructive sleep apnea and stroke: links to health disparities. Sleep Health. 2015;1(4):244–8. https://doi.org/10.1016/

j.sleh.2015.09.005.

50. Kim Y, Koo YS, Lee HY, Lee SY. Can continuous positive airway pressure reduce the risk of stroke in obstructive sleep Apnea patients? A systematic review and Metaanalysis. PLoS One. 2016;11(1):e0146317. https://doi. org/10.1371/journal. pone.0146317.

51. Koo BB, Bravata DM, Tobias LA, Mackey JS, Miech EJ, Matthias MS, et al. Observational study of obstructive sleep Apnea in wakeup stroke: the SLEEP TIGHT study. Cerebrovasc Dis. 2016;41(5–6):233–41. https://doi. org/10.1159/000440736.

52. Yoshida T, Kuwabara M, Hoshide S, Kario K. Recurrence of stroke caused by nocturnal hypoxiainduced blood pressure surge in a young adult male with severe obstructive sleep apnea syndrome. J Am Soc Hypertens. 2016;10(3):201–4. https://doi. org/10.1016/j.jash.2016.01.013.

53. Swartz RH, Bayley M, Lanctot KL, Murray BJ, Cayley ML, Lien K, et al. Poststroke depression, obstructive sleep apnea, and cognitive impairment: rationale for, and barriers to, routine screening. Int J Stroke. 2016;11(5):509–18. https://doi. org/10.1177/1747493016641968.

54. Ifergane G, Ovanyan A, Toledano R, Goldbart A, AbuSalame I, Tal A, et al. Obstructive sleep Apnea in acute stroke: a role for systemic inflammation. Stroke. 2016;47(5):1207–12. https://doi. org/10.1161/STROKEAHA. 115.011749.

55. King S, Cuellar N. Obstructive sleep Apnea as an independent stroke risk factor: a review of the evidence, stroke prevention guidelines, and implications for neuroscience nursing practice. J Neurosci Nurs. 2016;48(3):133–42. https://doi.org/10.1097/JNN.0000000000000196.

56. Boulos MI, Wan A, Im J, Elias S, Frankul F, Atalla M, et al. Identifying obstructive sleep apnea after stroke/TIA: evaluating four simple screening tools. Sleep Med. 2016;21:133–9. https://doi.org/10.1016/ j.sleep.2015.12.013.

57. Johnson KG, Johnson DC. Cognitive dysfunction: another reason to treat obstructive sleep apnea in stroke patients. Sleep Med. 2017;33:191–2. https://doi.org/10.1016/j.sleep.2016.12.014.

58. Chen CY, Ho CH, Chen CL, Yu CC. Nocturnal desaturation is associated with atrial fibrillation in patients with ischemic stroke and obstructive sleep Apnea. J Clin Sleep Med. 2017;13(5):729–35. https://doi.org/10.5664/ jcsm.6594.

59. Mehra R, Bena J, Walia HK. Clarifying the role of hypoxia in obstructive sleep Apnea as a potential promulgator of atrial fibrillation in ischemic stroke. J Clin Sleep Med. 2017;13(5):667–8. https://doi.org/10.5664/ jcsm.6578.

60. Sico JJ, Yaggi HK, Ofner S, Concato J, Austin C, Ferguson J, et al. Development, validation, and assessment of an ischemic stroke or transient ischemic attackspecific prediction tool for obstructive sleep Apnea. J Stroke Cerebrovasc Dis. 2017;26(8):1745–54. https://doi.org/10.1016/j.jstrokecereb rovasdis.2017.03.042.

61. Zhao X, Guan J. Autonomic nervous system might be related with circadian rhythms and have the intricate effects in obstructive sleep apnea with metabolic syndrome. J Clin Hypertens (Greenwich). 2018; https://doi. org/10.1111/jch.13378.

62. von Allmen DC, Francey LJ, Rogers GM, Ruben MD, Cohen AP, Wu G, et al. Circadian Dysregulation: the next frontier in obstructive sleep Apnea research. Otolaryngol Head Neck Surg. 2018;194599818797311 https:// doi.org/10.1177/0194599818797311.

63. Zhang Z, Wang C. Immune status of children with obstructive sleep apnea/hypopnea syndrome. Pak J Med Sci. 2017;33(1):195–9. https://doi. org/10.12669/pjms.331.11959.

64. Vakil M, Park S, Broder A. The complex associations between obstructive sleep apnea and autoimmune disorders: a review. Med Hypotheses. 2018;110:138–43. https://doi.org/10.1016/j. mehy.2017.12.004.

65. DomagalaKulawik J, Kwiecien I, Bielicki P, Skirecki T. Fas positive lymphocytes are associated with systemic inflammation in obstructive sleep apnea syndrome. Sleep Breath. 2018; https://doi.org/10.1007/s1132501817138.

66. Palamaner Subash Shantha G, Kumar AA, Cheskin LJ, Pancholy SB. Association between sleepdisordered breathing, obstructive sleep apnea, and cancer incidence: a systematic review and metaanalysis. Sleep Med. 2015;16(10):1289–94. https://doi. org/10.1016/j.sleep.2015.04.014.

67. Kechribari I, Georgoulis M, Labrou K, Paraskevopoulos L, Mourati I, Vagiakis E, et al. Associations between dietary patterns and obstructive sleep apnea severity. Clin Nutr ESPEN. 2018;24:186–7. https://doi.org/10.1016/ j.clnesp.2018.01.056.

68. Tuomilehto H, Uusitupa M. Lifestyle changes aiming at weight loss should always be included in the treatment of obese patients with obstructive sleep apnea. Sleep. 2014;37(5):1021. https://doi. org/10.5665/sleep.3682.

69. Kerley CP, Hutchinson K, Bolger K, McGowan A, Faul J, Cormican L. Serum vitamin D is significantly inversely associated with disease severity in Caucasian adults with obstructive sleep Apnea syndrome. Sleep. 2016;39(2):293–300. https://doi. org/10.5665/sleep.5430.

70. StelmachMardas M, Mardas M, Iqbal K, Kostrzewska M, Piorunek T. Dietary and cardiometabolic risk factors in patients with obstructive sleep Apnea: crosssectional study. PeerJ. 2017;5:e3259. https://doi.org/10.7717/ peerj.3259.

71. Ewing GW, Nwose EU, Ewing EN. Obstructive sleep apnea management with interactive computer technology and nutrition: two case reports. J Altern Complement Med. 2009;15(12):1379–81. https://doi.org/10.1089/ acm.2008.0630.

72. Wheaton AG, Perry GS, Chapman DP, Croft JB. Sleep disordered breathing and depression among U.S. adults: National Health and nutrition examination survey, 20052008. Sleep. 2012;35(4):461–7. https://doi. org/10.5665/sleep.1724.

73. Lang CJ, Appleton SL, Vakulin A, McEvoy RD, Vincent AD, Wittert GA, et al. Associations of undiagnosed obstructive sleep Apnea and excessive daytime sleepiness with depression: an Australian population study. J Clin Sleep Med. 2017;13(4):575–82. https://doi.org/10.5664/jcsm.6546.

74. Jaffe F, Markov D, Doghramji K. Sleepdisordered breathing: in depression and schizophrenia. Psychiatry (Edgmont). 2006;3(7):62–8.

75. ReyesZuniga M, CastorenaMaldonado A, CarrilloAlduenda JL, PerezPadilla R, MartinezEstrada A, GomezTorres L, et al. Anxiety and depression symptoms in patients with sleepdisordered breathing. Open Respir Med J. 2012;6:97–103. https://doi.org/10.2174/1874306401206010097.

76. Relia S, Thompson NR, Mehra R, Moul D, Katzan I, Foldvary Schaefer N, et al. Depression score changes in response to sleep disordered breathing treatment with positive airway pressure in a large clinicbased cohort. Sleep Breath. 2018;22(1):195–203. https://doi.org/10.1007/s1132501816266.

77. Olaithe M, Bucks RS, Hillman DR, Eastwood PR. Cognitive deficits in obstructive sleep apnea: insights from a metareview and comparison with deficits observed in COPD, insomnia, and sleep deprivation. Sleep Med Rev. 2018;38:39–49. https://doi. org/10.1016/j.smrv.2017.03.005.

78. Krysta K, Bratek A, Zawada K, Stepanczak R. Cognitive deficits in adults with obstructive sleep apnea compared to children and adolescents. J Neural Transm (Vienna). 2017;124(Suppl 1):187–201. https://doi.org/10.1007/ s0070201515016.

79. Pan YY, Deng Y, Xu X, Liu YP, Liu HG. Effects of continuous positive airway pressure on cognitive deficits in middleaged patients with obstructive sleep Apnea syndrome: a Metaanalysis of randomized controlled trials. Chin Med J. 2015;128(17):2365–73. https://doi.org/10.4103/03666999.163385.

80. Knudsen TB, Laulund AS, Ingerslev J, Homoe P, Pinholt EM. Improved apneahypopnea index and lowest oxygen saturation after maxillomandibular advancement with or without counterclockwise rotation in patients with obstructive sleep apnea: a metaanalysis. J Oral Maxillofac Surg. 2015;73(4):719–26. https://doi.org/10.1016/j.joms.2014.08.006.

81. Montserrat JM, Ferrer M, Hernandez L, Farre R, Vilagut G, Navajas D, et al. Effectiveness of CPAP treatment in daytime function in sleep apnea syndrome: a randomized controlled study with an optimized placebo. Am J Respir Crit Care Med. 2001;164(4): 608–13. https://doi.org/10.1164/ajrccm.164.4.2006034.

82. Dong Y, Dai Y, Wei G, Cha L, Li X. Effect of continuous positive airway pressure on blood pressure in hypertensive patients with coronary artery bypass grafting and obstructive sleep apnea. Int J Clin Exp Med. 2014;7(11):4308–15.

83. Veasey SC, Guilleminault C, Strohl KP, Sanders MH, Ballard RD, Magalang UJ. Medical therapy for obstructive sleep apnea: a review by the medical therapy for obstructive sleep Apnea task force of the standards of practice Committee of the American Academy of sleep medicine. Sleep. 2006;29(8):1036–44.

84. Gresova S, Tomori Z, Widdicombe J, Donic V, Kundrik M, Bacova I, et al. Heart rate variability in hypertension caused by sleep disordered breathing and its modification by CPAP. Bratisl Lek Listy. 2011;112(3):125–30.

85. Libman E, Bailes S, Fichten CS, Rizzo D, Creti L, Baltzan M, et al. CPAP treatment adherence in women with obstructive sleep Apnea. Sleep Disord. 2017;2017:2760650. https://doi. org/10.1155/2017/2760650.

86. Olsen S, Smith S, Oei T, Douglas J. Health belief model predicts adherence to CPAP before experience with CPAP. Eur Respir J. 2008;32(3):710–7. https://doi.org/10.1183/09031936.00127507.

87. Shelgikar AV, Aronovich S, Stanley JJ. Multidisciplinary alternatives to CPAP program for CPAPintolerant patients. J Clin Sleep Med. 2017;13(3):505–10. https://doi.org/10.5664/jcsm.6508.

88. Araghi MH, Chen YF, Jagielski A, Choudhury S, Banerjee D, Hussain S, et al. Effectiveness of lifestyle interventions on obstructive sleep apnea (OSA): systematic review and metaanalysis. Sleep. 2013;36(10):1553–62., ,62A62E. https://doi. org/10.5665/sleep.3056.

89. Okuno K, Sato K, Arisaka T, Hosohama K, Gotoh M, Taga H, et al. The effect of oral appliances that advanced the mandible forward and limited mouth opening in patients with obstructive sleep apnea: a systematic review and metaanalysis of randomised controlled trials. J Oral Rehabil. 2014;41(7):542–54. https://doi.org/10.1111/joor.12162.

90. Doff MH, Hoekema A, Wijkstra PJ, van der Hoeven JH, Huddleston Slater JJ, de Bont LG, et al. Oral appliance versus continuous positive airway pressure in obstructive sleep apnea syndrome: a 2year followup. Sleep. 2013;36(9):1289–96. https://doi.org/10.5665/sleep.2948.

91. Fleisher KE, Krieger AC. Current trends in the treatment of obstructive sleep apnea. J Oral Maxillofac Surg. 2007;65(10):2056–68. https://doi. org/10.1016/j.joms.2006.11.058.

92. Valero A, Alroy G. Hypoventilation in acquired Micrognathia. Arch Intern Med. 1965;115:307–10.

93. Kuhlo W, Doll E, Franck MC. Successful management of Pickwickian syndrome using longterm tracheostomy. Dtsch Med Wochenschr. 1969;94(24):1286–90. https://doi.org/10.105 5/s00281111209.

94. Camacho M, Certal V, Brietzke SE, Holty JE, Guilleminault C, Capasso R. Tracheostomy as treatment for adult obstructive sleep apnea: a systematic review and metaanalysis. Laryngoscope. 2014;124(3):803–11. https://doi. org/10.1002/lary.24433.

95. Camacho M, Teixeira J, Abdullatif J, Acevedo JL, Certal V, Capasso R, et al. Maxillomandibular advancement and tracheostomy for morbidly obese obstructive sleep apnea: a systematic review and metaanalysis. Otolaryngol Head Neck Surg. 2015;152(4):619–30. https://doi. org/10.1177/0194599814568284.

96. Camacho M, Zaghi S, Chang ET, Song SA, Szelestey B, Certal V. Mini tracheostomy for obstructive sleep Apnea: an evidence based proposal. Int J Otolaryngol. 2016;2016:7195349. https://doi.org/10.1155/2016/7195349.

97. Thatcher GW, Maisel RH. The longterm evaluation of tracheostomy in the management of severe obstructive sleep apnea. Laryngoscope. 2003;113(2):201–4. https://doi.org/10.1097/00005537200302000000001.

98. Engels PT, Bagshaw SM, Meier M, Brindley PG. Tracheostomy: from insertion to decannulation. Can J Surg. 2009;52(5):427–33.

99. Haapaniemi JJ, Laurikainen EA, Halme P, Antila J. Longterm results of tracheostomy for severe obstructive sleep apnea syndrome. ORL J Otorhinolaryngol Relat Spec. 2001;63(3):131–6. https://doi.org/10.1159/000055728.

100. Lewis MR, Ducic Y. Genioglossus muscle advancement with the genioglossus bone advancement technique for base of tongue obstruction. J Otolaryngol. 2003;32(3):168–73.

101. Holty JE, Guilleminault C. Maxillomandibular advancement for the treatment of obstructive sleep apnea: a systematic review and metaanalysis. Sleep Med Rev. 2010;14(5):287–97. https://doi. org/10.1016/j.smrv.2009.11.003.

102. Riley RW, Powell NB, Guilleminault C. Obstructive sleep apnea syndrome: a surgical protocol for dynamic upper airway reconstruction. J Oral Maxillofac Surg. 1993;51(7):742–7; discussion 89.

103. Sher AE, Schechtman KB, Piccirillo JF. The efficacy of surgical modifications of the upper airway in adults with obstructive sleep apnea syndrome. Sleep. 1996;19(2):156–77.

104. WalkerEngstrom ML, Tegelberg A, Wilhelmsson B, Ringqvist I. 4 year followup of treatment with dental appliance or uvulopalatopharyngoplasty in patients with obstructive sleep apnea: a randomized study. Chest. 2002;121(3):739–46.

105. Larrosa F, Hernandez L, Morello A, Ballester E, Quinto L, Montserrat JM. Laserassisted uvulopalatoplasty for snoring: does it meet the expectations? Eur Respir J. 2004;24(1):66–70.

106. Choi JH, Kim EJ, Kim KW, Ju YH, Park EH, Lee SH. Palatal implants for persistent snoring and mild obstructive sleep apnea after laserassisted uvulopalatoplasty. Clin Exp Otorhinolaryngol. 2014;7(1):66–8. https://doi. org/10.3342/ceo.2014.7.1.66.

107. Ferguson KA, Heighway K, Ruby RR. A randomized trial of laserassisted uvulopalatoplasty in the treatment of mild obstructive sleep apnea. Am J Respir Crit Care Med. 2003;167(1):15–9. https://doi.org/10.1164/rccm.2108050.

108. Yonekura A, Kawakatsu K, Suzuki K, Nishimura T. Laser midline glossectomy and lingual tonsillectomy as treatments for sleep apnea syndrome. Acta Otolaryngol Suppl. 2003;550:56–8.

109. Mickelson SA, Rosenthal L. Midline glossectomy and epiglottidectomy for obstructive sleep apnea syndrome. Laryngoscope. 1997;107(5):614–9.

110. Bowden MT, Kezirian EJ, Utley D, Goode RL. Outcomes of hyoid suspension for the treatment of obstructive sleep apnea. Arch Otolaryngol Head Neck Surg. 2005;131(5):440–5. https://doi.org/10.1001/archotol.131.5.440.

111. Li KK, Guilleminault C, Riley RW, Powell NB. Obstructive sleep apnea and maxillomandibular advancement: an assessment of airway changes using radiographic and nasopharyngoscopic examinations. J Oral Maxillofac Surg. 2002;60(5):526–30; discussion 31.

112. Chang KK, Kim KB, McQuilling MW, Movahed R. Fluid structure interaction simulations of the upper airway in obstructive sleep apnea patients before and after maxillomandibular advancement surgery. Am J Orthod Dentofac Orthop. 2018;153(6):895–904. https://doi.org/10.1016/j.ajodo.2017.08.027.

113. Boyd SB, Chigurupati R, Cillo JE Jr, Eskes G, Goodday R, Meisami T, et al. Maxillomandibular advancement improves multiple healthrelated and functional outcomes in patients with obstructive sleep Apnea: a Multicenter study. J Oral Maxillofac Surg. 2018; https://doi.org/10.1016/j.joms.2018.06.173.

114. Butterfield KJ, Marks PL, McLean L, Newton J. Quality of life assessment after Maxillomandibular advancement surgery for obstructive sleep Apnea. J Oral Maxillofac Surg. 2016;74(6):1228–37. https://doi.org/10.1016/

j.joms.2016.01.043.

115. Baherimoghaddam T, Oshagh M, Naseri N, Nasrbadi NI, Torkan S. Changes in cephalometric variables after orthognathic surgery and their relationship to patients' quality of life and satisfaction. J Oral Maxillofac Res. 2014;5(4):e6. https://doi. org/10.5037/jomr.2014.5406.

116. Nicodemo D, Pereira MD, Ferreira LM. Effect of orthognathic surgery for class III correction on quality of life as measured by SF36. Int J Oral Maxillofac Surg. 2008;37(2):131–4. https://doi. org/10.1016/j.ijom.2007.07.024.

117. Lye KW, Waite PD, Meara D, Wang D. Quality of life evaluation of maxillomandibular advancement surgery for treatment of obstructive sleep apnea. J Oral Maxillofac Surg. 2008;66(5):968–72. https://doi.org/10.1016/j.joms.2007.11.031.

118. Boyd SB, Walters AS, Waite P, Harding SM, Song Y. Longterm effectiveness and safety of Maxillomandibular advancement for treatment of obstructive sleep Apnea. J Clin Sleep Med. 2015;11(7):699–708. https://doi.org/10.5664/jcsm.4838.

119. Caples SM, Rowley JA, Prinsell JR, Pallanch JF, Elamin MB, Katz SG, et al. Surgical modifications of the upper airway for obstructive sleep apnea in adults: a systematic review and meta analysis. Sleep. 2010;33(10):1396–407.

120. Marrone O, Vicini C. Upper airway surgery in OSA. European Respiratory Monograph. 2010;50:286.

121. Zaghi S, Holty JE, Certal V, Abdullatif J, Guilleminault C, Powell NB, et al. Maxillomandibular advancement for treatment of obstructive sleep Apnea: a Metaanalysis. JAMA Otolaryngol Head Neck Surg. 2016;142(1):58–66. https://doi.org/10.1001/jamaoto.2015.2678.

122. Liu SY, Huon LK, Powell NB, Riley R, Cho HG, Torre C, et al. Lateral Pharyngeal Wall tension after Maxillomandibular advancement for obstructive sleep Apnea is a marker for surgical success: observations from druginduced sleep endoscopy. J Oral Maxillofac Surg. 2015;73(8):1575–82. https://doi.org/10.1016/j. joms.2015.01.028.

123. Elshaug AG, Moss JR, Southcott AM, Hiller JE. Redefining success in airway surgery for obstructive sleep apnea: a meta analysis and synthesis of the evidence. Sleep. 2007;30(4):461–7.

124. Vicini C, Dallan I, Campanini A, De Vito A, Barbanti F, Giorgiomarrano G, et al. Surgery vs ventilation in adult severe obstructive sleep apnea syndrome. Am J Otolaryngol. 2010;31(1):14–20. https://doi.org/10.1016/j.amjoto.2008.09.002.

125. Dattilo DJ, Drooger SA. Outcome assessment of patients undergoing maxillofacial procedures for the treatment of sleep apnea: comparison of subjective and objective results. J Oral Maxillofac Surg. 2004;62(2):164–8.

126. CohenLevy J, Petelle B, Vieille E, Dumitrache M, Fleury B. Changes in facial profile after maxillomandibular advancement surgery for obstructive sleep apnea syndrome. Int Orthod. 2013;11(1):71–92. https://doi.org/10.1016/j.ortho.2012.12.009.

127. Abramson Z, Susarla SM, Lawler M, Bouchard C, Troulis M, Kaban LB. Threedimensional computed tomographic airway analysis of patients with obstructive sleep apnea treated by maxillomandibular advancement. J Oral Maxillofac Surg. 2011;69(3):677–86. https://doi.org/10.1016/j.joms.2010.11.037.

128. Li KK, Powell NB, Riley RW, Zonato A, Gervacio L, Guilleminault C. Morbidly obese patients with severe obstructive sleep apnea: is airway reconstructive surgery a viable treatment option? Laryngoscope. 2000;110(6):982–7. https://doi. org/10.1097/00005537200006000000019.

129. John CR, Gandhi S, Sakharia AR, James TT. Maxillomandibular advancement is a successful treatment for obstructive sleep apnoea: a systematic review and metaanalysis. Int J Oral Maxillofac Surg. 2018; https://doi.org/10.1016/j. ijom.2018.05.015.

130. Butterfield KJ, Marks PL, McLean L, Newton J. Linear and volumetric airway changes after maxillomandibular advancement for obstructive sleep apnea. J Oral Maxillofac Surg. 2015;73(6):1133–42. https://doi.org/10.1016/j.joms.2014.11.020.

131. Liao YF, Chiu YT, Lin CH, Chen YA, Chen NH, Chen YR. Modified maxillomandibular advancement for obstructive sleep apnoea: towards a better outcome for Asians. Int J Oral Maxillofac Surg. 2015;44(2):189–94. https://doi.org/10.1016/j. ijom.2014.09.013.

132. Schendel SA, Broujerdi JA, Jacobson RL. Threedimensional upperairway changes with maxillomandibular advancement for obstructive sleep apnea treatment. Am J Orthod Dentofac Orthop. 2014;146(3):385–93. https://doi.org/10.1016/j. ajodo.2014.01.026.

133. Boyd SB, Walters AS, Song Y, Wang L. Comparative effectiveness of maxillomandibular advancement and uvulopalatopharyngoplasty for the treatment of moderate to severe obstructive sleep apnea. J Oral Maxillofac Surg. 2013;71(4):743–51. https://doi.org/10.1016/j.joms.2012.10.003.

134. Serra MM, Greenburg D, Barnwell M, Fallah D, Keith K, Mysliwiec V. Maxillomandibular advancement as surgical treatment for obstructive sleep apnea in active duty military personnel: a retrospective cohort. Mil Med. 2012;177(11):1387–92.

135. Lin CH, Liao YF, Chen NH, Lo LJ, Chen YR. Threedimensional computed tomography in obstructive sleep apneics treated by maxillomandibular advancement. Laryngoscope. 2011;121(6):1336–47. https://doi.org/10.1002/lary.21813.

136. Blumen MB, Buchet I, Meulien P, Hausser Hauw C, Neveu H, Chabolle F. Complications/adverse effects of maxillomandibular advancement for the treatment of OSA in regard to outcome. Otolaryngol Head Neck Surg. 2009;141(5):591–7. https://doi. org/10.1016/j.otohns.2009.08.025.

137. Fairburn SC, Waite PD, Vilos G, Harding SM, Bernreuter W, Cure J, et al. Threedimensional changes in upper airways of patients with obstructive sleep apnea following maxillomandibular advancement. J Oral Maxillofac Surg. 2007;65(1):6–12. https://doi.org/10.1016/j.joms.2005.11.119.

138. Goh YH, Lim KA. Modified maxillomandibular advancement for the treatment of obstructive sleep apnea: a preliminary report. Laryngoscope. 2003;113(9):1577–82. https://doi. org/10.1097/00005537200309000000031.

139. Li KK, Troell RJ, Riley RW, Powell NB, Koester U, Guilleminault C. Uvulopalatopharyngoplasty, maxillomandibular advancement, and the velopharynx. Laryngoscope. 2001;111(6):1075–8. https://doi.org/10.1097/00005537200106000000027.

140. Li KK, Riley RW, Powell NB, Guilleminault C. Patient's perception of the facial appearance after maxillomandibular advancement for obstructive sleep apnea syndrome. J Oral Maxillofac Surg. 2001;59(4):377–80.; ; discussion 801. https://doi. org/10.1053/joms.2001.21870.

141. Li KK, Riley RW, Powell NB, Guilleminault C. Maxillomandibular advancement for persistent obstructive sleep apnea after phase I surgery in patients without maxillomandibular deficiency. Laryngoscope. 2000;110(10 Pt 1):1684–8. https://doi.org/10.1097/00005537200010000000021.

142. Bettega G, Pepin JL, Veale D, Deschaux C, Raphael B, Levy P. Obstructive sleep apnea syndrome. Fiftyone consecutive patients treated by maxillofacial surgery. Am J Respir Crit Care Med. 2000;162(2 Pt 1):641–9. https://doi.org/10.1164/ajrccm.162.2.9904058.

143. Vigneron A, Tamisier R, Orset E, Pepin JL, Bettega G. Maxillomandibular advancement for obstructive sleep apnea syndrome treatment: longterm results. J Craniomaxillofac Surg. 2017;45(2):183–91. https://doi.org/10.1016/j.jcms.2016.12.001.

144. Friscia M, Sbordone C, Petrocelli M, Vaira LA, Attanasi F, Cassandro FM, et al. Complications after orthognathic surgery: our experience on 423 cases. Oral Maxillofac Surg. 2017;21(2):171–7. https://doi.org/10.1007/s1000601706145.

145. Li KK. Maxillomandibular advancement for obstructive sleep apnea. J Oral Maxillofac Surg. 2011;69(3):687–94. https://doi. org/10.1016/j.joms.2010.09.014.

146. RubioBueno P, Landete P, Ardanza B, Vazquez L, Soriano JB, Wix R, et

al. Maxillomandibular advancement as the initial treatment of obstructive sleep apnoea: is the mandibular occlusal plane the key? Int J Oral Maxillofac Surg. 2017;46(11):1363–71. https://doi.org/10.1016/j.ijom.2017.07.003.

147. Wei S, Zhang Y, Guo X, Yu W, Wang M, Yao K, et al. Counterclockwise maxillomandibular advancement: a choice for Chinese patients with severe obstructive sleep apnea. Sleep Breath. 2017;21(4):853–60. https://doi.org/10.1007/s1132501714847.

148. Prinsell JR. Maxillomandibular advancement (MMA) in a site specific treatment approach for obstructive sleep Apnea: a surgical algorithm. Sleep Breath. 2000;4(4):147–54. https://doi. org/10.1007/s1132500001471.

149. Trauner R, Obwegeser H. The surgical correction of mandibular prognathism and retrognathia with consideration of genioplasty. I. Surgical procedures to correct mandibular prognathism and reshaping of the chin. Oral Surg Oral Med Oral Pathol. 1957;10(7):677–89; contd.

150. Schuchardt G. Ein Beitrag zur chirurgischen Kieferorthpadie unter Berucksichtigung ihrer fur di Behandlung angeborener und erworbener Kiefer deformitaten bei soldaten. Dtsch Zahn Mund Kieferheilkd. 1942;9:73–89.

151. Wolford LM, Bennett MA, Rafferty CG. Modification of the mandibular ramus sagittal split osteotomy. Oral Surg Oral Med Oral Pathol. 1987;64(2):146–55.

152. Wolford LM, Davis WM Jr. The mandibular inferior border split: a modification in the sagittal split osteotomy. J Oral Maxillofac Surg. 1990;48(1):92–4.

153. Bennett MA, Wolford LM. The maxillary step osteotomy and Steinmann pin stabilization. J Oral Maxillofac Surg. 1985;43(4):307–11.

154. AlMoraissi EA, AlHendi EA. Are bicortical screw and plate osteosynthesis techniques equal in providing skeletal stability with the bilateral sagittal split osteotomy when used for mandibular advancement surgery? A systematic review and meta analysis. Int J Oral Maxillofac Surg. 2016;45(10):1195–200. https://doi.org/10.1016/j.ijom.2016.04.021.

155. Chamberland S, Proffit WR. Shortterm and longterm stability of surgically assisted rapid palatal expansion revisited. Am J Orthod Dentofac Orthop. 2011;139(6):815–22 e1. https://doi. org/10.1016/j.ajodo.2010.04.032.

156. Chamberland S, Proffit WR. Closer look at the stability of surgically assisted rapid palatal expansion. J Oral Maxillofac Surg. 2008;66(9):1895–900. https://doi.org/10.1016/j.joms.2008.04.020.

157. Movahed R, MoralesRyan C, Allen WR, Warren S, Wolford LM. Outcome assessment of 603 cases of concomitant inferior turbinectomy and Le fort I osteotomy. Proc (Bayl Univ Med Cent). 2013;26(4):376–81.

158. Goncalves JR, Cassano DS, Wolford LM, SantosPinto A, Marquez IM. Postsurgical stability of counterclockwise maxillomandibular advancement surgery: affect of articular disc repositioning. J Oral Maxillofac Surg. 2008;66(4):724–38. https://doi. org/10.1016/j.joms.2007.11.007.

159. Wolford LM, Mercuri LG, Schneiderman ED, Movahed R, Allen W. Twentyyear followup study on a patientfitted temporomandibular joint prosthesis: the Techmedica/TMJ concepts device. J Oral Maxillofac Surg. 2015;73(5):952–60. https://doi. org/10.1016/j.joms.2014.10.032.

160. Levin BC, Becker GD. Uvulopalatopharyngoplasty for snoring: longterm results. Laryngoscope. 1994;104(9):1150–2. https://doi.org/10.1288/00005 53719940900000017.

161. Lee JH, Lee IW, Seo BM. Clinical analysis of early reoperation cases after orthognathic surgery. J Korean Assoc Oral Maxillofac Surg. 2010;36(1):28. https://doi.org/10.5125/jkaoms.2010.36.1.28.

162. Van Sickels JE, Dolce C, Keeling S, Tiner BD, Clark GM, Rugh JD. Technical factors accounting for stability of a bilateral sagittal split osteotomy advancementWire osteosynthesis versus rigid fixation. Oral Surg Oral Med Oral Pathol Oral Radiol Endodontol. 2000;89(1):19–23. https://doi. org/10.1016/s10792104(00)800086.

측두하악관절 치환과 상하악 전진 통합 수술을 위한 가상 수술 계획과 디지털 작업 흐름

Reza Movahed and Joseph W. Ivory

목차

29

개요

독립적으로, 측두하악관절 치환술(TMJR)과 상하악 전진술(MMA) 모두 주요 수술이다. 많은 환자들이 두 수술의 이점을 얻을 수 있지만, 두 술식을 단일 수술 세션(1단계 접근)에서 동시에 수행할 지 아니면 단계별 접근에서 2개의 개별 단계로 수행할지 선택하는 것이 어려울 수 있다. 각 개별환자에 대한 최적의 접근 방식을 결정하기 위해 몇 가지 요소를 고려해야 하며, 그 중 가장 중요한 것은 환자-제공자 공동 의사 결정 과정이며, 외과의는 환자의 연령, 건강 상태, 회복력, 수술실의 장비 등을 포함한 여러 요소를 평가해야 한다.

2단계 접근법은 환자가 전신 마취의 2회의 별도 침습적 수술을 받아야 하고, 회복이 현저히 연장될 수 있고, 보다 많은 합병증 위험과 더 긴 치료 기간, 경과 관찰, 비용 증가의 우려가 있다. 1단계 TMJ와 악교정 동시 수술(CTOS)은 최적의 결과를 보장하기 위해 높은 수준의 외과 전문 지식, 기술, 숙련도가 필요하다. 적용 장치의 사소한 배치 잘못도 최종 임상 결과에 영향을 줄 수 있다. 따라서 이러한 유형의 복잡한 증례는 전달 정확도와 좋은 치료 결과를 위해 악교정 및 TMJ 수술에 경험이 있는 외과의만 수행해야 한다.

그러나 컴퓨터 이용 기술의 이점을 극대화하지 않으면 외과의의 전문 지식과 숙련도가 환자에게 주는 이점이 낭비된다. 컴퓨터 지원 도구는 정밀한 영상 측정을 용이하게 하고 모의 시험 모델, 3D 인쇄 모델 사용, 구조화된 계획 과정 준수를 포함하여 향상된 2D 및 3D 시각화를 위한 기회를 제공할 수 있다. CTOS의 성공은 CTOS에 대한 컴퓨터 이용 수술 시뮬레이션(CASS)이 제공하는 강력하고 신중한 치료 계획에 달려 있을 뿐만 아니라 외과의(및 그 직원)의 수술적 친숙도, 기술에 대한 정통한 지식, 그러한 고급 기술이 운영자에게 요구하는 과정에의 숙달에 달려 있다. 이번 단원에서는 악교정 수술에서 가상 계획 수립 과정 사용을 지원하는 문헌을 검토하고 재건과 특별히 고정된 전관절 보철물이 필요한 CTOS 증례에서 CASS 적용을 위한 새로운 치료 프로토콜을 제시한다. 또한 이런 과정을 기존 프로토콜과 비교하고 이러한 최첨단 계획 발전으로 촉진되는 영상 및 가상 계획 수립의 정확도를 검토하는 방법도 살펴본다.

29.1 TMJ, MMA, 그리고 CTOS의 적응증: 기존 또는 가상 계획 수립 접근법?

TMJ 장애와 치아안면 기형은 공존하는 것이 보통이다. TMJ 장애는 악골 기형의 원인이 될 수 있으며 악골 기형의 결과로 발생하거나 두 개체가 서로 독립적으로 발생할 수 있다. 주요 악교정 수술 결과와 술후 악골 위치 및 교합에 부정적인 영향을 미칠 수 있는 몇 가지 보편적인 TMJ 장애가 있다: (1) 관절 디스크 변위, (2) 청소년기 내부 과두 흡수, (3) 반응성 관절염, (4) 과두 증식, (5) 강직, (6) TMJ의 선천적 기형이나 결손, (7) 결합조직 및 자가면역 질환, (8) 외상, (9) 치아안면 기형, 부정교합, TMJ 통증, 두통, 근막 통증, TMJ와 악골 기능 장애, 귀 증상, 수면 무호흡증과 관련된 기타 말기 TMJ 장애.[1] 이러한 상태를 가진 환자는 TMJ 재건 TMJR을 위한 맞춤형 전관절 보철물 및 MMA를 포함한 악정형적 수술을 아우르는 수정 수술의 대상이 될 수 있다. CTOS 치료 계획 수립법의 기존 모델은 고유한 오차 범위가 있어 환자와 수술 결과가 바람직하지 않은 결과에 취약하게 만들 수 있으므로 최적의 임상 결과를 제공하는데 상당한 기술, 경험, 전문 지식이 필요하다. 양악 수술에 대한 전통적인 계획 수립은 시간과 노력이 많이 소요될 뿐만 아니라 오류가 발생하기 쉽다는 비판을 받아왔다.[2]

지난 15년 동안 새로운 3D 가상 계획 수립 도구가 악교정 수술에 사용되도록 조정되어 다양한 성공을 거두었다. 모든 의료 분야와 마찬가지로 혁신은 질병 예방, 진단, 치료에 대해 시도되고 진정한 접근 방식에 대한 개선을 입증해야 한다. 환자의 건강과 개선된 치료 전달 측면에서 분명하게 입증된 이점이 있는 경우, 모든 상태에 대한 새로운 접근 방식을 환영해야 한다. 기존 접근법보다 발전된 사항은 안정성과 효율성뿐만 아니라 비용, 효율성, 전반적인 가치를 결정하기 위해 신중하게 평가되고 고려되어야 한다.

컴퓨터 기술 적용의 발전은 수많은 질병 상태와 개입에서 유익한 것으로 입증되었으며 영상의 영역에서만 중요한 것이 아니다. 이런 발전은 현대 환자 중심 의료 시스템에서 거의 보편적으로 의료 병리 전반에 걸쳐 고품질 중재적 의료의 전체 과정을 촉진하는 데 중요한 역할을 했으며 진단에서 치료, 후속 치료에 이르는 치료 연속체 전반에 걸쳐 사용되었다. 향상된 수술 탐색 과정, 시뮬레이션, 스플린트 및 기타 장치의 맞춤형 디지털 제조의 발전은 악교정 수술(특히 CTOS)에 대한 치료 제공에 있어 흥미로운 출현이지만, 기존 접근 방식보다 동등하거나 더 나은 것으로 신중하게 고려되고 평가되어야 한다.

29.2 컴퓨터 이용 수술 시뮬레이션(CASS)의 가치: 적용, 정확성, 비용

29.2.1 CASS의 광범위한 적용

CASS는 지난 수십 년 동안 다양한 조건에서 진단, 계획, 치료를 위해 다양한 전문 분야에서 일관되게 사용되어 왔다. CASS 기술은 많은 악안면외과 적용에 통합되었는데[3,4], 여기에는 소아 두개안면 인구[5], 치아안면 기형(예: 돌출 및 비대칭[6], 하악 윤곽 성형술[7])의 수정, 선천성 기형, 종양 제거 후 결함, 외상 후 결함[8], 두개골 결손의 재건[9], TMJ의 재건[10], 3D 인쇄 모델을 위한 과두 재배치의 새로운 방법[11]이 포함된다. 가상 계획은 3부분 골절단술[12], 하악각 분할 골절단술[13] 같은 복잡한 골절단술에서 일상적인 것이 되었고, 다른 시상 분할 하악지 절단술 고정 기술을 평가하는 도구이며[14], 골절단술과 재위치 지침의 유용성을 보여준다.[15] CASS 기술은 수술 정확도의 향상을 입증하고 중간 및 최종 외과용 스플린트 제작의 기초를 제공하며, 기존의 증례 준비 방법에 비해 술전 준비에 대한 외과의의 시간 부담을 줄인다.[16,17]

시간이 지남에 따라, CASS는 경험이 부족한 외과의에게 가상 수술 계획(VSP) 도구를 사용하여 보다 복잡한 술식, 특히 CTOS를 고려하게 하는 도구로 논쟁될 수 있다. 기술 자체가 외과의의 기술과 경험을 어느 정도 대체한다는 말은 아니지만, CASS 장비 작동의 정확성과 신뢰성에 확신을 갖고 더 위험한 술식을 고려하는 술자가 복잡한 수술에 더 쉽게 접근하게 할 수 있다. 그럼에도 불구하고 경험과 기술은 치료 접근 방식(전통적 또는 CASS)에 관계없이 CTOS 안정성을 달성하는데 가장 중요한 요소로 남아 있음을 강조해야 한다. 치료 성공은 술후 안정성에 달려있으며 정확한 위치 정확도에 의존하여, 잘못 계산하면 재수술로 이어질 수 있다. 명백하지만, 추가 재개입 술식은 환자의 고통, 가동 중지 시간, 생산성 감소, 임금 손실을 비롯하여 치유 기간 동안 삶의 질 저하와 관련된 기타 문제를 초래할 것이라는 점을 명시해야 한다. 또한, 재수술은 환자에게 합병증의 위험을 증가시키고 환자와 외과의 모두에게 완전히 만족스러운 결과의 가능성을 낮춘다.

CASS는 아마도 궁극적으로 시술 성공의 기회와 환자에게 좋은 결과를 향상시키는 것을 목표로 자신의 의료환경에서 기술 적용에 상대적으로 편안한 외과의(혁신가, 얼리 어답터, 조기 다수[18,19])에게 더 적합하고 매력적일 수 있다. 그러나 현재로서는 미래 연구에서 탐구해야 할 주제인 CTOS에 대한 혁신의 확산을 조장하는 외과전문의와 기타 사회 및 전문 인구 통계간에 CASS 채택 준비의 차이를 설명하는 데이터가 없다.

그러나 현재까지, CASS 과정(VSP와 3D 인쇄 스플린트)의 적용이 널리 보급되어 이제는 악교정 수술의 치료 표준이 된 것으로 보인다.[20] CASS 프로토콜이 수술로 제대로 옮겨진 만큼 CASS는 악교정 수술에서 "패러다임 시프트"라고 불린다.[21] CASS 계획은 여러 출판된 연구에서 전통적 악교정 수술 계획 수립에 대한 효율적이고 신뢰할 수 있는 비용-효율적인 대안으로 일관되게 입증되었으며, 기존의 스플린트 제작을 사용한 기존의 표준 2D 계획 접근 방식과 비교하여 동등하거나 더 나은 임상 결과를 보여준다.[22]

29.2.2 전체 CASS 정확도

최근, 벨기에의 Shaheen 등[23]의 2018년 연구에서는 양악 수술을 받는 15명의 환자에서 급내 상관 계수(ICC)를 사용하여 관찰자간 및 관찰자내 신뢰도 측정을 사용하는 검증 프로토콜을 사용했다. 그들의 CASS 프로토콜 계획은 PROPLAN software (Materialise, Leuven, Belgium)를 사용했다. 가상 계획 수립 과정 자체는 단계적 프로토콜을 사용했다(단계1: DICOM 이미지 가져오기; 단계2: 두개저 등록; 단계3: 상악 분절 등록; 단계4: 3D 병진 및 회전 변위 계산; 단계5: 데이터 내보내기). 신뢰성은 우수한 것으로 보고되었다(ICC 범위: 0.94–0.98; 병진 및 회전 운동에 대한 평균 변동성 < 0.4 mm 및 < 0.7도).

2016년 Zhang 등은 양악의 악교정 수술을 시행한 환자 30명을 대상으로 CASS 계획의 정확성을 평가하고 실제 수술 후 두개골 모형과 술전 계획을 비교했다. 그들은 CT의 DICOM 데이터 파일과 치열궁 표면의 스캔에서 얻은 stereolithic 모델(STL) 데이터를 사용했다. 전체 선형 평균 차이는 0.81 mm(상악 0.71 mm; 하악 0.91 mm), 전체 각도 평균 차이는 0.95도로, 양악 악교정 수술에서 골 분절의 임상적 재배치는 정확한 것으로 나타났다.

2013년 Hsu 등[24]은 3개 센터에서 연속적으로 65명의 환자를 대상으로 악교정 수술을 위한 CASS 프로토콜의 정확도를 결정하기 위한 전향적 연구를 수행했다. 그들은 프로토콜이 실제로 정확하고 안정적으로 수술로 옮겨져 상악과 하악의 위치를 적절하게 지정할 수 있을 뿐만 아니라 이부성형술도 정확하게 할 수 있다고 보고했다. 흥미롭게도, 한 부위에서 이부성형술 그룹에 대한 컴퓨터 제조 턱 형판은 술중 측정에 비해 더 높은 측정 정확도를 제공하는 것으로 밝혀졌고[24], 이는 가상 턱 모델도 가상 계획 수립에 신뢰도있게 통합할 수 있음을 시사한다.

또한, 2013년 Zinser 등[21]은 컴퓨터-이용 디자인/컴퓨터-이용 제조(CAD/CAM) 스플린트만 적용한 경우(그룹 A; $n = 8$), 외과적 "웨이퍼없이" 탐색만 적용한 경우(그룹 B; $n = 10$), 상악 계획 수립에서 기존의 악간 교합 스플린트만 적용한 경우(그룹 C; $n = 12$) 사이의 정확도를 비교하였고, 상악 계획 전달의 가장 높은 정확도는 CAD/CAM 스플린트(< 0.23 mm; $p < 0.05$)였고, 다음으로 외과적 "웨이퍼없는" 탐색(< 0.61 mm; $p < 0.05$), 고전적 악간 교합 스플린트(< 1.1 mm; $p < 0.05$)이었다. 흥미롭게도, 저자들은 그룹 A (CAD/CAM 스플린트)만이 TMJ의 중앙에 과두를 보존했다고 보고했다. CAD/CAM 그룹에서 상악 정확도가 개선된 것으로 나타났지만, 저자는 하악과 연조직의 정확한 예측이 훨씬 더 어렵다고 지적했다.[21]

2013년 Sun 등은 15명의 양악 수술 환자를 대상으로 중간 스플린트 제작에 사용한 CASS 프로토콜의 정확도를 평가했다. 그들은 3차원에서 가상으로 계획된 움직임과 실제 움직임 사이에 유의한 차이를 발견하지 못했다: 시상($p = 0.10$), 수직($p = 0.69$), 수평($p = 0.83$). 다음해, Sun 등은 17명의 양악 환자를 대상으로 수술 중 영상-유도 탐색 기술의 정확도를 연구했는데, 시상($p = 0.82$), 수직($p = 0.85$), 수평($p = 0.81$) 방향에서 상악 위치를 안내하는 유용하고 유망한 도구라고 보고하였다.

29.2.2.1 연조직 예측 시뮬레이터

계획 과정에서 많은 환자들은 두개안면 형태의 잠재적인 주요 변화가 무엇인지 예민하게 예상한다. 따라서 이러한 목적에 유용한 예측 소프트웨어 시뮬레이션 모델이 개발되었다. 이런 예측 가상 모델을 통합하면 치료 선택지를 탐색하여 자신의 치료 과정에 환자를 참여시킬 수 있을 뿐만 아니라 기대치를 관리하고 잠재적으로 술후 불만을 피할 수 있다. 그런 모델의 정확성이 종종 문제가 되었다. 2015년 Ullah 등은 13명의 환자에서 Le Fort I 전진 골절단술에 대한 3D 연조직 예측 모델의 정확도를 conebeam CT (CBCT)로 평가했다. 그들은 턱의 연조직과 상순에서 예측 및 실제 술후 차이 사이의 간격이 통계적으로 유의하지 않고 (분절된 해부학적 부위에서 3 mm 미만; $p < 0.001$), 턱에서 0.65 mm, 상순에서 1.17 mm의 범위를 보였다. 그러나 이 모델은 비강과 부비강 위치를 예측하는데 더 나은 정확도가 필요했다.

Liebregts 등[25]은 양악 수술을 받은 60명의 환자를 대상으로 3D 연조직 시뮬레이션의 정확도를 보고했다. 그들은 연조직 변화를 예측하기 위해 질량 장력 모델(MTM)을 사용했으며, 임상 사용에 정확하다는 것을 발견했다. 예측 시뮬레이션과 실제 술후 측면 사이의 평균 절대 오차는 0.81 ± 0.22 mm이었다. 상순, 하순, 턱의 소구역에 대한 정확도가 각각 93%, 90%, 95%로 보고되었다(전체 얼굴과 상순에 대한 평균 절대 오차 2 mm 미만).[25]

최근 2018년 연구에서, Holzinger 등[26]은 새로 개발된 컴퓨터-이용 Sotirios 계획 수립 소프트웨어를 사용하여 술후 6개월 동안 16명의 악교정 수술 환자의 연조직 변화를 예측하는 정확도를 판단했으며, 평균 오차 측정값은 1.46 ± 1.53 mm로 이는 임상적으로 연조직 결과 예측에 적합한 정확도를 나타냈다.

29.2.2.2 CASS 유도 비골 유리 피판의 채취, 조형, 배치

Metzler 등[27]은 비골 유리 피판으로 하악 재건술을 받은 10명의 환자에 대한 3D CASS 프로토콜이 임상적으로 수용 가능하고 정밀도와 정확도에서 재현성있다고 보고했다. 2015년에 Rustemeyer 등[28]은 그들의 CAD/CAM 술식이 실제로 비골 피판의 허혈 시간을 감소시켰다고 보고했다. 그러나 그들은 피판 생존이나 재건 술식의 총 기간 단축에 영향이 없음을 발견했다. Wang 등[29]의 2016년 연구에서는 혈관성 비골 피판을 이용한 하악 재건에서 가상 계획 수립 수술과 기존 수술을 비교했다. 연구에 의하면, CASS 접근 방식은 사전 제작된 절단 플레이트와 가이드를 사용하여 비골 피판 조형과 배치를 보다 쉽게 다룰 수 있고 수술 시간을 단축하여 궁극적으로 임상 결과에 긍정적인 영향을 미칠 수 있는 기존 수술에 비해 더 정확한 재건에 기여한다고 보고했다.[29]

29.2.2.3 CASS 대 통상적 계획 수립

Lin 등에 의한 최근 2018년 고찰에서, 악교정 수술을 위한 3D 인쇄 방법 사용이 널리 적용되었으며 일반적으로 기능적 및 심미적 결과를 최적화하고 환자 만족도를 개선하여 치료 계획의 보다 정확한 번역에 있어 기존 접근 방식에 비해 이점을 제공한다는 것을 확인했다.[30] Steinhuber 등의 한 주목할 만한 2018 연구[22]에서는 악교정 수술에 대한 VSP를 통상의 수술 계획 수립과 비교했다. 40명의 단일 악골 수술 환자($n = 18$)와 양악 수술 환자($n = 22$)를 CASS (CAD/CAM 포함)와 기존 계획(수동 스플린트 제작 포함)을 모두 사용하여 계획하였다. 단악 수술에 대한 완전한 계획을 수립하는데 걸린 평균 시간은 CASS의 경우 109.3 ± 10.8분, 기존 계획법의 경우 145.5 ± 11.5분이었다; 양악 수술은 VSP에서 평균 149.6 ± 15.3분, 기존 방법에서 224.1 ± 11.2분이 소요되어, VSP가 단악 및 양악 수술 모두에서 계획 수립 시간을 현저히 단축시켰다($p < 0.001$). 2014년 Kwon 등[31]의 또 다른 연구는 양악 수술을 받은 42명의 환자에서 VSP와 통상의 교합기 모델 수술(AMS)의 수술 정확도를 비교했다. 그들은 2가지 계획법 사이에서 상악 위치의 수술 정

확도가 비슷했고 VSP가 적절한 대안이라고 결론지었다.

29.2.2.4 수술-우선 환자에서 CASS 정확도

2018년 Tran 등은 3D 인쇄 수술 스플린트로 양악 수술을 받은 15명의 수술-우선 환자에서 CASS의 정확도에 대해 보고했다. 그들은 계획과 수술 결과 사이의 전체 선형 평균 차이가 0.88 mm(상악에서 0.79 mm; 하악에 대해 1 mm)이고 전체 각도 평균 차이가 1.16도임을 발견했다. 그들은 3D 인쇄 스플린트를 사용하는 CASS가 진단과 치료 계획 수립을 용이하게 하여 궁극적으로 수술-우선 악교정 수술 환자에게 정확한 결과를 제공한다고 결론내렸다. 앞서 언급한 바와 같이 2018년 Holzinger 등[26]은 16명의 악교정 수술-우선 환자를 대상으로 연조직 예측 소프트웨어를 연구했고, 우수한 임상적 정확도를 가진다고 보고했다.

29.2.2.5 상기도 영상 프로그램과 CT의 정확성

CASS의 중요한 기능 중 하나는 CTOS 이전에 주요 두개안면 측정을 결정할 때 정확도가 더 높다는 것이다. 폐쇄성 수면 무호흡(OSA)을 고려할 때 기도의 정확하고 신뢰할 수 있는 측정이 최우선 순위이며 잘못된 측정은 잠재적으로 원치 않는 결과를 초래할 수 있다. 2012년 Weissheimer 등[32]은 33명의 성장하는 환자를 대상으로 CBCT를 사용하여 상기도 용적 측정용 6개의 영상 소프트웨어 패키지의 정밀도와 정확도를 비교했다. 그들은 구인두 아크릴 팬텀과 iCAT 스캐너(Imaging Sciences International, Hatfield, PA)를 사용했다. 비교된 프로그램은 Mimics (Materialise, Leuven, Belgium), ITK-Snap (www.itksnap.org), OsiriX (Pixmeo, Geneva, Switzerland), Dolphin3D (Dolphin Imaging & Management Solutions, Chatsworth, CA), InVivo Dental (Anatomage, San Jose, CA), and Ondemand3D (CyberMed, Seoul, Republic of Korea)이었다. 신뢰성을 위해 급내 상관 계수를 시험한 결과 6개 소프트웨어 패키지 모두가 신뢰할 수 있는 것으로 나타났지만, 체적 오류 비율은 일부 프로그램 간에 현저하게 달랐다. 그들은 상기도 평가에 대해 Mimics, Dolphin3D, ITK-Snap, OrisiX(모두 < 2% 체적 오차 대 황금 표준)의 정확도가 InVivo Dental과 OnDemand3D (> 5% 체적 오차 대 황금 표준)와 통계적으로 다르다고 보고했다($p < 0.05$, 체적 오류률 < 2%) [32] Chen 등이 최근 2017년, 2012년부터 신뢰성과 정확도가 점진적으로 개선되었다고 제안했다.[33] 저자들은 Amira (Visage Imaging Inc., Carlsbad, CA), 3Diagnosys (3diemme, Cantu, Italy), OnDemand3D (CyberMed, Seoul, Republic of Korea)를 비교했다. 그들은 3가지 패키지 모두 상기도에 대한 관찰자내 및 관찰자간 측정에서 탁월한 신뢰성을 보여주었으며(급내 상관 계수 ≥ 0.75), 용적, 길이, 최소 단면적 측정에서 3가지 모두 우수한 일치를 보여주었다. 또한 이들 모두 상기도 용적을 -8.8%에서 -12.3%까지, 길이를 -1.6%에서 -2.9%까지, 최소 단면적을 -6.2%에서 -14.6%까지 과소평가하는 것으로 나타났다.

MDCT와 CBCT의 정확도 또한 구인두 용적과 관련 형태를 결정하는 중요한 요소이다. 2018년에 Chen 등도 2개의 다중검출기 CT (MDCT) 스캐너(GE Discovery CT750 HD, Siemens Somatom Sensation)와 3개의 다른 CBCT (NewTom 5G, 3D Accuitomo170, Vatech PaX Zenith 3D)의 정확도를 보고했다. 평가된 모든 스캐너 중 Siemens MDCT(정확도 98.4%; 14.3 cm^3)와 Vatech CBCT(정확도 98.9%; 14.4 cm^3)가 용적 측정에서 최고의 성능을 보였다.

29.2.3 비용

기존 CTOS 프로토콜과 비교한 CASS의 실제 비용 이점, 비용 효용이나 효율성은 방법론적으로 강력한 비용 연구를 통해 아직 수행되지 않았다. CASS의 "비싼 장난감 또는 유용한 도구"로서의 유용성에 대한 의문이 남아 있지만[34], 전 세계 악교정 수술 커뮤니티에서 거의 보편적으로 수용되면서 기본적인 CASS 기술의 구매 비용도 감소했다. CASS 비용의 정당성 여부에 관해서는 데이터가 거의 없지만 수년에 걸쳐 CASS의 여러 반복 및 다양한 프로토콜에서 CASS의 정확도가 증가하면 합병증이나 기타 불리한 수술 결과(재수술과 같은)를 방지함으로써 비용 이익을 얻을 수 있다고 추정된다.

CASS는 시간과 노동력을 절약할 수 있는 비용 이점을 제공할 수 있다(아래에 설명한 바와 같이 외과의뿐만 아니라 의료진을 교육하는데 오랜 학습 곡선으로 인해 다소 상쇄될 수 있지만). CASS 프로토콜을 평가한 2006년 비용 연구에 의하면, 기존의 복잡한 두개악안면 수술에 비해 CASS 비용은 외과의의 계획 수립 및 술식 시간(CASS의 경우 5.25시간, 기존 방법의 경우 9.75시간), 환자 시간, 재료 비용이 감소하여, 궁극적으로 CASS가 기존 방법보다 빠르고 비용이 적게 든다고 결론지었다.[35] Xia 등은 새로운 혁신적인 수술 디자인 후보나 새로운 과정이 기존 방법에 비해 다음 3가지 이점 중 적어도 2가지에 대한 긍정적 대답으로 정당화되어야 한다고 언급했다: (1) 더 빠른지, (2) 더 저렴한지, (3) 결과가 더 나은지?

마찬가지로, 3D 프린터와 인쇄 과정의 비용은 일반 대중이 이 기술을 점점 더 많이 사용함에 따라 꾸준히 감소하고 있지만, 악교정 수술의도 환자를 지도하고 교육하기 위한 핵심 시각적 도구로 채택하고 있다. 따라서 외과의는 고정용 스플린트와 수술 성공에 중요한 기타 장치를 보다 정확하게 측정할 수 있다. 저비용 열용-융적층 모델링 3D 프린터(신속 프로토타이핑 3D 프린터라고도 알려진)조차도 비용이 많이 드는 기술에 대해 상대적 오류 차이가 유사한 우수한 고속 인쇄 선택지인 것으로 나타났다.[36] 종이-기반 3D 프린터조차도 평균 오차가 사람의 하악을 인쇄하는 오류 차이가 다른 유형의 3D 프린터와 비교할 때 크지 않았다.[37]

29.2.4 CASS 학습 곡선 및 관련 비용

악교정 수술 및 관련 외과의 훈련에서 학습 곡선을 주제로 한 연구는 거의 없지만, 학습 곡선은 기존 의사가 채택하는 요인일 가능성이 높다. 이처럼 2017년 구강악안면외과 수술 내비게이션 기술의 적용을 평가한 체계적 고찰에서 최근 지적된 CASS 학습 곡선과 역량 및 숙달에 도달하기 위한 시간을 고려하는 것이 중요하다. 체계적 고찰의 저자는 컴퓨터 기반 과정이 많은 시간이 소요될 수 있지만, 불가피한 이질적인 기술과 과정이 어느 시점에서 익숙해지고 일상적으로 효율적이 되는 것을 발견했다. 전체 계획 수립 및 술식 시간은 성형 수술에서 외과-안내 내비게이션의 경험을 인용해 보면, CASS 술식과 과정이 "충분히 마스터"되면 궁극적으로 도움이 될 것이다.[38,39] 또한 전체 외과의 팀은 CASS 과정에 익숙해지기 위해 시간을 할애해야 하며 능력이 입증될 때까지 학습 곡선과 관련 교육 비용을 연장해야 한다.

29.2.5 임상 결과 향상을 위한 수술 시뮬레이션과 훈련

지난 5년 동안 가상 현실(VR) 시뮬레이터 개발에 놀라운 발전이 이루어졌다. VR 시뮬레이터는 전통적인 의료 훈련 및 계획 수립에 대한 비용 효과적이고 효율적인 대안이 될 것이다. 가상 몰입 머리 장착 장치(HMD)와 함께 촉각 피드백을 허용하는 컨트롤러의 개발로 외과의가 수술실에 들어가기 전에 운전석에 외과의를 앉히는 동기가 되었다. 많은 시뮬레이터는 다중 모드(시각, 촉각, 청각, 후각 등) 출력/피드백을 특징으로 하는데, 이것은 학습자를 상호 작용에 몰입시키고 교육 목표를 달성하여 나중에 숙달로 이어질 수 있는 역량을 더 가깝게 모방하도록 설계되었다.

Sofronia 등[40]은 2013년 외과의를 훈련하기 위해 피드백을 제공하도록 특별히 조정된 양측성 시상 분할 골절단술(BSSO) 가상 현실 기반 시뮬레이터의 개발을 보고했는데, 훈련자들은 수술 오류와 합병증의 2가지 주요 원인인 절단과 분할의 실패를 인식하고 건설적으로 배울 수 있다. 보다 최근에, Arikatla 등[41]은 2018년 논문에서 고충실도 촉각 피드백 시뮬레이터의 개발로 실시간 가상 수술에 적합하다고 설명한다. 그들은 골에 가해지는 접촉력을 비슷하게 하기 위해 현실적인 물리학 코딩 소프트웨어를 사용하여 드릴링, 드릴 버 처리, oscillating saw를 가상 결합 개체로 시뮬레이션할 수 있다고 주장한다. 촉각 피드백 장치(Geomagic TouchTM)는 최대 3.4 N의 힘 피드백을 제공할 수 있으며, 이는 도구 방향을 포함한 가상 위치를 동기화하여 3개의 데카르트 좌표를 따라 힘을 가할 수 있다. 하드웨어는 1,080 × 1,200 픽셀 해상도의 각 눈에 유기 발광 다이오드(OLED) 패널이 있는 Oculus Rift HMD로 구성된다.[41]

29.3 전통적 CTOS의 프로토콜

전통적(또는 통상적) CTOS 계획은 임상 평가, 두부계측 분석을 기반으로 하는 2D 예측 트레이싱, 사진, 안궁 전송으로 교합기에 장착된 치아 모델에 의존하며, 제작된 수술 스플린트를 사용하여 악골 이동을 시뮬레이션하기 위해 모델 수술을 수행한다. 이 모든 단계는 외과의가 상악과 하악을 움직여 기능, 안면 조화, 교합, 구인두 기도 용적에서 최적의 치료 결과를 확립할 수 있는 기초를 제공한다.[22] 전관절 보철물이 필요한 경우, 악안면 영역의 CT를 촬영하고 TMJ, 상악, 하악을 1 mm 중첩 컷으로 둘러싼다. 그런 다음 이 CT 영상 데이터를 사용하여 하악을 구분된 조각으로 STL 모델을 제작한다. 원래의 두부계측 트레이싱과 예측 트레이싱을 사용하여(◘ 그림 29.1a), STL 모델의 하악을 하악 전후방 및 수직 위치, 피치, 요, 롤의 수정으로 위해 계획된 측정을 사용하여 미래의 예정된 위치에 배치한다.

하악을 빨리 중합되는 아크릴로 상악에 고정한다. 악교정 동시 수술을 필요로 하는 TMJ 장애가 있는 많은 환자도 상하악 복합체의 반시계방향 회전(CCWR)의 대상이 된다(◘ 그림 29.1b). STL 모델의 하악 위치는 실제 측정을 사용하여 설정되기 때문에, 작업자의 손재주와 3D 관점은 하악을 적절하게 배치하는데 중요하다. 그러나 이 단계는 어느 정도 오차 범위를 수반하기 때문에 본질적으로 위험하다는 점을 지적해야 한다.

다음 단계는 환자-맞춤형 전관절 보철물 제작을 위한 하악지와 관절와(◘ 그림 29.2a, b)의 외측면 준비가 필요하다. 이 단계의 목표는 하악 구성 요소가 배치될 위치의 편평한 표면으로 하악지 외측을 재윤곽화하는 것이다. 관절와는 이소성 골이나 비정상적 해부학이 있는 경우에만 재윤곽화한다. 재윤곽화 부

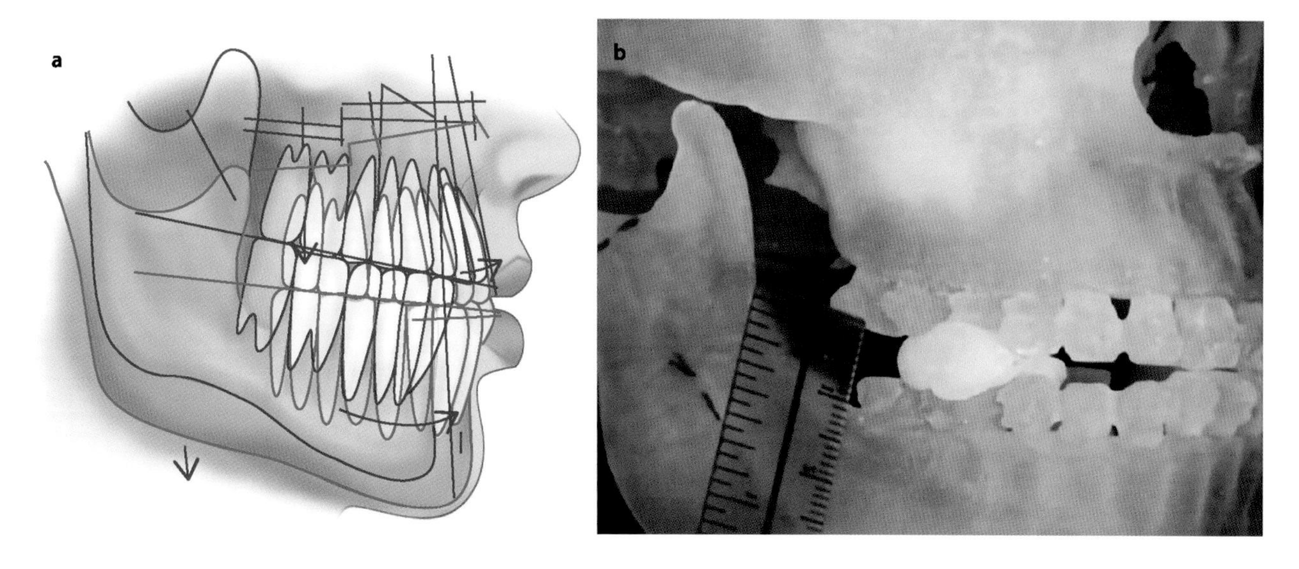

그림 29.1 **a** 하악을 최종 위치로 CCWR하여 제2대구치에 생성된 개방 교합에 대한 두부계측 예측 트레이싱의 계측. **b** STL 모델에서 최종 하악 위치까지 예측 트레이싱 및 methyl methacrylate로 상악에 하악을 고정하고 얻은 계측치의 복제(Movahed 등[16]에서; 허락 하)

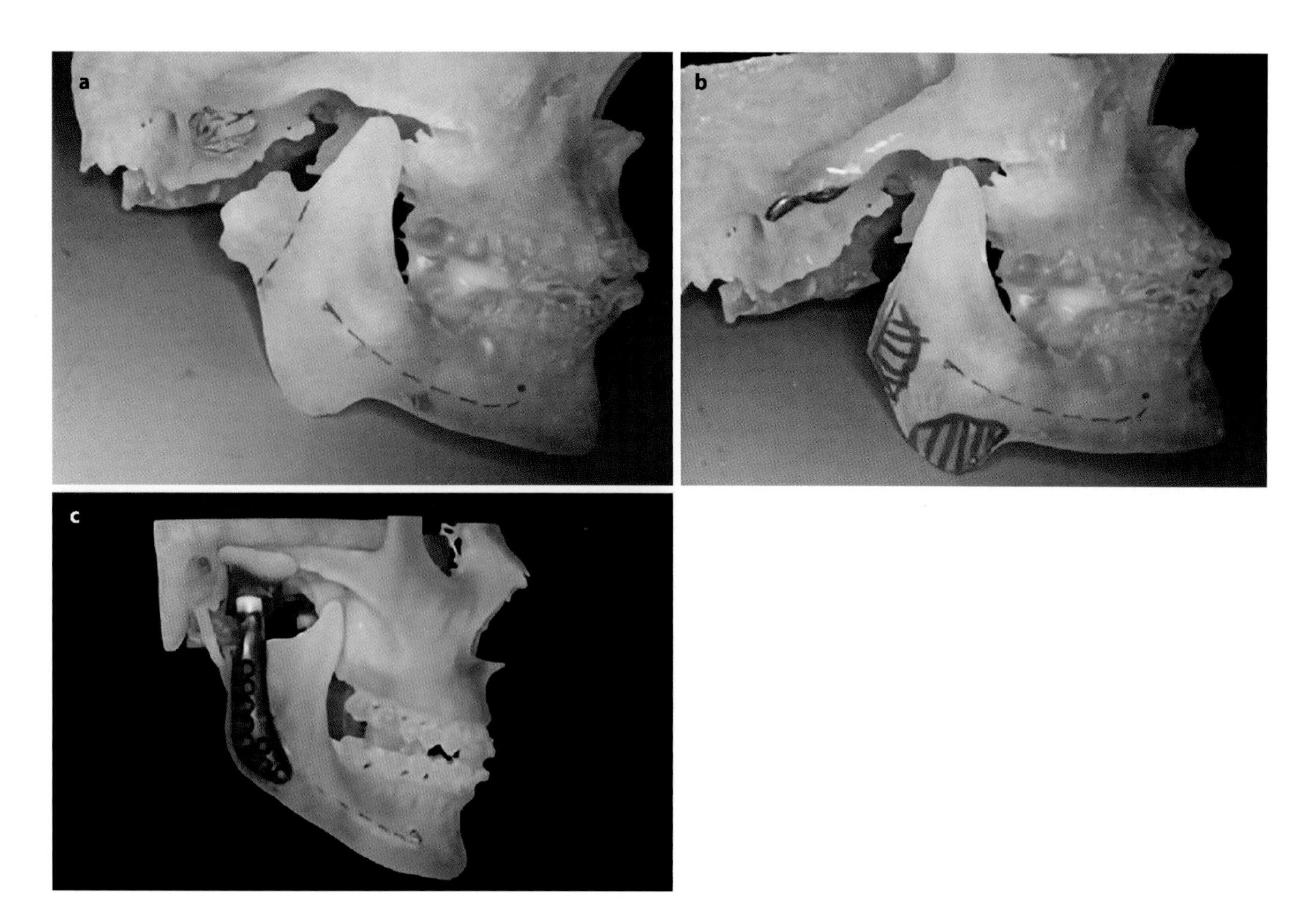

그림 29.2 **a** 과두절단술과 불규칙한 관절와를 표시하였다. **b** 과두절단술과 관절와 및 하악지의 재윤곽화(빨간색으로 표시된 부분) 후의 STL 모델. **c** 외과의의 승인을 위한 보철물 왁스업이 표현된 STL 모델(Mavahed 등[16]에서; 허락 하)

위를 빨간색으로 표시하여, 수술 시 골 제거를 복제하도록 한다. CTOS를 필요로 하는 TMJ 문제가 있는 대부분의 환자는 상하악 복합체의 CCWR로 이점을 얻을 수 있기 때문에, STL 모델은 상악이 원래 위치로 유지되어 후방 개방 교합으로 설정될 가능성이 높다.

STL 모델이 완성되면 TMJ Concepts (Ventura, CA)으로 보내, 맞춤형 전관절 보철물의 디자인, 청사진, 왁스업이 수행되고 (◘ 그림 29.2c), 보철물 제작 전 외과의에게 디자인과 왁스업을 보내 승인받는다. CT 획득부터 제조사의 맞춤형 보철물 완성까지의 기간은 약 8주이다. 그 후 교합기–장착 치아 모형에서 수술을 수행한다. 하악을 교합기에 재위치시키고, STL 모델에서 수행된 이동을 복제하여 중간 스플린트를 구축한다. 상악 모델을 재배치하는데, 계획된 경우 분절하여 최대 교합 접촉에 위치시킨다. 그 후 구개 스플린트를 구축한다.

CASS 기술은 컴퓨터 시뮬레이션 환경에서 상악과 하악을 최종 위치로 이동하는데 사용된다. 컴퓨터 시뮬레이션을 사용하여 임상 평가, 치아 모델, 예측 트레이싱, 컴퓨터 시뮬레이션 분석을 기반으로 상하악의 전후방 및 수직 위치, 피치, 요, 롤이 정확하게 최종화된다. DICOM 데이터를 사용하여 STL 모델은 상악과 하악을 최종 위치에 놓고 과두를 제거하고, 필요한 경우 하악지 외측과 관절와의 윤곽을 재조정하기 위해 외과의에게 제공된다. STL 모델은 보철물의 디자인, 청사진 및 왁스업을 위해 TMJ Concepts으로 보낸다. 인터넷을 사용하여 디자인 승인을 위해 외과의에게 전송된다. 그 후 맞춤형 전관절 보철물이 제조된다. 보철물 제작에 약 8주가 소요된다.

29.4 CASS를 이용한 TMJR과 MMA 동시 수행을 위한 새로운 프로토콜

CTOS 증례에 CASS 술식을 사용하면 외과의가 STL 모델의 새로운 최종 위치에 하악을 수동으로 설정해야 하는 "전통적인" 단계가 삭제되어 시간이 절약되고 수술 정확도가 향상된다. 치아 모델 수술은 상악 분절의 경우에만 필요하지만, CASS 과정의 모형은 교합기에 장착할 필요가 없으므로 모델을 장착하고 모델 수술, 하악 재배치, 중간 교합 스플린트와 최종 구개 스플린트 제작을 위한 모델 베이스 준비에 필요한 시간을 삭제하여 궁극적으로 상당한 시간을 절약한다. CASS 기술을 사용하여 스플린트는 3D Systems (Rock Hill, SC)에서 제조하고 전관절 보철물(필요한 경우)은 TMJ Concepts에서 제작한다. 새로운 CASS 프로토콜 과정은 아래에 자세히 설명되어 있다.

29.4.1 전체 CASS 과정

29.4.1.1 단계 1: 환자 의뢰

환자는 어떤 출처로든 악교정 수술 전문의에게 의뢰될 수 있지만, 일부는 류마티스 전문의, 교정/치과전문의, 이비인후과 전문의, 수면전문의, 두개안면 외과의, 종양 전문의, 1차 진료의, 환자 스스로, 치료받았던 환자, 친구, 가족 등을 통해 내원할 수 있다.

29.4.1.2 단계 2: 진료실에서 외래 환자 초기 평가

초진 방문 시 환자와 인사하고 행정 절차 완료 후 치료 동의를 받는다. 그 다음 초진 CBCT를 촬영한다. 환자의 기준선 사진(정면과 측면)과 구내 사진을 촬영한다. 그런 다음 환자와 인터뷰를 실시하고 완전한 임상 정밀 검사 및 병력 청취를 수행한다. 환자의 병력과 치과 병력을 살피고(만성 질환과 외상 사건 포함), 약물 병력 및 현재 약물 복용, 모든 관련 가족력, 모든 이전 의뢰(교정 치료 같은), 이전 수술을 기록한다. 영상 데이터를 평가하여 골격 및 연조직 표시자의 연조직 결핍을 결정한다. 모든 증상에 대해 상담한다(휴식 시 및/또는 식사 중 TMJ 통증과 불편감). 임상 검사는 촉진으로 필요한 전진량을 평가하고, 교합의 피치, 요, 롤과 치주 검사를 시행한다. 외과의는 의학적 평가 결과에 대한 상담을 시작하고 잠재적 치료 선택지를 제시하며 치료 과정 전반에 걸쳐 환자의 동의와 참여를 이끌어낸다. 환자가 진행을 결정하면 외과의는 일반적으로 수술의 잠재적 합병증에 대해 논의하고 특히 환자의 병력 및 초기 상담에서 발견된 위험 인자에 중점을 둔다. 외과의는 환자의 즉각적 간병인 지원(배우자, 형제자매, 자녀, 기타 가족 및/또는 간병인 지원)을 확인한다. 그 후 환자에게 다른 중요한 의학적 상담(예: 심장 검사, 폐기능 검사; 수정 증례의 경우 조직과 골 구조의 품질 평가)을 받도록 설명한다. 다음 내원은 교정 후 술전 방문이 될 것이다. 그 다음 술전 내원은 지리적 위치에 관계없이 모든 환자에 대해 환자와 간병인이 참여하는 원격 진료 확인으로 설정한다.

29.4.1.3 단계 3: 술전 교정 치료 시작을 위해 교정과의에게 의뢰

교정 치료는 치조에서 치아의 레벨 정렬을 위해 선택된 교정기나 Invisalign으로 시작된다. 부가적으로, 수술 동안 보다 안전한 분절 골절단술과 재현성있는 교합의 예측가능한 정렬을 획득하기 위해, 상악의 원심–외측 공간에서 치아의 발산과 개방된 공간이 필요하다.

29.4.1.4 단계 4: 스플린트 제작을 위한 CT 데이터를 3D Systems로 전송

CT 데이터는 CAD/CAM 스플린트와 제작이 필요한 다른 수술 모델 제작의 VSP을 위해 3D Systems의 클라우드 데이터베이스에 업로드한다(주문 양식은 https://www.3dsystems.com/sites/ default/files/2017-05/MM-163%20Rev%20H_VSP%20 Orthognathics_0.pdf에서 사용 가능). 협진 회의에서 외과의과 교정의는 VSP 과정의 일부로 구현되는 미리 계획된 골격 이동에 동의한다. 모든 당사자가 계획에 동의하고 최종 계획이 완성되면 물리적 STL 3D 모델을 제작하고 스플린트 제작을 위해 TMJ Concepts으로 전송한다. TMJ Concepts 프로토콜은 환자가 교정의와 외과의가 수술을 진행할 준비가 되었다고 판단될 때 전관절을 만들기 시작한다(https://tmjconcepts.com/tmj/files/CT_Scan_ Protocol_F071-H.pdf).[42]

29.4.1.5 단계 5: TMJ Concepts 전관절 보철물 제작 시작

TMJ Concepts이 전관절 보철물의 제작을 맡는다. 이상이 있다면 외과의에게 즉시 보고될 것이고 모든 시정 조치가 이루어지므로, 모델 배송 및 변경 후 재배송해야 하는 시간 소모적 과정이 필요없다. 보철물 제작의 평균 기간은 회사의 작업량에 따라 약 2-4개월이다.

29.4.1.6 단계 6: 수술 3주 전 검증을 위한 환자의 STL 스캔

정확성 검증 및 전관절 보철물 제작을 위해 수술 3주 전 환자 치열의 STL 스캔을 획득한다. 이 기간 동안, 환자 치열은 교정으로 자리에 유지된다. 그 후 STL 스캔을 3D Systems으로 전송하고 이미 수행된 후속 CT 스캔과 정렬된다. 기술자, 교정과의, 외과의로 구성된 다학제 팀이 치아 분절 위치를 재확인 및 검증한다. 모든 당사자가 동의하면 가상 파일에서 중간, 구개, 분절, 최종 스플린트를 인쇄하고 배송 준비가 완료된다. 그 후 배송 완료된 인쇄물을 외과의가 받아 결함 여부를 확인한다.

29.4.1.7 단계 7: 외과술식

수술 당일, 외과의는 3D Systems에서 제공하는 스플린트와 TMJ Concepts에서 제공하는 보철물을 받게 된다. 제작된 스플린트를 재검토하고 수술실 사용을 위해 깨끗이 한다. 하악지 외측을 깎아내지 않고 CTOS (TMJR 및/또는 MMA)를 수행한다.

29.4.1.8 단계 8: 경과 관찰: 수술 전후 관리, 진료실 방문으로의 이송, 술후 영상

CTOS 후 환자는 48-72시간 동안 중환자실로 이송된 후 참작의 여지가 있는 합병증이 없으면 퇴원할 수 있다. 원격 진료 경과 관찰 예약은 퇴원 시부터 술후 첫 내원까지 정기적인 간격으로 잡아놓는다.

29.4.2 증례 1: 유증상의 특발성 과두 흡수

13세에서 18세까지 경과 관찰된 남환으로,2014년 15세의 나이에 교정과의에 의해 두통을 동반한 TMJ 통증, clicking 및 popping 소리를 평가받기 위해 의뢰되었다. 첫 내원 당시 환자는 전체 교정 중이었고, 관절경/관절천자의 보존적 치료가 완료된 상태였다. 환자는 사춘기 기간 동안 통증이 증가하고 하악 후퇴증이 눈에 띄게 진행되어 정기적으로 관찰되었다 (◘ 그림 29.3). 초기 교정은 치료 동안 증상 완화 거의 없이 1년 이내에 완료되었다(15세에 완료). 환자의 성장 기간 동안 스플

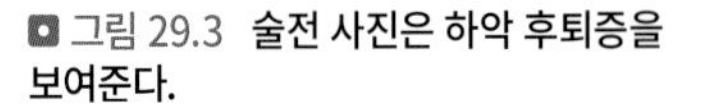
◘ 그림 29.3 **술전 사진은 하악 후퇴증을 보여준다.**

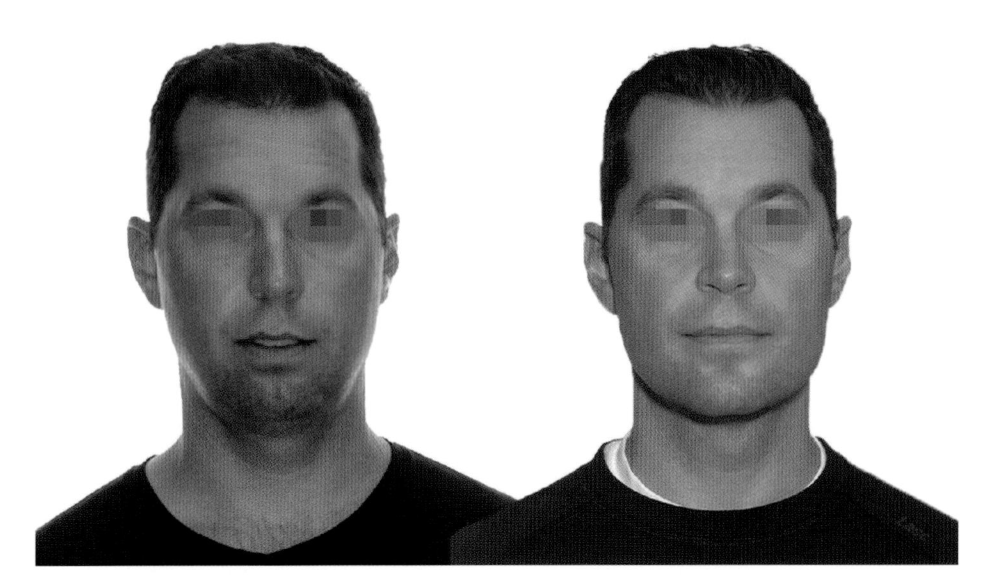

린트와 비스테로이드성 소염제(NSAID)로 통증을 관리했다. 2014년부터 2017년까지 추가적 변위, 과두 걸림, 연관통에 의한 불편감을 완화하기 위해 다중 관절경/관절천자술을 시행했다. TMJ 수술은 2015년과 2016년 연례 정기 관찰에서 환자 및 가족과 선택지로 상담하였다. 환자의 통증 중증도와 사춘기 전반에 걸친 골격 형태의 진행성 후퇴증으로 인해, 기능적 기도 달성과 심미적으로 최적의 조화로운 위치로 환자의 교합을 목적으로 CTOS를 진행하기로 결정했다. 수술 계획은 환자가 17세일 때 시작되었다(◘ 그림 29.4). 수술 위험을 논의하고 술전 치료 교육을 통해 수술 전후 관리 요구 사항을 설명했다. 환자는 술전 치열 정렬을 회복하기 위해 다시 한 번 교정 치료를 받았다(◘ 표 29.1). 가상 계획 프로토콜은 앞에서 설명한 대로 수술을 준비하기 위해 시작되었다(◘ 그림 29.5). 2017년 환자는 맞춤형 보철물의 재건, 골격 고정을 통한 상악 Le Fort I CCWR과 전관절 교체(TMJ에 지방 이식의 복부 채취 포함) 동시 수행의 수술을 받았다. 결과는 술후 사진에서 볼 수 있다(◘ 그림 29.6, 7). 환자는 더 이상 입술 부전증이 없고 통증없는 44 mm의 최대 절단 개구로 기능이 회복되었으며 안면 조화가 회복되었다. 경과 관찰에서, 환자는 통증이 가라앉고 두통이 멈췄다고 보고했다.

29.4.3 증례 2: TMJ 통증과 과두 흡수

만성 TMJ 통증이 있는 25세 여성이 2차 교정 재발 후 교정 주치의로부터 Movahed OMS에 의뢰되었다. 환자는 23세에 TMD와 특발성 과두 흡수를 진단받았다. 14세 이후 여러 번의 교정 치료를 받았다. 섭식 곤란과 불편함의 병력이 있었고, 식사 전에 종종 NSAID 약물 요법을 필요로 했다(중요한 NSAID 부작용은 보고되지 않았다). TMJ 통증과 잠재적인 외과적 수정의 평가를 위해 두 번째 재발 후 Movahed OMS로 의뢰된 후, 전체 교정을 다시 시작하여 수술 준비를 위해 재정렬되었다. 환자는 과두의 정상적인 해부학 구조가 없는 특발성 과두 흡수로 진단되었다. 술전 사진은 입술 부전증이 상악과 하악의 후퇴로 인함을 보여준다. VSP를 환자와 함께 시행하여 공유 의사결정 과정을 강화하여 환자가 전단계의 과정을 인식할 수 있도록 했다. 환자 나이 26세에 교정 약 1년 후 TMJR, CCWR의 MMA, 이부성형술을 시행하였다. 술후 물리치료시 최대 절단 개구가 41 mm였다. 환자는 빠르게 치유되었다. 경과 관찰 시 더 이상의 입술 부전증없이 관절 기능이 완전히 회복되었다. 안면 균형과 조화를 이뤄 환자는 매우 만족하였다. 술후 1년의 교정이 필요했지만, 식전 NSAID는 더 이상 필요하지 않았다(◘ 그림 29.8–12).

29.4.4 증례 3

29.4.4.1 증례: 청소년기 특발성 관절염 환자

15세 소녀가 기도 손상을 언급한 구강외과의로부터 TMJ 통증 및 숨가쁨의 평가와 관리를 위해 Movahed OMA에 의뢰되었다. 특히 이 환자는 7세에 진단받은 청소년기 특발성 관절염 병력도 있었다. TMJ 증상과 기도 장애는 정상 관절 해부학적 구조의 절대적인 파괴와 기도를 방해하는 심각한 하악 후퇴증에 의한 것으로 의심됐다(◘ 그림 29.13). AHI가 21이었고 OSA를 진단받았다. 평가와 영상 촬영 후 다양한 치료 선택지를 논의했다. 환자와 가족은 관절 기능과 안면 조화를 회복하여 병리의 후유증을 역전시키기 위해 TMJR을 선택했다. 수술 준비를 위해 VSP 프로토콜을 시작했다(◘ 표 29.2). Le Fort I 전진술은 상악의 CCWR과 분절 절단술과 함께 전방 분절을 세우고 구개를 확장하면서 수행되었다. TMJR은 복부에서 채취한 복부 지방을 TMJ에 적용한 TMJ Concepts의 전관절 보철물로 달성했다. 하악 전진도 CCWR로 수행되었고, 이설근 전진도 수행되었다(◘ 그림 29.14–16).

a

술전 위치

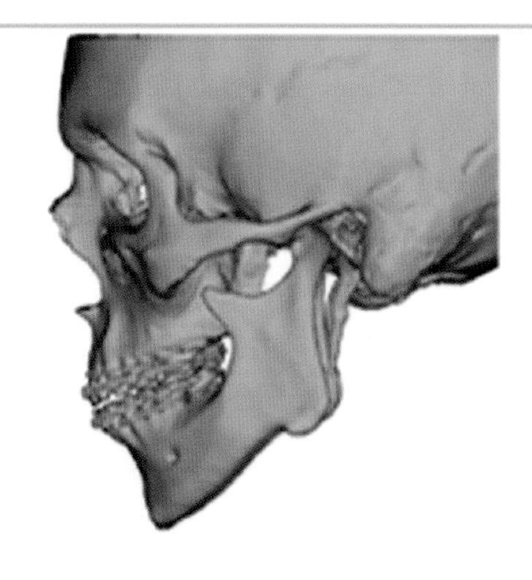
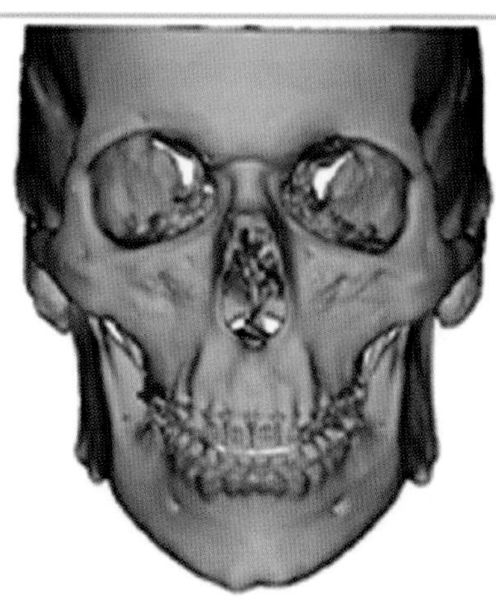
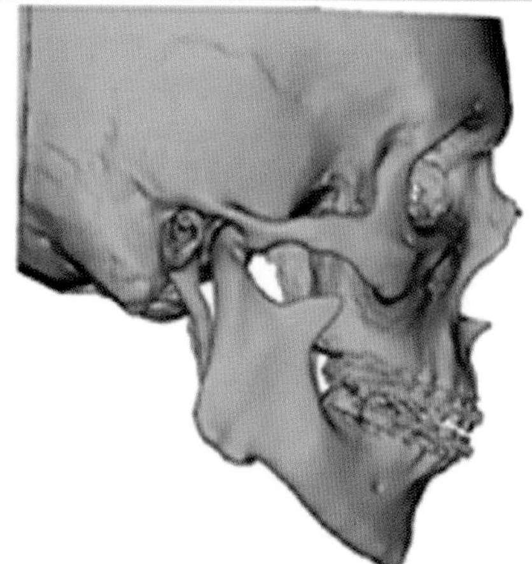

중간 위치

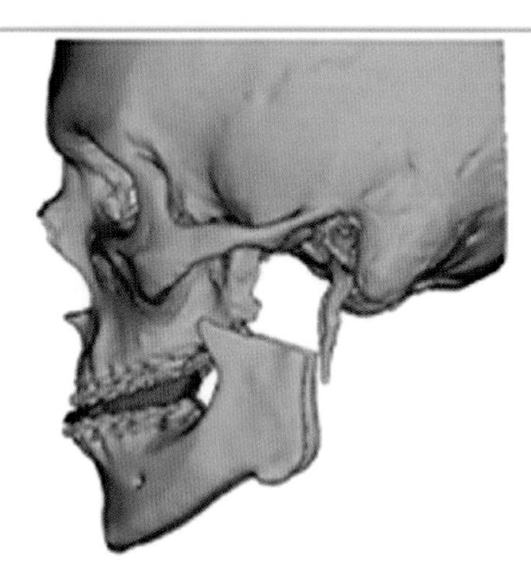
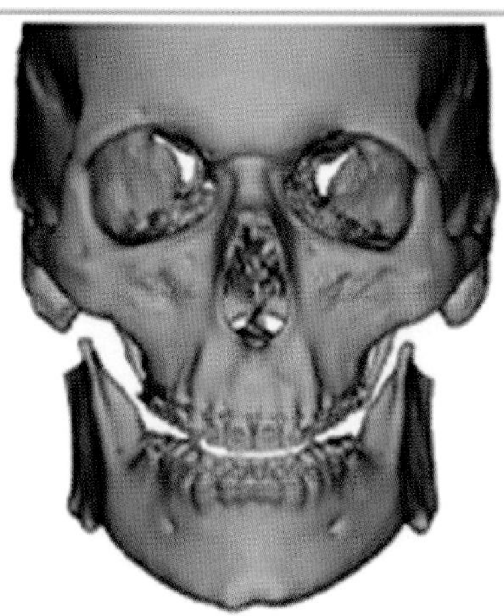
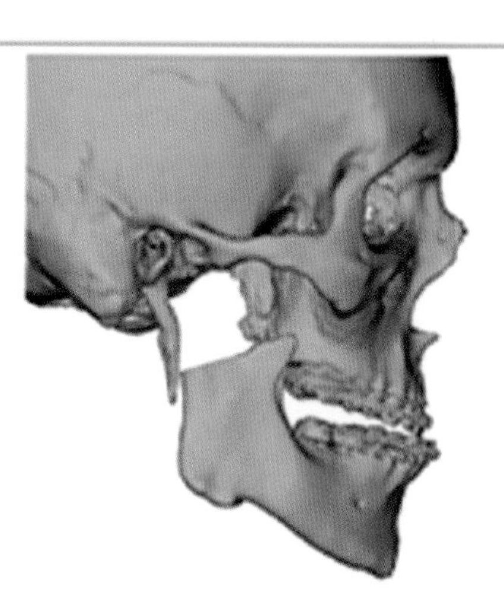

술후 위치

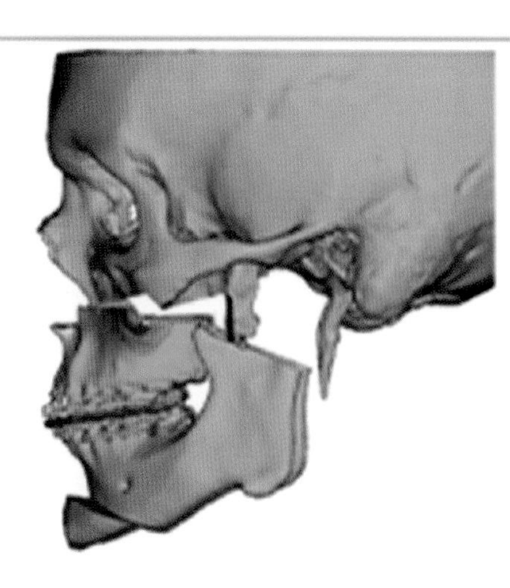
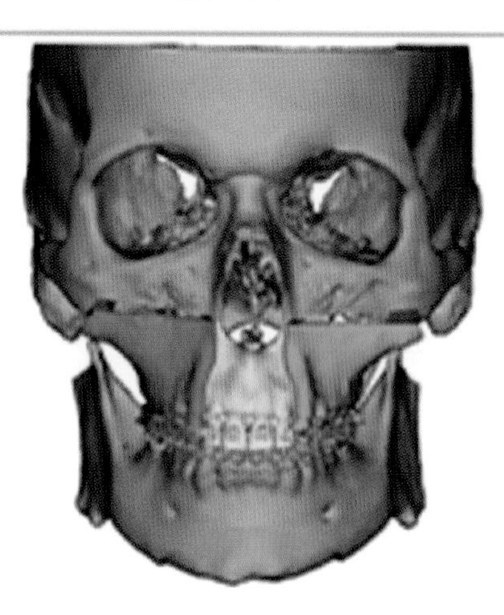
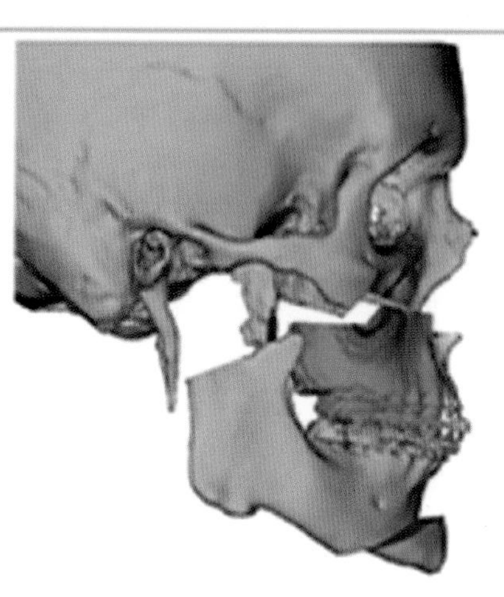

▣ 그림 29.4 **술전 계획 수립**

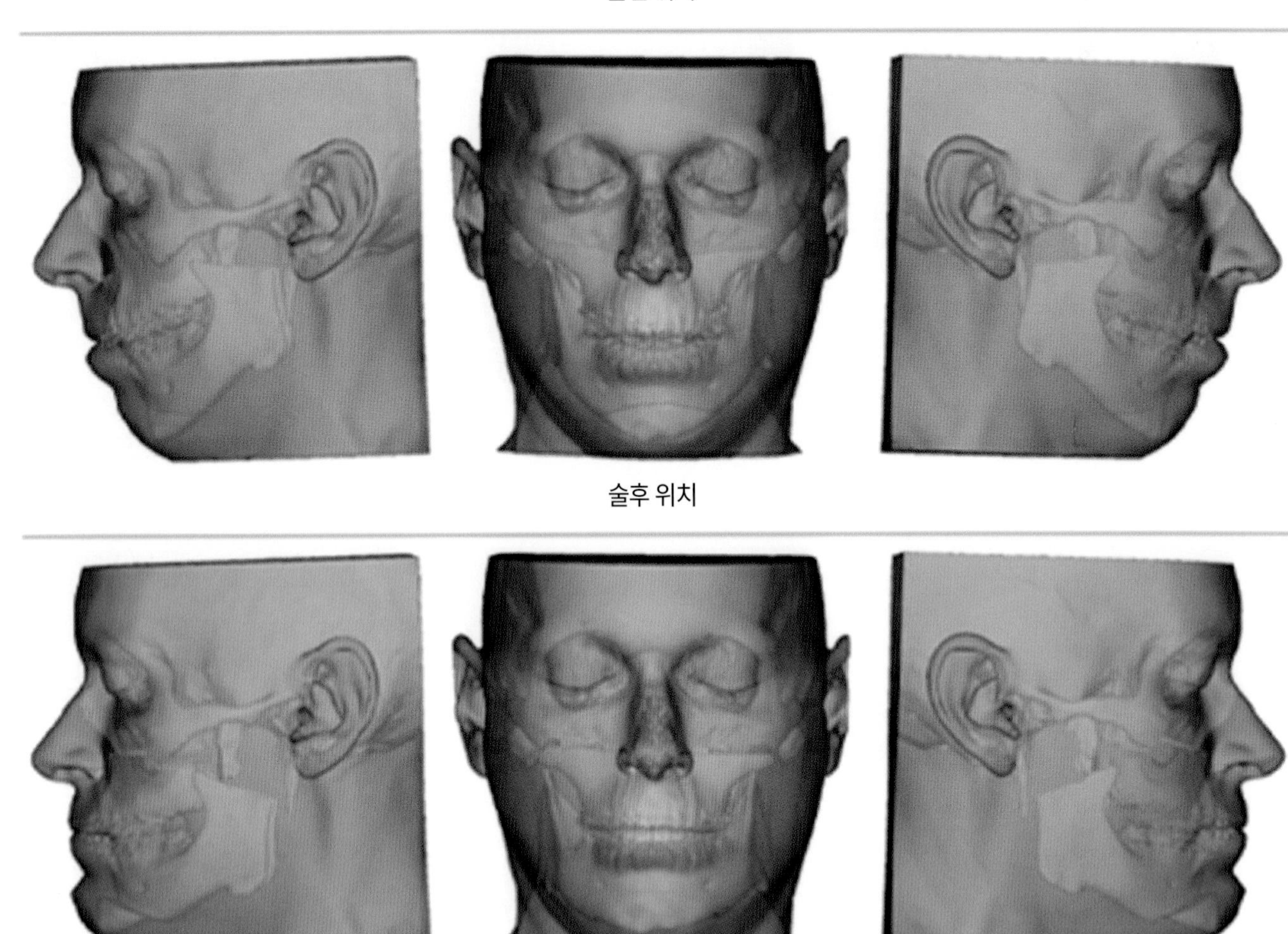

■ 그림 29.4(계속)

c

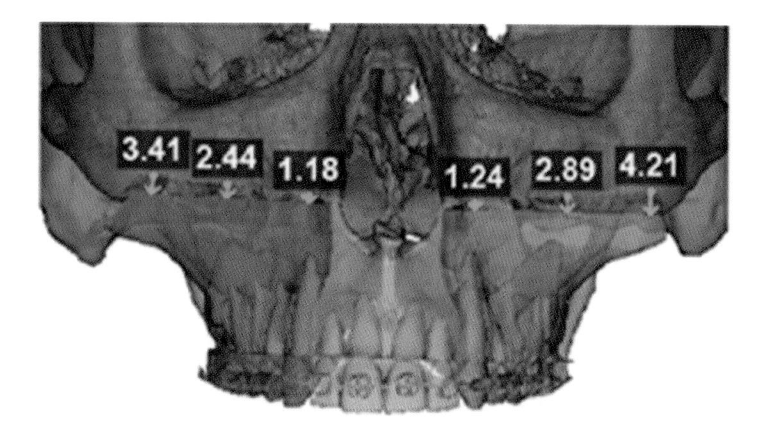

계측치는 근사치이다

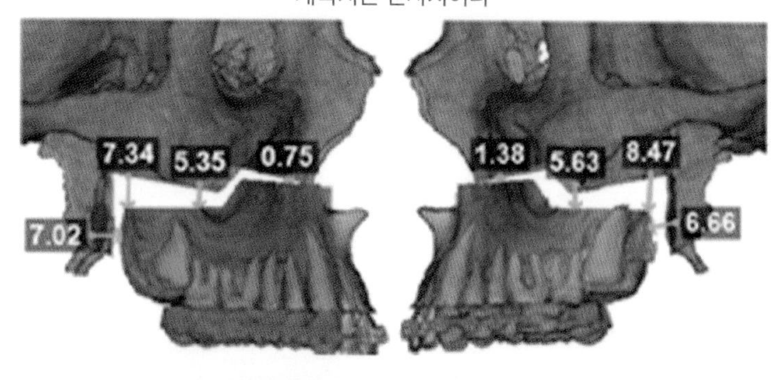

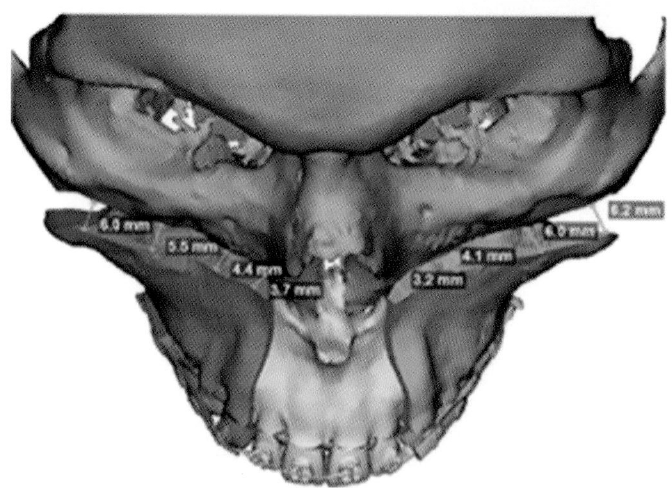

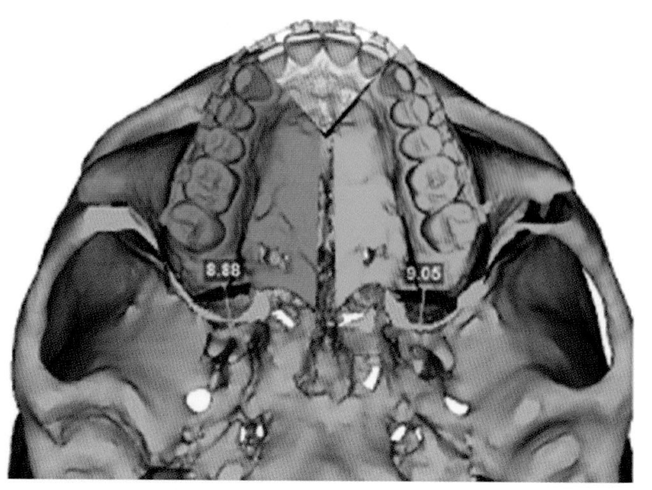

그림 29.4(계속)

■ 표 29.1 계측치

점	이름	전방/후방	좌/우	상/하
ANS	전비극	2.36 mm 전방	2.80 mm 좌측	3.57 mm 상방
A	A-point	4.74 mm 전방	1.67 mm 좌측	1.72 mm 상방
ISU1	상악 절치 정중선	9.50 mm 전방	0.25 mm 좌측	2.00 mm 상방
U3L	상악 좌측 견치	8.37 mm 전방	0.02 mm 우측	0.93 mm 하방
U6L	상악 좌측 대구치 전방(근심협측 교두)	7.00 mm 전방	0.67 mm 우측	5.96 mm 하방
U3R	상악 우측 견치	10.24 mm 전방	0.11 mm 우측	1.36 mm 상방
U6R	상악 우측 대구치 전방(근심협측 교두)	9.54 mm 전방	0.75 mm 우측	2.63 mm 하방
ISL1	하악 절치 정중선	9.81 mm 전방	0.10 mm 좌측	1.64 mm 상방
L6L	하악 좌측 대구치 전방(근심협측 교두)	8.30 mm 전방	0.59 mm 우측	5.16 mm 하방
L6R	하악 우측 대구치 전방(근심협측 교두)	10.01 mm 전방	0.63 mm 우측	2.25 mm 하방
B	B-point	14.04 mm 전방	1.67 mm 우측	0.94 mm 하방
Pog.	Pogonion	25.38 mm 전방	4.75 mm 우측	0.28 mm 상방

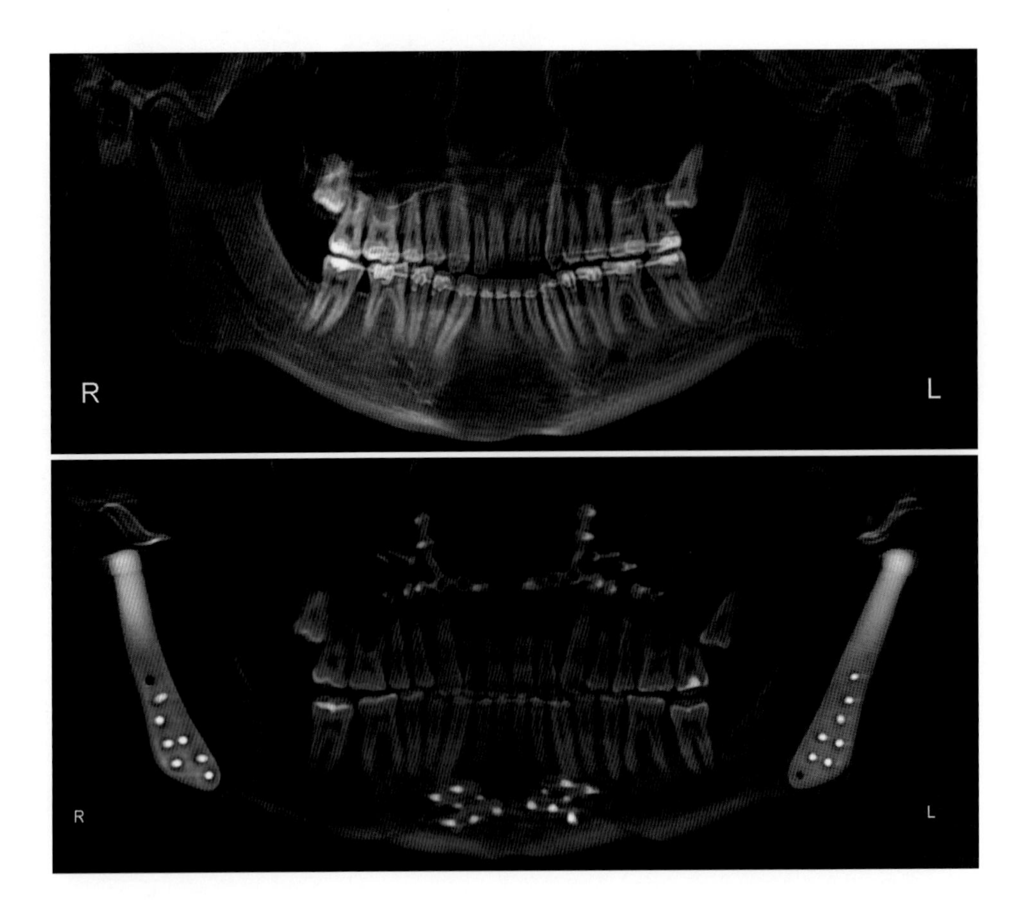

■ 그림 29.5 **술전 및 술후 파노라마**

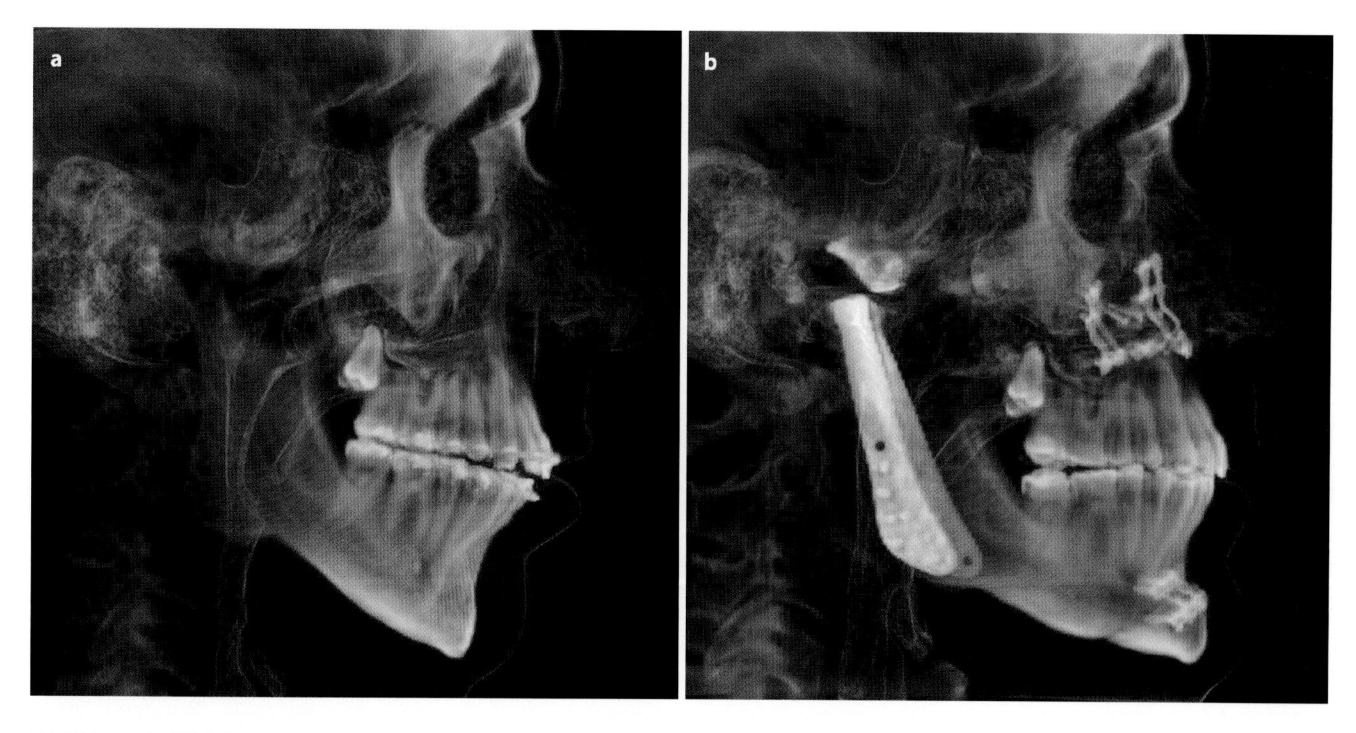

그림 29.6 **술전 및 술후 3D CBCT**

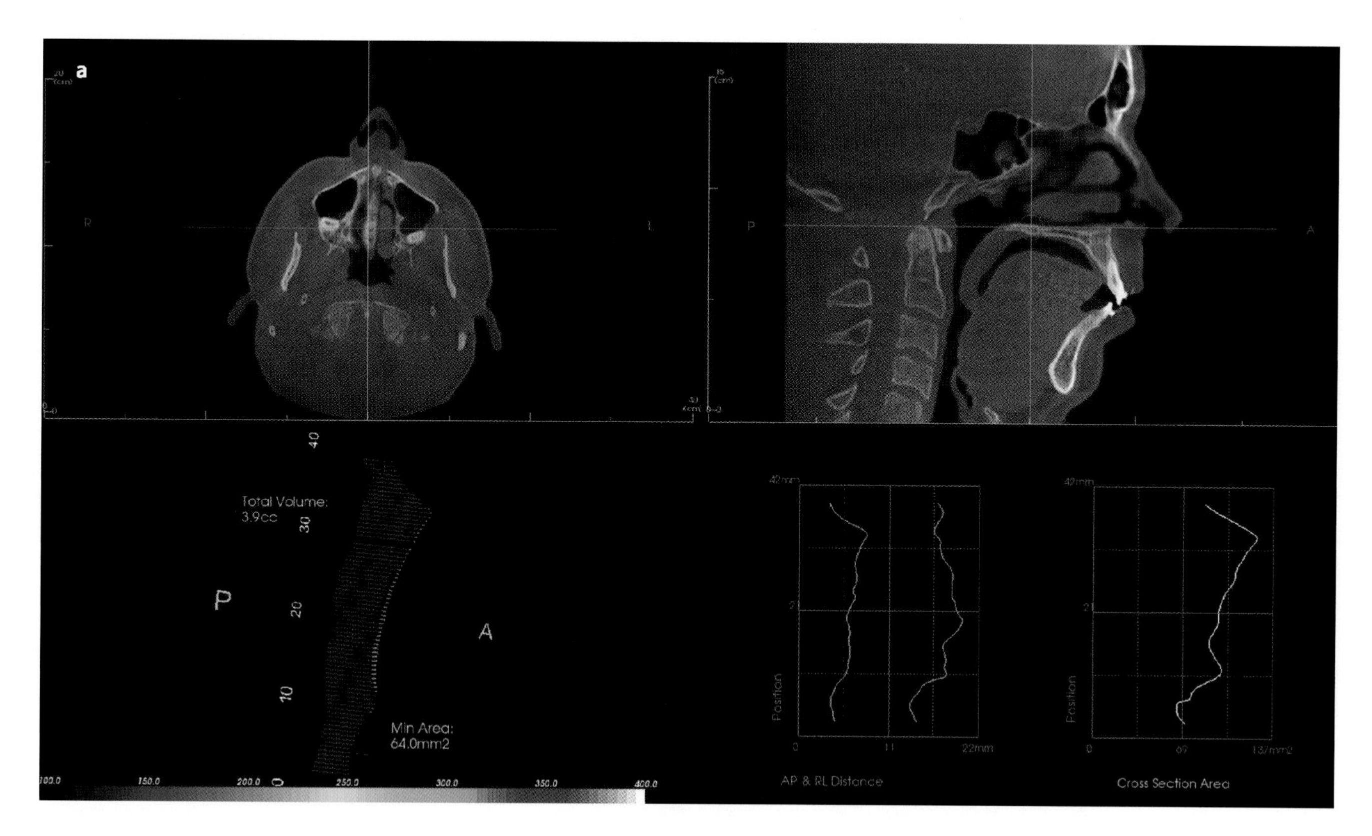

그림 29.7 **술전(위) 및 술후(아래) 기도 분석은 최소 단면적이 64.0 mm²에서 333.5 mm²로 개선됨을 보여준다.**

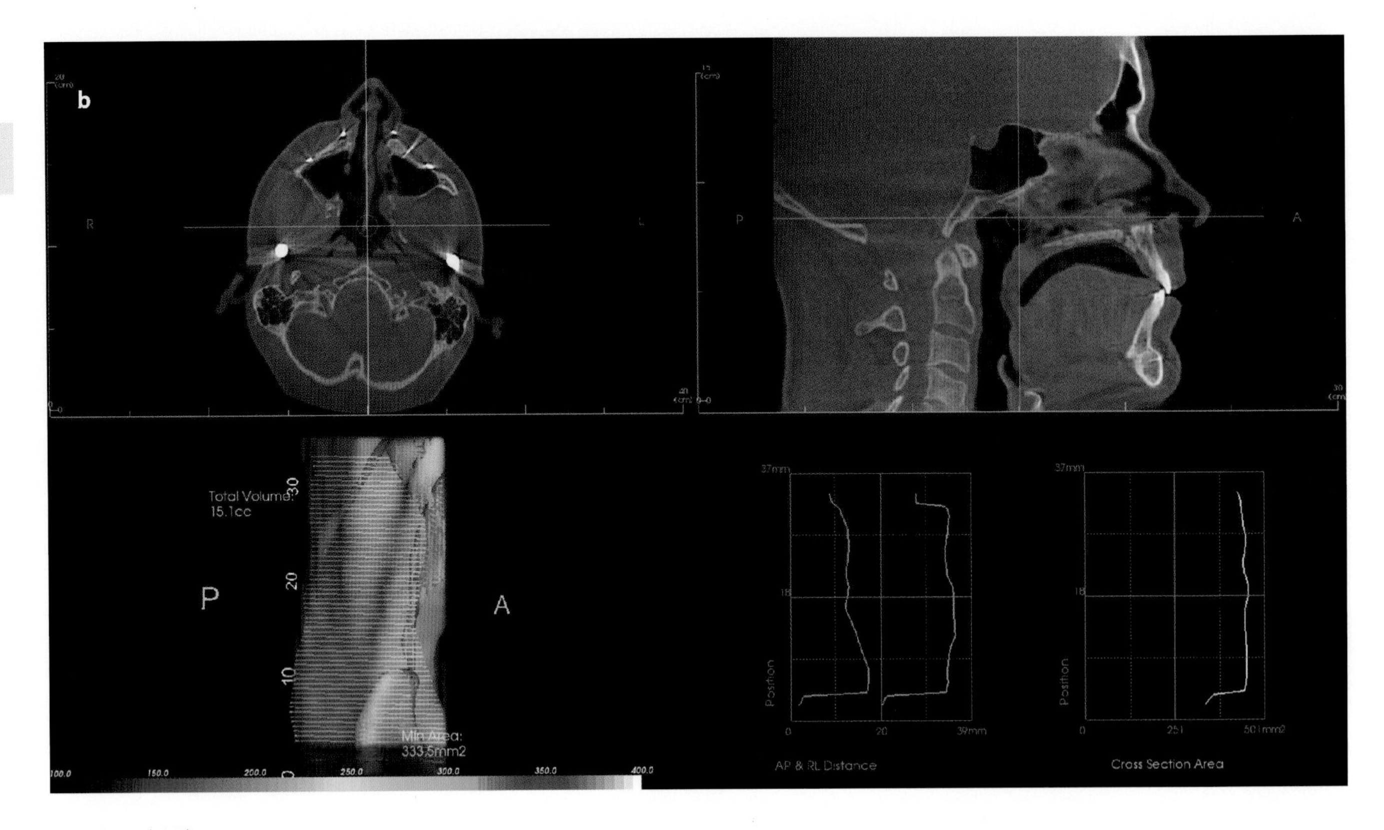

■ 그림 29.7(계속)

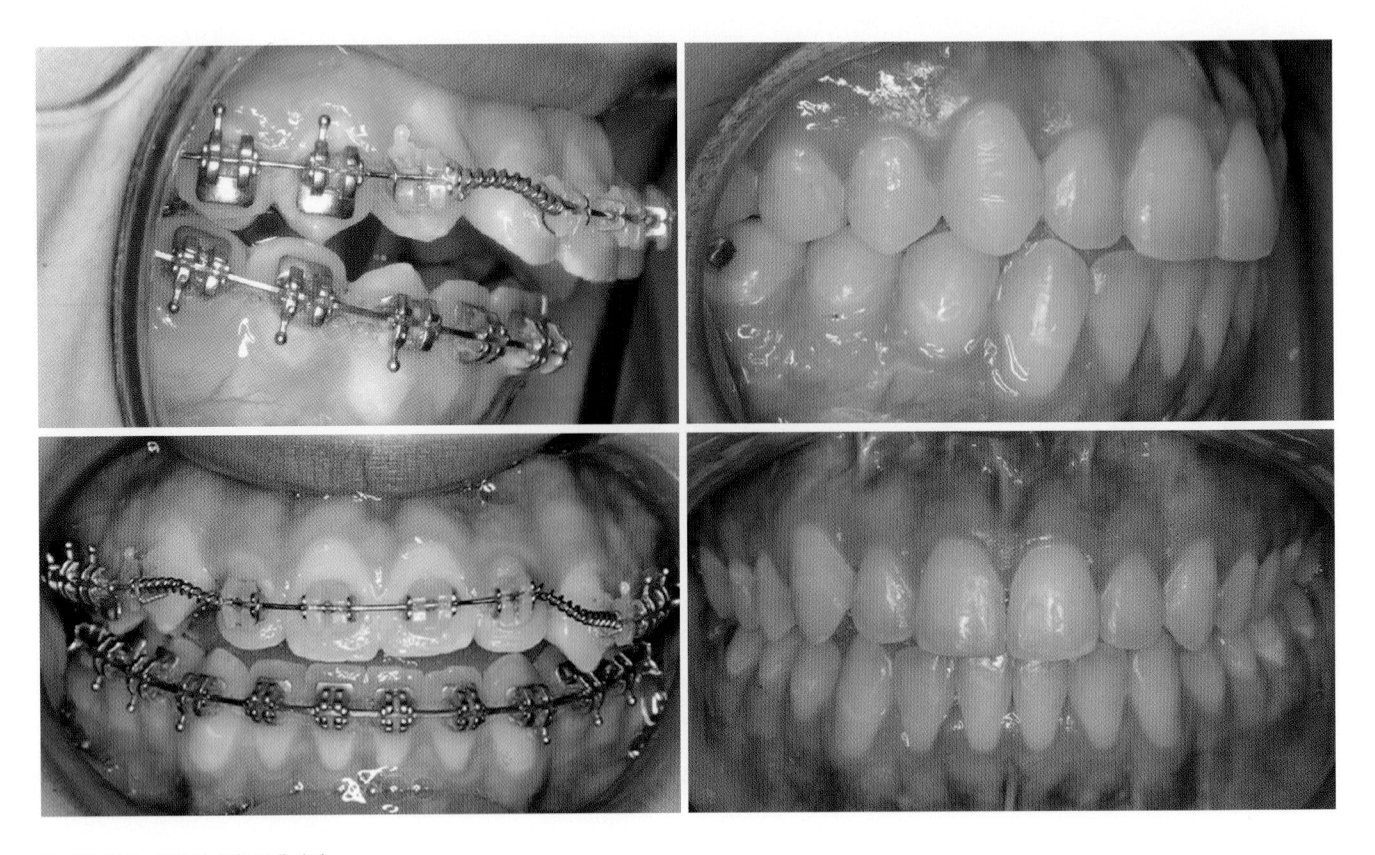

■ 그림 29.8 **술전 및 술후 구내 사진**

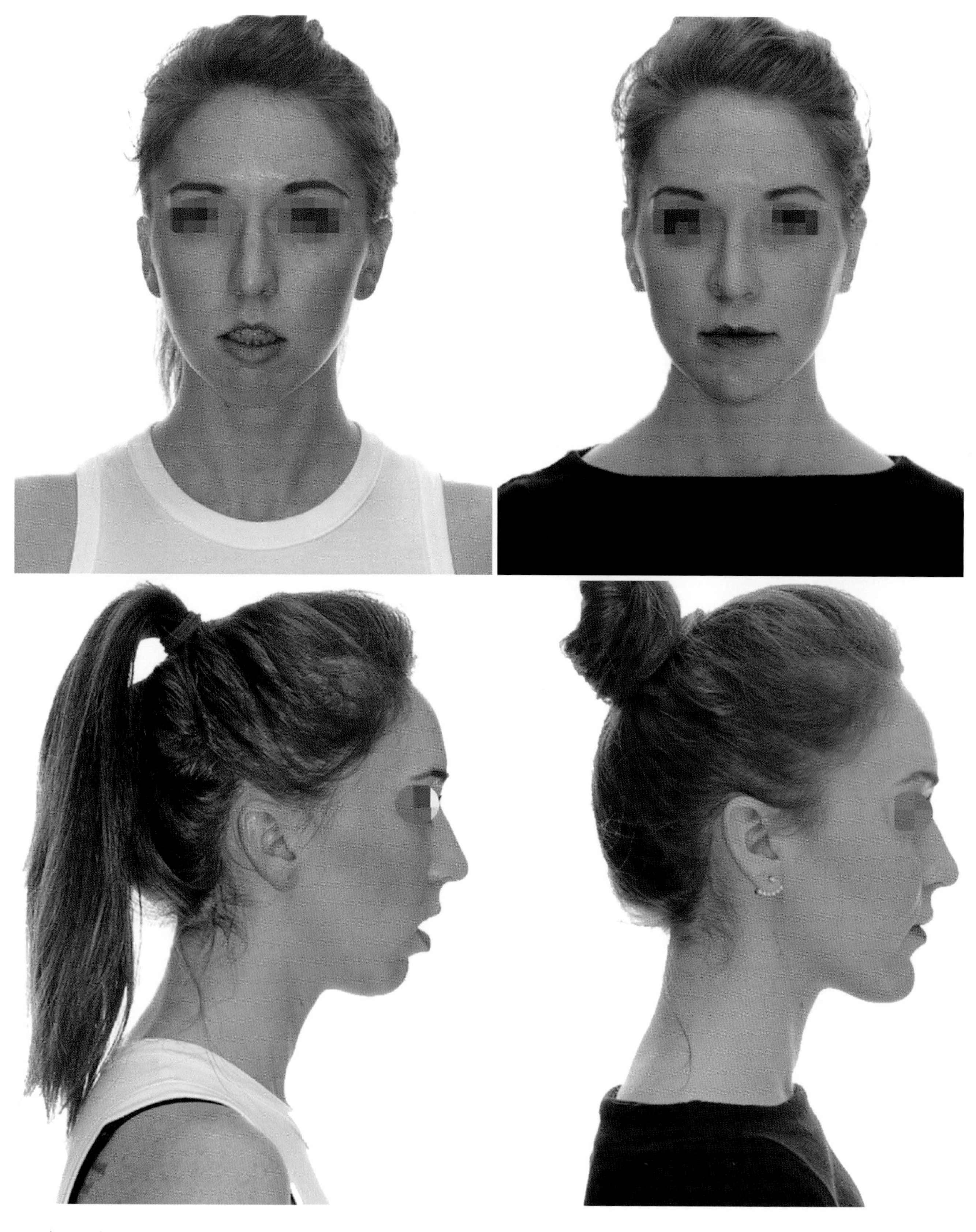

■ 그림 29.9 **술전 및 술후 사진**

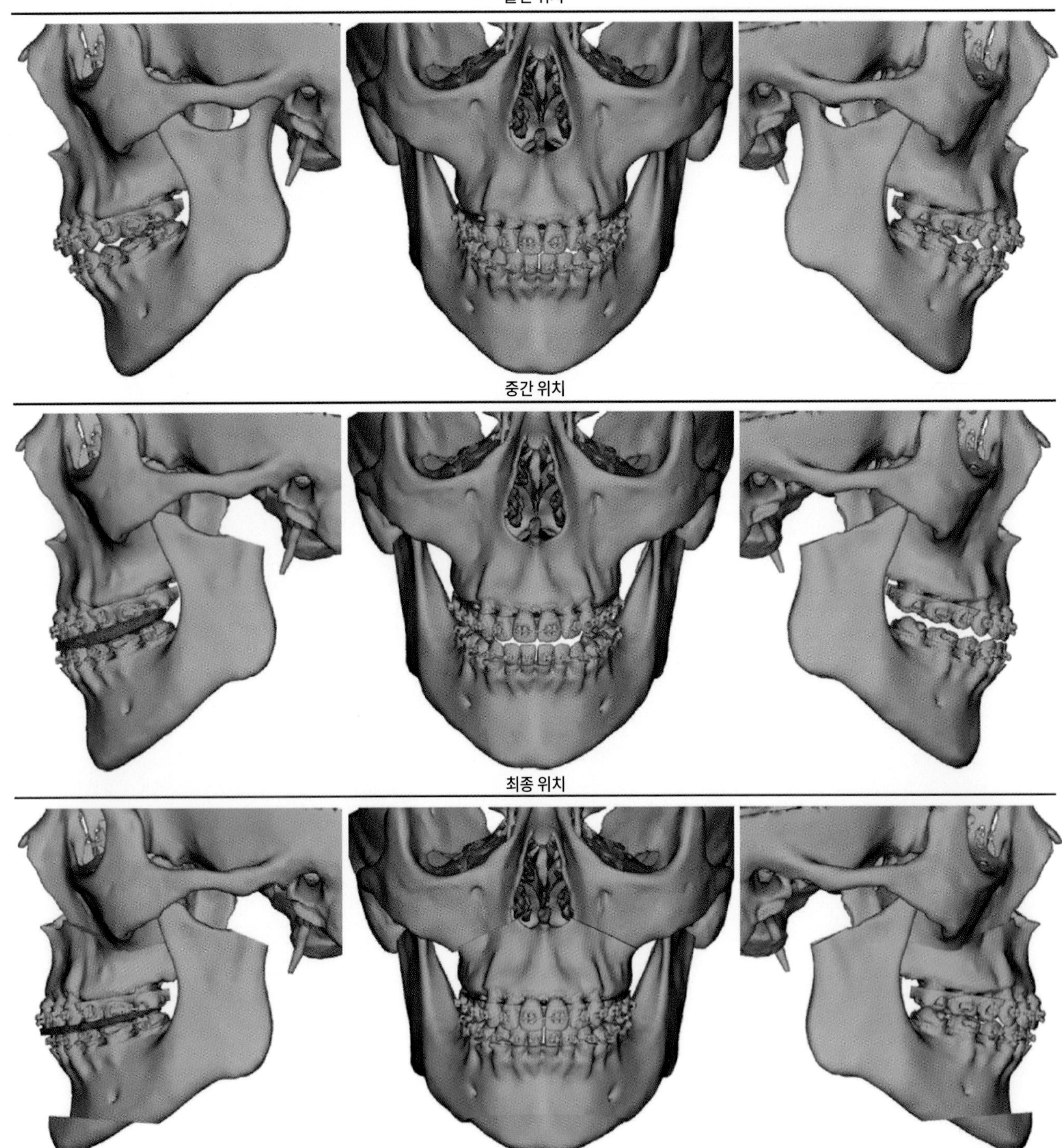

■ 그림 29.10 **술전 계획 수립**

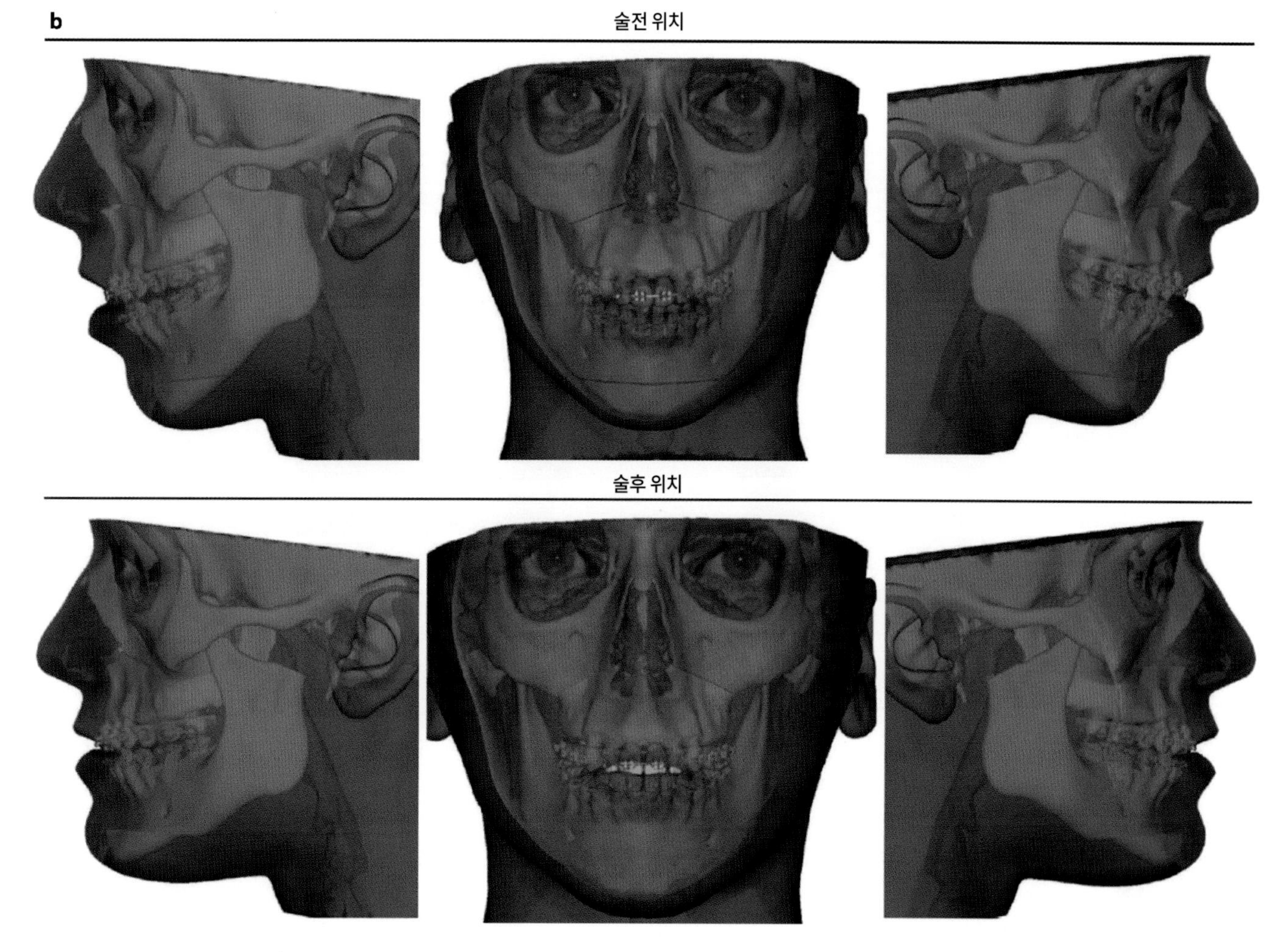

그림 29.10(계속)

c

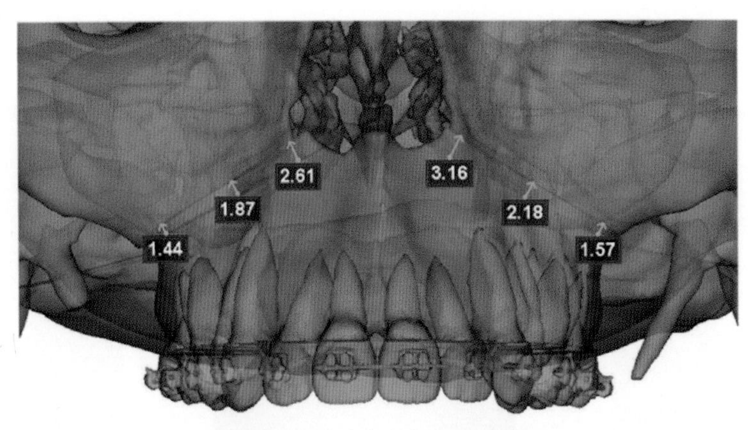

계측치를 빨간색 윤곽선으로 표시

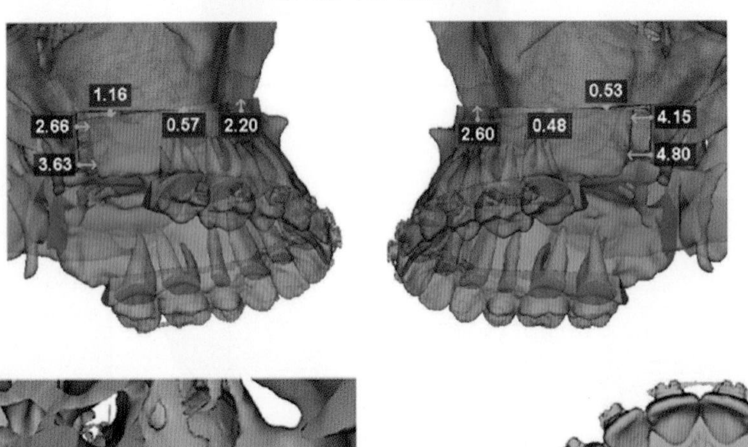

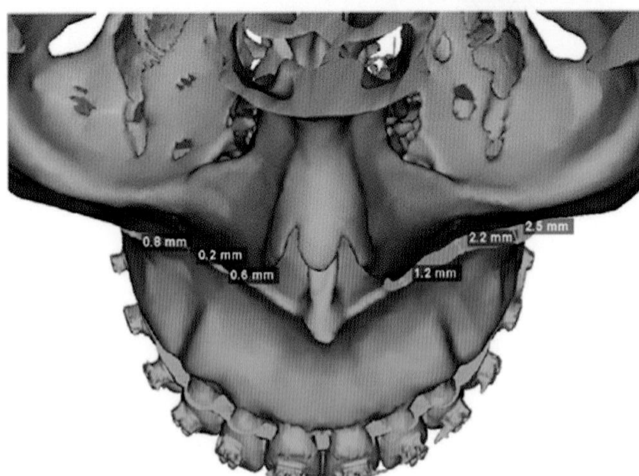

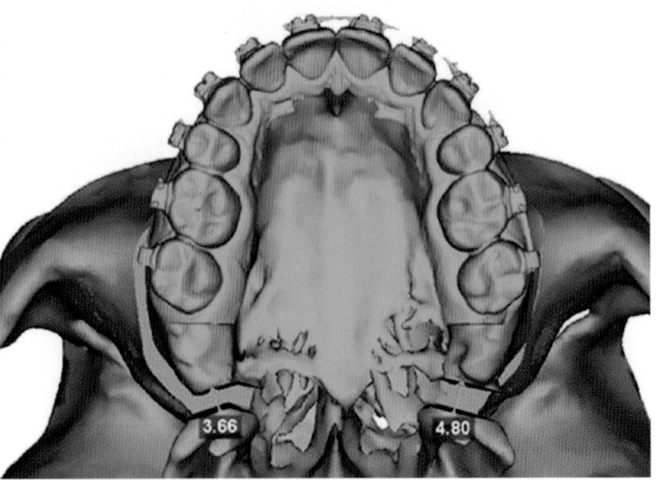

■ 그림 29.10(계속)

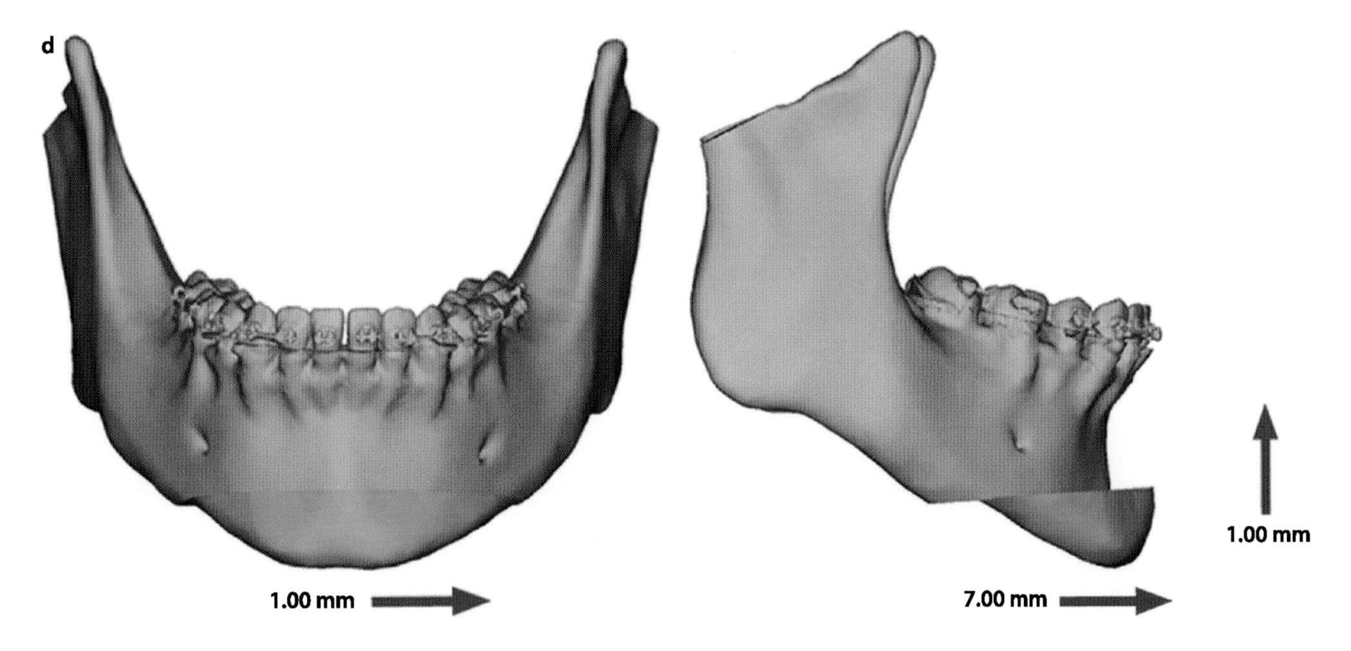

그림 29.10(계속)

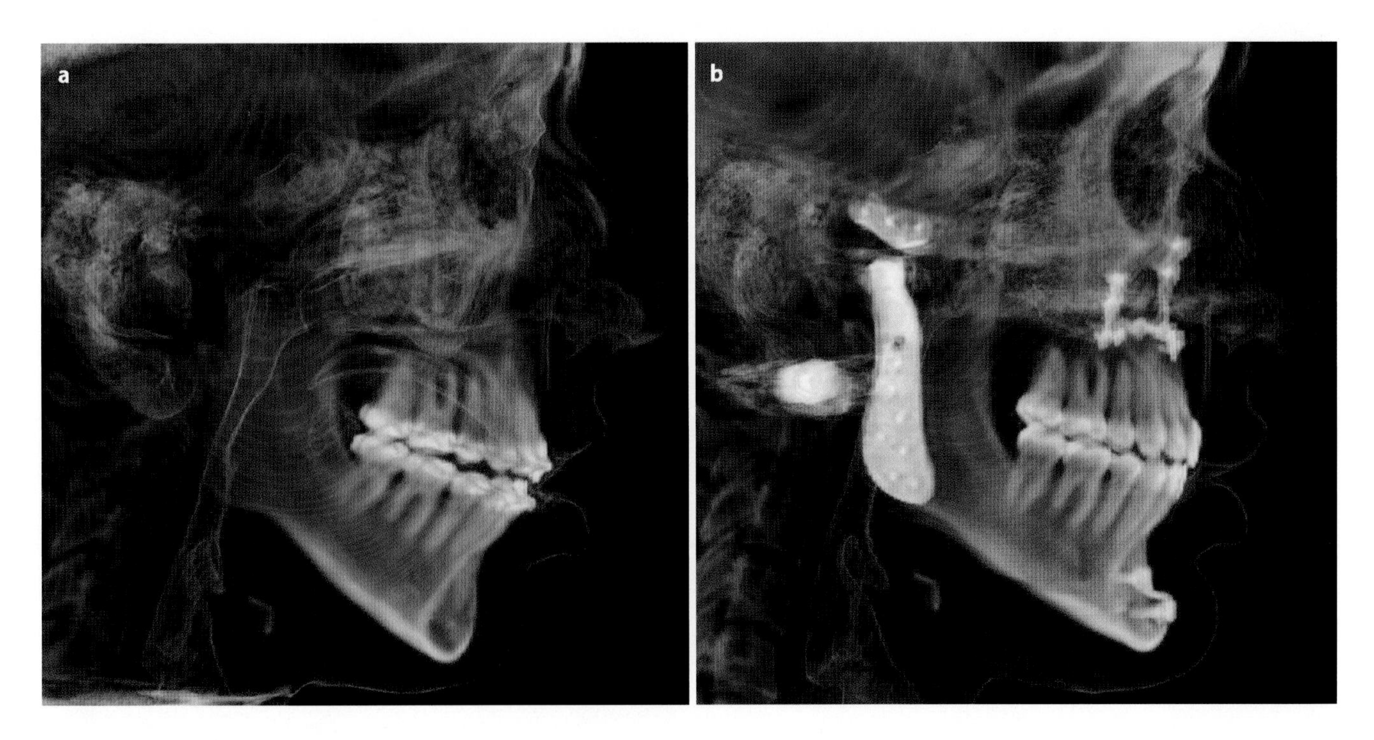

그림 29.11 술전 및 술후 CBCT 영상

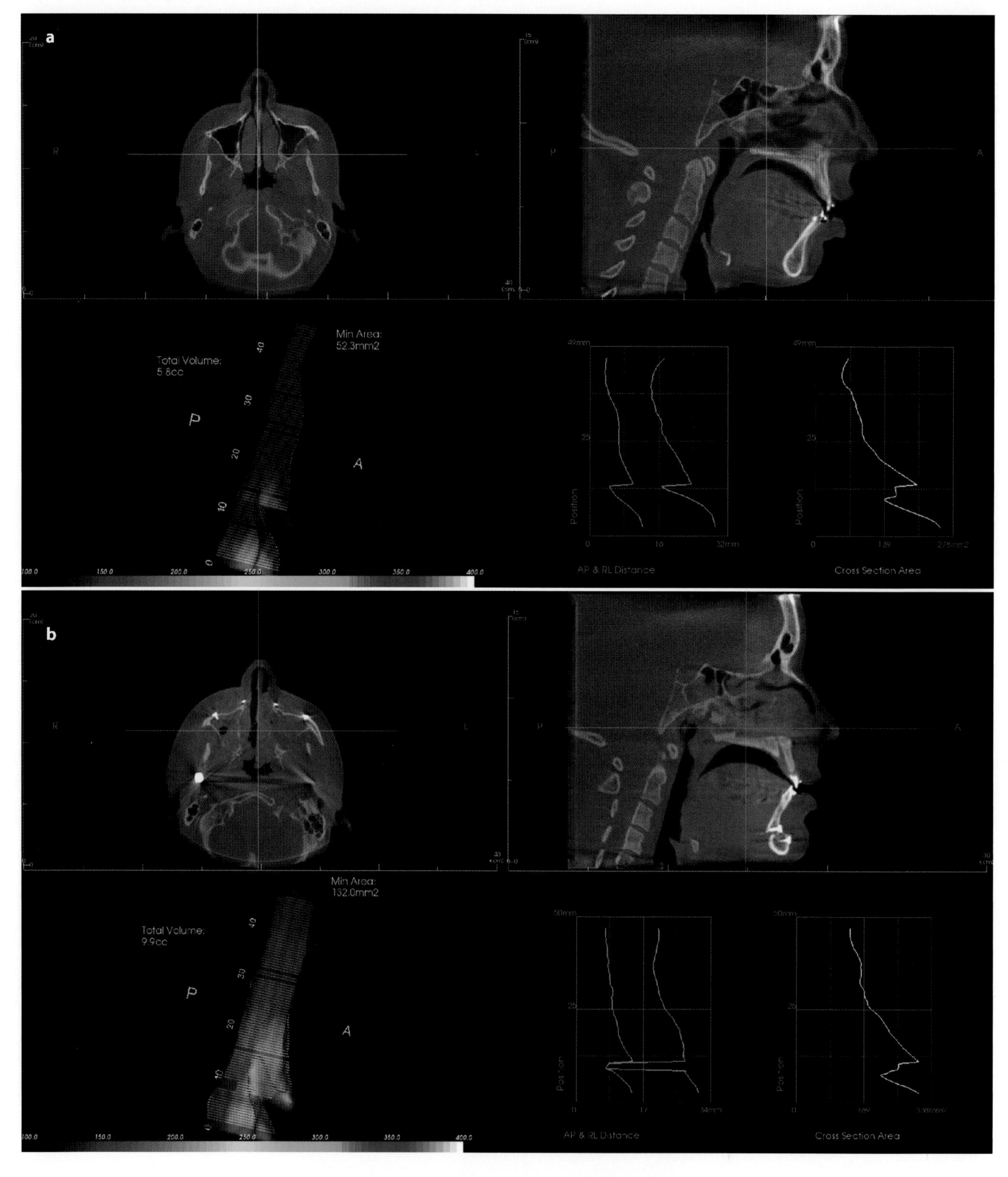

그림 29.12 술전(위) 및 술후(아래) 기도 분석은 최소 단면적이 52.3 mm^2에서 132.0 mm^2로 개선됨을 보여준다.

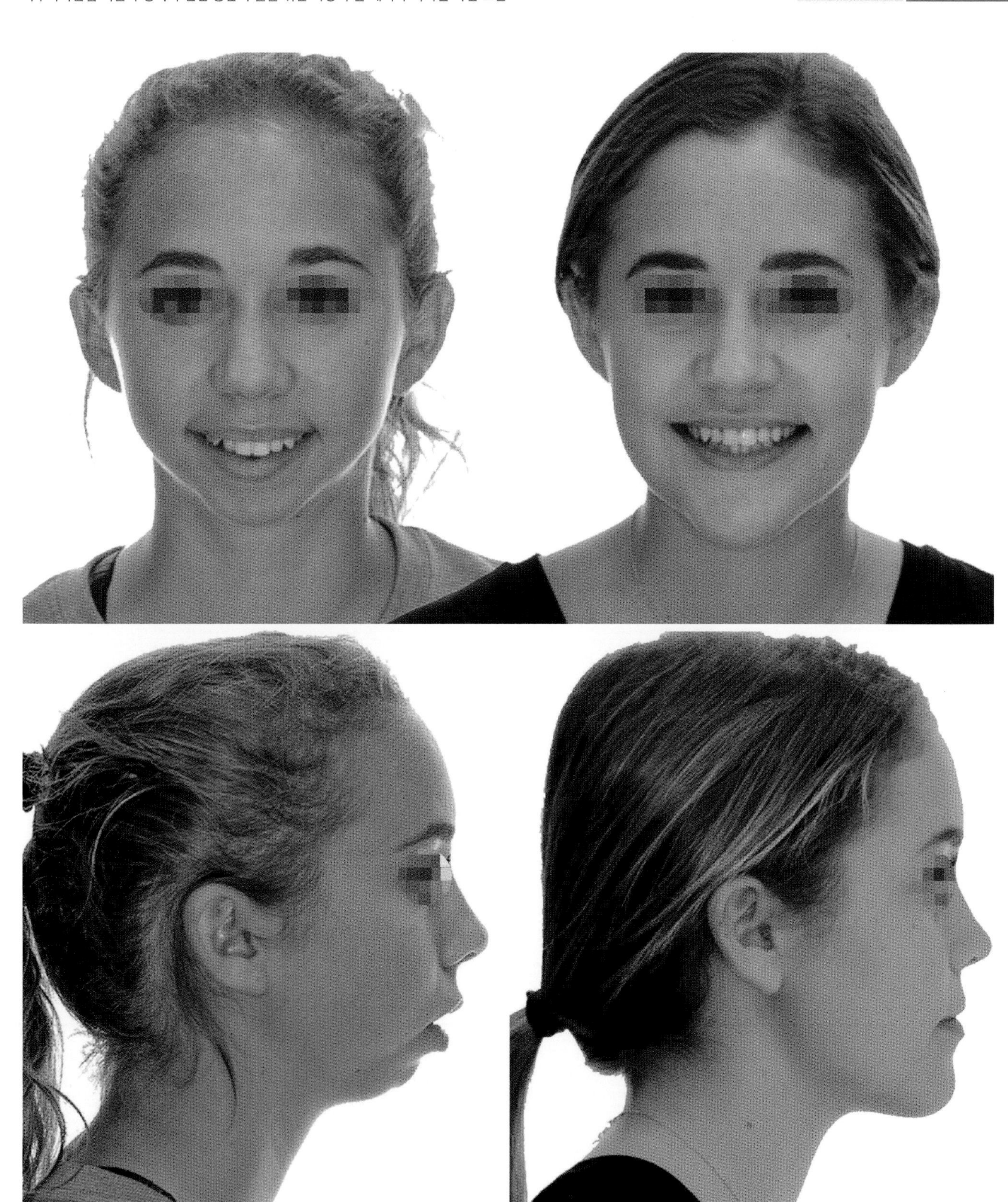

▣ 그림 29.13 **술전 및 술후 사진**

■ 표 29.2 적절한 안면 균형 획득을 위한 가상 수술 계획 수립. Pogonion에서 32 mm 전진과 상악 절치의 정중선에서 7 mm 이동을 결정하였다.

점	이름	전방/후방	좌/우	상/하
ANS	전비극	0.46 mm 후방	2.00 mm 좌측	2.61 mm 상방
A	A-point	0.98 mm 전방	2.00 mm 좌측	2.00 mm 상방
ISU1	상악 절치 정중선	7.00 mm 전방	2.00 mm 좌측	3.00 mm 상방
U3L	상악 좌측 견치	6.77 mm 전방	2.00 mm 좌측	1.46 mm 상방
U6L	상악 좌측 대구치 전방(근심협측 교두)	4.87 mm 전방	2.65 mm 좌측	4.63 mm 하방
U3R	상악 우측 견치	6.08 mm 전방	2.46 mm 좌측	1.15 mm 상방
U6R	상악 우측 대구치 전방(근심협측 교두)	4.90 mm 전방	1.85 mm 좌측	4.59 mm 하방
ISL1	하악 절치 정중선	9.56 mm 전방	2.00 mm 좌측	4.00 mm 상방
L6L	하악 좌측 대구치 전방(근심협측 교두)	6.56 mm 전방	2.00 mm 좌측	5.84 mm 하방
L6R	하악 우측 대구치 전방(근심협측 교두)	6.55 mm 전방	2.00 mm 좌측	6.36 mm 하방
B	B-point	18.34 mm 전방	2.00 mm 좌측	2.00 mm 하방
Pog.	Pogonion	31.70 mm 전방	2.00 mm 좌측	2.31 mm 하방

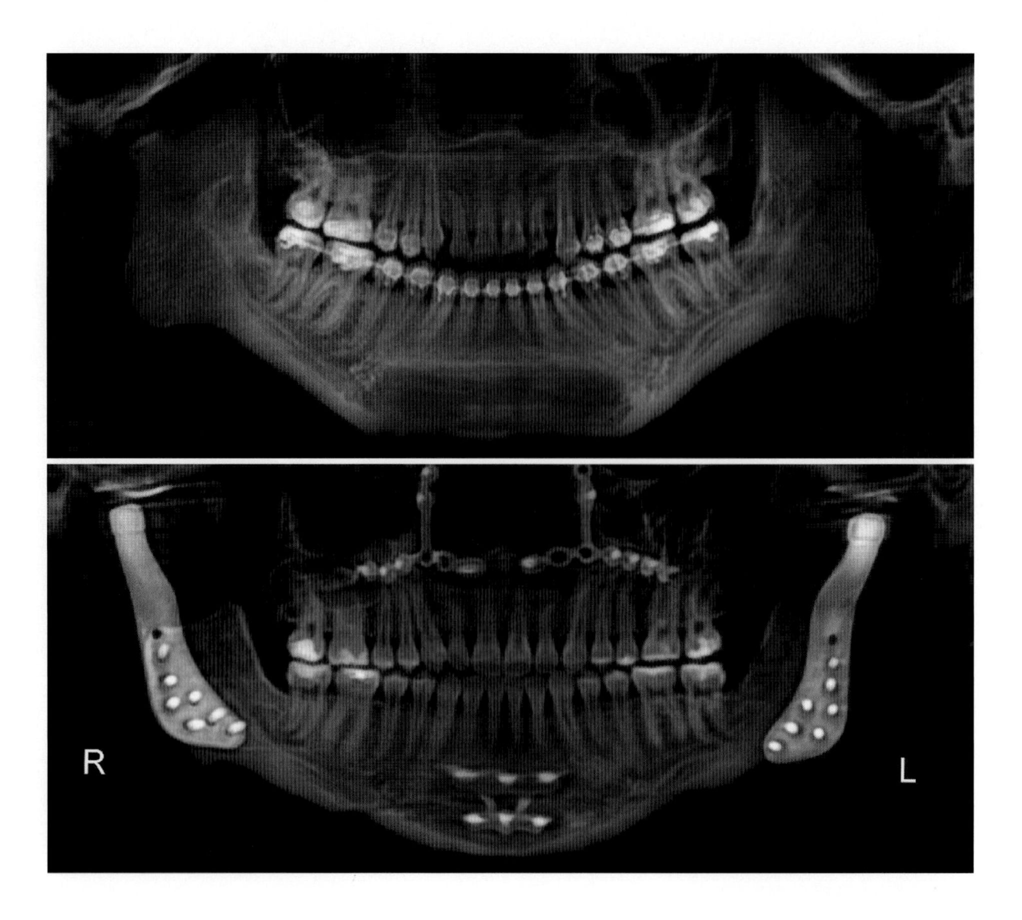

■ 그림 29.14 **술전 및 술후 파노라마**

술전 위치

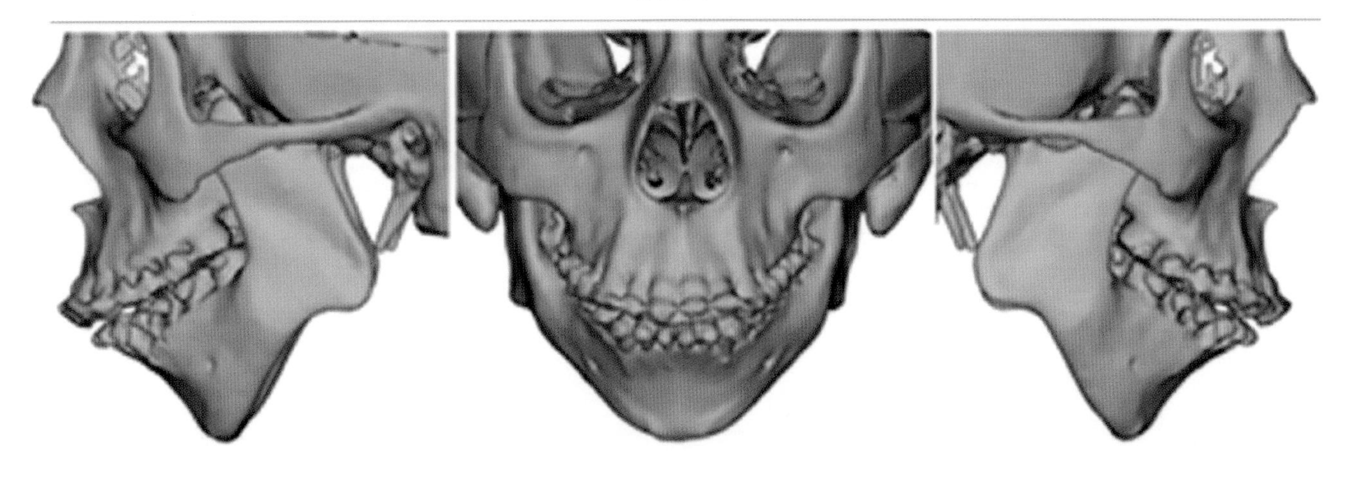

최종 위치

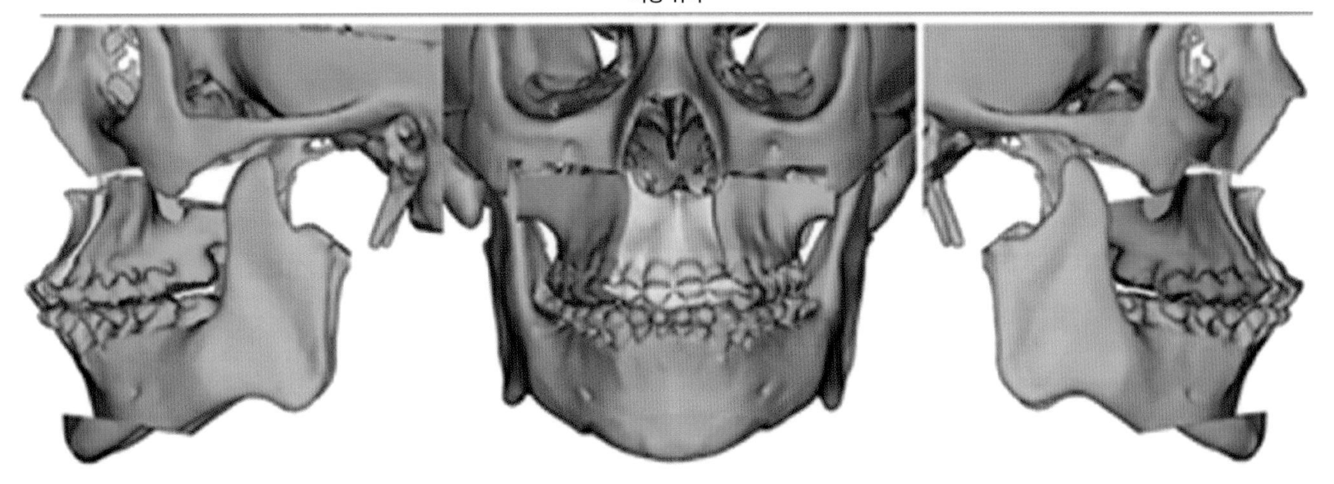

3D Systems Medical Modeling에서 석고 모형을 포함하지 않는 프로토콜을 사용하여,
악교정 스플린트의 최종 위치 변경은 사용 전 외과의가 책임진다.

■ 그림 29.15 **술전 및 술후의 3D 위치**

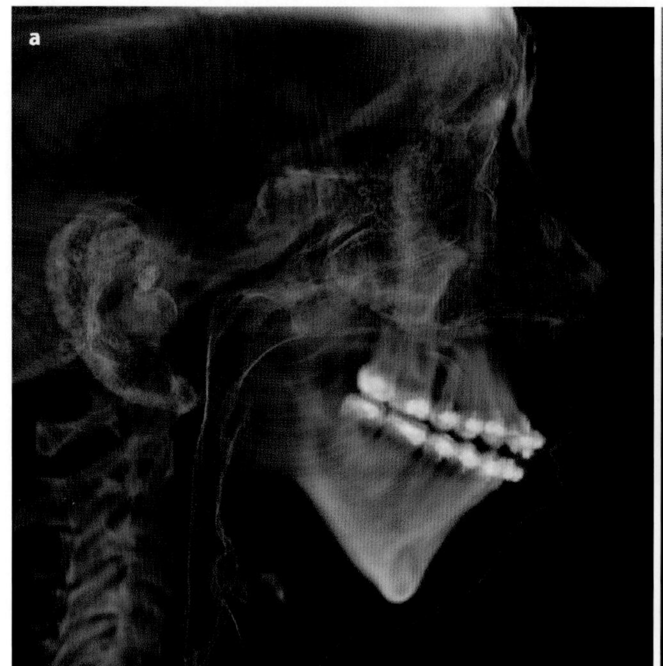

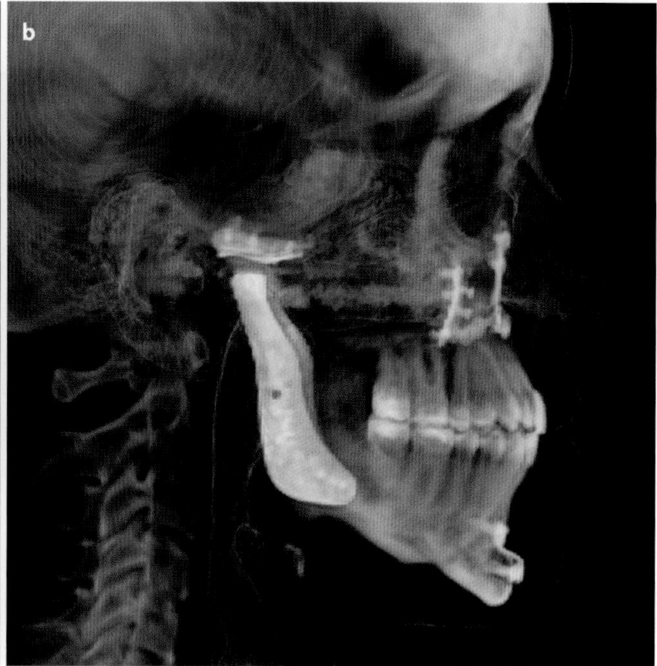

그림 29.16 **술전 및 술후 3D CBCT**

29.5 결론

CTOS 증례에 CASS 기술을 사용하는 외과의는 STL 모델 제작에 악교정 컴퓨터 시뮬레이션 수술을 중첩하여 STL 모델에서 하악을 직접 배치할 때 발생할 수 있는 오차 한계를 줄인다. 또한, 이 기술은 3D Systems의 스플린트 제작과 TMJ Concepts의 보철물 제작에 의해 외과의의 소요 시간을 감소시키고, STL 모델 설정 과정의 정확도를 증가시킨다(표 29.3).

CASS 기술에서 개선할 수 있는 나머지 영역은 시뮬레이션된 환경에서 정확한 방식으로 하악지와 관절와의 재윤곽화를 수행하고, 레이저 스캐닝 기술을 사용하여 치과 모델의 획득에 대한 요구 사항을 제거하고, CASS 기술을 이용하여 정확한 상악 분절 및 평형을 수행하는 것이다. 이러한 목표를 달성하고 외과의가 과정에 "실제 관여"할 필요없이 작업 흐름을 CASS 환경에서 맞춤형 보철물 제작으로 직접 이동하려면 추가 연구가 필요하다(그림 29.17).

표 29.3 프로토콜 비교

CASS를 사용한 CTOS을 위한 새로운 프로토콜	CTOS 준비를 위한 전통적인 프로토콜	CTOS 중간 및 구개 스플린트 제작을 위한 전통적인 프로토콜
전체 하악, 상악, TMJ의 CT 스캔(1 mm 중첩 컷) DICOM 데이터 과정으로 CASS 환경에서 컴퓨터 모델 형성 컴퓨터-시뮬레이션 수술로 상악과 하악의 최종 위치를 포함하는 치아안면 기형 수정 최종 위치의 악골로 STL 모델 구축하여 외과의에게 전달하여 계획된 경우 근돌기절제술과 하악지 및 관절와 재윤곽화 시행 보철물 디자인, 블루프린트, 왁스업을 위해 모델을 TMJ Concepts으로 전달 인터넷을 이용하여 외과의가 평가 및 승인 TMJ 보철물 제작 및 수술 적용을 위한 병원으로 전달 수술 전 2주에 최종 치아 모델 획득(치아의 경우 상악 2, 하악 1–2개의 모델, 평형화가 필요); 1개의 상악 모델을 분절하고, 계획된 경우 교합을 최대화하기 위해 모델을 평형화한다; 의료 모델링으로 모델 전달 모델을 컴퓨터-시뮬레이션 수술로 통합하여 중간 및 최종 구개 스플린트를 구축 외과의가 모델, 스플린트 컴퓨터-시뮬레이션 수술을 위한 인쇄물 획득	전체 하악, 상악, TMJ를 포함하는 CT 하악 분절된 STL 모델 제작 외과의가 최종 위치로 하악을 위치시키고 고정 계획된 경우 과두 제거 후 하악지와 관절와의 외측면 재윤곽화 모델을 TMJ Concepts에 보내 보철물 디자인, 블루프린트, 왁스업 외과의가 전관절 보철물 블루프린트와 왁스업 승인 맞춤형 전관절 보철물 제작 수술 이식을 위해 보철물을 병원에 전달	치아 모델 획득 상악 및 하악 치아 모델을 교합기에 장착 하악 치아 모델을 재위치하고, STL 모델에서 획득한 위치 변경을 복제 중간 스플린트 제작 계획된 경우 상악 치아 모델을 분절화하여 재위치 구개 스플린트 제작 수술 준비

■ 그림 29.17 Efanov 등(2018)[43]에 의한 가상 수술 계획(VSP)에 대한 한 가지 알고리즘 접근 방식으로 악정형적 증례의 계획 수립을 위한 단계적 접근 방식(좌측)과 골성 유리 피판에 대한 접근 방식(우측)을 보여준다.

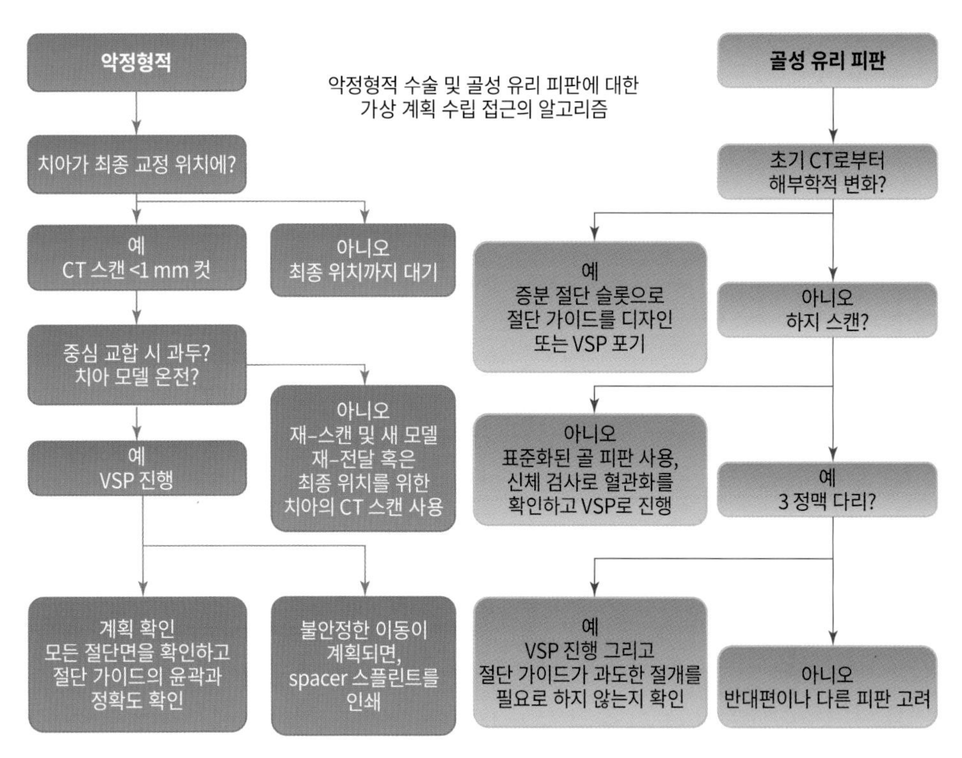

참고문헌

1. Wolford LM, Cassano DS, Goncalves JR. Common TMJ disorders: orthodontic and surgical management. Temporomandibular Disorders Orofacial Pain Separating Controversy Consensus. 2009;46:159–98.
2. Hatamleh M, Turner C, Bhamrah G, Mack G, Osher J. Improved virtual planning for Bimaxillary orthognathic surgery. J Craniofac Surg. 2016;27(6):e568–73. https://doi.org/10.1097/SCS.0000000000002877.
3. Papadopoulos MA, Christou PK, Christou PK, Athanasiou AE, Boettcher P, Zeilhofer HF, et al. Threedimensional craniofacial reconstruction imaging. Oral Surg Oral Med Oral Pathol Oral Radiol Endod. 2002;93(4):382–93.
4. Xia J, Ip HH, Samman N, Wang D, Kot CS, Yeung RW, et al. Computerassisted threedimensional surgical planning and simulation: 3D virtual osteotomy. Int J Oral Maxillofac Surg. 2000;29(1):11–7.
5. Gray R, Gougoutas A, Nguyen V, Taylor J, Bastidas N. Use of threedimensional, CAD/CAMassisted, virtual surgical simulation and planning in the pediatric craniofacial population. Int J Pediatr Otorhinolaryngol. 2017;97:163–9. https://doi. org/10.1016/j.ijporl.2017.04.004.
6. Ho CT, Lin HH, Liou EJ, Lo LJ. Threedimensional surgical simulation improves the planning for correction of facial prognathism and asymmetry: a qualitative and quantitative study. Sci Rep. 2017;7:40423. https://doi. org/10.1038/srep40423.
7. Xiao Y, Sun X, Wang L, Zhang Y, Chen K, Wu G. The application of 3D printing Technology for Simultaneous Orthognathic Surgery and Mandibular Contour Osteoplasty in the treatment of craniofacial deformities. Aesthet Plast Surg. 2017;41(6):1413–24. https://doi.org/10.1007/s002660170914z.
8. Zhang S, Gui H, Lin Y, Shen G, Xu B. Navigationguided correction of midfacial posttraumatic deformities (Shanghai experience with 40 cases). J Oral Maxillofac Surg. 2012;70(6):1426–33. https://doi.org/10.1016/j.joms.2011.03.068.
9. Rotaru H, Stan H, Florian IS, Schumacher R, Park YT, Kim SG, et al. Cranioplasty with custommade implants: analyzing the cases of 10 patients. J Oral Maxillofac Surg. 2012;70(2):e169–76. https://doi.org/10.1016/j.joms.2011.09.036.
10. Gateno J, Xia JJ, Teichgraeber JF, Christensen AM, Lemoine JJ, Liebschner MA, et al. Clinical feasibility of computeraided surgical simulation (CASS) in the treatment of complex cranio maxillofacial deformities. J Oral Maxillofac Surg. 2007;65(4):728–34. https://doi.org/10.1016/j.joms.2006.04.001.
11. Sugahara K, Katsumi Y, Koyachi M, Koyama Y, Matsunaga S, Odaka K, et al. Novel condylar repositioning method for 3Dprinted models. Maxillofac Plast Reconstr Surg. 2018;40(1):4. https://doi.org/10.1186/s4090201801437.
12. Di Blasio C, Anghinoni ML, Di Blasio A. Virtual planning of a complex threepart Bimaxillary osteotomy. Case Rep Dent. 2017;2017:8013874. https://doi.org/10.1155/2017/8013874.
13. He D, Du W, Li J, Liu L, Luo E. Clinical feasibility and efficiency of a 3dimensional printed surgical template for mandibular angle osteotomy and mandibular angle splitting osteotomy. Br J Oral Maxillofac Surg. 2018;56(7):594–9. https://doi.org/10.1016/j. bjoms.2018.06.008.
14. Sato FR, Asprino L, Noritomi PY, da Silva JV, de Moraes M. Comparison of five different fixation techniques of sagittal split ramus osteotomy using threedimensional finite elements analysis. Int J Oral Maxillofac Surg. 2012;41(8):934–41. https://doi.org/10.1016/j.ijom.2012.03.018.
15. Li B, Zhang L, Sun H, Yuan J, Shen SG, Wang X. A novel method of computer aided orthognathic surgery using individual CAD/CAM templates: a combination of osteotomy and repositioning guides. Br J Oral Maxillofac Surg. 2013;51(8):e239–44. https://doi.org/10.1016/j.bjoms.2013.03.007.
16. Movahed R, Teschke M, Wolford LM. Protocol for concomitant temporomandibular joint customfitted total joint reconstruction and orthognathic surgery utilizing computerassisted surgical simulation. J Oral Maxillofac Surg. 2013;71(12):2123–9. https://doi.org/10.1016/j.joms.2013.07.024.
17. Movahed R, Wolford LM. Protocol for concomitant temporomandibular joint customfitted total joint reconstruction and orthognathic surgery using computerassisted surgical simulation. Oral Maxillofac Surg Clin North

Am. 2015;27(1):37–45. https://doi.org/10.1016/j.coms.2014.09.004.

18. Valente TW, Rogers EM. The origins and development of the diffusion of innovations paradigm as an example of scientific growth. Sci Commun. 1995;16(3):242–73.

19. Rogers EM. Lessons for guidelines from the diffusion of innovations. Jt Comm J Qual Improv. 1995;21(7):324–8.

20. Resnick CM, Inverso G, Wrzosek M, Padwa BL, Kaban LB, Peacock ZS. Is there a difference in cost between standard and virtual surgical planning for orthognathic surgery? J Oral Maxillofac Surg. 2016;74(9):1827–33. https://doi.org/10.1016/j. joms.2016.03.035.

21. Zinser MJ, Sailer HF, Ritter L, Braumann B, Maegele M, Zoller JE. A paradigm shift in orthognathic surgery? A comparison of navigation, computeraided designed/computeraided manufactured splints, and "classic" intermaxillary splints to surgical transfer of virtual orthognathic planning. J Oral Maxillofac Surg. 2013;71(12):2151 e1–21. https://doi.org/10.1016/j.joms.2013.07.007.

22. Steinhuber T, Brunold S, Gartner C, Offermanns V, Ulmer H, Ploder O. Is virtual surgical planning in orthognathic surgery faster than conventional planning? A time and workflow analysis of an officebased workflow for single and doublejaw surgery. J Oral Maxillofac Surg. 2018;76(2):397–407. https://doi. org/10.1016/j.joms.2017.07.162.

23. Shaheen E, Shujaat S, Saeed T, Jacobs R, Politis C. Threedimensional planning accuracy and followup protocol in orthognathic surgery: a validation study. Int J Oral Maxillofac Surg. 2018; https://doi.org/10.1016/j.ijom.2018.07.011.

24. Hsu SS, Gateno J, Bell RB, Hirsch DL, Markiewicz MR, Teichgraeber JF, et al. Accuracy of a computeraided surgical simulation protocol for orthognathic surgery: a prospective multicenter study. J Oral Maxillofac Surg. 2013;71(1):128–42. https://doi.org/10.1016/j.joms.2012.03.027.

25. Liebregts J, Xi T, Timmermans M, de Koning M, Berge S, Hoppenreijs T, et al. Accuracy of threedimensional soft tissue simulation in bimaxillary osteotomies. J Craniomaxillofac Surg. 2015;43(3):329–35. https://doi.org/10.1016/j.jcms.2014.12.012.

26. Holzinger D, Juergens P, Shahim K, Reyes M, Schicho K, Millesi G, et al. Accuracy of soft tissue prediction in surgeryfirst treatment concept in orthognathic surgery: a prospective study. J Craniomaxillofac Surg. 2018;46(9):1455–60. https://doi. org/10.1016/j.jcms.2018.05.055.

27. Metzler P, Geiger EJ, Alcon A, Ma X, Steinbacher DM. Three dimensional virtual surgery accuracy for free fibula mandibular reconstruction: planned versus actual results. J Oral Maxillofac Surg. 2014;72(12):2601–12. https://doi.org/10.1016/j. joms.2014.07.024.

28. Rustemeyer J, SariRieger A, Melenberg A, Busch A. Comparison of intraoperative time measurements between osseous reconstructions with free fibula flaps applying computeraided designed/computeraided manufactured and conventional techniques. Oral Maxillofac Surg. 2015;19(3):293–300. https://doi.org/10.1007/s1000601504936.

29. Wang YY, Zhang HQ, Fan S, Zhang DM, Huang ZQ, Chen WL, et al. Mandibular reconstruction with the vascularized fibula flap: comparison of virtual planning surgery and conventional surgery. Int J Oral Maxillofac Surg. 2016;45(11):1400–5. https://doi. org/10.1016/j.ijom.2016.06.015.

30. Lin HH, Lonic D, Lo LJ. 3D printing in orthognathic surgery a literature review. J Formos Med Assoc. 2018;117(7):547–58. https://doi.org/10.1016/j.jfma.2018.01.008.

31. Kwon TG, Choi JW, Kyung HM, Park HS. Accuracy of maxillary repositioning in twojaw surgery with conventional articulator model surgery versus virtual model surgery. Int J Oral Maxillofac Surg. 2014;43(6):732–8. https://doi.org/10.1016/j. ijom.2013.11.009.

32. Weissheimer A, Menezes LM, Sameshima GT, Enciso R, Pham J, Grauer D. Imaging software accuracy for 3dimensional analysis of the upper airway. Am J Orthod Dentofac Orthop. 2012;142(6):801–13. https://doi.org/10.1016/j.ajodo.2012.07.015.

33. Chen H, van Eijnatten M, Wolff J, de Lange J, van der Stelt PF, Lobbezoo F, et al. Reliability and accuracy of three imaging software packages used for 3D analysis of the upper airway on cone beam computed tomography images. Dentomaxillofac Radiol. 2017;46(6):20170043. https://doi.org/10.1259/dmfr.20170043.

34. Lubbers HT, Jacobsen C, Matthews F, Gratz KW, Kruse A, Obwegeser JA. Surgical navigation in craniomaxillofacial surgery: expensive toy or useful tool? A classification of different indications. J Oral Maxillofac Surg. 2011;69(1):300–8. https://doi. org/10.1016/j.joms.2010.07.016.

35. Xia JJ, Phillips CV, Gateno J, Teichgraeber JF, Christensen AM, Gliddon MJ, et al. Costeffectiveness analysis for computer aided surgical simulation in complex craniomaxillofacial surgery. J Oral Maxillofac Surg. 2006;64(12):1780–4. https://doi.org/10.1016/j. joms.2005.12.072.

36. RendonMedina MA, AndradeDelgado L, TelichTarriba JE, FuenteDelCampo A, AltamiranoArcos CA. Dimensional error in rapid prototyping with open source software and low cost 3Dprinter. Plast Reconstr Surg Glob Open. 2018;6(1):e1646. https://doi.org/10.1097/GOX.0000000000001646.

37. Olszewski R, Szymor P, Kozakiewicz M. Accuracy of threedimensional, paperbased models generated using a lowcost, threedimensional printer. J Craniomaxillofac Surg. 2014;42(8):1847–52. https://doi.org/10.1016/j.jcms.2014.07.002.

38. Azarmehr I, Stokbro K, Bell RB, Thygesen T. Surgical navigation: a systematic review of indications, treatments, and outcomes in Oral and maxillofacial surgery. J Oral Maxillofac Surg. 2017;75(9):1987–2005. https://doi.org/10.1016/j. joms.2017.01.004.

39. Bly RA, Chang SH, Cudejkova M, Liu JJ, Moe KS. Computer guided orbital reconstruction to improve outcomes. JAMA Facial Plast Surg. 2013;15(2):113–20. https://doi.org/10.1001/jamafacial.2013.316.

40. Sofronia RE, Knott T, Davidescu A, Savii GG, Kuhlen T, Gerressen M. Failure mode and effects analysis in designing a virtual realitybased training simulator for bilateral sagittal split osteotomy. Int J Med Robot. 2013;9(1):e1–9. https://doi. org/10.1002/rcs.1483.

41. Arikatla VS, Tyagi M, Enquobahrie A, Nguyen T, Blakey GH, White R, et al. High Fidelity virtual reality orthognathic surgery simulator. Proc SPIE Int Soc Opt Eng. 2018:10576. https://doi. org/10.1117/12.2293690.

42. Concepts T. TMJ concepts CT scanning protocol. TMJ concepts. 2018. https://tmjconcepts. com/tmj/files/CT_Scan_Protocol_ F071H. pdf. Accessed 20 Sep 2018.

43. Efanov JI, Roy AA, Huang KN, Borsuk DE. Virtual surgical planning: the pearls and pitfalls. Plast Reconstr Surg Glob Open. 2018;6(1):e1443. https://doi.org/10.1097/GOX.0000000000001443.

상하악 전진술 환자의 술후 관리

Zachary Brown and Daniel E. Perez

목차

30.1 개요

상하악 전진술(MMA)은 폐쇄성 수면 무호흡(OSA)에 대한 가장 성공적인 외과적 치료 중 하나이다.[1-5] 양측 시상 분할 골절단술과 Le Fort I 골절단술로 구성된 이 시술은 환자의 골격을 전진시켜 인두의 안정 시 장력을 증가시켜 야간 기도 허탈과 수면 방해를 감소시킨다.[6-9] OSA는 환자의 술전, 술중, 술후 관리를 복잡하게 만드는 여러 동반 질환을 가지고 있다.[10-15]

OSA로 MMA를 받은 환자의 인구 통계는 전형적인 악교정 환자의 인구 통계와 크게 다르다. 환자는 나이가 많고, 동반 질환 수가 많으며 미국 마취학회(ASA) 등급이 높고, 술후 합병증 가능성이 증가한다.[16] 이번 단원에서는 이러한 복잡한 환자의 술후 관리의 만성 질환 과정과 관련된 위험을 줄이는 전략을 다룬다.

30.2 술전 고려사항

30.2.1 수술 설비

병원 비용과 외과 술식에 대한 보험 상환 감소로 인해 일부 입원 수술이 감소하고 외래/통원 수술이 증가하게 되었다.[17, 18] MMA는 재정적 제약으로 인해 빈도가 감소한 수술 중 하나이다. 현재 많은 외과의들이 치아안면 기형에 대해 입원없이 악교정 수술을 시행하고 있으며, 대부분의 악교정 수술 환자에서 입원 수술 및 술후 입원의 필요성을 뒷받침하는 데이터는 거의 없다. 불행히도, OSA로 MMA를 받는 환자들은 안전하게 통원 수술을 받을 수 있는 환자군에 속하지 않는다.

OSA 환자는 수술 전후 관리를 복잡하게 만드는 수많은 동반질환을 가지고 있다. 이러한 동반질환은 환자가 즉각적인 술후 환경에서 관리할 필요가 있는 술후 합병증의 발생률을 높일 수 있다. 호흡 억제, 대사 증후군, 심장질환, 혈압조절, 통증관리의 어려움은 즉각적이고 과감한 관리가 필요한 고려사항 중 일부에 불과하다. 중등증에서 중증의 수면 무호흡 환자는 MMA를 시행하는 경우 가능한 합병증을 관리하는 데 필요한 적절한 인력과 장비를 갖춘 수술 시설에서 치료를 받아야 한다.[19] MMA를 시행하는 모든 환자는 적어도 술후 하룻밤의 관찰 기간을 갖는 것이 좋다.

30.2.2 의료 허가

OSA 환자는 종종 OSA와 관련되거나 이로 인해 직접 유발된 많은 동반 질환이 있는 복잡한 병력을 가지고 있다. 환자는 내화성 고혈압, 폐고혈압, 관상동맥 질환, 뇌혈관 질환, 과거 심근경색, 대사 증후군, 비만, 당뇨, 내분비 질환 및/또는 신장 질환이 있을 수 있다. 심각하거나 복잡한 동반이환 상태가 있는 경우 주치의, 술전 마취 클리닉이나 적절한 전문가와 상의해야 한다. 수술 전 합병증의 최적화된 제어는 술후 합병증의 위험을 줄이는 데 가장 중요하다.

30.2.3 마취 고려사항

어려운 기도 관리 및 삽관 제거와 관련된 폐쇄성 클레임의 대부분은 어려운 유도/삽관, 비만, OSA가 있는 환자에 의해 발생한다.[20] OSA로 MMA가 필요한 환자의 기도는 삽관하기 어렵고 삽관 제거 후 기도 개방 유지에 위험성이 높다. 술전 구인두 신체 검사와 선별검사는 술후 불포화, 무호흡, 무산소 손상의 위험을 줄이기 위해 마취과의와 수술 전 솔직한 대화를 나눈다.

OSA와 비만이 있는 환자는 예상대로 감소된 기능적 잔여 능력, 잉여 구인두 조직, 술식 전반에 걸쳐 산소 공급 유지를 더 어렵게 만드는 기준선 과탄산혈증을 가질 것이다. 술후 합병증의 위험을 줄이기 위해 마취 중 시행되는 기술에는 25° 두부-상위 자세에서의 삽관과 발관, 의식하 굴곡후두경 삽관, 술중 아편제 감소, 술후 비강 캐뉼러를 통한 산소 공급이 포함될 수 있다.[21-23] 지속형 국소 진통제의 술중 투여는 마취과의가 술후 환자의 아편제 요구량을 줄이는 데 도움이 될 수 있다.[24-27] 수술 전 마취과의와의 상담을 통해 환자의 안전을 위한 술전 계획을 공고히 하여 수술 당일 외과의와 환자 모두의 놀라움을 예방한다.

술전 지속적 양압기는 고관절이나 슬관절 치환술을 받은 환자에서 술후 심각한 합병증의 위험을 감소시키는 것으로 보고되었다.[28] 술전에 예방적 지속적 양압기를 받은 OSA 환자는 간헐적 불포화, 심각한 고탄산혈증, 무호흡, 계획되지 않은 ICU 입원, 심각한 심폐 합병증의 비율이 낮았다. 술전 지속적 양압기 준수는 술후 환경에서 보호를 제공할 수 있다. 술후 지속적 양압기는 OSA에 대한 MMA를 받은 환자에게 절대적 금기증이다.

30.3 입원 술후 관리

30.3.1 수술 직후 과정

MMA와 다른 계획된 외과 술식 후에, 삽관 제거를 위해 외과의가 수술실에 있어야 한다. OSA 환자의 심도 마취 상태 발관은 금기증이다. 환자가 의도적인 움직임을 보이고, 머리를 5초 이상 들어올리며, 4가지 평가로 신경근 차단이 완전히 역전되고, 적절한 자발적 1회 호흡량으로 호흡하면 삽관을 제거해도 안전하다. 재삽관이나 응급 기관절개술을 위한 추가 장비를 쉽게 사용할 수 있어야 한다. 환자가 적절한 산소 공급과 지속적인 산소 포화도를 보이면, 환자를 마취 후 회복실로 이송할 수 있다.

상하악 수술과 다른 상기도의 외과적 처치는 처음 24-48시간 내에 구인두 부종을 증가시키고 기도 폐쇄를 악화시킨다.[29] 이것은 대조군에 비해 술후 호흡 부전 발생 위험이 약 2.5배 증가하여 OSA 환자의 술후 모니터링을 높은 우선 순위로 만든다.[30] 연속 맥박 산소 측정기는 MMA 환자의 입원 기간 동안 사용되어야 한다. 지속적 맥박 산소 모니터링과 함께 요양원에 입원하면 환자의 구조 사건수가 감소하는 것으로 나타났으므로 시행되어야 한다.[31]

OSA에 대한 MMA 후 환자가 ICU, step-down 병동, 일반 병동에 입원해야 하는지에 대한 합의가 없다. 발관 후 마취과와의 일반적인 합의와 최소한의 산소 지원으로 산소 포화도를 유지할 수 있는 환자의 능력에 따라 환자를 더 높은 수준의 병동에 입원해야 하는지 여부를 결정해야 한다. MMA로 치료되는 OSA가 있는 전형적인 환자는 ICU 수준의 주의가 필요하지 않다. 그러나 환자가 받는 주의 수준은 외과의, 마취과의, 환자의 술후 경과에 의해 궁극적으로 결정된다.

30.3.2 급성 통증 관리

즉시 입원 환자와 퇴원 환자 환경 모두에서 통증 관리는 적절한 통증 조절을 위한 아편제 요구량을 줄이는 데 중점을 두어야 한다. 환자의 수술 전/후 통증 수준, 약물 내성, 강력한 호흡 조절의 보존 필요성을 고려한 다중 모드 통증 요법을 활용하는 것이 중요하다. 종종 OSA 환자는 다약제, 비만, 호흡 기능과 운동을 유지하면서 환자의 진통 요구 사항을 해결하기 어려운 술전 통증을 가지고 있다. 여러 약리학적 제제의 사용은 이 인구군에서 안전한 통증 관리를 위한 필수 사항이 되었다.

OSA 치료를 위해 MMA가 필요한 환자는 치아안면 기형으로 악교정 수술이 필요한 환자에 비해 진통 요구가 더 높다.[16]

표 30.1 성인 수술 전후 통증을 위한 아편 진통제

약물	투약 경로	용량(mg)	작용 시작(hr)	반감기(hr)
Morphine	정맥내 근육내 구강	2.5-15 10-15 30-60	0.25 0.3 0.5-1	2-3.5 3 3
Hydromorphone	정맥내 근육내 구강	0.2-1.0 1-4 1-4	0.2-0.25 0.3-0.5 0.5-1	2-3 2-3 2-3
Fentanyl	정맥내 경점막 경피	20-50 (μg) 200-1,600 (μg) 12.5-100 (μg)	5-10 (min) 0.1-0.25 12-24	0.5-1 2-12 20-27
Oxymorphone	정맥내 근육내 구강 피하	5-10 0.5-1.0 1-1.5 1-1.5	0.5 0.15 0.15 0.15	3.3-4.5 3-5 3-5 3-5
Codeine	구강	15-60	0.25-1	4
Hydrocodone	구강	5-7.5	0.5	2-3
Oxycodone	구강	5	0.5	3-5
Tramadol[a]	정맥내 구강	50-100 (400 Max/D) 50-100 (400 Max/D)	0.5-1 0.5-1	4-6 5-6

[a] Tramdol은 FDA에 의해 아편제로 분류되지 않음

표 30.2 역전 약물 및 이의 효과적인 투여법

적응증	약물	투약 경로	용량 및 빈도	최대 용량	작용 지속기간
아편 과다복용	Naloxone	정맥내	2–3분마다 0.1 mg	0.8 mg	30–60 min
Benzodiazepine 과다복용	Flumazenil	정맥내	2–3분마다 0.1–0.2 mg	1 mg	45분(용량 의존적)

표 30.3 성인 술후 통증에 대한 비-아편 진통제

약물	투약 경로	용량(mg)	빈도(hr)	일 최대 용량(mg)	작용 시작(hr)	작용 지속 기간(hr)
Acetaminophen	구강 좌약 정맥내	500–1,000 650 650–1,000[a]	4–6 4–6 4–6	4,000 4,000 4,000	1–2 1–2 5–10 (min)	4–6 3–4 4–6
Ibuprofen	구강 정맥내	400–600 400–800	4–6 4–6	2,400 3,200	0.5–1 < 2	4–6 4–6
Naproxen	구강	500 + 250[c]	6–8	1,500	0.5–1	8–12
Ketoprofen	구강	25–50	6–8	300	< 0.5	< 6
Ketorolac[d]	구강 근육내 정맥내	20 + 10 30–60 30 + 15–30	4–6 6 4–6	40 150 Day 1, 120 Day 2–5	0.5–1 5–10 (min) 5–10 (min)	6–8 6–8 6–8
Diclofenac	구강 정맥내	50 37.5	8–12 6	150 150	0.5–1 5–10 (min)	6–8 Unk
Meloxicam	구강	7.5–12	24	15	0.5–1	24
Celecoxib	구강	400 + 100–200[b]	12–24	400	1–2	8–12
Gabapentin	구강	1,200–3,600	8	3,600	2–4	8

[a] ≥ 50 kg: 4시간마다 650 mg IV; 6시간마다 1000 mg IV. 1회 최대 용량: 1000 mg IV
[b] 400 mg PO 부하량에 이어 1일차에 200 mg PO. 유지를 위해 하루 2회 100–200 mg PO
[c] 500mg PO 부하량에 이어 6–8시간마다 250 mg PO 또는 12시간마다 500 mg PO
[d] 1일차의 ketorolac 최대 복용량은 150 mg IV 또는 IM. 다음 5일 동안의 최대 용량은 120 mg IV 또는 IM. PO/IM/IV ketorolac의 최대 일수는 위장관 부작용으로 5일이다. 20 mg PO 부하량 후 6–8시간마다 10 mg PO. 30 mg IV 부하량 후 4–6 시간마다 15–30 mg IV. 주어진 시간에 한가지 투여 경로만 사용해야 한다.

상당한 통증 완화 효과의 아편제 약물을 제공할 수 있기에, 필요할 때 술후 통증 관리에 적절하다; 그러나 임상적 판단은 그 역할의 정도에 따라 이루어져야 한다(표 30.1). 심각한 호흡 억제, 술후 기도 혼잡, 비만의 조합은 심각한 저산소증이나 무호흡의 위험을 증가시킨다. 지속적 맥박 산소 측정, 원격 측정, 세심한 간호사를 통한 술후 모니터링은 비아편제 약물에 대한 적절한 통증 관리가 달성될 때까지 권장된다.[32] 아편류 약물은 주로 "돌발적인" 통증에 사용되어야 하며 술후 기간 동안 중단되어야 한다. 간호 직원은 OSA 환자의 호흡 구동에 특히 주의하면서 아편류 과다복용의 징후와 증상을 인지해야 한다. 환자가 심한 불포화나 무호흡이 있는 경우, 간호 직원은 항상 기본 생명 유지 알고리즘을 다루면서 아편류 약물의 신속한 역전제에 대해 알고 있어야 한다(표 30.2).

아편류 의존은 지난 수십 년 동안 심신을 쇠약하게 하는 심각한 질병으로 부상했다. 입원 기간이 짧을수록, 환자는 퇴원 후 중등증에서 중증의 술후 통증을 관리해야 한다. 처방자가 복합 진통제 요법의 일부로 아편제 약물을 사용하는 것이 부당하지는 않지만 환자는 장기간 아편제 의존, 호흡 억제, 운전 장애의 위험이 있다.[33] 의사는 MMA 후 장기간 아편제 사용을 줄이기 위한 모든 방법을 동원해야 한다.

장기간의 통증 조절에 사용할 수 있는 다양한 비-아편제 약물이 있다(표 30.3).[34] Acetaminophen, NSAIDs, 베타-차단제, 국소 마취제, CNS 신경전달물질 조절제는 심각한 남용 가능성이 없는 통증의 장기 치료에 가장 일반적으로 사용되는 약물이다.[35,36] 아편제 약물 사용을 줄이면 술후 오심/구토

(PONV), 호흡 억제, 변비, 그들의 사용으로 인한 요폐의 위험을 최소화하는 데 도움이 된다. 술전 gabapentin[37]이나 Cox-2 inhibitor[38], 수술 중 ketamine, ketorolac[39], 베타-차단제[40], liposomal 국소 마취제[24-27]의 투여는 술후 아편 요구량을 줄이고 장기간 통증 조절을 증가시키는 데 도움이 된다.

마취 후 회복실(PACU)에서는 환자가 경구 약물을 견딜 수 없을 때 ketorolac, 정맥 acetaminophen (Ofirmev), 신중한 아편제 투여(morphine, fentanyl, hydromorphone)의 조합을 사용할 수 있다. PACU 간호사는 복합형 통증 요법 대신 아편유사 진통제 사용 감소에 대해 교육을 받아야 한다. 환자가 경구 약물을 견딜 수 있게 된 후, 경구 acetaminophen, NSAIDs, gabapentin, 수술 전 환자에게 효과적이었던 다른 진통제를 환자가 아편제 약물을 중단하는 동안 사용할 수 있다. 약물 조합으로 효과를 증가시킬 수 있다. 특히 acetaminophen과 ibuprofen을 병용 투여하는 경우 단독 투여에 비해 상승 효과가 있는 것으로 보고되었다.[41]

금기 사항이 없다면, 다중 모드 마취와 진통은 MMA 후 OSA 환자의 표준이 되어야 한다. 확립된 진통 방법은 입원 기간과 술후 합병증을 줄이고 환자 만족도를 높이는 데 도움이 된다.

30.3.3 술후 오심과 구토

술후 오심과 구토(PONV)는 OSA에 대한 MMA 후 환자에게 중요한 우려 사항이다. 입원 기간을 늘리고 PACU 입원 기간을 늘리며 흡인을 통해 심각한 이환율을 유발하고 의료 비용을 증가시킬 수 있다. 모든 수술에서, 술후 오심의 발생률은 약 50%이고 술후 구토의 발생률은 약 30%이다.[42,43] 악교정 수술 후 따르는 PONV에 대한 데이터는 술후 오심 발생률이 67%, 구토 발생률이 27%로 유사한 비율로 보고되었다.[44]

PONV에 대한 중요한 예측인자로 수많은 독립적인 위험 요소를 나열하였다(박스 30.1). 상악 골절단술이 하악 단독술에 비해 PONV의 위험을 증가시키는지에 대한 상충되는 데이터가 있다. Silva 등은 악교정 수술의 PONV는 40%이지만, 상악 절단술의 경우 57%로 증가한다고 보고했다.[45] Phillips 등은 Le Fort 골절단술을 추가해도 유의한 차이가 없다고 보고했다; 그러나 하악 절단술과 관계없이 Le Fort I 골절단술을 받은 환자에서 PONV가 약간 증가했다.[44]

박스 30.1 성인에서 PONV에 대한 위험 요소

- 여성
- 비흡연자
- PONV의 병력, 멀미, 가족 중 PONV
- 술중 또는 술후 아편제 투약
- 60분을 넘는 수술 연장
- 상악 수술

PONV의 예방은 환자의 위험을 기술하는 것에서 시작한다. 외과의가 PONV의 위험을 결정할 뿐만 아니라 항구토 예방과 치료에 얼마나 적극적이어야 하는지 결정하는데 도움이 되는 많은 지침이 존재한다.[42,43] 일반적으로 하나 이상의 위험 인자가 있는 환자는 적어도 하나의 항구토제가 있어야 한다. PONV의 위험이 중등증에서 중증인 환자의 경우 상승 효과를 얻기 위해 2개 이상의 항구토 예방제를 사용해야 한다.[46] 다중 모드 PONV 치료는 약리학적 및 비약물학적 치료 양식 모두에 의존한다. PONV 예방에 사용할 수 있는 약리학적 항구토제에

표 30.4 성인 술후 오심 및 구토에 대한 항구토 예방제

약물	투약 경로	용량(mg)	빈도(hr)	작용 시작(hr)	작용 지속 기간(hr)
Promethazine	정맥내	12.5–25	4–6	5	4–12
	구강	12.5–25	4–6	20	4–12
	좌약	12.5	4–6	20	4–12
Ondansetron	정맥내	4	4–6	30	4–8
	구강 용해 정제	8	4–6	30	4–8
Droperidol	정맥내	0.625–1.25	4–6	10	2–4
Dexamethasone	정맥내	4–8[a]	유도 시 한 번	–	–
Scopolamine[b]	경피 패치	1.5	유도 전 한 번	240	72

[a] 정맥내 dexamethasone 및 다른 corticosteroid는 PONV와 통증을 모두 감소시키는 것으로 밝혀졌다. 새로운 데이터는 8 mg의 유도량이 4 mg 용량보다 더 유익할 수 있음을 보여준다.[65]

[b] Scopolamine 경피 패치는 섬모 반사에 대한 국소 항콜린 작용으로 인해 고통스러운 동공 확장을 유발할 수 있다. 환자는 패치를 만지지 않아야 하고, 만진 경우 손을 씻도록 설명한다.

는 $5HT_3$ 수용체 길항제, NK-11 수용체 길항제, butyrophenone, antihistamine, anticholinergic, phenothiazine 등이 있다.[47,48] 비약물적 PONV 예방에는 적절한 IV 수액 공급이나 술중 및 술후 아편 사용을 줄이기 위한 국소 마취제 사용이 포함될 수 있다(표 30.4).

OSA에 대한 MMA 후, PONV를 줄이기 위해 위 내용물의 감압을 위해 술후 비위관을 제자리에 유지하는 것이 일반적이다. 불행히도 이것은 문헌에서 효과적인 것으로 나타나지 않았다.[49,50] 상악 골절단술 후에는 비강 후부 혈액을 불가피하게 섭취하게 된다. 수술 후 비위관 유지는 PONV가 심한 환자에게 편안함을 제공하는 저비용, 저위험 중개가 될 수 있지만, 예측 가능한 구토 감소는 아니다.

30.3.4 부기와 부종

MMA 후, 환자는 상당한 술후 안면 부종을 가질 것이다. 이러한 환자의 일반적인 부종 과정은 술후 3-5일 사이에 최고조에 이른다. 그러나 환자의 안면 부종이 눈에 띄게 감소하는 데는 최대 6개월이 소요될 수 있고, 외과의는 최대 1년까지 부종을 감지할 수 있다.[51]

술후 부종의 정도를 줄이기 위한 여러 방법이 있다. MMA 후 환자의 비약물적 관리에는 침대 머리를 30도 올리기, 냉동 요법, 술후 두부 드레싱이 포함된다. 이런 다양한 관리는 대부분 문헌에서 입증되지 않았다. 그러나 술중 및/또는 술후 corticosteroid를 이용한 약물 요법이 안면 부종을 감소시킨다.[52-54] 마취 유도 시 8 mg의 dexamethasone 투여와 8시간마다 8 mg씩 2회 추가 투여는 술후 상당한 부종을 예방하는 효과적인 치료 요법이다.

30.3.5 DVT 예방

정맥 혈전 색전증(VTE)은 많은 수술 환자에서 예방 가능한 흔한 사망 원인이다. 일반적으로 악교정 수술은 심부정맥 혈전증(DVT)과 그로 인한 혈전색전증의 발병 위험이 낮은 술식이다; 그러나 위험을 증가시킬 수 있는 전신적 요인이 있다. VTE 예방 권장 사항은 위험층에 대한 Caprini 점수와 외과적 개입 영역을 기반으로 하는 전신적 요인의 조합을 사용한다.[55]

VTE 예방은 조기 보행, 기계적 예방(간헐적 공압 압박), 화학적 예방(저용량 비분획 heparin, 저분자량 heparin, Vit-K 길항제, 직접 thrombin 억제제, factor Xa 억제제)으로 달성할 수 있다.[56] 두경부 재건 수술을 받는 환자는 기본적으로 일반 수술이나 골반 수술에 비해 VTE 위험이 감소하므로 일반적으로 일차적 예방으로 조기 보행만 필요하다. VTE 예방에 대한 현재 권장 사항(화학적 예방과 기계적 예방 모두)은 표 30.5에 요약되어 있다.

OSA로 MMA를 받은 환자는 DVT와 VTE의 위험을 증가시키는 여러 가지 동반질환이 있을 수 있다. 이러한 위험 요소는 환자의 조기 보행 능력과 함께 고려되어야 한다. 기계적 VTE 예방은 종종 보행할 때까지 필요한 것이 전부이다.

30.3.6 영양

최적의 상처 치유를 위한 영양 상태는 술후 상악 고정, 술후 구강안면 통증, 기구화된 기도, 술전 영양실조로 인해 MMA 후 손상될 수 있다. 영양 실조는 수술 부위 감염의 높은 비율, 더 긴 입원 기간, 퇴원 후 열악한 기능 상태, 병원 비용 증가와 관련된다.[57] 건강한 성인의 일일 에너지 요구량은 체중 1 kg 당 30-35 kcal이다. 그러나 MMA 후에 환자는 치유 과정에 대한 대사 요구가 증가하고 하루에 체중 kg 당 40 kcal 이상을 요구할 수 있다.[58] 상처 치유를 최적화하기 위해 이러한 환자의 칼로리 섭취량을 늘릴 수 있는 다양한 선택지가 있다.

술전 영양 평가는 모든 외과적 정밀 검사의 일부여야 한다. 술전에 환자의 영양을 최적화하여 상처 치유 가능성을 최대화해

표 30.5 술후 정맥 혈전색전증 예방 권장 사항

수술 위험군	성형 및 재건 수술을 위한 Caprini 점수	예방 없는 VTE 위험 추정	권장되는 VTE 예방
매우 낮은 위험	0-2	< 0.5%	조기 보행
낮은 위험	3-4	약 1.5%	보행 시까지 기계적 예방
중등도 위험	5-6	약 3%	화학적 예방
높은 위험	≥ 7	약 6%	화학적 예방

적절한 화학 예방요법을 선택하는데 주의를 기울여야 한다.[55]

야 한다. 악교정 수술에 대한 술전 영양 보충은 합병증을 줄이고 술후 치유를 증가시키기 위해 연구되었지만, 결과에 큰 차이는 없었다.[59] 보조제없이 악교정 수술 후 영양 섭취량은 술전 섭취량보다 33–52% 낮을 수 있다.[60] 고칼로리 및 고단백 함량의 술후 영양 보충은 상처 치유를 개선하고 술후 합병증을 줄이는 데 도움이 된다.

30.3.7 항생제

MMA에 따르는 술후 항생제는 술전 정맥 항생제로 시작하고 5일 동안의 경구 항생제 투여로 이어진다. 수술 전후의 전행적인 항생제 요법은 절개 15분–1시간 전 체중-기반 cephazolin, clindamycin이다. 술후 5일간의 술후 항생제는 수술 부위 감염을 1% 미만으로 낮춘다고 보고되었다. 5일 이상의 추가 경구 항생제 투여는 추가적인 이점을 보여주지 않는다.[61–63]

30.4 외래 환자 술후 관리

30.4.1 경과 관찰 계획

환자는 첫 6주 동안 1–2주 간격으로 내원해야 한다. 경과 관찰은 필요에 따라 6개월에서 1년으로 확장될 수 있다. 술후 수면다원 검사를 시행하여 폐쇄성 질환의 치료 및 치유를 기록한다. 이런 결과는 수술 후 치료가 이루어지지 않은 경우 수술 후 보존적 치료를 결정하는 데 사용할 수 있다.

30.4.2 술후 교합 유도

술후 교합은 술전 계획과 일치하지 않을 수 있으며, 환자를 바람직한 중심 교합으로 유도하도록 조정해야 한다. 교합 조정이 필요한 환자의 경우 약 3.5–6 oz의 장력을 제공하는 고무줄을 사용하여 간단한 부정교합을 수정한다. OSA를 위해 MMA를 받은 많은 환자들은 술전 교정이 없고, 상하악 복합물을 중간 및 최종 스플린트 모두에 배치하기 위해 archbar가 필요하다. 이 archbar는 악골을 최종 교합으로 유도하는 고무줄을 거는데 사용할 수 있다. 상악 전진에서 Le Fort I 골절단은 최약의 고정력 부위로 상악 고정에 무리한 힘이 가해지지 않도록 주의해야 한다.

고무줄의 방향은 부정교합의 유형과 시기에 따라 달라진다. 수술 직후 구치부 개방 교합이 있는 환자의 경우 단순 구치부 수직 고무줄로 감소된 근육 긴장을 보상하고 교합 접촉을 최대화하는 데 도움이 될 수 있다. 그러나 정중선 이동이 있는 경우, 고무줄을 사용하여 정중선을 수정하여 일치시킬 수 있다.

고무줄은 수술 시점부터 1주일 후 내원까지 착용할 수 있으며, 이 시점에서 필요성을 평가할 수 있다. 부정교합을 교정하기 위해 고무줄이 필요하다고 판단되면 적어도 하루에 한번 교체하고 식사시에는 제거한다.[64] 원인적 요소가 술후 부종, 치아 부정교합, 외과적 술식 오류인지에 따라 고무줄 사용을 중단한다. 술후 1개월 이상 고무줄이 필요하다면, 환자 부정교합 원인에 대한 철저한 검사를 시작해야 한다.

30.5 결론

OSA 및 치아안면 기형에 대한 MMA 수술 후 관리에는 유사점이 많다. OSA은 술후 불포화도, 통증, 증가된 약리학적 요구의 위험을 증가시킨다. 잘 준비된 팀에서 이런 가능한 합병증이 발생하기 전에 주의를 기울여야 한다. 환자, 마취과의, 마취 후 회복실, 간호사, 외과의가 조화롭게 일할 때 환자는 가장 확실하게 술후 위험을 줄이고 만족도를 높일 수 있다.

참고문헌

1. Li KK, Powell NB, et al. Long-term results of maxillomandibular advancement surgery. Sleep Breath. 2000;4(3):137–40.
2. Goodday RH, Bourque SE, et al. Objective and subjective out-comes following maxillomandibular advancement surgery for treatment of patients with extremely severe obstructive sleep apnea (apnea-hypopnea index >100). J Oral Maxillofac Surg. 2016;74(3):583–9.
3. Pirklbauer K, et al. Maxillomandibular advancement for treatment of obstructive sleep apnea syndrome: a systematic review. J Oral Maxillofac Surg. 2011;69(6):e165–76.
4. Zaghi S, Holty JE, et al. Maxillomandibular advancement for treatment of obstructive sleep apnea: a meta-analysis. JAMA Otolaryngol Head Neck Surg. 2016;142(1):58–66.
5. Camacho M, Liu SY, et al. Large maxillomandibular advancements for obstructive sleep apnea: an operative technique evolved over 30 years. J Craniomaxillofac Surg. 2015;43(7):1113–8.
6. Lye KW. Effect of orthognathic surgery on the posterior airway space (PAS). Ann Acad Med Singap. 2008;37(8):677–82.
7. Fairburn SC, Waite PD, et al. Three-dimensional changes in upper airways of patients with obstructive sleep apnea following maxillomandibular advancement. J Oral Maxillofac Surg. 2007;65(1):6–12.
8. Sittitavornwong S, Waite PD, et al. Computational fluid dynamic analysis of the posterior airway space after maxillomandibular advancement for obstructive sleep apnea syndrome. J Oral Maxillofac Surg. 2013;71(8):1397–405.
9. Rosário HD, Oliveira GMS, et al. Efficiency of bimaxillary advancement surgery in increasing the volume of the upper airways: a systematic review of observational studies and meta-analysis. Eur Arch Otorhinolaryngol. 2017;274(1):35–44.

10. Mansukhani MP, Wang S, et al. Sleep, death, and the heart. Am J Physiol Heart Circ Physiol. 2015;309(5):H739–49.

11. Mokhlesi B, Finn LA, et al. Obstructive sleep apnea during REM sleep and hypertension. Results of the Wisconsin Sleep Cohort. Am J Respir Crit Care Med. 2014;190(10):1158–67.

12. Gottlieb DJ, Yenokyan G, et al. Prospective study of obstructive sleep apnea and incident coronary heart disease and heart failure: the sleep heart health study. Circulation. 2010;122(4):352–60.

13. Arzt M, Young T, et al. Association of sleep-disordered breathing and the occurrence of stroke. Am J Respir Crit Care Med. 2005;172(11):1447–51.

14. Young T, Finn L, et al. Sleep disordered breathing and mortality: eighteen-year follow-up of the Wisconsin sleep cohort. Sleep. 2008;31(8):1071–8.

15. Kent BD, McNicholas WT, et al. Insulin resistance, glucose intolerance and diabetes mellitus in obstructive sleep apnoea. J Thorac Dis. 2015;7(8):1343–57.

16. Passeri LA, Choi JG, Kaban LB, et al. Morbidity and mortality rates after maxillomandibular advancement for treatment of obstructive sleep apnea. J Oral Maxillofac Surg. 2016;74:2033–43.

17. Farrell BB, Tucker MR. Safe, efficient, and cost-effective orthognathic surgery in the outpatient setting. J Oral Maxillofac Surg. 2009;67(10):2064–71.

18. Farrell BB, Tucker MR. Orthognathic surgery in the office setting. Oral Maxillofac Surg Clin North Am. 2014;26(4):611–20.

19. American Society of Anesthesiologists Task Force on Perioperative Management of patients with obstructive sleep apnea. Practice guidelines for the perioperative management of patients with obstructive sleep apnea: an updated report by the American Society of Anesthesiologists Task Force on Perioperative Management of patients with obstructive sleep apnea. Anesthesiology. 2014;120:268–86.

20. Peterson GN, Domino KB, et al. Management of the difficult airway: a closed claims analysis. Anesthesiology. 2005;103(1): 33–9.

21. Dixon BJ, Dixon JB, et al. Preoxygenation is more effective in the 25 degrees head-up position than in the supine position in severely obese patients: a randomized controlled study. Anesthesiology. 2005;102(6):1110–5; discussion 5A

22. Langeron O, Birenbaum A, et al. Airway management in obese patient. Minerva Anestesiol. 2014;80(3):382–92.

23. Mulier JP. Perioperative opioids aggravate obstructive breathing in sleep apnea syndrome: mechanisms and alternative anesthesia strategies. Curr Opin Anaesthesiol. 2016;29(1):129–33.

24. Richard BM, Rickert DE, et al. Pharmacokinetic compatibility study of lidocaine with EXPAREL in Yucatan miniature pigs. ISRN Pharm. 2011;2011:582351.

25. Tong YC, Kaye AD, et al. Liposomal bupivacaine and clinical outcomes. Best Pract Res Clin Anaesthesiol. 2014;28(1):15–27.

26. Golembiewski J, Dasta J, et al. Evolving role of local anesthetics in managing postsurgical analgesia. Clin Ther. 2015;37(6):1354–71.

27. Mont MA, Beaver WB, et al. Local infiltration analgesia with liposomal bupivacaine improves pain scores and reduces opioid use after total knee arthroplasty: results of a randomized controlled trial. J Arthroplast. 2018;33(1):90–6.

28. Gupta RM, et al. Postoperative complications in patients with obstructive sleep apnea syndrome undergoing hip or knee replacement: a case-control study. Mayo Clin Proc. 2001;76(9):897–905.

29. Li KK, et al. Fiberoptic nasopharyngolaryngoscopy for airway monitoring after obstructive sleep apnea surgery. J Oral Maxillofac Surg. 2000;58:1342.

30. Hai F, Porhomayon J, et al. Postoperative complications in patients with obstructive sleep apnea: a meta-analysis. J Clin Anesth. 2014;26(8):591–600.

31. Taenzer AH, Pyke JB, et al. Impact of pulse oximetry surveillance on rescue events and intensive care unit transfers: a before- and-after concurrence study. Anesthesiology. 2010;112:282–7.

32. Strauss PZ. Perianesthesia implications of obstructive sleep apnea. Crit Care Nurs Q. 2015;38(1):97–108.

33. Macintyre PE, Huxtable CA, et al. Costs and consequences: a review of discharge opioid prescribing for ongoing management of acute pain. Anaesth Intensive Care. 2014;42(5):558–74.

34. Munir MA, Enany N, et al. Nonopioid analgesics. Anesthesiol Clin. 2007;25(4):761–74, vi.

35. White PF. The changing role of non-opioid analgesic techniques in the management of postoperative pain. Anesth Analg. 2005;101(5 Suppl):S5–22.

36. Elvir-Lazo OL, White PF. The role of multimodal analgesia in pain management after ambulatory surgery. Curr Opin Anaesthesiol. 2010;23(6): 697–703.

37. Hurley RW, Cohen SP, et al. The analgesic effects of perioperative gabapentin on postoperative pain: a meta-analysis. Reg Anesth Pain Med. 2006;31(3):237–47.

38. White PF. Changing role of COX-2 inhibitors in the perioperative period: is parecoxib really the answer? Anesth Analg. 2005;100(5):1306–8.

39. Vadivelu N, Gowda AM, et al. Ketorolac tromethamine-routes and clinical implications. Pain Pract. 2015;15(2):175–93.

40. Collard V, Mistraletti G, et al. Intraoperative esmolol infusion in the absence of opioids spares postoperative fentanyl in patients undergoing ambulatory laparoscopic cholecystectomy. Anesth Analg. 2007;105(5):1255–62.

41. Derry CJ, Derry S, et al. Single dose oral ibuprofen plus paracetamol (acetaminophen) for acute postoperative pain. Cochrane Database Syst Rev. 2013;(6):CD010210.

42. Apfel CC, Läärä E, et al. A simplified risk score for predicting postoperative nausea and vomiting: conclusions from cross-validations between two centers. Anesthesiology. 1999;91(3): 693–700.

43. Sinclair DR, Chung F, et al. Can postoperative nausea and vomiting be predicted? Anesthesiology. 1999;91:109–18.

44. Phillips C, Brookes CD, et al. Postoperative nausea and vomiting following orthognathic surgery. Int J Oral Maxillofac Surg. 2015;44(6):745–51.

45. Silva AC, O'Ryan F, et al. Postoperative nausea and vomiting (PONV) after orthognathic surgery: a retrospective study and literature review. J Oral Maxillofac Surg. 2006;64(9):1385–97.

46. Apfel CC, Korttila K, et al. A factorial trial of six interventions for the prevention of postoperative nausea and vomiting. N Engl J Med. 2004; 350:2441–51.

47. Apfel CC, Zhang K, et al. Transdermal scopolamine for the prevention of postoperative nausea and vomiting: a systematic review and meta-analysis. Clin Ther. 2010;32(12):1987–2002.

48. Cruthirds D, Sims PJ, et al. Review and recommendations for the prevention, management, and treatment of postoperative and postdischarge nausea and vomiting. Oral Surg Oral Med Oral Pathol Oral Radiol. 2013;115(5):601–11.

49. Chandrakantan A, Glass PS. Multimodal therapies for postop-erative nausea and vomiting, and pain. Br J Anaesth. 2011;107 Suppl 1:i27–40.

50. Gan TJ, Diemunsch P, et al. Consensus guidelines for the management of postoperative nausea and vomiting. Anesth Analg. 2014;118(1):85–113.

51. Phillips C, Blakey G 3rd, et al. Recovery after orthognathic surgery: short-term health-related quality of life outcomes. J Oral Maxillofac Surg. 2008;66(10):2110–5.

52. Dan AE, Thygesen TH, et al. Corticosteroid administration in oral and orthognathic surgery: a systematic review of the literature and meta-analysis. J Oral Maxillofac Surg. 2010;68(9): 2207–20.

53. de Lima VN, Lemos CAA, et al. Effectiveness of corticoid administration in orthognathic surgery for edema and neurosen-sorial disturbance: a systematic literature review. J Oral Maxillofac Surg. 2017;75(7):1528.e1–8.

54. Schaberg SJ, Stuller CB, et al. Effect of methylprednisolone on swelling after orthognathic surgery. J Oral Maxillofac Surg. 1984;42(6):356–61.

55. Gould MK, Garcia DA, et al. Prevention of VTE in nonorthopedic surgical patients: Antithrombotic Therapy and Prevention of Thrombosis, 9th ed: American College of Chest Physicians Evidence-Based Clinical Practice Guidelines. Chest. 2012;141(2 Suppl):e227S–77S.

56. Otero JJ, Detriche O, et al. Fast-track orthognathic surgery: an evidence-based review. Ann Maxillofac Surg. 2017;7(2):166–75.

57. Kirkland LL, Kashiwagi DT, et al. Nutrition in the hospitalized patient. J Hosp Med. 2013;8(1):52–8.

58. Dryden SV, Shoemaker WG, et al. Wound management and nutrition for optimal wound healing. Atlas Oral Maxillofac Surg Clin North Am. 2013;21(1):37–47.

59. Olejko TD, Fonseca RJ. Preoperative nutritional supplementation for the orthognathic surgery patient. J Oral Maxillofac Surg. 1984;42(9):573–7.

60. Kendell BD, Fonseca RJ, et al. Postoperative nutritional supple-mentation for the orthognathic surgery patient. J Oral Maxillofac Surg. 1982;40(4):205–13.

61. Brignardello-Petersen R, et al. Antibiotic prophylaxis for preventing infectious complications in orthognathic surgery. Cochrane Database Syst Rev. 2015;1:CD010266.

62. Posnick JC, et al. Surgical site infections following bimaxillary orthognathic, osseous genioplasty, and intranasal surgery: a retro-spective cohort study. J Oral Maxillofac Surg. 2017;75(3):584–95.

63. Bouchard C, et al. Infections after sagittal split osteotomy: a retrospective analysis of 336 patients. J Oral Maxillofac Surg. 2015;73(1):158–61.

64. Nocher AF, McMullan RE, et al. Leaflet to aid postoperative placement of elastics after orthognathic surgery. Br J Oral Maxillofac Surg. 2012;50(3): 275–6.

65. Arslan M, Demir ME. Prevention of postoperative nausea and vomiting with a small dose of propofol combined with dexa-methasone 4 mg or dexamethasone 8 mg in patients undergoing middle ear surgery: a prospective, randomized, double-blind study. Bratisl Lek Listy. 2011;112(6):332–6.

수술 후 근기능 치료와 물리 치료

Joy L. Moeller, Cynthia Peterson, Licia Coceani Paskay, Samantha D. Weaver, and Soroush Zaghi

목차

31

중심 내용

숙련된 전문가 팀의 재활은 장기적인 성공을 최적화하는데 중요하며 술후 기도 개통, 기능적, 교정적, 심미적 결과를 상당히 개선할 수 있다. 이번 단원은 수면 무호흡 치료의 위해 악교정 수술을 받은 환자를 돌보는데 있어 의사가 수술 전후 치료의 역할을 이해하는데 도움이 되는 소개 개요를 제공한다.

상하악 전진술(MMA)은 물리적으로 안면 골격을 확장시켜 상기도를 확장시키는 폐쇄성 수면 무호흡(OSA)에 대한 매우 효과적인 수술 선택지이다.[1,2] 그러나 수술 후 환자에게 붓기, 안면마비, 구강 기능 저하, 침흘림, 개구 곤란, 코막힘 등이 나타날 수 있다.[3] 수술 전에 근기능 및 물리 치료를 시행하여 성공적인 결과를 가로막는 잠재적 장벽을 식별 및 제거하고 해로운 습관을 확인하여, 환자를 교육하여 권한을 부여하고 건강한 습관, 자세, 움직임 양상을 확립할 수 있다. 술후 치료는 운동, 근력, 건강한 자세, 습관, 정상적인 구강 및 저작 기능을 확립하여 수술 효과를 극대화하고 구강안면근의 기능을 재-유형화하여[4] 장기간의 결과를 개선시킬 수 있다(▣ 그림 31.1).

근기능 요법은 구강 및 안면 근육을 신경학적으로 재교육하여 건강한 구강 안면 습관을 촉진하는 것이다. 씹기, 삼키기, 구강 안면 자세, 비호흡 등을 최적화하는데 중점을 둔 재활치료 프로그램이다. 악골 수술 후 환자의 만족도, 장기적인 성공, 삶의 질을 극대화하려면 이러한 기본 기능의 회복이 중요하다. 미국에서는 근기능 치료의 대학원 과정이 의사, 치과의사, 치위생사, 물리치료사, 언어병리사, 작업치료사, 접골사를 대상으로 진행된다. 재활 팀의 전문가들이 자신의 진료 범위 내에서 일하는 것이 중요하지만 현재 연구에서 근기능 치료라고 하는 건강한 기능에 대해 훈련을 받고 이를 위해 노력하는 것이 중요하다.

악골에 대한 물리 치료에는 적절한 대학원 교육을 통한 근기능 치료가 포함될 수 있으며 숙련된 매뉴얼, 신경근 및 근막 기술과 맞춤형 치료, 훈련과 치료 기술을 제공하여 통증과 염증을 줄이고 관절, 신경, 근육의 가동성, 안정성, 강도, 기능을 회복시키며, 척추와 두개골의 자세와 정렬, 하악의 건강한 휴식 자세를 개선시켜 수술 결과를 최적화할 수 있다.

재활 팀은 외과의와 협력하여 상호 합의된 환자 치료 프로토콜을 개발하고 구현해야 한다. 사용되는 양식은 외과의의 선호도, 치료사 경험, 각 지역의 전문적인 실습 내용에 따라 달라질 수 있다.

수술 전 검사를 통해 혀 내밀기, 설유착증, 구강 휴식 자세 불량, 자세 이상, 과운동성, 부-정렬과 같은 구강안면 근기능 장애 징후, 해결하거나 고려해야 할 수 있는 골, 관절, 근육, 근막, 신경계 기능 장애의 존재를 평가한다. 환자에게 다음을 교육한다:

- 주야로 코로 숨쉬는 연습
- 입술 다물기
- 휴식 시 혀를 구개에 대는 자세 달성 및 유지
- (외과의의 허락하에) 양측 저작 및 건강한 연하 연습
- 수면과 식사 자세를 포함한 균형 잡힌 건강한 자세 유지
- 다음의 해로운 습관과 기능 이상을 피하기
  얼굴에 손과 물건을 대지 않기
  입술 깨물기와 이악물기 근절

실제로, 나쁜 구강 휴식 자세 및/또는 연하 시 혀 내밀기로 인해 혀에서 치아에 지속적인 압력을 가하면, 치아 교합과 구강 내 치아 정렬에 극적인 영향을 미칠 수 있다.[4] 수술 결과를 최대화하고 재발을 최소화하려면 우선 외과적 개입의 필요성에 기여했을 가능성이 있는 기능 장애를 해결하는 것이 중요하다. 이상적으로는 근기능 요법을 포함한 술전 치료를 수술 2-3개월 전에 시작하여 술후 장기 치료 단계를 위한 기반을 마련하는 것이 좋다. 근기능 요법으로 설명되는 일련의 치료 기술을 포함하는 술후 재활은 수술 결과를 최적화하고 재발을 방지하는데 필수적이다(▣ 그림 31.2).

술후 치료는 악골 수술 후 급성 및 장기 회복 단계에서 환자의 재활을 돕는 것을 목표로 한다. 급성 회복 단계에서, 술후 치료의 목표는 다음과 같다.

- 안면 감각, 고유감각, 신경망 개선
- 비강 식염수 세척 강화 및 비호흡 촉진
- 적절한 연하, 저작, 섭식 기술 장려
- 부적응적인 구강안면 습관(얼굴 만지기, 턱을 손에 괴기, 수술 골절단술과 고정 부위에 비대칭적 압력 적용) 피하기
- 다른 혀 근육을 분리하고 활성화하여 혀의 휴식 위치를 개선
- 하악의 안정화 촉진 및 과다 개구 피하기
- 안정적인 교정 결과를 촉진하는 대칭적 근육 양상 교육
- 건강한 습관과 위생 확립

근기능 치료를 시행하는 치위생사는 부드러운 칫솔과 chlorhexidine이나 불소와 같은 다양한 용액을 사용하여 구강 장치 주변 조직의 염증을 줄이기 위해 환자에게 구강 관리법을 제공할 수도 있다. 음식의 경도와 고영양분의 음식 식별에 대

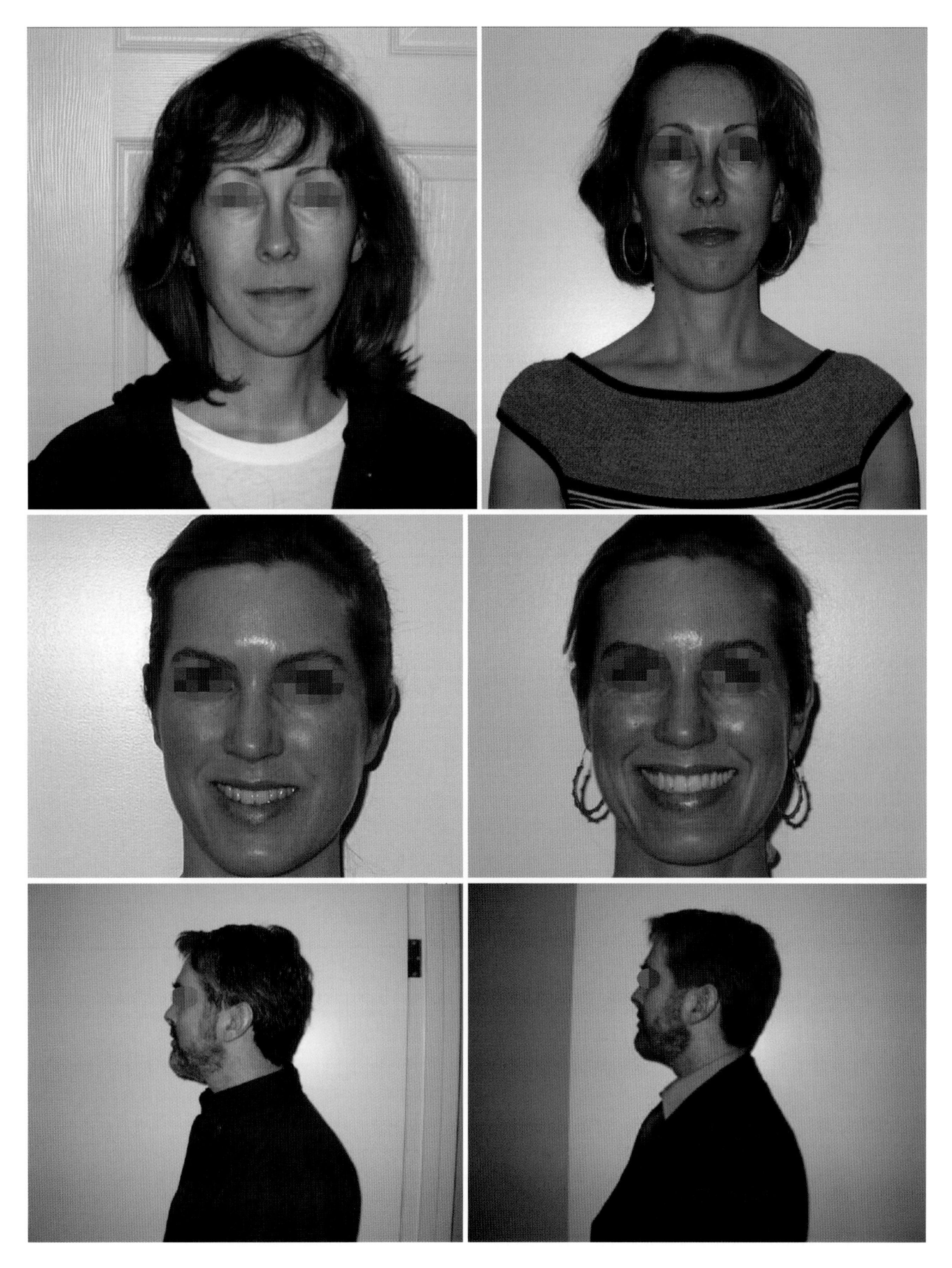

그림 31.1 수술 보조법으로의 근기능 치료: 안면 심미, 대칭, 자세의 개선

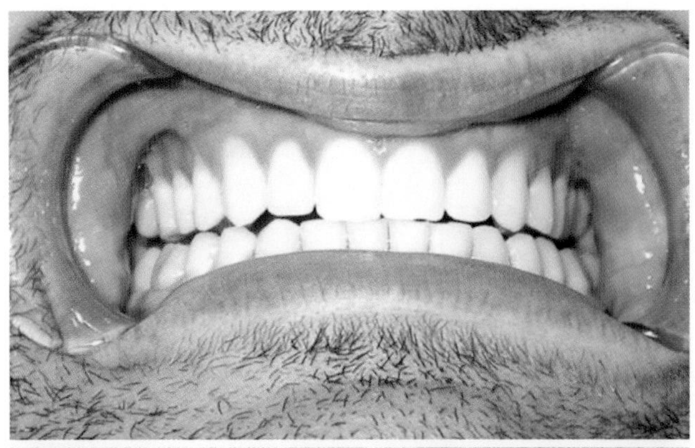

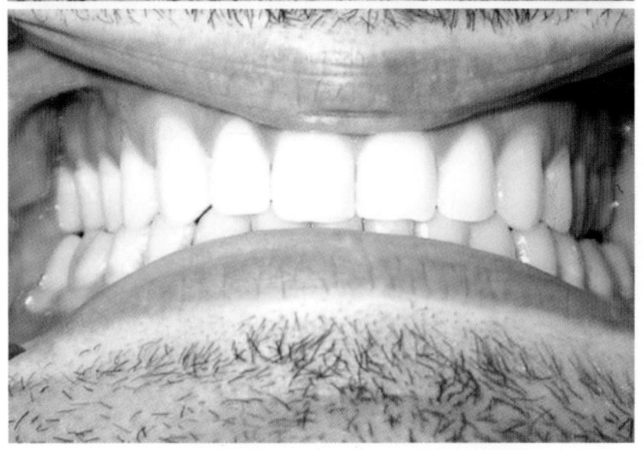

그림 31.2 악골 수술 후 교정 재발을 구강안면 근육의 재훈련 및 혀 휴식 자세 개선을 통한 근기능 요법으로 치료

한 영양 상담으로 환자 최적 치유를 돕는다. 치의학, 영양, 교합에 대한 위생사들의 지식으로 인해 교정과의나 구강외과의와 효과적으로 의사소통할 수 있다. 그들은 환자가 치유 단계에서 결과에 대해 긍정적으로 생각하도록 지원하고 동기를 부여할 수 있으며 환자의 불안을 감소시킬 수 있다.

언어 병리학자(SLP)는 얼굴, 입 및 종종 코와 인두에 대한 수술 전후의 환자를 지지하는데 도움이 될 수 있다. 진단 원칙과 근기능 치료 기술을 적용함으로써, SLP는 저작, 연하, 혀와 입술의 휴식 위치와 같은 구강 기능에 수술이 미칠 수 있는 영향을 다룬다. 또한 환자가 수술의 영향을 받을 수 있으므로 필요할 때 비호흡 기술, 음성, 언어 조음 기술을 제공할 수 있다.

MMA 수술은 저작 기능이 항상 방해를 받으면서 자연스럽게 저작을 회복해야 하는 경우가 많으며, 골절된 다리에 부하를 가하지 않는 것처럼 부드러운 음식 섭취가 권장된다. 그러나 대부분의 환자는 필요 이상의 부드러운 음식을 섭취하여 저작 기능을 적절하게 회복하는 방법에 대한 공식적인 지침을 받지 못한다. 이것은 부러진 다리를 가지고 적절한 보행 회복을 위한 물리 치료를 받지 않는 것과 유사하다.

저작은 수술이 일반적으로 방해하는 많은 신경-근육-교합 회로와 연관된다. 저작을 정상화하기 위한 치료 기술에는 실리콘 웨이퍼, 튜브, 막대기 저작(가짜 저작)이 포함될 수 있고, 이를 통해 술전에 토닝하고 술후 재-양상화 할 수 있는 협근, 교근, 측두근의 균형있고 점진적인 활성화를 허용한다.

중요한 MMA 수술 직후, 시작 단계에서, 대부분 유동식을 섭취하기 때문에, 빨대로 빨거나 숟가락으로 섭취하여 교근과 구륜근의 적절한 활성화를 촉진할 수 있다. 술전 이 근육을 토닝하고 강화하면 술후 회복에 도움이 된다.

비호흡은 적절한 입술 다물기를 유지하는게 기본이지만, 더 나은 호흡을 위한 물리적 공간을 제공하는 비-상악 수술을 받은 후에도, 종종 비호흡이 신경-감각 매개변수가 변경됨에 따라 광범위한 수술 후에 교육 또는 재교육되어야 하는 복잡한 신경-화학적-근육 활동이기 때문에 비호흡은 여전히 자발적이지 않다. 더욱이 호흡은 목소리와 관련이 있는데, 기류가 소리를 만들고 비강이 공명을 일으키기 때문이다.

목젖구개인두 성형술(UPPP)과 같은 연구개를 포함하는 수술은 종종 일시적이지만 말하는 동안 상당량의 공기 손실이 발생하므로, p, b, t, d, k, g와 같은 구강 압력의 상승이 필요한 소리는 연구개가 여러 강을 적절하게 분리하지 못하기 때문에 공기가 코로 빠져나가면서 적절하게 생성될 수 없다. SLP가 특별한 훈련을 통해 환자가 연구개의 기능을 회복하도록 도울 수 있다.

SLP, 물리치료사, 치위생사가 아기부터 노년까지의 환자를 돌볼 수 있지만, MMA나 기타 수면 수술을 받은 환자를 위해, 그들은 근기능 치료에 대한 대학원 교육을 받을 필요가 여전히 있다.

31.1 패러다임

근기능 치료 운동은 습관 인지 및 제거, 호흡 교육, 적절한 악교정 수술 전후 목표에 대한 추가 훈련과 구강안면 근기능 치료 훈련을 받은 전문가의 지도 하에 개별적으로 맞춤화되고 수행되어야 한다. 일반적으로, 악교정 수술 후 패러다임에는 다음과 같은 요소와 실습이 포함된다.

31.2 수술 전

1. 평가 기준선을 획득한다. 혀와 입술 강도 측정, 혀의 휴식 위치, 코를 통한 호흡 능력, 습관의 이력, 구강안면 통증 증상, 혀와 구륜근의 제한 조직, 연하와 저작 곤란, 안면 대칭성, 식이 조사, 기능성 언어 및 자세 문제, 사진과 동영상, 구개 너비, Mallampati/Friedman 점수, 비정상적 조직 검사.
2. 올바른 구강안면 휴식 자세, 혀 위치, 양측 저작, 적절한 연하에 대한 교육 및 연습 시작, 환자가 할 수 있는 만큼의 횡격막 근육 활성화, 감소, 호흡 이완, 비강 위생, 혀 근육의 독립화 및 활성화, 입술, 교근, 관골근의 운동 범위로 비호흡 교육 시작, 기능적 자세 치료 기술 검토.
3. 설유착증이 있는 경우, 환자를 MMA 수술 전에 소대 성형 전 근기능 요법에 등록하고 설소대의 외과적 절개를 시행한 후 4–6주간 운동을 완성한다.
4. 가상 수술 계획 수립을 위한 치아 인상과 CT 채득 전에 근기능 요법 운동을 중단해야 한다. 처방된 운동은 실제로 치아 정렬에 상당한 영향을 미칠 수 있으므로 수술 중 스플린트의 정확도에 영향을 미칠 수 있다.
5. 근막 제한을 확인하고 수술 결과에 부정적인 영향을 미칠 수 있는 두개골, 하악골, 척추, 골반의 비대칭을 개선하기 위한 물리 치료를 시행한다.
6. 적절한 수동 기술, 훈련, 중재를 통해 자세성 기능 장애와 해로운 습관을 제거하기 위한 계획을 확인하고 수립한다.
7. 근막, 반흔 조직, 부상 평가.

31.3 수술 후 단기

요법은 개별화되어 있으며 각 환자의 기능에 따라 다르다. 다음은 많이 사용되는 기술 중 일부이다:

1. 브러쉬(깃털, 부드러운 솔, 젖은 천조각 사용)로 볼, 입술, 혀를 자극한다(5분, 1일 3회).
2. 볼에 공기를 불어넣는다. 4면마다 5까지 센다(5번, 1일 3회).
3. 운동-범위 훈련. "이 우 아"라고 말한다(15번, 1일 3회).
4. 튜브 저작(부드럽게), 30초에서 시작하여 2분까지 진행, 가벼운 수술용 튜브를 2인치 길이로 잘라 사용. 양측 저작을 권장. 저작근을 재-결합하고 근육 위축을 피한다.
5. Power pucker (20번, 1일 3회). 입을 닫고, 입술을 붙이고, 뒤로 빨았다가 놓는다. 이것은 과다한 타액 조절에 도움이 될 수 있다.
6. 식이: 질감을 서서히 늘린다. 묽은 유동식으로 시작하여, 걸쭉한 유동식, 부드러운 음식으로 점차 단단함을 증가시킨다.
7. 통증과 염증을 줄이기 위한 요법과 기술을 따른다.
8. 과두의 전방 운동을 피하고, 회전 운동의 범위를 제한한다 (Richardson JK 참조).
9. 구내 마사지 및 근막 이완
10. 신경 탈민감화 및 재교육
11. 반흔 조직 관리 및 가동성 부여
12. 기능, 강도, 안정성 향상을 위한 순차적 진행 시행
13. 건강한 수면 위생과 습관을 강조
14. 자세성 활동 및 자가-경추 가동성 운동
15. 악관절 치환술을 수행한 경우, 환자와 치료사는 환자가 정상 기능과 운동 프로토콜 모두에서 측방 운동을 인지할 수 있도록 협력해야 한다. 많은 환자/치료사가 관절 주변 근육에 불편감을 유발할 수 있는 습관과 움직임을 인식하지 못한다.

31.4 수술 후 장기

이런 건강한 습관과 운동 양상의 습관화는 재발 및 수술의 필요성에 기여한 기능 장애로의 회귀를 예방하는데 필수적이다 (■ 그림 31.3). 근기능 치료, 언어 치료, 물리 치료를 포함하는 다학제적 관리 접근 방식은 술후 합병증 관리의 부담을 줄이고 환자의 결과와 만족도를 크게 높일 수 있다. 수술 3–4개월 전에 시작하고 (외과의의 판단에 따라) 술후 최소 6개월 이상, 이상적으로는 1년 동안 지속하면 최적의 결과를 얻을 수 있다.

31.5 근기능 치료의 다른 이점

MMA 수술 후 재발 또는 지속되는 OSA는 환자와 의사 모두에게 좌절감을 줄 수 있다. MMA 후 OSA 재발은 드문 일이 아니다. 악골 수술로 수면 무호흡이 완치된 환자 중 수술 10–15년 후에도 OSA가 재발하는 것으로 보고되고 있다.[1] 지속성 또는 재발성 OSA가 있는 이런 환자에서 가장 우세한 폐쇄 부위는 혀 기저부이다.[5] 근기능 요법은 AHI를 성인에서 약 50%, 아동에서 약 62%까지 추가로 감소시키는 것으로 밝혀진 수면 무호흡 수술의 효과적인 보조 요법이다. 근기능 요법은 이설근의 긴장도를 회복시켜 혀 기저부 허탈을 예방하고[6], 폐구 상태의 비호흡을 촉진한다.[7] 이는 MMA 후 OSA가 지속되는 환자, 특히 상기도 저항 및/또는 경증에서 중등증 수면 무호흡 환자에게, 다른 잠재적 중재(예: 혀 기저부 축소술 및 부유술)에 대한 매우 효과적이고 비침습적이며 훨씬 안전한 대안이다.

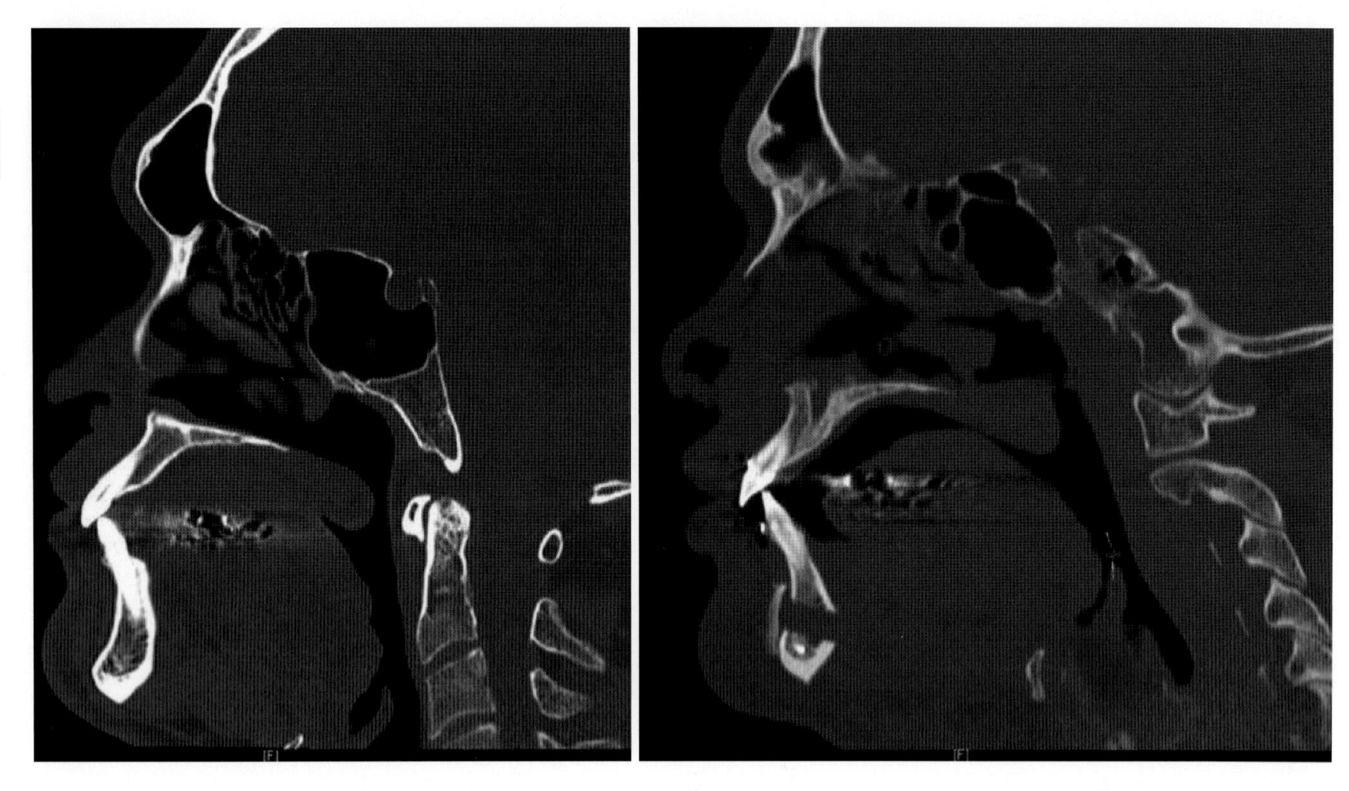

그림 31.3 MMA + GTA 수술 전후의 CT에서 부적절한 혀 위치를 보여준다. 이제 확대된 안면골격으로 혀를 위한 공간이 커졌지만, 혀가 후하방 변위의 성향으로 술전 위치로 되돌아간다. 근기능 치료는 혀를 경구개의 전상방으로 위치시키는 법을 배우는 데 도움이 된다.

31.6 근기능 치료사는 누구이며 어디에서 잘 훈련된 치료사를 찾을 수 있을까?

여러 나라에서 다양한 전문가들이 대학원 교육을 받는다. 미국에서는 치위생사, 물리치료사, 정골학의사, 작업 치료사, 언어병리학자가 이 교육의 후보자일 가능성이 높다. 미국의 외과의는 함께 일하는 물리치료사들이 근기능 치료에 대한 추가 훈련을 받도록 권장할 수 있다. 브라질에서는 주로 언어병리학자가 대상이 된다. 일본에서는 많은 치위생사가 받았다. 다른 국가에서는 치과전문의, 물리치료사, 언어병리학자의 조합일 수도 있다.

치료사와 환자의 관계는 신뢰, 지원, 동기 부여 모두가 얽힌 상태로 환자의 걱정을 해결하고 "구체화"(의사와의 시간을 갖지 못할 때의 절차)로 돌아가 사전 대비하게 된다. 치료사는 생리적이고 정서적인 지원과 수면 위생을 진행하면서, 최상의 수술 결과와 특히 장기 결과를 위한 핵심적 역할을 하게 된다.

참고문헌

1. Zaghi S, Holty J-EC, Certal V, et al. Maxillomandibular advancement for treatment of obstructive sleep apnea: a meta-analysis. JAMA Otolaryngol-Head Neck Surg. 2016;142(1):58–66.
2. Liu SY-C, Huon L-K, Iwasaki T, et al. Efficacy of Maxillomandibular advancement examined with drug-induced sleep endoscopy and computational fluid dynamics airflow modeling. Otolaryngol Head Neck Surg. 2016;154(1):189–95.
3. Camacho M, Liu SY, Certal V, Capasso R, Powell NB, Riley RW. Large maxillomandibular advancements for obstructive sleep apnea: an operative technique evolved over 30 years. J Cranio-Maxillofac Surg. 2015;43(7):1113–8.
4. Moeller JL. Orofacial myofunctional therapy: What is OMT? Why is it important to ortho care? J Am Orthodont Soc. 2009; Spring 2009 (http://www. myoworks. net/upload/JAOSspr09_Moell_prf2. pdf).
5. Liu SY-C, Huon L-K, Powell NB, et al. Lateral pharyngeal wall tension after maxillomandibular advancement for obstructive sleep apnea is a marker for surgical success: observations from drug-induced sleep endoscopy. J Oral Maxillofac Surg. 2015;73(8):1575–82.
6. Mathur R, Mortimore IL, Jan MA, Douglas NJ. Effect of breathing, pressure and posture on palatoglossal and genioglossal tone. Clin Sci. 1995;89(4):441–5.
7. Moeller JL, Paskay LC, Gelb ML. Myofunctional therapy: a novel treatment of pediatric sleep-disordered breathing. Sleep Med Clin. 2014;9(2):235–43.

상하악 전진술 관련 합병증

Reza Movahed, Joseph W. Ivory, and Frank Delatour

목차

32

개요

상하악 전진술(MMA)의 합병증은 폐쇄성 수면 무호흡(OSA)의 진단과 치료 중, 술전 기간, 수술 전후 교정 치료, 술중 및 술후를 포함한 치료 연속체 전반에 걸쳐 언제든지 발생할 수 있다. Holty와 Guilleminault의 MMA에 관한 22개 연구를 대상으로 한 2010년 체계적 고찰과 메타 분석에 따르면, MMA는 주요 합병증 비율이 약 1%로 비교적 낮아 잘-구축된 악교정 술식이 되었고, 술후 평균 5(범위; 3–7.7)개월의 경과 관찰 동안 소수의 상대적으로 경미한 합병증이 있었다고 보고되었다.[1] 특히, 그들은 합병증의 고위험군이 하나 이상의 술전 동반 질환이 있는 고령 환자와 개인임을 발견했다.[1]

일부 술후 합병증은 너무 일반적이어서 호흡과 식사의 일상적인 어려움, 기분 저하, 약간의 만족과 관련된 문제 등이 MMA에 수반될 것이 예상된다.[2] 교정 치료와 악교정 수술은 환자의 외모를 개선하기 위한 것이지만, 모든 환자가 큰 수술을 받아야하는 어려움과 치료 기간 연장의 어려움에 충분히 적응할 수 있는 것은 아니다. 성공적인 수술에도 불구하고, 기분과 환자 만족도 저하는 외과의와 환자가 적극적으로 극복해야 할 과제이다. 다른 주요 외과 수술과 마찬가지로 MMA에서 회복하려면 입원 기간이 필요하고 잠재적으로 몇 개월의 치유와 회복이 필요하다. 특히 MMA 환자는 술후 평균 3.5일의 입원 치료가 필요하고 대부분의 환자는 보편적으로 2주에서 10주 사이에 정상 기능 상태로 돌아간다.[3]

그러나 다양한 합병증 발생은 환자의 입원 기간을 증가시키고, 치유와 재활을 지연시키거나 심하게 손상할 수 있으며, 특히 한번 또는 여러 번의 재치료가 필요한 경우 정규 활동으로의 복귀가 연기될 수 있다. 삽입물/장치 실패, 감염 발생, 및/또는 약물 부작용 같은 문제는 회복을 복잡하게 만들고 삶의 질(QOL)을 크게 저해하며 완전한 회복에 대한 환자의 희망을 손상시키고, 환자와 제공자 모두의 만족도를 감소시킬 수 있다. 그러므로, 합병증은 환자–제공자 연합으로 함께 신중하게 고려 및 논의되어야 하고, 수술 전에 유사하게 대비하여 합병증 발생을 예방하거나 (합병증이 발생하는 경우) 환자–제공팀의 능력을 최대한 활용하여 이런 사건을 완화 및 관리해야 한다.

32.1 합병증의 공동 예방과 관리

32.1.1 1970년대에 보고된 최초의 합병증

악교정 수술의 처음 주요 합병증 중 하나는 1979년 Piecuch와 West에 의해 보고되었다.[4] 그들은 상악 과형성 및 하악 부전증으로 수술을 받은 24세 남성에서 자발적 기종격을 보고했다. 전체 상악 치조골 절단술과 확장 및 양측 하악 시상 골절단술이 수행되었다. 2일 후, 기종격의 징후가 호흡 곤란 없이 날카롭고 방사되지 않는 전방 흉통의 형태로 나타났다. 흉부 X–ray에서 폐 부위가 깨끗하고 심전도도 정상이었으나, 심장 윤곽이 2배 밀도이고 큰 혈관을 포함하는 공기 음영이 보였다. 기종격은 폐포의 자발적인 파열로 인한 것으로 진단되었으며, 술식 중 인공 호흡기의 특정 개입 및 사용과 관련이 없었다. 자발적 기종격은 악교정 수술이나 기타 주요 두경부 수술 중 극히 드문 합병증으로 입증되었지만, 이 초기 증례는 발생 시 합병증 예방과 적극적인 치료에 대한 체계적인 주의가 필요한 자발적 합병증의 일반적인 위험을 강조한다.

그 이후로 악교정 수술은 시간 경과에 따라 점점 더 널리 수용되고 있으며, 동시에 술전과 술중 영상 및 계획 수립의 혁신, 데이터 집약적인 3D 컴퓨터 이용 수술 기술의 능력 향상, 다양한 생체 재료의 개발, 향상된 수술 골 절단 및 조정 장치의 설계와 품질 향상, 크게 향상된 정밀도, 우수한 술식 전략과 접근 방식은 외과의와 직원 모두의 향상된 교육과 기술에 의해 주도된다.[5] 2012년까지 합병증을 기술하는데 중점을 둔 14편의 논문이 있었고 현재는 수십편이 더 있지만, 합병증은 제대로 보고되지 않은 것으로 여겨진다.[6]

32.1.2 효과적인 제공자–환자 위험 의사 소통과 공유된 의사 결정

각 외과의가 합병증과 그 관리에 진지하고 체계적으로(필요하면 다학제적 도움으로) 접근하는 것이 중요하다. 환자가 치료에 적극적인 역할을 할 수 있는 강력한 협진을 구축하는 것도 중요하다.[7] 이는 치료 연속체 전반에 걸쳐 협진이 직면한 위험과 도전에 대한 공개 토론을 촉진하고 합병증을 가장 효과적으로 예방 및/또는 최소화할 수 있는 수단에 대한 지식을 환자와 가족에게 제공하기 위한 것이다. 권한 부여는 중요한 예측 변수이자 협진의 기초이며 궁극적으로 환자 만족도에 큰 영향을 미친다.[8] 환자가 자신을 돌보는 데 적극적인 역할을 할 수 있는 의사소통이 활발하고 참여적인 업무 관계는 또한 더 나은 건강 결과를 촉진하여 상호 존중과 감사를 고취하고 의료 과실 소송의 잠재적 위험을 줄이는 역할을 할 수 있다.[9-13] 궁극적으로 무엇이 합병증이고 무엇이 과실인지 사이에는 분명한 차이가 있어야 한다.

공유된 의사 결정은 양질의 진료를 정의하는 핵심 요소이다. Epstein 등은 2004년 획기적은 논문에서 임상의가 목표로 삼아야 하는 5가지 특정 목표를 확인했다: (1) 환자의 경험과 기대를 듣고 이해한다; (2) 작업 동반자 관계를 키운다; (3) 증거와 불확실성에 대한 균형 잡힌 상담을 제공한다; (4) 환자 선호도에 맞춘 임상적 판단에 근거하여 권고한다; (5) 환자(및 가족/간병인)가 위험과 치료 계획을 이해한다는 것을 확인하고 제공된 내용에 대한 동의를 받는다.[14] 제공자는 주도적으로 환자와 그 가족(및 기타 간병인)이 합병증을 함께 관리하는 문제를 해결할 수 있도록 이해와 동의를 촉진하도록 유도하고 지시한다.[7] 그러나 위험 의사 소통은 환자 중심 치료를 위한 의사 소통 기술에 대한 제한된 훈련을 받기 때문에 임상의에게 어려운 노력이 될 수 있다.[15] 2014년 위험 의사 소통에 대한 체계적 고찰은 증거가 시각적으로 제시될 때 환자가 위험을 더 잘 이해한다고 결론지었다.[16] 외과의가 MMA와 관련된 합병증의 예방과 관리에 대한 접근 방식을 주기적으로 재평가하는 것이 현명하다.[17]

32.2 MMA에서 합병증이 중요한 이유

32.2.1 심리적 도전과 환자 만족도

악교정 수술로 인한 변화가 기도와 교합의 기능적 성공 외에도, 더 큰 자신감과 자율권 부여, 자기 이미지 개선, 동기 부여, 삶의 질과 웰빙의 느낌이라는 무형적 이점 등 환자에게 몇 가지 긍정적인 이점을 제공한다는 증거가 있다.[18,19] 따라서 치료의 심리적 측면은 치료 성공과 매우 관련있으며, 많은 연구의 초점은 악교정 수술 후 치아안면 변화에 환자가 심리적 건강에의 요인에 어떻게 대처하고 그들의 필요를 평가하는지에 대한 것이었다.

악교정 수술 후 기분 저하, 삶의 질 저하, 치료 만족도 감소와 같은 몇 가지 심리적 문제가 보고되었다. Khattak 등은 악교정 수술을 받은 74명의 환자를 연구한 결과, 환자의 주요 자가-진술한 술후 합병증은 호흡, 식사, 기분 저하임을 발견했다.[2] 저자는 임상의가 이러한 치료의 크기를 인식할 뿐만 아니라 환자의 마음 상태를 사전에 확인하고 필요한 경우 심리적 지원을 촉진해야 한다고 권장했다. 보고된 환자 만족도는 개인의 심리적 건강을 엿볼 수 있지만, 이것이 전부가 아니라는 점을 기억해야 한다. 그럼에도 불구하고, 심리적 건강은 자신의 치료에 대한 환자 진술의 만족도에 영향을 미치거나 다른 방식으로 착색될 수 있다. 수술 전후 기분과 감정의 변화는 안면 변화에 대한 환자의 인식을 넘어 보이지 않는 문제가 더 많다는 신호이고, 전반적인 자아 이미지와 잠재적으로 통제 위치에 기여하는 변화를 처리하는 방법도 알려준다. 전돌이나 후퇴증부터 선천성 두개안면 형태에 이르는 다양한 치아안면 기형을 가진 환자는 또한 다양한 심리적 장애[불만족 및 기능적 손상을 초래하는 인지된 외모 결함에 대한 집착을 특징으로 하는 신체 이형 장애(BDD) 포함], 감정적 취약성, 잠재적 비적응 행동이 발생할 수 있는데, 이 모두는 비가역적인 치료가 결정되고 실행되기 전에 가능한 조기에 인식되고 적절하게 해결되어야 한다.[20]

Moon과 Kim[21]은 환자들이 인지하는 요구가 그들을 치료하는 교정의와 구강외과의의 요구 및 초점과 자주 다르다고 단정하였다. 이를 위해서 임상의는 환자의 관점과 기대를 발견하기 위해 진지한 노력을 기울여야 한다. 그 이후에 환자의 불합리한 기대를 무시하는 것이 아니라 경청, 인정, 긍정함으로써 환자의 불합리한 기대를 조절하고 그들이 경험할 수 있는 일의 유형에 대한 교육과 상기를 제공함으로써 환자를 준비시키는 것이 현명하다.[21] 예를 들어, Phillips 등[22]은 일상 생활 활동에 대한 영향을 설명하는 술전 상담이 다른 환자보다 일부 환자의 환자-제공자 의사 소통 과정에서 중요한 부분이라고 강조했다. 그들은 양측성 시상 분할 골절단술(BSSO)을 받은 환자를 개방형 운동 그룹이나 감각 재훈련 운동 그룹으로 무작위 배정했다. 개방형 운동 그룹은 일상 생활 활동(ADL)을 방해하는 무감각과 귀찮은 입술 감각 상실을 보고할 가능성이 더 높은 것으로 보고되었다. 또한 ADL 간섭을 보고한 환자는 나이가 많거나 술전 자가-진술에서 높은 수준의 심리적 고통을 기록하는 경향이 있었고 경고 감각 기능 장애에 대한 더 높은 부담을 보고할 가능성이 더 높았다($p < 0.02$).[22]

연령 스펙트럼의 어린 쪽에서는 어린이, 청소년, 젊은 성인이 신체적으로 발달할 뿐만 아니라 감정적으로도 함께 성장하고 있음을 인식하는 것이 중요하다. Belucci 등은 정서적 취약자는 수술 스트레스로 인해 상당히 힘들어할 수 있고, 이러한 환자는 술후 최소 1년 동안 면밀히 추적 관찰해야 한다고 보고한다. 또한, 저자들은 치료 성공이 기능적 교합과 개선된 형태와 같은 성공의 표준 지표 외에도 심리사회적 건강과 개선된 삶의 질에 의해 측정된다고 단정하였다.[23]

기본적으로, 환자 만족도는 환자 경험의 반영이므로 치료의 모든 단계에서 해당 경험을 개선하는 데 공감하는 관점이 필요하다. 수술을 받은 환자는 치료가 6개월 이상 지속되면 우울증과 불안에 더 취약하다(Kiyak 등 1985). 환자가 새로운 외모에 적응할 때 그들의 60–80%가 최소한 짧은 우울증을 경험하는 것으로 추정된다.[24,25]

일부 환자는 현재의 어려움 상태에 대한 불만이나 미래의 부담에 대한 기대에 머물 수 있기 때문에, 외과의는 경청과 이해, 교육과 권한부여, 안심을 통해, 그리고 해결해야 할 구체적인 작업과 이정표에 대한 리더십과 방향을 제공함으로써 이러한 문제 해결을 위한 상담을 이끌어내야 한다. 어떤 경우에는, 식이요법이나 기타 실질적인 치료와 목표 설정을 변경해도 기분이 좋지 않을 수 있다. 따라서 환자 가족의 주치의, 사회복지사 및/또는 정신과의와 같이 불안과 우울증과 같은 행동과 상태를 식별하고 치료할 수 있는 다학제적 자원과의 상담은 이러한 상태가 수술과 관련이 있는지 여부에 관계없이 필수적이다.

2007년 Desforges 등[26]은 악교정 수술을 받은 92명의 환자를 연구하고 일상적인 추적 관찰 지점을 문서화하여 삶의 질과 수술의 심리적 영향을 측정했다. 저자들은 환자들이 일반적으로 "중요한" 술후 부기로 인한 안면 변화 정도에 놀랐지만, 궁극적으로 90%가 "복잡함"이 제거될 정도로 치료에 만족한다고 보고했음을 발견했다. 몇몇 환자는 체중 감소도 보고했는데, 이것도 자기 이미지를 개선했을 가능성이 있다. 저자들은 환자의 만족도와 진료의 질이 환자와 전문가 사이의 의사 소통, 이해, 치료적 동맹의 힘에 의해 직접적으로 영향을 받을 수 있다고 제안했다.[26] 이것은 1971년에 환자의 불편함과 회복에 대한 현실적인 기대가 더 높은 환자 만족도와 상관관계가 있음을 보여준 Edgerton과 Knorr의 작업을 더욱 뒷받침한다. Pacheco-Pereira 등[27]의 2016년 체계적 고찰에 따르면 만족도와 관련된 요소는 최종 심미적 결과, 인식된 사회적 이점, 악교정 수술의 유형, 성별, 치료 중 개선된 자아 개념이었다.

한편, 환자의 불만족 요인은 치료 기간, 기능적 손상, 수술 위험에 대한 인지 생략 등이었다.[27] Kiyak 등은 어떤 불만족은 2가지 중요한 예측 변수에서 비롯될 수 있다고 보고했다: 1) 가족의 압력과 동료 압력 인지와 같은 동기의 외부 소스, 2) 신경증[28], 두 경우는 집중된 의사 소통 전략과 정신과 상담의 이점을 얻을 수 있다. 또 다른 이유는 긴 대기 시간, 혼잡한 병원, 다수의 전화와 내원 예약의 필요성이다.[2]

환자에게, MMA는 잠재적으로 심각한 주요 합병증이나 최소한 성가신 일상적인 혼란을 통한 적응과 인내가 필요하다. 외과의는 술전 계획부터 수술 기간, 장기 경과 관찰에 이르기까지 치료의 모든 단계에서 환자가 다양한 심리적, 정서적 반응을 경험한다는 점을 충분히 이해하도록 노력해야 한다. 환자는 치료의 수혜자가 되어야 하며 경고 받은(또는 받지 않은) 위험과 합병증의 의도하지 않는 수혜자가 되어서는 안된다.

32.2.2 고정성 재료 발전과 연관 합병증

시간 경과에 따라 OSA를 위한 주요 양악 수술이 크게 발전했다. 생체 흡수성 물질은 치유 및 합병증 감소에 이점이 있는지 여부를 결정하기 위해 지난 15년 동안 큰 관심을 가져왔다. 어떤 재료들은 성공했지만, 그 한계로 인해 힘을 잃었다. 예를 들어, 2013년 Yoshioka 등[29]은 흥미로운 연구에서, 생분해성 플레이트 시스템으로 MMA 수술을 받은 169명의 환자를 연구했다. 장치 실패는 환자의 6%(10/169)에서 보고되었으며, 비대칭[승산비(OR) 5.35; $p = 0.02$] 및 개방 교합의 존재[(OR) 5.20; $p = 0.02$]와 같은 몇 가지 중요한 요인에 기인하는 것으로 결정되었다. 결과적으로 저자는 최소 부하의 증례에서만 생분해성 플레이트의 사용을 권장했다.[29]

2013년 체계적 고찰에서는 20개의 연구와 1673명의 대상을 통합하여 흡수성 고정과 티타늄 고정을 비교했다. 이에 따르면, 다양한 악교정 수술에서 티타늄 그룹에 비해 흡수성 고정 그룹에서 훨씬 더 많은 합병증이 있었다(RR = 1.20; 95% CI: 1.02–1.42; $p = 0.03$). 양악 수술만 한 하위 그룹(3개 연구)에서는 이와 동일한 결과를 나타내지 못했고 그룹 간 합병증의 유의하지 않은 차이(RR = 1.89; 95% CI: 0.85–4.22; $p = 0.12$)를 보여주었으며 MMA 하위 그룹(6개 연구; RR = 1.45, 95% CI: 0.84–2.48; $p = 0.18$)과 Le Fort I 골절단술 하위 그룹(2개 연구; RR = 0.65; 95% CI: 0.34–1.23; $p = 0.18$)에 대해서도 비슷하게 유의하지 않은 결과를 보였다. 그러나 골절 고정 영역에서, 흡수성 고정 그룹은 티타늄 고정에 비해 상당히 낮은 합병증 발생률을 보였다(5개 연구; RR = 0.71; 95% CI: 0.52–0.97; $p = 0.03$). 흡수성 고정은 촉진, 열개, 감염, 감각 이상, 이물 반응, 열개, 부정교합, 모든 물질 관련 합병증, 노출, 가동성 부분에서 이점을 나타내는 것으로 보인다($p > 0.05$).

이 체계적 고찰은 서로 다른 술식에서 서로 다른 재료를 사용하는 것에 대한 뚜렷한 절충점을 분명히 보여주었다. 흡수성 재료가 어느 정도 가능성을 보여주긴 했지만, 전체적인 결과는 모든 악안면 시술에서 티타늄 고정이 더 나은 것으로 보인다. 흡수성 고정 시스템의 높은 비용이 사용에 또 다른 장벽이 될 수 있다. 저자들은 흡수성 재료의 안전성을 적절하게 설명하는 데이터가 부족하다고 제안했으며, 궁극적으로 흡수성 재료가 우수하고 특히 촉진성에서 상대적으로 합병증이 적다고 입증된 골절 고정을 제외하고 악안면 수술의 전체 영역에서 첫 번째 선택으로 흡수성 재료를 피하도록 권장했다.

32.2.3 사망률

사망률은 확실히 주요 부작용(MAE)이자 최악의 합병증이지만, 다행히 사망은 매우 드물다.[30] 그러나 악교정 수술의 주요 합병증 중 일부는 징후를 즉시 인식하고 합병증에 대한 중재를 수행하더라도 잠재적으로 치명적일 수 있다. 보고된 상태에는 술후 기종격 또는 기흉[31], 위동맥류나 박리와 같은 내경동맥 및/또는 내상악 동맥에 대한 심각한 혈관 손상[32-35], 심각한 수술 중 지연된 이차출혈, 기도 폐쇄, 전신마취와 연관된 사망이 포함된다.

2017년 Kim 등은 2000년부터 2016년까지 한국에서 악교정이나 악골 수술 중 또는 이후 사망의 원인을 검토했는데, 10건에서 사망이나 식물인간이 되었고 사망의 4증례는 안면 윤곽술이었다. 이 14건의 증례에서, 명백한 원인은 출혈(2증례), 호흡기 문제(4증례), 수술 오류(1증례), "알 수 없는" 원인(6증례)이었다; 14건 중 12건(85.7%)은 성형외과의가, 2건은 대학 병원 미상의 진료과와 치과의사가 시행하였다. 연구 기간동안 사망자 중 4명만이 보고되었다는 점은 주목할 만하다.

사망에 이르는 합병증의 과소보고로 인해 실제 비율을 확인하기가 어려운데, 특히 매년 수행되는 정형외과 수술의 추정 횟수가 변동될 가능성이 높기 때문이다. 현재 연간 추산되는 악교정 수술 건수는 약 5,000건이다. 미국에서, 악교정 수술로 인한 사망이 문헌에 보고되지 않았다; 그러나 미국 외과계는 현 10년간 2-3건의 증례를 인지하고 있다.[36] 사망원인과 위험인자를 규명하기 위해서는 중대사례에 대한 보다 투명한 보고가 필요하다. 이러한 발생률에도 불구하고 필요한 장비를 갖춘 적절한 수술실에서 숙련된 외과의가 수행하고, 여기에 일반 외과의, 혈관 외과의, 치료 방사선의와 같은 전문의에 의한 긴급 구제로 접근하면, 악교정 수술은 보편적으로 안전한 것으로 간주된다.[37,38]

32.2.4 상황에 따른 MMA의 단기 및 장기 안정성과 효율성

현재, MMA가 OSA의 결과와 삶의 질을 개선하는 데 안전하고 효과적이라는 풍부한 증거가 있으며, 이는 지속성 양압기의 첫 번째 치료 대안이다.[39] Makovey 등은 2017년에 OSA를 위한 MMA가 중등증에서 중증 OSA로 치료받은 환자 그룹에 매우 효과적이고, 20명의 환자 표본(평균 48.8 ± 12.3세)에서 기도 용적이 2.5배 증가했음을 확인했다.

2017년 11개의 체계적 고찰에 대한 개요는 MMA가 OSA 환자의 인두 기도 용적을 안정적이고 긍정적으로 개선한다고 결론지었다. 2010년 Holty와 Guilleminault[1] 및 2016년 Zaghi 등[36]의 술후 MMA 데이터에 대한 메타 분석은 그들의 연구에서 무호흡 저호흡 지수(AHI)의 통계적으로 유의한 감소[1,36]와 호흡 장애 지수(RDI)[36] 및 야간 산소 헤모글로빈 최저 최적값(SpO_2 최저값)[1]과 같은 기타 측정값의 개선을 보여주었다. 최근, AHI, 산소 불포화 지수(ODI), Epworth 수면 척도(ESS)를 사용하여 MMA 후 인두 외벽의 안정성을 나타내는 또 다른 수술 성공 지표가 보고되었다.[40] MMA는 높은 치료 성공률로 보고되었다.[1,41] 예를 들어, Zaghi 등은 85.5%의 성공률과 38.5%의 치료율을 보여줬다[36]; 한층 더 나아가, 이 체계적 고찰은 수술 성공의 예측 인자가 더 어린 환자, 낮은 술전 AHI, 상악 전진의 더 높은 범위라고 확정하였다.

32.2.5 장기 경과 관찰, 치료 실패의 위험 및 합병증

MMA의 장기 안정성과 OSA의 효과에 대한 증거는 Boyd 등의 2015년 후향적인 2개 센터 코호트 연구($n = 30$)에서 입증되었는데, MMA 후 6.6 ± 2.8년의 경과 관찰 동안 환자들이 단기 연구에서 보여지는 부작용을 경험한다고 보고했다(예: 부정교합, 경미한 출혈, 항생제로 성공적으로 치유되는 국소 감염, 보통 12개월 정도에 해소되는 하치조 신경의 잦은 감각 변화, 환자의 적은 비율에서 기록된 안면 외형의 악화).[42] 2009년 Blumen 등도 50명의 MMA 수술을 받은 환자의 술후 주요 합병증은 없다고 보고했는데, 가장 흔한 합병증은 이신경 감각 소실이지만 환자는 긍정적인 수술 결과에 따른 2차적인 것으로 생각한다고 하였다.[43]

2017년, Vigneron 등[44]은 1995년부터 2009년까지 치료된 88명의 MMA 환자를 최소 3년, 평균 13.8 ± 3.9년 관찰한 장기 결과를 발표하였다. 저자들은 환자를 치료 성공과 실패의 그룹으로 나누었다. 치료 실패와 성공의 AHI는 각각 33.4 ± 18.7, 4.7 ± 3.2였다($p < 0.004$). 장기적인 성공의 요소에는 젊은 나이(45세 미만 환자의 성공률은 100%), 체질량 지수(BMI) < 25, AHI < 45, SNB < 75%, 좁은 설후 공간 (< 8 mm), 술전 교정 치료를 받은 환자가 포함되었다. 치료 실패의 위험은 표 32.1에 나와있다.

■ 표 32.1 치료 실패 위험 (Vigneron 등, 2017[44])

위험 매개변수	승산비	95% CI
술전 BMI > 24.8 대 < 24.8 kg/m²	14.00	1.43; 137.32
술전 연령 > 45.01 대 < 45.01 years	14.00	1.43; 137.32
성별 남성 대 여성	33.33	2.83; 392.60
술전 AHI > 44.5 대 < 44.5 events/h	6.25	1.03; 38.08
술전 SNB > 75% 대 < 75%	14.17	1.83; 109.86
상악 전진량 > 11 대 < 11 mm	11.00	1.06; 114.09
술후 MRBL > 8 대 < 8 mm	6.25	1.03; 38.08

BMI 체질량 지수, AHI 무호흡-저호흡 지수, SNB 두부계측 영상에서 계측된 Sella-nasion-B point 각도, MRBL 두부계측 영상에서 측정한 최소 설후 거리

치료 성공과 합병증의 위험은 상호 배타적이지 않을 수 있다. 많은 연구들이 OSA 연구 종점의 충족[예: AHI, 혈압(BP), ESS, QOL 등]에 의해 치료 성공을 결정한다; 그러나 이것이 합병증을 완전히 피했다는 것을 의미하는 것은 아니다. MMA는 우수한 결과를 보이는 OSA에 필수적이지 않은 영구적인 치료이지만, 또한 그것이 무엇인지에 대해서도 인지해야 한다: 하악 기형의 수정을 위한 침습적인 주요 수술적 술식이지만 위험과 합병증 발생에 둔감하지 않다. 2017년 de Ruiter 등[45]은 OSA의 MMA를 경험한 62명의 환자들 대상으로 치료 성공과 실패의 요인을 연구했다. 그들은 AHI 측정이 두 종점에 대한 치료 평가에 유용하다고 확인했다. 그들은 71%의 성공률(69%의 평균 AHI 감소)을 보고했고, 치료 실패의 주요 예측 인자가 나이(58 대 53세, 각각; $p = 0.037$)와 상당히 큰 목 둘레($p = 0.008$)라고 하였다. 특히, MMA 술식에서 가장 흔한 합병증은 하치조신경의 감각 손상(60%)과 부정교합(24%)이었다.[45]

일반적으로 치료 실패는 합병증과 상관있지만, 현재까지 증거는 일화적이다. 그러나 저자들의 전문가적 의견은 합병증의 발생과 치료 실패 사이의 연관성이 있을 수 있다고 믿는다. 이 연관성은 외과의의 훈련과 기술[46], 더 긴 수술 시간, 감염 감수성과 상처 오염, 환자의 심리적 탄력성, 술후 관리의 질을 포함하는 여러 변수의 영향을 받을 수 있다.

32.2.6 수술 난이도를 높이는 해부학적 복잡성

두경부는 해부학적으로 복잡하고, 서로 매우 복잡하게 연결되거나 밀접하게 위치한 인접 구조물들과 거대한 기능적 구조물을 형성한다. 단지 몇 cm, mm로 순환계, 소화계, 내분비계, 외피계, 림프계, 신경계, 호흡계, 골격계로 구분된다.[47] 안전은 전체 치료 과정 전반에 걸쳐 가장 중요한 관심사이고, 효율과 합병증 위험을 고려한 이해 계산법의 핵심 요소 중 하나이다. 안전이라는 주제를 둘러싼 토론과 권고는 몇 가지 이유로 환자에게 전달되어야 한다: (1) 고품질의 건강 관리를 제공하고 더 이상 해를 끼치지 않도록 하는 것은 의료인의 중심 동기이다; (2) 안전 정보에 대한 논의는 공유 의사 결정 과정에서 신뢰를 수립하여 협진을 촉진한다; 환자는 위험에 대한 정보를 잘 알고 있고 보호 안전 조치가 철저히 탐구된 후에 더 편안하게 결정할 수 있다; (3) 이 시점은 대체 치료에 대한 논의와 함께 성인 OSA 수술을 위한 2010년 실행 매개변수에서 최상의 실행으로 강조된다(Aurora 등 2010).[48]

>>"환자는 잠재적인 수술 성공률과 합병증, 양압기와 구강 장치 같은 대체 치료 선택지의 가용성, 이런 대체 치료의 효과와 성공률에 대한 조언을 받아야 한다."

한층 더 나아가, 통지된 동의서는 MMA 치료와 잠재적 합병증의 일반적 및 환자-특정 위험을 예상할 수 있는 모든 MMA 후보자와 환자의 인식된 이환율이 진행 결정에 영향을 미칠 수 있는 가능성에 대한 외과의의 판단에 영향을 미칠 수 있다.[47]

32.2.7 회복 기간의 차이를 유발하는 외과 술식의 차이

술식 사이의 차이로 환자마다 완전한 활동으로 복귀하는 시간이 달라질 수 있다. Dickerson 등[49]은 BSSO 환자가 Le Fort I 골절단술보다 더 빨리 직장이나 학교로 복귀하고, 후자에서 더 큰 평균 술중 및 술후 혈액 손실, 더 긴 수술 시간, 더 큰 몸무게 감소가 관찰되었다고 했다. 술후 21-28일까지, BSSO 환자의 81%가 Le Fort I 그룹의 약 50%에 비해 완전 활동으로 돌아왔다.

32.2.8 위험 개체군의 식별

악교정 수술 특히 OSA를 위한 MMA를 받은 환자에게서 합병증에 대한 잠재적 예측 인자와 위험이 있다. 이러한 위험 개체군의 많은 부분은 이번 단원의 나머지 부분에 걸쳐 합병증 유형에 의한 각 후속 국소 섹션에서 자세히 설명한다.

구강, 두경부의 다른 악교정 수술, 악안면이나 이비인후과 수술과 마찬가지로, 상대적으로 비슷한 해부학적 영역에서의 목적과 접근에의 일반적인 유사점이 있기 때문에 MMA에서 특이적으로 알려진 합병증에 대한 위험이 있는 환자를 인식하는 것이 바람직하다. 또한, 다른 전문 분야, 특히 약물요법/약리학, 치료 방사선, 외상, 노인과, 소아과, 정신과 진료, 사회사업과 같은 외과 전문 분야의 증거와 수많은 교육 소스와 미디어(소셜 미디어 포함)에 노출된 환자의 입장을 등한시하지 않아야 한다. 다른 특수 분야의 데이터는 MMA 외과의에게 정보를 제공하는데 유용하다. 그 약점에도 불구하고, 다양한 의료 전문 분야에 걸친 다학문적 (환자와 함께) 협력은 경계 완화 전략과 필요시 적극적인 중재 전략을 통해 합병증의 위험을 줄이는 것을 목표로 하고 가능한 최고 품질의 치료를 제공하는 데 있어 중요한 강점이다.

OSA 치료에서 MMA 적용에 특히 중요한 위험군 중 하나는 비만이다. 다양한 환자와 그 특성[예: 젊은 연령 대 고령(성인 대 소아 포함), 인종, 선천적 질환(예: Marfan 증후군)] 사이에 MMA 후 합병증 위험에 분명한 차이가 있지만, 비만은 MMA 환자에서 볼 수 있는 가장 일반적인 특징 중 하나이며 불균형적으로 많은 수의 MMA 환자가 더 높은 BMI나 목 둘레를 가질 가능성이 있으므로, 이를 인식하고 환자와 논의하지 않으면 잠재적 위험이 될 것이다. 술식의 모든 후보자가 비만이 아닌 것은 확실하다; 그러나 이것은 OSA로 고통받는 환자에서 가장 흔한 공통 분모 중 하나인 것 같으므로 여기에서 간략하게 살펴보자.

32.2.9 비만과 목 둘레

비만은 OSA의 자연적 과정에 기여하는 주요 위험 인자이며 OSA 중증도과 직접적으로 연관된다.[50] 또한, 대사 및 호르몬 장애도 비만과 심혈관질환 발병과 관련된다.[51] 앞서 치료 성공과 실패에 대해 논의한 바와 같이 de Ruiter 등은 목 둘레가 치료 실패의 예측 인자로 유의하게 큰 것으로 확인하였고[45], 목 둘레는 비만과 큰 상관관계를 가진다. 2014년 Cizza 등은 목둘레는 6.5시간 미만의 수면을 취하는 비만 남성과 폐경 전 비만 여성 모두에서 OSA 및 대사 증후군과 관련이 있다고 보고했다.[52] 또한 목 둘레의 95번째 백분위수(나이와 성별에 따라 보정)에 속하는 아동이 OSA 위험이 크게 증가한 것으로 보고한 Katz 등[53]에 의해 목 둘레는 소아 OSA에 대한 선별 도구로 검증되었다. OSA 재발은 다른 변수와 동반 질환 중에서 체중 증가와(적어도 부분적으로) 관련될 수 있다고 제안되었다.[54]

보고된 바에 따르면, 흥미롭게도, 치료되지 않은 중증 OSA(AHI 30 초과)는 치명적 및 비치명적 심혈관 사건에 대해 치료된 중증 OSA나 치료되지 않은 중등증의 OSA 환자에 비해 높은 위험을 가진다.[55] 2012년 후속 연구에 따르면 OSA 치료(지속적 양압기)의 이행 준수는 치료받지 않은 OSA 환자나 이행 준수가 낮은 환자에 비해 고혈압 발병 위험 감소와 상관관계를 가진다.[56] 많은 OSA 환자는 BMI가 30을 초과하므로 전문 교육과 추가 치료가 필요하다. 술후 추가로 비인후경 검사가 권장된다.[57] 일부 데이터에 의하면, OSA를 치료하면 비만이 감소하고 상호 작용이 있는 것도 사실이다: 비만 치료는 OSA 중증도를 감소시킨다.[58] 비만이나 하악 후퇴술을 받은 고령 환자는 수면 호흡 장애가 발생할 위험이 더 높다; 따라서, 하악 후퇴술로 인한 인두 공간 축소가 예상되기 때문에 골격성 III급 환자에게 양악 수술이 옹호되었다.[59]

32.3 술중 및 술후 합병증

32.3.1 술중 출혈

과도한 출혈을 합병증으로 정의하는 통일된 기준은 없지만, MMA나 전관절 치환술(TJR)을 수행할 때 출혈은 확실히 특히 우려되는 사항이며 MMA의 가장 흔한 합병증 중 하나이다. 1996년 Van de Perre는 상악 수술의 가장 흔한 합병증은 과도한 혈액 손실인 반면, 하악에서는 국소 삼출로 인한 기도 손상이라고 제안했다. 물론 MMA는 두 술식의 조합이지만, 이러한 합병증 중 어느 것이 더 빈번한지는 불분명하다.[30]

MMA 및/또는 TJR 술식은 하치조 혈관, 상치조, 상악, 하악후, 안면, 설하 동맥과 정맥에 잠재적으로 심각한 손상을 입힐 수 있다. 출혈 자체는 압박, 골 왁스, thrombin이나 epinephrine 거즈 패킹, 전기 소작으로 직접 관리될 수 있다. 상당한 출혈은 이 부위의 풍부한 혈관과 혈액 공급 때문에 발생한다. Piñeiro-Aguilar 등이 시행한 2011년 7개의 양악 악교정 연구에 대한 체계적 고찰에서, 수술 중 평균 혈액 손실은 436 mL 였다.[60] MMA는 상악이나 하악 단독 술식보다 시술 시간이 더 길고 출혈량이 더 많다. 2016년 Thastum 등의 연구에서, 덴마크 대학 병원에서 악교정 수술을 받은 356명의 환자에서 출혈이 발생했으며, 상대적으로 장시간의 광범위한 수술을 받는 체중 감소 환자에서 유의하게 나타났다.[61] 같은 해 Andersen 등이 이끄는 연구원 중 일부들도 상대적인 높은 혈액 소실과 긴 수술 시간이 술후 입원기간 연장을 예측하게 한다고 보고했고[62], 입원 환자의 이환율과 치유 연장을 감소시키는 것뿐만 아니라

이로 인한 재정적 부담을 줄이기 위해 출혈 감소와 시술 기간 단축이 주요 목표가 된다고 제안했다.

32.3.2 출혈 조절: 저혈압 대 정상 혈압 마취

2001년 Praveen 등[63]은 15–33세 사이의 악교정 수술 환자 53명을 대상으로 술중 출혈에 대한 각 접근법의 효과를 확인하기 위해 저혈압 마취와 정상 혈압 마취를 비교한 무작위 시험을 수행했다. 그들은 저혈압군에서 정상 혈압군에 비해 혈액 손실이 유의하게 적음을 발견했다[평균 혈액 손실 200 mL(범위: 90–400 mL) 대 350 mL(범위: 130–1,575 mL), $p = 0.01$]. 이런 장점은 앞서 언급한 체계적 고찰[60,64–68]뿐만 아니라 여러 후속 연구에 의해 확인되었다. 또한, 저혈압 마취 하에서 술중 실혈이 감소하면 감염, 급성 폐손상, 심근경색, 종양 재발, 더 높은 사망률과 같은 수혈의 필요성과 그에 수반되는 술중/술후 위험도 감소한다.[69] 그러므로, 장시간의 술식(MMA 및 TJR)에서 항응고제를 사용하면 출혈이 증가하는 반면, 국소 혈관 수축제와 함께 저혈압 마취를 사용하면 출혈이 감소한다. 어떤 마취가 결정되든 마취과의와 술자 사이의 우수한 팀워크는 술중 주요 부작용과 술후 문제를 예방하거나 완화하는데 필수적이다.[30]

32.3.2.1 술중 출혈 관리에서 가장 중요한 외과의 기술

출혈 관리를 위해 수술 부위 시야 확보, 해부학적 시각화, 적절한 국소 약물 선택, 수술 중 주의가 필요하다. 외과의의 기술은 수술 영역에서 혈관 변연을 침해하지 않고 거즈 압축, 소작, 혈관 결찰로 출혈부를 직접 관리하는 데 특히 중요하다.[70] 절개 중에 측두, 교근, 안면 동맥과 연관 혈관을 모두 만날 것이다. 또한, TJR은 교근, 내익상근, 외익상근을 박리해야 하는데, 이 모두가 상당한 출혈을 야기할 수 있다. 다회의 수술이 적용된 관절에서, 해부학적 평면의 삭제와 반흔 조직으로 인해 출혈을 예상하기 어려울 수 있다. 더욱이, 강직이 있는 경우 교근 정맥의 출혈 조절은 매우 어려울 수 있다.

세심한 수술 기술과 체계적인 박리가 TJR의 핵심이다. 수술 평면에의 지식과 이런 평면을 통한 체계적인 박리는 외과의가 관절낭이나 익상돌기 접근 전에 혈관을 식별하고 분리하는 데 도움이 된다. 힘을 조절하여 골에서 근육을 조심스럽게 박리하면 출혈을 예방할 수 있다. 교근 동맥이 sigmoid notch의 바로 내측에 있기 때문에, 과두절제술을 위해 과두를 준비할 때 특히 조심해야 한다. 과두를 제거할 때 근육이 붙어 있는 상태에서 단순히 당겨 빼내는 대신 외익상근의 부착을 조심스럽게 벗겨내야 한다.

골 절단을 수행할 때 인접 연조직을 보호해야 하며, 외과의는 절단 도구 끝의 보이지 않는 부위의 "블라인드" 작전을 피하도록 노력해야 한다. 과두 경부를 절단하는 동안 특수화된 기구로 인접 연조직을 보호할 수 있다. 본 저자는 인접 구조에 대한 의도치 않은 손상을 방지하기 위해 과두절제술에 압전 절단 도구 사용을 선호한다.

그러나 출혈이 발생하면, 해부학적 표층에 있는 대부분의 혈관을 분리하고 결찰할 수 있다. 신경 손상 부분에서 언급했듯이 전기 소작의 무분별한 사용은 권장되지 않는다. 정교한 팁의 양극 전기 소작법은 bovie의 멋진 대안이지만 여전히 주의해야 한다. 근육 출혈은 보통 epinephrine, thrombin-soaked neuro patties, Surgicel® (Ethicon US, LLC, Johnson & Johnson의 자회사), Fibrolar Surgicel, FloSeal로 상처를 채우고, 필요한 경우 적절한 압박을 가하면서, 충분한 시간을 기다려 조절할 수 있다. 국소적 조치로 조절할 수 없는 주요 동맥 출혈의 경우, 외경동맥 가지 분리와 색전술이 필요할 수 있다. 때때로, 특히 접근이 제한될 수 있는 중증 강직의 경우 동맥 색전술을 위해 치료 방사선과에의 의뢰가 필요할 수 있다. 적절한 영상 촬영을 수반한 주의깊은 술전 계획 수립으로 외과의는 잠재적 위험을 식별할 수 있고 수술 1–2일 전에 색전술을 수행할 수 있다.

32.3.3 술후 출혈

2차 지연 출혈은 혈관 결찰로 예방할 수 있고 큰 혈관 손상에 대해서는 혈관 조영술을 시행해야 한다. Le Fort I 골절단술 후 몇 주에 발생하는 동맥 비출혈은 심각한 것으로 간주되고, 무균 괴사를 유발할 위험이 있음에도 불구하고, 비강 상악동 패킹이나 손상된 혈관의 클립핑이나 전기 응고, 기타 지혈 방법을 통한 재개입으로 바로 치료해야 한다.[35]

위에서 언급했듯이 심각한 혈관 손상은 신속하게 관리해야 하는 위험이다. 정형외과에서는 드물지만 위동맥류는 상악, 안면, 하치조 동맥과 같은 더 큰 혈관에서 발행하는 것으로 보고되었다.[71,72] 환자는 박동성 연질 종괴, 안면 삼출, 지연된 출혈을 나타낼 수 있다. 동정맥 누공이라고도 알려진 위동맥류 또는 내경 및/또는 내측 상악 동맥의 박리는 심각한 이환율이나 사망률을 방지하기 위해 재중재(탐색적 혈관 결찰이나 치료 방사선학을 통한 혈관 색전술)로 신속하게 관리되어야 한다.[32–35,71,72]

혈액 손실의 일부 원인은 오묘하게 혼란스러울 수 있다. 근본적 원인을 결정하기 위해 성실하고 지속적인 조사가 필요하다.

예를 들어, 악교정 수술의 신체적 부담이 과도한 월경 출혈이나 불규칙성을 더 많이 야기하는 불분명한 이유로 뚜렷한 혈관 영향을 초래할 수 있다.[73] 월경 중 섬유소 용해 증가가 이 현상의 원인이라고 가정되었다.[74] 앞서 언급한 바와 같이 술중 출혈을 약화시키는 것으로 밝혀진 저혈압 마취를 사용하여 예방할 수 있다.[64]

출혈의 또 다른 원인은 저자의 환자처럼 순간적으로 파악하기 어려울 수 있다. 58세 OSA 남성에서 MMA 후 원인을 알 수 없는 위장 출혈이 발생했다. 환자가 실신하였고, 혈압이 현저히 감소하고 헤모글로빈 수치가 5.6으로 나타났다. 악안면의 적외선 내시경으로 출혈의 원인을 찾지 못했지만, 전체 위장관 내시경은 매우 크고 활발하게 출혈하는 궤양 3개를 발견했다. NSAID의 장기간 사용이 궤양의 원인일 가능성이 있다고 여겨졌다. 수혈과 5일의 집중 입원과 궤양 절제가 시행되었다. 환자는 더 이상의 출혈 합병증 없이 신속하고 완전히 회복되었다.

NSAID 사용의 또 다른 증례에서 OSA에 대한 MMA 후 위 천공의 MAE를 초래했다(▣ 그림 32.1–4). 21세 남성에서 술후 별일 없이 치유 과정이 진행되었다. 환자의 통증은 의존성에 대한 우려로 oxycodone 대신 ibuprofen으로 우선적으로 관리되었다. MMA 1주 후 환자는 발열, 메스꺼움, 빈맥, 권태감으로 내원했다. 이 시점에서 IV 소생술을 시행하고 환자 평가를 위해 입원시켰다. 병원 내 의뢰가 필요했다. 입원 동안, 환자는 처음에 진술하지 않았던 위통을 더욱 호소했다. 적절한 검사와 복부 영상을 시행했다. 백혈구 수치가 높게 나왔다. 위 천공이 의심되었다. 그 결과, 긴급 개복술을 시행하기 위한 일반 수술이 진행되었다. 환자는 상당히 젊고 건강한(OSA 제외) 남성이었지만, NSAID 사용으로 인해 위 천공이 발생한 것으로 의심되었다. 환자는 술후 중환자실로 이송되었다. 감염과의와 일반외과의가 1주일 동안 환자를 추적하였고, 그후 환자는 퇴원하여 모든 연관된 분야(일반외과, 감염과, 구강외과)의 의사가 경과 관찰하였다.

고용량 aspirin을 포함한 일반의약품(OTC) NSAID는 술후 치유 기간에 MMA 환자가 거의 보편적으로 사용한다. 술후 수일에서 수주로 처방 진통제를 전환할 때 의존할 수 있다. NSAID는 COX-1-derived prostaglandin의 고갈로 상부 및 하부 위장관을 직접 손상시켜 궁극적으로 점막에 국소 손상을 일으켜 궤양을 유발하는 것으로 오랫동안 알려져 왔다.[75] 입원이 필요한 NSAID 관련 위장 출혈은 이전에 생각됐던 것보다 더 일반적이다. Sostres 등[76]의 2017년 연구에서는 내시경으로 확인된 주요 상부 위장관 출혈 환자(n = 3,785)를 대상으로 증례-대조군 연구를 수행하고 이들의 특성을 대조군(n = 6,540)과 비교했다. 그들은 NSAID가 대조군에 비해 출혈 확인군에서 위장 출혈 위험이 4배 더 높다고 유의하게 예측한다는 것을 발견했다[4.86 (95% CI, 4.32–5.46)의 보정된 상대 위험]. 2017년 Chen 등[77]은 저용량 aspirin(심혈관계 사건의 1차 예방을 위해 복용)도 53,805명의 aspirin 사용자에서 1년 이내에 더 낮은 위장 출혈의 발병과 관련이 있었으며, 269,025명의 aspirin 비사용자 대조군과 비교하여(0.20% 대 0.06%, 각각) 매우 높은 통계적 확률로 확인되었다($p < 0.0001$). aspirin을 포함하여 NSAID의 위험에 주목하는 것도 중요하다.

2016년 체계적 고찰과 메타 분석[78]에 따르면 aspirin 사용으로 인한 MAE의 대부분은 위장 출혈과 뇌출혈(10년 동안 aspirin을 복용하는 1,000명당 1명의 사망 및 1명의 뇌졸중 위험)을 포함한다고 보고했다.[78,79] 그러나 저자들은 aspirin 사용에 따른 치명적이거나 심각한 장애를 일으키는 위장관 출혈의 발생률에서 유의한 차이를 발견하지 못했다. Aspirin 사용과 관련된 MAE는 드물지만 이러한 데이터는 대부분의 MMA 환자를 포함하여 수백만 명이 사용하는 아주 흔한 OTC 약제의 잠재적 위협을 보여준다. 다른 조건이 있거나 심장 질환의 일차 예방을 위해 저용량 aspirin을 일상적으로 사용하도록 교육했다. 이는 의사가 약물 요법(처방 또는 OTC) 영역을 포함하여 모든 치료 영역에서 적극적으로 경계해야 하는 형사처럼 약물을 지시하고 합병증의 원인을 결정하고, 해결책을 찾기 힘들면 여러 전문 분야의 도움을 받을 필요가 있음을 강조한다. 이 도움에는 약물 상호 작용과 부작용의 위험을 결정하기 위해 전문가, 약사, 환자의 가족 및/또는 기타 간병인과의 상담이 포함될 수 있다.

32.3.4 Le Fort I 분절 골절단술의 잠재적 합병증

32.3.4.1 구강상악동 누공

구강상악동 누공은 상악동과 구강 사이의 병리학적 소통으로 시술의 외상, 감염, 골수염, 기타 의인성 원인에 의해 발생할 수 있다. 분절 골절단 후 구강상악동 누공 폐쇄의 목표는 누공을 완전히 폐쇄하고 환자의 편안함을 최적화하여 신속한 치유를 촉진하고 재개통 및 부위 감염을 포함한 기타 합병증을 피하는 것이다.[80] 우발적인 구강 누공의 폐쇄는 중격 연골 이식[81], 귀 연골 사용과 같은 다양한 결합 조직 이식의 변형[82], 골 폐쇄 사용[83], 설피판 폐쇄, 협측 지방 패드 피판을 포함하는 골과 결합 조직의 채취원과 다양한 방법 및 상악동의 내시경 배액[84]을 사용하여 해결할 것이 제안되었다(▣ 그림 32.5–6).

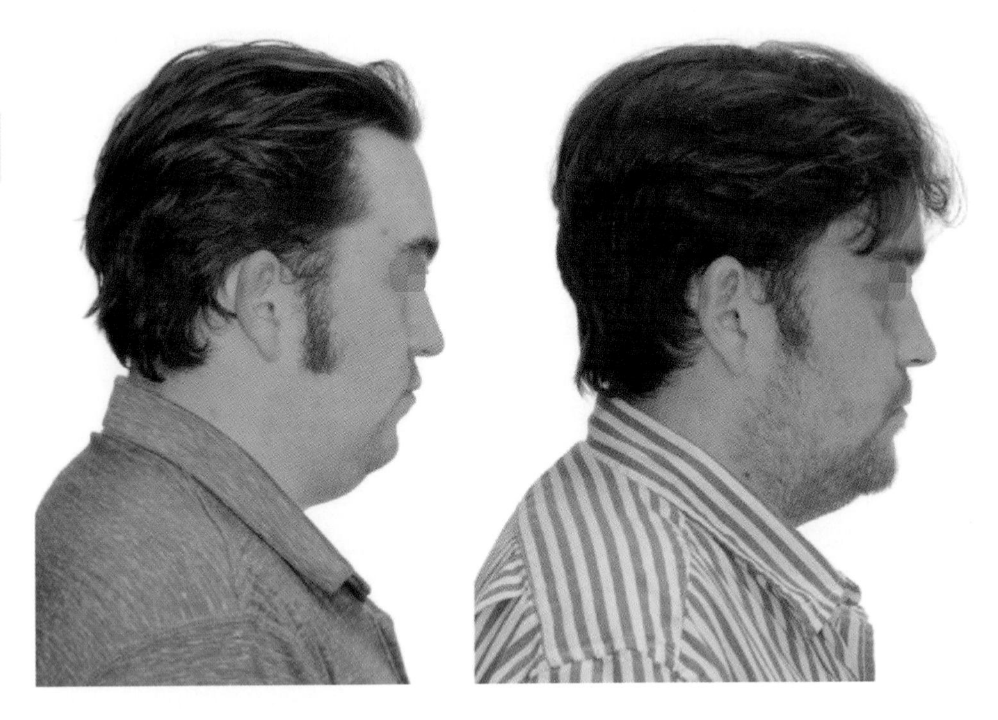

■ 그림 32.1 술전 및 술후 측면 사진

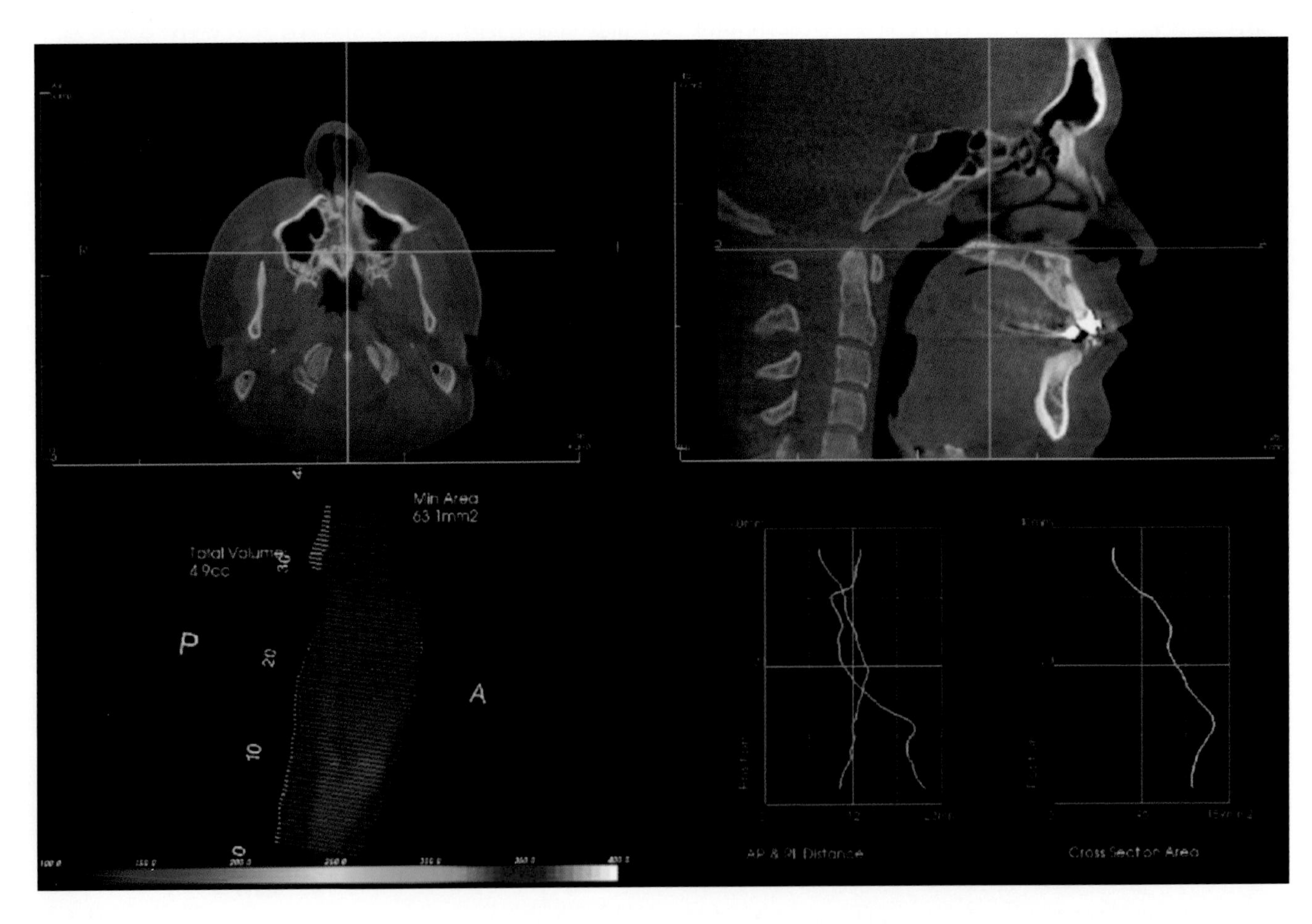

■ 그림 32.2 술전 기도 용적

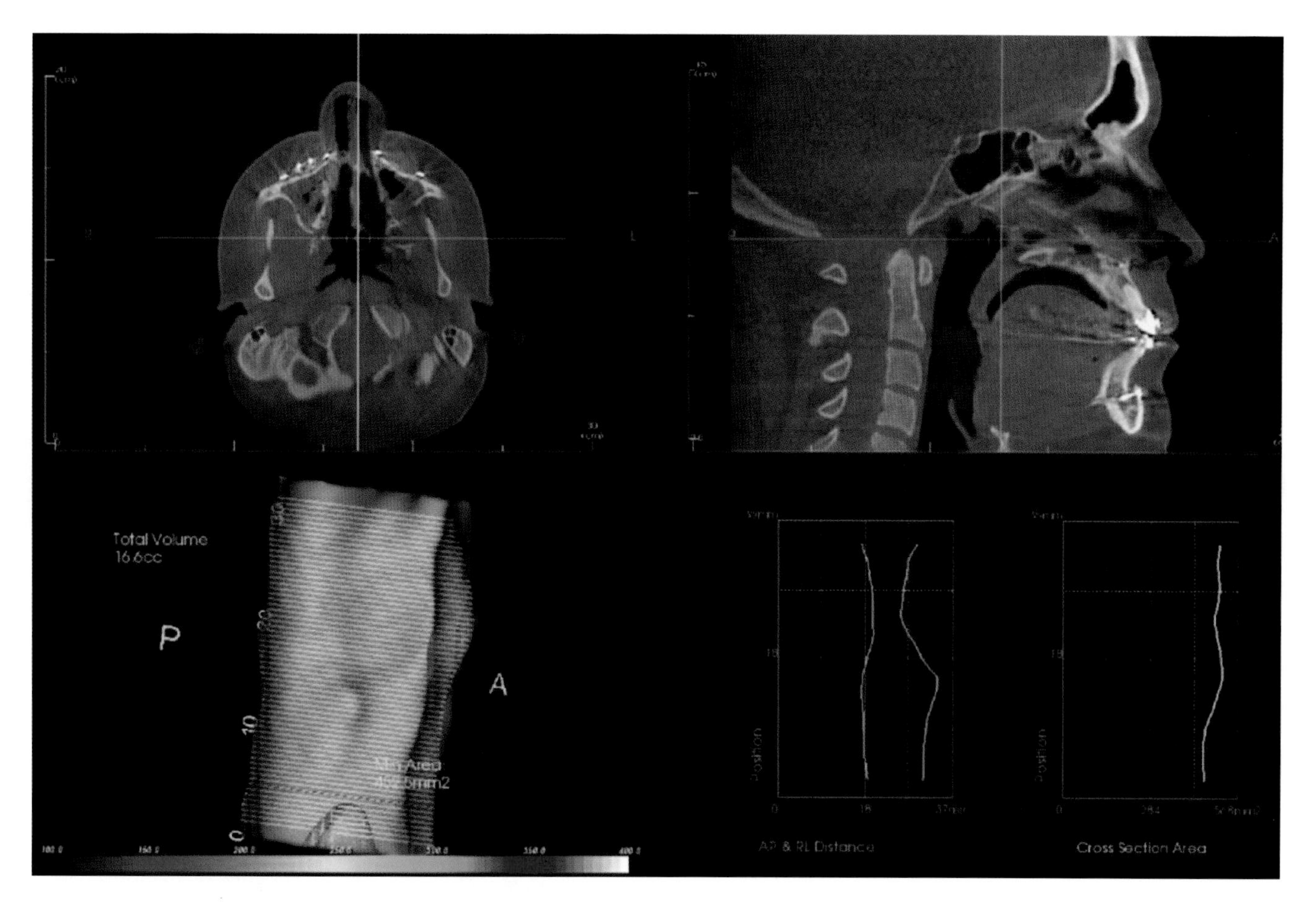

그림 32.3 술후 기도 용적. 최소 축단면

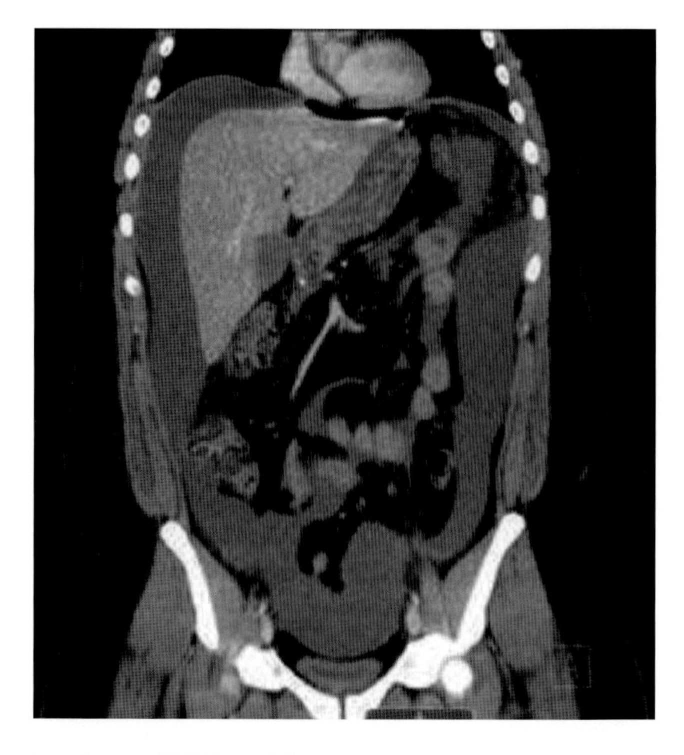

그림 32.4 전후방 복부 조영제 CT

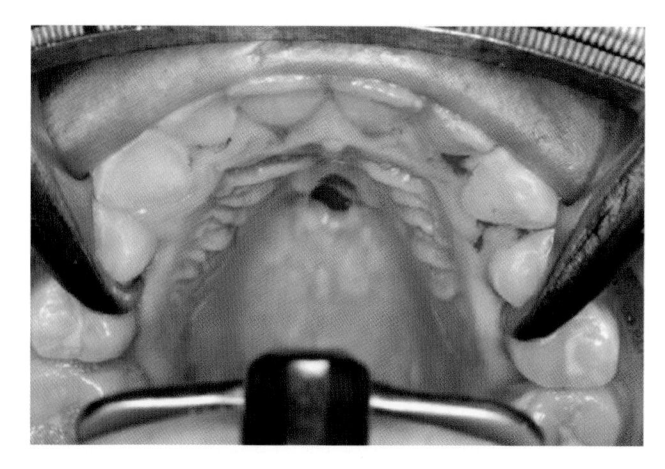

그림 32.5 술후 7개월 성숙된 구강상악동 누공의 술중 모습

32

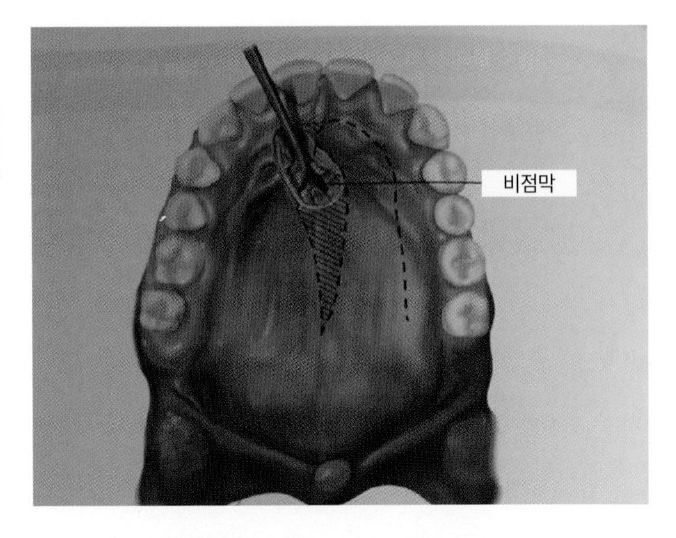

■ 그림 32.6 **구강상악동 누공 수복을 위한 구개 피판술(the Atlas of oral and maxillofacial surgery에서 인용)**

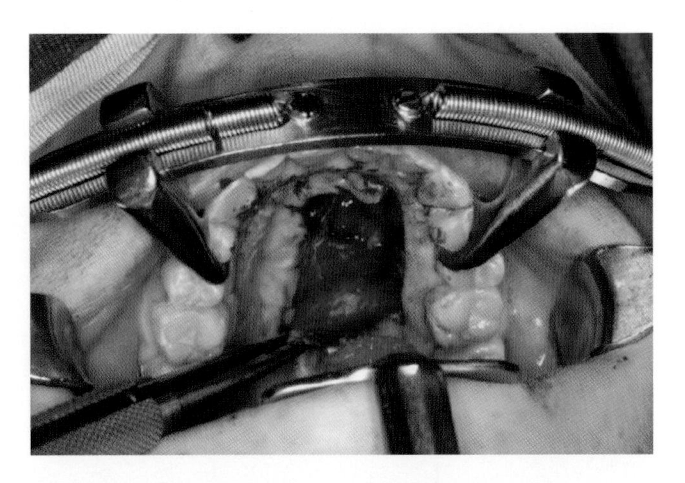

■ 그림 32.7 **장력없이 피판을 거상하여 누공 부위에 가깝게 위치한다. 비점막의 층상 봉합과 fibrin glue를 이용하여 구개 피판을 봉합하고 폐쇄하였다.**

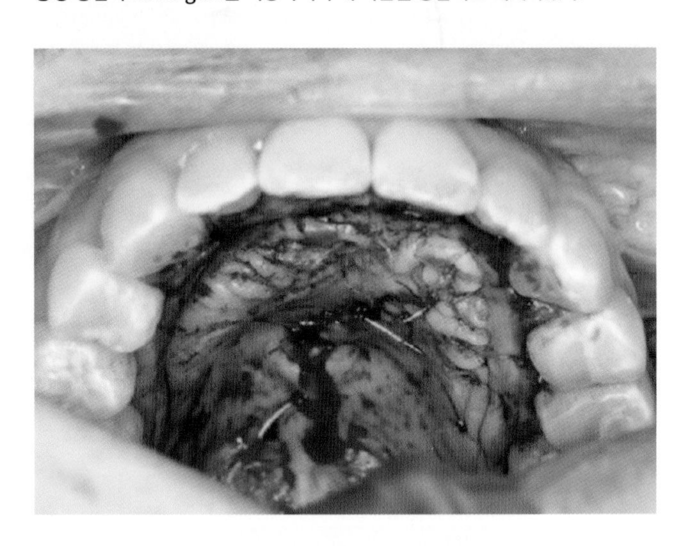

■ 그림 32.8 **완전 피개 구개 스플린트로 치유된 구개 봉합**

피판 삽입술의 3가지 주요 범주가 있으며, 각각 다른 시나리오에서 유용하다[85]:

1. 협측 피판 (큰 누관에 유용)[83,84]
2. 구개 피판
3. 전정 피판

본 저자 중 한 명은 아래와 같이 분절 골절단술 후 구강상악동 누공 폐쇄를 수행하였다(■ 그림 32.7–10).

32.3.4.2 분절 저혈관화, 골 분절 괴사, 상처 치유 지연

드물지만, 일부 경구 수직 하악지 절단술에서 근심부 괴사의 발생이 매우 드물게 보고되었으며, 많은 경우 정확한 원인이 불분명할 수 있지만 국소 허혈에 기인한 것으로 추정된다. 1970년대 후반에 Bell과 Kennedy는 골 치유와 혈관재생을 더 잘 이해하기 위해 동물 연구를 수행했다. 한 주목할 만한 1976년 논문[86]은 15마리의 성체 붉은털 원숭이에서 유경 및 무경 수직 하악지 절단술을 수행했다고 보고했다. 근심 분절이 관절낭과 외측 익상근과 연결되었을 때 최소 혈관 손상이나 허혈이 관찰되었다. 반대로, 근심 분절에 연조직이 연결되어 있지 않은 경우 갑작스러운 혈관 허혈로 인한 골내 괴사와 지연된 상처 치유가 관찰되었다. 그들은 근심 분절을 gonial angle의 후상방에서 수행하여 하측면의 괴사를 예방할 수 있다고 단정했다. 한편, 1980년 Lownie 등은 개코원숭이 10마리의 상처 치유와 무혈성 괴사에 대해 보고했다. 그들의 결과는 재위치 골절단술로 괴사를 완전히 피할 수 있다는 Bell과 Kennedy의 결론과 일치한다. Lownie 등은 골막 재부착뿐만 아니라 외측 익상근과 관절낭 재부착에도 긍정적인 결과를 보여주었다.

보다 최근의 인간 연구에 의하면, 골 분절의 일과성 허혈은 급성 술후 단계에서 발생할 수 있고 당뇨가 없는 건강한 환자에서도 재치료가 필요할 수 있다. 2014년 Kim 등[87]은 경구 수직 하악지 골절단술을 시행한 환자에서 드물게 발생한 근심 분절 괴사를 보고하였다. 그들은 수직 하악지 절단술의 더 빈번한 합병증은 주요 혈관 손상, 잘못된 분할, 신경 감각 결함으로 인한 감염과 출혈이라고 언급했다. 괴사는 특히 건강한 37세 여성에서 하악 전돌증으로 Le Fort I 골절단술과 경구 수직 하악지 절단술에서 특히 드문 합병증이다. 그러나 환자는 우측에 종창과 턱밑 통증을 호소하였고, 술후 10주 진행성 통증과 화농성 분비물을 주소로 내원하였다. 파노라마 사진에서 근심 분절의 불연속성을 유발하는 방사선 투과성 병변이 나타났다. 같은 시기에 촬영한 CT 영상은 우측 하악의 파괴성 골 변화 지속과 피질골 침식을 보여주었다. 입원 당시 그녀는 3세대 cephalosporin과 metronidazole의 IV 통합 요법과 구내 수술 계획으로 치료받

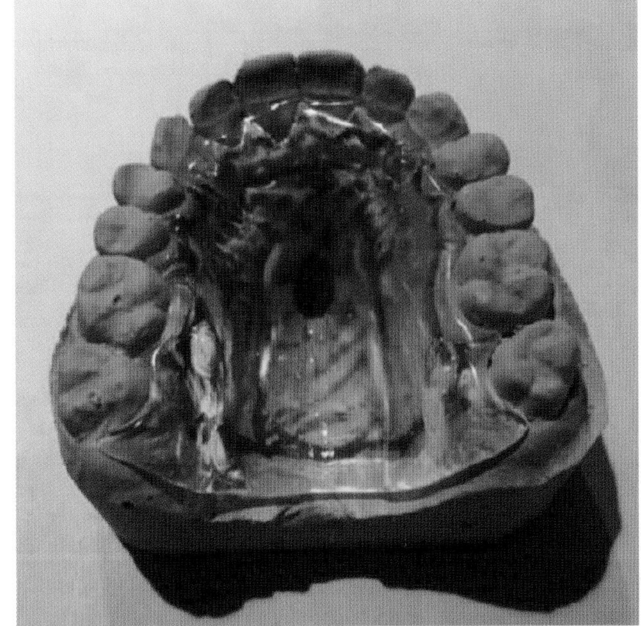
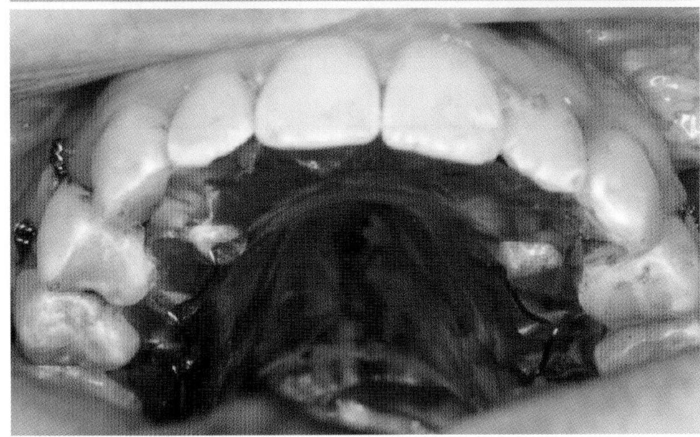

■ 그림 32.9 **구개 스플린트 제작**

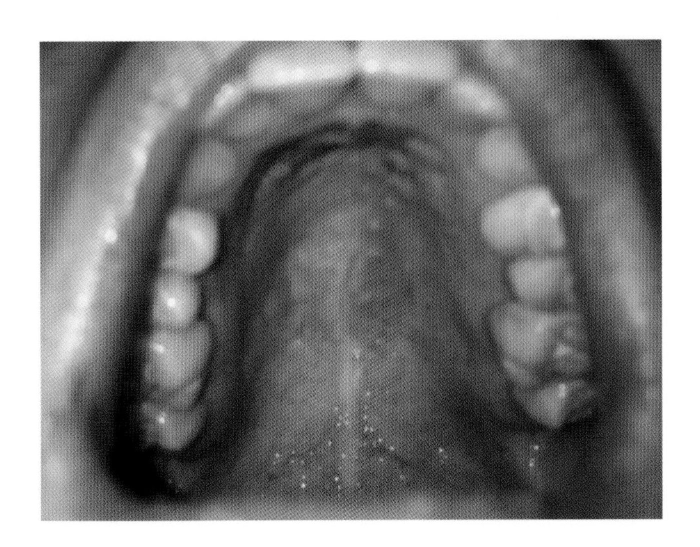

■ 그림 32.10 **술후 21일에 구개 스플린트를 제거하였고, 사진은 술후 2개월 치유된 모습이다; 2년 동안 재발은 발생하지 않았다.**

았고, 근심 분절 하연에서 15 mm의 괴사 조직을 절제하였다. Kim 등은 골분절 괴사가 골막 박리에 기인하는 국소 허혈과 후속적인 혈종 형성에 따른다고 추측했다. 더 나아가, 그들은 골막의 성공적 재부착을 고려할 때 골분절로의 순환이 재확립될 가능성이 있다고 제안한다. 다른 드문 합병증과 유사하게, 외과의는 골분절의 이러한 합병증을 알고 있어야 하며, 드물기는 하지만 당뇨 환자와 같은 상처 치유 지연과 만성 혈관 허혈의 병력이 없는 건강한 대상에서 발생하는 것으로 알려져 있다.

골절단술은 불충분한 치유 조직으로 지연된 유합이나 유착 불량이 야기될 수 있으며, 당뇨, 결합조직에 영향을 미치는 질병, 혈관 질환, 선천적 기형(예: 구개열), 골다공증, 영양 결핍과 관련된 유전과 행동 장애와 같이 상처 치유를 저해하는 것으로 알려진 전신 상태[88]와 수술 중 특발성 외상의 환자에서 나타날 수 있다. 이런 질병의 대부분을 탐지하고 중증도를 파악한다. 징후나 증상에 의한 타당성이 있으나 이전에 진단되지 않은 경우, 외과의는 수술 전후에 검사를 수행하고 필요한 조치를 취해야 할 것이다.

32.3.4.3 증례: 분절 골절단술의 저혈관화와 관련 감염

중증의 OSA가 있는 36세 남환에게 반시계방향 회전으로 MMA를 시행했다. 수술 과정은 별일 없었지만, 수술이 끝날 무렵 상악 치은의 일부 조직에서 허혈의 징후를 보였고, Le Fort 분절에서 저혈관화의 일부 징후가 분명해지기 시작했다(■ 그림 32.11–13). 수술 다음 3일 동안, 상악(특히 전방 분절)은 점점 더 허혈성이 되었다. 또한, pinprick test는 출혈에 음성이었고, 구개 스플린트 경감이 상악의 허혈 상태를 돕지 않았다. 이 시점에서, 혈관 구제를 위해 고압산소 요법(HBO_2)을 의뢰했다. HBO_2 요법을 위해 최대 3기압의 압력 챔버에 환자를 넣는데, 각 추가 기압은 해수 33 feet 깊이(또는 평방 인치당 14.7 lbs)와 동등하다.

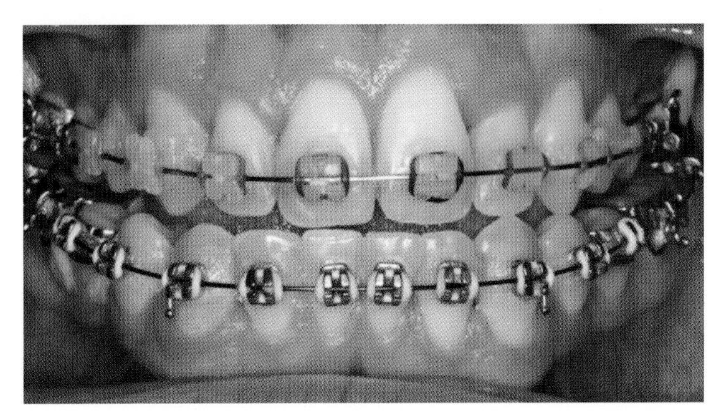

■ 그림 32.11 **MMA 술전 사진**

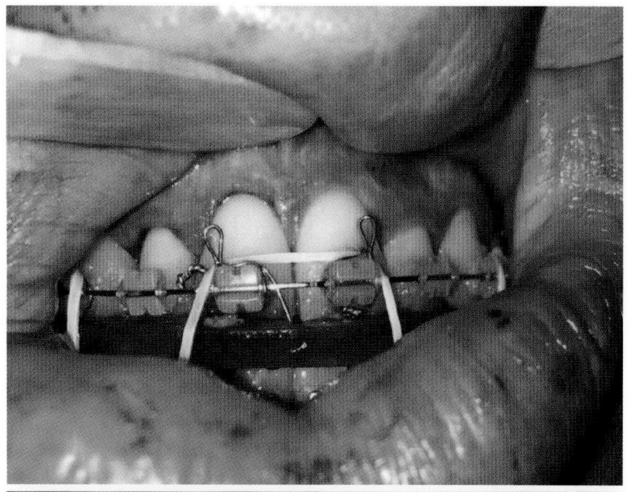

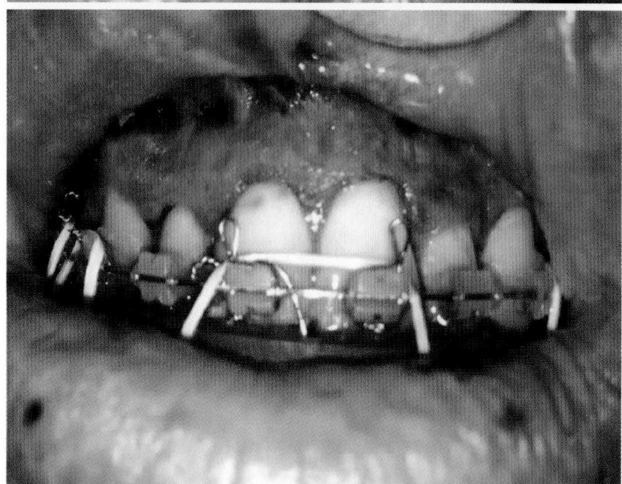

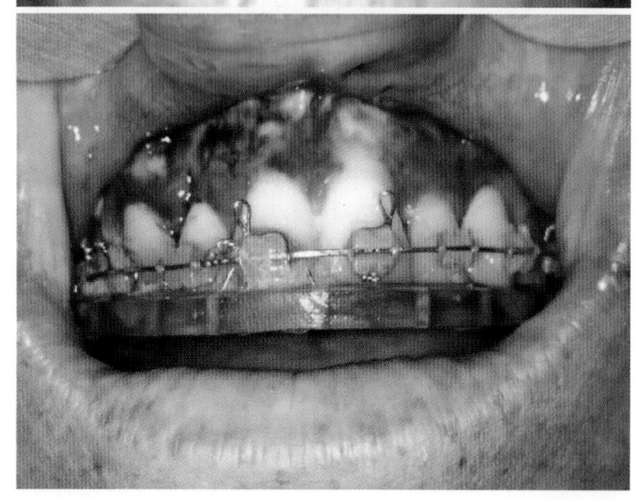

그림 32.12 **술후 괴사 발현**

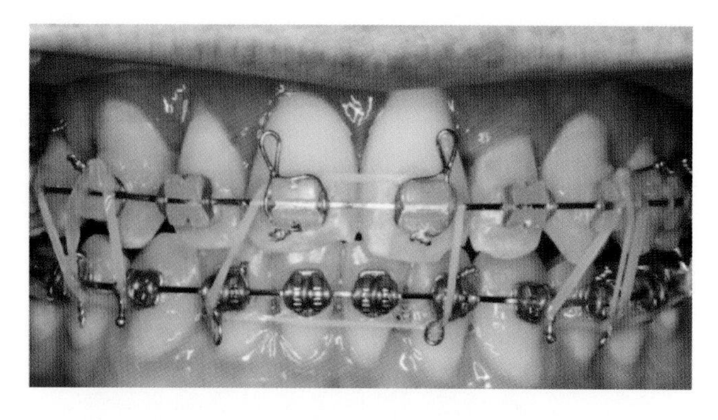

그림 32.13 **술후 10일에 관류가 완전하게 회복되었다.**

인체가 100% 산소와 결합된 증가된 대기압 환경에 놓일 때 몇 가지 극적인 생리학적 변화가 발생하는데, 그 중 첫 번째는 혈장 O_2 농도가 30 mL/l에서 60 mL/l으로 2배로 증가하여 허혈성 조직으로의 산소 관류를 촉진하는 것이다.[89] HBO_2 요법의 다른 효과에는 다양한 항생제(aminoglycoside, quinolone)의 강화가 포함되며 일부 부상에서 protease와 자유 라디칼 방출을 방지하여 혈관 수축, 부종, 세포 손상을 감소시키는 것으로 믿어진다. 또한 세균(예: clostridium)에 의해 생성된 알파 외독소를 중화시키는 것으로 생각된다. 이러한 모든 요소가 개선된 상처 치유의 원인이 될 수 있다. 일부 비승인 징후(예: 뇌졸중과 자폐증)를 포함하여 HBO_2로 치료할 수 있는 여러 상태가 알려져 있다. HBO_2 요법은 성형외과 수술에 사용하기 위해 처음으로 알려졌다. McFarlane 등[90]은 실험적 유경 피판의 괴사 예방을 위해 실험했고, 이듬해 1966년 McFarlane과 Wermuth[91]는 복합 이식편 구조를 위한 쥐 모델에서 연구했다. 런던 악안면외과의인 Shanker와 Farrell[92]은 2003년 17세 남성에서 Le Fort I 골절단술을 통해 치아 돌기를 절제한 후 HBO_2 요법의 사용을 보고했다. 8시간 동안 하방 골절된 분절을 후퇴하고 변위시키면서 돌기를 절제했다. 술후 10일 환자의 좌측 상악골의 순측과 구개측에서 허혈이 관찰되었다. 5일 동안 총 9회의 HBO_2가 적용되었고, 각 치료는 공기 제동과 안전한 감압으로 100% 산소를 242.4 kPa에서 90분 동안 유지했고 모든 술식에 부작용이 없었다. HBO_2 요법으로 치아 순측면의 창백함이 약간 감소하면서 조직 관류가 상당히 개선되었다. 모든 치료 종결 후, 경구개의 상당한 관류가 관찰되었다.

El-Din Eid와 El Sayed의 2011년 논문은[93] 16명의 Le Fort I 상악 전진술 환자에 대한 경험을 다뤘는데, 그 중 8명은 HBO_2 치료를 받았고 8명은 받지 않았다. 대조군과 모든 매개변수 중 시점 2와 3의 재발은 중재군과 유의하게 차이났고, 궁극적으로 HBO_2 요법이 Le Fort I 상악 전진술의 술후 안정성 향상에 실혀

가능하고 효과적임을 보여주었다. 2018년 HBO_2에 대한 체계적 고찰에서는 복잡한 급성 상처를 치유하기 위해 표준 상처 요법과의 통합이 일반적으로 효과적인 것으로 결론지었지만, 상처 요법의 주류로 권장되기 전에 더 많은 데이터가 필요하다.[94]

어떤 환자는 15회 적용 후 상악의 전방 분절에 대한 재혈관와 혈관 개선의 징후를 보이기 시작했다. 환자의 다른 임상 결과도 극적이었다. 그의 AHI는 32에서 5로 개선되었고 최저 산소포화도는 82%에서 90%로 향상되었다. 환자는 결함 수복을 위해 여전히 치주 수술을 받고 있지만 전방 분절이 관류되고 치유된다.

32.3.4.4 분절 골절단술 후 치아 소실

16세 여성이 폐쇄가 필요한 전방 개방 교합으로 내원했다(◘ 그림 32.14). 분할 및 상악 확장의 양악 수술이 시행되었다. 술전, 견치와 소구치의 근접성으로 치아 소실이 예상되었다(◘ 그림 32.15–17).

32.3.5 술후 오심과 구토

술후 오심과 구토(PONV)는 악교정 수술 후 가장 흔한 합병증이다. 또한 가장 고통스럽고 성가신 합병증 중 하나이며, 잠재적으로 생명을 위협할 수 있는 심각한 이환율이 없는 것은 아니다. 종종 일시적으로 무력화되어 환자는 몇 분, 몇 시간 또는 며칠 동안 내지는 잠재적으로 더 오랜 기간 동안 부정적인 영향을 받게 된다. 또한 외래 환자의 회복 기간, 입원 환자의 입원 기간을 연장하여 입원 비용을 증가시키는 심각한 결과가 없는 것은 아니다.

몇 가지 요인이 PONV와 관련되어 있으며 Silva 등의 2006년 연구에 요약되어 있다:

1. 비-마취 요인
   (a) 환자가 서술한 특성(예: 연령, 성별, 흡연 상태, 이전 멀미 이력, 이전 PONV 보고)
2. 마취 요인
   (a) 마스크 환기
   (b) 휘발성 마취제
   (c) 술중 아편 유사제 사용
   (d) 환자 수분 공급
3. 수술 관련 요인
   (a) 수술 종류와 시간
   (b) 술후 진통제 아편 유사제 사용

에테르 시대 동안 PONV의 발생률은 75–80%였으며, 지난 40년 동안 점차적으로 약 9–43%로 개선되었다. 2006년 상악 및/또는 하악 골절단술을 받은 553명의 환자를 대상으로 한 후향적 횡단면 조사에서 환자의 40% 이상(206/514)이 PONV를 경험했다.[95] 여성 대 남성 비율은 1.61:1이었지만 여성 성별은 유의하지 않았다($p = 0.0654$; α는 0.05로 설정). 더 젊은 환자(15–25세 사이)에서 PONV가 가장 많이 보고되었고, 결과

◘ 그림 32.14 술전 및 술후 환자

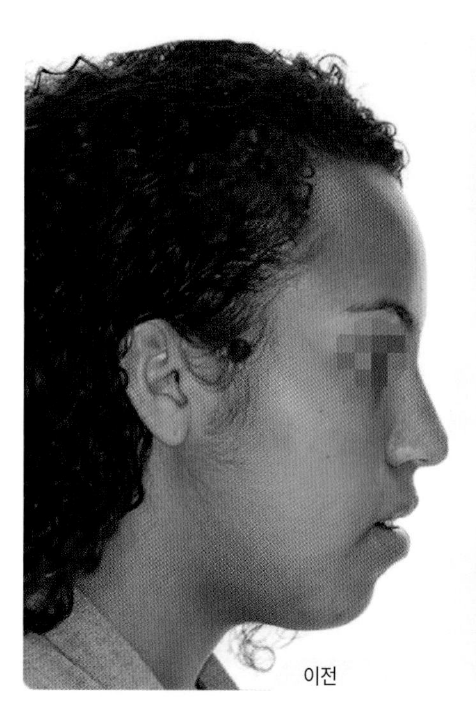

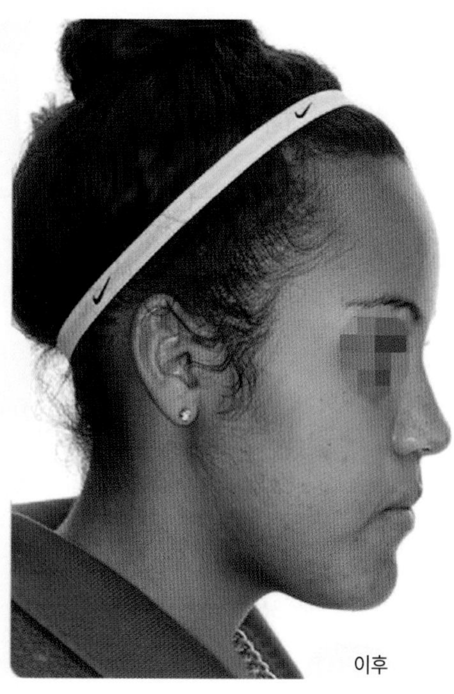

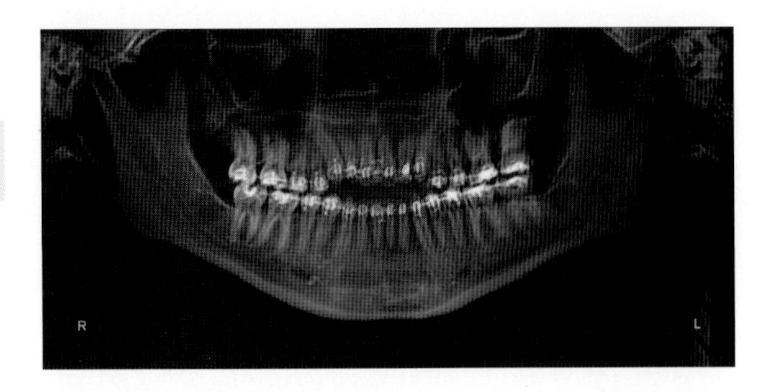

■ 그림 32.15 술전 파노라마에서 중증의 전방 개방 교합과 분절 골절단술이 계획된 부위에서 견치와 소구치가 근접해 있다.

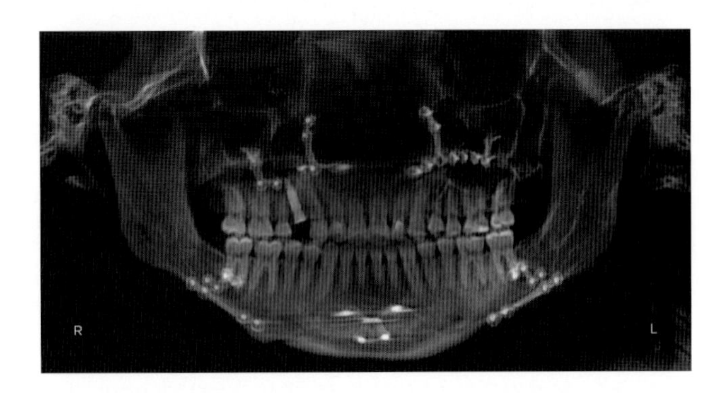

■ 그림 32.16 술후 파노라마로 환자에게 가능성을 미리 설명했듯이 상악 우측 제2소구치가 소실되었다. 치아 소실부에 이식을 수행하였다.

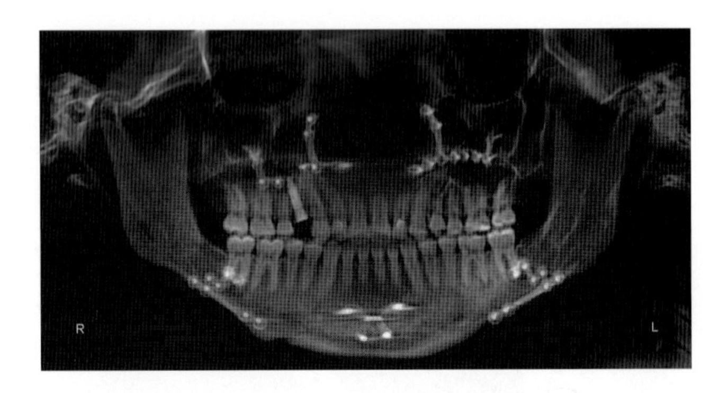

■ 그림 32.17 파노라마에서 임플란트 식립을 볼 수 있다.

적으로 이 그룹이 가장 큰 유병률을 보였다[연령은 통계적으로 PONV와 관련이 있었다($p = 0.0340$)]. Koivuranta 점수[96]와 Apfel 점수[97]는 PONV에 대한 2가지 일반적인 위험 평가 점수이다. 이 간단한 위험 평가는 PONV에 대해 제안되었지만 악교정 수술 인구에서 여러 요인으로 인해 사용이 복잡하다[98]:

1. 점수의 낮은 민감도와 특이도(65–70%)
2. 최적의 항구토 예방에 대한 지속적인 논의
3. 오심과 구토 각각은 별개의 의학적 징후이기 때문에 의학적 위험이 다르다.
   (a) 오심은 비록 환자의 웰빙 감각과 증폭된 불안을 방해하지만 건강에 심각한 위험을 초래하지 않는다.
   (b) 그러나 구토는 심각한 건강 위험을 초래할 수 있다.
      (i) 혈종
      (ii) 상처 열개
      (iii) 탈수
      (iv) 전해질 불균형
      (v) 식도 손상
      (vi) 흡인

32.3.6 잘못된 분할

"잘못된 분할"은 시상 분할 골절단 술중이나 술후에 발생할 수 있으며, 재발을 유발할 수 있는 바람직하지 않고 골치 아픈 골절이다. 잘못된 분할에 대해 자주 언급되는 이유는 불완전한 골절단술, 너무 큰 골절단기를 사용하는 것, 너무 빠른 분절 분할 시도, 매복된 제3대구치의 존재, 내측 골절단을 과두 방향 위쪽으로 잘못 향하게 하거나, 내측 골절단을 소설에서 너무 상방으로 배치하는 것이다.[99] 잘못된 분할에 사용되는 동의어는 "협측 피질판 골절"(근심 분절)과 설측 피질판 골절(원심 분절)을 포함한다.[100] 시상 분할 하악지 골절단술(SSRO) 중 불량 분할이 발생할 수 있다(■ 그림 32.18–19). SSRO 동안 불량 분할의 비율은 약 2.3%로 보고되었다(통합 발생률은 0.5%, 14.6%로 다양). 흥미롭게도, 기술 혁신 및 향상된 작업자 경험과 교육에도 불구하고 불량 분할의 발생률은 예상대로 눈에 띄게 감소하지 않는 것으로 보이며[100], 이를 예방하고 치료하기 위한 다양한 방법을 결정하기 위해 집중적인 추가 연구 노력이 필요함을 확인한다.

잘못된 분할의 위험을 뒷받침하는 여러 가지 잠재적인 이유가 있다. 첫째, MMA는 고도로 복잡한 해부학적 영역에서 어려운 술식이다. 더 복잡한 형태는 불량 분할의 위험 요소인 것으로 알려져 있다.[99] 둘째, 경험이 부족한 외과의의 기술이나 제대로 수행되지 않은 기술이 나쁜 분할의 중요한 원인이다.[101,102] 마지막으로 매복된 제3대구치는 매복된 치아를 MMA 6–9개월 전에 발거해야 하는지 아니면 동시 발거해야 하는지에 대한 논란의 여지가 있다. 일부 증거에 따르면 나이도 위험 요인일 수 있으며, 나이가 많은 환자는 젊은 환자보다 위험이 더 높은 것으로 의심된다.[100,103-107] 그러나 일부 연구에서는 젊은 환자의 위험이 증가한다는 반대 의견을 제시한다.[108,109]

제3대구치는 잘못된 분할에 대해 가장 흔히 보고되는 위험 인

■ 그림 32.18 **MMA 술전 및 술후 측면 사진**

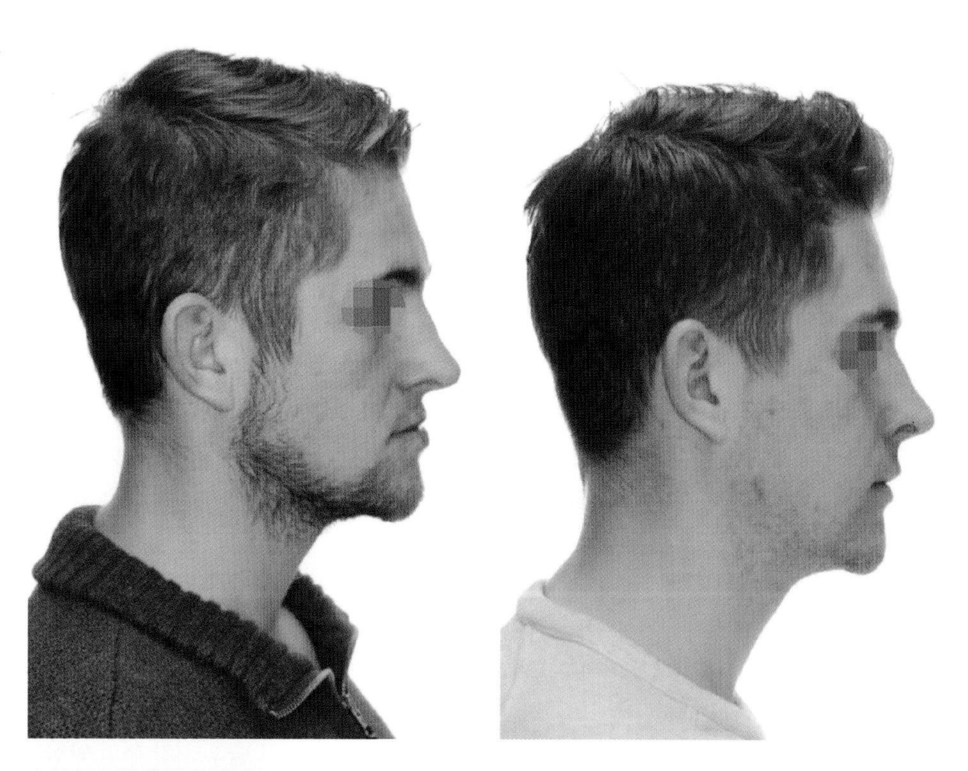

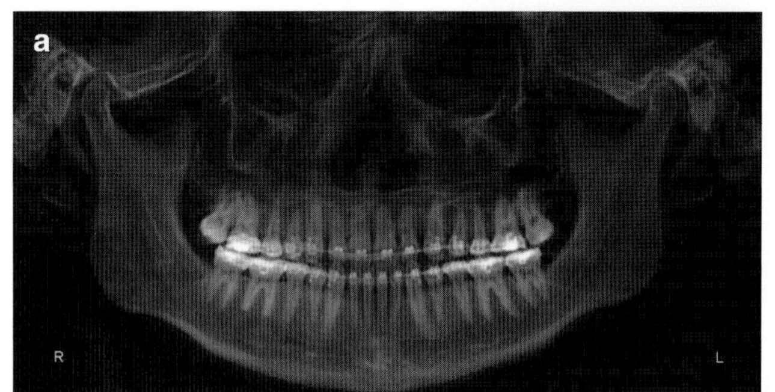

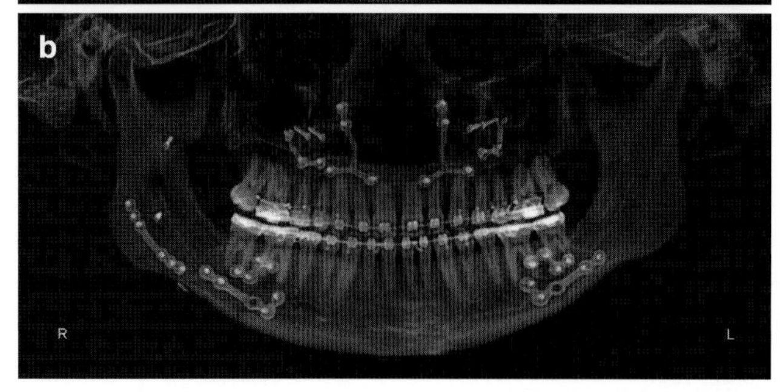

■ 그림 32.19 **양악 수술 전과 1년 후 파노라마. 두 번째 영상은 술중 관리되었던 협측 분절 및 과두하 골절의 수복을 보여준다. a 술전 파노라마. b 술후 파노라마**

자이며, 매복된 제3대구치가 있는 20세 미만과 매복치가 없는 40세 초과의 환자에서 위험이 증가하고, MMA 고정 나사가 주변 치근에 접촉할 우려가 있다.[107] 더욱이, 제3대구치가 맹출되지 않고 발산하는 치근 또는 원심각/수직 방향의 경우 잘못된 분할의 발생률이 더 높다고 보고되었다.[105] 성별은 잘못된 분열과 상관관계가 있는 것으로 보이지만, 여러 연구에 의하면 잘못된 분할의 위험은 남성과 여성 모두에서 비슷하다.

2015년에 Zamiri 등은 하악지의 두께가 내측 골절 양상 유형을 결정할 수 있기 때문에, 내측 골절단 선의 길이는 장단에 관계없이 잘못된 분할의 발생률에 영향을 미치지 않는 것으로 보고했다.[110] 하악의 일부 해부학적 차이도 잘못된 분할의 위험을 증가시킬 수 있다.[99] 그러나 치즐 대신 스플린터와 세퍼레이터를 사용하면 잘못된 분할의 위험이 증가하는 것으로 의심되지만 데이터는 이를 뒷받침하지 않는다.[111] 특히 하악 하연의 불완전 골절단술을 시행한 후 강제적으로 골 분절을 분리하는 경우 잘못된 분절의 위험이 더 높다고 보고되고 있다.[112–115]

32.3.7 감염

술후 감염률도 상대적으로 낮다. 2015년 336명의 환자를 대상으로 한 후향적 분석에서는 MMA 후 감염률이 11.3%로 보고되었으며, 이는 여전히 깨끗한/오염된 술식의 정상 범위 내에 있는 것으로 여겨진다.[116] 2016년 후향적 연구에서는 술후 감염률이 약 8%라고 보고했다(Davis 등). 2016년에 Verewij 등은 59건의 연구와 4,123명의 환자에 대한 메타 분석을 수행했으며 그 중 333건이 술후 감염으로 보고되었다. 평균 통합 발생률은 환자 당 9.6%였으며 발생 범위는 2.0–25.9% 사이였다.

여러 유형의 감염이 문헌에 보고되었는데, 여기에는 급성이나 만성 상악동염이나 중이염, 봉와직염, 골수염, 농양, 골합성물 제거가 필요한 수술 부위 감염을 포함한다.[117] Verewij 등은 물질 제거의 평균 통합 발생률은 환자 당 11.2%였으며 흡연이 가장 중요한 위험 요소 중 하나로 언급되었다고 보고했다. 감염 위험은 단일피질골 나사가 있는 미니 플레이트의 사용에서 보고된 바와 같이 세균 집락을 위한 피난처를 제공하거나 그렇지 않으면 증가하는 영역을 제공하는 이식된 삽입물에서 더 큰 것으로 추정된다.[118]

항생제의 신중한 예방적 사용의 중요성은 아무리 강조해도 지나치지 않는데, 항생제는 감염 위험과 그에 수반될 수 있는 잠재적으로 심각한 후유증을 완화하는 귀중한 도구이기 때문이다. 1세대 cephalosporin(예: cefazolin)의 사용조차도 모든 악교정 수술에서 예방적 병용(penicillin/clindamycin)보다 더 효과적인 것으로 보고되었다.[119] 그러나 2015년 Brignardello-Petersen 등[120]의 Cochrane 체계적 고찰에서는 clindamycin을 함유한 amoxicillin-clavulanic acid가 거의 "항상 효과적"이라고 제안했지만, 이 요법은 penicillin 알레르기가 있는 환자와 수많은 부작용을 견디지 못하는 환자에게 부적합하다. Cochrane 저자들은 1회 또는 단기 투여를 뒷받침하는 증거가 불분명하다고 제안했다. 데이터의 우세는 악교정 수술에서 장기간 항생제 예방에 대한 권장 사항을 뒷받침하며, 정확한 복용량이나 항생제 유형을 권장하기에는 부족하지만 증거가 감염 위험을 완화할 가능성이 있음을 시사한다. 그들은 장기간 항생제 예방을 술전, 술중, 술후 24시간 이상, 특히 흡연자와 3시간 이상의 술식에서 투여하는 것으로 정의했다. 그러나 2017년 Posnick 등은 3세대 cephalosporin을 사용하면 감염률을 1%까지 낮출 수 있다고 제안했다.[121]

32.3.8 신경학적 손상

32.3.8.1 안면 신경 약화

측두하악관절 치환술(TJR)은 전이/내이 절개와 Risdon 또는 하악후 절개가 필요하다. 이 2절개는 모두 안면 신경(뇌신경 VII)의 가지를 손상 위험에 빠뜨린다. 이주연골 바로 위 관골 뿌리까지 조심스럽게 절개하여 전이부나 내이부 절개를 적절하게 배치하면, 일반적으로 관골궁을 횡단하는 안면 신경의 전두 가지 경로 뒤에 술자가 잘 유지될 것이다. 이것은 다회 수술된 관절을 박리할 때 연조직 평면이 제거되는 경향이 있고 견인이 매우 어렵기 때문에 특히 중요하다.

유사하게, Risdon 절개나 하악후 접근을 사용할 때, 외과의는 "블라인드 박리"와 안면 신경의 하악변연 가지에 대한 우발적 손상을 방지하기 위해 층을 식별하고 출혈을 제어하는 세심한 외과 술식을 사용해야 한다. 신경 검사는 관절낭이나 익돌상악 슬링까지 박리하는 동안 신경이 식별되고 보호되는지 확인하는 데에도 사용할 수 있다. 무분별한 전기 소작으로 신경이 손상될 수 있으며, 박리가 더 깊은 구조물로 진행됨에 따라 외과의는 출혈 조절에 주의를 기울여야 한다.

견인 부상은 안면 신경 분지의 가장 흔한 부상이다. 다회 수술된 관절의 수술 동안, 비수술 조직과 달리 반흔 조직의 존재로 신경에 더 많은 전단력을 전달하기 때문에 견인 손상의 발생률이 높아진다. 견인하는 동안 주의를 기울이고 기구를 적절하게 배치하고 과도한 견인 압력을 피하면 TJR 수술 중 신경 손상을 예방할 수 있다. 어떤 경우에는 절개 중 발생하는 신경을 피하거나 과도한 견인 압력을 완화하기 위해 절개를 확장해야 할 수 있다.

TJR 수술 후 안면 신경 약화가 발생할 수 있다. 환자에게 술전에(구두 및 서면 형태로) 이러한 잠재적 합병증에 대해 잘 알리고 술후 기간 동안 안심시켜야 한다. 대부분의 안면 신경 약화는 6개월 이내에 해결되며 환자를 주기적으로 모니터링해야 한다. 환자를 안심시키고 법적 목적을 위해 회복 진행 상황을 추적하기 위해 1-2개월마다 휴식 및 표정 근육 활성화 상태에서 사진 촬영을 권장한다.

32.3.9 정맥 혈전 색전증(VTE)

정맥 혈전 색전증(VTE)은 악교정 수술과 견인성 골형성에서 비교적 드문 합병증이다.[122,123] 미국에서는 연간 약 0.1-0.3%의 발생률을 갖는 9천만 건의 VTE 사례가 있으며 아직 평가되지 않고 있다.[124,125] 악안면 수술에서, Lowry 등은 103명의 악안면 외과의의 기억 회상을 기반으로 VTE 발생률을 0.00035%로 추정했다.[126] 1998년 Moreano 등[127]은 12,805건의 이비인후과나 두경부 수술 후 VTE 34건을 확인했으며, 발생률은 일반 이비인후과 술식 후 0.1%, 두경부 수술 후 0.6%라고 보고했다.

임상적으로, VTE는 폐색전증(PE) 및/또는 심부정맥 혈전증(DVT)을 포괄하는 용어이며[128], 입원환자, 특히 수술 전후의 이환율 및 사망률의 예방 가능한 원인이고, 병원 사망의 약 10%이며[129] 영구적인 업무 관련 장애와 경제적 부담을 초래할 수 있다.[130,131] 비만, 높은 BMI, 나쁜 심혈관, 대사 특성은 C-반응성 단백질, 산화 스트레스 측정[132-134], 갑상선 기능 항진증을 포함하는 VTE에 대한 주요 위험 인자로 의심되어 왔다(FT4 수준 정상 범위의 상한은 VTE에 대한 "강력한" 위험 요

소이다).[135]

흥미롭게도, 구강 감염은 최근 VTE의 주요 독립 위험 인자로 밝혀졌으며, 이는 일부 악교정 수술 증례에 특히 적용될 수 있다. 2018년 Cahoon 등의 증례-대조군 연구에서 저자들은 구강 감염(이 중 75%는 구강 캔디다증에 기인했다; 나머지는 치과 감염/농양, 동시 구강 HSV 또는 설하선 감염)을 포함한 특정 감염 부위는 보고된 VTE가 없는 감염된 대조군과 비교하여 유의하게 VTE를 예측했다고 보고했다. 구체적으로 구강 감염이 있는 경우 VTE 발생 확률은 17.8배 더 큰 위험(95% CI: 1.17, 269.7; $p = 0.004$)을 보이는 전신 혈류 감염에 비해 11.61배 증가된 위험(95% CI: 2.22, 60.82; $p = 0.004$)을 보인다; 폐렴이 동반된 VTE의 위험은 3.64배(95% CI: 2.00, 6.63, $p < 0.0001$)였고, 증상이 있는 요로 감염은 VTE의 2.24배(95% CI: 1.29, 3.91; $p = 0.004$) 위험을 갖는다. 그러므로, 감염, 특히 구강 및 전신 감염이 있는 경우 VTE 예방을 시작하는 것이 현명할 수 있다.[136]

VTE는 구강악안면 종양을 제거하기 위한 여러 재건 술식에서 발생하는 것으로 알려져 있으며, 그 중 일부는 악교정 수술과 유사한 접근 방식을 공유한다.[137-139] 암 술식에 대한 일상적인 예방은 문헌에서 정당화되었으며[140], 일반적으로 VTE 예방이 이에 대한 중등도나 고위험 환자에서 지시된다는 여러 유형의 주요 수술에 걸쳐 폭넓은 동의가 있다.[141] 2012년 경제 시스템 고찰에서, Thirugnanam 등은 입원 환자에게 가장 경제적으로 매력적인 VTE 예방제는 저분자량 heparin과 fondaparinux임을 확인했다.[142] 예방과 치료는 표 32.2에 자세히 설명되어 있다.

표 32.2 PE와 DVT의 증상 및 징후 그리고 예방적 치료적 선택지[143]

VTE 상태	증상 및 징후	PE와 DVT 모두에 대한 예방/치료
폐색전증	폐 색전증 최근 또는 갑작스러운 호흡 곤란 각혈 갑작스런 허탈	**압박 요법** • 입원 중 또는 집에서 침대에 있는 동안 간헐적인 공압식 압축 부츠 사용 • 예방 압박 타이즈 착용 (10–18 mmHg의 일반적인 강도)
DVT	최근 한쪽 다리의 붓기 한쪽 다리의 설명할 수 없는 통증이나 압통	**의료 예방** • 저분자량 heparin (매일 enoxaparin 40 mg 또는 dalteparin 5,000 units) • 매일 fondaparinux 2.5 mg • 8시간마다 미분획 heparin 5,000 unit • Warfarin(고관절 수술 후 사용) **환자 예방 조치** • 탈수 방지 • 순환 촉진을 위해 가능한 한 빨리 활동 재개 • 유전 성향 식별을 포함한 DVT/PE 위험에 대한 상담 제공 • 라이프스타일 변화(운동)

32.3.10 재발 및 재수술로 이어지는 위험

재발의 원인은 많은 요인에 의해 야기되는 합병증으로 간주될 수 있으며, 그 중 일부는 앞서 설명되었다. 위에서 언급한 바와 같이 OSA의 재발은 술후 체중 증가, 다른 동반질환의 자연력 및 약물 변경[54]뿐만 아니라 골재형성이나 흡수 및 관련 골격 불안정성, 삽입 장치 실패, 술후 외상에서 기인할 수 있다. 어떤 증례에서는 재발의 실제적 원인을 식별하는 것이 불가능하다. 그러나 과도한 골 이동 및/또는 회전, 치아의 변화, 술전 교정 치료 동안 해결되지 않은 부정교합, 과두의 위치 변화, 하악지와 하악 평면의 유의한 변화를 포함하는 재발과 연관된 몇 가지 구조적 요인이 있다.[144,145]

2010년에 Lee 등은 한국에서 110건의 악교정 수술 증례에 대한 후향적 고찰을 수행했으며, 술후 조기(2주 이내)에 재발한 6명의 환자(5.5%)에서 재수술 수복이 필요하다고 보고했다. 재수술에 대한 몇 가지 이유가 문헌에서 보고되었다: 안면 비대칭과 함께 하악 전돌(5증례; 다른 하나는 안면 비대칭만), 불충분한 교합 안정성, 전방 개방 교합, 편측성 하악 회전. 이러한 불안정한 결과에 기여하는 것으로 여겨지는 몇 가지 위험 요소가 확인되었다: 이중 교합을 포함하는 기존의 측두하악 장애(TMD), 과두 처짐, 하악 분절의 반시계방향 회전, 비대칭 하악 후퇴(및 관련 연조직 장력), 잠재적으로 부적절한 최종 웨이퍼 제작.[144] 또한, 후기 골격성 재발과 재수술은 진행성 과두 흡수(PCR)에 2차적으로 필요한 것으로 보고되었다. 1994년 Crawford 등은 악교정 수술에 따르는 7증례를 보고했는데, 그 원인은 아직 명확하지 않다. 술후 감염으로 인해 복잡해지는 골합성물 제거를 위해서도 재수술이 필요하다(환자 당 11.2%의 평균 통합 발생률).

32.3.10.1 과두 흡수

PCR은 과두가 손가락 모양으로의 점진적인 형태학적 변화와 하악 과두의 부피 감소로 흔히 안면 고경의 눈에 띄는 변화가 특징이다. 문헌에 일상적으로 보고되고 있지만, 악교정 수술 후 발생은 아직 완전히 이해되지 않았다. 2012년 체계적 고찰에 따르면, 14–45세 악교정 수술 대상자의 5.3%(137/2567)에서 PCR이 발생했으며, 이중 97.6%(122/137)가 여성이었다.[146] 또한 하악 결핍과 높은 하악 평면이 있는 118명의 피험자가 PCR과 관련되었다. 병인과 병리를 더욱 복잡하게 만드는 것은 PCR에 대한 재수술 결과를 예측할 수 없고 보고된 재수술 증례도 연구마다 상당히 다르다. 그리고, 만족스러운 교합 결과에 도달하기 위해 골격 재발이 발생한 일부 환자에서 치열 교정이 사용될 수 있지만 이 결과 역시 매우 다양하고 유사하게 예측할 수 없다.[147] 흥미롭게도 흡수는 대략 2년 후에 중단되는 것으로 보인다.[148]

하악의 근심과 원심 분절의 반시계방향 회전과 후방 이동도 PCR의 위험 요소로 추정되며 위험에 처한 환자에게는 금기일 수 있다. 2000년 Hwang 등[149]은 악교정 피험자 452명의 연속 시리즈에서 이것을 확인했으며, 그 중 17명에서 표준화된 술전 및 술후 영상 프로토콜로 확인되는 술후 PCR이 있었다. 그들은 하악의 원심 및 근심 분절 모두 PCR 환자 대 비-PCR 환자에서 반시계 방향으로 유의하게 회전되었음을 발견했다(각각 $p = 0.005, 0.007$). 또한 PCR 환자에서 과두의 후방 변위가 유의하게 더 많이 나타났다($p = 0.007$). 2004년 Hwang 등[150]은 2개 그룹을 조사했다: PCR 17명 대 과두 흡수는 없지만 하악 저형성과 높은 하악 평면이 있는 22명. 관련된 비수술적 위험 인자는 후방으로 기울어진 과두 경부였다. 두 그룹 사이에 유의한 성별 차이는 없었지만, 비-PCR 환자가 확인된 PCR 그룹보다 유의하게 나이가 많았다($p = 0.001$). 이런 결과는 Catherine 등의 2016년 체계적 고찰에서도 확인되었다.[151] PCR은 NSAID, tetracycline, omega-3 지방산, 염증성 cytokine inhibitor를 포함한 약물 요법에 의해 다양한 정도로 성공적으로 치료되는 것으로 나타났다.[152] 그러한 확실한 치료는 최소 6개월의 활동 기간 후에 점진적으로 악화되는 교합 결과를 다시 중재한 것이다. 예방 조치에는 위험성의 환자에서 술후 적절한 기계적 부하를 가할 수 있도록 TMJ가 최적의 위치에 있도록 세심한 주의를 기울이고 영상을 통해 과두가 안정적인 것으로 확인된 후에만 하악 전진술을 수행하는 것을 포함한다.[153]

32.3.10.2 술중 치아 손상

MMA는 치아와 가까운 곳에서 수술이 이루어지기 때문에, 치근과 혈관 공급이 손상될 위험이 있다. 상하악 고정 나사는 이식 중에 안전하고 유용한 것으로 나타났지만, 국소 구조, 특히 치근을 손상시키지 않도록 주의해야 한다.

32.3.11 수술-우선 악교정 접근의 위험

1991년 Brachvogel, Berten, Hausamen[154]은 술전 교정을 우회하고 수정적 악교정 수술을 즉시 진행하는 수술 우선 악교정 접근법(SFOA 또는 SFA)을 제안했다. 이 접근법의 근거는 1983년 Frost가 가정한 "지역 가속 현상"(RAP) 이론에 근거한다. 그는 외과적 상처를 유지한 후 증가된 국소 대사 활동에 주목했는데, 골의 회전율이 촉진되고 치아치조 조직의 보다 신속한 움직임이 특징이다. 그는 이 생리학적 특징이 악교정 술후 보다 신속한 교정 치료를 용이하게 하기 위해 어느 정도 "활용"될 수 있다고 추측했다. 이 가설에 따르면 술전 교정은 악교정 수술 전후에 잠재적으로 불리할 수 있으며(7-47개월의 매우 긴 치료 기간으로 인해), 충치, 치주염의 고위험, 치은 퇴축, 치근 흡수의 알려진 합병증의 단점이 잠재적으로 있을 수 있다.[155-157] 그러나 SFA는 여전히 논란의 여지가 있다. 2016년 Gandedkar 등은 SFA가 치아 부조화가 최소화된 환자에게 "이상적"일 수 있지만, 더 복잡한 증례에 대한 접근 방식을 권장하지 못하고 신중하게 선택해야 한다고 제안했다.[158]

일부 증거는 합병증이 MMA 환자를 포함하여 전통적으로 치료된 악교정 환자보다 SFA 환자에서 실제로 더 높을 수 있음을 시사한다. Pelo 등은 2017년, 2000년 1월에서 2016년 8월 사이에 수행된 인간 SFA 및 인간 전통 연구의 데이터를 보고했다. 증례 보고, 모든 비-수술적 보고, 투명한 분절 골절단 데이터를 시행하지 못한 연구는 고찰에서 제외되었다. 저자들은 재발성 분절 골절단술이 전통적으로 치료된 환자에 비해 SFA를 받은 환자에서 훨씬 더 빈번하다고 보고했으며, 이 부분의 데이터가 현저하게 희박하다고 경고가 있다. 더 많은 데이터와 함께 Pelo 등은 SFA 관련 합병증은 여전히 상대적으로 낮지만 더 큰 데이터 세트와 더 엄격하게 수행된 비교 연구 분석에서 기존 접근 방식보다 약간 높을 수 있다고 추측했다. 그들은 SFA가 "전통적인 접근 방식보다 약간 위험하기" 때문에 숙련된 작업자만 수행해야 한다고 결론지었다. 그들은 또한 골과 치아로의 혈액 공급, 특히 골막, 점막, 근육 삽입을 보존함으로써 경미한 합병증의 발병률을 줄이는 데 성공할 수 있다고 언급했다.

각각의 접근 방식에서 보고된 합병증은 중재 선택에 중요한 결정 요인이 될 수 있다. Pelo 등은 사용 가능한 데이터를 기반으로 적절한 접근, 시기, 가장 최적의 중재를 결정하는 맥락에서 합병증을 면밀히 평가하는 것의 중요성을 강조한다. 따라서 합병증의 위험이 결코 간과되어서는 안되며 환자와의 논의를 피해서는 안된다. 외과의와 환자가 함께 합병증을 이해하고 위험을 적절하게 계산하는 것이 중요한데, 특히 합병증은 외과의 및/또는 환자를 하나의 치료적 접근 방식으로 이끄는 핵심 중심 요소이기 때문이다. 합병증 자체 또는 인지된 위험은 말하자면 항상 북쪽을 가리키는 나침반이 아닐 수 있지만, 위험과 이점을 저울질하는 중요한 외과의-환자 계산에 확실히 정보를 제공하고 어느 정도 안내할 수 있다. 따라서 외과의는 합병증의 모든 잠재적 위험을 비판적으로 평가하고, 발병률과 소인을 잘 알고 있으며, 단일 증례, 증례 시리즈, 더 큰 관찰이나 조사 연구에 관계없이 문헌에서 발병률 보고에 적극적으로 참여할 필요가 있다.

32.3.12 비강 형태 문제

MMA는 하인두, 구인두, 비인두 용적의 의도적인 변화를 유발할 수 있을 뿐만 아니라 비중격 편위 및/또는 코 확대와 같은 의도하지 않은 형태적 변화를 초래할 수 있다. 이런 비강 형태의 변화는 상악 재배치, 상악 확장 및/또는 전진, 상방 함입의 결과일 수 있고, 이 모두는 비중격과 연골에 구조적으로 영향을 미칠 수 있다.

비중격 편위는 상악의 비강능에서 깎아낸 골량이 부족하거나 연골 중격의 불충분한 연마로 발생할 수 있다. 둘 다 변위나 압축될 수 있다. Le Fort I 골절단술으로도 비강 편위가 발생할 수 있다. 뿐만 아니라, 비강기관 삽관이 비강 내압을 증가시킬 수 있고, 부분적으로 수축된 커프의 발관 시 잠재적으로 사각 연골을 아탈구 시킬 수 있다; 따라서 발관 후에 수동 검사를 시행해야 한다. 1992년 8월에서 2015년 12월 사이에 Stanford Hospital에서 MMA를 받은 379명의 OSA 환자를 대상으로 한 연구에서 MMA 술후 수정 비강 수술의 발생률이 최소 18.7% (71/379)인 것으로 보고되었다.[159] 이 중 12.7% (48/379)의 환자가 기능적 비수술이 필요했고, 6% (23/379)는 기능적 및 심미적 비수술이 모두 필요했다. 저자들은 MMA 이후의 이러한 비율은 수용하기 어렵고 MMA 술식 향상으로 잠재적으로 개선될 수 있을 것이라고 제안했다.[159]

이런 잠재적인 개선 중 하나로 최근에 코의 퍼짐을 최소화하기 위해 변형된 alar cinch suture 술식이 제안되었다. 2016년 Yen 등은 콧볼의 내측 움직임을 제한한다는 비판을 받아온 long alar cinch suture(양측 비순 연조직을 내측으로 고정하는 것으로 알려짐) 대신에 변형된 술식을 제안했는데[160], 본질적으로 piriform rim의 양측 하연에 비흡수성 봉합사로 섬유윤문상 조직을 보다 선택적으로 억제한다. 이 술식은 17 증례에서 Le Fort I 상악 골절단술 후 시험되었다. 전반적으로 그들은 삽관으로 인한 간섭과 왜곡을 줄이는 기술을 발견하고 비순 윤곽의 대칭성을 보다 향상시켰다.[160]

앞서, Van Sickels와 Tucker는 술후 비중격 편위를 관리하기 위해 3가지 실행가능한 접근법을 제안했다: 1) 즉시 재수술, 2) 블라인드 방법을 사용한 즉각적 수기(비골 축소에 사용되는 것과 유사), 3) 기도 합병증을 피하기 위해 추후 중격성형술 시행.[161] 그러나 2016년 Shin 등은 보다 기본적인 기술을 제안했는데, 비강 축소와 중격 꼬리를 3-0 prolene의 8자형 봉합으로 고정하는 비강 편위를 관리할 수 있다고 하였다(◘ 그림 32.20).[162] 이 기술의 장점은 발관 후 수정된 중격 위치를 보다 단단히 고정하고 궁극적으로 시간 경과에 따른 비소주 형태의 변화를 완화할 수 있다는 것이다.[163] 다시 말하지만, 환자들에게 MMA 후 비강 확장 및 비중격 편위의 위험, 일부 경우 수술에 수반되는 위험으로 알려진 위험과 기형을 수정하기 위해 수정 비성형술이 필요할 수 있음을 알리는 것이 중요하다.[164,165] 일반적으로 환자는 술후 발생할 수 있는 형태학적 심미적 변화에 대해 상담해야 한다. 심미적 변화가 더 긍정적이고 호의적인 심각한 후퇴증이 있는 환자에 비해 이미 전돌이 있는 환자에서 변화가 더 심각하다.

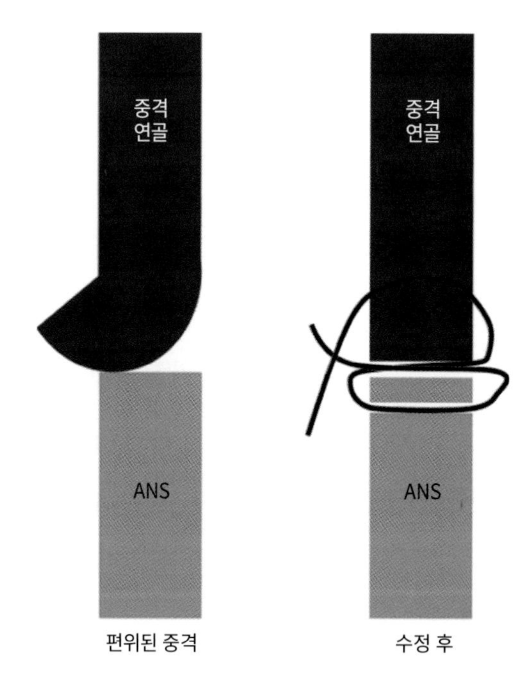

◘ 그림 32.20 **중격 연골의 꼬리 부분을 안정화하기 위해 전비극(ANS)에 중격 연골을 8자형 봉합을 시행하는 모식도**

Shin 등[162] – 이 논문은 the Creative Commons Attribution 4.0 국제 허가에 따라(http://creativecommons.org/licenses/by/4.0) 어떤 방식으로든 무제한 사용, 배포, 복제를 허용하고, 원본 저자와 출처에 대한 적절한 크레딧을 제공하고 Creative Commons 허가에 대한 링크를 제공하고 변경 여부도 나타내야 한다(https://jkamprs. springeropen.com/articles/10.1186 /s40902-016-0067-z).

32.3.13 구강 건강에 대한 악교정 수술의 영향

1993년 Ellingson과 Artun은 수술적 외상과 관련된 허혈이 치아 건강과 치수에 장기적인 영향을 미치는지 여부를 결정하기 위해 93명의 악교정 수술 환자를 대상으로 연구를 수행했다.[166] 구강안면 외상은 특히 치아와 치수에 대한 외상성 손상 후 치아 건강에 영향을 미치는 것으로 오랫동안 알려져 왔으며, 수술의 외상이 다른 외상성 사건과 비교할 수 있는지 에 대한 질문이 제기되었다. 총 93명의 환자가 LeFort I 골절단술(n = 42)이나 BSSO (n = 76)를 받았다. 평균 연령은 38.5 ± 9.4세(범위 21.9–63.9)였으며, 환자들은 평균 8.9 ± 2.9년(범위 4.7–15.3)의 장기간 경과 관찰을 받았다. 치수관 폐쇄의 발생은 상악골에서 Le Fort I 골절단술을 받은 환자에서 그렇지 않은 환자보다 유의하게 자주 관찰되었지만($p < 0.001$), 골절단술의 많은 비율에서 치수관 폐쇄의 영향을 받았고($p < 0.01$), 양측 분할 골절단술은 시간 경과에도 치수의 병적 변화에 영향을 미치지 않았다. 괴사를 유발하는 것으로 확인된 위험 요인은 수복이나 치아 우식의 존재였지만($p < 0.01$), 장기간 관찰 동안 발치가 필요한 치아는 거의 없었다.

32.4 결론

MMA와 악교정 수술에 수반되는 광범위한 합병증이 보편적으로 보고되었다. 가장 흔한 것 중 일부는 마취, 오심, 구토, 신경 감각 장애가 있고, 덜 일반적인 것으로 1차, 2차 출혈, 잘못된 분할, 골절, 감염, 호흡기 문제, 정맥 혈전 색전증이나 위동맥류와 같은 혈관 관련 문제이다. 환자의 정신적 건강도 중요한 관심사가 되어야 한다. 많은 합병증이 예측되진 않지만, 환자의 편안함, 삶의 질, 치유 경로를 계획할 수 있다. 환자와 그 가족이나 간병인은 환자를 돌보는데 적극적인 역할을 할 수 있는 권한을 부여받아야 한다. 제공자는 합병증의 범위를 이해하고 이를 전문적으로 관리하는 방법을 알아야 할 법적 및 윤리적 책임이 있다. 또한 철저한 위험 정보 전달자로서의 의무가 있으며, 외과의로서 신중하고 세심하며 전문적으로 정확해야 하며 궁극적으로 합병증을 예방하거나 그 영향을 완화하는데 기꺼이 도움을 주어야 한다.

감사의 말

본 저자들은 각자의 수련과 전임의 과정을 통해 힘들게 지도하고 인도해주신 많은 멘토들의 전문성과 기술에 대해 감사를 표합니다.

참고문헌

1. Holty JE, Guilleminault C. Maxillomandibular advancement for the treatment of obstructive sleep apnea: a systematic review and meta-analysis. Sleep Med Rev. 2010;14(5):287–97. https://doi.org/10.1016/j.smrv.2009.11.003.
2. Khattak ZG, Benington PC, Khambay BS, Green L, Walker F, Ayoub AF. An assessment of the quality of care provided to orthognathic surgery patients through a multidisciplinary clinic. J Craniomaxillofac Surg. 2012;40(3):243–7. https://doi. org/10.1016/j.jcms.2011.04.004.
3. Prinsell JR. Maxillomandibular advancement surgery in a site-specific treatment approach for obstructive sleep apnea in 50 consecutive patients. Chest. 1999;116(6):1519–29.
4. Piecuch JF, West RA. Spontaneous pneumomediastinum associated with orthognathic surgery. A case report. Oral Surg Oral Med Oral Pathol. 1979;48(6):506–8.
5. Yim M, Demke J. Latest trends in craniomaxillofacial surgical instrumentation. Curr Opin Otolaryngol Head Neck Surg. 2012; 20(4):325–32. https://doi.org/10.1097/MOO.0b013e328355a906.
6. Jędrzejewski M, Smektała T, Sporniak-Tutak K, Olszewski R. Preoperative, intraoperative, and postoperative complications in orthognathic surgery: a systematic review. Clin Oral Investig. 2015;19(5):969–77. https://doi.org/10.1007/s00784-015-1452-1.
7. Mavis B, Holmes Rovner M, Jorgenson S, Coffey J, Anand N, Bulica E, et al. Patient participation in clinical encounters: a systematic review to identify self-report measures. Health Expect. 2015;18(6):1827–43. https://doi.org/10.1111/hex.12186.
8. Kim SC, Kim S, Boren D. The quality of therapeutic alliance between patient and provider predicts general satisfaction. Mil Med. 2008;173(1):85–90.
9. Moore W, Slabbert MN. Medical information therapy and medical malpractice litigation in South Africa. South African Journal of Bioethics and Law. 2013;6(2):60–3.
10. Levinson W. Doctor-patient communication and medical malpractice: implications for pediatricians. Pediatr Ann. 1997;26(3):186–93.
11. Moore PJ, Adler NE, Robertson PA. Medical malpractice: the effect of doctor-patient relations on medical patient perceptions and malpractice intentions. West J Med. 2000;173(4):244–50.
12. Raper SE, Joseph J, Seymour WG, Sullivan PG. Tipping the scales: educating surgeons about medical malpractice. J Surg Res. 2016;206(1):206–13. https://doi.org/10.1016/j.jss.2016.08.002.
13. Boyll P, Kang P, Mahabir R, Bernard RW. Variables that impact medical malpractice claims involving plastic surgeons in the United States. Aesthet Surg J. 2017; https://doi.org/10.1093/asj/sjx182.
14. Epstein RM, Alper BS, Quill TE. Communicating evidence for participatory decision making. JAMA. 2004;291(19):2359–66. https://doi.org/10.1001/jama.291.19.2359.
15. Levinson W, Lesser CS, Epstein RM. Developing physician communication skills for patient-centered care. Health Aff (Millwood). 2010;29(7):1310–8. https://doi.org/10.1377/hlthaff.2009.0450.
16. Zipkin DA, Umscheid CA, Keating NL, Allen E, Aung K, Beyth R, et al. Evidence-based risk communication: a systematic review. Ann Intern Med. 2014;161(4):270–80. https://doi. org/10.7326/M14-0295.
17. Patel PK, Morris DE, Gassman A. Complications of orthognathic surgery. J Craniofac Surg. 2007;18(4):975–85.; Quiz 86–8. https://doi.org/10.1097/scs.0b013e318068442c.
18. Nurminen L, Pietila T, Vinkka-Puhakka H. Motivation for and satisfaction with orthodontic-surgical treatment: a retrospective study of 28 patients. Eur J Orthod. 1999;21(1):79–87.

19. Hunt OT, Johnston CD, Hepper PG, Burden DJ. The psycho-social impact of orthognathic surgery: a systematic review. Am J Orthod Dentofac Orthop. 2001;120(5):490–7. https://doi. org/10.1067/mod.2001.118402.

20. Cunningham SJ, Feinmann C. Psychological assessment of patients requesting orthognathic surgery and the relevance of body dysmorphic disorder. Br J Orthod. 1998;25(4):293–8. https://doi.org/10.1093/ortho/25.4.293.

21. Moon W, Kim J. Psychological considerations in orthognathic surgery and orthodontics. Semin Orthod. 2016;22(1):12–7. https://doi.org/10.1053/j.sodo.2015.10.003.

22. Phillips C, Kim SH, Tucker M, Turvey TA. Sensory retraining: burden in daily life related to altered sensation after orthognathic surgery, a randomized clinical trial. Orthod Cra-niofac Res. 2010;13(3):169–78. https://doi.org/10.1111/j.1601-6343.2010.01493.x.

23. Bellucci CC, Kapp-Simon KA. Psychological considerations in orthognathic surgery. Clin Plast Surg. 2007;34(3):e11–6. https://doi.org/10.1016/j.cps.2007.04.004.

24. Cunningham SJ, Hunt NP, Feinmann C. Perceptions of out-come following orthognathic surgery. Br J Oral Maxillofac Surg. 1996;34(3):210–3.

25. Frost V, Peterson G. Psychological aspects of orthognathic surgery: how people respond to facial change. Oral Surg Oral Med Oral Pathol. 1991;71(5):538–42.

26. Desforges E, Mathis R, Wilk A, Zagala-Bouquillon B, Bacon W, Meyer N, et al. The psychological impact of orthognathic surgery. Orthod Fr. 2007;78(2):113–21. https://doi.org/10.1051/orthodfr:2007013.

27. Pacheco-Pereira C, Abreu LG, Dick BD, De Luca CG, Paiva SM, Flores-Mir C. Patient satisfaction after orthodontic treatment combined with orthognathic surgery: a systematic review. Angle Orthod. 2016;86(3):495–508. https://doi.org/10.2319/040615-227.1.

28. Kiyak HA, McNeill RW, West RA, Hohl T, Heaton PJ. Personality characteristics as predictors and sequelae of surgical and conventional orthodontics. Am J Orthod. 1986;89(5):383–92.

29. Yoshioka I, Igawa K, Nagata J, Yoshida M, Baba T, Ichiki T, et al. Risk factors for breakage of biodegradable plate systems after bilateral sagittal split mandibular setback surgery. Br J Oral Maxillofac Surg. 2013;51(4):307–11. https://doi.org/10.1016/j. bjoms.2012.06.007.

30. Van de Perre JP, Stoelinga PJ, Blijdorp PA, Brouns JJ, Hop-penreijs TJ. Perioperative morbidity in maxillofacial ortho-paedic surgery: a retrospective study. J Craniomaxillofac Surg. 1996;24(5):263–70.

31. Edwards DB, Scheffer RB, Jackler I. Postoperative pneumome-diastinum and pneumothorax following orthognathic surgery. J Oral Maxillofac Surg. 1986;44(2):137–41.

32. Avelar RL, Goelzer JG, Becker OE, de Oliveira RB, Raupp EF, de Magalhaes PS. Embolization of pseudoaneurysm of the internal maxillary artery after orthognathic surgery. J Craniofac Surg. 2010;21(6):1764–8. https://doi.org/10.1097/SCS.0b013e3181f40393.

33. Hacein-Bey L, Blazun JM, Jackson RF. Carotid artery pseudoaneurysm after orthognathic surgery causing lower cranial nerve palsies: endovascular repair. J Oral Maxil-lofac Surg. 2013;71(11):1948–55. https://doi.org/10.1016/j. joms.2013.07.001.

34. Lanigan DT. Injuries to the internal carotid artery following orthognathic surgery. Int J Adult Orthodon Orthognath Surg. 1988;3(4):215–20.

35. Lanigan DT, Hey JH, West RA. Major vascular complications of orthognathic surgery: hemorrhage associated with Le fort I osteotomies. J Oral Maxillofac Surg. 1990;48(6):561–73. https://doi.org/10.1016/s0278-2391(10)80468-9.

36. Zaghi S, Holty JE, Certal V, Abdullatif J, Guilleminault C, Powell NB, et al. Maxillomandibular advancement for treatment of obstructive sleep apnea: a Meta-analysis. JAMA Otolaryngol Head Neck Surg. 2016;142(1):58–66. https://doi.org/10.1001/jamaoto.2015.2678.

37. Panula K, Finne K, Oikarinen K. Incidence of complications and problems related to orthognathic surgery: a review of 655 patients. J Oral Maxillofac Surg. 2001;59(10):1128–36. https://doi.org/10.1053/joms.2001.26704.

38. Kim T, Kim JY, Woo YC, Park SG, Baek CW, Kang H. Pneumo-mediastinum and pneumothorax after orthognathic surgery –a case report. Korean J Anesthesiol. 2010;59(Suppl):S242. https://doi.org/10.4097/kjae.2010.59.s.s242.

39. Marrone O, Vicini C. Upper airway surgery in OSA. European Respiratory Monograph. 2010;50:286.

40. Liu SY, Huon LK, Powell NB, Riley R, Cho HG, Torre C, et al. Lateral Pharyngeal Wall tension after Maxillomandibular advancement for obstructive sleep apnea is a marker for surgical success: observations from drug-induced sleep endoscopy. J Oral Maxillofac Surg. 2015;73(8):1575–82. https://doi.org/10.1016/j. joms.2015.01.028.

41. Elshaug AG, Moss JR, Southcott AM, Hiller JE. Redefining success in airway surgery for obstructive sleep apnea: a meta analysis and synthesis of the evidence. Sleep. 2007;30(4):461–7.

42. Boyd SB, Walters AS, Waite P, Harding SM, Song Y. Long-term effectiveness and safety of Maxillomandibular advancement for treatment of obstructive sleep apnea. J Clin Sleep Med. 2015;11(7):699–708. https://doi.org/10.5664/jcsm.4838.

43. Blumen MB, Buchet I, Meulien P, Hausser Hauw C, Neveu H, Chabolle F. Complications/adverse effects of maxillomandibular advancement for the treatment of OSA in regard to outcome. Otolaryngol Head Neck Surg. 2009;141(5):591–7. https://doi. org/10.1016/j.otohns.2009.08.025.

44. Vigneron A, Tamisier R, Orset E, Pepin JL, Bettega G. Max-illomandibular advancement for obstructive sleep apnea syndrome treatment: Long-term results. J Craniomaxillofac Surg. 2017;45(2):183–91. https://doi.org/10.1016/j.jcms.2016.12.001.

45. de Ruiter MHT, Apperloo RC, Milstein DMJ, de Lange J. Assessment of obstructive sleep apnoea treatment success or failure after maxillomandibular advancement. Int J Oral Max-illofac Surg. 2017;46(11):1357–62. https://doi.org/10.1016/j. ijom.2017.06.006.

46. Friscia M, Sbordone C, Petrocelli M, Vaira LA, Attanasi F, Cas-sandro FM, et al. Complications after orthognathic surgery: our experience on 423 cases. Oral Maxillofac Surg. 2017;21(2):171–7. https://doi.org/10.1007/s10006-017-0614-5.

47. Bowe DC, Gruber EA, McLeod NM. Nerve injury associated with orthognathic surgery. Part 1: UK practice and motor nerve injuries. Br J Oral Maxillofac Surg. 2016;54(4):362–5. https://doi.org/10.1016/j.bjoms.2016.01.026.

48. Aurora RN, Casey KR, Kristo D, Auerbach S, Bista SR, Chowdhuri S, et al. Practice parameters for the surgical modifications of the upper airway for obstructive sleep apnea in adults. Sleep. 2010;33(10):1408–13.

49. Dickerson HS, White RP Jr, McMichael DL, Turvey TA, Phillips C, Mohorn DJ. Recovery following orthognathic surgery: man-dibular bilateral sagittal split osteotomy and Le fort I osteotomy. Int J Adult Orthodon Orthognath Surg. 1993;8(4):237–43.

50. Berger G, Berger R, Oksenberg A. Progression of snoring and obstructive sleep apnoea: the role of increasing weight and time. Eur Respir J. 2009;33(2):338–45. https://doi. org/10.1183/09031936.00075408.

51. Carneiro G, Zanella MT. Obesity metabolic and hormonal disorders associated with obstructive sleep apnea and their impact on the risk of cardiovascular events. Metabolism. 2018; https://doi.org/10.1016/j.metabol.2018.03.008.

52. Cizza G, de Jonge L, Piaggi P, Mattingly M, Zhao X, Lucassen E, et al. Neck circumference is a predictor of metabolic syndrome and obstructive sleep apnea in short-sleeping obese men and women. Metab Syndr Relat Disord. 2014;12(4):231–41. https://doi.org/10.1089/met.2013.0093.

53. Katz S, Murto K, Barrowman N, Clarke J, Hoey L, Momoli F, et al. Neck circumference percentile: a screening tool for pediatric obstructive sleep apnea. Pediatr Pulmonol. 2015;50(2):196–201. https://doi.org/10.1002/ppul.23003.

54. Levin BC, Becker GD. Uvulopalatopharyngoplasty for snoring: long-term results. Laryngoscope. 1994;104(9):1150–2. https://doi.org/10.1288/00005 537-199409000-00017.

55. Marin JM, Carrizo SJ, Vicente E, Agusti AG. Long-term cardiovascular outcomes in men with obstructive sleep apnoea-hypopnoea with or without treatment with con-tinuous positive airway pressure: an observational study. Lancet. 2005;365(9464):1046–53. https://doi.org/10.1016/S0140-6736(05)71141-7.

56. Marin JM, Agusti A, Villar I, Forner M, Nieto D, Carrizo SJ, et al. Association between treated and untreated obstructive sleep apnea and risk of hypertension. JAMA. 2012;307(20):2169–76. https://doi.org/10.1001/jama.2012.3418.

57. Li KK, Riley RW, Powell NB, Zonato A. Fiberoptic nasopha-ryngolaryngoscopy for airway monitoring after obstructive sleep apnea surgery. J Oral Maxillofac Surg. 2000;58(12):1342–5.; dis-cussion 5–6. https://doi.org/10.1053/joms.2000.18255.

58. Shah N, Roux F. The relationship of obesity and obstructive sleep apnea. Clin Chest Med. 2009;30(3):455–65., vii. https://doi. org/10.1016/j.ccm.2009.05.012.

59. Uesugi T, Kobayashi T, Hasebe D, Tanaka R, Ike M, Saito C. Effects of orthognathic surgery on pharyngeal airway and respiratory function during sleep in patients with mandibular prognathism. Int J Oral Maxillofac Surg. 2014;43(9):1082–90. https://doi.org/10.1016/j.ijom.2014.06.010.

60. Pineiro-Aguilar A, Somoza-Martin M, Gandara-Rey JM, Garcia- Garcia A. Blood loss in orthognathic surgery: a systematic review. J Oral Maxillofac Surg. 2011;69(3):885–92. https://doi.org/10.1016/j.joms.2010.07.019.

61. Thastum M, Andersen K, Rude K, Nørholt SE, Blomlöf J. Factors influencing intraoperative blood loss in orthognathic surgery. Int J Oral Maxillofac Surg. 2016;45(9):1070–3. https://doi. org/10.1016/j.ijom.2016.02.006.

62. Andersen K, Thastum M, Norholt SE, Blomlof J. Relative blood loss and operative time can predict length of stay following orthognathic surgery. Int J Oral Maxillofac Surg. 2016;45(10): 1209–12. https://doi.org/10.1016/j.ijom.2016.05.015.

63. Praveen K, Narayanan V, Muthusekhar MR, Baig MF. Hypotensive anaesthesia and blood loss in orthognathic surgery: a clinical study. Br J Oral Maxillofac Surg. 2001;39(2):138–40. https://doi.org/10.1054/bjom.2000.0593.

64. Lin S, Chen C, Yao CF, Chen YA, Chen YR. Comparison of different hypotensive anaesthesia techniques in orthognathic surgery with regard to intraoperative blood loss, quality of the surgical field, and postoperative nausea and vomiting. Int J Oral Maxillofac Surg. 2016;45(12):1526–30. https://doi.org/10.1016/j. ijom.2016.09.005.

65. Varol A, Basa S, Ozturk S. The role of controlled hypotension upon transfusion requirement during maxillary downfracture in double-jaw surgery. J Craniomaxillofac Surg. 2010;38(5):345–9. https://doi.org/10.1016/j.jcms.2009.10.012.

66. Ervens J, Marks C, Hechler M, Plath T, Hansen D, Hoffmeister B. Effect of induced hypotensive anaesthesia vs isovolaemic haemodilution on blood loss and transfusion requirements in orthognathic surgery: a prospective, single-blinded, randomized, controlled clinical study. Int J Oral Maxillofac Surg. 2010;39(12):1168–74. https://doi.org/10.1016/j.ijom.2010.09.003.

67. Dolman RM, Bentley KC, Head TW, English M. The effect of hypotensive anesthesia on blood loss and operative time during Le fort I osteotomies. J Oral Maxillofac Surg. 2000;58(8):834–9.; discussion 40. https://doi.org/10.1053/joms.2000.8194.

68. Barak M, Yoav L. Abu el-Naaj I. Hypotensive anesthesia versus normotensive anesthesia during major maxillofacial surgery: a review of the literature ScientificWorldJournal. 2015;2015: 480728. https://doi.org/10.1155/2015/480728.

69. Ashworth A, Klein AA. Cell salvage as part of a blood conservation strategy in anaesthesia. Br J Anaesth. 2010;105(4):401–16. https://doi.org/10.1093/bja/aeq244.

70. Stewart A, Newman L, Sneddon K, Harris M. Aprotinin reduces blood loss and the need for transfusion in orthognathic surgery. Br J Oral Maxillofac Surg. 2001;39(5):365–70. https://doi. org/10.1054/bjom.2001.0664.

71. Dediol E. Pseudoaneurysm of the facial artery as a complication of the sagittal split osteotomy. Oral Surg Oral Med Oral Pathol Oral Radiol Endodontol. 2010;110(6):683. https://doi. org/10.1016/j.tripleo.2010.07.016.

72. Madani M, Veznedaroglu E, Pazoki A, Danesh J, Matson SL. Pseudoaneurysm of the facial artery as a late complication of bilateral sagittal split osteotomy and facial trauma. Oral Surgery, Oral Medicine, Oral Pathology, Oral Radiology, and Endodontology. 2010;110(5):579–84. https://doi.org/10.1016/j. tripleo.2010.03.021.

73. Lee H, Shin S, Kim H, Cheon S, Kim S, Park Y. A case report: menstrual dysfunction and bleeding tendency caused by surgical stress. Korean J Hosp Dent. 2006;4:59–66.

74. Basu HK. Fibrin degradation products in sera of women with Normal menstruation and menorrhagia. BMJ. 1970;1(5688):74–5. https://doi.org/10.1136/bmj.1.5688.74.

75. Sostres C, Gargallo CJ, Arroyo MT, Lanas A. Adverse effects of non-steroidal anti-inflammatory drugs (NSAIDs, aspirin and coxibs) on upper gastrointestinal tract. Best Pract Res Clin Gastroenterol. 2010;24(2):121–32. https://doi.org/10.1016/j. bpg.2009.11.005.

76. Sostres C, Carrera-Lasfuentes P, Lanas A. Non-steroidal anti-inflammatory drug related upper gastrointestinal bleeding: types of drug use and patient profiles in real clinical practice. Curr Med Res Opin. 2017;33(10):1815–20. https://doi.org/10.1080/03 007995.2017.1338178.

77. Chen WC, Lin KH, Huang YT, Tsai TJ, Sun WC, Chuah SK, et al. The risk of lower gastrointestinal bleeding in low-dose aspirin users. Aliment Pharmacol Ther. 2017;45(12):1542–50. https://doi.org/10.1111/apt.14079.

78. Elwood PC, Morgan G, Galante J, Chia JW, Dolwani S, Graziano JM, et al. Systematic review and Meta-analysis of randomised trials to ascertain fatal gastrointestinal bleeding events attributable to preventive low-dose aspirin: no evidence of increased risk. PLoS One. 2016;11(11):e0166166. https://doi. org/10.1371/journal.pone.0166166.

79. Fletcher RH. Review: aspirin for CVD primary prevention increases gastrointestinal bleeding and hemorrhagic stroke. Ann Intern Med. 2016;165(4):JC17. https://doi.org/10.7326/ACPJC-2016-165-4-017.

80. Dergin G, Gurler G, Gursoy B. Modified connective tissue flap: a new approach to closure of an oroantral fistula. Br J Oral Maxillofac Surg. 2007;45(3):251–2. https://doi.org/10.1016/j. bjoms.2006.09.009.

81. Kansu L, Akman H, Uckan S. Closure of oroantral fistula with the septal cartilage graft. Eur Arch Otorhinolaryngol. 2010;267(11):1805–6. https://doi.org/10.1007/s00405-010-1340-x.

82. Isler SC, Demircan S, Cansiz E. Closure of oroantral fistula using auricular cartilage: a new method to repair an oroantral fistula. Br J Oral Maxillofac Surg. 2011;49(8):e86–7. https://doi. org/10.1016/j.bjoms.2011.03.262.

83. Ahmed MS, Askar NA. Combined bony closure of oroantral fistula and sinus lift with mandibular bone grafts for subsequent dental implant placement. Oral Surg Oral Med Oral Pathol Oral Radiol Endod. 2011;111(4):e8–14. https://doi.org/10.1016/j.tri-pleo.2011.01.003.

84. Abdel-Aziz M, Fawaz M, Kamel M, Kamel A, Aljeraisi T. Closure of Oroantral fistula with buccal fat pad flap and endoscopic drainage of the maxillary sinus. J Craniofac Surg. 2018; https://doi.org/10.1097/SCS.0000000000004709.

85. Borgonovo AE, Berardinelli FV, Favale M, Maiorana C. Surgical options in oroantral fistula treatment. Open Dent J. 2012;6:94–8. https://doi.org/10.2174/1874210601206010094.

86. Bell WH, Kennedy JW 3rd. Biological basis for vertical ramus osteotomies--a study of bone healing and revascularization in adult rhesus monkeys. J Oral Surg. 1976;34(3):215–24.

87. Kim S, Kim SY, Kim GJ, Jung H-D, Jung YS. Partial Necrosis of the Mandibular Proximal Segment Following Transoral Vertical Ramus Osteotomy. Maxillofacial Plastic and Recon-structive Surgery. 2014;36(3):131–4. https://doi.org/10.14402/jkamprs.2014.36.3.131.

88. Van Sickels JE, Tucker MR. Management of delayed union and nonunion of maxillary osteotomies. J Oral Maxillofac Surg. 1990;48(10):1039–44. https://doi.org/10.1016/0278-2391(90)90285-a.

89. Jones MW, Cooper JS. Hyperbaric. Treasure Island (FL): Wound Healing. StatPearls; 2018.

90. McFarlane RM, DeYoung G, Henry RA. Prevention of necrosis in experimental pedicle flaps with hyperbaric oxygen. Surg Forum. 1965;16:481–2.

91. McFarlane RM, Wermuth RE. The use of hyperbaric oxygen to prevent necrosis in experimental pedicle flaps and composite skin grafts. Plast Reconstr Surg. 1966;37(5):422–30.

92. Shanker M, Hamilton Farell MR. Critical ischaemia of the maxilla treated with hyperbaric oxygen. Br J Oral Maxillofac Surg. 2003;41(5):346–7.

93. Eid HS, El Sayed W. The effect of hyperbaric oxygen therapy on improving bony stability in LeFort I maxillary advancement. Undersea Hyperb Med. 2011;38(2):117–26.

94. Dauwe PB, Pulikkottil BJ, Lavery L, Stuzin JM, Rohrich RJ. Does hyperbaric oxygen therapy work in facilitating acute wound healing: a systematic review. Plast Recon-str Surg. 2014;133(2):208e–15e. https://doi.org/10.1097/01. prs.0000436849.79161.a4.

95. Silva AC, O'Ryan F, Poor DB. Postoperative nausea and vomiting (PONV) after orthognathic surgery: a retrospective study and literature review. J Oral Maxillofac Surg. 2006;64(9):1385–97. https://doi.org/10.1016/j.joms.2006.05.024.

96. Koivuranta M, Laara E, Snare L, Alahuhta S. A survey of post-operative nausea and vomiting. Anaesthesia. 1997;52(5):443–9.

97. Apfel CC, Laara E, Koivuranta M, Greim CA, Roewer N. A simplified risk score for predicting postoperative nausea and vomiting: conclusions from cross-validations between two centers. Anesthesiology. 1999;91(3):693–700.

98. Phillips C, Brookes CD, Rich J, Arbon J, Turvey TA. Postop-erative nausea and vomiting following orthognathic surgery. Int J Oral Maxillofac Surg. 2015;44(6):745–51. https://doi. org/10.1016/j.ijom.2015.01.006.

99. Aarabi M, Tabrizi R, Hekmat M, Shahidi S, Puzesh A. Relationship between mandibular anatomy and the occurrence of a bad split upon sagittal split osteotomy. J Oral Maxil-lofac Surg. 2014;72(12):2508–13. https://doi.org/10.1016/j. joms.2014.05.008.

100. Falter B, Schepers S, Vrielinck L, Lambrichts I, Thijs H, Politis C. Occurrence of bad splits during sagittal split osteotomy. Oral Surg Oral Med Oral Pathol Oral Radiol Endod. 2010;110(4):430–5. https://doi.org/10.1016/j.tripleo.2010.02.003.

101. Al-Nawas B, Kammerer PW, Hoffmann C, Moergel M, Koch FP, Wriedt S, et al. Influence of osteotomy procedure and surgical experience on early complications after orthognathic surgery in the mandible. J Craniomaxillofac Surg. 2014;42(5):e284–8. https://doi.org/10.1016/j.jcms.2013.10.007.

102. Reyneke JP, Tsakiris P, Becker P. Age as a factor in the complication rate after removal of unerupted/impacted third molars at the time of mandibular sagittal split osteotomy. J Oral Maxillofac Surg. 2002;60(6):654–9. https://doi.org/10.1053/joms.2002.33114.

103. Kriwalsky MS, Maurer P, Veras RB, Eckert AW, Schubert J. Risk factors for a bad split during sagittal split osteotomy. Br J Oral Maxillofac Surg. 2008;46(3):177–9. https://doi. org/10.1016/j.bjoms.2007.09.011.

104. Precious DS, Lung KE, Pynn BR, Goodday RH. Presence of impacted teeth as a determining factor of unfavorable splits in 1256 sagittal-split osteotomies. Oral Surgery, Oral Medicine, Oral Pathology, Oral Radiology, and Endodontology. 1998;85(4):362–5. https://doi.org/10.1016/s1079-2104(98)90057-9.

105. Balaji SM. Impacted third molars in sagittal split osteotomies in mandibular prognathism and micrognathia. Ann Maxillofac Surg. 2014;4(1):39–44. https://doi.org/10.4103/2231-0746.133074.

106. Verweij JP, Mensink G, Fiocco M, van Merkesteyn JP. Presence of mandibular third molars during bilateral sagittal split osteotomy increases the possibility of bad split but not the risk of other post-operative complications. J Craniomaxillofac Surg. 2014;42(7):e359–63. https://doi.org/10.1016/j.jcms.2014.03.019.

107. Camargo IB, Van Sickels JE, Laureano Filho JR, Cunningham LL. Root contact with maxillomandibular fixation screws in orthognathic surgery: incidence and consequences. Int J Oral Maxillofac Surg. 2016;45(8):980–4. https://doi.org/10.1016/j. ijom.2016.02.015.

108. Reyneke JP. Reoperative orthognathic surgery. Oral Maxil-lofac Surg Clin North Am. 2011;23(1):73–92., vi. https://doi. org/10.1016/j.coms.2010.10.001.

109. Mehra P, Castro V, Freitas RZ, Wolford LM. Complications of the mandibular sagittal split ramus osteotomy associated with the presence or absence of third molars. J Oral Maxillofac Surg. 2001;59(8):854–8.; discussion 9. https://doi.org/10.1053/joms.2001.25013.

110. Zamiri B, Tabrizi R, Shahidi S, Pouzesh A. Medial cortex fracture patterns after sagittal split osteotomy using short versus long medial cuts: can we obviate bad splits? Int J Oral Max-illofac Surg. 2015;44(7):809–15. https://doi.org/10.1016/j. ijom.2015.03.017.

111. Mensink G, Verweij JP, Frank MD, Eelco Bergsma J. Richard van Merkesteyn JP. Bad split during bilateral sagittal split osteotomy of the mandible with separators: a retrospective study of 427 patients. Br J Oral Maxillofac Surg. 2013;51(6):525–9. https://doi.org/10.1016/j.bjoms.2012.10.009.

112. O'Ryan F, Poor DB. Completing sagittal split osteotomy of the mandible after fracture of the buccal plate. J Oral Max-illofac Surg. 2004; 62(9):1175–6. https://doi.org/10.1016/j. joms.2003.12.032.

113. Patterson AL, Bagby SK. Posterior vertical body osteotomy (PVBO): a predictable rescue procedure for proximal segment fracture during sagittal split ramus osteotomy of the man-dible. J Oral Maxillofac Surg. 1999;57(4):475–7. https://doi. org/10.1016/s0278-2391(99)90295-1.

114. Steenen SA, Becking AG. Bad splits in bilateral sagittal split osteotomy: systematic review of fracture patterns. Int J Oral Maxillofac Surg. 2016; 45(7):887–97. https://doi.org/10.1016/j. ijom.2016.02.001.

115. Steenen SA, van Wijk AJ, Becking AG. Bad splits in bilateral sagittal split osteotomy: systematic review and meta-analysis of reported risk factors. Int J Oral Maxillofac Surg. 2016;45(8):971–9. https://doi.org/10.1016/j.ijom.2016.02.011.

116. Bouchard C, Lalancette M. Infections after sagittal split osteotomy: a retrospective analysis of 336 patients. J Oral Max-illofac Surg. 2015;73(1):158–61. https://doi.org/10.1016/j. joms.2014.07.032.

117. Sousa CS, Turrini RNT. Complications in orthognathic surgery: a comprehensive review. Journal of Oral and Maxillofacial Surgery, Medicine, and Pathology. 2012;24(2):67–74.

118. Moriarty TF, Schlegel U, Perren S, Richards RG. Infection in fracture fixation: can we influence infection rates through implant design? J Mater Sci Mater Med. 2010;21(3):1031–5. https://doi.org/10.1007/s10856-009-3907-x.

119. Davis CM, Gregoire CE, Steeves TW, Demsey A. Prevalence of surgical site infections following orthognathic surgery: a r etrospective cohort analy-

sis. J Oral Maxillofac Surg. 2016;74(6):1199–206. https://doi. org/10.1016/j.joms.2016.01.040.

120. Brignardello-Petersen R, Carrasco-Labra A, Araya I, Yanine N, Cordova Jara L, Villanueva J. Antibiotic prophylaxis for preventing infectious complications in orthognathic surgery. Cochrane Database Syst Rev. 2015;1:CD010266. https://doi. org/10.1002/14651858.CD010266.pub2.

121. Posnick JC, Choi E, Chavda A. Surgical site infections following Bimaxillary orthognathic, osseous Genioplasty, and intranasal surgery: a retrospective cohort study. J Oral Maxillofac Surg. 2017;75(3):584–95. https://doi.org/10.1016/j.joms.2016.09.018.

122. Blackburn TK, Pritchard K, Richardson D. Symptomatic venous thromboembolism after orthognathic operations: an audit. Br J Oral Maxillofac Surg. 2006;44(5):389–92. https://doi.org/10.1016/j.bjoms.2005.08.008.

123. Verlinden CR, Tuinzing DB, Forouzanfar T. Symptomatic venous thromboembolism in orthognathic surgery and distraction osteogenesis: a retrospective cohort study of 4127 patients. Br J Oral Maxillofac Surg. 2014;52(5):401–4. https://doi. org/10.1016/j.bjoms.2014.03.006.

124. Heit JA, Spencer FA, White RH. The epidemiology of venous thromboembolism. J Thromb Thrombolysis. 2016;41(1):3–14. https://doi.org/10.1007/s11239-015-1311-6.

125. (US) OotSG. The Surgeon General's Call to Action to Prevent Deep Vein Thrombosis and Pulmonary Embolism. The Surgeon General's Call to Action to Prevent Deep Vein Thrombo-sis and Pulmonary Embolism. Publications and Reports of the Surgeon General. Rockville (MD); 2008.

126. Lowry JC. Thromboembolic disease and thromboprophylaxis in oral and maxillofacial surgery: experience and practice. Br J Oral Maxillofac Surg. 1995;33(2):101–6.

127. Moreano EH, Hutchison JL, McCulloch TM, Graham SM, Funk GF, Hoffman HT. Incidence of deep venous thrombo-sis and pulmonary embolism in otolaryngology-head and neck surgery. Otolaryngol Head Neck Surg. 1998;118(6):777–84. https://doi.org/10.1016/S0194-5998(98)70268-2.

128. Schleyer AM, Robinson E, Dumitru R, Taylor M, Hayes K, Pergamit R, et al. Preventing hospital-acquired venous throm-boembolism: improving patient safety with interdisciplinary teamwork, quality improvement analytics, and data trans-parency. J Hosp Med. 2016;11(Suppl 2):S38–43. https://doi. org/10.1002/jhm.2664.

129. Geerts W, Ray JG, Colwell CW, Bergqvist D, Pineo GF, Lassen MR, et al. Prevention of venous thromboembolism. Chest. 2005;128(5):3775–6. https://doi.org/10.1378/chest.128.5.3775.

130. Braekkan SK, Grosse SD, Okoroh EM, Tsai J, Cannegieter SC, Naess IA, et al. Venous thromboembolism and subse-quent permanent work-related disability. J Thromb Haemost. 2016;14(10):1978–87. https://doi.org/10.1111/jth.13411.

131. Cohoon KP, Leibson CL, Ransom JE, Ashrani AA, Petterson TM, Long KH, et al. Costs of venous thromboembolism associated with hospitalization for medical illness. Am J Manag Care. 2015;21(4):e255–63.

132. Quist-Paulsen P, Naess IA, Cannegieter SC, Romundstad PR, Christiansen SC, Rosendaal FR, et al. Arterial cardiovascular risk factors and venous thrombosis: results from a population- based, prospective study (the HUNT 2). Haematologica. 2010;95(1):119–25. https://doi.org/10.3324/haematol.2009.011866.

133. Christiansen SC, Lijfering WM, Naess IA, Hammerstrom J, van Hylckama VA, Rosendaal FR, et al. The relationship between body mass index, activated protein C resistance and risk of venous thrombosis. J Thromb Haemost. 2012;10(9):1761–7. https://doi.org/10.1111/j.1538-7836.2012.04828.x.

134. Christiansen SC, Naess IA, Cannegieter SC, Hammerstrom J, Rosendaal FR, Reitsma PH. Inflammatory cytokines as risk factors for a first venous thrombosis: a prospective population- based study. PLoS Med. 2006;3(8):e334. https://doi. org/10.1371/journal.pmed.0030334.

135. Debeij J, Dekkers OM, Asvold BO, Christiansen SC, Naess IA, Hammerstrom J, et al. Increased levels of free thyroxine and risk of venous thrombosis in a large population-based prospective study. J Thromb Haemost. 2012;10(8):1539–46. https://doi. org/10.1111/j.1538-7836.2012.04818.x.

136. Cohoon KP, Ashrani AA, Crusan DJ, Petterson TM, Bailey KR, Heit JA. Is infection an independent risk factor for venous thromboembolism? A population-based. Case-Control Study Am J Med. 2018;131(3):307–16. e2. https://doi.org/10.1016/j. amjmed.2017.09.015.

137. Lodders JN, Parmar S, Stienen NL, Martin TJ, Karago-zoglu KH, Heymans MW, et al. Incidence of symptomatic venous thromboembolism in oncological oral and maxillofacial operations: retrospective analysis. Br J Oral Maxillofac Surg. 2015;53(3):244–50. https://doi.org/10.1016/j.bjoms.2014.12.001.

138. Kakei Y, Akashi M, Hasegawa T, Minamikawa T, Usami S, Komori T. Incidence of venous thromboembolism after Oral oncologic surgery with simultaneous reconstruction. J Oral Maxillofac Surg. 2016;74(1):212–7. https://doi.org/10.1016/j. joms.2015.08.006.

139. Wang Y, Liu J, Yin X, Hu J, Kalfarentzos E, Zhang C, et al. Venous thromboembolism after oral and maxillofacial oncologic surgery: report and analysis of 14 cases in Chinese popu-lation. Med Oral Patol Oral Cir Bucal. 2017;22(1):e115–e21.

140. Ong HS, Gokavarapu S, Al-Qamachi L, Yin MY, Su LX, Ji T, et al. Justification of routine venous thromboembolism pro-phylaxis in head and neck cancer reconstructive surgery. Head Neck. 2017;39(12):2450–8. https://doi.org/10.1002/hed.24914.

141. Sorathia D, Naik-Tolani S, Gulrajani RS. Prevention of venous thromboembolism. Oral Maxillofac Surg Clin North Am. 2006;18(1):95–105., vii. https://doi.org/10.1016/j. coms.2005.09.010.

142. Thirugnanam S, Pinto R, Cook DJ, Geerts WH, Fowler RA. Economic analyses of venous thromboembolism prevention strategies in hospitalized patients: a systematic review. Crit Care. 2012;16(2):R43. https://doi.org/10.1186/cc11241.

143. Rathbun S. Cardiology patient pages. The surgeon General's call to action to prevent deep vein thrombosis and pulmonary embolism. Circulation. 2009;119(15):e480–2. https://doi. org/10.1161/CIRCULATIONAHA.108.841403.

144. Lee J-H, Lee I-W, Seo B-M. Clinical analysis of early reop-eration cases after orthognathic surgery. J Korean Assoc Oral Maxillofac Surg. 2010;36(1):28. https://doi.org/10.5125/jka-oms.2010.36.1.28.

145. Van Sickels JE, Dolce C, Keeling S, Tiner BD, Clark GM, Rugh JD. Technical factors accounting for stability of a bilateral sagittal split osteotomy advancement Wire osteosynthesis versus rigid fixation. Oral Surgery, Oral Medicine, Oral Pathology, Oral Radiology, and Endodontology. 2000;89(1):19–23. https://doi.org/10.1016/s1079-2104(00)80008-6.

146. de Moraes PH, Rizzati-Barbosa CM, Olate S, Moreira RW, de Moraes M. Condylar resorption after orthognathic surgery: a systematic review. Int J Morphol. 2012;30(3):1023–8. https://doi.org/10.4067/S0717-95022012000300042.

147. Crawford JG, Stoelinga PJ, Blijdorp PA, Brouns JJ. Stability after reoperation for progressive condylar resorption after orthognathic surgery: report of seven cases. J Oral Maxillofac Surg. 1994;52(5):460–6.

148. Hoppenreijs TJ, Stoelinga PJ, Grace KL, Robben CM. Long-term evaluation of patients with progressive condylar resorption following orthognathic surgery. Int J Oral Maxillofac Surg. 1999;28(6):411–8.

149. Hwang SJ, Haers PE, Zimmermann A, Oechslin C, Seifert B, Sailer HF. Surgical risk factors for condylar resorption after orthognathic surgery. Oral Surg Oral Med Oral Pathol Oral Radiol Endod. 2000;89(5):542–52.

150. Hwang SJ, Haers PE, Seifert B, Sailer HF. Non-surgical risk factors for condylar resorption after orthognathic surgery. J Craniomaxillofac Surg. 2004;32(2):103–11. https://doi. org/10.1016/j.jcms.2003.09.007.

151. Catherine Z, Breton P, Bouletreau P. Condylar resorption after orthognathic surgery: a systematic review. Revue de Stomatologie, de Chirurgie Maxillo-faciale et de Chirurgie Orale. 2016;117(1):3–10. https://doi.org/10.1016/j.revsto.2015.11.002.

152. Gunson MJ, Arnett GW, Milam SB. Pathophysiology and pharmacologic control of osseous mandibular condylar resorption. J Oral Maxillofac Surg. 2012;70(8):1918–34. https://doi. org/10.1016/j.joms.2011.07.018.

153. Kobayashi T, Izumi N, Kojima T, Sakagami N, Saito I, Saito C. Progressive condylar resorption after mandibular advancement. Br J Oral Maxillofac Surg. 2012;50(2):176–80. https://doi.org/10.1016/j.bjoms.2011.02.006.

154. Brachvogel P, Berten JL, Hausamen JE. Surgery before orth-odontic treatment: a concept for timing the combined therapy of skeletal dysgnathias. Dtsch Zahn Mund Kieferheilkd Zentralbl. 1991;79(7):557–63.

155. O'Brien K, Wright J, Conboy F, Appelbe P, Bearn D, Caldwell S, et al. Prospective, multi-center study of the effectiveness of orthodontic/orthognathic surgery care in the United Kingdom. Am J Orthod Dentofac Orthop. 2009;135(6):709–14. https://doi.org/10.1016/j.ajodo.2007.10.043.

156. Luther F, Morris DO, Hart C. Orthodontic preparation for orthognathic surgery: how long does it take and why? A retro-spective study. Br J Oral Maxillofac Surg. 2003;41(6):401–6.

157. Sharma VK, Yadav K, Tandon P. An overview of surgery-first approach: recent advances in orthognathic surgery. J Orthod Sci. 2015;4(1):9–12. https://doi.org/10.4103/2278-0203.149609.

158. Gandedkar NH, Chng CK, Tan W. Surgery-first orthognathic approach case series: salient features and guidelines. J Orthod Sci. 2016;5(1):35–42. https://doi.org/10.4103/2278-0203.176657.

159. Liu SY, Lee PJ, Awad M, Riley RW, Zaghi S. Corrective nasal surgery after Maxillomandibular advancement for obstructive sleep apnea: experience from 379 cases. Oto-laryngol Head Neck Surg. 2017;157(1):156–9. https://doi. org/10.1177/0194599817695807.

160. Yen CY, Kuo CL, Liu IH, Su WC, Jiang HR, Huang IG, et al. Modified alar base cinch suture fixation at the bilateral lower border of the piriform rim after a maxillary Le fort I osteotomy. Int J Oral Maxillofac Surg. 2016;45(11):1459–63. https://doi.org/10.1016/j.ijom.2016.06.002.

161. Van Sickels JE, Tucker M. Prevention and management of complications in orthognathic surgery. Principles of oral and maxillofacial surgery. 1992;3:1468.

162. Shin YM, Lee ST, Kwon TG. Surgical correction of septal deviation after Le Fort I osteotomy. Maxillofacial Plast Reconstruct Surg. 2016;38(1) https://doi.org/10.1186/s40902-016-0067-z.

163. Betts NJ, Dowd KF. Soft tissue changes associated with orthog-nathic surgery. Atlas Oral Maxillofac Surg Clin North Am. 2000;8(2):13–38.

164. Chow LK, Singh B, Chiu WK, Samman N. Prevalence of post-operative complications after orthognathic surgery: a 15-year review. J Oral Maxillofac Surg. 2007;65(5):984–92. https://doi. org/10.1016/j.joms.2006.07.006.

165. Kramer F-J, Baethge C, Swennen G, Teltzrow T, Schulze A, Berten J, et al. Intra- and perioperative complications of the LeFort I osteotomy: a prospective evaluation of 1000 patients. Journal of Craniofacial Surgery. 2004;15(6):971–7. https://doi. org/10.1097/00001665-200411000-00016.

166. Ellingsen RH, Artun J. Pulpal response to orthognathic surgery: a long-term radiographic study. Am J Orthod Dentofac Orthop. 1993;103(4):338–43.

OSA 관리를 위한 골수술의 가상 수술 계획 수립

Christopher Viozzi

목차

33.1 개요

치아안면 기형의 치료를 위한 악안면 골절단술의 사용은 오랜 역사를 가지고 있다.[1-3] 적절한 골격 변화를 달성하기 위해 상악, 하악, 턱의 움직임은 공간 3평면에서 모두 수행될 수 있다. 일반적으로, 상악 및/또는 하악 저발달은 과잉 발달보다 더 보편적인 임상 시나리오이다[4]; 그러므로, 시간 경과에 따라 더 많은 전진술이 시행되었다. 역사적으로 외과의는 악교정 수술 환자의 하위 집합에서 주간 졸음, 코골이, 수면 파트너에 의한 무호흡 에피소드 야간 관찰에 대한 환자-진술의 증상과 징후에 개선을 일화적으로 기록했다. 이와 같이, 시간 경과에 따라 안면골의 골전진을 완화할 수 있음이 분명해진다.[5,6]

양압기에 적응하지 못하는 폐쇄성 수면 무호흡(OSA) 환자를 관리하기 위한 악안면 골절단술 사용은 다른 유형의 OSA 술식(UPPP 같은)에 실패한 환자의 구조 치료와 1차 치료로 모두 검증되었다.[7-9]

이 치료는 기도 개방을 지원하는 연조직의 골 삽입 지점을 전진시킨다. 특히, 상악의 전방 이동은 연구개, 익돌하악봉선의 상측면, 상인두 수축근에 관련된 연결을 전진시키는 동시에, 중격성형술, 골돌기 제거, 골윤곽술, 비갑개성형술과 같은 비강 내 변형을 허용한다. 하악과 턱의 전진은 이설근, 이설골근, 악설골근, 이복근, 익돌하악 봉선의 하측면을 직접적으로 전진시킨다. 이러한 기도 재건에 대한 적절한 용어는 직접적 골 재건을 통한 간접적인 연조직 영향을 강조하는 골인두 재건일 것이다(◘ 그림 33.1).

기도 개통을 목표로 이러한 골 구조를 앞으로 움직일 때 "많을수록 좋다"로 가정하는 것이 논리적이며 어느 정도 사실이다. 그러나 이것은 전진량이 많을수록 골 접촉 감소뿐만 아니라 연조직 스트레칭(고무줄 효과)의 조합으로 인한 술후 재발 실현에 의해 완화된다.[10-13] 잘 정량화되지는 않았지만, 골 전진의 정도(특히 하악 연조직 부착)와 구인두 및 하인두 기도 용적 변화는 약 50-70% 일치하는 것으로 보인다.[14-19] 게다가, 성공적인 결과를 달성하기 위해 실제로 얼마나 많은 추가 기도 용적/크기가 필요한지 환자마다 명확하지 않다. 따라서, 대부분의 외과의는 하악 전방 연조직 부착을 최소 10-12 mm 전진시켜 5-8 mm의 AP 치수 변화를 달성하고자 한다.

역사적으로 상하악 전진술(MMA)은 결정적으로 2차원, 시상면 시각 치료 목적(VTO)을 사용하여 계획되었다. 이 과정은 임상 검사, 측면 두부계측 영상, 트레이싱, 치과 모델 수술을 활용하여 원하는 AP 치수 변화를 달성할 수술 계획을 달성했다. 그후 외과 치료 계획을 환자에게 정확하게 전달할 수 있도록 기공실에서 수술용 가이드 스플린트를 만들었다.

이 방법이 여전히 잘 작용할 수 있지만 최신 계획 수립에는 가상 3차원 방법 사용이 포함된다. 전체적인 과정은 일반 악교정 수술과 동일하다. 특별 단계는 다음과 같다(◘ 그림 33.2):

- 포괄적 병력과 신체 검사
- 치아 또는 치아 모델의 표면 스캔 이미지를 포함한 교합 인기를 포함한 교합 기록
- Cone-beam CT (CBCT) 또는 의료용 CT
- 예비 치료 계획 수립 (2D)
- 3차원 치료 시뮬레이션
- 술중 가이드 스플린트 구축
- 수술실에서 환자에게 수술 계획 전달

◘ 그림 33.1 상하악 전진술을 통한 골인두 재건의 해부학적 원리 시연

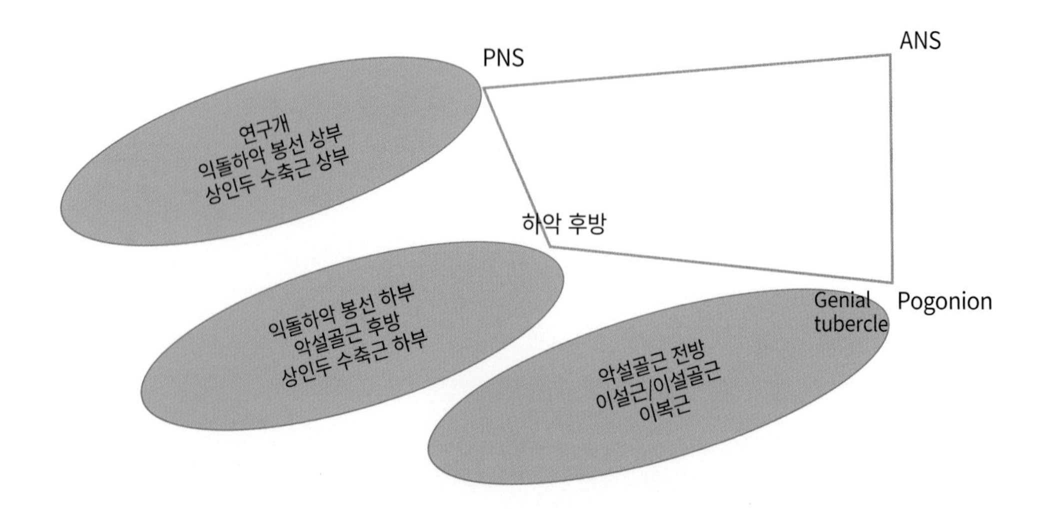

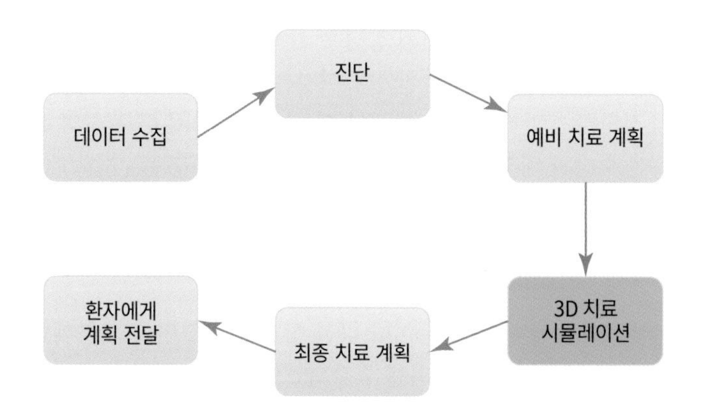

■ 그림 33.2 **가상 3D 시뮬레이션을 통합한 OSA 수술 치료 계획 수립 과정**

치료 계획 수립은 치아 부정교합을 교정하고 심미성을 극대화하기 위해 안면골과 연조직을 조화시키고 장기적인 안정성을 주목표로 하는 전통적인 악교정 수술과 다르다. OSA를 다루는 MMA나 다른 수술의 주요 목표는 장기적으로 안정될 수술로 기도 폐쇄 해결에 초점이 맞춰져 있다. 교정 치료를 받지 않은 환자에서 현재 교합의 보존이 중요하지만 궁극적으로 2차적인 목표이다. OSA 치료 계획의 일부로 치열 교정 치료를 받는 환자도 치아 교합 개선을 얻을 수 있다.

궁극적인 목표는 환자가 OSA[시간당 무호흡 저호흡 지수(AHI) 5회 미만으로 정의됨]를 "외과적으로 치료"받도록 하는 것이다. 모든 환자에서, 수술 목표는 AHI를 의학적 동반 질환으로 발전할 가능성이 없는 수준(AHI 15–20 미만)으로 낮추는 것이다. 각 환자의 특정 목표는 술전 AHI의 중증도, 그리고 술후 주간 졸음 지속되고 AHI가 5–15이면 술후 양압기 적응에 의해 영향을 받게 된다. 대부분의 환자가 일반적으로 양압기에 대한 불편감으로 수술을 원하기 때문에, MMA 이후에 어떠한 형태라도 양압기 요법이 필요하다는 생각에 호의적이지 않다는 것이 본 저자의 의견이다. 술후 AHI가 5–15이고 지속적인 졸음이 있는 일부 환자는 개선된 기도 해부학으로 인해 압력이 감소될 수 있기 때문에 양압기 요법을 더 잘 견딜 수 있지만, MMA 환자는 완전한 성공적 결과로 여기지 않을 것이다.

반시계방향 회전(CCWR)과 같은 교합면 조작은 다양한 이유로 MMA 환자에게 유용한 술식이 될 수 있다. 첫째, 대부분의 MMA 환자가 다단계 폐쇄를 가지고 있음에도 불구하고, 설후 기도 밀집은 일반적으로 기도 허탈 경향에 중심적인 역할을 한다. 따라서, 성공적인 결과를 얻기 위해 이설근, 이설골근, 익돌하악 봉선 하부, 관연 상부 수축근의 삽입을 최대로 전진시키는 것이 중요하다(■ 그림 33.1). 양악 수술(상악과 하악만)에서 pogonion은 최소 11–12 mm 전진이 목표여야 한다. 소량의 CCWR은 이 정도의 전진을 허용하는 동시에, 전진량이 증가하면 골 중첩의 어려움, 분절의 단축, 잠재적인 부정유합이나 유착 불량을 초래할 수 있는 Le Fort I 수준에서 전진의 일부를 완화할 수 있다. 또한, 비강 주변 충만감 및 비강의 해부학적 변화는 하악과 턱 위치 변화에 비해 잘 용인되지 않을 수 있다.

비전통적 턱 골절단술을 이용하여 이설근과 이설골근 골부착을 추가로 전진시킬 수 있다. 전통적 이부성형술은 이런 환자[드물지만, 체질량 지수(BMI) 25 미만과 AHI 15 미만의 환자는 예외 가능]에게 유용하지 않다.[20] 턱 수술은 하악 이결절부의 특정 전진을 목표로 해야 한다. 가상 수술은 이 구조를 찾고 확실하게 발전시키기 위한 추가 정보를 제공할 수 있다.

MMA와 기타 골 수술에 대한 가상 수술 계획 수립(VSP)이 전통적인 계획법보다 "더 나은"지에 대한 질문은 아직 답이 없다. 3D VSP를 전통적 방법과 비교하여, 달성 결과[AHI 및 Epworth 졸음 척도(ESS) 감소, 심혈관 질환 해결, 자동차 사고 예방 등]가 우수한지 평가한 연구는 없다. 전통적인 악교정 수술 과정(두부계측, 모델 수술)을 VSP와 비교하는 소수의 연구는 주로 비대칭 수정에 중점을 두었고, 3D VSP가 원하는 결과를 얻는 측면에서 이점을 제공했다는 일부 증거를 발견했다.[21,22] VSP를 통해 AP 치수 변화의 생성을 더 예측할 수 있다고 결론 짓는 것은 비논리적이지 않지만 추가 연구가 필요하다.

33.2 증례

그림 33.3은 MMA를 위해 계획된 중증 OSA가 있는 33세 여성 환자의 측면 두부계측 영상이다. 이것은 환자의 치아 교합 변화없이 골인두 재건을 수행하는 것을 의도하는 수술의 예이다. 모든 증례에서, 주의깊은 임상 병력과 신체 검사와 CBCT, CT 형태의 데이터 수집을 수행한다. 이 데이터를 수집한 후 가상 웹 회의를 진행할 수 있다.

이 특별한 증례에서, 높은 하악 평면 각도는 외과의가 교합면 회전을 활용하여 이결절 근육 부착의 전진을 최대화하는 동시에 환자의 고민일 수 있는 중안면 변화의 일부를 완화할 수 있는 기회를 제공한다. 그림 33.4와 그림 33.5는 이 증례에 수행된 수술 순서로 상악–우선 수술과 CCWR, 최종 교합으로의 하악 전진으로 계획된 입체적 수술 이동을 보여준다. 또한 전통적인 이설근부 전진을 수행했는데, 환자의 주관적인 미적 기준으로 인해 이결절 진행을 위한 전방 하악 절단을 허용하지 않았기 때문이다. 그림 33.4는 CCWR과 상당량의 MMA가 필요한

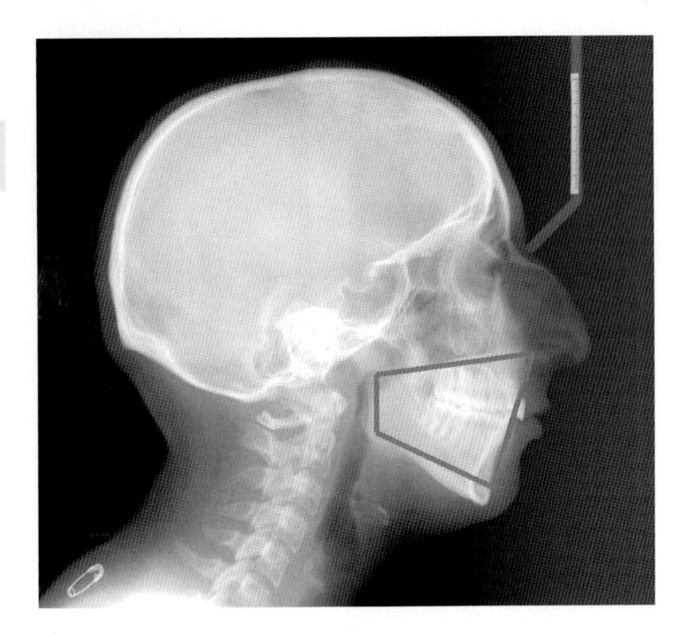

■ 그림 33.3 **측면 두부계측 영상에서 볼록한 측면, 높은 하악 평면 각도, 좁은 설후 기도를 명확하게 볼 수 있다.**

경우에 상악-우선 수술의 잠재적 단점을 보여준다. 이런 증례에서 중간 스플린트는 다루기 어려울 수 있다.

그림 33.6의 측면 두부계측 영상은 위의 증례와 대조적인 49세 남성으로 중증의 OSA가 있다. 이번 증례는 교합 평면과 하악 평면이 지나치게 편평하다. 이런 경우 CCWR은 생체역학적 관점(교합)에서 문제가 된다. 중간 스플린트의 모양과 방향이 훨씬 관리하기 쉽다. 그림 33.7과 그림 33.8은 이전 증례와 비교하여 pogonion에서 거의 동일한 전진을 보여주지만, 이전 증례보다 하악-우선 MMA의 경우 술중 수술 과정이 분명히 더 간단할 것이다.

하악-우선 수술 적용은 CCWR과 상당량의 MMA가 필요한 증례에서 유용할 수 있다. 그림 33.9는 심한 OSA와 명확한 설후 기도 밀집이 있는 59세 남성의 측면 두부계측 영상이다. 교합면 각도는 두 번째 경우보다 약간 더 가파르며, 이는 하악과 턱의 전진을 증가시키기 위해 CCWR을 사용할 수 있는 기회를 열어준다. 또한 하악-우선 수술로 개선된 중간 스플린트의 모양과 방향에 주목하라(■ 그림 33.10-11). 하악-우선 수술의 단점은 상악 수술을 계속하기 위해 하악을 단단히 고정해야 한다는 점이다. 예를 들어, 하악 골절단술에서 비정상적인 분할이 발생하고 강성 고정이 생성될 수 없는 경우, 외과의는 증례의 상악 부분을 중단하고 중간 스플린트를 제자리에 놓고 IMF를 적용하여 하악이 치유되도록 하고 상악 전진을 완성하기 위해 뒤에 날짜를 잡는다.

하악-우선 수술의 두 번째 장점은 기록 수집 중 과두 위치가 문제가 되지 않는다는 사실이다. 이것은 상악 재위치가 관절와에 정확하게 안착된 하악 과두로 얻는 기록에 의존하는 상악-우선 수술과 대조된다. OSA 환자(및 비-OSA 환자)는 기도 개방을 유지하는데 도움이 되는 반사 운동으로 OSA 환자에서 무의식적으로 하악을 앞으로 전진시킬 수 있다.

이부성형술의 사용(단독이나 다른 상하악 골절단술과 함께)은 OSA 환자의 일부에 의해 주장되었으며, 이는 전방 하악 근육 부착을 전방으로 이동시켜 기도를 열 수 있다는 개념이다. 전통적인 활주 이부성형술에 관한 데이터는 이 수술을 OSA 치료를 위한 단독 수술로 지지하지 않지만, 정상 체중(BMI 25 미만)인 최소 질병 환자(AHI 10 미만)는 예외적으로 가능하다.[20] 이것은 대부분의 외과의가 보는 일반적인 임상 시나리오가 아니다. 전통적인 활주 성형술 절차는 통상적으로 실제 이결절과 관련 근육 부착을 포착하지 못하는데, 이것이 OSA에서 단독 활주 이부성형술의 효과가 부족한 이유이다.

한편, 이결절 부위를 잡아주는 턱 골절단술은 이결절을 전방 위치에 직접 매다는 기전으로 이론적으로 매력적이다. VSP는 외과의가 하악 이결절의 위치를 정확하게 결정하는데 도움이 될 수 있으며, 원하는 경우, 술중 절단 및/또는 재배치 가이드를 만들어 의도한 결절이 수술 동안 실제로 포착되도록 도울 수 있다.

OSA의 일반적인 원인은 특발성 과두 흡수 또는 측두하악관절(TMJ) 퇴행성 질환이다. 이러한 개체는 수면 호흡 장애, 만성 안면 통증, 하악/턱 후퇴가 있는 볼록한 측면, 높은 하악 평면 각도, 구치부 치열의 함입, 전방 개방 교합을 비롯한 예측 가능한 소견의 집합을 초래한다. 이런 환자 관리는 일반적으로 전통적 악교정 수술, 상악 수술과 늑연골 이식 하악지 재건 병행, 상악 수술과 이종 TMJ 보철물 삽입 병행을 포함하는 선택지와 함께, 역사적으로 약간의 논란을 불러일으켰다. 이 3가지 접근 방식의 장점에 대해 논의하는 것은 이 원고의 범위에 속하지 않는다. 각 환자의 임상 상황은 고유하며 모든 접근 방식을 고려할 가치가 있다.

본 저자가 가장 많이 사용하는 접근법은 대부분 중년 이상의 골격이 성숙한 환자, 특히 적극적인 비수술적 보존적 치료에도 불구하고 TMJ 증상이 지속되는 환자에서 상악 수술을 통한 이종 관절 재건술이다. 젊고 보존적 치료로 증상을 조절할 수 있는 환자는 전통적인 악교정 수술의 더 나은 후보자이고, 이러한 환자 중 일부가 증상의 재발이나 추가 과두 변성으로 인

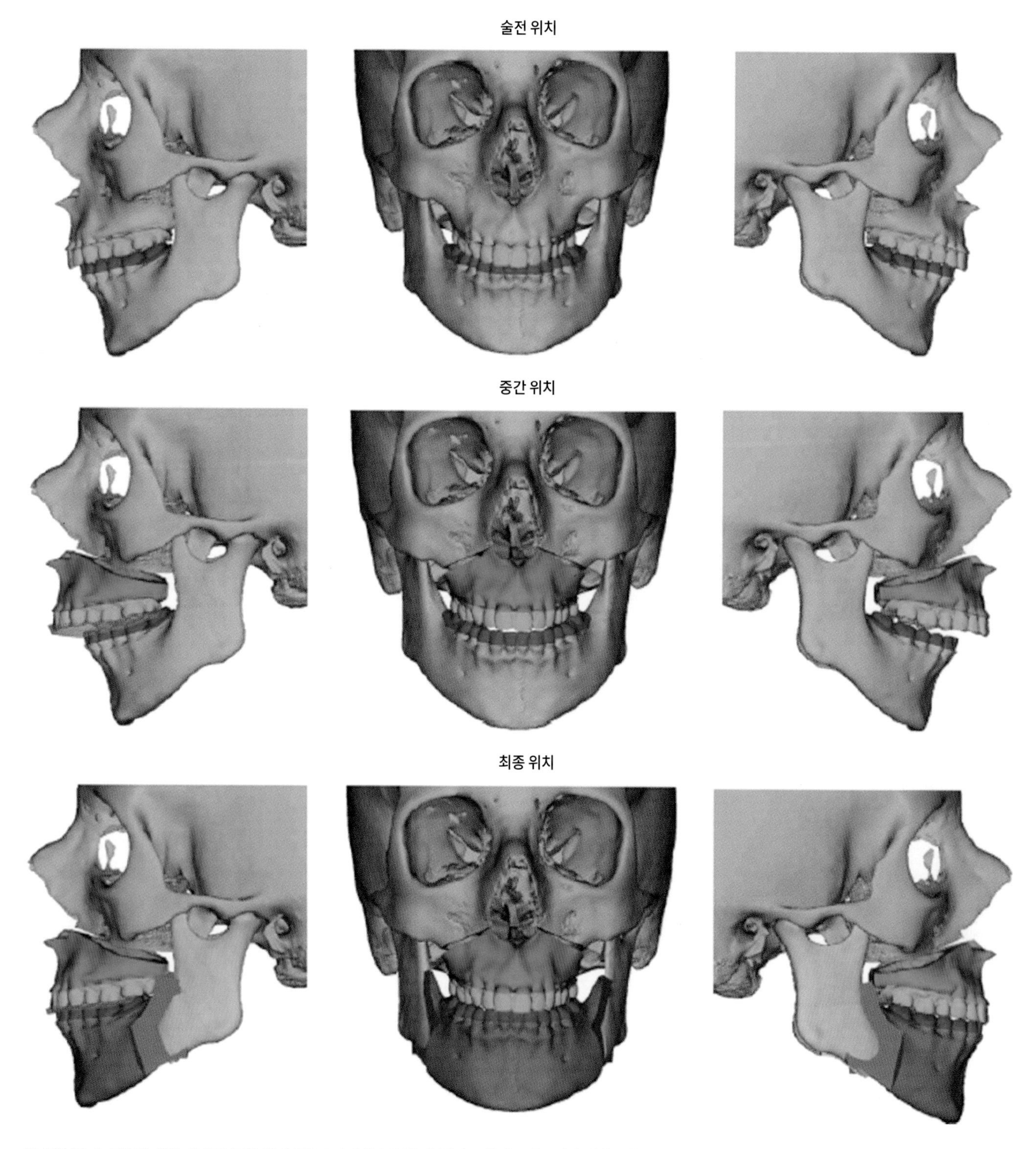

그림 33.4 VSP가 상악-우선과 교합 평면 CCWR 수술을 보여준다. 중간 스플린트의 두께와 방향을 확인하라.

■ 그림 33.5 **수술을 위해 계획된 입체 이동. ANS 대 menton의 전진량 차이를 확인하라.**

점	이름	전방/후방	좌측/우측	상/하
ANS	전비극	3.47 mm 전방	1.37 mm 좌측	0.47 mm 상
A	A-point	4.14 mm 전방	1.08 mm 좌측	0.09 mm 하
ISU1	상악 절치 정중선	6.00 mm 전방	1.18 mm 좌측	0.00 mm 하
U3L	상악 좌측 견치	5.06 mm 전방	0.79 mm 좌측	0.67
U6L	상악 좌측 대구치 전방 (근심협측 교두)	4.59 mm 전방	0.15 mm 좌측	1.83 mm 하
UK9R	상악 우측 견치	6.46 mm 전방	0.66 mm 좌측	0.97 mm 하
U6R	상악 우측 대구치 전방 (근심협측 교두)	6.55 mm 전방	0.03 mm 좌측	2.12 mm 하
ISL1	하악 절치 정중선	8.61 mm 전방	1.86 mm 우측	1.30 mm 하
L6L	하악 좌측 대구치 전방 (근심협측 교두)	9.00 mm 전방	1.27 mm 우측	3.18 mm 하
L6R	하악 우측 대구치 전방 (근심협측 교두)	7.85 mm 전방	1.22 mm 우측	2.59 mm 하
B	B-point	10.05 mm 전방	1.99 mm 우측	1.83 mm 하
Me	Menton	11.80 mm 전방	2.26 mm 우측	2.22 mm 하

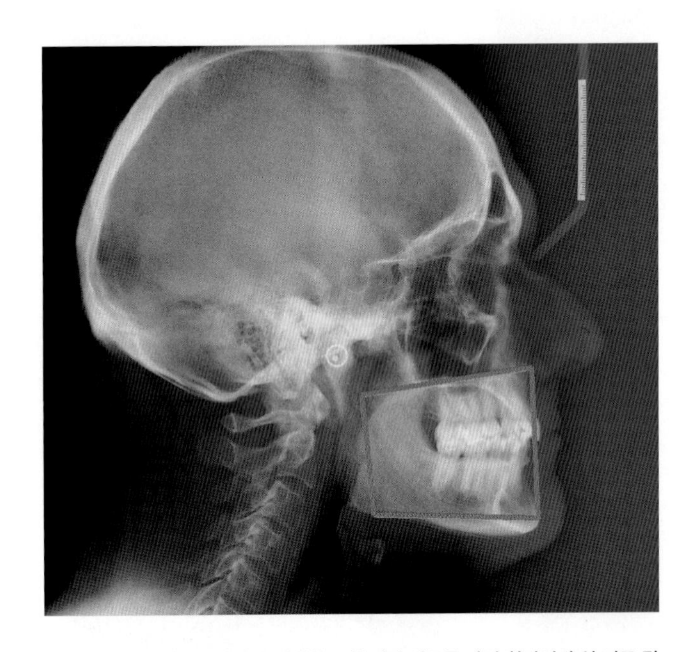

■ 그림 33.6 **직선형 측면과 편평한 교합 평면 각도를 가진 환자의 후설 기도 밀집을 보여주는 측면 두부계측 영상**

해 추가 수술이 필요할 수 있음을 이해해야 한다.

그림 33.12는 심한 OSA와 TMJ 통증과 과두 변성을 동반한 턱돌출의 진행성 소실(수년에 걸친)이 있는 43세 여성의 측면 두부계측 영상을 보여준다. 안면 통증에 대한 보존적 치료는 통증 완화를 적절하게 치료하지 못했고 과두 변성도 예방하지 못했다. 환자는 TMJ 장애 발생 수 년 후에 수면 호흡 장애가 발달하였다고 기억했다.

OSA에 대한 MMA의 다른 경우와 마찬가지로 하악 전방부 전진은 다단계 폐쇄를 완화하기에 충분해야 하며 pogonion 점을 최소 15 mm 앞으로 이동하는데 중점을 두어야 한다. 특히 이런 환자는 pogonion에서 21 mm 전진을 나타내는 그림 33.13, 그림 33.14에서 볼 수 있듯이 일반적으로 이보다 훨씬 더 전진할 수 있다. VSP를 통해 맞춤형 TMJ 보철물을 제작하는 데 사용할 수 있는 정확한 3D 인쇄 모델도 구성할 수 있다. 역사적으로, 이 과정은 예측하기가 훨씬 어려웠다; 3D 모델 인쇄는 술전 해부학의 정확한 복제를 허용했고, 이 모델은 의도한 술후 해부학을 나타내기 위해 수동으로 분절 및 재건할 수 있다. 의도한 수술 계획 수술 시 환자에게 정확하게 전달하고자 하는 욕구를 감안할 때 이것은 자신감을 유발하지 않는 과정이었다. 의도된 술후 해부학적 구조에서 3D 모델을 인쇄할 수 있는 기능을 갖춘 최신 VSP 기술은 기도 폐쇄가 완화될 수 있다는 높은 수준의 확신과 일관된 결과를 허용하는 상당한 발전이다 (■ 그림 33.15).

비전통적 골절단술(표준 Le Fort 및 시상 분할 골절단술 제외)

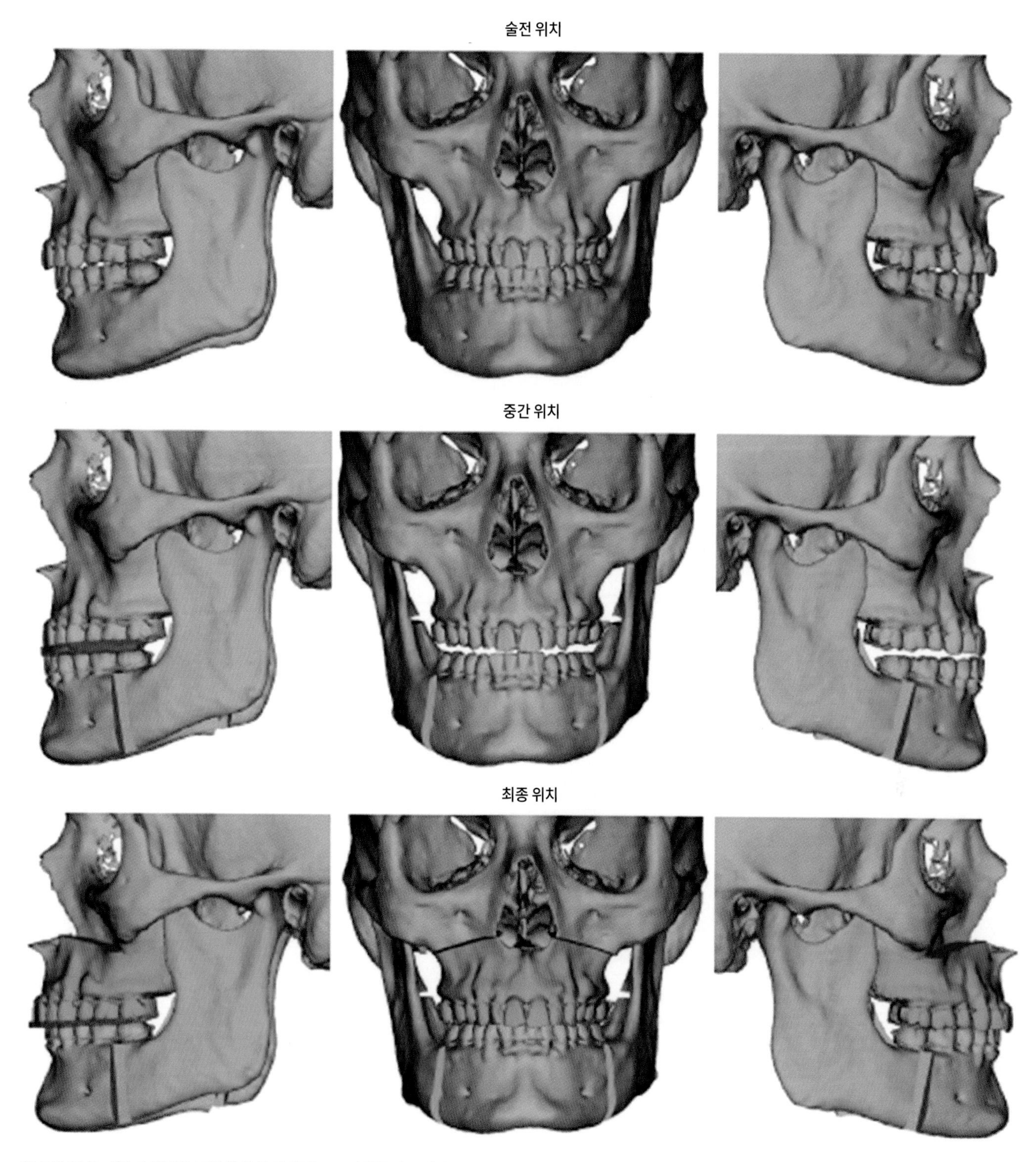

그림 33.7 심하게 편평한 교합 및 하악 평면 각도로 적절한 이부 전진을 달성하기 위해 CCWR을 배제한다.

■ 그림 33.8 CCWR로 치료된 이전 증례와 비교하여 거의 동일한 pogonion의 변화를 확인하라.

점	이름	전방/후방	좌측/우측	상/하
ANS	전비극	6.98 mm 전방	0.10 mm 좌측	2.15 mm 상
A	A-point	7.32 mm 전방	0.07 mm 우측	1.93 mm 상
ISU1	상악 절치 정중선	8.00 mm 전방	0.00	2.00 mm 상
U3L	상악 좌측 견치	7.50 mm 전방	0.26 mm 우측	1.66 mm 상
U6L	상악 좌측 대구치 전방 (근심협측 교두)	7.24 mm 전방	0.60 mm 우측	1.21 mm 상
U3R	상악 우측 견치	8.42 mm 전방	0.24 mm 우측	1.68 mm 상
U6R	상악 우측 대구치 전방 (근심협측 교두)	8.58 mm 전방	0.58 mm 우측	1.22 mm 상
ISL1	하악 절치 정중선	8.12 mm 전방	0.19 mm 좌측	4.21 mm 상
L6L	하악 좌측 대구치 전방 (근심협측 교두)	8.19 mm 전방	0.20 mm 좌측	2.59 mm 상
L6R	하악 우측 대구치 전방 (근심협측 교두)	8.21 mm 전방	0.20 mm 좌측	2.61 mm 상
B	B-point	9.60 mm 전방	0.20 mm 좌측	4.07 mm 상
Pog.	Progonion	11.11 mm 전방	0.21 mm 좌측	4.55 mm 상

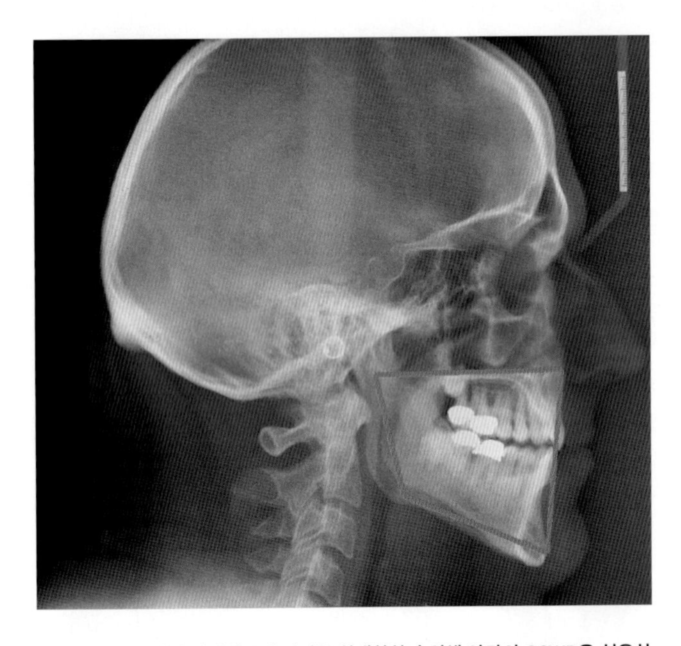

■ 그림 33.9 턱과 이결절부의 전진을 최대화하기 위해 약간의 CCWR을 허용하는 교합 평면 각도와 심한 술후 기도 밀집을 보여주는 측면 두부계측 영상

은 전진량으로 인해 전통적인 골절단술이 골 치유 문제나 시간 경과에 따른 재발의 위험이 있는 경우를 적절하게 관리하기 위해 때때로 필요하다. OSA 환자의 AP 전진량이 일상적인 악교정 수술 환자와 비교해서 OSA 환자에서 최대화되어야 하므로, 이러한 유형의 골절단술이 OSA 환자 관리에서 큰 역할을 해야 할 것이다.

그림 33.16은 특발성 과두 흡수와 중등증 OSA가 있는 16세 여환의 측면 두부계측 영상으로 MMA가 계획되었다. 하악지 해부학은 전통적인 SSRO의 필요한 전진량으로 하악지 내에서 골이 겹치지 않을 것으로 예상되었다. 이에 따라 상악 Le Fort I과 턱 전진을 병행하기 위해 하악에 역-L 골절단술이 결정되었다. VSP는 그림 33.17에서 보듯이 하악-우선을 시행하고 상악, 그리고 턱 순서로 진행한다. 그림 33.18은 골절단기를 정확하게 위치시키는 데 도움이 되도록 인쇄된 절단 가이드와 분절된 하악지 결손부에 삽입된 장골능 피질-해면골 블록의 윤곽을 지정하는 데 사용된 평판을 보여준다.

최종적으로, 견인성 골형성을 이용한 MMA는 선택된 증례에서 사용될 수 있다. 이런 증례에는 상악이나 하악의 전진 정도가 전통적인 골절단술이 부적절한 중첩, 재치환 수술, 술중 강성 고정을 구축하기 위한 외과적 스플린트가 적절하지 않을 수 있는 무치악 환자 정도이다.

그림 33.19는 지속적인 중증의 OSA를 가진 53세 남환으로 이전에 초기 이설근 전진술을 받고 실패한 경험이 있고, MMA도 받았으나 OSA 경감에 성공적이지 못했다. VSP를 사용하여 이

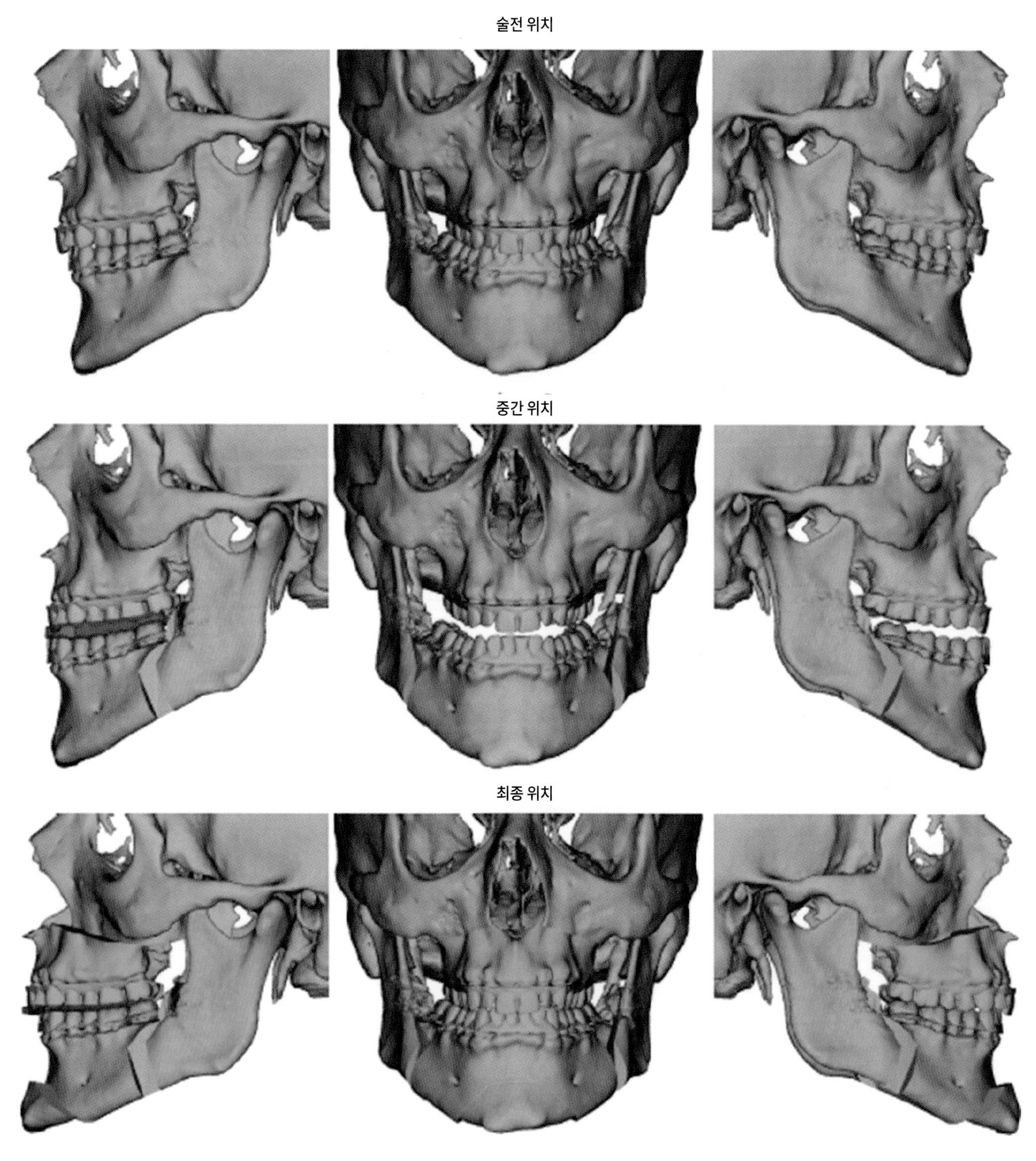

■ 그림 33.10 이결절부를 특별히 전진시키기 위한 사다리꼴 턱 전진과 함께 CCWR을 보여주는 VSP 영상. 또한 중간 스플린트의 모양과 방향이 개선되었다.

그림 33.11 ANS에서 B-point를 거쳐 pogonion으로의 CCWR로 달성된 전진의 차등 증가를 확인하라.

점	이름	전방/후방	좌측/우측	상/하
ANS	전비극	8.20 mm 전방	1.00 mm 우측	3.27 mm 상
A	A-point	8.58 mm 전방	1.00 mm 우측	2.93 mm 상
ISU1	상악 절치 정중선	10.00 mm 전방	1.00 mm 우측	3.00 mm 상
U3L	상악 좌측 견치	9.89 mm 전방	1.00 mm 우측	2.49 mm 상
U6L	상악 좌측 대구치 전방 (근심협측 교두)	9.79 mm 전방	1.00 mm 우측	1.23mm 상
U3R	상악 우측 견치	9.91 mm 전방	1.00 mm 우측	2.45 mm 상
U6R	상악 우측 대구치 전방 (근심협측 교두)	9.79 mm 전방	1.00 mm 우측	1.12 mm 상
ISL1	하악 절치 정중선	9.79 mm 전방	1.00 mm 우측	2.74 mm 상
L6L	하악 좌측 대구치 전방 (근심협측 교두)	9.79 mm 전방	1.00 mm 우측	1.29 mm 상
L6R	하악 우측 대구치 전방 (근심협측 교두)	9.72 mm 전방	1.00 mm 우측	1.38 mm 상
B	B-point	11.33 mm 전방	1.00 mm 우측	2.57 mm 상
Pog	Pogonion	18.29 mm 전방	1.00 mm 우측	4.84 mm 상

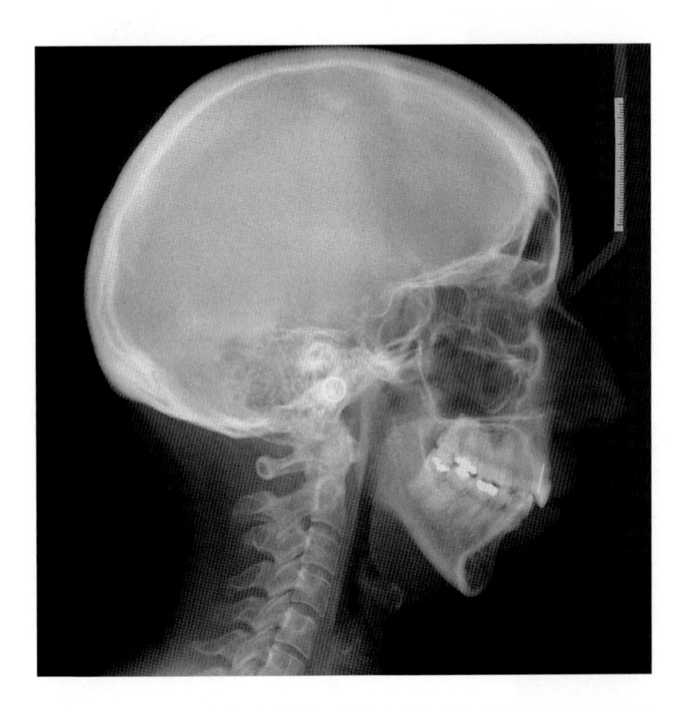

그림 33.12 기도 허탈, 시계방향 교합 평면 회전, 높은 하악 평면 각도, 구치부 함입, 하악/턱의 위치 부족을 보여주는 측면 두부계측 영상

전 수술에 내성이 있었던 이 환자에게 필요할 것으로 예상되는 전방 이동량으로 인해 견인성 골형성술을 사용하여 MMA를 계획하였다(그림 33.20).

가상 계획 수립 후, 3D 인쇄 모델을 만들어 술전에 변형하여 견인기에 적용하여 견인성 골형성술 증례에서 사용할 수 있다(그림 33.21, 22). 이를 통해 수술 계획에 충실한 정확한 벡터 재생이 가능하고 수술 시간을 절약할 수 있다. 또한 수술 중 사용할 수 있는 절단 및 위치 가이드를 제작할 수 있다.

견인성 수술 결과는 그림 33.23에서 볼 수 있는데, 기도 AP 크기의 상당한 개선이 분명하다. 수면 다원 검사로 환자의 지속적 OSA의 완전한 해소를 확인했다.

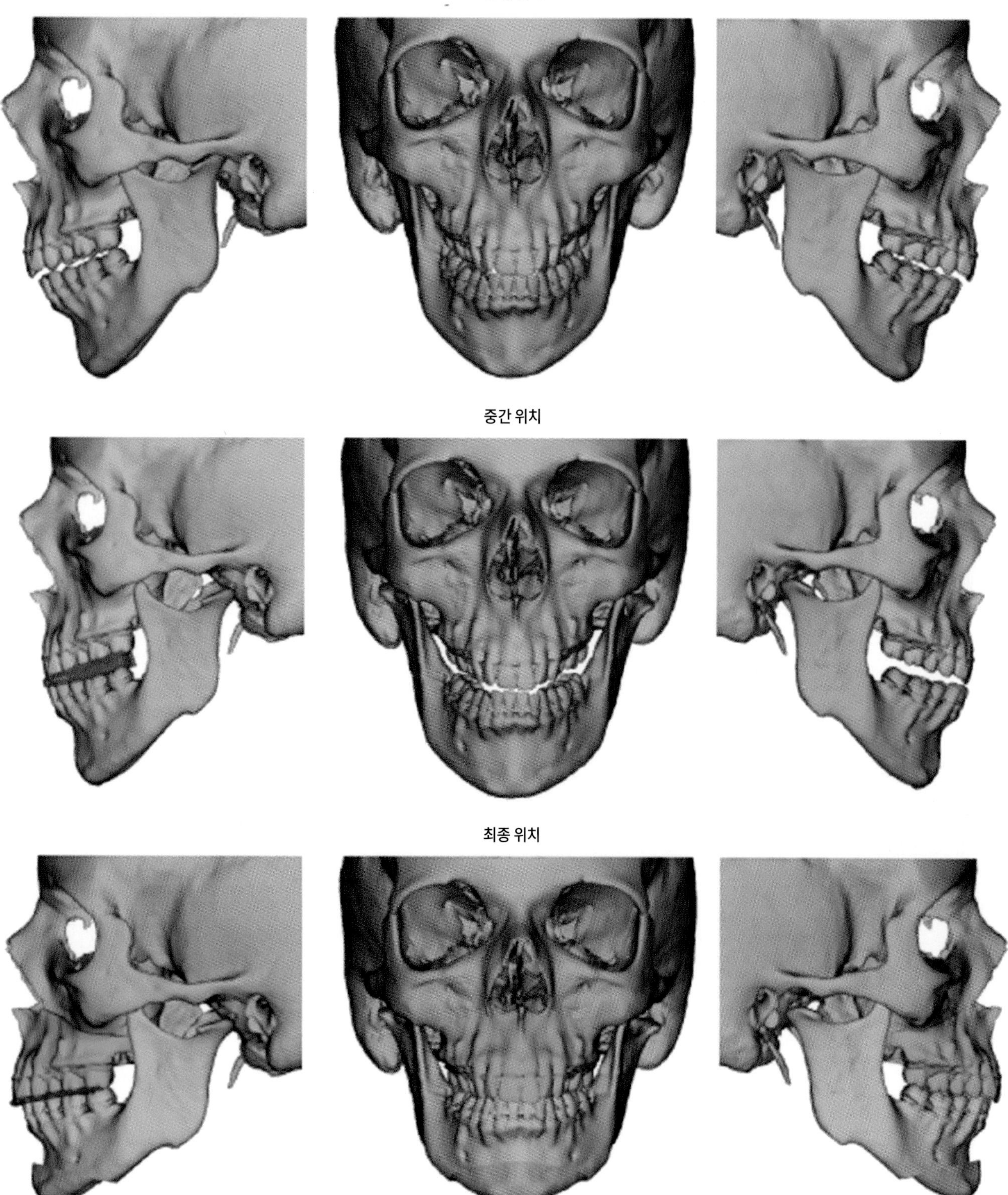

그림 33.13 Le Fort I 골절단술, 하악 전방 재위치, 전관절 치환술을 병행한 계획된 수술 재건을 보여주는 VSP

33

■ 그림 33.14 상당한 CCWR로 ANS부터 절치 그리고 B-point와 pogonion으로 AP 전진이 점진적으로 증가하는 것을 확인하라.

점	이름	전방/후방	좌측/우측	상/하
ANS	전비극	2.32 mm 전방	0.62 mm 좌측	5.79 mm 상
A	A-point	4.50 mm 전방	0.39 mm 좌측	5.02 mm 상
ISU1	상악 절치 정중선	8.00 mm 전방	0.00	5.00 mm 상
U3L	상악 좌측 견치	7.61 mm 전방	0.06 mm 좌측	3.56 mm 상
U6L	상악 좌측 대구치 전방 (근심협측 교두)	7.01 mm 전방	0.14 mm 좌측	1.66 mm 상
U3R	상악 우측 견치	7.62 mm 전방	0.05 mm 좌측	3.99 mm 상
U6R	상악 우측 대구치 전방 (근심협측 교두)	7.14 mm 전방	0.12 mm 좌측	2.16 mm 상
ISL1	하악 절치 정중선	8.53 mm 전방	0.96 mm 좌측	7.93 mm 상
L6L	하악 좌측 대구치 전방 (근심협측 교두)	7.63 mm 전방	0.78 mm 좌측	4.16 mm 상
L6R	하악 우측 대구치 전방 (근심협측 교두)	8.53 mm 전방	0.76 mm 좌측	4.39 mm 상
B	B-point	13.06 mm 전방	0.70 mm 좌측	5.78 mm 상
Pog	Pogonion	21.08 mm 전방	0.55 mm 좌측	7.19 mm 상

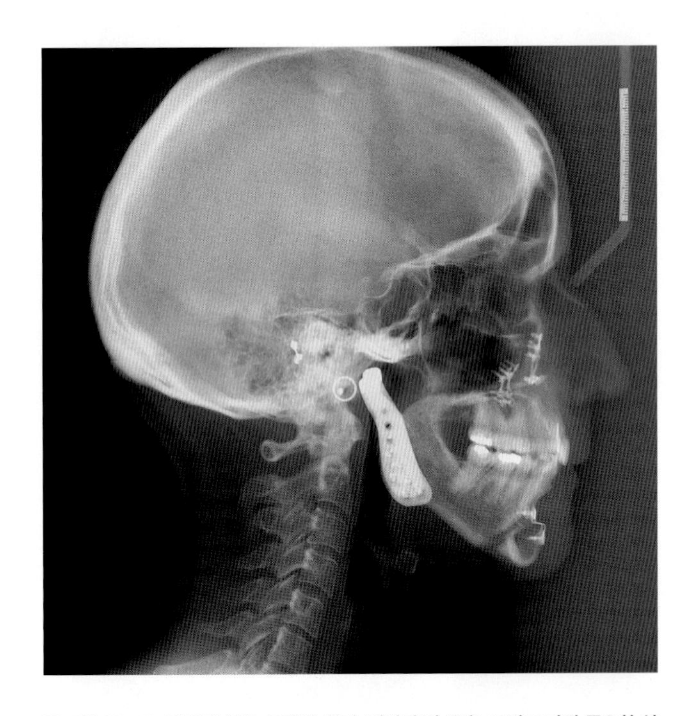

■ 그림 33.15 전관절 치환, 교합면 회전, 개선된 턱 돌출, 그리고 가장 중요한 설후부의 기도 허탈 완화를 포함하는 술후 해부학을 보여주는 술후 측면 두부계측 영상

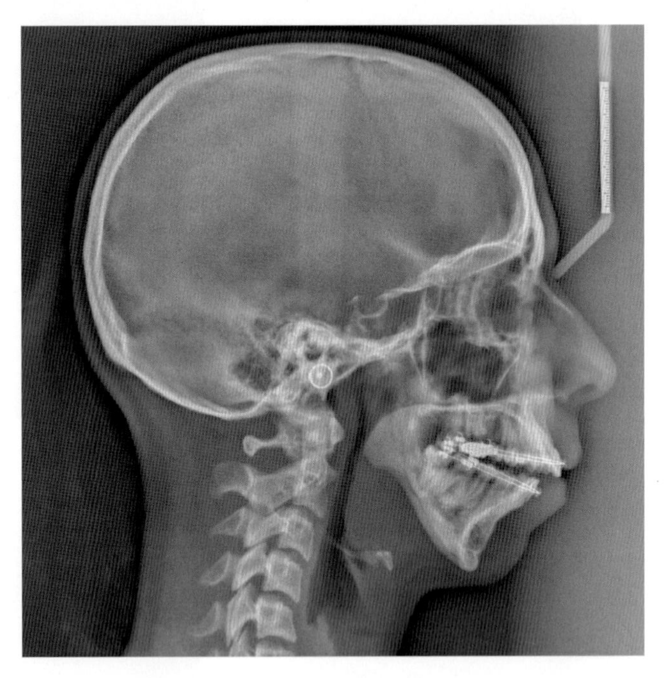

■ 그림 33.16 심한 과두 흡수, 시계방향 하악 회전, 개교, 심한 기도 폐쇄를 보여주는 측면 두부계측 영상

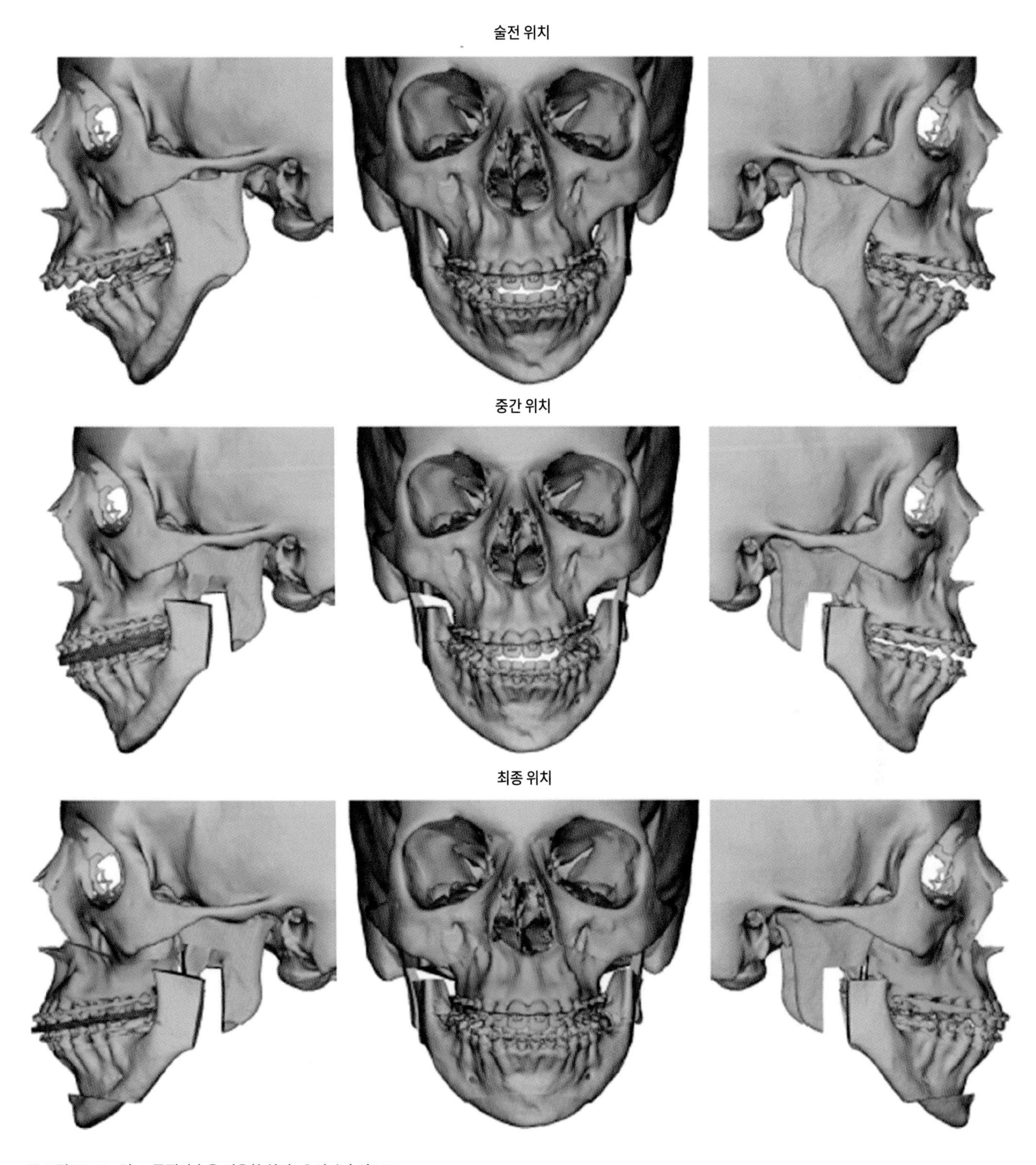

■ 그림 33.17 역-L 골절단술을 이용한 하악-우선 수술의 VSP

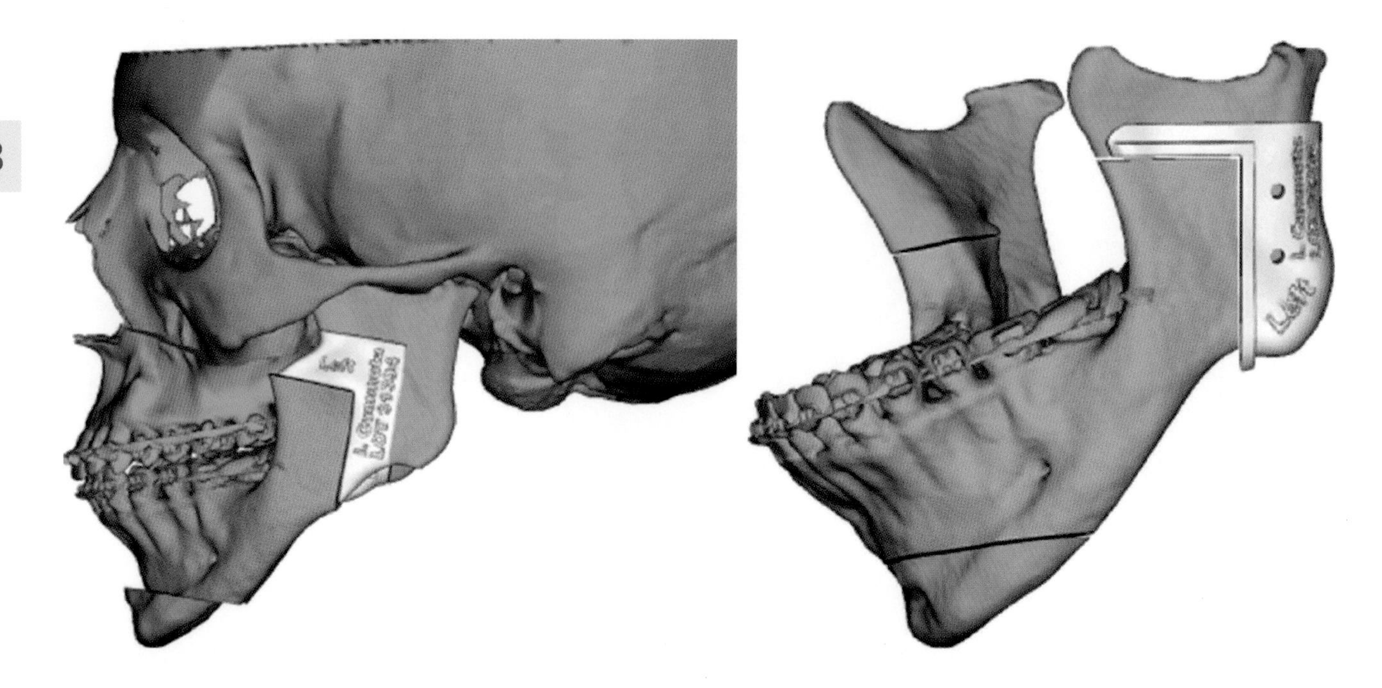

■ 그림 33.18 좌측 하악 역-L 골절단술을 위한 수술 가이드와 골 이식 형판

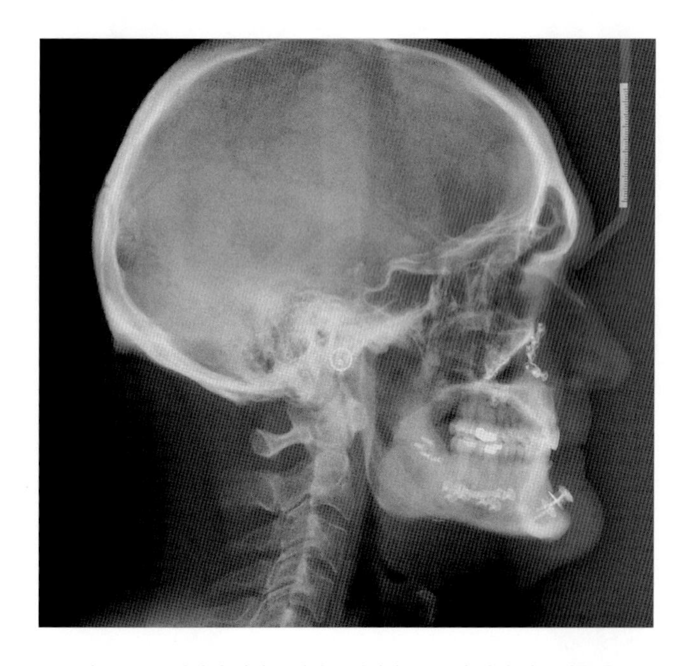

■ 그림 33.19 다단계 폐쇄로 이설근 전진과 MMA 술식 후에도 잔존의 중증 OSA를 가지고 있는 환자의 측면 두부계측 영상으로 양악 견인술이 계획되었다.

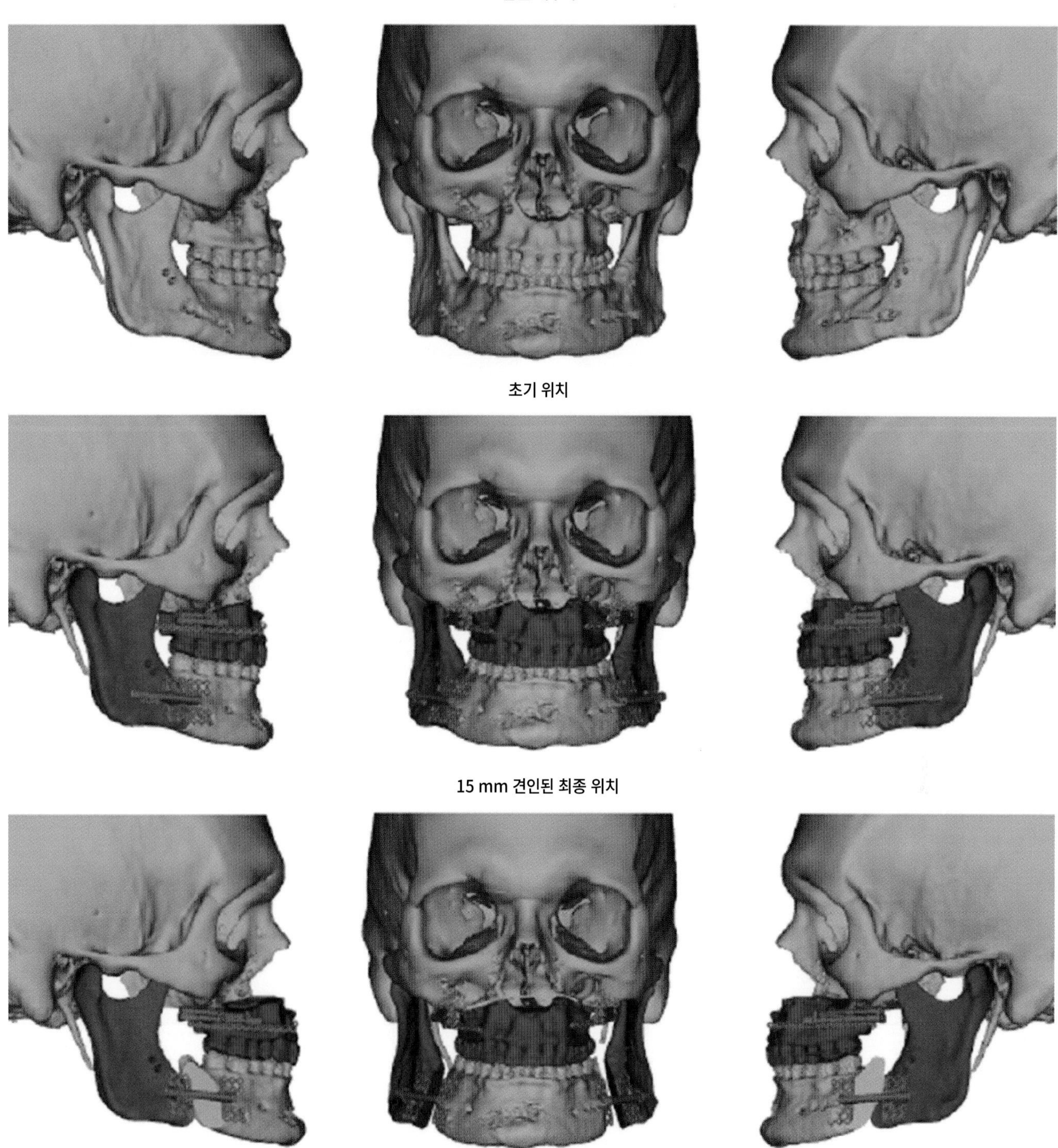

그림 33.20 2차 골절단술, 이동의 적절한 벡터를 만들기 위한 견인기 위치, 계획된 분절의 최종 위치를 보여주는 VSP

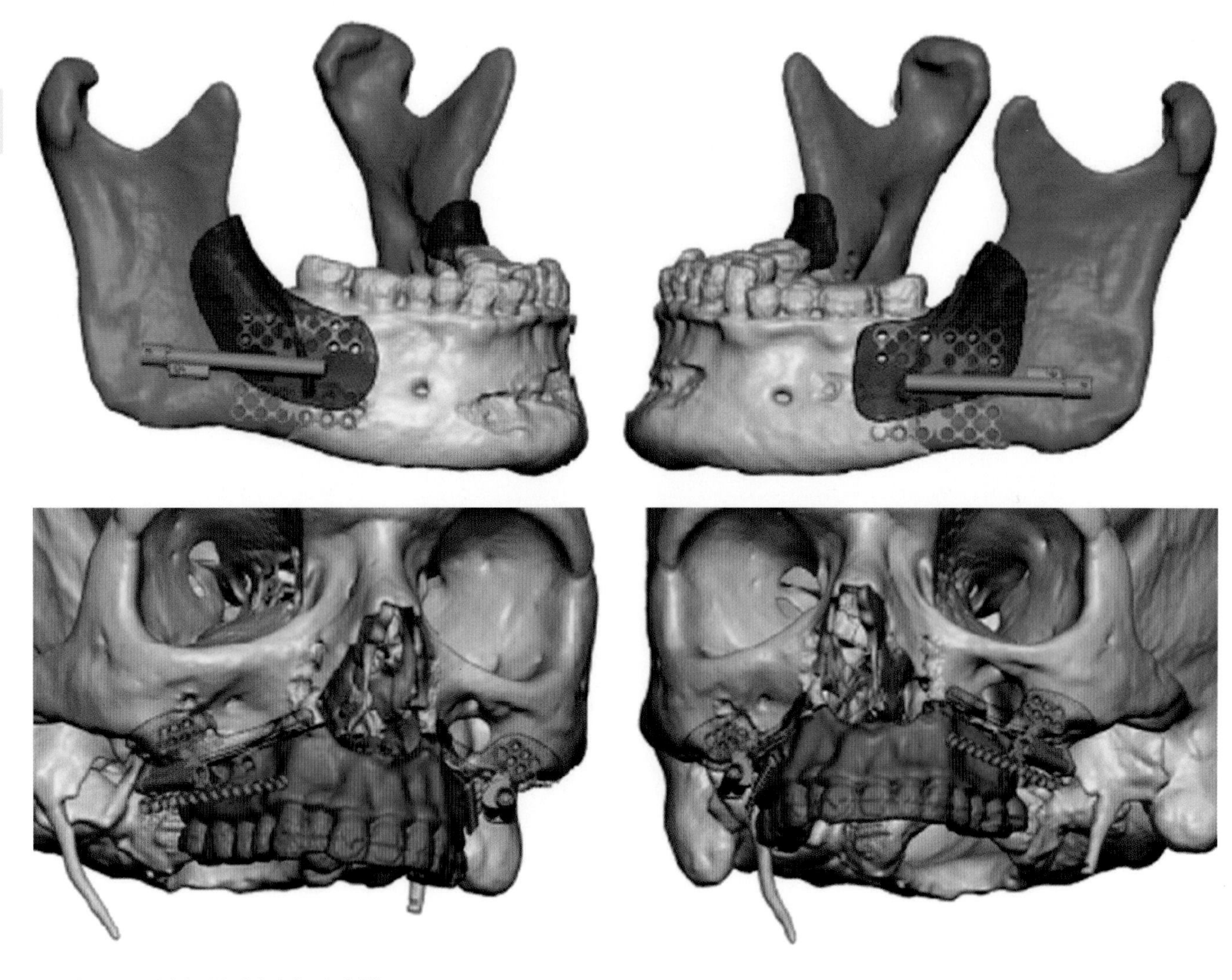

■ 그림 33.21 절단과 위치 설정 가이드의 시각화

■ 그림 33.22 견인기의 술전 변형 및 VSP를 모델로 전송하고 3D 인쇄한 stereolithic 모델

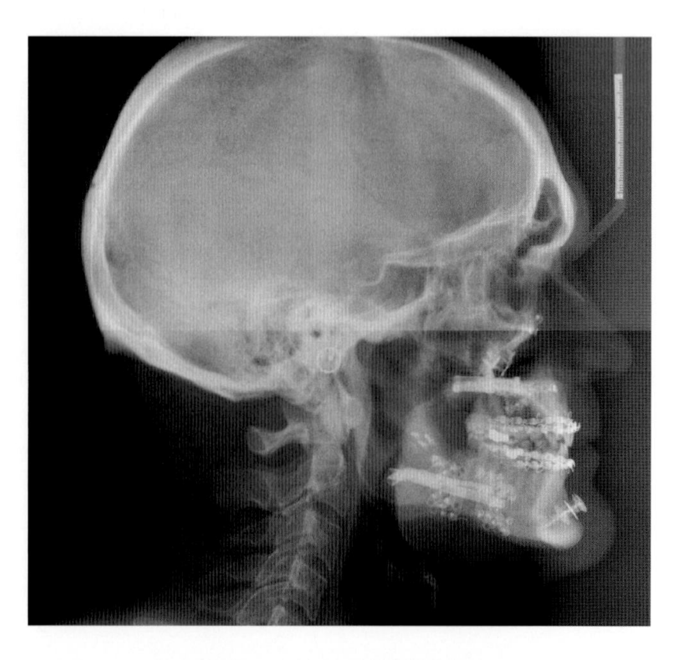

■ 그림 33.23 가상 계획을 안면 골격으로 정확하게 전달하고 상악과 하악의 명확한 전방 재배치를 보여주는 측면 두부계측 영상으로 기도 크기 향상이 보인다.

33.3 결론

MMA(및 안면골에 대한 다른 수술)를 통한 골인두 재건은 주로 기도 개방에 중점을 둔다. 따라서 외과의는 계획된 수술 치료가 실제로 골과 골의 연조직 부착물을 적절한 방향과 적절한 치수로 움직여 성공 가능성이 높은지 확인하는 것이 중요하다. VSP는 이전의 2차원 방법으로는 불가능 했던 정도의 정밀도를 허용한다. 또한, TMJ 치환술, 비전통적 골절단술, 견인성 골형성술 등을 이용한 복합적 골인두 재건술의 계획 수립과 시행은 3차원적으로 이루어질 때 유리하다.

참고문헌

1. Bell WH. Revascularization and bone healing after anterior maxillary osteotomy: a study using adult rhesus monkeys. J Oral Surg. 1969;27(4):249–55.
2. Bell WH. Le Forte I osteotomy for correction of maxillary defor-mities. J Oral Surg. 1975;33(6):412–26.
3. Bell WH, Levy BM. Revascularization and bone healing after anterior mandibular osteotomy. J Oral Surg. 1970;28(3):196–203.
4. Severt TR, Proffit WR. The prevalence of facial asymmetry in the dentofacial deformities population at the University of North Carolina. Int J Adult Orthodon Orthognath Surg. 1997;12(3):171–6.
5. Powell N, et al. Mandibular advancement and obstructive sleep apnea syndrome. Bull Eur Physiopathol Respir. 1983;19(6):607–10.
6. Riley RW, et al. Maxillary, mandibular, and hyoid advancement: an alternative to tracheostomy in obstructive sleep apnea syndrome. Otolaryngol Head Neck Surg. 1986;94(5):584–8.
7. Boyd SB, et al. Comparative effectiveness of maxillomandibular advancement and uvulopalatopharyngoplasty for the treatment of moderate to severe obstructive sleep apnea. J Oral Maxillofac Surg. 2013;71(4):743–51.
8. Boyd SB, et al. Long-term effectiveness and safety of maxillo-mandibular advancement for treatment of obstructive sleep apnea. J Clin Sleep Med. 2015;11(7):699–708.
9. Caples SM, et al. Surgical modifications of the upper airway for obstructive sleep apnea in adults: a systematic review and meta- analysis. Sleep. 2010;33(10):1396–407.
10. Dowling PA, et al. LeFort I maxillary advancement: 3-year stability and risk factors for relapse. Am J Orthod Dentofac Orthop. 2005;128(5):560–7; quiz 669
11. Gassmann CJ, Van Sickels JE, Thrash WJ. Causes, location, and timing of relapse following rigid fixation after mandibular advancement. J Oral Maxillofac Surg. 1990;48(5):450–4.
12. Van Sickels JE, Larsen AJ, Thrash WJ. Relapse after rigid fixation of mandibular advancement. J Oral Maxillofac Surg. 1986;44(9):698–702.
13. Bhatia SN, et al. Nature of relapse after surgical mandibular advancement. Br J Orthod. 1985;12(2):58–69.
14. Butterfield KJ, et al. Linear and volumetric airway changes after maxillomandibular advancement for obstructive sleep apnea. J Oral Maxillofac Surg. 2015;73(6):1133–42.
15. Kim JS, et al. Changes in the upper airway after counterclock-wise maxillomandibular advancement in young Korean women with class II malocclusion deformity. J Oral Maxillofac Surg. 2013;71(9):1603 e1–6.
16. Louro RS, et al. Three-dimensional changes to the upper airway after maxillomandibular advancement with counterclockwise rotation: a systematic review and meta-analysis. Int J Oral Maxillofac Surg. 2017;47:622.
17. Mehra P, et al. Pharyngeal airway space changes after counter-clockwise rotation of the maxillomandibular complex. Am J Orthod Dentofac Orthop. 2001;120(2):154–9.
18. Schendel SA, Broujerdi JA, Jacobson RL. Three-dimensional upper-airway changes with maxillomandibular advancement for obstructive sleep apnea treatment. Am J Orthod Dentofac Orthop. 2014;146(3):385–93.
19. Veys B, et al. Three-dimensional volumetric changes in the upper airway after maxillomandibular advancement in obstructive sleep apnoea patients and the impact on quality of life. Int J Oral Maxillofac Surg. 2017;46(12):1525–32.
20. Santos Junior JF, et al. Genioplasty for genioglossus muscle advancement in patients with obstructive sleep apnea-hypopnea syndrome and mandibular retrognathia. Braz J Otorhinolaryngol. 2007;73(4):480–6.
21. Hsu SS, et al. Accuracy of a computer-aided surgical simulation protocol for orthognathic surgery: a prospective multicenter study. J Oral Maxillofac Surg. 2013;71(1):128–42.
22. Xia JJ, et al. Outcome study of computer-aided surgical simulation in the treatment of patients with craniomaxillofacial deformities. J Oral Maxillofac Surg. 2011;69(7):2014–24.

측두하악 관절 재건

Louis G. Mercuri

목차

34

핵심내용

1. 이종 TMJ 치환 장치는 공여부를 필요로 하지 않는다.
2. 이종 TMJ 치환 장치는 수술 시간이 덜 필요하다.
3. 맞춤형 이종 TMJ 치환 장치를 해부학적 상황에 일치하도록 설계하고 제작할 수 있다.
4. 이종 TMJ 치환 장치 구성 요소는 이전의 실패한 이물질 입자, 국소 또는 전신 병리에 취약하지 않다.
5. 이종 TMJ 치환 장치 이식 직후, 환자는 하악 기능 회복을 촉진하는 물리 치료를 시작할 수 있다.

34.1 개요

현재 측두하악 관절(TMJ) 재건에는 2가지 선택지가 있다: 자가골 이식과 이종 관절 치환술. 이번 단원에서는 외과의와 폐쇄성 수면 무호흡(OSA) 환자 모두에게 이 선택지가 필요한 경우 선택에 도움이 되는 증거 기반 장단점을 제공한다.

34.2 도입

TMJ 재건(TJR)은 적절한 하악 형태와 기능을 확립하고 유지하는 데 TMJ가 수행하는 필수적인 역할 때문에 고유의 문제를 나타낸다. TMJ는 하악의 2차 성장 센터 역할을 할 뿐만 아니라 저작, 언어, 연하, OSA 기도 지지에 매우 중요하다.[1]

TJR의 목표는 (1) 하악 기능과 형태의 개선, (2) 추가 고통과 장애의 감소, (3) 과도한 치료와 비용 억제, (4) 추가 이환의 예방이다.[2] 말기 질환 및/또는 OSA 같은 병리학, 수반되는 해부학적 형태와 생리적 기능 왜곡이 TJR을 고려하게 한다.

TJR이 필요한 OSA 환자에 대해 외과의는 자가 또는 이종 재건의 2가지 선택지를 가진다. 이번 단원에서는 OSA 관리에서 외과의와 환자 모두를 지원하기 위해 자가 및 이형 TJR의 장점과 단점에 대한 증거 기반 토론을 제공한다.

34.3 자가 TMJ 치환술

자가 골 이식은 발달성 기형, 말기 TMJ 병리, 강직에서 늑골[3], 두개관[4], 쇄골[5], 장골능[6], 비골[7]에서 자유 또는 혈관화 골 이식을 사용하는 재건을 위한 "황금 표준"으로 보고되었다. 보고된 자가골 이식의 예측 불가능성[8-12] 외에도 합병증이 자주 발생한다. 골 채취와 관련된 합병증이 증례의 19%까지 보고되었으며 만성 통증, 피부 민감성 장애, 복잡한 상처 치유를 포함한다. 이는 비후성 반흔, 감염, 골절, 장기 입원으로 이어질 수 있으며, 이 모든 것이 추가적인 이환율과 의료 비용과 관련된다.[13,14]

늑연골 이식편은 수여부에 쉽게 적응할 수 있고, 해부학적으로 하악 과두와 유사하며, 골격이 미성숙한 환자에서 입증된 성장 잠재력으로 인해 TJR을 위해 가장 자주 권장되는 자가골 이식편이었다.[3,15-19]

Reitzik은 자가 늑연골 이식과 유사한 상황에서 수직 하악지 골절단술 후 피질에서 피질까지의 치유에 원숭이에서 20주, 인간에서 25주가 필요하다고 보고했다.[20]

상하악 고정(MMF)은 일반적으로 늑연골 이식으로 TJR 후 환자에서 일정 기간 동안 유지된다. 강성 고정에도 이식편의 미세운동이 하악 기능 초기에 영락없이 발생한다. 이는 잠재적으로 불량한 신생혈관, 유착 불량, 실패로 이어질 수 있는 이식편/숙주 계면에 전단 응력을 초래한다.[21]

문헌의 체계적 고찰에서 Kumar 등은 TJR을 위한 늑연골 이식편의 성장 잠재력을 평가했다. 이 저자들은 무작위 임상 시험이 없었고, 유일한 증거는 모든 연구에서 최저 수준의 증거로 간주되는 증례 시리즈의 형태라고 결론지었다. 따라서 늑연골 이식편의 성장 가능성에 대한 유추는 해석할 수 없다. 따라서, 이용 가능한 증거에 기초하여, 그들은 성장 잠재력에 대한 TJR을 위한 늑연골 이식편의 사용은 과학적 증거가 부족하다고 결론내렸다.[22]

TJR을 위한 자가골 이식의 장점:

1. 가용성 – 인간 골격계의 일부. 장치 구성 요소를 구매하고 획득하는 데 소요되는 리드 타임이 없다.
2. 생체 적합성 – 자가 조직이므로 생체 적합성이나 과민성 문제에 대한 우려가 거의 없다.
3. 적응성 – 자가골은 수술 시 하악골과 관절와의 외측면에 적응되도록 성형될 수 있다.
4. 덜 비싸다 – 이종 TJR 구성 요소는 비싸다. 고가의 장치와 특수 기구나 장비의 재고를 유지할 필요가 없다.

자가골을 이용한 TJR의 단점:

1. 2차적 공여부가 필요하다.

2. 더 긴 수술 및 마취 시간 – 동시 자가골 채취와 하악골 이식부 준비는 기술적으로 실현 가능하지 않은 경우가 대부분이다.
3. 자가골 채취와 관련된 잠재적 이환율.
4. 신생혈관, 골 대사, 골 치유가 필요하다.
5. 물리 치료 지연 – 정형외과의는 조기 물리 치료가 재건된 관절의 운동 범위를 증가시킨다는 것을 이해한다.[23] 개방 관절 수술, 특히 관절 치환술 후 고정(MMF)을 유지하면 근육 위축과 관절 주위 섬유증이 증가하고 이소성 골화와 강직이 발생할 가능성이 있다.[24]
6. 골은 이물 반응, 국소 및 전신 병리의 영향을 받는다. Henry와 Wolford는 이물 반응이 자가 조직 재건 성공에 국소적으로 영향을 미쳤다고 결론지었다.[25] 이 원칙은 고 염증성 관절염 질환, OSA, 과두 재흡수의 경우에 적용된다.[26,27]
7. TJR을 위한 자가골 이식술과 악교정 수술을 결합할 때 더 높은 재발 가능성 – 말기 관절염 질환, 과두 흡수, 많은 OSA 증례에서 볼 수 있는 후방 하악 수직 고경과 치아 교합 소실의 재건은 상악 수술과 하악의 반시계방향 회전(CCWR)을 필요로 한다.[27] 이 조작은 하악 과두에 큰 스트레스를 준다. 이런 증례에서 늑연골 자가 이식을 사용하여 과두를 재건할 때 재발률이 높다고 보고되었다.[28-30]

34.4 이종 TMJ 치환술

자가골 채취와 관련된 잠재적인 이환율과 이식 과정이나 이에 적용되는 기능적 요구 중 하나에서 생존할 수 없는 조직의 무능력으로 인해, 해부학적 및 기능적으로 자가골을 대체하기 위한 이종 재료의 개발과 사용에 대한 필요성이 제기되었다.

재건 정형외과 수술은 이종 관절 치환 장치가 없다면 생각할 수도 없는 불가능한 것이다. 1960년대에, 관절 절제술이 반복적인 변형과 제한된 운동을 흔한 합병증으로 하는 불확실한 술식이라고 제기되면서, Sir John Charnley는 저마찰 이종 전관절 치환 장치를 성공적으로 개발했다. 이후 외과 술식, 삽입 재료와 디자인의 발전으로 우수한 장기간 기능과 삶의 질 향상 결과와 함께 10년 후 장치 생존율이 90%를 초과하는 것으로 보고되었다.[31,32]

수년에 걸쳐 자가골 이식으로 예측 가능하게 관리할 수 없는 말기 TMJ 병리를 다루는 외과의 등은 이종 전관절 치환 시스템을 개발했다.[33,34]

현재, 미국 FDA 승인을 받은 2개의 이종 전관절 대체 시스템(TMJ Concepts, Ventura, CA와 Zimmer Biomet, Jacksonville, FL)은 말기 TMJ 병리 관리에서 장기적으로 성공적인 결과를 보여주었다(◘ 그림 34.1).

현재 사용가능한 FDA 승인 이종 TJR을 비교한 연구 결과는 기성품과 맞춤형 시스템 모두의 외과적 이식을 지원한다. 또한, 이러한 연구는 이종 TJR이 안전하고 효과적이며, 통증을 줄이고, 하악 기능을 개선하고, 합병증이 거의 없는 환자의 삶의 질을 향상시킴을 보여준다. 따라서, 이종 TJR은 비가역적인 말기 TMJ 질환 환자의 두개–하악 재건을 위한 실행 가능하고 안정적인 장기 해결책을 제안한다.[35-51]

Lee 등은 늑연골 자가 이식술과 이종 TMJ 재건의 결과를 비교한 TJR에 대해 발표된 연구를 검토했다. 전향적, 후향적, 증례–대조군, 종단적 연구, 유의미한 통계 분석을 포함한 PubMed 데이터베이스를 사용하여, 저자들은 "수용 가능"이나 "수용 불가능"으로 분류하였다. 그들은 180명의 환자에서 늑연골 이식을 다룬 7편의 논문을 발견했다. 대부분의 환자는 좋은 결과를 보였다(n = 109, 61%). 그들은 이종 TJR을 받은 환자 275명을 포함하는 6편의 논문을 찾았다. 그 결과는 탁월했다(n = 261, 95%). 저자들은 이종 TJR은 늑연골 이식에 비해 삶의 질을 높이고 합병증을 줄였다고 결론지었다. 그러므로, 이종 TJR은 늑연골 이식보다 전관절 교체에 보다 효과적인 것으로 보인다.[52]

이종 TJR의 장점:

1. 가용성 – 기성품은 필요에 따라 사용하기 위해 준비해 놓을 수 있다. 맞춤형 장치는 미리 주문할 수 있다.
2. 공여부 이환율이 없다.
3. 수술 시간 단축 – 공여부 없음.
4. 해부학적 상황에 부합 – 기성품의 경우 외과의는 구성 요소가 적합되도록 환자 골을 변경할 수 있다. 맞춤형은 특정 해부학적 상황에 맞게 설계하고 제작하여 구성 요소를 외과의에게 제공한다.
5. 구성 요소는 이전에 실패한 이물질 입자, 국소 또는 전신 병리에 취약하지 않다.
6. 신생 혈관 및 구성 요소의 이동성에 대한 우려가 없으므로 환자는 물리치료를 즉시 시작할 수 있다.

이종 TJR의 단점:

1. 고비용 – 수술실, 마취, 수술 시간 비용이 늑연골 자가 이식편 채취 및 이식보다 훨씬 적기 때문에 이종 TJR의 총 비용이 적거나 최소한 비슷하다.

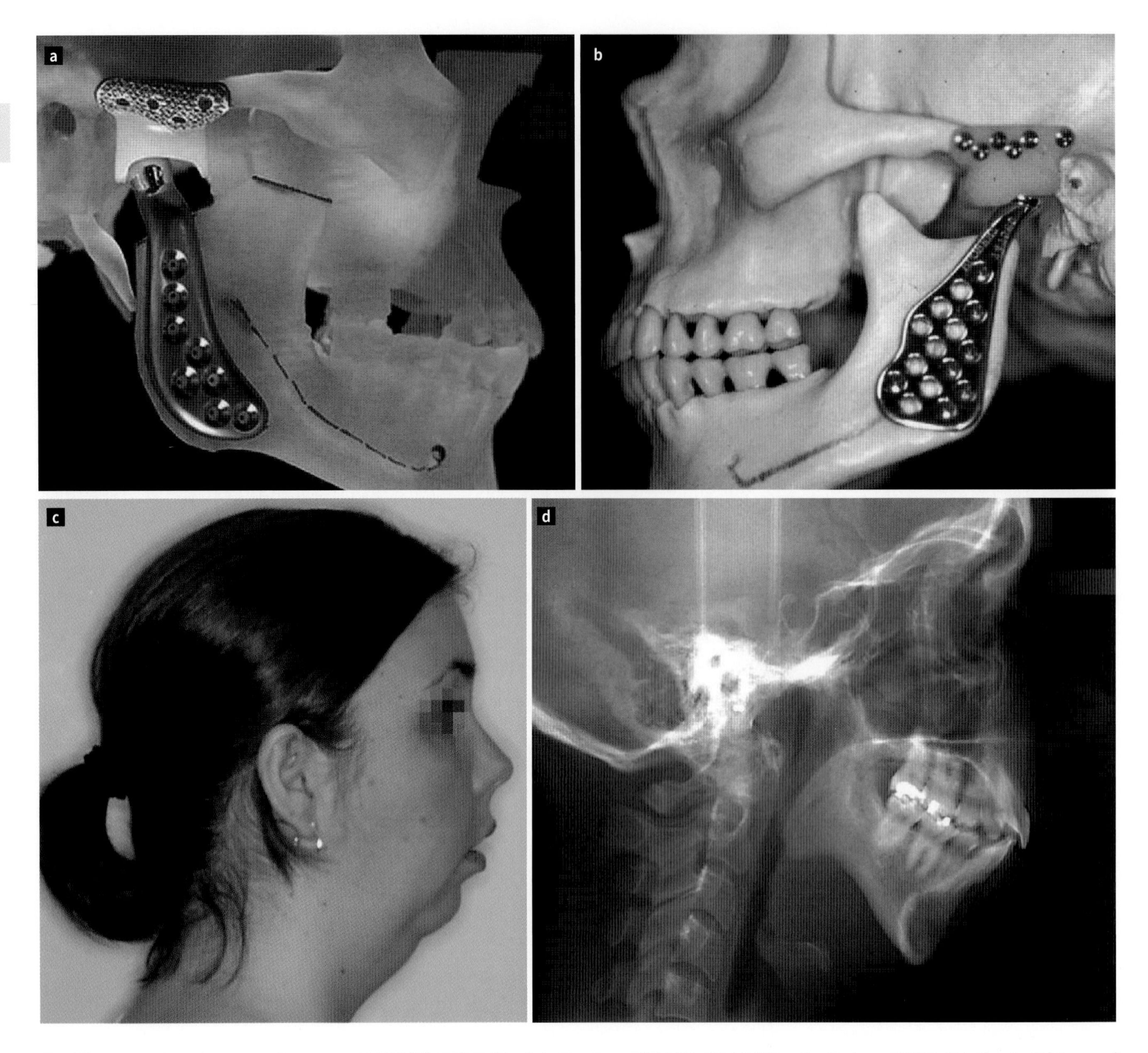

◘ 그림 34.1 **a** TMJ Concepts (Ventura, CA) 전관절 교체 장치는 순수 titanium 메쉬 지지 초고분자량 polyethylene 관절와 요소와 cobalt/chrome/molybdenum 합금 titanium 하악지 요소로 구성된다. **b** Zimmer Biomet (Jacksonville, FL) 전관절 교체 장치는 전체 초고분자량 polyethylene 관절와 요소와 전체 cobalt/chrome 하악지 요소로 구성된다. **c, d** 술전 임상 사진과 측면 두부계측 영상. 위축된 기도가 보인다.

2. 구성 요소의 수명. 연구에 따르면 이종 교체 장치의 수명은 최소 10–20년이다.[37,38,41,42]
3. 재료 과민성 – 삽입물에 대한 과도 반응이나 과민성은 상대적으로 드물고, 무균 실패의 1–3%만이 전통적인 금속–중합체가 혼합된 유형의 전관절 교체 고관절과 슬관절 설계에서 과민 반응으로 인한 것으로 추정된다. 이종 TJR에서 생체 재료 과민증으로 인한 무균 실패의 비율은 알려져 있지 않다.[53]
4. 골격이 성숙한 환자에게만 적용 – 자가골 TJR 실패와 늑연골 이식의 실패, 과성장, 강직이 있는 아동에서 이용가능한 적절한 해결책이 있음에도 불구하고 실패한 같은 양식을 사용하여 재수술을 계속하는 것은 근시안적이다. 이 환자들은 향후 외과적 개입이 필요할 가능성이 매우 높은 자가 이식의 지속적인 실패를 경험하기 보다는 기능적 성장에 따라 미래에 재치환 및/또는 대체 수술이 필요할 수 있음을 알고 이종 TJR을 받는 것이 좋다.[54,55]

34.5 증례

TC는 27세 여성으로 OSA 관리를 위한 상하악 악교정 수술의 상담을 위해 내원했다. 수면 다원 검사는 시간당 31.1 AHI를 기록했다. 그녀는 처방을 받고 지속적 양압기를 사용하고 있었지만 이 방식은 그녀와 배우자 사이에 문제가 되었다.

임상, 영상 검사, TMJ, 악교정 정밀 검사 후(◘ 그림 34.2a, b), 맞춤형 보철물을 이용한 양측성 TJR로 후방 하악 수직 고경 증가 및 하악 전진, Le Fort I 골절단술로 상악을 하악 전진에 맞춘 정렬, 전진형 이부성형술 시행의 치료 계획을 그녀와 배우자에게 제안했다. 교합은 I급의 안정적인 상태였기 때문에, 교정은 고려되지 않았다(◘ 그림 34.3).

술후, TC는 지속적 양압기 사용을 중단할 수 있었고, 시간당 AHI가 10 미만으로 개선되었다. 그녀의 교합과 AHI는 5년 동안 유지되었다(◘ 그림 34.2c, d).

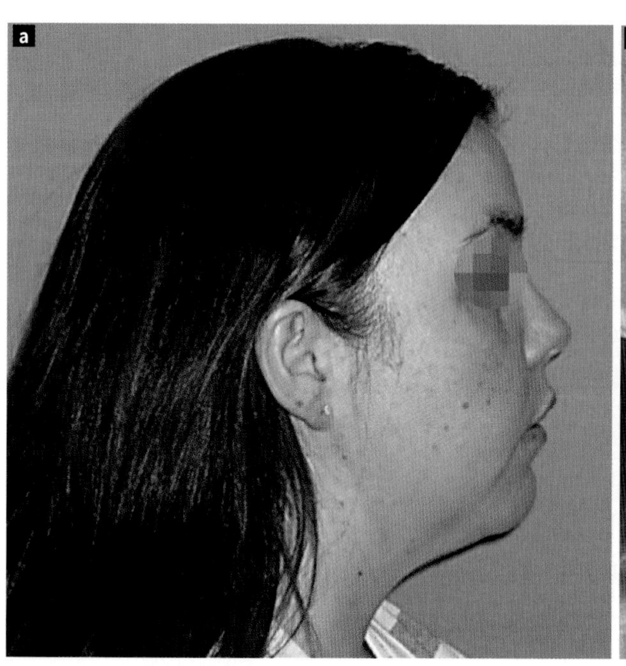

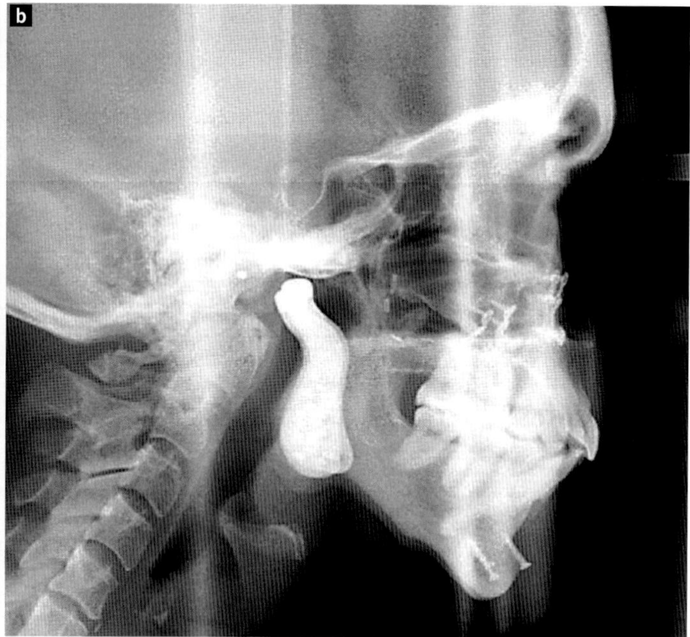

◘ 그림 34.2 **a, b 술후 5년 임상 사진과 측면 두부계측 영상. 기도가 확장되었다.**

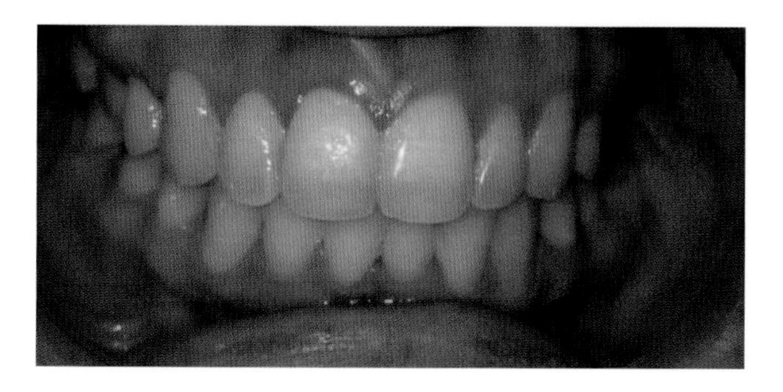

◘ 그림 34.3 **환자의 교합 모습**

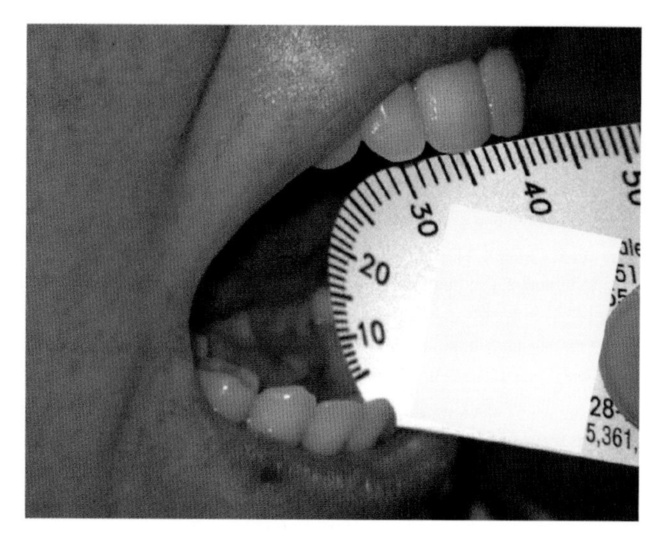

◘ 그림 34.4 **술후 5년 최대 절치간 개구량**

34

34.6 요약

현재 문헌은 하악 기능 부전이 있는 일부 환자에서 성인 OSA에 대한 효과적인 치료 방식으로서 독립된 하악 전진술을 지지한다.[56] 그러므로, 인용된 증거에 근거하여, 이종 TJR은 OSA 증상을 초래하는 말기 질환과 병리를 가진 환자에서 TJR에 대해 가장 예측 가능한 기능과 심미적 결과를 제공하는 것으로 보인다.

공시 성명

Dr. Mercuri는 임상 컨설턴트로서 TMJ Concepts으로부터 보상을 받고 해당 회사의 주식을 유지한다.

참고문헌

1. Mercuri LG. Alloplastic temporomandibular joint reconstruction. Oral Surg. 1998;85:631–7.
2. Mercuri LG, editor. Temporomandibular joint total joint replacement – TMJ TJR – a comprehensive reference for researchers, material scientists and surgeons. New York: Springer International Publishing; 2015.
3. MacIntosh RB. The use of autogenous tissue in temporoman-dibular joint reconstruction. J Oral Maxillofac Surg. 2000;58: 63–9.
4. Lee JJ, Worthington P. Reconstruction of the temporomandibular joint using calvarial bone after a failed Teflon-Proplast implant. J Oral Maxillofac Surg. 1999;57:457–61.
5. Wolford LM, Cottrell DA, Henry C. Sternoclavicular grafts for temporomandibular joint reconstruction. J Oral Maxillofac Surg. 1994;52:119–28.
6. Kummoona R. Chondro-osseous iliac crest graft for one stage reconstruction of the ankylosed TMJ in children. J Maxillofac Surg. 1986;14:215–20.
7. Fariña R, Campos P, Beytía J, Martínez B. Reconstruction of temporomandibular joint with a fibula free flap: a case report with a histological study. J Oral Maxillofac Surg. 2015;73:2449. e1–5.
8. Guyuron B, Lasa CI. Unpredictable growth pattern of costo-chondral graft. Plast Reconstr Surg. 1992;90:880–6.
9. Marx RE. The science and art of reconstructing the jaws and temporomandibular joints. In: Bell WH, editor. Modern practice in orthognathic and reconstructive surgery, vol. 2. Philadelphia: Saunders; 1992.
10. Svensson A, Adell R. Costochondral grafts to replace mandibular condyles in juvenile chronic arthritis patients: long-term effects on facial growth. J Craniomaxillofac Surg. 1998;26:275–85.
11. Ross RB. Costochondral grafts replacing the mandibular condyle. Cleft Palate Craniofac J. 1999;36:334–9.
12. Wen-Ching K, Huang C-S, Chen Y-R. Temporomandibular joint reconstruction in children using costochondral grafts. J Oral Maxillofac Surg. 1999;57:789–98.
13. Dimitroulis G. Temporomandibular joint surgery: what does it mean to the dental practitioner? Aust Dent J. 2011;56:257–64.
14. Nkenke E, Neukam FW. Autogenous bone harvesting and grafting in advanced jaw resorption: morbidity, resorption and implant survival. Eur J Oral Implantol. 2014;7(Suppl 2): S203–17.
15. Ware WH, Taylor RC. Cartilaginous growth centers trans-planted to replace mandibular condyles in monkeys. J Oral Surg. 1966;24:33–43.
16. Poswillo DE. Experimental reconstruction of the mandibular joint. Int J Oral Surg. 1974;3:400–11.
17. Ware WH, Brown SL. Growth center transplantation to replace mandibular condyles. J Maxillofac Surg. 1981;9:50–8.
18. RB MI. Current spectrum of costochondral grafting in surgical correction of dentofacial deformities. In: Bell WH, editor. New concepts, vol. III. Philadelphia: Saunders; 1985.
19. Poswillo DE. Biological reconstruction of the mandibular con-dyle. Br J Oral Maxillofac Surg. 1987;25:100–4.
20. Reitzik M. Cortex-to-cortex healing after mandibular osteot-omy. J Oral Maxillofac Surg. 1983;41:658–63.
21. Lienau J, Schell H, Duda G. Initial vascularization and tissue differentiation are influenced by fixation stability. J Orthopaed Res. 2005;23:639–45.
22. Kumar P, Rattan V, Rai S. Do costochondral grafts have any growth potential in temporomandibular joint surgery? A system-atic review. J Oral Biol Craniofac Res. 2015;5:198–202.
23. Salter RB. The biologic concept of continuous passive motion of synovial joints. The first 18 years of basic research and its clinical application. Clin Orthop Relat Res. 1989;242:12–25.
24. Mercuri LG, Saltzman BM. Acquired heterotopic ossification in alloplastic joint replacement. Int J Oral Maxillofac Surg. 2017;46:1562. https://doi.org/10.1016/j.ijom.2017.06.016.
25. Henry CH, Wolford LM. Treatment outcomes for temporoman-dibular joint reconstruction after Proplast-Teflon implant failure. J Oral Maxillofac Surg. 1993;51:352–8.
26. Mercuri LG. Surgical management of TMJ arthritis. In: Laskin DM, Greene CS, Hylander WL, editors. Temporomandibular joint disorders: an evidence-based approach to diagnosis and treatment. Chicago: Quintessence; 2006.
27. Al-Moraissi EA, Wolford LM. Is counterclockwise rotation of the maxillomandibular complex stable compared with clockwise rotation in the correction of dentofacial deformities? A systematic review and meta-analysis. J Oral Maxillofac Surg. 2016;74:2066.e1–e12.
28. Crawford JG, Stoelinga PJ, Blijdorp PA, Brouns JJ. Stability after reoperation of progressive condylar resorption after orthognathic surgery. J Oral Maxillofac Surg. 1994;52:460–6.
29. Huang YL, Ross BR. Diagnosis and management of condylar resorption. J Oral Maxillofac Surg. 1997;55:114–9.
30. Hoppenreijs TJM, Stoelinga PJ, Grace KL, Robben CM. Long- term evaluation of patients with progressive condylar resorption following orthognathic surgery. Int J Oral Maxillofac Surg. 1999;28:411–8.
31. Wright TM, Goodman SB. Implant wear in total joint replace-ment: clinical and biologic issues, material and design considerations. Rosemont: American Academy of Orthopaedic Surgeons; 2001.
32. Cholewinski P, Putman S, Vasseur L, Migaud H, Duhamel A, Behal H, Pasquier G. Long-term outcomes of primary con-strained condylar knee arthroplasty. Orthop Traumatol Surg Res. 2015;101:449–54.
33. VanLoon JP, DeBont LGM, Boering G. Evaluation of temporo-mandibular joint prostheses: review of the literature from 1946 -1994 and implications for future designs. J Oral Maxillofac Surg. 1995;53:984–96.
34. Driemel O, Braun S, Müller-Richter UD, et al. Historical devel-opment of alloplastic temporomandibular joint replacement after 1945 and state of the art. Int J Oral Maxillofac Surg. 2009;38:909–20.
35. Mercuri LG, Wolford LM, Sanders B, et al. Custom CAD/CAM total temporomandibular joint reconstruction system: prelimi-nary multicenter report. J Oral Maxillofac Surg. 1995;53: 106–15.
36. Mercuri LG, Wolford LM, Sanders B, et al. Long-term follow-up of the CAD/CAM patient-fitted total temporomandibular joint reconstruction system. J Oral Maxillofac Surg. 2002;60:1440–8.

37. Mercuri LG, Edibam NR, Giobbie-Hurder A. 14-year follow-up of a patient fitted total temporomandibular joint reconstruction system. J Oral Maxillofac Surg. 2007;65:1140–8.

38. Wolford LM, Mercuri LG, Schneiderman ED, et al. Twenty-year follow-up study on a patient-fitted temporomandibular joint prosthesis: the Techmedica/TMJ concepts device. J Oral Maxillofac Surg. 2015;73:952–60.

39. Quinn PD. Lorenz prosthesis. In: Donlon WC, editor. Total tem-poromandibular joint reconstruction. Philadelphia: Saunders; 2009; Oral Maxillofac Surg Clin N Am 12:93–104, 2000.

40. Giannakopoulos HE, Sinn DP, Quinn PD. Biomet microfixation temporomandibular joint replacement system: a 3-year follow- up study of patients treated during 1995 to 2005. J Oral Maxillofac Surg. 2012;70:787–94.

41. Leandro LF, Ono HY, Loureiro CC, Marinho K, Guevara HA. A ten-year experience and follow-up of three hundred patients fitted with the Biomet/Lorenz microfixation TMJ replacement system. Int J Oral Maxillofac Surg. 2013;42: 1007–13.

42. Sanovich R, Mehta U, Abramowicz S, et al. Total alloplastic temporomandibular joint reconstruction using Biomet stock prostheses: the University of Florida experience. Int J Oral Maxillofac Surg. 2014;43:1091–5.

43. Aagaard E, Thygesen T. A prospective, single-centre study on patient outcomes following temporomandibular joint replace-ment using a custom-made Biomet TMJ prosthesis. Int J Oral Maxillofac Surg. 2014;43:1229–35.

44. Wolford LM, Dingwerth DJ, Talwar RM, Pitta MC. Comparison of two temporomandibular joint total joint prosthesis systems. J Oral Maxillofac Surg. 2003;61:685–90.

45. Guarda-Nardini L, Manfredini D, Ferronato G. Temporomandibular joint total replacement prosthesis: current knowledge and considerations for the future. Int J Oral Maxillofac Surg. 2008;37:103–10.

46. Al-Moraissi EA, El-Sharkawy TM, Mounair RM, El-Ghareeb TI. A systematic review and meta-analysis of the clinical out-comes for various surgical modalities in the management of tem-poromandibular joint ankylosis. Int J Oral Maxillofac Surg. 2015;44:470–82.

47. Zieman MT, McKenzie WS, Louis PJ. Comparison of temporo-mandibular joint reconstruction with custom (TMJ concepts) vs. stock (Biomet) prostheses. J Oral Maxillofac Surg. 2015;73:e79.

48. Gonzalez-Perez LM, Gonzalez-Perez-Somarriba B, Centeno G, Vallellano C, Montes-Carmona JF. Evaluation of total alloplastic temporomandibular joint replacement with two different types of prostheses: a three-year prospective study. Med Oral Patol Oral Cir Bucal. 2016;21:e766–75.

49. Kunjur J, Niziol R, Matthews NS. Quality of life: patient-reported outcomes after total replacement of the temporoman-dibular joint. Br J Oral Maxillofac Surg. 2016;54:762–6.

50. Wojczyńska A, Leiggener CS, Bredell M, et al. Alloplastic total temporomandibular joint replacements: do they perform like natural joints? Prospective cohort study with a historical control. Int J Oral Maxillofac Surg. 2016;45:1213–21.

51. Johnson NR, Roberts MJ, Doi SA, Batstone MD. Total TMJ replacement prostheses: a systematic review and bias-adjusted meta-analysis. Int J Oral Maxillofac Surg. 2017;46:86–92.

52. Lee WY, Park YW, Kim SG. Comparison of costochondral graft and customized total joint reconstruction for treatments of tem-poromandibular joint replacement. Maxillofac Plast Reconstr Surg. 2014;36:135–9.

53. Hallab NJ. Material hypersensitivity. In: Mercuri LG, editor. Temporomandibular joint total joint replacement – TMJ TJR – a comprehensive reference for researchers, material scientists and surgeons. New York: Springer International Publishing; 2015.

54. Banda AK, Chopra K, Keyser B, Sullivan S, Warburton G, Mercuri LG. Alloplastic total temporomandibular joint replacement in skeletally immature patients: a pilot survey. In: Proceedings of the Annual Scientific Session American Society of TMJ Surgeons, March 2015, Miami.

55. Sinn D, Tiwana P. Total joint replacement in the pediatric patient. In: TMJ module at the AAOMS 99th Annual Meeting, October 2017, San Francisco.

56. Noller MW, Guilleminault C, Gouveia CJ, Mack D, Vivian C, Abdullatif J, Mangili S, Liu SY, Zaghi S, Camacho M. Mandibular advancement for adult obstructive sleep apnea: a systematic review and meta-analysis. J Craniomaxillofac Surg. 2017;45:2035e2040.

OSA의 치료를 위한 전관절 교체를 사용한 상하악 전진술

Daniel E. Perez, Zachary Brown, and Edward Ellis III

목차

35.1 개요

폐쇄성 수면 무호흡(OSA)은 미국에서 가장 흔한 수면 관련 호흡 장애이다.[1,2] 중등증에서 중증 OSA의 유병률은 최대 남성에서 30%, 여성에서 15%로 추정된다.[3,4] 이 다기관 질환 과정은 급성 심근경색증의 위험 증가, 뇌졸중 확률 증가, 삶의 질 저하, 조기 사망을 초래할 수 있다.[5-10]

말기 측두하악 관절(TMJ) 질환은 TMJ의 흡수와 파괴를 유발한다.[11-13] 결합 조직 질환, 자가면역 질환, 특발성 과두 흡수, 과두 골절, 중증의 골관절염은 하악 돌출의 전후 소실과 관련이 있다.[14-17] 이러한 질병으로 인한 수직 고경과 하악 돌출의 손실은 OSA를 악화 또는 유발하는 후방 구인두 기도의 허탈을 초래한다.

전형적으로, 통상적 구내 골절단술을 사용한 상하악 전진술(MMA)은 OSA, 특히 하악 저형성이나 후퇴증에서 매우 효과적인 외과적 치료이다.[18] TMJ 퇴행으로 인한 기도 허탈이 있는 환자의 경우 통상적 악교정 수술에 의한 MMA는 하악 과두의 퇴행으로 인해 불가능하거나 불안정할 수 있다. 이런 증례에서, 하악을 전진시키기 위해 인공 이종 전관절 보철물(TJP)을 삽입하여 MMA를 달성할 수 있다. TJP를 사용한 MMA는 후방 기도 허탈, 후속 OSA를 수정하여 하악의 재발을 억제한다.[19-22]

이번 단원에서는 TMJ 전관절 치환술(TJR)을 이용한 TMJ 퇴행으로 인한 OSA 환자를 치료하는 데 사용되는 술전 평가, 치료 계획 수립, 수술 기법에 대해 설명한다.

35.2 MMA의 역사

전통적으로, MMA는 상악과 하악 모두를 전진시키기 위한 외과적 술식이다. 이를 위해 Le Fort I 상악 골절단술과 양측 시상 분할 하악 골절단술이 보편적으로 시행된다. Le Fort I 골절단술은 카데바 표본에서 상악 골격 골절의 자연적 평면을 기술한 Rene Le Fort에게 그 기원을 두고 있다.[23] Axhausen은 상악골의 완전한 가동화를 위해 Le Fort I 골절단술을 처음 사용했지만, Obwegeser는 재발을 줄이기 위해 상악의 완전한 가동화가 필요하다는 것을 최초로 인식했다.[24,25] 그 이후로 오늘날 우리가 고수하는 수술법을 개발하기 위해 술식에 대한 많은 수정이 시도되고 시험되었다.[26-32]

하악 전진술은 1979년에 OSA의 치료법으로 처음 기술되었다. Kuo 등은 OSA와 임상적으로 동등한 "수면과다 수면 무호흡"의 성공적인 교정을 위한 하악 전진술의 3가지 증례를 보고했다.[33] Bear 등은 OSA의 외과적 치료를 위해 양측 C-골절단술을 장골 피질수질 이식편을 사용하여 하악 전진 사용을 지속했다.[34] 후에, 치아 교합을 보존하기 위해 하악 전진을 보완하기 위해 상악 전진을 수반했다.[35] 심각한 TMJ 질환의 경우 양측 시상 분할 골절단술(BSSO)은 하악 후퇴증과 연조직 허탈의 주요 원인을 표적으로 삼지 않는다. 이형성이나 퇴행성 TMJ는 상기도 허탈, 치아안면 기형, 치아 부정교합의 안정적인 수정을 위해 이종 장치 교체가 필요할 수 있다.

TMJ TJP는 제품 디자인, 수술 기법, 악교정 수술의 장기간 안정성에서 큰 성공을 거두었다. 이전의 전관절 치환 시스템은 재료 내구성과 제품 디자인에서 실패했다.[36] 현재의 TJP는 TMJ 병리와 치아안면 기형을 장기간 안정성과 성공으로 치료하는데 귀중한 것으로 입증되었다.[37,38] 이종 TJP의 자연스러운 진화로 악교정 수술에도 동시 적용되었다.

BSSO는 TJP 환자와 비교하여 하악 전진에 약간의 제한점이 있다. TJP, 특히 맞춤형 TJP는 하악 전진량과 비대칭 치아안면 기형을 수정하는데 있어서 BSSO보다 더 큰 유연성을 가지는데, 특히 후방 안면 고경 회복에서 그러하다(◘ 그림 35.1). 내부 디스크 장애, 반응성 관절염, 특발성 과두 흡수, 다른 말기 TMJ 병기의 결과로 TMJ 퇴행은 부정교합과 관련 동반 질환 치료를 위한 상당량의 하악 전진을 요하는 인상적인 치아안면 기형을 야기할 수 있다.[39-41] 맞춤형 TJP는 재건 외과의에게 각 환자의 해부학과 치료 목표에 맞춤형 관절을 구축하는 능력을 부여한다.[42]

환자가 재건이 필요한 TMJ 퇴행에 의한 치아안면 기형을 가지고 있거나, OSA가 있고 전진술이 필요하나 통상적인 BSSO로 견딜 수 있을 정도로 TMJ가 안정적이지 않는 경우에 TJP를 고려해야 한다. 동반 질환의 TMJ 병리에서, 전관절 치환술은 필요에 의해, OSA를 위한 효과적인 치료 선택지로 진화하였다. 상하악 재배치와 전관절 치환에 의한 구인두 구조물의 전진으로 수면 동안의 불필요한 구인두 조직 허탈과 원인적 TMJ 질환 모두를 치료한다.

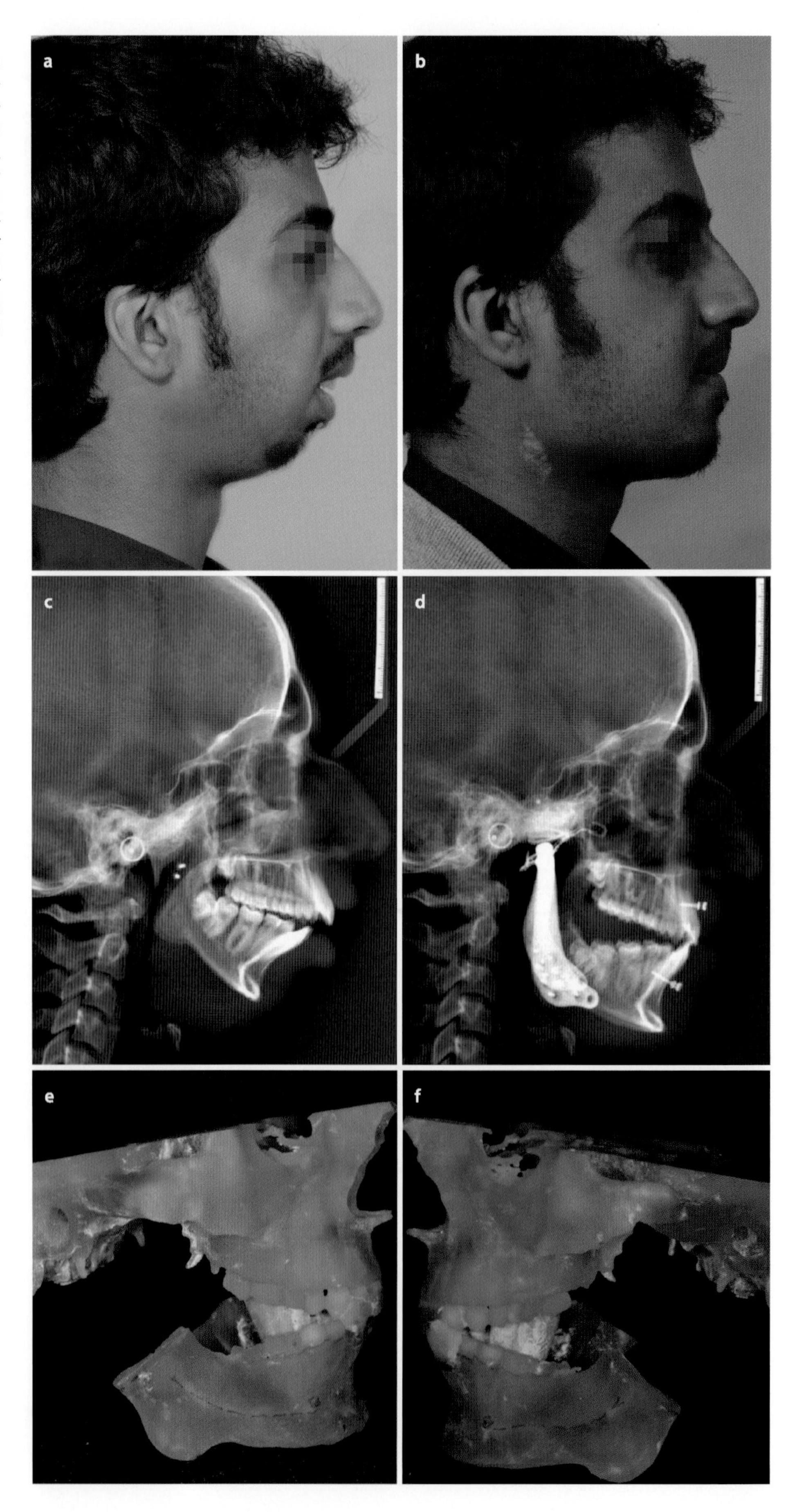

◘ 그림 35.1 이 환자는 초기 발달 연령에 시작된 양측성 과두 강직을 보였다. 심한 하악 후퇴증, 감소된 최대 절치 개구량, 악골 기능 장애가 있었다. 치료는 2단계로 이루어졌다. 1단계는 양측성 과두절제술, 근돌기절제술, TMJ Concepts TJP에 의한 TMJ 전관절 재건으로 구성되었다. 2단계는 교정 치료 후 Le Fort I 골절단술을 시행하였다. **a** 초기 상태. **b** 1단계 치료 후 환자. **c** 술전 측면 두부계측 영상. **d** 술후 측면 두부계측 영상. **e**, **f** 골절단 후 적절한 하악 수직 고경을 구축하기 위해 상당한 수직 이동을 시행한 stereolithic 모델 수술. 이와 같은 대규모 하악 결손은 기능적이고 심미적인 결과를 제공하기 위한 맞춤형 전관절 보철물이 필요하다.

35.3 술전 평가

TJP를 이용한 OSA의 치료를 위한 MMA의 치료 계획 수립과 수술 목적은 기존의 악교정 치료 계획 수립과 매우 유사하다. 둘 다 각 환자의 치아안면 해부학과 OSA의 중증도를 기반으로 임상 환자 분석, 영상 검사, 정적 모델 획득, 영상 판독, 치료 목적이 필요하다.

역사적으로, OSA 치료의 MMA는 술후 무호흡 저호흡 지수(AHI)와 수술 관리의 안정성을 위해 최소 1 cm의 전진이 필요하다고 하였다.[43–46] 1 cm의 MMA를 통해, 종종 TMJ 퇴행성 관절염 환자의 소실된 안면 균형을 회복할 수 있다. 맞춤형 TJP는 하악 전진과 기도 수정을 더 크게 수용한다(◘ 그림 35.2).[22,47–50]

MMA로 치료한 OSA와 상악 골절단술 및 TJP로 치료된 OSA의 주요 차이점은 후자에 속하는 환자 모두가 하악 파괴적 과정으로 하악의 전진술을 경험한다는 것이다.[11,12,39,51] TMJ 변성에 의한 후방 구인두 허탈 환자는 하악의 전후방 돌출만 재배치하는 것이 아니라 상행 하악지의 수직 고경 재위치와 기능적 교합 평면을 회복해야 한다.[19]

TMJ 질환 환자는 질환의 원인뿐만 아니라 안면 발달 중 발현 시기에 따라 치아안면 기형이 달라진다. 조기 발병된 하악 과두 변성의 대부분 증례는 Le Fort I 골절단술이 필요할 것이다. 이런 환자의 안면 발달은 상악 교합 평면 각도 증가 및 상악 구치부 함입으로 하악 후퇴증이 보상될 것으로 예상된다. 이런 증례에서, 하악을 반시계방향 회전(CCWR)으로 재배치하고 교합 복원을 위해 상악 후방 하방 골절(및 종종 전진)이 필요한 후방 개방 교합을 구축한다. 상하악 복합체의 CCWR은 높은 교합 평면 각도를 수정할 뿐만 아니라 필요한 하악 돌출을 수정한다. 복합체가 최종 위치를 수용할 때 구조물이 요, 피치, 롤에 주의해야 하는 공간에서, 상악 절치가 상하악 복합체의 계획 수립 및 위치 결정에 사용되는 중요한 랜드마크가 된다. 상악 위치 계획 수립의 또 다른 중요한 요소는 전비극(ANS)의 술전 위치 보존 혹은 심미적 고려사항에 의한 약간의 전진이다. ANS가 후방으로 이동하면, 비첨부 지지가 소실될 수 있다.

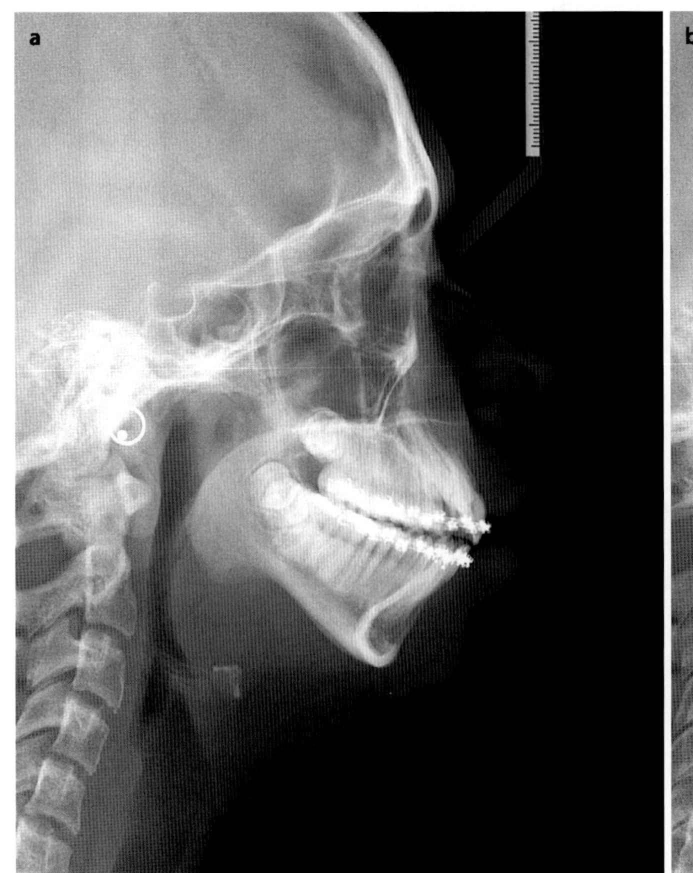

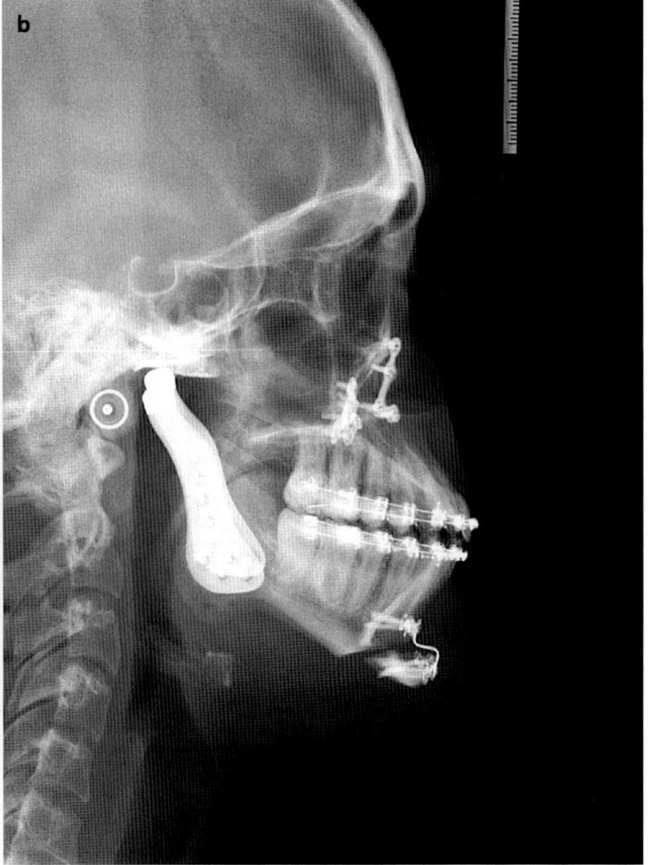

◘ 그림 35.2 **a** 술전 측면 두부계측 영상으로 심한 하악 후퇴와 후방 기도 공간 수축(9.45 mm)을 보인다. **b** 술후 측면 두부계측 영상으로 양측성 TJP에 의한 전관절 치환술, Le Fort I 골절단술, MMA를 시행하였다. 후방 기도 공간은 TJP와 MMA로 증가하였다(15.45 mm).

만기-발병 TMJ 퇴행성 환자는 현재의 후퇴된 하악과 구인두 공간에 비해 비교적 안정적인 상악을 가질 것이다. 이런 환자에서, Le Fort I 골절단술이 항상 필요한 것은 아니다. 적절한 상악 위치와 전후방(A-P) 부조화가 있는 경우 심미와 기능을 위해 하악 재위치만이 필요할 것이다. 이런 경우에도, 후방 기도 공간 확장을 위해 최소 8-10 mm의 하악 전진이 필요하다.

많은 환자들은 외과적 개입과 함께 교정 치료가 필요한 기존의 부정교합을 가질 것이다. 교정 치료는 상대적으로 좋은 교합을 보유하여 술전 교합이 유지되는 OSA 환자에게는 전형적이지 않고, 이런 경우 교합은 오직 수술 동안 arch bar에 대한 지지를 제공한다. 다른 악교정 수술 환자와 마찬가지로, 기존의 부정교합이 있는 대부분의 환자는 교정 치료로 MMA를 위한 치열을 준비한다.

중증의 하악 퇴행성이 있는 환자에서, CCWR은 높은 교합 평면 각도 및 부족한 턱 돌출 수정에 매우 도움이 될 수 있다. 상하악 복합체의 CCWR에 의한 턱 돌출 정도는 순수한 A-P 전진으로 가능한 전진량을 훨씬 초과한다.[52-57] CCWR은 교정 고려 사항에서 술전에 계획되어야 한다. 상악 절치의 술후 각도는 술전 교정 목표에 따라 매우 달라질 것이다. 전형적으로, 상악 절치 각도는 CCWR에서 증가한다. 이를 위해 계획 단계에서 교정과의와 상의하는 것이 중요하다.

35.3.1 병력 및 신체 검사

MMA와 TJP 이용 술식에서 가장 이익을 얻을 환자를 결정하기 위해 철저한 병력과 신체 검사가 필요하다. 환자의 TMJ 증상, 증상 시작 시기, 진행 과정, 질환 진행에 영향을 미칠 수 있는 과거 원인이나 기여 요인에 대한 병력을 청취한다. 일반적으로 파괴적 증상의 TMJ 문제는 영상에서 쉽게 식별 가능하다. OSA와 TMJ 흡수를 위해 의뢰된 환자의 임상 검사 동안, 다음의 정보를 수집해야 한다: 과거에 TMJ 악교정 수술을 받은 적이 있습니까? 교정치료를 받았습니까? 질환 진행에 기여할 수 있는 나쁜 습관이 있습니까? 환자나 그 가족 중 자가면역이나 결합조직 질환을 가진 사람이 있습니까?[58] 환자의 병력을 통해 TMJ 상태의 예후를 결정하고 MMA나 다른 수술 개인이 그들의 OSA의 적절한 치료를 위해 필요한지 판단해야 한다. 기능적 문제가 발견되는 경우에만 TJR을 고려해야 한다. 통증은 TMJ 수술의 단독 적응증이 결코 아니다.

퇴행성 과두를 가진 환자의 신체 검사는 Frankfort 수평면(FH 평면)이 바닥과 평행하게 놓이도록 머리를 위치하고 안면의 대칭성과 균형을 거시적으로 평가하는 것으로 시작한다. 골격성 I, II, III급, 측면, 전체적인 안면 비대칭에 대해 평가해야 한다. TMJ를 촉진하여 염발음이나 clicking, popping sound를 확인하고 TMJ 구성요소와 치아안면 기형을 확인한다. 근육통과 기능을 전체 근육에 걸쳐 검사하고 기록한다. 최대 절치 개구량과 측방 운동을 평가하여 기록한다.

교합 평면 각도, 횡단 경사, 반대교합에 대한 구내 검사도 시행한다. 중심 교합(CO) 상태에서 대구치와 견치에 대한 Angle 분류를 결정한다. 조기 교합 접촉으로 교합 시 기능적 이동이 있을 수 있고, 과두 지지 결손으로 재현가능한 CO를 형성하지 못할 수도 있다.

35.3.2 영상화

환자 대부분에게 간단한 파노라마 촬영을 시행할 수 있다(◘ 그림 35.3). 맞춤형 TJP를 위해 CT나 cone-beam CT (CBCT)를 활용하여 치료 계획을 수립한다.

두부계측 분석은 MMA와 TJR 병행 술식에서 치료 계획 수립을 위한 영상의 초석이다. 측면 두부영상은 CBCT와 같은 새로운 영상 양식의 출현에도 불구하고 치료 계획 수립에 필수적이다. 퇴행성 과두 환자의 두부계측 평가는 종종 하악 후퇴, 높은 교합 평면 각도, 후방 상악 저형성, II급 골격성 관계, II급 부정교합, 전방 개방 교합과 같은 특징이 혼재되어 나타난다.

맞춤형 TJP를 계획할 때 전 상악안면 복합체의 CBCT나 CT 컷은 1 mm 보다 작아야 한다(하방 참조).

TMJ 병리 초기나 편측성 관절 파괴가 의심되는 환자는 비이환 관절에서 관절 디스크의 MRI 영상과 평가가 필요할 것이다(◘ 그림 35.4). MRI는 여전히 TMJ 디스크 및 관련 구조의 위치, 모양, 가동성, 변성을 평가하는 황금 표준이다.[59] 평면 영

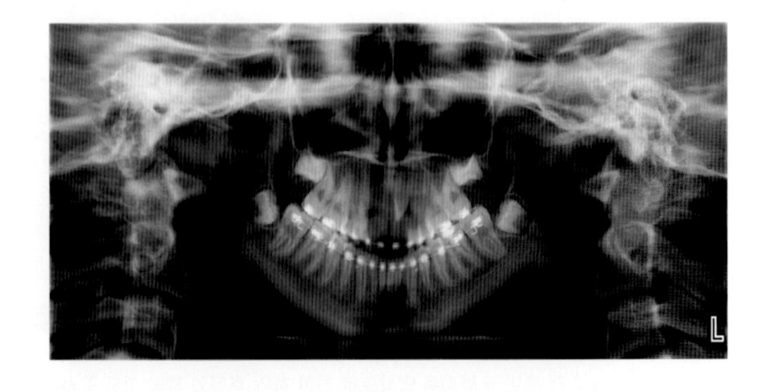

◘ 그림 35.3 중증의 퇴행성 하악 과두를 보여주는 파노라마

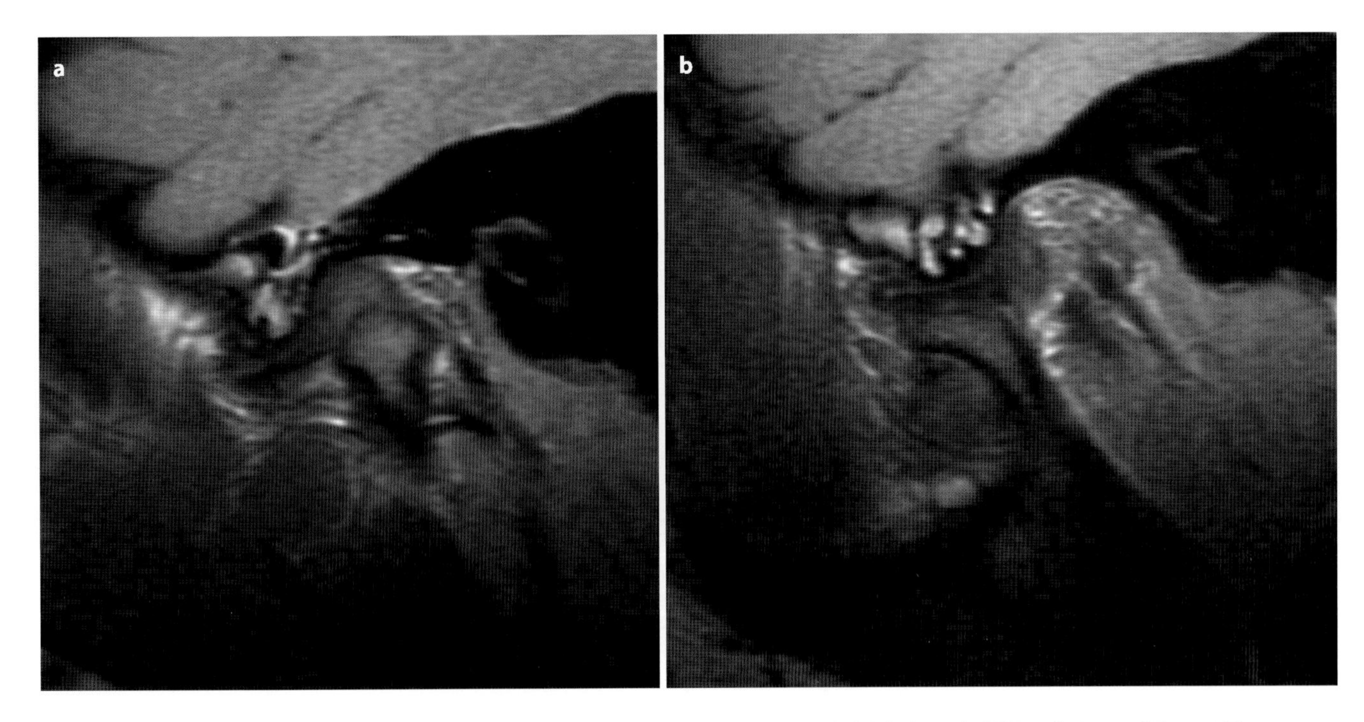

▣ 그림 35.4 **a** 좌측 TMJ에서 전방 디스크 변위의 폐구 상태를 보여주는 T1–가중 MRI 영상. **b** 개구 시 변위된 디스크의 정복을 보여주는 T1–가중 MRI 영상

상이나 CT에서 골의 변화 및 파괴가 존재하는 퇴행성 TMJ의 OSA 환자에서 관절 파괴의 진행 상태 평가를 위해 MRI가 일상적으로 필요한 것은 아니다. 그러나 평면 영상이나 CT에서 중증의 변성이 보이지 않을 때, TMJ 디스크의 건강 또는 어떤 질환의 진행 결정을 돕기 위해 MRI로 TMJ를 철저히 평가하는 것이 필수적이다. TMJ 디스크가 회복 가능할 경우, 환자의 하악 후퇴증 수정을 위한 대안 치료 선택지가 가능할 수 있다(예: 디스크 재배치 유무의 악교정 수술).[40,41,60]

현저한 퇴행성 하악 과두의 치료에서 MRI가 도움이 되는 경우는 반대측 건강한 관절의 수술 여부에 대한 결정이 필요한 편측성 상태이다. 환자의 TMJ 상태가 편측성이라면, 비이환측 관절을 보존하기 위해 수술법을 변형하는 것이 적절하다.[61]

35.4 관절 보철 시스템

35.4.1 기성품 또는 맞춤형 보철물

TMJ TJP와 MMA 환자의 치료 계획 수립에서 외과의는 많은 수술 도구를 선택하지만 이종 TJP에는 2가지의 선택지만 있다: 기성품 또는 맞춤형. 두 시스템 모두 관절와 요소와 과두/하악지 요소가 있고 재료도 유사하지만 디자인은 많이 다르다(▣ 그림 35.5).

기성 보철물의 효과는 관절 기능 회복이라는 점에서 맞춤형과 비교할 때 주요 MMA를 계획할 때 특정 단점을 가진다.[62] 기성품의 관절와 요소에는 미리 제작된 음각 표면이 있는데, 보철물과 골의 안정적인 고정을 위한 긴밀한 접촉을 형성하기 위해 환자 관절와에 상당한 골 재윤곽화가 필요하다. 관절와 보철물을 적용하면 추가적인 수술 시간이나 재료 피로도가 유발될 수 있고, 조기 삽입물 실패도 야기될 수 있다. 긴밀한 접촉이 형성되지 않으면, 골융합이 실패할 수 있다.[63] 현재, 미국에서 상업용 기성품 TJP의 과두/하악지 구성 요소는 45, 50, 55 mm의 길이가 있다.[64] 기성품의 주요 단점은 큰 A–P 이동 및/또는 하악 CCWR에서 바람직한 하악 이동량이 55 mm를 종종 초과한다는 것이다. 퇴행성 관절의 감소된 골에서 바람직한 하악 전진을 달성하기 위해, 하악각의 회복은 기성품에서 포기된다.[65] 한층 더 나아가, 미국에서 이용가능한 기성품은 관절와 구성 요소에 후방 정지부가 없어서 MMA 시 과두의 후방 탈구가 쉽게 발생한다.

맞춤형 TJP는 각 환자의 해부학이 별도의 구성 요소에 통합되어 만들어진다. 관절와 요소는 환자의 관절와에 밀접하게 적합되도록 설계되었으며 전방 및 후방 정지부가 필요없다. 이로써 배치에 필요한 시간이 감소할 뿐만 아니라, 관절와 구성요소는 술전에 계획된 위치에 한번 장착되면 확실하다. 주요 장점은 큰 하악 전진 및/또는 CCRW에서 과두/하악지 요소가 수술의 요구를 수용하도록 개별화될 수 있고 결핍된 gonial angle을 회복

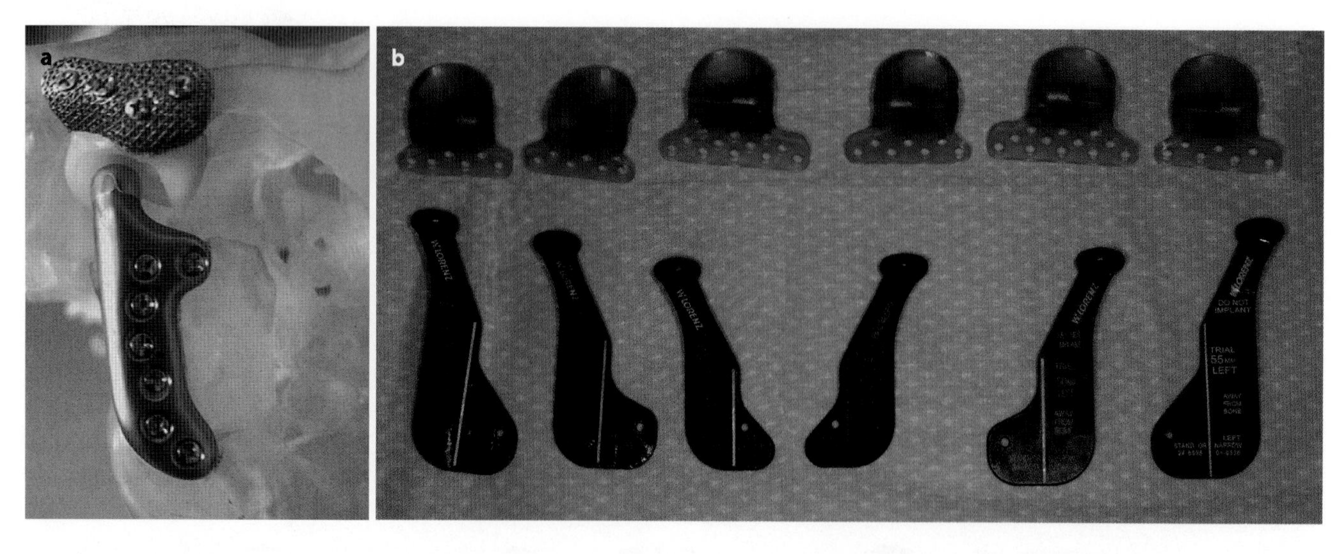

◘ 그림 35.5 **a** 모델에 장착된 TMJ Concepts 기성품 TJP. **b** 양측성 Zimmer Biomet stock TMJ 치환 형판으로 45, 50, 55 mm의 사이즈가 있다.

할 수 있다는 것이다(◘ 그림 35.6).

맞춤형 TJP 대 기성품 TJP의 장기간 효능은 둘 간의 비교보다는 각 개별 시스템의 성공으로 보고되었다. Gerbino 등은 이 2가지를 14년간 사용한 경험을 보고했다. 적절히 기록된 데이터를 가진 환자 38명(관절 55개)이 포함되었다. 환자 25명은 기성품을, 12명은 맞춤형을 이용했다. 각 그룹은 최소 12개월간 추적되었다. 모두에서, 삶의 질과 최대 절치 개구량이 모든 증례에서 향상되었다.[66]

맞춤형과 기성품의 보철물 선택은 외과의에게 달려있다. 본 저자는 가능한 MMA용 맞춤형 TJP 사용을 선호한다.

35.5 컴퓨터-이용 수술 시뮬레이션 사용 전관절 보철물을 사용한 MMA의 술전 단계

TJP를 사용한 MMA 수술에 대한 술전 계획 수립은 환자의 TMJ와 관련 가능한 치아안면 기형에 대한 임상 평가, 치아 모델 획득, 중심위(CR) 상태의 교합 인기, 최소 CBCT나 CT를 포함하는 영상 획득으로 시작한다. 전통적인 모델 수술과 stereolithic 모델 조작은 과거에 스플린트를 제작하고 새로운 위치에의 하악 배치를 위한 보철물 제작을 위해 수행되었다. 이 기술은 더 이상 일상적으로 사용되지 않으며 가상 수술 계획 수립(VSP)으로 대체되었다.

TJP 구축을 위한 stereolithic 모델은 CT를 기반으로 제작한다. 전체 TMJ, 상악, 하악을 1 mm 미만 컷으로 획득하여 정확한 보철물을 제작하도록 주의한다. 3D 컴퓨터 모델 제작을 위해 DICOM CT 데이터를 TMJ 보철 회사에 업로드한다. 3D 컴퓨터 모델에 교합을 입력하기 위해 치아 모델도 회사에 보낸다. 치아 모델은 치료 계획 수립에 필요할 뿐만 아니라, 악교정 수술 계획 수립과 스플린트 제작을 위한 치아 교합을 포착하는 보조 장치이기도 하다. 현재의 CT는 스플린트 제작에 필요한 교합면을 적절하게 포착할 수 없다.

환자의 수술 치료 목표에 따라 측면 두부계측 영상을 트레이싱하고, 예측 트레이싱을 생성한다. 이것은 CBCT나 CT의 영상 소프트웨어를 활용하여 획득할 수 있다. 환자의 수술 치료 목표와 측면 두부계측 영상의 예측 트레이싱으로 컴퓨터로 시뮬레이션한 외과적 MMA을 통해 치아안면 기형과 심각한 후악증을 수정한다. TMJ 보철 회사는 상악과 하악의 최종 위치에서의 stereolithic 모델을 제작한다. 필요한 관절와 재윤곽화, 과두절제술, 상행 하악지 외측의 재윤곽화를 위해 이 모델을 외과의에게 보낸다(◘ 그림 35.7). 전형적으로, TJP 관절와와 과두의 적절한 공간을 위해 관절와와 상행 하악지의 상부 사이에 15–18 mm의 공간이 필요하다. 그러한 심한 과두 흡수 환자는 일반적으로 하악 전진량이 매우 크므로, 이것이 문제가 되는 경우는 드물다. 모든 외과적 변형은 stereolithic 모델에서 완료되고 보철물 설계와 제작을 위해 회사로 다시 보내진다. 보철물 왁스업과 청사진의 이미지는 장치를 제작하기 전 외과의에게 보내 확인받는다. 승인 후, 장치를 제작하여 병원으로 보낸다.

미국에서 제조 공정은 평균 4개월이 걸린다. 보철물 제작 동안, 환자의 교합이 바뀌어 스플린트가 맞지 않을 수 있다. 제작 기간동안 발생할 수 있는 교합 변화를 보완하기 위해, 새로운 인

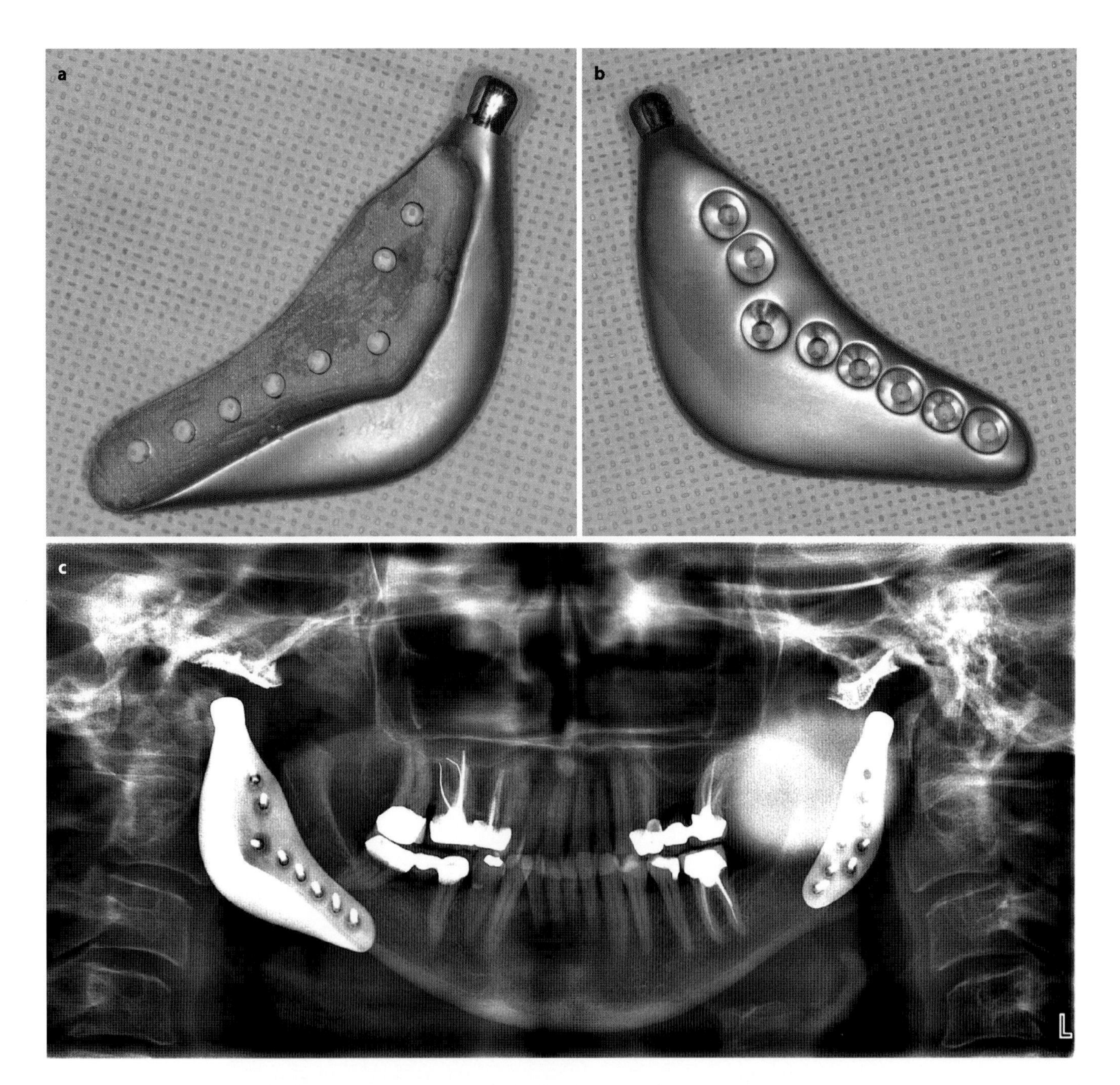

▣ 그림 35.6 56세 여환으로 우측 TMJ에 proplast TJR을 포함하는 상당한 TMJ 수술 이력을 가지고 있다. 수술은 심각한 이물질 거대-세포 반응으로 실패하였다. 환자에게 파괴된 하악 골조직을 대체하기 위해 맞춤형 TJP를 설계하였다. **a, b** 술전 맞춤형 TMJ Concepts TJP. **c** 술후 파노라마 사진

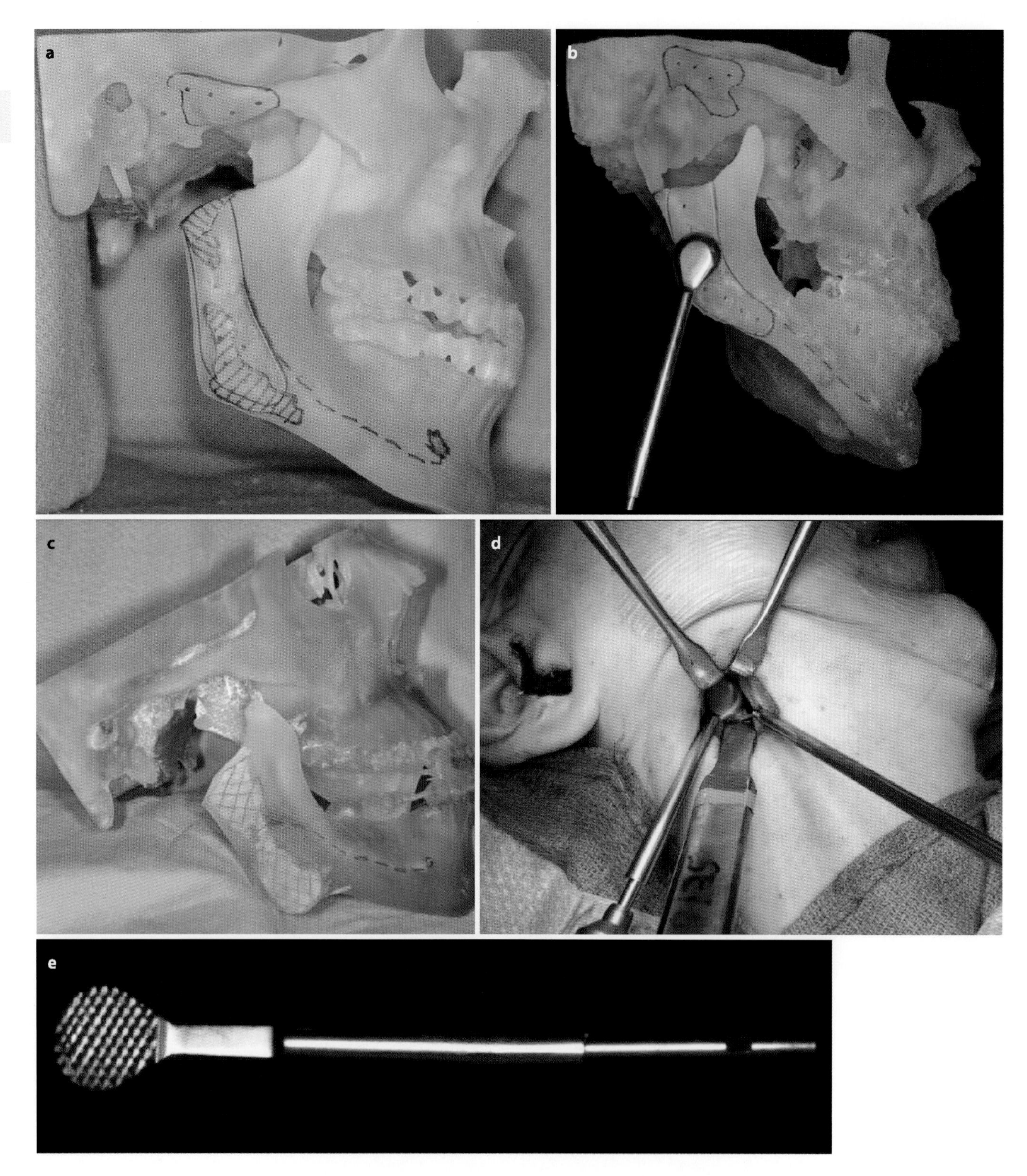

▣ 그림 35.7 Stereolithic 모델에서 설명된 하악지 외측의 편평화. 하악지 외측의 빨간 표시 영역은 술중 맞춤형 관절의 전후방 또는 상하 위치를 포용하고, 필요한 경우 TMJ 전관절 보철물의 과두 요소가 수동적으로 접촉되기 위해 삭제가 필요하다. 하악지 측면을 편평하게 하는 것은 술중 reciprocating rasp로 달성할 수 있다.

◘ 표 35.1 TMJ 전관절 보철물 제작 순서. 미국에서는 약 4개월이 필요

컴퓨터-이용 수술 시뮬레이션을 사용한 TMJ 전관절 보철물 제작 순서	
1	상악, 하악, TMJ를 포함하는 상하악 복합체의 CBCT나 CT 촬영
2	컴퓨터-이용 수술 시뮬레이션을 위한 DICOM 데이터 구축
3	상악과 하악을 최종 위치로 배치하여 환자의 치아안면 기형 수정을 위한 컴퓨터 모델 변형
4	과두절제술과 하악지 외측 재윤곽화를 위해 TMJ 보철 회사가 형성한 stereolithic 모델을 외과의에게 보내기
5	보철물 왁스업과 디자인을 위해 변형된 stereolithic 모델을 제작 회사로 다시 보내기
6	최종 보철물의 디자인과 블루프린트를 외과의가 승인하기
7	제작 회사에서 TMJ 보철물 제작. 보철물을 병원으로 보내기
8	수술 2주 전, 치아 모델 2세트를 획득하여 제작 회사로 보내기
9	치아 모델을 stereolithic 모델과 통합하여 중간 및 최종 스플린트 만들기
10	TMJ 수술을 위해 스플린트(중간 및 최종), 치아 모델, 모든 블루프린트를 외과의에게 보내기

상과 치아 모델을 수술 2주 전에 회사로 다시 보낸다. TMJ 보철 의료 모델링 부서는 환자의 현재 교합을 컴퓨터 시뮬레이션 수술 계획에 통합하여 중간 및 최종 스플린트를 제작한다.

모든 재료(모델, 스플린트, 컴퓨터 시뮬레이션 수술의 수술적 이동의 인쇄물)를 외과의에게 전송한다(◘ 표 35.1).

35.6 외과 술식

35.6.1 수술 전후 전신적 고려사항

OSA 환자는 일반적으로 수술 전후 관리를 복잡하게 만드는 다양한 동반질환을 가지고 있다. 비만, 고혈압, 관상동맥 질환, 폐동맥 고혈압과 같은 동반 질환과 최소 호흡 비축량으로 인한 불포화 경향은 이런 환자군의 수술 위험을 증가시키는 경향이 있다. 퇴행성 TMJ로 인한 심각한 구인두 허탈이 있는 환자는 가능한 합병증 관리에 필요한 적절한 인력과 장비를 갖춘 수술 시설에서 치료되어야 한다. OSA의 수술 관리에 대한 미국 마취과의 협회는 모든 환자에 대해 입원을 요구하기에 문헌적 근거가 불충분하다고 하였다; 그러나 TJP를 이용한 MMA 환자는 수술 후 최소 하룻밤의 관찰이 필요하다.[67]

마취과의와 외과의는 수술실에 들어가기 전 안전한 마취에 대한 향후 합병증을 설명하기 위해 열린 의사 소통을 신뢰한다.

일반적으로, TMJ 환자는 비강 기관 삽관을 어렵게 만드는 해부학적 제한이나 기형을 가질 수 있다. 전형적으로 심한 부정교합과 하악 후퇴가 있는 환자에서 비강 기관 삽관은 의식하 굴곡성 후두경 삽관을 필요로 한다. 운동 범위 제한을 조기 인식하고 병원의 마취과와 조기 의논하여 어려운 기도 증례의 삽관 동안의 부작용을 최소화하는 것이 중요하다.

Cefazolin과 같은 호기성 구균을 다루는 표준화 술전 iv 항생제는 절개 1시간에서 15분 내에 투여된다. 항생제는 각 병원의 수술 항생제 지침에 따라 추가 투약해야 한다.[68-70]

전형적으로, 3-4시간 간격 cefazolin이 사용된다. 페니실린 알레르기가 있는 환자에게 대안적으로 clindamycin을 사용할 수 있다.

스테로이드에 금기가 없는 환자는 술전 및 수술 직후 투약이 도움이 된다. OSA 환자에서 상당한 술후 불포화와 상기도 부종이 발생하기 때문에, 이들의 술후 기도 부종은 주의해야 한다.[71] 전통적 MMA 후 24-48시간 동안 광섬유 비인후경을 통해 환자 인두 외측벽의 분산된 부종, 반상출혈, 이상와 및 피열후두개 주름을 포함하는 부종을 확인할 수 있다. 부종 위험군에서 술후 부기가 감소하면 입원 기간과 재삽관 가능성이 감소될 것이다.[72]

술전 지속적 양압기 사용이 수술 결과를 향상시킨다고 제안되었다; 그러나 이를 지지하는 문헌은 불충분하다. 술전 지속적 양압기에 순응한 환자는 전신 마취에 대해 양압기에 적응하지 못하는 환자에 비해 심각한 술후 합병증 발생 가능성이 낮은 것으로 보고되었다.[73] MMA 또는 TJP 병행 MMA에서 술수 합병증에 대한 술전 지속적 양압기의 효과를 철저히 조사한 연구는 없었다. 그러나 피하 기종의 위험 때문에 술후 최소 2주간 지속적 양압기를 사용하지 말아야 한다.

수술 직전 및 직후, 외이도와 고막을 이경으로 검사해야 한다. 비정상적인 해부학, 고막 천공이나 팽창, 술전 감염의 징후를 적절하게 기록해야 한다. 활동성 감염은 수술 금기증이다.

35.6.2 하악-우선 대 상악-우선

수술에 상악도 포함될 때, TMJ와 상악 악교정 수술 병행 시 순서에 대해 2가지 선택지가 있다: 상악 우선 수술 또는 하악 우선 수술. 상악 우선 수술 시, 상악을 재배치하여 고정한 후, TMJ 수술을 수행한다. 이 선택은 깨끗하고 멸균된 TMJ의 오

염을 피하기 위해 2세트의 기구가 필요하다. 두 번째 선택은 TMJ 수술을 먼저 수행하고, 상악 골절단술을 시행하는 것이다. 이 순서는 1세트의 기구만 필요하다.

TMJ 치환술이 먼저 수행되면, 상악 골 플레이트 적용동안 과두 보철물이 인공와에서 빠져나올 수 있기 때문에, 한사람이 주의하고 있어야 한다. 잘못 배치된 과두를 인지하지 못한 상태로 수술이 지속되면 최종적으로 상악과 하악이 부적절한 위치에 고정될 것이다.

TMJ와 악교정 수술 병행 동안 많은 외과의의 주요 걱정은 과두 위치와 통제이다. 병행 수술 동안 과두 안착에 영향을 미치는 요소들을 관리하기 위해 몇 가지 권장사항이 있다: (1) 수술 동안 지혈 관리를 잘 한다. (2) 상악을 고정하면서 인공 과두를 수직적으로 관절와에 안착시키기 위해 하악각에 부드럽지만 확고한 상방 압력을 가한다. (3) 후방 개방 교합을 만들지 말고, 대신에 수술 완료 시 교합의 교두감합을 최대화한다. (4) 신중하고 정확한 수술을 수행한다. (5) 특히 익상판 부위에서 상악의 잠재적 간섭이 있는 경우 과두가 관절와 밖으로 나올 수 있으므로 주의해야 한다. (6) 하악 인공 과두의 수평 이동에도 주의를 기울여, piriform rim이나 다른 골성 랜드마크에 대해 계획된 위치에 놓였는지 확인해야 한다.

35.6.3 1단계 대 2단계 수술

어떤 TMJ 병리는 TJR 후에도 질환이 지속될 우려가 있을 수 있다. TMJ 강직, 이물질 거대-세포 반응으로 삽입물 실패의 수술 경험, 패혈성 TMJ 관절염, 질환 발현의 위험이 있는 종양의 증례에서 2단계 TJR이 도움이 될 수 있다.[74] 이런 증례에서 강직 제거를 위한 관절성형술이 먼저 시행되어, acrylic spacer를 이용하여 미래의 TJP를 위한 공간을 확보할 수 있다. 그 후 2차 수술로 보철물을 삽입하고 필요한 악골 수술을 완성하게 된다.[75,76]

특정 TMJ 병리가 없는 경우, 악교정 수술 병행 TMJ 수술이 최근 문헌에서 안정적으로 잘 구축되었기 때문에, 단계화된 수술은 거의 필요하지 않다. 우리는 TMJ 병리로 재건을 지연시키는 경우를 제외하고, TJP를 배치한 후 상악 골절단술을 즉시 시행하는 1단계 MMA를 추천한다.

35.6.4 환자 준비 및 드레이프

비강 기관내 삽관을 시행하고, 튜브를 2-0 실크 봉합사로 비소주 상방 비중격에 봉합한다. 환자를 앙와위로 눕히고 목을 가볍게 신장시켜 악하부 접근을 용이하게 한다.

삽관이 완료되면, 구레나룻 부분의 머리카락을 다듬는다. 측두 하부나 helix 삽입 주변의 긴 머리카락은 실크 테이프로 뒤로 당겨 수술 부위에서 격리시킨다. 그 후 머리를 싸고, 눈을 각막 마모에서 보호하고, 목구멍에 팩을 삽입한다.

교정 장치가 없는 환자에서 환자 준비 전 arch bar를 betadine으로 준비해 놓는다. Arch bar와 악간 고정(IMF) 스크류의 선택은 치아의 수와 수행되는 이동에 의해 결정된다. 외과의가 수술 중에, 특히 출혈이 발생하는 경우에, 하악을 조작해야 할 필요가 있기 때문에 과두절제술 후까지 IMF에 와이어를 적용하지 않는다.

35.6.5 이내 절개

TMJ, 디스크, 상행 하악지 노출은 이내 접근을 통해 얻어진다(◘ 그림 35.8a). 표재성 측두 혈관과 이개측두 신경이 절개선 바로 전방이나 안쪽에 위치하고 판막 내에서 전방으로 견인될 수 있다.[77] 포셉으로 이주를 잡고 후방으로 당겨 tenotomy scissors로 이주 연골의 전체 깊이까지 박리할 수 있다(◘ 그림 35.8b). 연골 상층 박리는 기저 연골 조직의 흰색으로 확인할 수 있고 연조직으로의 전방 박리는 흐린 분홍색을 띈다.

측두 혈관, 이개측두 신경, 안면 신경의 관골 가지를 포함하는 전방 판막은 전방으로 1.5-2 cm 정도 견인한다.[78] 표재성 측두근막을 통과하여 표재성 측두 지방 패드를 통해 들어가면, Dean scissors를 완전히 벌려, 지방이 퍼지고 아치의 골막에 접근할 수 있다(◘ 그림 35.8c). 아치 높이에서 1 cm 하방으로 계속 박리하면 밑에 있는 관절낭이 노출된다. 관절낭에 lidocaine 1-2 cc를 epinephrine 용액과 함께 주입한다. 자입 시 악골의 전방 이동을 시각화하여 적절한 위치를 분명히 한다.

35.6.6 디스크절제술

하악을 전하방으로 당겨 관절 공간을 증가시키고 관절낭으로의 접근을 용이하게 한다. 15번 blade로 관절낭의 내측상방에서 절개하여 디스크나 관절와의 연골 손상을 방지한다. 절개는 관절와의 외측연에서 곡선으로 시행한다. Dean scissors로 관절낭과 잔존 골막을 관절 융기 주변의 전방으로 절개한다. 관절하방 공간은 과두의 외측 극과 디스크 사이의 과두 외측부로 1-2 cm 연장되는 수직 중간 감장 절개를 형성하여 접근한다.

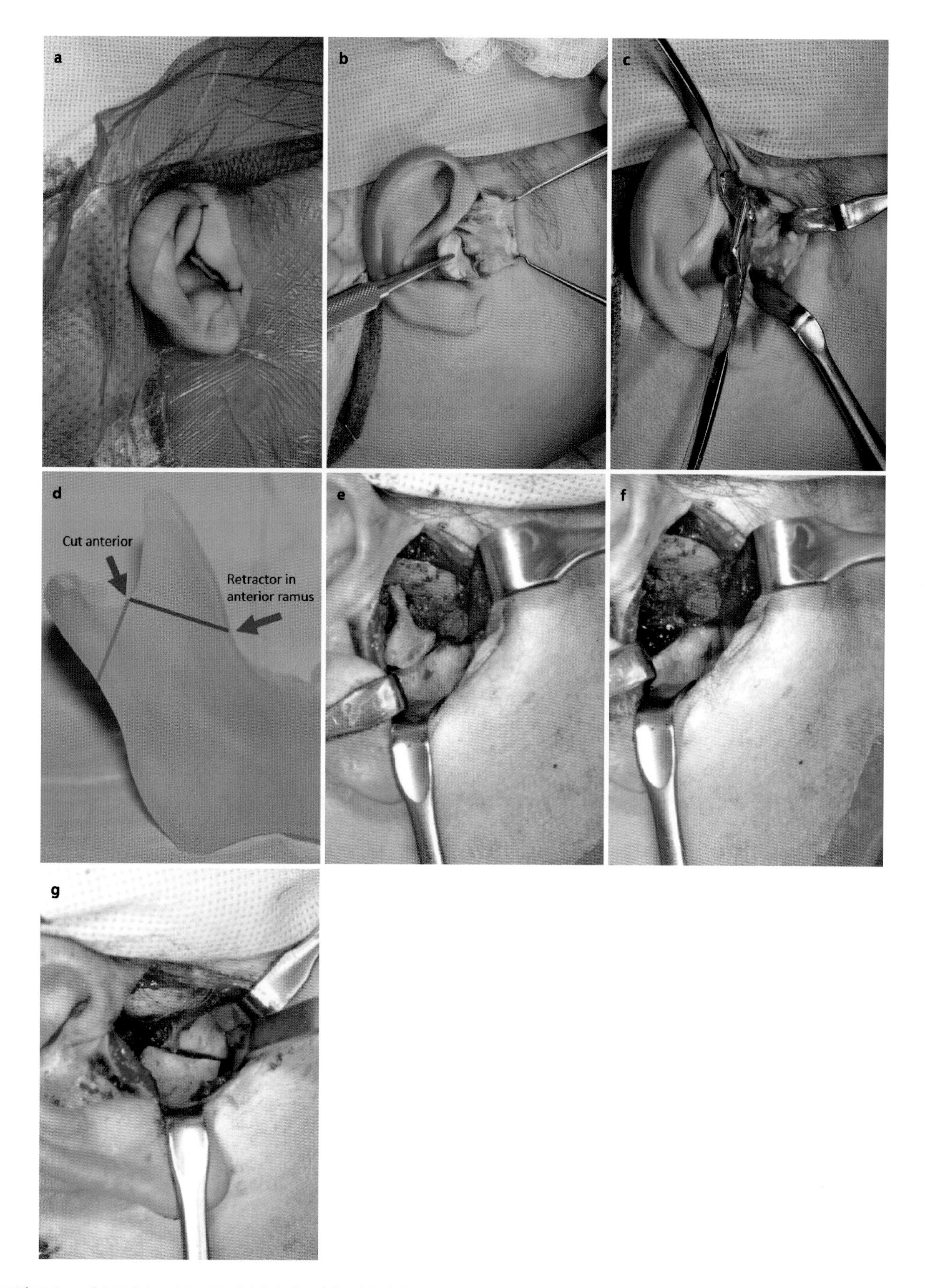

■ 그림 35.8 **a** 이내 절개부 표시. **b** 이주 전방에서 이주 기저부까지 박리. **c** 상부 관절 공간으로 박리에 앞서 표재성 측두 공간으로 접근. **d** stereolithic 모델에 표시된 과두절제술과 근돌기절제술. **e, f** 과두절제술. **g** 하악에 후방 압력을 적용한 후 근돌기 노출과 절단술

디스크가 풀리고 이층판을 후방 밴드의 접합부에서 Dean scissors로 절개한다. 이제 남아 있는 유일한 부착은 외측 익상근이다. 이 시점에서 외과의의 결정에 따라 과두절제술 전에 디스크를 제거하거나 부착된 상태로 과두절제술을 수행할 수 있다.

35.6.7 과두절제술

과두 박리는 과두의 상방 외측부에 T자형 절개를 가하면서 시작한다. 과두는 과두절제술의 계획된 부위에서 주변으로 1 cm 넘어 박리하여 근돌기 절흔과 근돌기까지 포함한다. 박리의 골막하 평면을 유지하여 내상악 동맥이나 복수 가지 중 하나에서 출혈이 생기지 않도록 하는 것이 중요하다. 과두 절단 높이에서, 과두 경부 견인기를 90도 각도로 배치하고 계획된 절단 부위를 reciprocating saw나 압전 핸드피스로 절단한다(◘ 그림 35.8d–f). 골절단 완성 후, 과두 경부를 잡고 외측으로 견인하면 외측 익상근 부착을 볼 수 있다. 외측 익상근을 Bovie 소작기로 삽입점에서 절개한다. 과두절제술 전에 디스크를 제거하지 않은 경우, 디스크의 나머지 부분을 박리하여 과두와 함께 제거한다. 과두와 디스크가 동시에 제거되면 모든 잔존 연조직을 철저하게 제거한다. TJP의 관절와 요소는 남아있는 관절와에 긴밀하게 접촉되어야 하는데, 연조직이 조금이라도 남게 되면 보철물이 부정유합되거나 이소성 골이 형성될 수 있다.

35.6.8 근돌기절제술

측두근의 근돌기 부착은 악골 복합체의 전진을 방해하고 MMA의 안정성을 감소시킨다. 두 과두를 제거한 후 하악이 후상방으로 크게 변위될 수 있으므로, 근돌기를 주변으로 박리하여 제거할 수 있다. 근돌기절제술은 stereolithic 모델에서 표시된 높이에서 reciprocating saw로 시행한다. 측두근이 근돌기

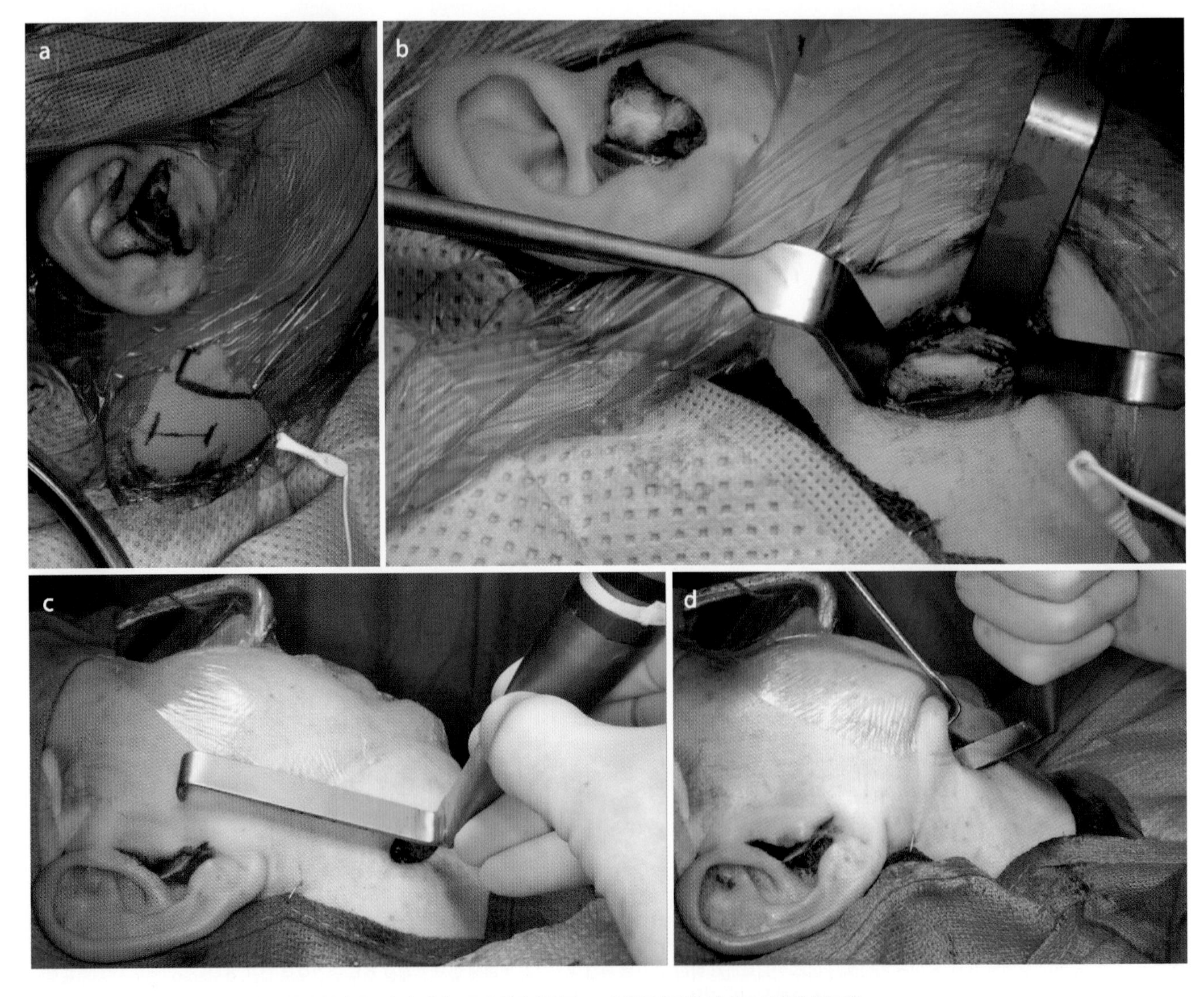

◘ 그림 35.9 **a** 악하 절개부 표시. **b** 하악 하연의 노출과 익상교근 슬링의 횡단면. **c, d** 삽입물 배치 전 하악 전하방 가동화

에 부착된 상태이고, 골절단이 수행되면 상방으로 수축된다(◻ 그림 35.8g). 이 때 외과의는 근돌기 제거를 결정할 수 있지만, 강직의 위험이 있는 증례에만 필요하다.

35.6.9 악하 절개

악하 절개를 통해 TJP의 과두 요소를 배치하기 위해 상행 하악지의 외측 하방으로 접근할 수 있다. 혈관수축제가 함유된 국소 마취제를 사용한다면, 하악 변연 신경의 위음성 신경 전도를 방지하기 위해 광경근 표층에 도포되어야 한다. 1.5–2 cm 길이의 절개는 안면 신경의 하악 변연 가지의 손상을 피하기 위해 하악 하연 하방 2 cm에 위치한다(◻ 그림 35.9a).[79, 80] 신경 모니터의 도움으로 scissors와 단극 전기소작법을 사용하여 광경근을 조심스럽게 박리한다. 익상교근 슬링 노출 시, 안면 혈관이 견인되지 않으면 희생될 수 있다. 익상교근 슬링이 하악 하연을 따라 절개되면, 전체 하악지 외측과 하악 후연을 박리하여 상부 박리와 결합된다(◻ 그림 35.9b). 골막의 철저한 괴사 조직 제거 후, 대형 reciprocating rasp를 사용하여 stereolithic 모델을 따라 하악지 외측 윤곽을 다듬는다(◻ 그림 35.7). 하악이 익상교근 슬링에 가해지는 힘을 증가시키는 방식으로 재위치되면(전진, CCWR 등), 내측 익상근이 하악 내측면에서 박리된다. 이 박리를 수행할 때, 골막하 평면을 유지하여 하치조 신경(IAN)이 소설로 들어갈 때 열상이나 외상을 입지 않도록 주의한다. 박리가 양측 모두 완성되면, 접형하악 및 경돌하악 인대를 신장하여 하악을 가동화한다(◻ 그림 35.9c, d). CCWR이 큰 증례에서, IAN이 손상될 수 있고 영구적 감각 이상의 가능성에 대해 환자에게 설명해야 한다(◻ 표 35.2).

35.6.10 중간 악간 고정

환자에게 악간 고정을 적용하는 동안 수술 부위를 구강 구조물과 격리하는 것이 필수적이다. 이를 위해 타올과 새로운 포를 사용할 수 있다. 술식의 이런 비-멸균 과정 동안 테이블의

◻ 표 35.2 배치와 고정 동안 과두 요소 정렬 불량 해결을 위한 일반적인 고려 사항

여러 불만족스러운 과두/하악지 위치에 대한 고려 사항		
하악지 구성 요소	과두	필요한 변경
Flush	외측	1. 외측 하악지 상방 삭제 2. 외측 하악지 하방 이식
Flush	내측	1. 외측 하악지 하방 삭제 2. 외측 하악지 상방 이식
하방	불안착	예상된 골절단부 하방 과두절제술

뒷면을 만지지 않아야 하고, 그렇지 않으면 새 기구 세트를 열어야 한다. 입 위에 놓았던 tegaderm을 잘라내어 구강으로 접근한다. TJP 제조사에서 제공한 중간 스플리트로 악간 고정한다. TMJ 보철물을 배치하는 동안 악간 고정이 느슨해지지 않도록 하는 것이 중요하다. 완료되면, tegaderm을 구강 위에 놓고, 다시 무균 상태로 간주한다.

35.6.11 구성 요소 고정

관절와 보철물의 티타늄 부분을 지혈겸자로 잡고 환자의 관절와에 삽입한다. 그 후 관절와 안착 도구를 관절와 하방에 대고 관절와 구성요소를 정확한 위치에 배치한다(◻ 그림 35.10a, b). 흔들림없이 단단히 들어맞으면 보철물이 모델에서 해부학적으로 안착되는 것처럼 임상적으로 정확하게 안착된다. 전방 고실판과 보철물의 후벽이 적절한 참조점이 된다. TJP 제조회사의 맞춤형 나사 길이 규정에 따라 미리 결정된 길이의 나사 4개로 구성 요소를 고정한다.

하악 구성 요소는 Risdon 절개를 따라 배치하여 과두가 보철 관절와 내에서 보이도록 삽입한다. 과두를 보철 관절와의 최후상면에서 내외측의 중앙에 놓는다(◻ 그림 35.10c–e). 위치가 만족스러우면 모델로 확인한 후, 고정하는 동안 인공 과두와 관절와의 적절한 접촉을 유지하기 위해 전방에 거즈를 패킹한다. 하악지 요소는 하악지 외측면에 놓아야 하고 모델에 표시된 것과 같이 후하연에서 동일한 거리를 가져야 한다. 그렇지 않은 경우, 하악지 외측 골을 추가로 삭제한다.

하악 구성 요소가 만족스럽게 배치되면 TJP 제조회사에서 제공한 처방에 따라 맞춤형 길이 나사로 고정한다. 가능한 최상부 나사를 먼저 적용하고, 하악 구성 요소의 수직적 위치를 유지하기 위해 구멍을 상부에 뚫어야 한다. 이 구멍 옆의 나사는 보철물의 머리의 후방 위치를 유지하기 위해 전방으로 삽입한다(◻ 그림 35.11). 첫 나사 2개 삽입 후 위치를 평가한다; 만족스러우면, 나머지 나사를 삽입한다. 과두절제술이 모델에서 보다 하방에 시행된 경우, 최상부 고정 위치가 기저골에 대해 충분하지 않을 수 있음을 명심해야 한다. 하악지 구성 요소는 7–9개의 나사로 유지되기 때문에 하나의 나사 구멍 고정을 생략해도 문제가 되지 않는다.[81]

35.6.12 복부 지방 채취 및 적용

지방은 이소성 골 형성의 위험을 감소시키는 것으로 드러났다. 지방 채취가 필요한 경우, 대부분 복부에서 가장 쉽게 얻을 수

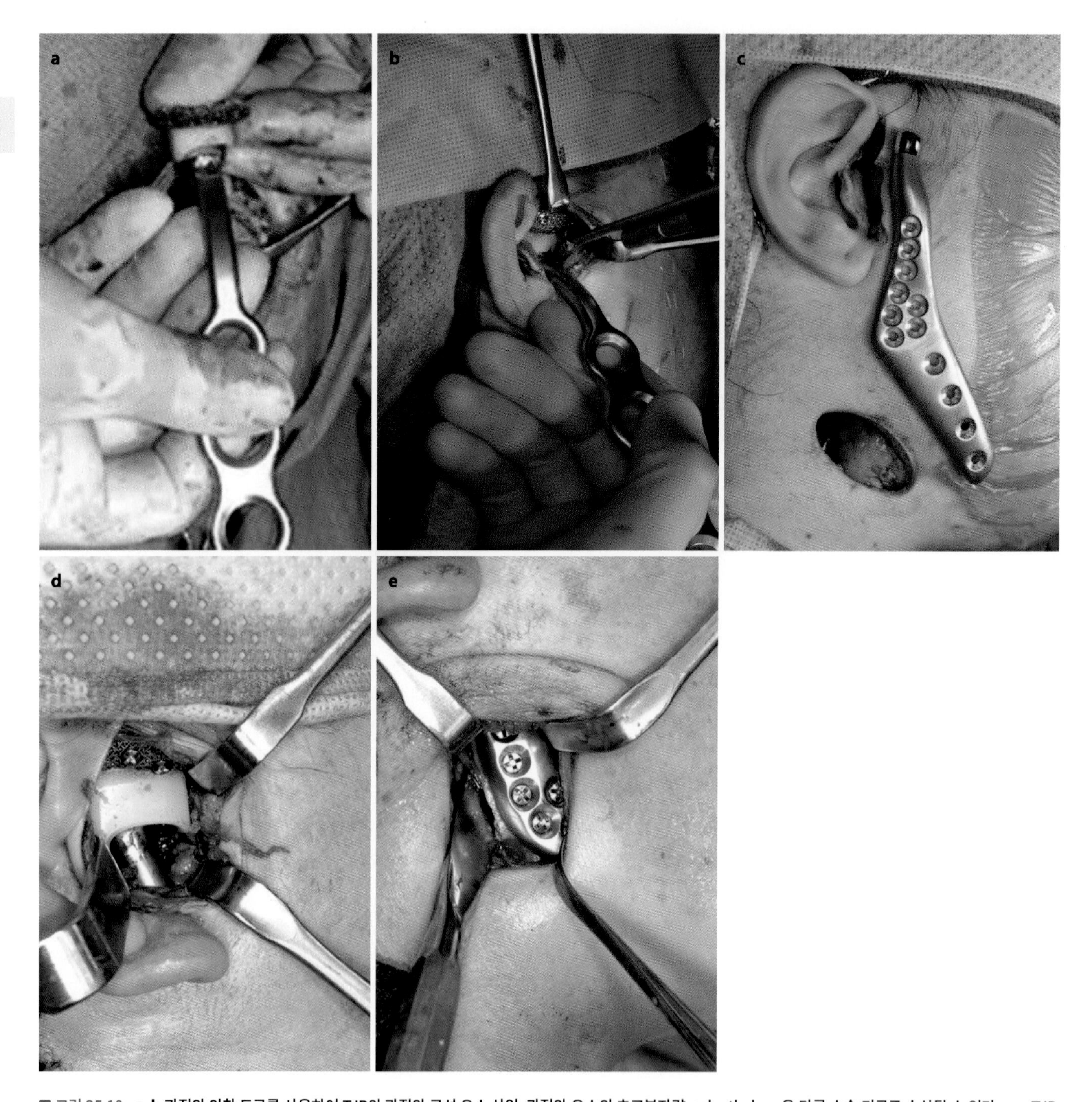

◘ 그림 35.10 **a, b** 관절와 안착 도구를 사용하여 TJP의 관절와 구성 요소 삽입. 관절와 요소의 초고분자량 polyethylene은 다른 수술 기구로 손상될 수 있다. **c–e** TJP 하악 구성 요소 삽입

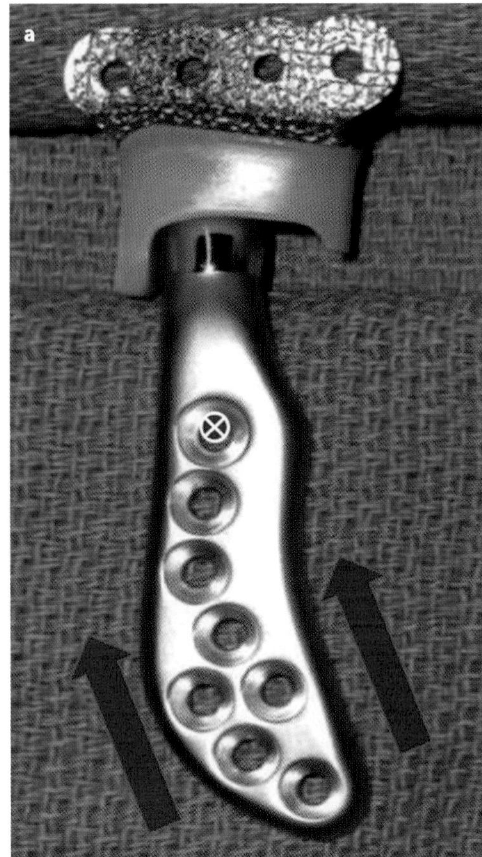

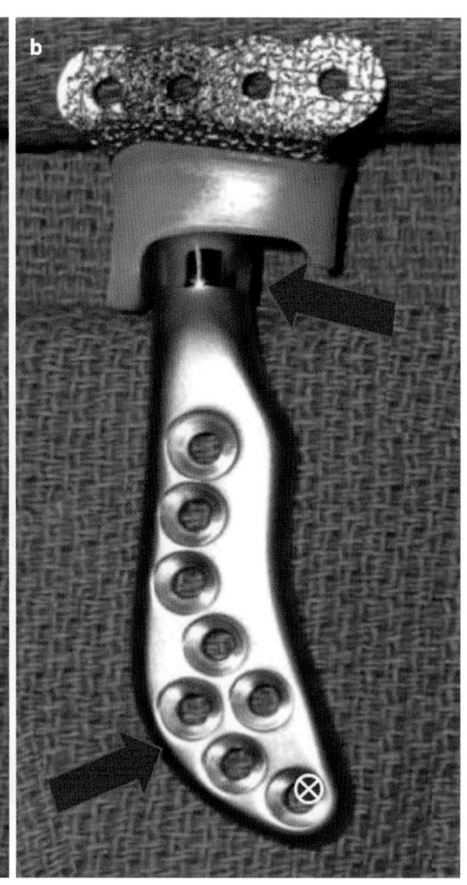

■ 그림 35.11 **a** 첫 번째 나사의 TMJ 하악 구성 요소 위치와 배치 전 하악 구성 요소에 대한 힘의 궤적. **b** 두 번째 나사의 TMJ 하악 구성 요소의 위치와 배치 전 하악 구성 요소에 대한 힘의 궤적

있다. TMJ 피부 준비 시 배꼽에서 치골 상부까지의 복부 드레이프도 시행해야 한다. 복부는 배꼽 주위나 치골 상부에서 4–5 cm 절개하여 복부의 피하 지방에 접근한다. 자가 지방 이식편을 적용 4시간 전에 채취하면 이식편의 부피와 생존력이 모두 소실되므로, TJP 구성 요소를 고정한 직후에 채취하도록 한다.[82] 두 외과팀의 협진 하에 TJP를 고정하면서 지방을 채취할 수 있다.[83,84]

이런 방법으로 정중 복부 지방 패드에서 약 30–40 cc의 복부 지방을 채취한다. 지방 이식편을 일괄 제거한 후, 단극 전기소작기로 적절한 지혈을 위해 주의를 기울인다. 채취된 지방 조직의 15–20 mm를 즉시 보철물 과두와 관절와 주변에 각각 적용한다(■ 그림 35.12).

혈액이나 장액의 지속적인 축적이 우려되는 경우, Jackson-Pratt drain을 석션에 위치시킨다. 복부 절개의 사공을 없애기 위해 피하층을 2–0 polydioxanone (PDS)이나 Vicryl을 사용하여 봉합하여 닫는다. 피부는 피하 방식으로 5–0 Prolene으로 봉합한다. Tegaderm dressing이나 Steri-Strip을 절개부 위에 적용한다. 수술이 끝나면 복부에 압박 드레싱하고 3일간 유지하여 혈종이나 장액종 형성 위험을 최소화한다.

35.6.13 피부 봉합

하악 하연에 2개의 구멍을 뚫고, 3–0 Vicryl이나 PDS를 교근, 드릴 구멍, 마지막으로 내측 익상근을 통과시켜 익상교근 슬링에 재-봉합한다(■ 그림 35.13). 그 후 악하 절개를 층별 봉합한다.

이내 절개를 표층 연속 피하 prolene 봉합을 시행하고 5–7일 후 발사한다. 절개부 위에 Steri-Strip을 적용한다. 술식이 끝나면, Kerlix fluff를 귀와 하악 위에 놓고 압박 드레싱한다.

35.6.14 Le Fort I 골절단술

TJP 피부 봉합이 정리되면, Le Fort I 골절단술을 위해 구강부를 개방한다. 그러면 TJP 오염에 대한 걱정없이 상악 절단술을 진행할 수 있다. Le Fort I 골절단술은 중간 악간 고정과 중간 스플린트를 제거하는 것으로 시작한다. 미리 계획된 수직 위치에 상악을 정확하게 위치시키기 위해, 안정적인 기준점이 필요하다. 안정적이고 신뢰할 수 있는 수직 기준점을 위해 Kirschner-wire (K-wire)를 nasion에 위치시킬 수 있다. K-wire를 위치시키고 피부에서 1 cm까지 남기고 잘라낸 후 상악 중절치까지 측정

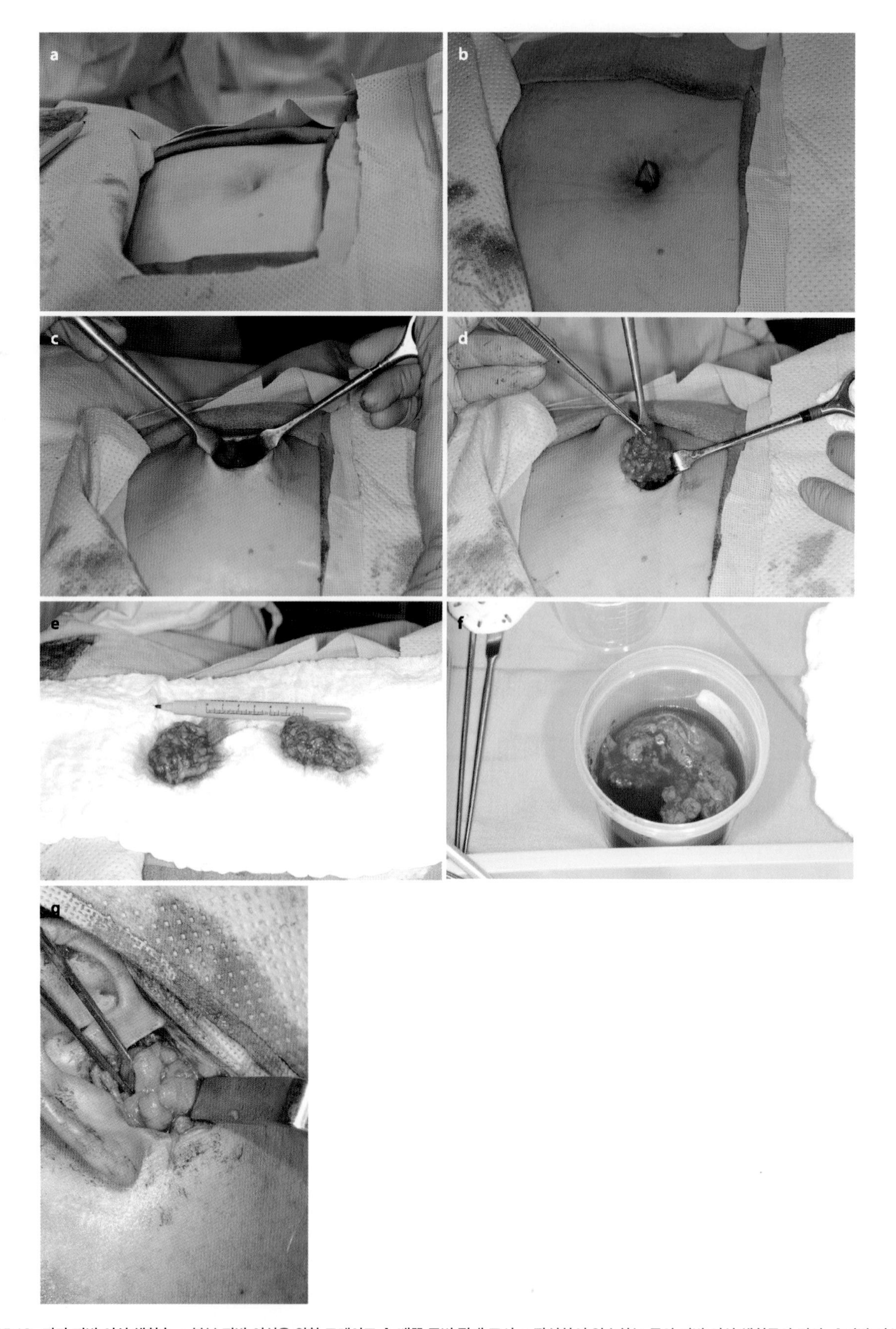

◘ 그림 35.12 자가 지방 이식 채취술. **a** 복부 지방 이식을 위한 드레이프. **b** 배꼽 주변 절개 표시. **c** 잠식하여 입수하는 동안 지방 이식 채취동안 견인. **d** 지방 이식편 일괄 제거. **e** TJP를 적절하게 덮을 수 있는 양의 지방 이식편. **f** 부위 준비가 완성되지 않았다면 지방 이식편을 멸균 식염수에 담가 놓는다. **g** 자가 복부 지방 이식 적용

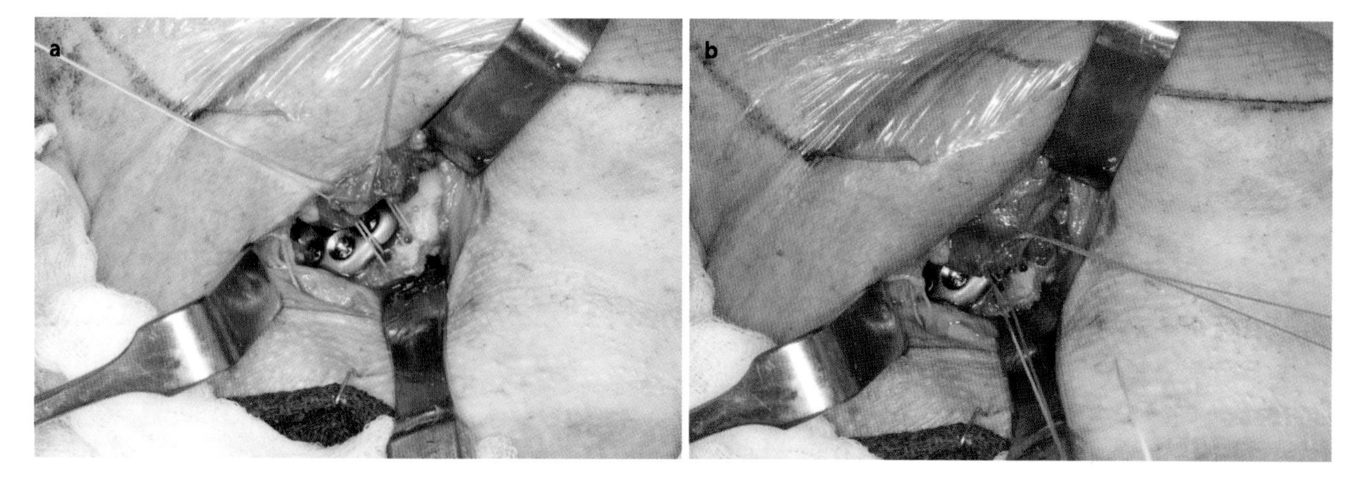

그림 35.13 익상교근 슬링 고정

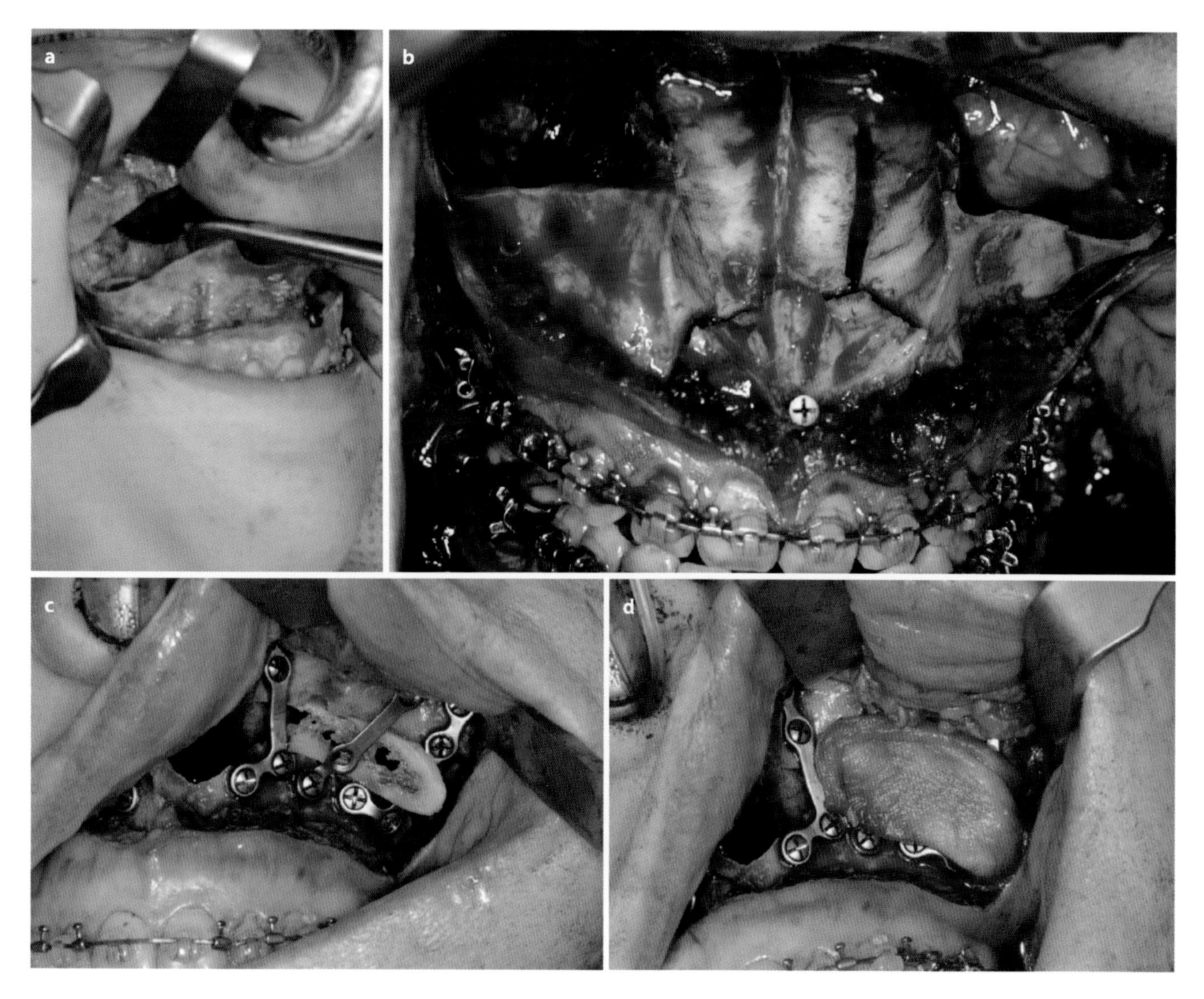

그림 35.14 **a** 하방 골절의 Le Fort I 골절단술. **b** 분절 골절단 후 Le Fort I. **c**, **d** 골 이식 재료로 Le Fort I 절단 분절 고정

하여 기록한다.[85-87]

표준 Le Fort I 골절단술은 상악 치근단을 손상시키지 않도록 주의하면서 reciprocating saw를 사용하여 양측으로 완료한다(일반적으로 걱정되는 치근단에서 4 mm 정도 간격이면 충분하다). 그 후 이중 안전면 골절단도를 사용하여 상악의 비강능에서 중격을 제거한다. 단일 안전면 골절단도를 사용하여 비강 외벽을 구개골의 수직판으로 골절시킨다. 다음으로, curved 골절단도를 사용하여 익상판을 양측성으로 골절시킨다. curved Freer를 piriform rim 뒤에 양측으로 위치시키고, 상악 하방 골절을 완성한다. 필요에 따라 하행 구개 혈관을 시각화하여 전기 소작으로 희생시킨다(◘ 그림 35.14).

하방 골절 동안 새로운 보철물이 탈구되지 않도록 주의해야 한다. 인공 과두가 항상 안착되어 있는지 확인하기 위해 일정한 압력으로 경첩으로 인공 TMJ를 사용하여 전체 상하악 복합체를 조심스럽게 회전해야 한다. 상악골이 완전히 가동화되면, 최종 스플린트로 최종 교합에 위치시키고 제자리에 고정한다.

2-0 Vicryl로 alar cinch 봉합을 시행하고, 3-0 chromic gut 봉합사로 연속 V-Y 봉합으로 정중선 절개를 폐쇄한다.[88-90] 그 후 K-wire를 콧대에서 제거한다.

35.6.15 고무줄

TMJ 운동은 수술 직후 동안 제한된다. 하악골의 적절한 전진을 달성하기 위해 필요한 하악지의 내측 및 외측에 대한 익상교근 슬링의 박리와 근돌기절제술은 TJP 탈구와 교합 부조화의 가능성에 크게 기여한다. 탈구의 위험은 술후 첫 주에 가장 크다. 그러나 술후 적절한 고무줄 사용으로 TJP 탈골율은 1% 미만으로 떨어진다.[91]

첫 24시간에서 7일 사이에는 적절한 위치에서 TJP의 치유를 촉진하기 위해 더 강한 고무줄이 권장된다. 이를 위해 최소 인장 강도가 6 oz나 170 g인 구내 고무줄이 사용된다. 고무줄은 중심 교합(CO)을 유지하기 위한 중립 위치에 배치한다. 경미한 부정교합의 교정을 위한 고무줄 위치는 교합에서 원하는 치아치조 변화를 평가하기 위해 면밀히 모니터링되어야 한다. 강한 구내 고무줄 적용 첫 주 후, 술후 교합을 중심 관계(CR)로 유도하기 위해 전형적인 양악 증례와 같은 고무줄을 사용할 수 있다. 더 이상 단순 부정교합이 드러나지 않으면 고무줄을 중단할 수 있다.

35.6.16 드레싱

술후 부종을 줄이기 위해 압박 드레싱은 최소 24시간 동안 유지한다.

35.7 술후 환자 관리

35.7.1 통증 관리

다중 모드 통증 관리는 TMJ 전관절 보철물을 사용한 MMA 후 환자의 치료 표준이 되었다. 많은 요인들이 이 환자군에서 통증 관리의 복잡성에 기여한다. 첫째, OSA의 치료를 위해 MMA를 필요로 하는 환자는 치아안면 기형으로 악교정 수술이 필요한 환자에 비해 기준선에서 더 높은 진통 요구량을 가진다.[92] 쟁점을 더 복잡하게 하면, TMJ 질환 환자는 일반 대중보다 더 높은 수준의 통증 기준선과 통증을 보고한다.[93] 환자의 TMJ 통증 원인, 술전 통증 수준과 내성, 술전 진통제 요구사항, 모든 이전 TMJ 수술 횟수는 모두 성공적인 술후 진통을 달성하기 위한 환자의 능력에 기여한다.[94]

술후 즉시 및 초기 단계 관리는 술후 산소 불포화 및 다른 심각한 동반 질환을 감소시키기 위해 특히 아편제 사용을 목표로 해야 한다.[71] 술후 아편제 요구량을 줄이기 위해 liposomal bupivacaine, NSAID, acetaminophen, 근이완제, 항히스타민제, CNS 신경전달물질 조절제(예: gabapentin, ketamine 등)와 같은 약물을 더 적은 양의 일반적인 아편제 약물과 함께 사용한다.[95,96] 진통제 요법은 환자가 술전 통증 관리를 위해 사용한 약물을 고려해야 한다. 하나 이상의 비-아편제 약물이 술전 통증에 적절한 통증 완화를 제공하는 것이 일반적이다. 술후 환경에서 적절한 균형을 찾기 위해 비마약성 통증 연대에 대한 환자의 과거 경험을 듣는 것이 효과적이다.

Liposomal bupivacaine의 국소 주입은 사용 가능한 다른 국소 마취제와 유사한 부작용 특징을 가진 장기 진통(24-72시간)을 제공할 수 있다는 전망으로 증가된 연구 주제가 되었다.[97,98] 이 새로운 제형은 국소 및 전신 순환으로 bupivacaine의 느린 방출로 더 긴 작용 시간을 제공한다.[99] 국소 liposomal bupivacaine의 사용은 아편제 요구량 감소, 첫 번째 아편제 구조 시간 증가, 술후 통증 개선의 효과가 있다고 다른 관절 성형 수술에서 보고되었다.[100] Liposomal bupivacaine의 효능에 대한 적절하게 지지되는 다기관 연구는 TMJ 부위에의 사용에 대한 증거를 계속 제공할 것이다; 그러나 현재는 문헌 데이터가 부족하다. 저자는 liposomal bupivacaine 사용으로 통증과 아편 요구량을 모두 줄이는데 좋은 효과를 얻었다.

TJP를 사용한 MMA 후 통증이 술전 통증 수준에 따라 1개월 이상 지속될 수 있음을 술전에 환자에게 설명해야 한다. 술후 며칠 동안 아편제 환자 조절 진통(PCA)에서 다중 모드 구강 통증 요법으로 빠르게 전환할 것이 권장된다. 장기 효과의 국소 침윤과 함께 ibuprofen, acetaminophen, gabapentin, tramadol의 조합은 저자의 환자군 대다수에게 상당한 완화를 제공했다. 결국 진통에 대한 환자의 만족도는 환자의 기대에 달려 있으며, 무통 수술에 대한 환자의 기대를 낮추는 것이 우수한 진통효과에 가장 중요하다.

35.7.2 항생제

TJP의 MMA 수술 창상은 청결과 청결-오염의 2가지로 분류된다. 이전에 언급한 바와 같이 구강 내 오염 가능성으로 인해 보철 수술부에서 수술할 때 기구의 멸균이 가장 중요하다. 수술 부위 감염(SSI)은 TMJ 전관절 재건의 치명적인 합병증이 될 수 있다.

호기성 구균을 포함하는 술전 iv 항생제 투여량은 절개 1시간에서 15분 사이에 투여된다.[101] 항생제 요법은 80 kg 미만의 환자에서 1 g의 cefazolin과 80 kg 이상의 환자에서 2 g을 포함한다. Clindamycin 600 mg은 penicillin 알레르기가 있는 환자에게 허용되는 술전 대안이다. 수술 전후 항생제는 투여한 항생제의 반감기에 근거한 기관 지침에 따라 투여해야 한다. 술후 최소 5일의 항생제 지속은 통상적 악교정 수술에서 SSI를 1% 미만으로 낮추는 것으로 보고되었다.[68, 69]

Mercuri 등은 전 세계 26명의 TMJ 외과의에게 TMJ 전관절 재건 후 항생제 치료 기간에 대해 설문 조사했다. 평균 술후 항생제 지속 기간은 7일(범위 5-14)이었다. 46%(12/26)는 수술 중 TJP를 항생제 용액이나 소독 용액에 담갔다고 보고했다. 또한, 61.5%(16/26)는 고정 후 항생제나 방부제로 삽입부위를 세척했다고 보고했다. 평균 6개월에 보고된 SSI 비율은 TMJ의 51개 관절 감염(1.51%)의 통상적 악교정 수술과 비슷하다.[102,103]

술후 1년 이내에 TMJ 전관절 재건술의 수술 부위 감염률은 1.5-4.5% 사이이다.[104] 술후 5일간의 항생제는 악교정 수술에 적절하다고 보고되었다; 그러나 TMJ 외과의 대다수는 술후 7일간 경구 항생제(cephalexin, clindamycin)를 사용한다. 저자는 술후 7일 동안 경구 항생제를 사용하는 대다수 외과의에 속한다.

35.7.3 부종

수술 직후에 TJP의 MMA 환자는 상당한 부종을 경험할 수 있다. 붓기는 보통 술후 3-5일에 최대에 도달한다. 수술 부종 정도가 인상적일 수 있고, 수술 직후 환자가 걱정할 수 있다; 그러나 붓기는 수술 첫 한달에 빠르게 사라진다. 술후 최대 12개월 동안 부종이 남을 수도 있지만, 대부분의 환자는 6개월 지나면 눈에 띄는 부종은 소실된다.[105]

술후 부종을 감소시키기 위해 침대 머리는 30도 정도 높이고, 수술 전후 corticosteroid를 처방한다. 침대 머리 각도는 수술 직후부터 2주간 유지한다. 여러 연구에서 술후 부종 감소에 대한 corticosteroid 투여의 효능에 대해 보고했다.[106-109] 술전 및 술후 안면 부종 평가에는 상당한 변동이 있고, 처방 용량도 상당히 다양하다. 대부분 요법은 술전이나 술중 1회 용량의 corticosteroid(예: dexamethasone, betamethasone, methylprednisolone)와 술후 2-3회 용량 투여를 준수한다. Corticosteroid에 대한 일반적이고 효과적인 요법은 마취 유도 시 dexamethasone 8 mg, 술후 처음 24시간 동안 8시간마다 8 mg이다.

35.7.4 식이 및 기능 장애

심한 후악증과 퇴행성 관절염이 있는 환자는 TMJ 전관절 치환술 전에 악골 기능 감소, 식이 제한, 제한된 운동 범위를 가진다.[110] 수술 직후 환자는 심한 부종과 인후통으로 식사하기 어렵게 되어, 종종 영양 실조나 탈수에 취약해진다. 강성 고정을 사용하면서 술후 악간 고정의 필요성이 감소하였다; 이에 따라, 환자는 수술 후 즉시 식이 요법을 수행하고 견딜 수 있다. 수술 당일 일찍 맑은 유동식으로 시작하여 완전 유동식으로 진행할 수 있다. 그 후 영양 보충과 함께 부드러운 식단(예: 퓌레/분쇄식품)으로 발전될 것이다. 특히 상악 골절단술을 시행한 환자는 다음 4개월간 부드러운 음식의 식이 요법을 시행해야 한다.

환자는 종종 TJP의 MMA 이후 악골 기능과 음식 질에서 상당한 개선을 가진다. TMJ 치환 후 6-8주 내에 환자들은 저작으로 인해 제한된 자신의 식단이 해결되고 하악 기능이 현저히 개선되었다고 얘기할 것이다. 0에서 10까지의 시각적 아날로그 척도(0 = 식이 제한 없음, 10 = 유동식)에서, Pinto 등은 환자의 장기 추적에서 식이 제한이 크게 감소했다고 보고했다: 5.6-3.4[54] 이러한 식이 제한의 감소는 단단한 식이 요법을 견딜 수 있는 능력과 악골 기능이 증가하고 주관적 약화가 감소하는 것으로 문헌 전반에 걸쳐 보고되었다.[111,112]

35.7.5 활동

수술 직후에는 조기 보행과 침대에서 의자로의 이동이 권장된다. 환자들은 종종 언제쯤 운동이나 스포츠 활동을 할 수 있는지 질문한다. MMA 환자에서, Le Fort I 골절단술 부위는 얼굴에의 외상성 가격으로 부전유합이나 상악 변위에 대한 우려가 크다. 또한 혈압이나 심박수 증가로 상당한 술후 출혈이 발생하는 부위이기도 하다. 환자는 술후 상악 출혈의 위험을 줄이기 위해 최소 4주 동안 심박수를 높이거나 땀을 흘리는 활동을 피하는 것이 좋다. 상하악 복합체의 변위, 장치 실패(전형적으로 상악 장치), 부전유합의 위험으로 최소 4개월 동안 접촉성 스포츠를 피하는 것이 권장된다.

35.7.6 물리 치료

내측 고정으로 악교정 수술 후 즉각적인 기능과 물리 치료가 가능하게 되었고, TJP의 MMA에서도 다르지 않다. 전통적인 TMJ 수술 후 물리 치료는 악골 기능 회복, 운동 범위 증가, 술후 통증 감소에 도움이 되는 것으로 나타났다.[113–115] TMJ 물리 치료는 수술 후 다음 날 조기에 시작되어야 한다. 상악 골절단 환자는 물리 치료 운동에 참여할 수는 있지만, 상악이 완전히 치유되는 6–8주까지 물리 치료 보조 장치를 사용을 연기해야 한다. 고무줄은 하루 7–10회의 물리 치료 참가 시 제거할 수 있다.

물리 치료의 목표는 최대 절치 개구량을 술후 4주 0 mm에서 6–8주 30 mm, 12주 35–40 mm까지 증가시키는 것이다. Thera-Bite 같은 물리 치료 보조 장치를 사용하여 스트레칭 운동을 통해 최대 절치 개구량을 증가시킬 수 있다. 환자는 전통적 기술 사용보다는 단순히 장치를 사용한다. 전통적인 물리 치료와 스트레칭 장치 사이의 결과는 하악 운동 범위를 증가시키는 데 크거나 작은 효과를 보이지 않는 것으로 나타났다.

35.8 합병증

35.8.1 신경 손상

박리 중 V, VII번 뇌신경에 대한 영구적 또는 일시적 손상이 가능하다; 그러나 연조직을 주의깊게 관리하고 위에 설명한 기술을 준수하면 영구적인 손상은 드물다. 손상의 원인(예: 완전한 절개, 신장, 열 등)에 따라 예후가 다양하다. 신경차단(neuro-praxia)은 견인동안 신경이 신장되어 발생하고 가장 흔히 볼 수 있는 손상이다. 이런 신경 손상의 대부분은 첫 몇 주 이내에 해소되지만, 완전히 회복되는 데 최대 12개월까지 걸릴 수 있다.

안면 신경의 지속적 약화가 있는 환자는 기능 개선을 평가하기 위해 자주 내원시킨다. 지속적인 약화나 토안증의 경우, 상안검 부하를 위한 눈썹 리프팅이나 gold weight가 각각 필요할 수 있다. V번 뇌신경 손상은 TJP를 배치하거나 고정하는 동안 나사 위치를 잘못 선정하여 유발될 수 있다. CCWR 동안 IAN이 신장되지 않게 주의하여 일시적 또는 영구적 손상을 피한다.

35.8.2 출혈

TMJ 전관절 치환술과 Le Fort I 골절단술의 수술 부위 근처나 내부에 여러 개의 큰 혈관이 위치한다.[116,117] 표재성 측두, 상악, 교근, 안면 혈관 모두가 심각한 출혈의 원인이 된다. 혈관을 적절하게 분리하는 엄격한 수술 기술이 혈관 구조의 손상을 방지하는 데 중요하다. 출혈이 발생하면, 수술 부위로 출혈을 막기 위해 큰 혈관을 결찰하거나 색전술을 시행해야 한다.

Le Fort I 골절단술에서 술중 및 술후 출혈이 예상된다. 후방 비인두 삼출물과 배액은 종종 수술 24시간 이내에 가라앉는다; 그러나 혈전과 혈흔 배액은 최대 7–10일까지 지속될 수 있다.[118] Le Fort I 골절단술 후 심한 출혈의 보고된 발생률은 약 1%로 상대적으로 낮다.[119]

35.8.3 TMJ 감염

TJP 수술 부위 감염은 다수의 수술적 괴사 조직 제거나 보철물 자체의 소실을 야기할 수 있다. 앞서 언급한 바와 같이 술수 감염의 보고된 비율은 비교적 낮다: 1.5–4.5%[102,104] 치료는 무균 수술법과 술후 항생제 치료로 감염을 예방하며 시작한다; 그러나 감염이 발생하면 신속한 관리가 이루어져야 한다. 환자는 TJP에서 급성 또는 만성 감염을 나타낼 수 있고, 각각은 특정 점유종을 염두에 두고 관리한다.

급성 TJP 감염은 술후 0–24일로 정의된다. 이 기간 내의 감염은 biofilm 발달 가능성이 가장 적은 부위인 초고분자량 polyeth-ylene 관절와 구성요소나 과두 구성 요소에 유기화된 biofilm이 발생할 가능성이 낮기 때문에 적다.[120] 환자의 입원 iv 항생제 투여, 절개, 괴사 조직 제거와 4–5일 동안 TJP 관개 카테터를 위치시키고 4–6주간 외래 iv 항생제를 투여하여 치료된다.[121] 관개 카테터를 5일 후 제거한다. 이 방법으로 치료받은 환자의 40–80%는 보철물 제거의 필요성없이 성공적으로 보철물을 유지한다.

만성 TJP 감염은 술후 25일 이상으로 정의된다. 모든 TJP 수술 후 감염에 대해 보고된 평균 첫 감염 발현은 지속적으로 1개월을 초과한다. 만성 TMJ 감염에서 성숙한 biofilm을 구축하기 위한 충분한 시간이 있다. 이러한 저항적이고 복잡한 군락을 성공적으로 치료하려면 보다 광범위한 치료 요법이 필요하다. 환자는 광범위한 항생제와 다단계 수술이 필요하다. 1단계 수술은 절개, 활성 감염의 괴사 조직 제거를 통한 배액, 보철물 제거, acrylic spacer 배치, 4–5일 동안 관개 카테터 배치로 구성된다. 또한 관개 배수는 4–6시간마다 neomycin과 polymyxin B의 혼합물로 세척하고, 카테터는 5일째에 제거한다. iv 항생제는 4–6주 동안 투여한다. 8–10주후, 보철물 주변의 자가 지방 이식을 수반하는 TMJ 전관절 치환술을 아우르는 2단계 수술이 완료된다.[121]

35.8.4 생체 재료 민감도 및 이물질 반응

생체 재료 반응으로 인한 TJP의 실패는 TJP의 과거 반복으로 보고되어왔다. Proplast–Teflon과 이중 금속 보철 시스템은 이물질 거대 세포 반응을 유발하고 후속적으로 임플란트 실패로 이어진다는 발견이 있었다.[122–125] 금속 알레르기 또한 전관절 보철물에 대한 거대 세포 반응에서 중요한 역할을 할 수 있다.[126] 관절성형술에서 이물질 거대 세포 반응의 병태생리학은 T–, B–lymphocyte의 후속 침투에 의한 지연형 과민반응을 자극하는 외래 나노입자의 방출을 중심으로 순환된다.[127] 조직학적 검사에서, 금속 파편을 함유한 대식세포를 보철물 주변 조직에서 볼 수 있다.[128] 이런 반응으로 장치가 헐거워지고 TJP의 필연적인 실패를 야기한다.

고밀도 섬유성 결합 조직은 이물 반응의 증거없이 최신 TJP 시스템 주변에 외피를 발달시킨다.[129] 과두 구성요소의 Co–Cr–Mb 합금과 관절와 요소의 초고분자량 polyethylene의 조합은 이전 시스템이 예방하지 못한 것과 동일한 미세 파편을 유발하는 것 같지 않다.[130,131]

35.8.5 재발성 골 형성

이소성 골 형성과 섬유화가 TJP의 합병증에 관한 문헌에서 보고되었다.[132] 복부 지방 채취는 간단하고, 저렴하며, 최대 절치 개구량 증가, 악골 기능에 대한 환자 감각 증가, 이소성 골 형성의 임상적 위험을 감소시키는 비교적 위험이 적은 술식이다.[82,84,133,134] 동물[135]과 사람[136]의 조직학적 연구 모두에서, 복부 지방 이식은 과두절제술 후 TMJ 관절 공간 내의 골과 섬유소 이동을 예방하는 것으로 나타났다.[84]

자가 복부 지방 이식 채취의 합병증에는 감염, 장폐색, 혈종, 장액종, 주변 구조물에 대한 의인성 손상이 포함된다. 합병증의 발생률은 8–10% 사이이다. 그러나 적절한 멸균 기술, 지혈, 복부 바인더 사용으로 합병률을 현저하게 감소시킬 수 있다.

다음의 증례 35.1–4를 참조하라:

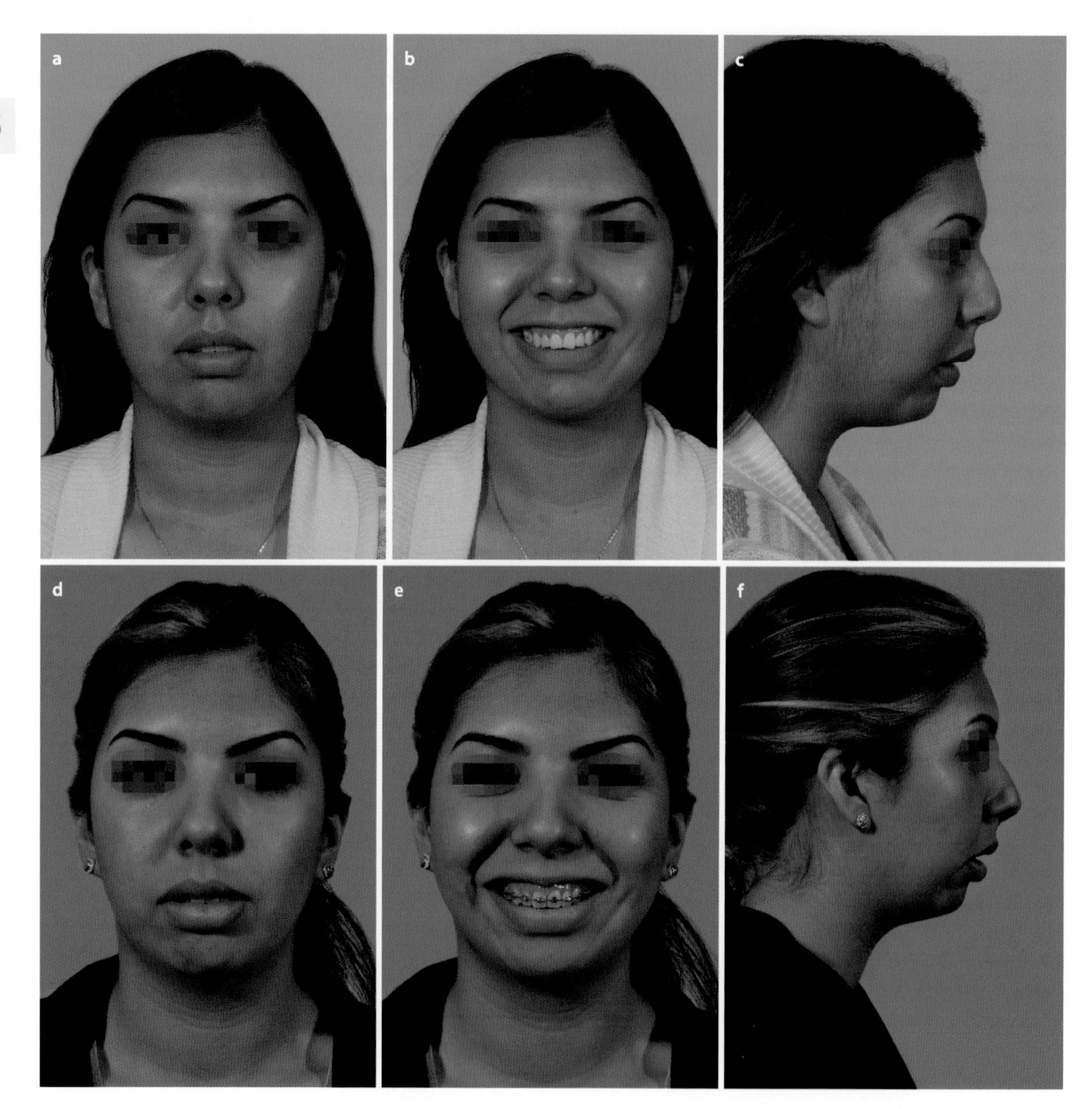

▣ 증례 35.1 24세 여환으로 교정과의가 포괄적인 교정과 TMJ 평가를 위해 의뢰하였다. 특발성 과두 흡수로 인해 하악이 심하게 후퇴되었다. 그녀는 13세 때 관절에서 clicking, popping 소리가 나는 것을 알아차렸다. 13세에 II급 부정교합으로 교정 치료를 시작했고, 제1소구치와 제3대구치를 발치했다. 특발성 과두 흡수로 인해 진행성 교합 악화, 하악 후퇴, 큰 수평 피개, 상기도 손상으로 추가 4년의 교정 치료가 실패한 후 내원하였다. 환자의 수술은 양측성 과두절제술, 양측성 근돌기절제술, TMJ Concepts 전관절 보철물을 사용한 양측성 전관절 치환술, Le Fort I 골절단술(3-piece), 이부성형술, 중격성형술로 계획되었다. **a–c** 초진 시 환자의 휴식 시 정면, 기능 시 정면, 우측 측면. **d–f** 술전 교정 치료 후 휴식 시 정면, 기능 시 정면, 우측 측면. **g–i** 술후 휴식 시 정면, 기능 시 정면, 우측 측면. **j–l** 치료 전 교합 모습. **m–o** 반복 교정 치료를 시작한 후 교합면. **p–r** 치료 후 교합면. **s–t** 수술 전후 측면 두부조영술

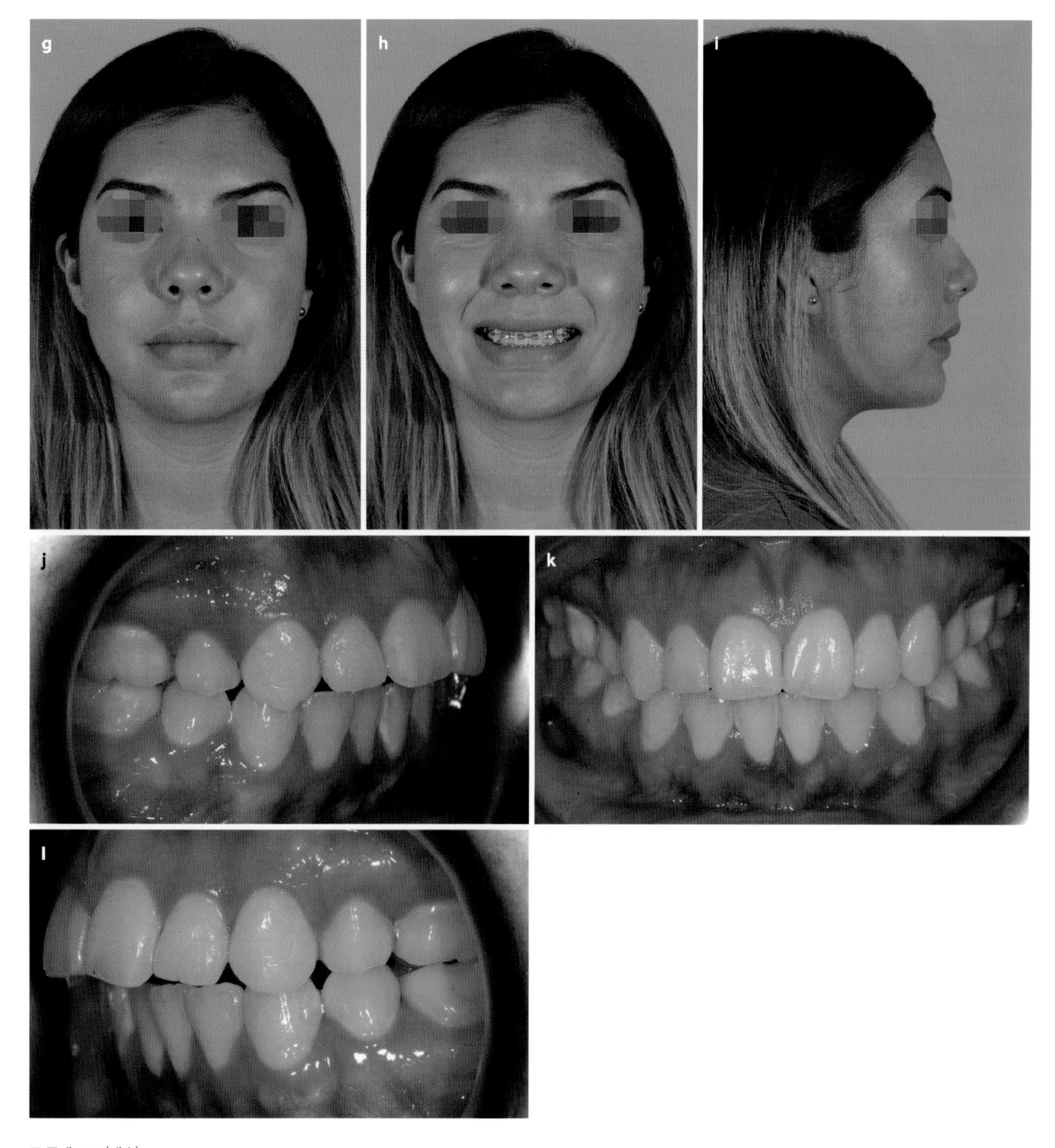

■ 증례 35.1(계속)

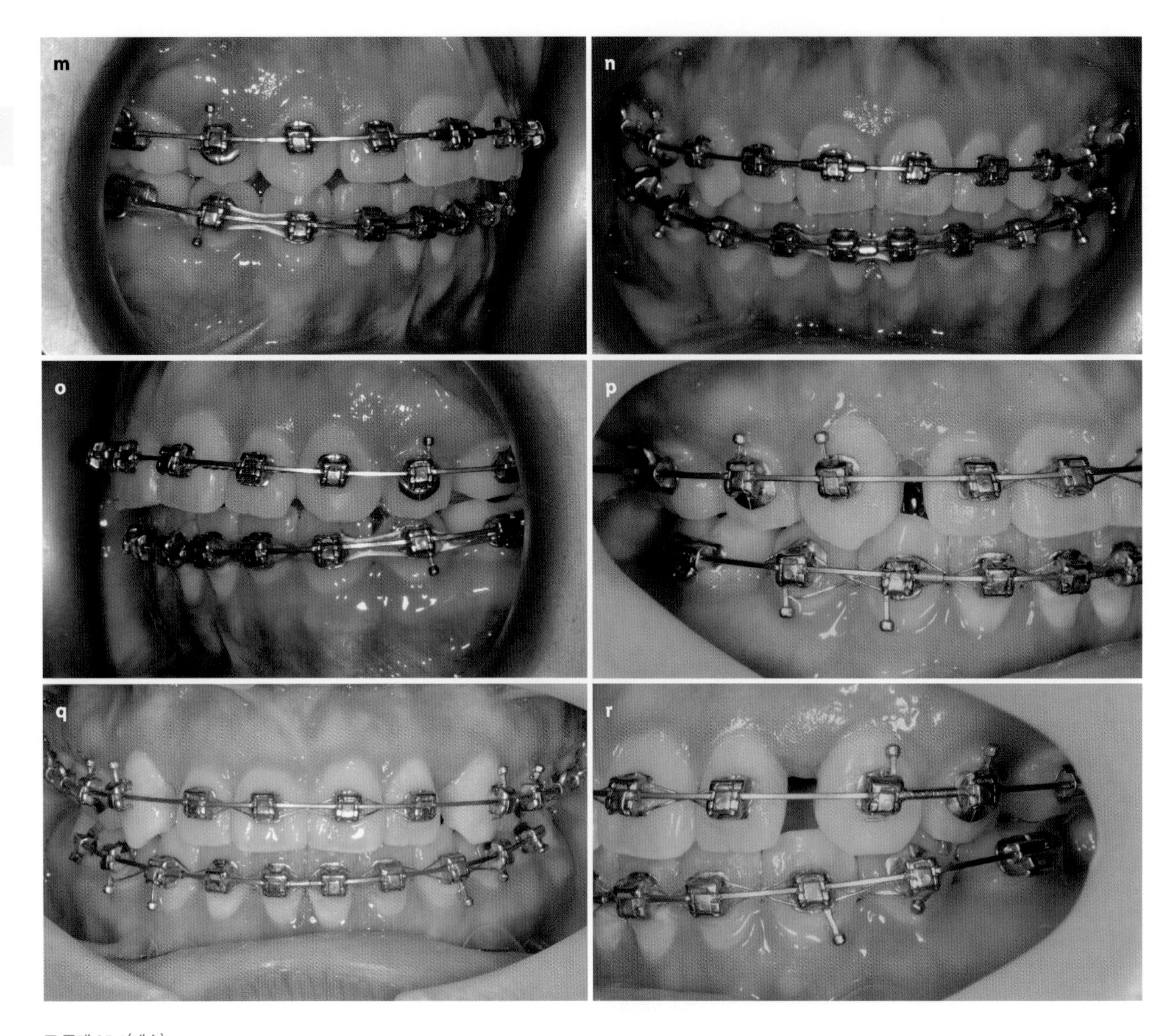

증례 35.1(계속)

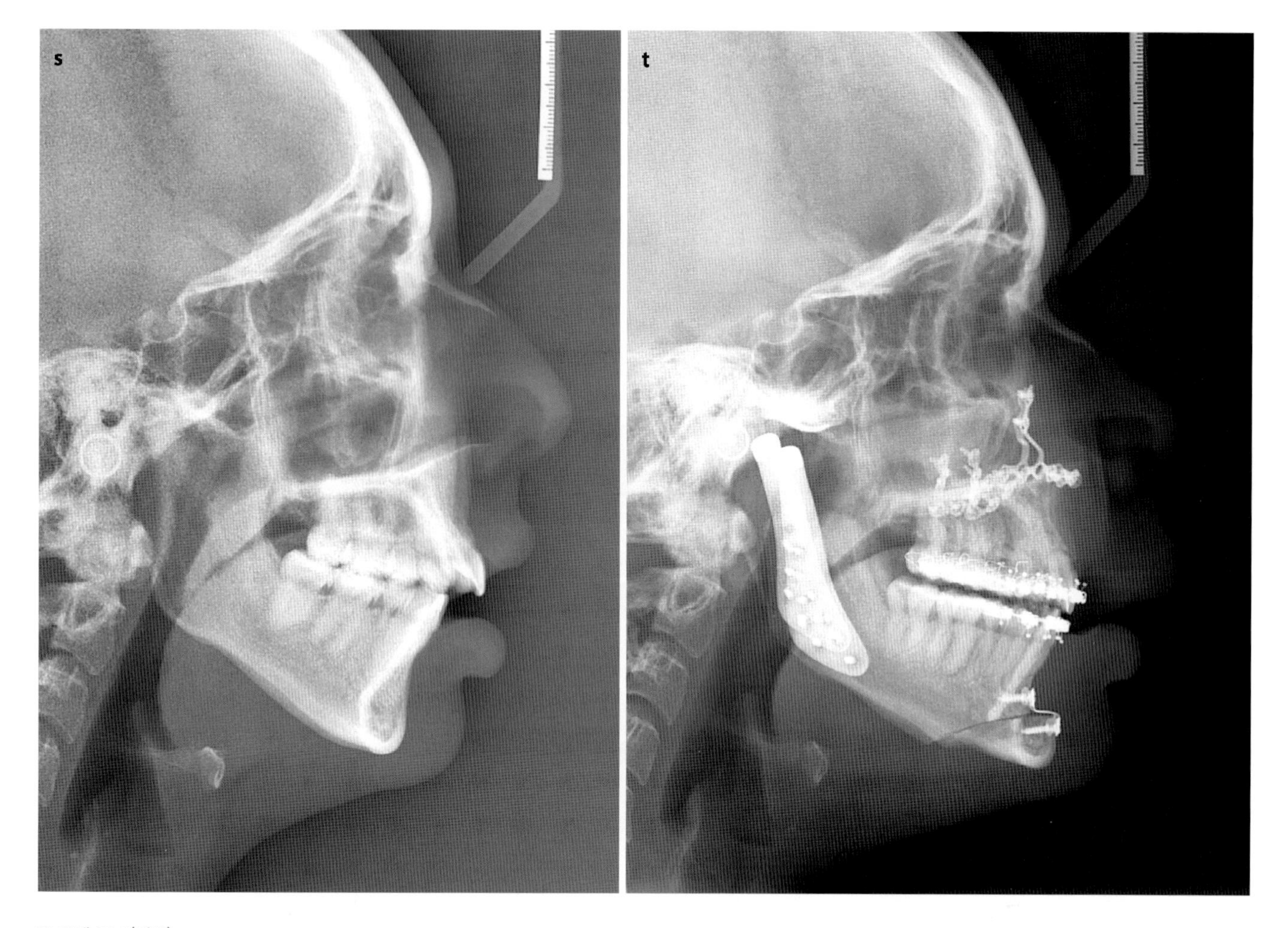

■ 증례 35.1(계속)

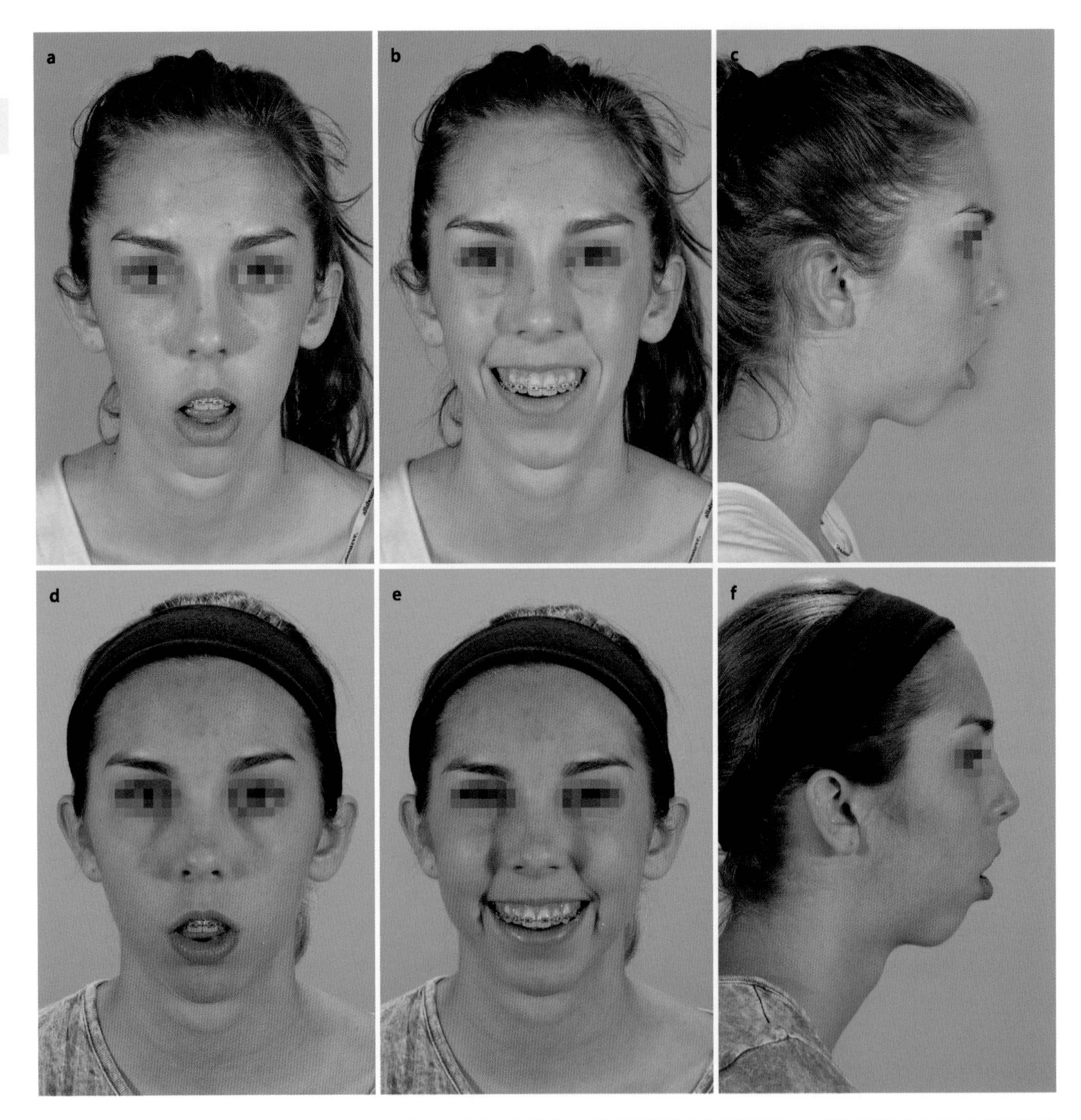

◘ 증례 35.2 19세 여환으로 포괄적인 교정과 TMJ 평가를 위해 교정과의가 의뢰하였다. 진행성 후하악증 악화, 식이 장애, TMJ 통증, 상기도 손상으로 13세에 교정 치료를 받았었다. 퇴행성 과두로 인한 심하게 후퇴된 하악을 가진 II급 부정교합을 보였다. 환자의 수술은 양측성 과두절제술, 양측성 근돌기절제술, TMJ Concepts 전관절 보철물에 의한 양측성 전관절 치환술, Le Fort I 골절단술(3-piece), 이부성형술로 계획되었다. **a–c** 초진 시 환자의 휴식 시 정면, 기능 시 정면, 우측 측면. **d–f** 술전 교정 치료 후 휴식 시 정면, 기능 시 정면, 우측 측면. **g–i** 술후 휴식 시 정면, 기능 시 정면, 우측 측면. **j–l** 치료 전 교합 모습. **m–o** 치료 후 교합 모습. **p–q** 수술 전후 측면 두부조영술

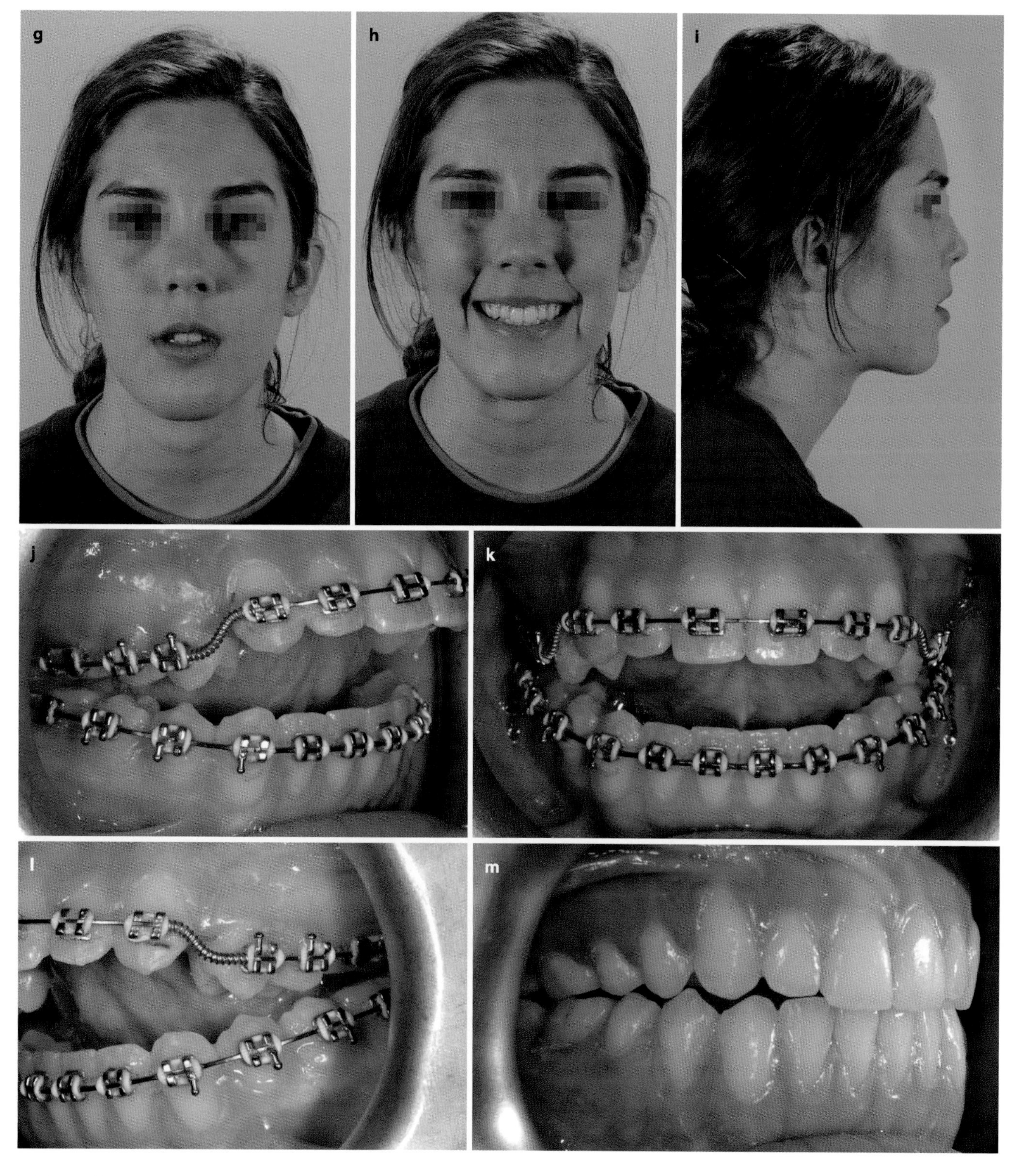

증례 35.2(계속)

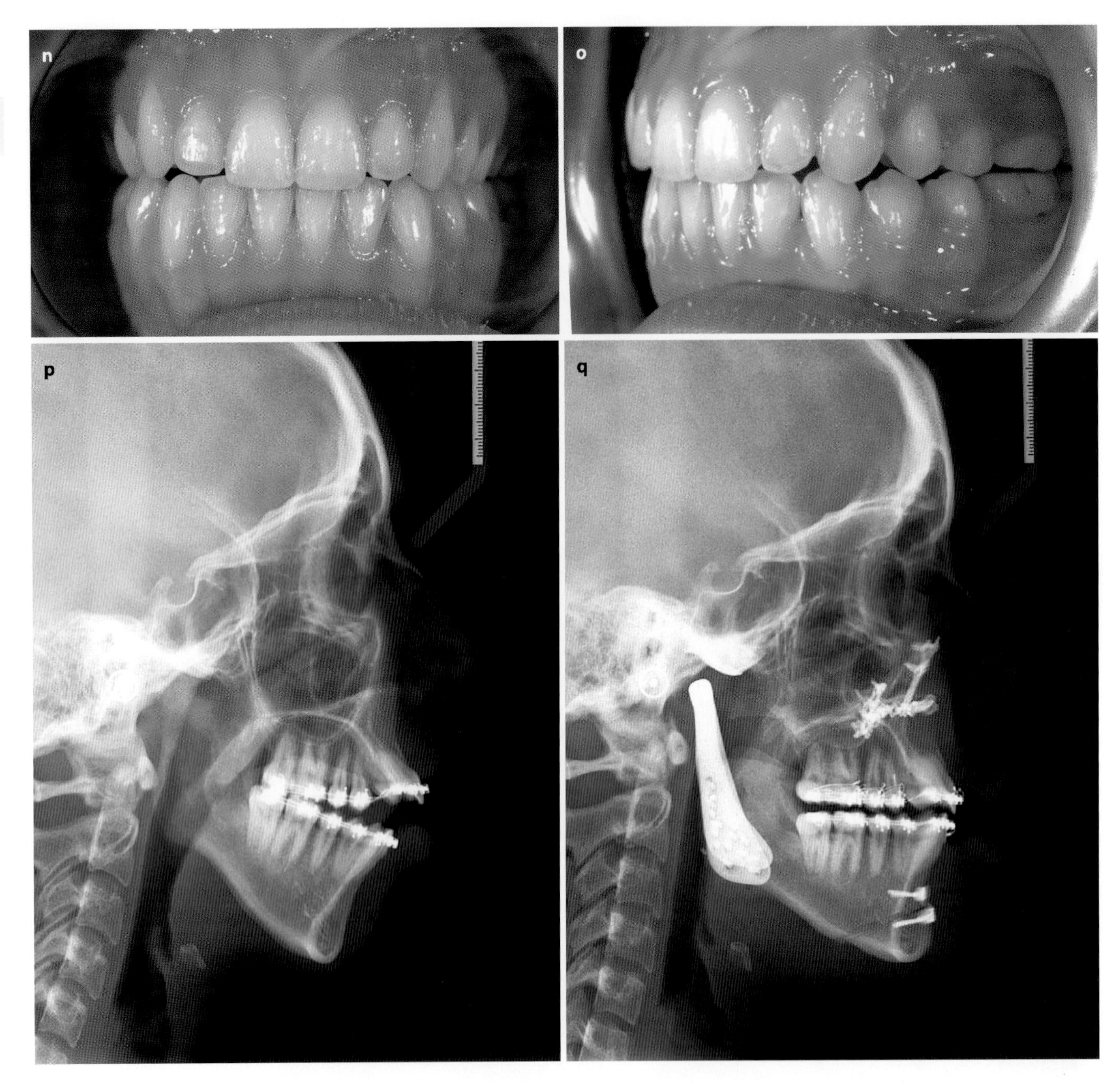

증례 35.2(계속)

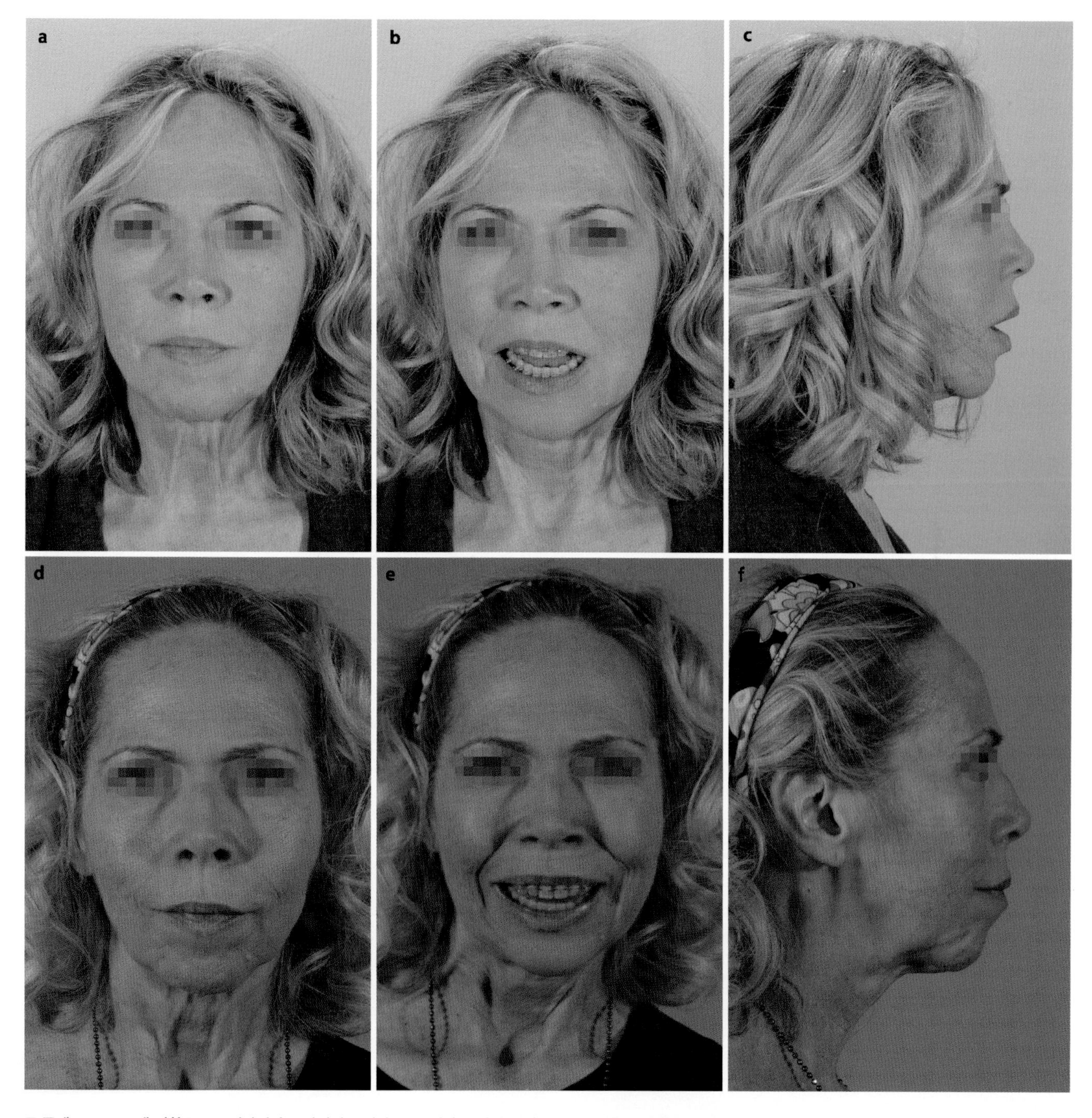

증례 35.3 55세 여환으로 교정과의가 포괄적인 교정과 TMJ 평가를 위해 의뢰하였다. 22세 때 류마티스 관절염 진단으로 양측성 고관절 및 무릎 치환술을 받았고 만성 관절통이 유발되었다. 내원 당시 그녀의 주호소는 TMJ 통증이 아니라 점진적으로 증가하는 전방 개방 교합을 동반한 기능 장애, 발음 변화를 유발하는 II급 부정교합과 OSA였다. 환자의 수술은 양측성 과두절제술, 양측성 근돌기절제술, TMJ Concepts 전관절 보철물을 사용한 양측성 전관절 치환술, Le Fort I 골절단술(3-piece), 이부성형술로 계획되었다. **a–c** 초진 시 환자의 휴식 시 정면, 기능 시 정면, 우측 측면. **d–f** 술전 교정 치료 후 휴식 시 정면, 기능 시 정면, 우측 측면. **g–i** 술후 휴식 시 정면, 기능 시 정면, 우측 측면. **j–l** 치료 전 교합 모습. **m–o** 반복 교정 치료를 시작한 후 교합면. **p–r** 치료 후 교합면. **s-t** 수술 전후 측면 두부조영술

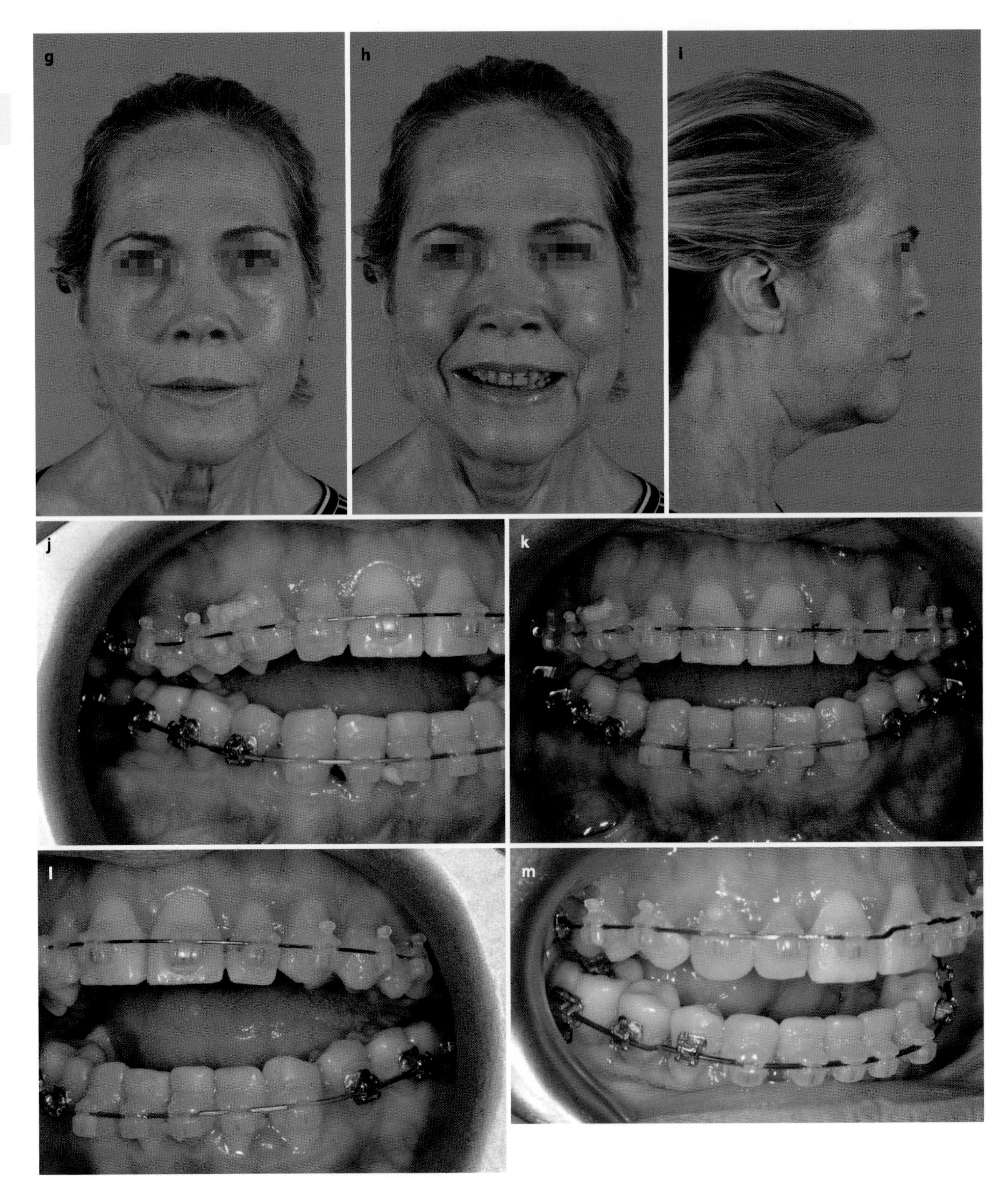

증례 35.3(계속)

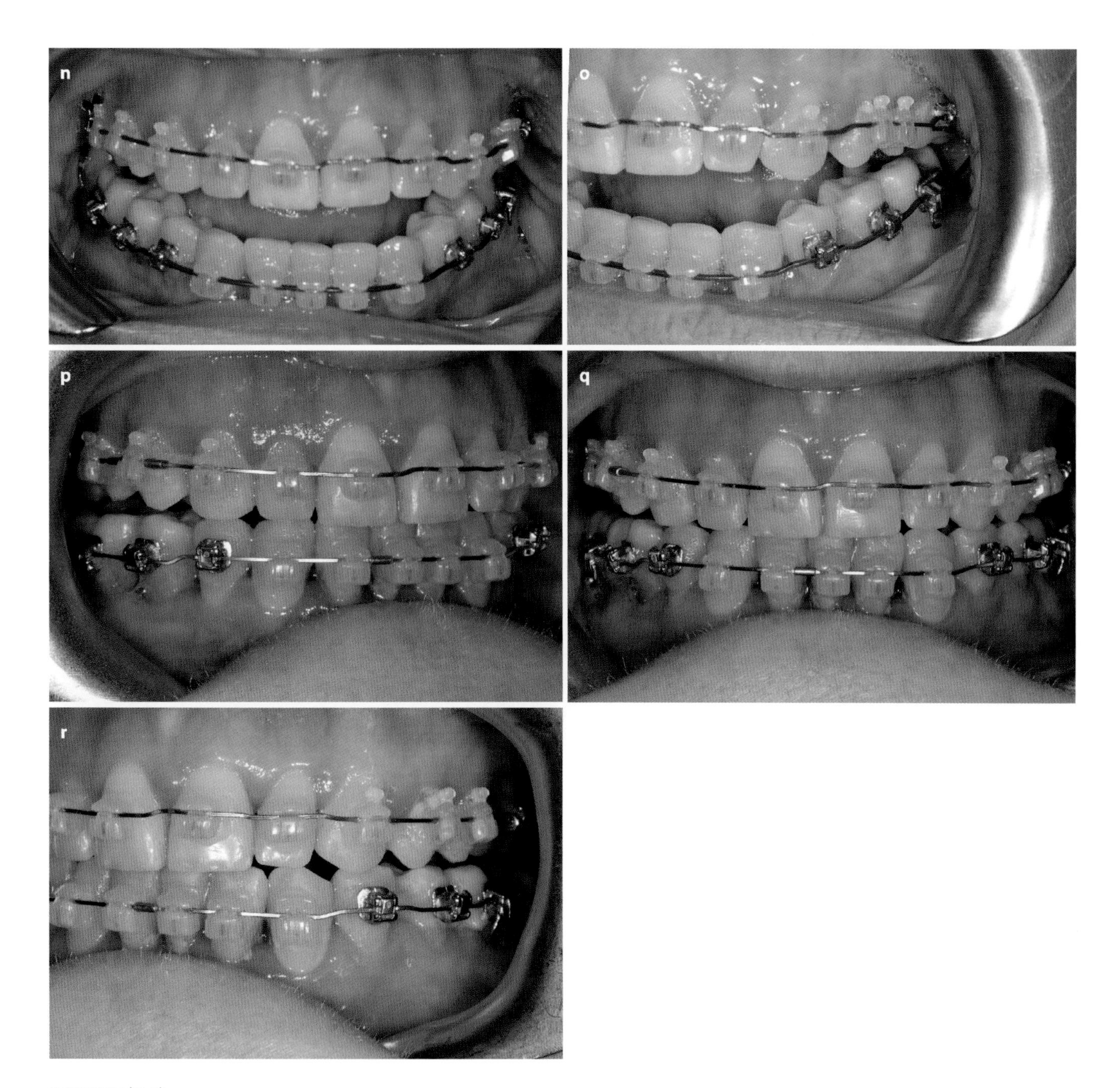

증례 35.3(계속)

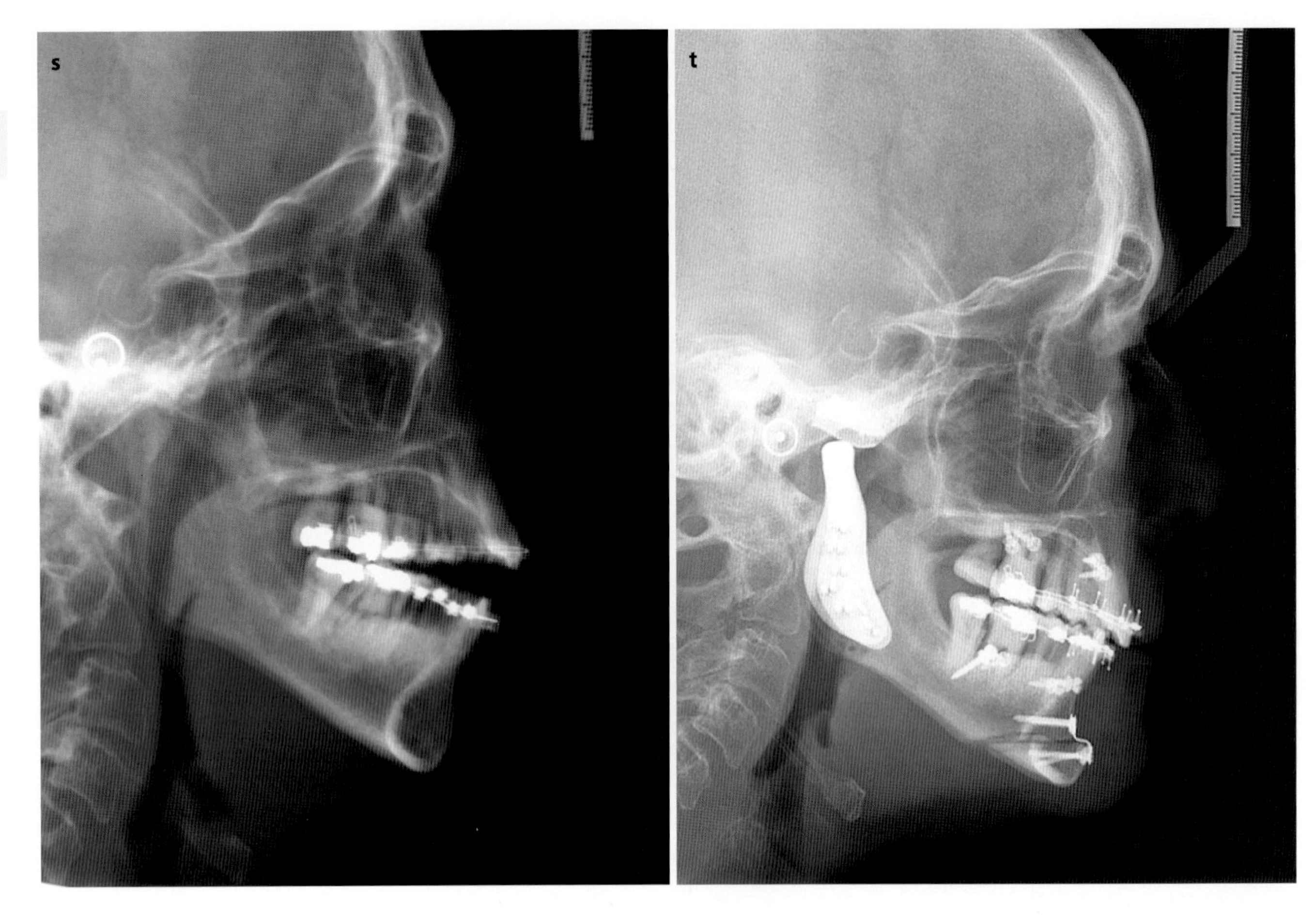

증례 35.3(계속)

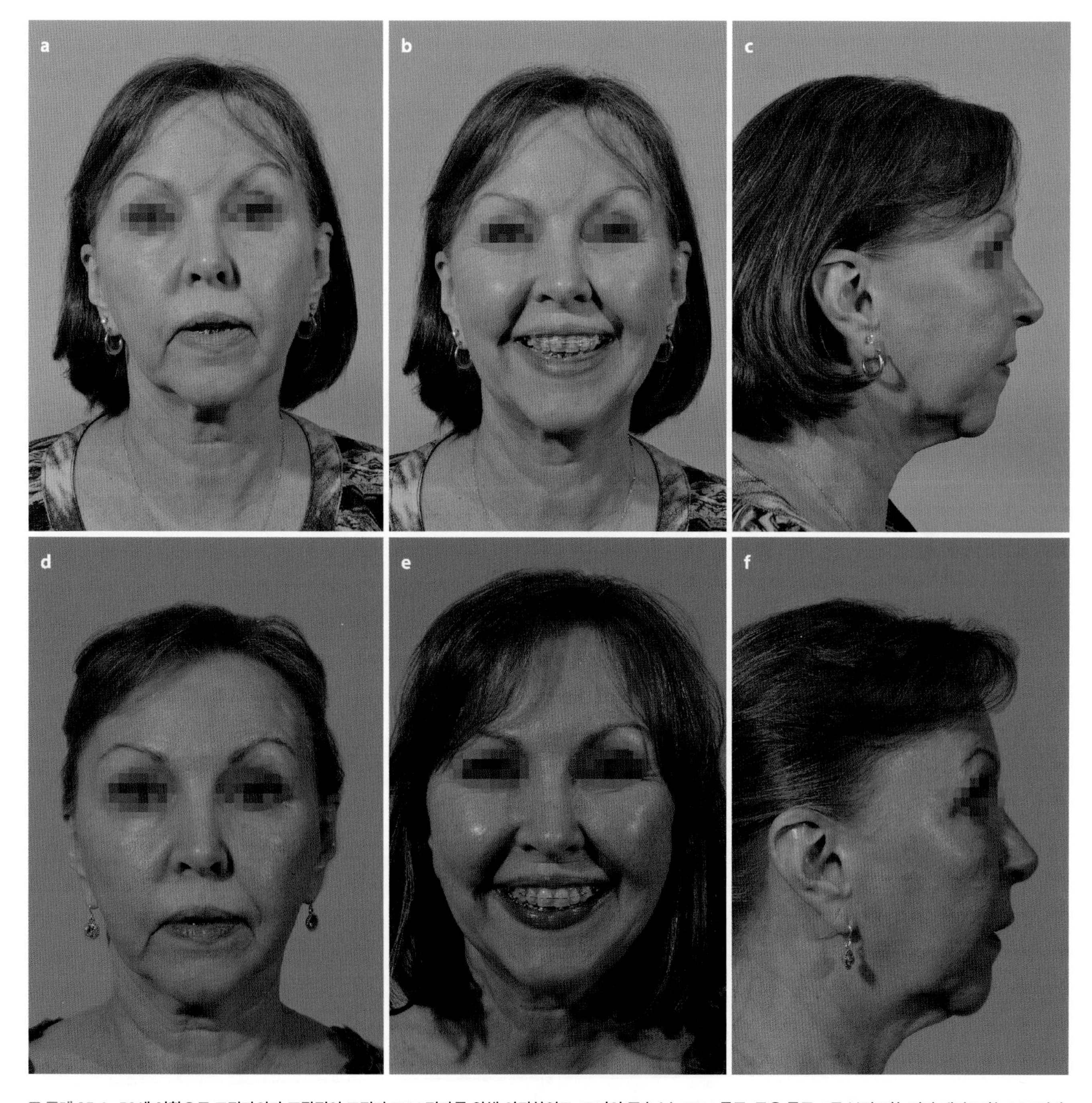

▫ 증례 35.4 58세 여환으로 교정과의가 포괄적인 교정과 TMJ 평가를 위해 의뢰하였고, 그녀의 주호소는 TMJ 통증, 근육 통증, II급 부정교합, 전방 개방 교합, OSA였다. 환자는 예전에 교정 치료 경험이 없고, TMJ 증상에 대한 여러 번의 비수술적 시도가 있었으나 뚜렷한 개선은 없었다. 치료는 술전 교정 및 제1소구치 발치로 시작되었다. 환자의 수술은 양측성 과두절제술, 양측성 근돌기절제술, TMJ Concepts 전관절 보철물을 사용한 양측성 전관절 치환술, Le Fort I 골절단술, 이부성형술로 계획되었다. **a–c** 초진 시 환자의 휴식 시 정면, 기능 시 정면, 우측 측면. **d–f** 술전 교정 치료 후 휴식 시 정면, 기능 시 정면, 우측 측면. **g–i** 술후 휴식 시 정면, 기능 시 정면, 우측 측면. **j–l** 치료 전 교합 모습. **m–o** 반복 교정 치료를 시작한 후 교합면. **p–r** 치료 후 교합면. **s–t** 수술 전후 측면 두부조영술

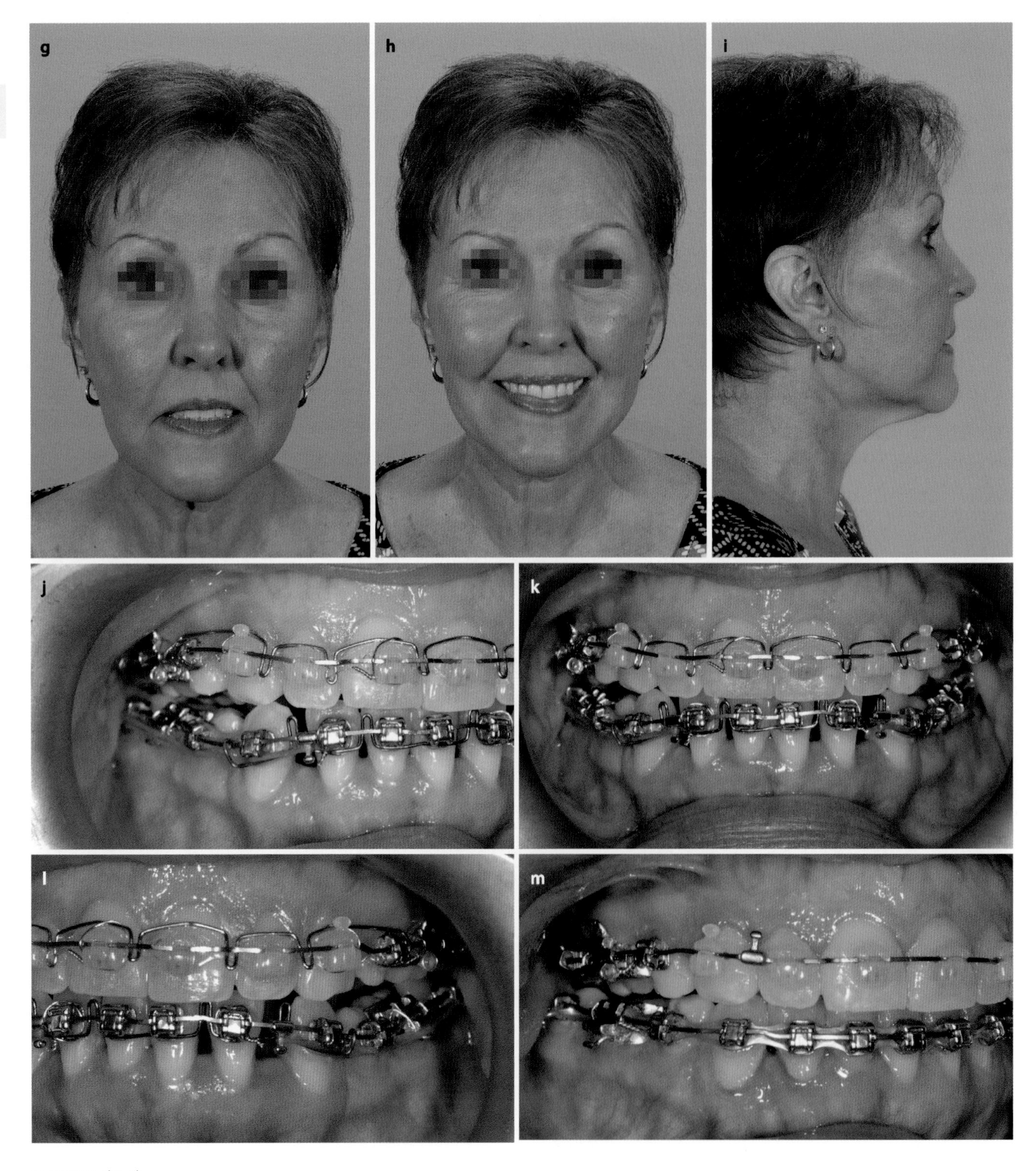

증례 35.4(계속)

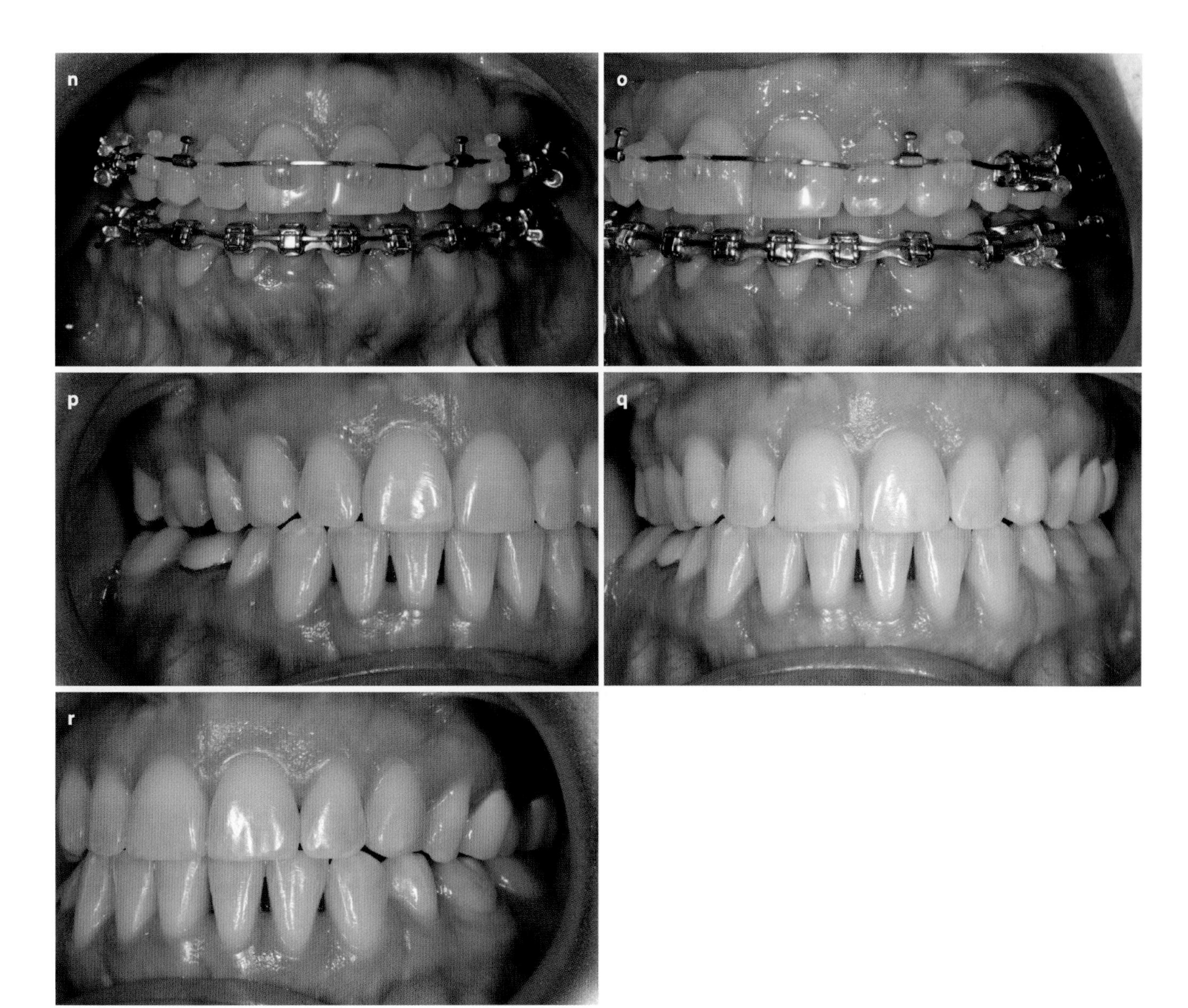

■ 증례 35.4(계속)

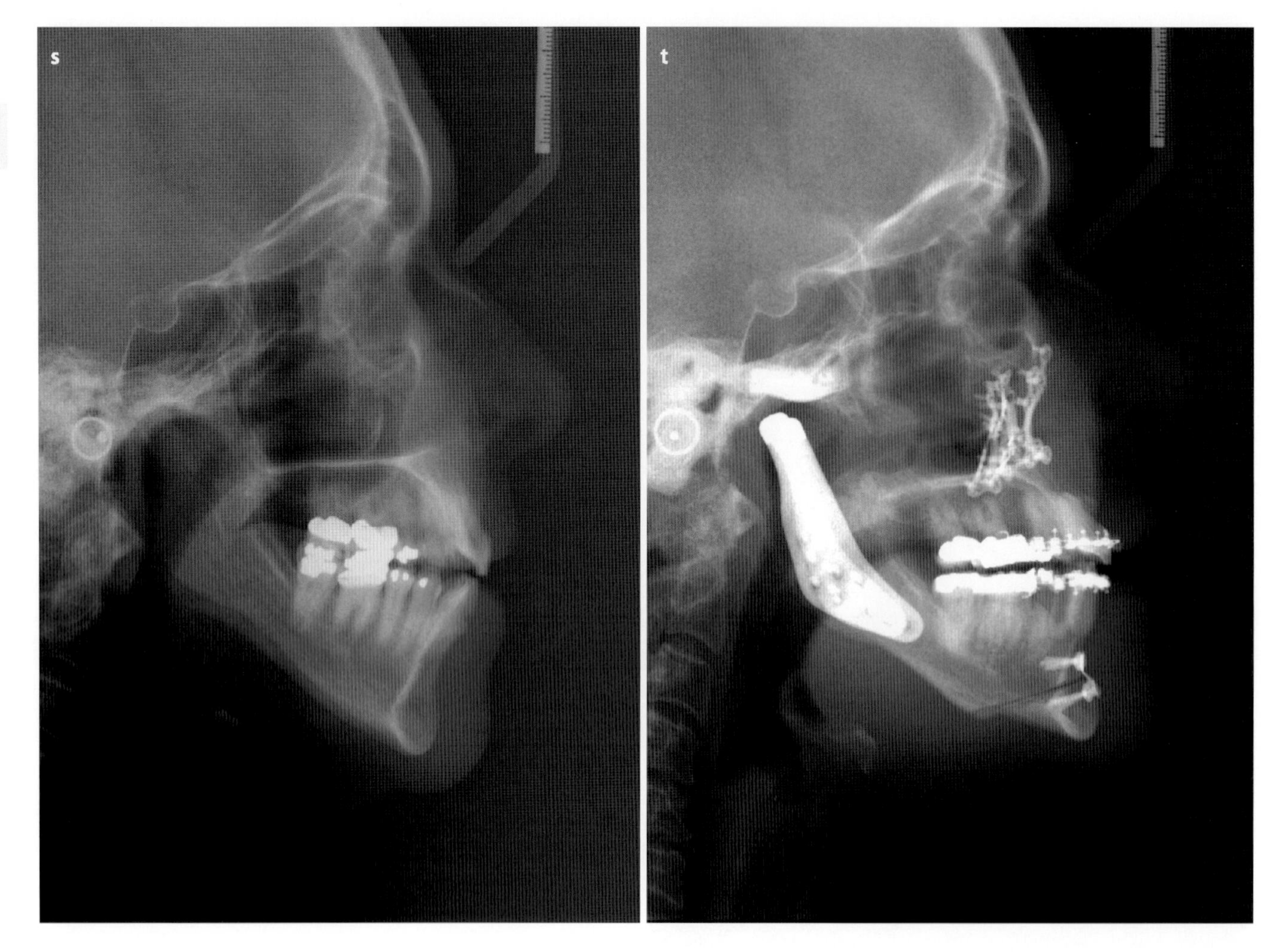

증례 35.4(계속)

참고문헌

1. Peppard PE, et al. Longitudinal association of sleep-related breathing disorder and depression. Arch Intern Med. 2006;166(16):1709–15.
2. Peppard PE, et al. Increased prevalence of sleep-disordered breathing in adults. Am J Epidemiol. 2013;177(9):1006–14.
3. Heinzer R, et al. Prevalence of sleep-disordered breathing in the general population: the HypnoLaus study. Lancet Respir Med. 2015;3(4):310–8.
4. Franklin KA, et al. Sleep apnoea is common occurrence in females. Eur Respir J. 2013;41(3):610–5.
5. Mansukhani MP, et al. Sleep, death, and the heart. Am J Physiol Heart Circ Physiol. 2015;309(5):H739–49.
6. Mokhlesi B, et al. Obstructive sleep apnea during REM sleep and hypertension. Results of the Wisconsin Sleep Cohort. Am J Respir Crit Care Med. 2014;190(10):1158–67.
7. Gottlieb DJ, et al. Prospective study of obstructive sleep apnea and incident coronary heart disease and heart failure: the sleep heart health study. Circulation. 2010;122(4):352–60.
8. Arzt M, et al. Association of sleep-disordered breathing and the occurrence of stroke. Am J Respir Crit Care Med. 2005; 172(11):1447–51.
9. Young T, et al. Sleep disordered breathing and mortality: eighteen- year follow-up of the Wisconsin sleep cohort. Sleep. 2008;31(8):1071–8.
10. Kent BD, et al. Insulin resistance, glucose intolerance and diabe-tes mellitus in obstructive sleep apnoea. J Thorac Dis. 2015;7(8):1343–57.
11. Arnett GW, Wilam SB, et al. Progressive mandibular retrusion –idiopathic condylar resorption. Part I. Am J Orthod Dentofac Orthop. 1996;110(1):8–15.
12. Arnett GW, Wilam SB, et al. Progressive mandibular retrusion –idiopathic condylar resorption. Part II. Am J Orthod Dentofac Orthop. 1996;110(2):117–27.
13. Huang YL, et al. Diagnosis and management of condylar resorp-tion. J Oral Maxillofac Surg. 1997;55(2):114–9; discussion 119–20
14. Henry CH, Hughes CV, et al. Reactive arthritis: preliminary microbiologic analysis of the human temporomandibular joint. J Oral Maxillofac Surg. 2000;58(10):1137–42; discussion 1143-4
15. Van Damme PA, Merkx MA. Condylar resorption after orthog-nathic surgery. J Oral Maxillofac Surg. 1994;52(12):1347–8.
16. Gunson MJ, Arnett GW, Milam SB. Pathophysiology and phar-macologic control of osseous mandibular condylar resorption. J Oral Maxillofac Surg. 2012;70(8):1918–34.
17. Milam SB. Pathogenesis of degenerative temporomandibular joint arthritides. Odontology. 2005;93(1):7–15.
18. Goodday RH, Bourque SE, Edwards PB. Objective and subjec-tive outcomes following MMA surgery for treatment of patients with extremely severe obstructive sleep apnea (apnea-hypopnea index >100). J Oral Maxillofac Surg. 2016;74(3):583–9.
19. Mehra P, Nadershah M, et al. Is alloplastic temporomandibular joint reconstruction a viable option in the surgical management of adult patients with idiopathic condylar resorption? J Oral Maxillofac Surg. 2016;74(10):2044–54.
20. Mehra P, Downie M, et al. Pharyngeal airway space changes after counterclockwise rotation of the maxillomandibular com-plex. Am J Orthod Dentofac Orthop. 2001;120(2):154–9.
21. Mishima K, Yamada T, Sugahara T. Evaluation of respiratory status and mandibular movement after total temporomandibular joint replacement in patients with rheumatoid arthritis. Int J Oral Maxillofac Surg. 2003;32(3):275–9.
22. Gonçalves JR, Gomes LC, et al. Airway space changes after maxillomandibular counterclockwise rotation and mandibular advancement with TMJ Concepts® total joint prostheses: three- dimensional assessment. Int J Oral Maxillofac Surg. 2013;42(8):1014–22.
23. Le Fort R. Fractures de la machoire superioeure. Rev Chir. 1901;4:360.
24. Axhausen G. Zur behandlung veralteter desloziert verheilter Oberkieferbrunche. Dtsch Zahn Mund Kieferheilkd. 1942;9:73.
25. Obwegeser H, Trauner R. Zur operationstechnik bei der proge-nie und anderen unterkieferanomalien. Dtsch Zahn Mund Kieferheilkd. 1955;23:H1–2.
26. Thiele OC, et al. Moving the mandible in orthognathic surgery – a multicenter analysis. J Craniomaxillofac Surg. 2016;44(5): 579–83.
27. dal Pont G. Retromolar osteotomy for the correction of progna-thism. J Oral Surg Anesth Hosp Dent Serv. 1961;19:42–7.
28. Epker BN. Modifications in the sagittal osteotomy of the man-dible. J Oral Surg. 1977;35:157–9.
29. Hunsuck EE. A modified intraoral sagittal splitting technic for correction of mandibular prognathism. J Oral Surg. 1968;26: 250–3.
30. Bell WH, Schendel SA. Biologic basis for modification of the sagittal ramus split operation. J Oral Surg. 1977;35(5):362–9.
31. Wolford LM, Davis WM Jr. The mandibular inferior border split: a modification in the sagittal split osteotomy. J Oral Maxillofac Surg. 1990;48(1):92–4.
32. Willmar K. On Le Fort I Osteotomy: a follow-up study of 106 operated patients with maxillofacial deformity. Scand J Plast Reconstr Surg. 1974;12(Suppl):1–68.
33. Kuo PC, et al. The effect of mandibular osteotomy in three patients with hypersomnia sleep apnea. Oral Surg Oral Med Oral Pathol. 1979;48(5): 385–92.
34. Bear SE, Priest JH. Sleep apnea syndrome: correction with surgi-cal advancement of the mandible. J Oral Surg. 1980;38(7):543–9.
35. Riley RW, et al. Maxillary, mandibular, and hyoid advancement: an alternative to tracheostomy in obstructive sleep apnea syn-drome. Otolaryngol Head Neck Surg. 1986;94(5):584–8.
36. Mercuri LG, Giobbie-Hurder A. Long-term outcomes after total alloplastic temporomandibular joint reconstruction following exposure to failed materials. J Oral Maxillofac Surg. 2004;62(9):1088–96.
37. Mercuri LG, Wolford LM, et al. Long-term follow-up of the CAD/CAM patient fitted total temporomandibular joint reconstruction system. J Oral Maxillofac Surg. 2002;60(12): 1440–8.
38. Wolford LM, Mercuri LG, et al. Twenty-year follow-up study on a patient-fitted temporomandibular joint prosthesis: the Techmedica/TMJ concepts device. J Oral Maxillofac Surg. 2015;73(5):952–60.
39. Mercuri LG. A rationale for total alloplastic temporomandibular joint reconstruction in the management of idiopathic/progressive condylar resorption. J Oral Maxillofac Surg. 2007;65(8):1600–9.
40. Wolford LM. Idiopathic condylar resorption of the temporo-mandibular joint in teenage girls (cheerleaders syndrome). Proc (Bayl Univ Med Cent). 2001;14(3):246–52.
41. Wolford LM, Cardenas L. Idiopathic condylar resorption: diag-nosis, treatment protocol, and outcomes. Am J Orthod Dentofac Orthop. 1999;116(6):667–77.
42. Movahed R, Wolford LM. Protocol for concomitant temporo-mandibular joint custom-fitted total joint reconstruction and orthognathic surgery using computer-assisted surgical simula-tion. Oral Maxillofac Surg Clin North Am. 2015;27(1):37–45.
43. Pirklbauer K, et al. MMA for treatment of obstructive sleep apnea syndrome: a systematic review. J Oral Maxillofac Surg. 2011;69(6):e165–76.

44. Li KK, et al. Patient's perception of the facial appearance after MMA for obstructive sleep apnea syndrome. J Oral Maxillofac Surg. 2001;59(4):377–80.

45. Li KK, et al. Long-term results of MMA surgery. Sleep Breath. 2000;4:137–9.

46. Bettega G, et al. Obstructive sleep apnea syndrome: fifty-one consecutive patients treated by maxillofacial surgery. Am J Respir Crit Care Med. 2000;162(2 Pt 1):641–9.

47. Greco JM, et al. Cephalometric analysis of long-term airway space changes with maxillary osteotomies. Oral Surg Oral Med Oral Pathol. 1990;70(5):552–4.

48. Walker DA, et al. Alterations in nasal respiration and nasal air-way size following superior repositioning of the maxilla. J Oral Maxillofac Surg. 1988;46(4):276–81.

49. Guenthner TA, et al. The effect of Le Fort I maxillary impaction on nasal airway resistance. Am J Orthod. 1984;85(4):308–15.

50. Yu CC, et al. Computational fluid dynamics study of the inspira-tory upper airway and clinical severity of obstructive sleep apnea. J Craniofac Surg. 2012;23(2):401–5.

51. Wolford LM. Clinical indications for simultaneous TMJ and orthognathic surgery. Cranio. 2007;25(4):273–82.

52. Dela Coleta KE, Wolford LM, et al. Maxillo-mandibular counter- clockwise rotation and mandibular advancement with TMJ Concepts total joint prostheses: part I--skeletal and dental stability. Int J Oral Maxillofac Surg. 2009;38(2):126–38.

53. Coleta KE, Wolford LM, et al. Maxillo-mandibular counter- clockwise rotation and mandibular advancement with TMJ Concepts total joint prostheses: part II--airway changes and sta-bility. Int J Oral Maxillofac Surg. 2009;38(3):228–35.

54. Pinto LP, Wolford LM, et al. Maxillo-mandibular counter-clockwise rotation and mandibular advancement with TMJ Concepts total joint prostheses: part III--pain and dysfunction outcomes. Int J Oral Maxillofac Surg. 2009;38(4):326–31.

55. Coleta KE, Wolford LM, et al. Maxillo-mandibular counter- clockwise rotation and mandibular advancement with TMJ Concepts total joint prostheses: part IV--soft tissue response. Int J Oral Maxillofac Surg. 2009;38(6):637–46.

56. Gonçalves JR, et al. Postsurgical stability of counterclockwise MMA surgery: affect of articular disc repositioning. J Oral Maxillofac Surg. 2008;66(4):724–38.

57. Gonçalves JR, Buschang PH, et al. Postsurgical stability of oro-pharyngeal airway changes following counter-clockwise maxillo- mandibular advancement surgery. J Oral Maxillofac Surg. 2006;64(5):755–62.

58. Moore LJ. Evaluation of the patient for temporomandibular joint surgery. Oral Maxillofac Surg Clin North Am. 2006;18(3):291–303.

59. Morales H, Cornelius R. Imaging approach to temporomandib-ular joint disorders. Clin Neuroradiol. 2016;26(1):5–22.

60. Wolford LM, Dhameja A. Planning for combined TMJ arthro-plasty and orthognathic surgery. Atlas Oral Maxillofac Surg Clin North Am. 2011;19(2):243–70.

61. Perez DE, Wolford LM, et al. Does unilateral temporomandibular total joint reconstruction result in contralateral joint pain and dysfunction? J Oral Maxillofac Surg. 2016;74(8):1539–47.

62. Sanovich R, Mehta U, et al. Total alloplastic temporomandibu-lar joint reconstruction using Biomet stock prostheses: the University of Florida experience. Int J Oral Maxillofac Surg. 2014;43(9):1091–5.

63. Mercuri LG. Patient-fitted ("custom") alloplastic temporoman-dibular joint replacement technique. Atlas Oral Maxillofac Surg Clin North Am. 2011;19(2):233–42.

64. Granquist EJ, Quinn PD. Total reconstruction of the temporo-mandibular joint with a stock prosthesis. Atlas Oral Maxillofac Surg Clin North Am. 2011;19(2):221–32.

65. Abramowicz S, Barbick M, et al. Adaptability of stock TMJ prosthesis to joints that were previously treated with custom joint prosthesis. Int J Oral Maxillofac Surg. 2012;41(4):518–20.

66. Gerbino G, Zavattero E, et al. Temporomandibular joint recon-struction with stock and custom-made devices: indications and results of a 14-year experience. J Craniomaxillofac Surg. 2017;45(10):1710–5.

67. American Society of Anesthesiologists Task Force on Perioperative Management of patients with obstructive sleep apnea. Practice guidelines for the perioperative management of patients with obstructive sleep apnea: an updated report by the American Society of Anesthesiologists Task Force on Perioperative Management of patients with obstructive sleep apnea. Anesthesiology. 2014;120:268–86.

68. Brignardello-Petersen R, et al. Antibiotic prophylaxis for pre-venting infectious complications in orthognathic surgery. Cochrane Database Syst Rev. 2015;(1):CD010266.

69. Posnick JC, et al. Surgical site infections following bimaxillary orthognathic, osseous genioplasty, and intranasal surgery: a ret-rospective cohort study. J Oral Maxillofac Surg. 2017;75(3): 584–95.

70. Bouchard C, et al. Infections after sagittal split osteotomy: a ret-rospective analysis of 336 patients. J Oral Maxillofac Surg. 2015;73(1):158–61.

71. Strauss PZ. Perianesthesia implications of obstructive sleep apnea. Crit Care Nurs Q. 2015;38(1):97–108.

72. Li KK, et al. Fiberoptic nasopharyngolaryngoscopy for airway monitoring after obstructive sleep apnea surgery. J Oral Maxillofac Surg. 2000;58:1342.

73. Gupta RM, et al. Postoperative complications in patients with obstructive sleep apnea syndrome undergoing hip or knee replacement: a case-control study. Mayo Clin Proc. 2001;76(9):897–905.

74. Mercuri LG. Alloplastic temporomandibular joint replacement: rationale for the use of custom devices. Int J Oral Maxillofac Surg. 2012;41(9):1033–40.

75. Pitta MC, Wolford LM. Use of acrylic spheres as spacers in staged temporomandibular joint surgery. J Oral Maxillofac Surg. 2001;59(6):704–6.

76. Wolford L, Movahed R, et al. Temporomandibular joint ankylo-sis can be successfully treated with TMJ concepts patient-fitted Total joint prosthesis and autogenous fat grafts. J Oral Maxillofac Surg. 2016;74(6):1215–27.

77. Al-Kayat A, Bramley P. A modified pre-auricular approach to the temporomandibular joint and malar arch. Br J Oral Surg. 1979;17(2):91–103.

78. Miloro M, Redlinger S, et al. In situ location of the temporal branch of the facial nerve. J Oral Maxillofac Surg. 2007;65(12):2466–9.

79. Dingman RO, Grabb WC. Surgical anatomy of the mandibular ramus of the facial nerve based on the dissection of 100 facial halves. Plast Reconstr Surg Transplant Bull. 1962;29:266–72.

80. Ziarah HA, Atkinson ME. The surgical anatomy of the man-dibular distribution of the facial nerve. Br J Oral Surg. 1981;19(3):159–70.

81. Ramos A, Mesnard M. Load transfer in Christensen TMJ in alloplastic total joint replacement for two different mouth aper-tures. J Craniomaxillofac Surg. 2014;42(7):1442–9.

82. Mercuri LG, Ali FA, et al. Outcomes of total alloplastic replace-ment with periarticular autogenous fat grafting for management of reankylosis of the temporomandibular joint. J Oral Maxillofac Surg. 2008;66(9):1794–803.

83. Wolford LM, Morales-Ryan CA, et al. Autologous fat grafts placed around temporomandibular joint total joint prostheses to prevent heterotopic bone formation. Proc (Bayl Univ Med Cent). 2008;21(3):248–54.

84. Wolford LM, Karras SC. Autologous fat transplantation around temporomandibular joint total joint prostheses: preliminary treatment outcomes. J

Oral Maxillofac Surg. 1997;55(3):245–51.

85. Van Sickels JE, et al. Predictability of maxillary surgery: a com-parison of internal and external reference marks. Oral Surg Oral Med Oral Pathol. 1986;61(6):542–5.

86. Polido WD, Ellis E 3rd, et al. An assessment of the predictability of maxillary repositioning. Int J Oral Maxillofac Surg. 1991;20(6):349–52.

87. Ruckman P 3rd, et al. External reference nasal pin for orthogna-thic maxillary positioning: what is the proper method of place-ment? J Oral Maxillofac Surg. 2016;74(2):399.e1–9.

88. Collins PC, Epker BN. The alar base cinch: a technique for pre-vention of alar base flaring secondary to maxillary surgery. Oral Surg Oral Med Oral Pathol. 1982;53(6):549–53.

89. Hackney FL, et al. Frontal soft tissue morphology with double V-Y closure following Le Fort I osteotomy. J Oral Maxillofac Surg. 1988;46(10):850–6.

90. Muradin MS, et al. The influence of a Le Fort I impaction and advancement osteotomy on smile using a modified alar cinch suture and V-Y closure: a prospective study. Int J Oral Maxillofac Surg. 2012;41(5):547–52.

91. Mustafa el M, Sidebottom A. Risk factors for intraoperative dis-location of the total temporomandibular joint replacement and its management. Br J Oral Maxillofac Surg. 2014;52(2):190–2.

92. Passeri LA, Choi JG, Kaban LB, et al. Morbidity and mortality rates after MMA for treatment of obstructive sleep apnea. J Oral Maxillofac Surg. 2016;74:2033–43.

93. Sanders AE, Essick GK, et al. Sleep apnea symptoms and risk of temporomandibular disorder: OPPERA cohort. J Dent Res. 2013;92(7 Suppl):70S–7S.

94. Wolford LM, Rodrigues DB, et al. Orthognathic and TMJ sur-gery: postsurgical patient management. J Oral Maxillofac Surg. 2011;69(11):2893–903.

95. White PF. The changing role of non-opioid analgesic techniques in the management of postoperative pain. Anesth Analg. 2005;101(5 Suppl):S5–22.

96. Elvir-Lazo OL, White PF. The role of multimodal analgesia in pain management after ambulatory surgery. Curr Opin Anaesthesiol. 2010;23(6):697–703.

97. Tong YC, Kaye AD, et al. Liposomal bupivacaine and clinical outcomes. Best Pract Res Clin Anaesthesiol. 2014;28(1):15–27.

98. Golembiewski J, Dasta J, et al. Evolving role of local anesthetics in managing postsurgical analgesia. Clin Ther. 2015;37(6): 1354–71.

99. Richard BM, Rickert DE, et al. Pharmacokinetic compatibility study of lidocaine with EXPAREL in Yucatan miniature pigs. ISRN Pharm. 2011;2011:582351.

100. Mont MA, Beaver WB, et al. Local infiltration analgesia with liposomal bupivacaine improves pain scores and reduces opioid use after Total knee arthroplasty: results of a randomized con-trolled trial. J Arthroplast. 2018;33(1):90–6.

101. Riegel R, Sweeney K, et al. Microbiology and associated risk factors in alloplastic total joint infections: a 20-year retrospective study. J Oral Maxillofac Surg. 2018 Feb;76(2):288–293.

102. Mercuri LG. Avoiding and managing temporomandibular joint total joint replacement surgical site infections. J Oral Maxillofac Surg. 2012;70(10):2280–9.

103. Mercuri LG, Psutka D. Perioperative, postoperative, and pro-phylactic use of antibiotics in alloplastic total temporomandibu-lar joint replacement surgery: a survey and preliminary guidelines. J Oral Maxillofac Surg. 2011;69(8):2106–11.

104. McKenzie WS. Temporomandibular total joint prosthesis infec-tions: a ten-year retrospective analysis. Int J Oral Maxillofac Surg. 2017;46(5):596–602.

105. Phillips C, Blakey G 3rd, et al. Recovery after orthognathic sur-gery: short-term health-related quality of life outcomes. J Oral Maxillofac Surg. 2008;66(10):2110–5.

106. Chegini S, Dhariwal DK. Review of evidence for the use of ste-roids in orthognathic surgery. Br J Oral Maxillofac Surg. 2012;50(2):97–101.

107. Dan AE, Thygesen TH, et al. Corticosteroid administration in oral and orthognathic surgery: a systematic review of the litera-ture and meta-analysis. J Oral Maxillofac Surg. 2010;68(9): 2207–20.

108. de Lima VN, Lemos CAA, et al. Effectiveness of corticoid administration in orthognathic surgery for edema and neurosen-sorial disturbance: a systematic literature review. J Oral Maxillofac Surg. 2017;75(7):1528.e1–8.

109. Schaberg SJ, Stuller CB, et al. Effect of methylprednisolone on swelling after orthognathic surgery. J Oral Maxillofac Surg. 1984;42(6):356–61.

110. AJ S, E G. One-year prospective outcome analysis and complica-tions following total replacement of the temporomandibular joint with the TMJ Concepts system. Br J Oral Maxillofac Surg. 2013;51(7):620–4.

111. Mercuri LG. Subjective and objective outcomes in patients reconstructed with a custom-fitted alloplastic temporomandibu-lar joint prothesis. J Oral Maxillofac Surg. 1999;57(12):1427–30.

112. Mercuri LG, Edibam NR. Fourteen-year follow-up of a patient- fitted total temporomandibular joint reconstruction system. J Oral Maxillofac Surg. 2007;65(6):1140–8.

113. Austin BD, Shupe SM. The role of physical therapy in recovery after temporomandibular joint surgery. J Oral Maxillofac Surg. 1993;51(5):495–8.

114. Oh DW, Kim KS, et al. The effect of physiotherapy on post- temporomandibular joint surgery patients. J Oral Rehabil. 2002;29(5):441–6.

115. Wilk BR, McCain JP. Rehabilitation of the temporomandibular joint after arthroscopic surgery. Oral Surg Oral Med Oral Pathol. 1992;73(5):531–6.

116. Turvey T, Fonseca R. The anatomy of the internal maxillary artery in the pterygopalatine fossa: its relationship to maxillary surgery. J Oral Surg. 1980;38(2):92–5.

117. Orbay H, Kerem M, et al. Maxillary artery: anatomical land-marks and relationship with the mandibular subcondyle. Plast Reconstr Surg. 2007;120(7):1865–70.

118. Kim YW, Baek MJ, et al. Massive epistaxis due to pseudoaneu-rysm of the sphenopalatine artery: a rare post-operative compli-cation of orthognathic surgery. J Laryngol Otol. 2013;127(6):610–3.

119. Kramer FJ, Baethge C, et al. Intra- and perioperative complica-tions of the LeFort I osteotomy: a prospective evaluation of 1000 patients. J Craniofac Surg. 2004;15(6):971–7; discussion 978–9.

120. Gruber EA, McCullough J, et al. Medium-term outcomes and complications after total replacement of the temporomandibular joint. Prospective outcome analysis after 3 and 5 years. Br J Oral Maxillofac Surg. 2015;53(5):412–5.

121. Wolford LM, Rodrigues DB, et al. Management of the infected temporomandibular joint total joint prosthesis. J Oral Maxillofac Surg. 2010;68(11):2810–23.

122. Henry CH, Wolford LM. Treatment outcomes for temporoman-dibular joint reconstruction after Proplast-Teflon implant fail-ure. J Oral Maxillofac Surg. 1993;51(4):352–8. discussion 359–60

123. Abramowicz S, Dolwick MF, et al. Temporomandibular joint reconstruction after failed teflon-proplast implant: case report and literature review. Int J Oral Maxillofac Surg. 2008;37(8): 763–7.

124. Milam SB. Failed implants and multiple operations. Oral Surg Oral Med Oral Pathol Oral Radiol Endod. 1997;83(1):156–62.

125. Sidebottom AJ, Speculand B, et al. Foreign body response around total prosthetic metal-on-metal replacements of the tem-poromandibular joint

in the UK. Br J Oral Maxillofac Surg. 2008;46(4):288–92.

126. Pinson ML, Coop CA, et al. Metal hypersensitivity in total joint arthroplasty. Ann Allergy Asthma Immunol. 2014;113(2):131–6.

127. Granchi D, Cenni E, et al. Metal hypersensitivity testing in patients undergoing joint replacement: a systematic review. J Bone Joint Surg Br. 2012;94(8):1126–34.

128. Davies AP, Willert HG, et al. An unusual lymphocytic perivascu-lar infiltration in tissues around contemporary metal-on-metal joint replacements. J Bone Joint Surg Am. 2005;87(1):18–27.

129. Westermark A, Leiggener C, et al. Histological findings in soft tis-sues around temporomandibular joint prostheses after up to eight years of function. Int J Oral Maxillofac Surg. 2011;40(1):18–25.

130. De Meurechy N, Braem A, et al. Biomaterials in temporoman-dibular joint replacement: current status and future perspectives-a narrative review. Int J Oral Maxillofac Surg. 2018 Apr;47(4): 518–533.

131. Wolford LM. Factors to consider in joint prosthesis systems. Proc (Bayl Univ Med Cent). 2006;19(3):232–8.

132. Hoffman D, Puig L. Complications of TMJ surgery. Oral Maxillofac Surg Clin North Am. 2015;27(1):109–24.

133. Selbong U, Rashidi R, et al. Management of recurrent hetero-topic ossification around total alloplastic temporomandibular joint replacement. Int J Oral Maxillofac Surg. 2016;45(10): 1234–6.

134. Thomas BJ. Heterotopic bone formation after total hip arthro-plasty. Orthop Clin North Am. 1992;23(2):347–58.

135. Dimitroulis G, Slavin J, et al. Histological fate of abdominal dermis-fat grafts implanted in the temporomandibular joint of the rabbit following condylectomy. Int J Oral Maxillofac Surg. 2011;40(2):177–83.

136. Carpaneda CA, Ribeiro MT. Study of the histologic alterations and viability of the adipose graft in humans. Aesthet Plast Surg. 1993;17(1):43–7.

OSA에서 전산 유체 역학과 형태계량학적 변화

Ki Beom Kim, Reza Movahed, and Mark McQuilling

목차

전산 유체 역학(CFD)은 컴퓨터를 사용하여 제공된 기하학 및 경계 조건 세트에 대한 유체 역학 방정식을 푸는 최신 분석 방법이다. 첫 번째 방법은 1920년대와 1930년대에 대기 기상 양상을 예측하기 위해 개발되었으며 비효율적인 솔루션 알고리즘과 부정확성으로 어려움을 겪었다. 이러한 초기 계산은 연필, 종이, 슬라이드 자를 사용하여 수행되었지만, 기술자 사이에서 CFD 방법의 일반적인 사용은 1960년대에 컴퓨터 기술이 추가로 개발될 때까지 발생하지 않았다. 오늘날 고속 컴퓨터와 최신 솔루션 알고리즘을 통해 CFD를 다양한 기술 수준의 많은 과학자와 의사가 수면 무호흡 연구에 관심있는 비강과 인두 기도를 포함하여 공학, 과학, 의학의 모든 영역에서 광범위한 유체 흐름 문제를 연구한다. 이번 단원은 독자가 유체 흐름 작용에 대한 통찰력을 얻는데 도움이 되는 기본 유체 역학 개념을 소개하는 것으로 시작한다. 그 다음, 독자가 CFD의 작동 방식을 이해하는데 도움이 되도록 CFD 프로세스의 기본 사항을 설명하고 최신 프로그램을 효과적으로 사용하기 위한 몇 가지 일반적인 팁을 포함한다. 그 후, 호흡을 더 쉽게 만들고 수면무호흡 상태를 완화할 수 있는 비강과 인두 해부학에 대한 다양한 형태학적 변화의 유체 역학 영향을 연구하기 위해 CFD 도구를 사용하는 몇 가지 예가 제시될 것이다. 이번 단원은 치과 분야에서 전산 도구의 지속적인 적용으로 가능할 수 있는 것에 대한 전망으로 결론을 맺는다.

36.1 기본 유체 역학 개념

여기에는 기하학, 체적 유량, 필요한 호흡력 사이의 관계에 대한 독자의 통찰력을 향상시키기 위한 유체 역학 개념에 대한 설명이 포함되어 있다. 기술자는 연구할 유체와 고체 영역을 나타내기 위해 기하학이라는 단어를 사용한다; 이것은 환자별 기하 구조에 대한 해부학적 구조이다. 기하학을 통해 공기의 주어진 체적 유량을 이동하는 데 필요한 힘은 기하학의 입구와 출구 경계 사이의 압력 차이(또는 압력 강하)로 설명되고 이 압력 차이는 주어진 체적 유량이 비강이나 인두 기도를 통과하기 위해 필요한 호흡력으로 생각할 수 있다(압력은 기도 횡단면적에 대해 분포된 힘으로 정의되기 때문이다). 이번 단원에서는 독자가 유체 역학 방정식의 작은 집합에서 용어의 의미를 이해함으로써 물리적 직관을 얻을 수 있도록 충분한 수학이 설명된다.

36.1.1 질량 보존과 Bernoulli 방정식

가장 널리 사용되는 유체 역학 방정식 중 2가지는 연속 방정식으로도 알려진 질량 보존 방정식과 Bernoulli 방정식이다. 질량 보존은 주어진 시간 동안 공간에 들어가는 질량 흐름의 양은 같은 시간 동안 용적 내부에 축적되는 질량 흐름의 양과 용적을 나가는 질량 흐름의 양을 합한 값과 같아야 한다는 것이다. 보통의 욕조를 생각하면 쉽게 시각화할 수 있다. 물은 수도꼭지에서 욕조로 들어가 배수구를 통해 나온다. 배수구를 통해 나오는 물보다 더 많은 물이 수도꼭지를 통해 들어오면, 물은 욕조 내부에 축적된다. 마찬가지로, 들어오는 물보다 많은 양이 나가면, 욕조의 수위가 낮아진다. 폐에 들어오고 나가는 공기의 질량 흐름 사이의 차이가 흡기 시 공기 저장을 위한 팽창과 호기 시 수축과 연관되기 때문에, 질량 보존은 우리가 공기를 들이마실 때 폐와 가슴이 팽창하고 내쉴 때 수축되는 이유도 설명할 수 있다. 그림 36.1을 고려하면 질량 보존의 개념을 형식적으로 이해할 수 있는데, 점선으로 표시된 경계 1, 2에 2개의 주입구가 있고 점선의 경계 3에 하나의 출구가 있는 공간의 2차원적 공간 용적을 보여준다; 파란색 화살표는 흡입의 흐름 방향을 나타내는 단순화된 비강 및 인두 기도를 보여준다. 질량 유량 $\dot{m}$은 유체 밀도 ρ, 평균 속도 V, 단면적 A의 곱으로 정의되므로, $\dot{m} = \rho VA$가 된다. 질량 보존 방정식을 적용하려면, 방정식 36.1과 같이, 우리는 모든 입구에서 질량 유량을 더하고 모든 출구에서의 질량 유량 합과 일정 기간 동안 용적 내의 질량 변화를 합한 것과 동일 시한다.

$$\sum \dot{m}_{in} = \sum \dot{m}_{out} + \frac{dm}{dt} \tag{36.1}$$

방정식의 오른쪽에 있는 두 번째 항은 분수를 포함한다. 여기서 분자의 dm은 질량의 변화를 나타내고 분모의 dt는 시간의 변화를 나타낸다. 이 분수 표기법은 더 일반적으로 도함수라고 하며, 여기서 dm/dt은 분모가 변할 때 분자가 어떻게 변하는지 수학적으로 나타낸다. 예를 들어, 비강과 인두 기도에서는 용적 내에서 시간에 따른 공기 질량의 저장이 없으므로 방정식의 오른쪽에 있는 두 번째 항은 무시할 수 있으며 경계 1, 2, 3에서 유량과 관련된 질량 보존은 다음이 된다:

$$(\rho VA)_1 + (\rho VA)_2 = (\rho VA)_3 \tag{36.2}$$

정상 유량을 가정하면 질량 유량이나 질량 유량 저장(또는 주어진 위치에서 다른 유체 특성)의 시간에 따른 변화가 없다고 가정하는 위의 방정식이 도출될 수도 있다. 비강 및 인두 기도 연구에대해 비압축성 유동을 가정할 수도 있는데, 이는 유체의 밀도가 변하지 않음을 의미하므로($\rho_1 = \rho_2 = \rho_3$) 우리는 방정식 36.3과 같이 질량 보존 방정식을 더욱 단순화하기 위해 일정한 밀도로 나눌 수 있다:

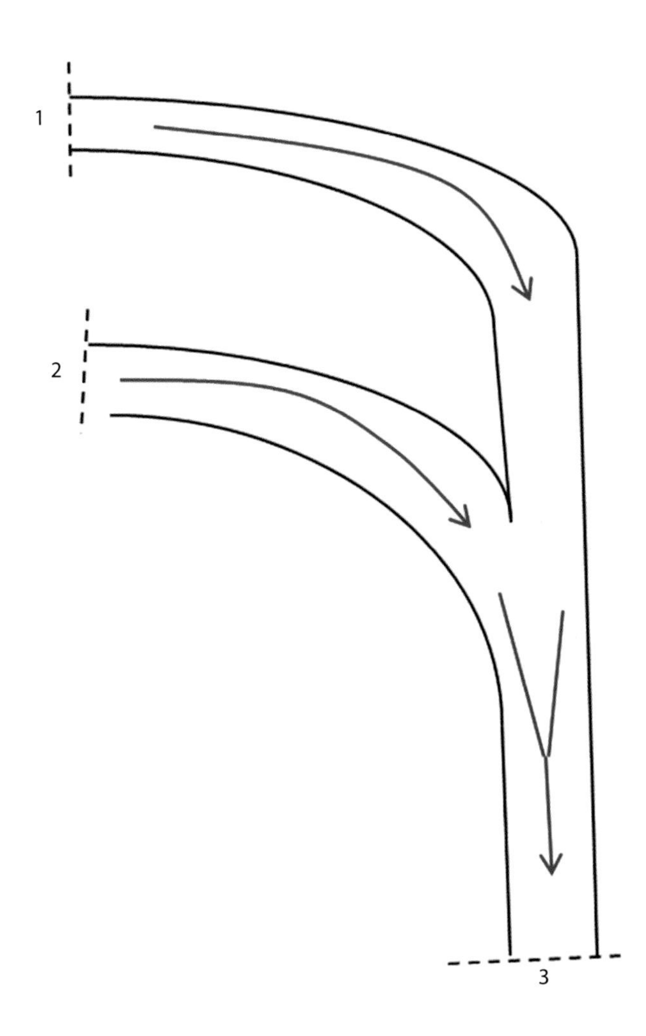

그림 36.1 **비강과 인두 기도를 표현한 간단 2D 용적**

$$(VA)_1 + (VA)_2 = (VA)_3 \tag{36.3}$$

위의 방정식은 해부학적 또는 단면적의 변화가 해당 영역의 속도 변화에 어떻게 영향을 미칠 수 있는지 보여준다.

가장 널리 사용되는 다른 유체 역학 방정식은 어쩌면 가장 잘못 적용되었을 수도 있는 Bernoulli 방정식으로, 움직이는 유체의 두 위치 사이의 역학적 에너지를 관련시키고, 방정식 36.4에서와 같이 압력 p, 속도에 따른 운동 에너지 V, 상승으로 인한 잠재적 에너지 h를 포함하는데 g 기호는 중력 상수이다.

$$\left(p + \frac{1}{2}\rho V^2 + \rho g h\right)_1 = \left(p + \frac{1}{2}\rho V^2 + \rho g h\right)_2 \tag{36.4}$$

이 방정식을 적절히 적용하는 데 필요한 몇 가지 매우 엄격한 규칙이 있다.

1. 꾸준한 흐름 – 유체 속성이 시간에 따라 변하지 않는다고 가정
2. 비압축성 흐름 – 유체 밀도가 영역 전체에서 변하지 않는다고 가정
3. 단일 유선을 따라 흐르는 흐름 – 유체가 위치 1에서 위치 2로 직접 흐른다고 가정
4. 무마찰 흐름 – 비점성 흐름이라고도 하며, 이는 유체가 유선을 따라 이동할 때 유체에 영향을 미치지 않는다고 가정

Bernoulli 방정식이 잘못 적용되면 일반적으로 규칙 3, 4가 위반된다. 이 방정식의 또 다른 유용한 단순화는 무시할 수 있는 높이 변화의 가정에서 발생하는데, 이는 ρgh 항의 기여가 무시되어 다음과 같이 된다:

$$\left(p + \frac{1}{2}\rho V^2\right)_1 = \left(p + \frac{1}{2}\rho V^2\right)_2 \tag{36.5}$$

그림 36.2는 단순화된 질량 보존 및 Bernoulli 방정식을 사용하여 단면적, 속도, 압력 간의 관계를 이해하는 데 사용할 수 있는 간단한 개략도이다. 그림 36.2a는 왼쪽에서 오른쪽으로 흐름이 형성되면서 경계 1에서 2로의 면적 증가를 보여준다. 적절한 질량 보존 방정식[$(VA)_1 = (VA)_2$]의 적용은 위치 1과 2사이에서 속도가 감소해야 함을 보여준다. 질량 보존으로부터 얻은 이해와 함께 단순화된 Bernoulli 방정식(식 36.5)의 적용은 밀도가 일정하고 위치 4에서의 속도가 위치 3의 속도보다 낮기 때문에 위치 3과 4사이에서 유체 압력이 증가해야 한다는 것을 보여준다. 따라서, 일정한 질량 유량에서, 단면적 증가는 유체 속도의 감소와 유체 압력의 증가를 유발한다. 동일한 유선을 따라 위치 3, 4의 정보를 사용하여 속성을 비교하는 것은 Bernoulli 방정식의 유효한 적용인 반면, 위치 3, 5 사이의 속성을 관련시키기 위한 Bernoulli 방정식의 적용은 해당 위치가 동일한 유선에 놓이지 않기 때문에 부적절하다. 그림 36.2b는 일정한 질량 유량의 경우 단면적 감소로 인해 속도는 증가해야 하고 유체 압력은 감소해야 함을 나타내는 동일한 유형의 분석에서 면적 감소를 보여준다.

그림 36.2c는 2가지 다른 유형의 면적 증가를 비교하는데, 하나는 날카롭고 갑작스러운 증가이고 다른 하나는 부드럽고 점진적인 증가이다. 위의 논리를 이 두 해부학에 적용하면 경계 1에서 2로의 전체 압력 증가가 영역의 급격한 증가보다 부드러운 해부학에서 더 점진적으로 발생함을 보여준다. 이는 위치 3과 4(동일한 유선상의) 사이의 국소적 압력 상승이 영역의 완만한 점진적 증가보다 영역의 급격한 증가에 대해 더 갑작스럽

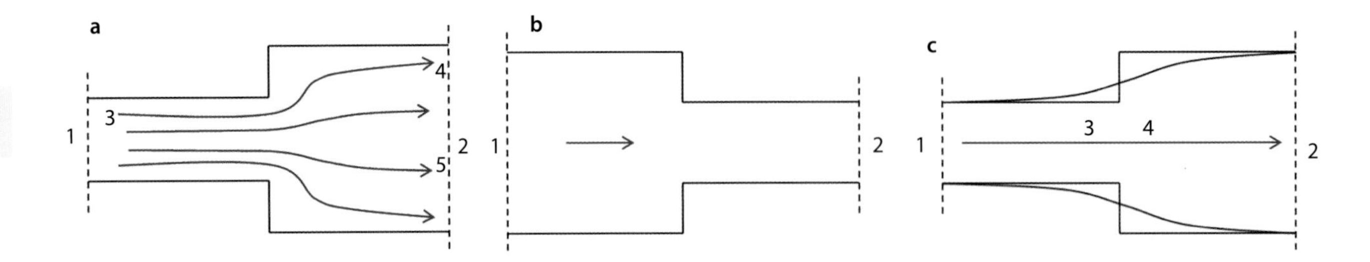

그림 36.2 3가지 예시적인 단면적 변화의 개략도: **a** 면적 증가, **b** 면적 감소, **c** 급격 대 점진적 면적 증가. 흐름 방향은 왼쪽에서 오른쪽

게 발행한다는 것을 의미하며, 이는 더 심각한 역압 구배(하류 거리에 따라 압력이 증가하는 경우)를 의미한다. 반대의 경우는 갑작스러운 면적 감소에 비해 보다 점진적인 면적 감소에 대해 진실이다. 기도의 수축이 많을수록 일정한 기류를 유지하기 위해 더 높은 압력 강하가 필요하기 때문에, 호흡 동안 인두 기도에 상당한 해부학적 위축(흐름 면적 감소)이 있는 환자에서, 상당한 면적 감소는 상응하는 국소 압력의 상당한 감소로 인해 순응하는 기도 벽이 안쪽으로 붕괴되고 더 수축됨에 따라 문제를 악화시킬 수 있다. 기류에 대한 저항 R은 유동 영역의 입구와 출구 경계 사이의 압력 강하 Δp를 질량 유량으로 나누어 주어진 기하학적 구조에 대해 방정식 36.6과 같이 계산할 수 있다:

$$R = \frac{\Delta p}{\dot{m}} \tag{36.6}$$

이 흐름 저항 매개변수는 압력 차이를 필요로 하는 통로를 통과하는 질량 흐름의 양을 고려하기 때문에 압력 강하 단독보다 해부학적 비교를 위한 호흡 곤란의 더 나은 대표적인 척도일 수 있다. 생리적으로 말해서, 더 높은 압력 강하와 더 높은 흐름 저항으로 더 많이 수축된 기도는 호흡기가 호흡하기 위해 더 열심히 일해야 하며, 환자는 기도에 더 점진적인 영역 변화나 덜 수축된 기도가 포함된 경우보다 더 적은 공기를 공급받아 대신 반응할 수 있다. 충분히 심각한 수면 무호흡이 있는 환자는 지속적 양압기 장치를 사용하여 수축 영역에서 기도 양압을 유지함으로써 호흡 문제를 악화시키는 기도 단면적의 붕괴를 유발할 수 있는 압력 감소에 대응한다. 가장 심각한 수면 무호흡의 경우나 환자가 지속적 양압기 장치를 견딜 수 없는, 외과적 개입이 필요할 수 있다.

36.1.2 점도, 경계층, Navier-Stokes 방정식

유체의 점도는 유체의 끈적임으로 간주될 수 있으며 유체 분자가 기도 표면에 부착되거나 유체 분자가 벽에서 떨어져 자신에 대한 응집으로 인해 발생한다. 움직이는 유체가 표면 위로 이동할 때 벽에 인접한 첫 번째 분자 층은 표면에 달라붙어 움직임을 멈춘다; 이것은 유체의 속도가 표면의 속도와 동일한 미끄럼 방지 벽 경계 조건으로 알려져 있다(즉, 고정된 표면의 경우 0). 그림 36.3은 하방에 빗금 쳐진 수평선으로 표시된 편평한 벽의 단순한 경계층에서 서로 다른 흐름 방향 위치에서 3가지 속도 개요의 모식도를 보여준다; 경계층은 점성 효과로 인해 속도가 감소한 표면 근처의 흐름 영역이다. 유체는 균일한 입구 속도 U로 왼쪽에서 벽에 접근하고, 여기에서의 균일은 속도가 입구 평면을 가로질러 일정함을 의미한다. 유체가 표면과 상호 작용하면서, 분자의 첫 번째 층이 표면에 부착되고 벽에서 떨어져 있는 각 인접 유체 층은 속도 구배를 생성하는 응집성 점성 응력으로 인해 연속적으로 느려진다. 파란색 점선은 경계층의 성장을 나타내며 경계층의 속도는 각 흐름 방향 위치 x에서 표면 법선 거리 y의 함수이다. 경계층 높이 δ는 영향받지 않는 속도 흐름의 99%에 해당하는 국소 속도인 자유류를 보이는 표면 법선 거리로 정의된다. 자유류와 상호 작용하는 경계층 가장자리의 응집성 점성 응력으로 인해 점점 더 많은 유체가 느려지면서, 이런 경계층 높이가 하류 거리와 함께 증가한다. 표면에 곡선이 포함되면, 압력의 힘은 앞서 제시된 질량 보존 및 Bernoulli 방정식에 따라 자유류 및 경계층에서 유체의 속도를 높이거나 낮출 수 있다.

표면 근처에서 점도가 중요하기 때문에 Bernoulli 방정식은 더 이상 경계층 영역에 엄격하게 적용되지 않으며 각 방향의 총 에너지와 운동량을 보존하는 다른 방정식 세트가 사용된다. 대부분의 유체 흐름에 대한 지배 운동량 방정식은 Navier-Strokes 방정식으로, 이는 움직이는 유체에 대한 Newton의 제2 운동 법칙을 고려하여 개발되었다. 이 법칙은 선형 방향에서 운동량의 총 변화율은 동일한 선형 방향에서 운동량에 작용하는 힘의 합과 같다고 설명한다. x-, y-방향을 사용하여 그림 36.3에 표시된 2차원 좌표계에서 정상 흐름에 대한 x-방향 운동량 방정식이 36.7에 제공된다.

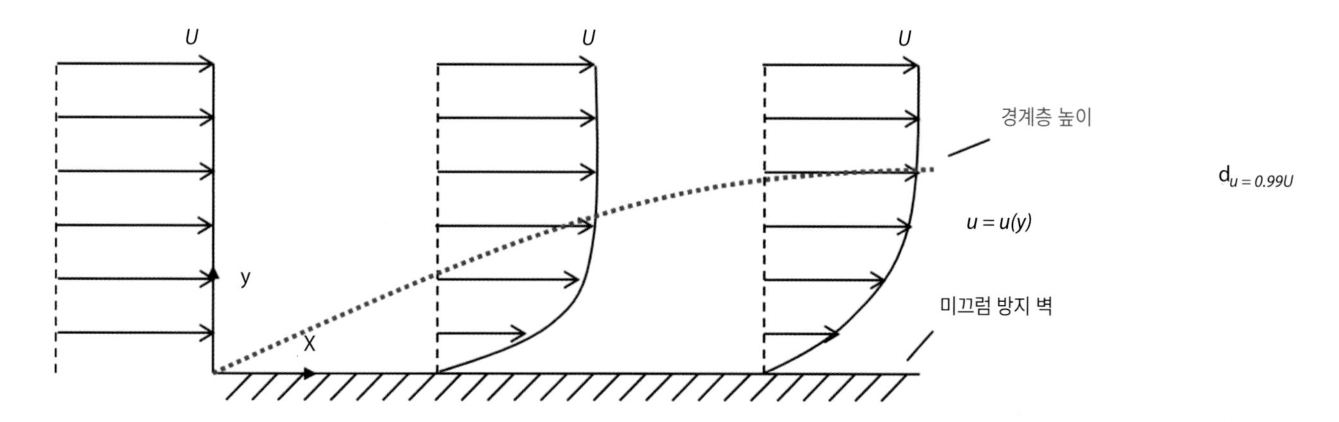

그림 36.3 **3가지 흐름 방향 위치에서 속도 개요를 포함하는 고체 표면 근처에서 이동하는 유체의 경계층 행동의 예**

$$u\frac{\partial(\rho u)}{\partial x}+v\frac{\partial(\rho u)}{\partial y}=-\frac{\partial p}{\partial x}+\mu\left(\frac{\partial^2 u}{\partial x^2}+\frac{\partial^2 u}{\partial y^2}\right) \tag{36.7}$$

이 방정식에서, u는 x-방향의 흐름 방향 속도, v는 y-방향의 표면 법선 속도, μ는 점도 계수, 분자와 분모의 del 연산자 ∂는 분자의 변수가 분모 변수의 변경에 따라 어떻게 변경되는지를 나타내는 편도 함수를 나타낸다. 편도 함수의 del 연산자는 앞의 식 36.1에서 설명한 대로 표준 도함수의 d 연산자와 다르며 분자와 분모에 나열된 변수 외에 다른 변수의 변경으로 인해 변경될 수 있음을 나타낸다. 예를 들어, 식 36.7에서 볼 수 있듯이 ρu의 조합은 x-와 y-방향 모두에 대해 변할 수 있기 때문에 2개의 편도 함수를 가진다. 이와 유사하게, 압력은 이 방정식에 나열된 x-방향에 대해 변할 수 있지만 2, 3차원 문제에 대해 각각 y-, z-방향에 대해서도 변할 수 있다; 그러나 이는 해당 방향의 압력 구배력을 나타내기 때문에, x-방향에 대한 편도 함수만 x-방향 운동량 방정식에 포함된다. $\partial^2/\partial x^2$ 및 $\partial^2/\partial y^2$으로 표시된 2차 편도 함수는 분모의 변수에 대한 분자 변수의 변화율로 해석되어야 하고, 예를 들어 $\partial^2 u/\partial x^2 = \partial(\partial u/\partial x)/\partial x$는 ∂x의 변화에 따라 ∂u/∂x가 어떻게 변하는지 설명한다. 위치, 속도, 가속도에 대한 친숙한 인수로 이 논리를 이해하는 것이 더 쉬울 수 있다. 시간에 대한 위치의 1차 도함수 또는 시간의 변화에 따라 위치가 어떻게 변하는지는 $u = dx/dt$인 속도이다. 시간에 대한 속도의 1차 도함수는 $a = du/dt$에서의 가속도 a이다. 가속도는 시간의 변화에 대한 위치의 1차 도함수, 또는 시간의 변화에 대한 위치의 2차 도함수, 또는는 $\partial^2 x/\partial t^2 = \partial(\partial x/\partial t)\partial t = \partial(u)/\partial t = a$라고 쓸 수 있다.

이제 식 36.7에 제시된 운동량의 x-방향 보존 방정식에서 항의 의미를 고려해야 한다. 좌변의 첫 번째 항은 x-방향 속도(u)로 인해 x-방향 운동량(ρu)이 x-방향에서 어떻게 변하는지를 나타내고, 방정식 왼쪽의 두 번째 항은 y-방향 운동(v)으로 인해 x-방향 운동량(ρu)이 y-방향으로 어떻게 변하는지 설명한다. 이 2개의 왼쪽 항은 압력 구배 힘 항과 점성 응력 항을 포함하여 방정식의 오른쪽에 나열된 운동을 유발하는 힘으로 인해 x-방향 운동량이 어떻게 변하는지 집합적으로 설명한다. 흐름이 정상이라고 가정했거나 그렇지 않으면 왼쪽에 x-방향 운동량이 시간에 따라 어떻게 변하는지와 관련된 비정상 항 ∂(ρu)/∂t가 있을 것이다. 방정식에서 용어로 설명된 이러한 물리적 기전은 유체가 이동하는 위치를 결정하기 위해 경쟁한다. 여기서 압력 구배력은 면적이나 해부학적 변화로 인한 것이고 점성력은 표면과의 근접성이나 미끄럼 방지 조건으로 인한 것이다. 2, 3차원 문제에 대해 각각 y-와 z-방향에 대한 운동량 방정식 보존이 있다. 여기서 y-운동량 방정식은 u 대신 v에 대해 작동하고 ∂ρ/∂x 대신 ∂ρ/∂y를 포함한다; z-운동량 방정식은 w 및 ∂ρ/∂z에 대해 동일한 변화를 포함한다. 일반적인 CFD 프로그램은 이 운동량 방정식 모음과 광범위한 형상과 흐름 조건에 대한 질량 보존 방정식을 푼다. 에너지 방정식의 해는 고속 또는 열 전달로 인한 압축성 흐름에 필요하다.

하류 거리에 따라 충분히 강한 압력 증가(즉, 역압 구배)가 있는 경계층 영역에서 나타날 수 있는 또 다른 유동 현상을 유동 분리라고 하고, 벽 근처 유체가 실제로 상류로 이동할 수 있는 반면 표면에서 멀어지는 대규모 유체 흐름은 하류로 이동한다. 미끄럼 방지 조건으로 인해 속도가 0인 벽에서 x-방향 운동량 방정식을 적용하면 다음을 얻는다:

$$\left(\frac{\partial^2 u}{\partial y^2}\right)_{\text{at } y=0}=\frac{1}{\mu}\frac{\partial p}{\partial x} \tag{36.8}$$

이 방정식은 속도 개요 곡률(2차 도함수)이 벽에서 압력 구배의 부호를 갖는다고 말한다. 그림 36.4a는 역압력 구배(dp/dx > 0), 0 압력 구배(dp/dx = 0), 유리한 압력 구배(dp/dx < 0)의 영향을 받는 3가지 다른 속도 개요를 보여준다; 아래에 기울어진 눈금이 있는 직선은 두꺼운 벽 표면을 나타낸다. 3가지 개요 모두 벽에서 떨어진 자유류와 만나 음의 곡률을 갖지만 파란색 원으로 표시된 그림에서와 같이 벽에 양의 곡률이 필요하기 때문에 역압 구배만 굴절 지점(PI)을 생성한다; 이 굴절 지점은 개요를 훨씬 더 불안정하게 만들고 속도 변동의 영향을 수용한다. 그림 36.4b는 벽에 파란색 원으로 표시된 분리 시작 지점에 접근 및 통과하는 속도 개요를 보여준다. 점도가 벽 근처 유체를 충분히 늦추고 역압 구배가 충분히 강하면(◘ 그림 36.2c의 날카로운 모서리에서 발생처럼), 벽 근처 유체는 흐름을 뒤로 미는 역압 구배를 극복하기에 충분한 흐름 방향 운동량을 가질 수 없고 벽 근처 흐름은 결국 굴복하여 상류로 이동할 것이다. 흐름 분리는 벽에 가깝고 멀어지는 유선을 나타내는 2개의 점선으로 표시된 것처럼 대규모 유체의 주요 변위를 유발한다. 이것은 유체 분리가 어떻게 동적으로 흐름에 막힘이나 수축을 생성하는지 보여준다: (1) 기도를 통과할 수 있는 질량 흐름을 제한하거나, (2) 같은 양의 질량 흐름을 밀어내기 위해 더 많은 압력이 필요하다. 분리된 흐름은 또한 거의 모든 상류 이동 유체가 재순환 영역의 상단에서 하류 이동 유체와 재순환함에 따라 분리 기포가 나타나도록 한다; 기포 영역의 한가지 예시 유선은 원형 실선으로 표시된다. 분리 기포는 흐름 방향 및 표면 정상 범위에서 진동하여 유체 및 표면에 진동 요동을 생성한다. 벽 전단 응력은 인접한 유체 방향을 따르며 분리 지점과 재부착 지점에서 0의 값과 상류 방향을 나타내기 위해 분리된 흐름 아래에서 음의 값을 사용한다. 흐름 분리를 유발하는데 필요한 역압 구배의 크기는 벽 근처 경계층의 같은 방향의 흐름 운동량(또는 그 부족)에 따라 달라지며, 여기서 압력 구배는 단원 36.1.1에서 설명한 것처럼 단면적 변화를 고려하여 이해할 수 있다. Bernoulli 방정식의 좌변과 우변은 4가지 규칙을 엄격히 준수해야 정확히 같을 수 있지만, 질량 보존을 사용하는 단면적과 속도 사이의 일반 관계 철학을 적용하고 Bernoulli 방정식은 더 복잡한 계산 없이도 유체 흐름 동작에 대한 유용한 통찰력을 제공할 수 있다.

경계층 흐름의 마지막 특징 하나는 점성 흐름의 단면적, 속도, 압력 간의 관계에 대한 일반적인 유체 역학 지식을 이해하는데 중요하다. 경계층 높이가 하류 거리에 따라 표면 법선 방향으로 증가함에 따라 변위 두께의 성장으로 유효 유동 면적이 감소하고, 이것은 그림 36.4b에서 볼 수 있는 분리된 흐름과 유사하지만 훨씬 작은 크기로 대규모 유체의 주요 흐름을 변위시키는 벽 옆의 작은 흐름 영역이다. 변위 두께의 공식적인 정의인 δ*는 식 36.9에서 제시되었다. 이것을 적분 방정식이라고 하며 덧셈을 미적분학으로 표현하는 방법이다.

$$\delta^* = \int_{y=0}^{y=\delta} \left(1 - \frac{u}{U}\right) dy \tag{36.9}$$

적분 뒤에 숨겨진 의미는 벽(y = 0)에서 경계층 높이(y = δ)까지 점성 응력이 존재하는 단일 흐름 위치에서 속도 결함의 총합(1 – u/U)을 제공하는 것이다. 이 숫자는 경계층의 성장으로 인해 하류 거리에 따라 증가하고 경계층 자체의 성장으로 인해 사용 가능한 단면적 흐름 영역에 대한 유체 동적 막힘을 나타낸다. 속도와 압력은 평균 속도를 증가시키고, 하류 거리에 따라 평균 압력을 감소시켜 유효 유동 면적의 수축에 따라 반응한다. 이 효과는 대부분의 상황에서 미미하지만 차단되는 총 흐름 영역의 더 큰 비율로 인해 더 작은 기도와 더 많은 경계층 성장이 발생하는 더 긴 기도에 대해 보다 중요하다.

36.1.3 층류, 전이, 그리고 난류

비강 및 인두 기도와 관련된 유체 역학의 또 다른 뉘앙스는 층류가 난류로 전환할 수 있는 방법이다. 층류는 흐름선 간의 혼합이 최소에서 무시할 수 있는 것으로 특징지어지며, 여기서 혼

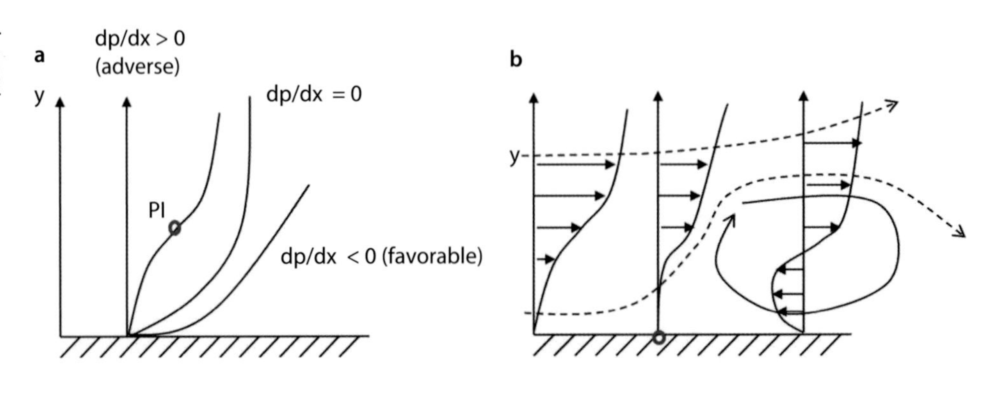

◘ 그림 36.4 **강한 역압 구배의 영향 하에 흐름 방향 거리에 따른 a 압력 구배의 기능으로서 경계층 속도 개요 및 b 속도 개요의 진행을 보여주는 개략도**

합 양이 유체 흐름의 속도 변동 수준과 관련된다. 반대로 난류는 3방향 모두에서 빠르고 강한 유속 변동으로 인해 높은 수준의 혼합이 특징이다. 충분한 속도 변동을 유도할 수 있는 모든 것이 난류로의 전환을 유도할 수도 있다. 이러한 기전은 표면 거칠기, 표면 곡률 변화 또는 그림 36.1과 같은 두 흐름의 접합을 포함할 수 있다. 난류 변동은 또한 대규모 유체의 운동량에서 에너지를 가져오며, 이는 차례로 일정한 질량 흐름을 유지하는 데 필요한 총 압력 강하를 증가시킬 수 있다. 일반적으로 혼합을 유발하는 모든 것은 혼합 과정과 관련된 유체 전단으로 인한 에너지 손실로 인해 질량 흐름을 유지하기 위해 더 많은 에너지와 힘이 필요하며 증가된 에너지와 힘은 질량 흐름을 유지하기 위해 더 큰 압력 강하 요구 사항을 초래한다(즉, 호흡계에서 더 강력한 반응). 일반적인 규칙의 예외는 난류가 벽 근처에서 유체와 벽에서 멀리 떨어진 유체를 혼합하여 경계층 영역을 확대하고 벽 근처 영역에 에너지를 공급하는 결과이다. 이 경계층 혼합은 난류가 동일한 압력 구배 아래에서 층류가 되자마자 분리되지 않고 더 심각한 역압 구배를 통과할 수 있도록 한다.

난류 속도 변동은 유동 운동량과 점성 응력의 상대적 크기에 따라 경계층의 점성 응력에 의해 감소되거나 증폭될 수 있는 난류 응력을 생성한다. Reynolds 수, Re는 유체 흐름에 항상 존재하는 2가지 힘의 크기를 비교하기 때문에, 유체 역학에서 가장 중요한 무차원 매개변수이다: 길이 척도 L이 문제를 나타내는 방정식 36.10에서 볼 수 있는 것과 같은 운동량과 점성 응력.

$$Re = \frac{\rho VL}{\mu} \quad (36.10)$$

항공기 날개 위 유동의 경우 이 길이 척도는 일반적으로 날개의 흐름 방향 거리로 선택되는 반면, 원형 파이프 내부 유동의 경우 일반적으로 파이프의 직경이다. 식 36.11에 의해 정의된 수력 직경 Dh는 비-원형 관 단면에 사용되고, 여기서 A는 단면적, P는 단면적 주변 둘레이다.

$$D_h = \frac{4A}{P} \quad (36.11)$$

비강과 인두 기도의 단면은 원형이 거의 없기 때문에, 이것은 Reynolds 수를 정의하는데 유용하다. 일반적으로, Reynolds 수가 작을수록 층류 흐름을 나타내고 수가 높을수록 난류 흐름을 나타낸다. 각 범주에 대한 Reynolds 수 값의 범위는 선택한 기하학과 길이 척도에 따라 다르다. 예를 들어, 파이프 흐름은 유입구 흐름 조건과 파이프 재료 선택이나 서비스 수명 동안 스케일 성장으로 인한 내부 파이프 표면 거칠기와 같은 이런 난류로의 변환을 유도하기에 충분한 속도 변동을 유발할 수 있는 교란이 있는지 여부에 따라 2,300 정도 이상의 Reynolds 수에서 변이를 시작한다는 것은 기술자들 사이에서 일반적인 지식이다; 파이프 구조 네트워크의 진동도 조기 전환을 유발할 수 있다. 비강과 인두 기도 단면이 대부분 원형은 아니지만 원형 파이프 흐름과 유사한 Reynolds 수 값(수력 직경 기준) 주위의 난류 흐름으로의 전환 아이디어는 유용한 예측 지표가 될 수 있다. 위에서 언급한 바와 같이, 난류는 유동 속도 혼합 과정의 에너지 훔치기 특성을 상쇄하기 위해 질량 흐름을 유지하기 위해 더 많은 압력 강하가 필요하며, 이는 또한 유체 내에서 층류보다 젖은 표면에서 더 높은 전단 응력을 유발한다.

36.1.4 원형 및 직사각형 단면을 통한 흐름의 특성

인두 기도는 인두에서 식도로 변하는 다양한 수준의 해부학적 형태를 포함한다. 일부 해부학은 더 원형이고 다른 해부학은 더 직사각형이지만, 모두 일반적으로 식도를 향해 감소하는 단면적을 포함한다. 그림 36.5는 각 세트가 큰 입구와 작은 출구가 함께 쌍을 이루는 환자별 입구 및 출구 모양의 4세트를 나타낸다. 모양은 각 집합에 대해 적절하게 크기가 조정되지만 크기는 4집합 간에 동일하지 않다. 이 이미지는 인두 통로에 대한 해부학적 단면 모양의 일반적인 변화를 보여준다. 독자가 이러한 유형의 단면 변화로 인한 기본적인 유체 역학 영향을 이해할 수 있도록 여기에는 시중에서 구할 수 있는 MSC의 CFD 소프트웨어 SC/Tetra 버전 13을 사용하여 원형, 정사각형, 직사각형 단면에 대한 CFD 시뮬레이션 결과가 포함되어 있다. 그림 36.6a는 입구와 출구에서 5 cm^2의 동일한 면적을 갖는 실선으로 된 단순 모델의 단면 형상을 보여주는데, 원과 직사각형은 출구 면적이 10%(빗금), 25%(빗금-점), 50%(점)로 감소된 혼합 변형을 포함한다; cm^2의 출구 영역은 그림 범례에 나와있다. 입구 면적 값은 일반적인 인두 입구와 유사하기 때문에 선택되었으며, 직사각형 모양은 먼저 주어진 영역에 대한 정사각형 변 길이를 계산하고 직사각형 높이를 해당 영역에 대한 정사각형 변 길이의 2/3로 설정하여 결정되었다. 직사각형의 길이는 5 cm^2를 직사각형 높이로 나누어 결정한다. 완전한 원형 모델과 직사각형 모델은 동일한 단면 모양의 면적 축소에 혼합되었으며 전체 원형 모델도 축소된 직사각형 단면에 혼합되어 총 13개의 다른 모델에 대해 혼합되었으며 모두 길이가 10 cm이다; 그림 36.6b는 원에서 원으로의 축소를 보여주고 그림 36.6c는 원에서 직사각형으로의 축소를 보여준다. 이 간단한 모델은 한 모양에서 다른 모양으로의 수축과 기도 변형을 포함하여 인

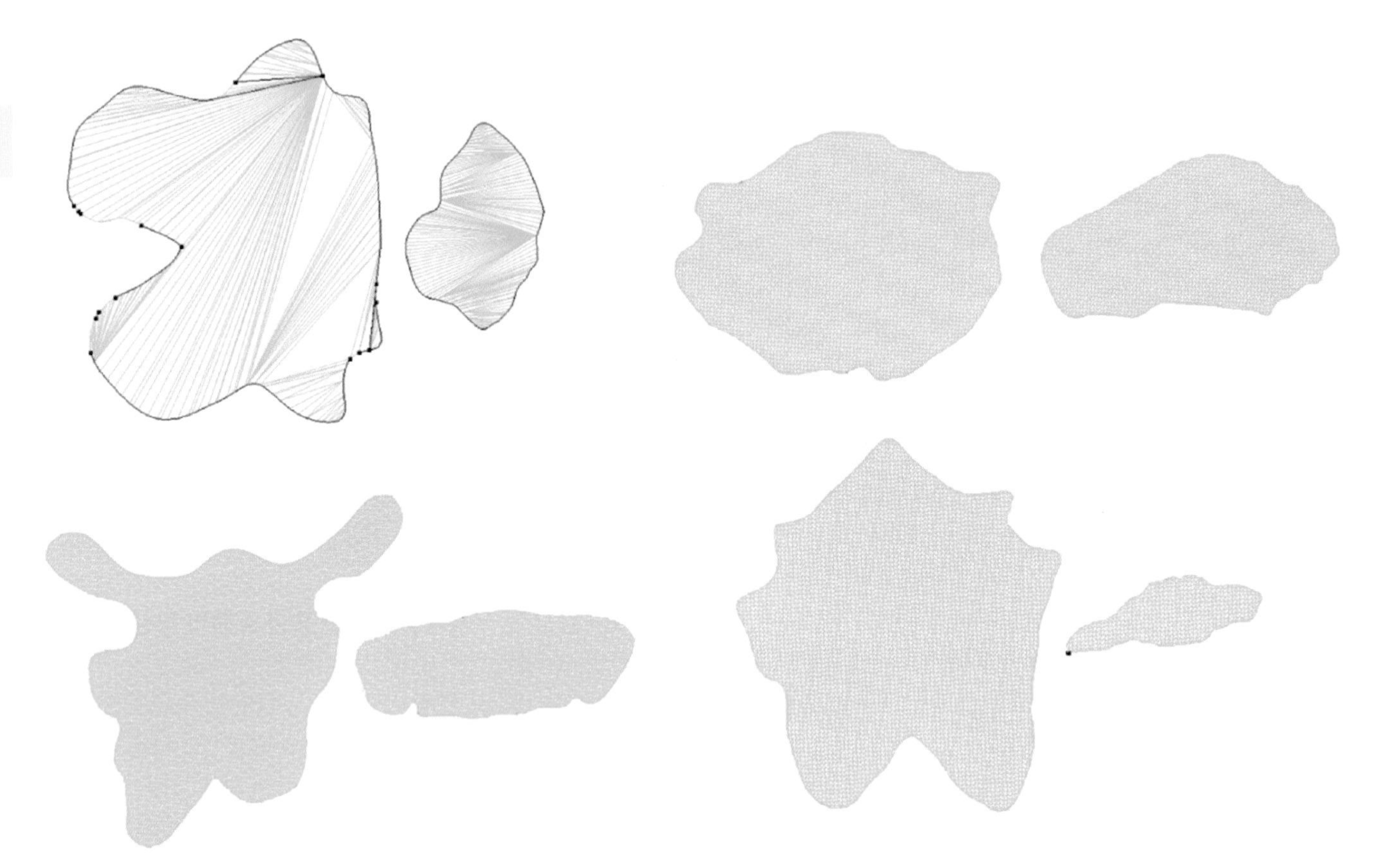

그림 36.5 **인두 부위의 4가지 환자별 입구와 출구 모양; 스케일은 각 세트 간에 유지되지만, 4개 세트 모두에서는 유지되지 않는다.**

두 영역에서 볼 수 있는 해부학적 변형 유형으로 발생할 수 있는 다양한 유체 역학 효과에 대한 이해를 독자에게 제공하기 위해 선택되었다. 혼합 모델은 Creo 2.0 솔리드 모델링 소프트웨어를 사용하여 생성되었으며, 여기에서 전체 영역 입구가 다양한 전체 및 축소 영역 출구로 균일하게 혼합된다. 단면을 더 얇은 직사각형 모양으로 변경하면 둘레 감소보다 빠르게 감소하는 면적으로 인해 수력학적 직경도 감소한다. 따라서 수력학적 직경을 기반으로한 국소 Reynolds 수는 모양이 더 얇은 직사각형으로 변경됨에 따라 감소한다. 또한 면적을 줄이면 통로의 평균 속도가 증가하여(일정한 질량 유량의 경우) Reynolds 수가 증가하고 이 두 기전은 Reynolds 수의 크기로 표시된 속도 변동 수준을 결정하기 위해 경쟁한다. 모든 시뮬레이션에 대한 레이놀즈 수는 2,300 미만이므로 이러한 시뮬레이션에 대한 Reynolds 수 효과만으로는 난류로의 전환이 발생하지 않는다. 모든 CFD 시뮬레이션에는 350 및 450 mL/s의 일반적인 호흡 속도와 동일한 입구 체적 공기 유량, 내부 표면에 대한 미끄럼 방지 벽, 출구에서의 상대 정압 0이 포함되었다. 이런 입력은 비압축성 흐름에 대한 일반적인 경계 조건 설정이고, 여기에서 시뮬레이션 도메인 전체의 실제 압력값은 출구에서 0에 대해 상대적이고 CFD solver는 필요한 압력 강하를 생성하기 위해 입구 압력의 크기를 계산한다. 예를 들어, 출구 압력이 실제로 14.7 psi이고 상대 정적 압력이 0인 계산된 입구 압력이 입구 계산을 10 psi로 이끄는 경우, 입구의 실제 압력 수준은 10 psi로 출구에서 (0 + 14.7 psi) 24.7 psi로 시뮬레이션 된다. 비압축성 유동의 경우, 압력 출구 경계 조건을 설정하는 이 방법은 속도와 압력 강하 결과에 대한 영향이 미미하거나 무시할 수 있는 수준이면 표준 관행이다. RNG 저-Re 난류 모델은 Reynolds-averaged Navier-Strokes 방정식을 마감하였다.

표 36.1은 형태, 센티미터로 정의된 출구 크기, 입구에서 출구까지의 pascal 압력 구배 결과, 일정한 원과 완전 직사각형 출구 결과에 대한 압력 강하의 백분율 변화를 나타낸다. 일정한 단면적 모델 중에서 원은 튜브를 통해 질량 흐름을 밀어내기 위해 가장 낮은 힘(단위 면적당)을 필요로 한다. 이것은 3개의 일정한 횡단면 모델의 출구 영역 평면에 대한 그림 36.7의 속도 크기 등고선에서 볼 수 있듯이 모서리에서 병합되는 경계층의 영향 때문이다. 모서리에서 두 수직벽의 경계층이 병합되어 모서리에서 멀어지는 경계층 성장과 비교하여 더 큰 추가 마찰 영

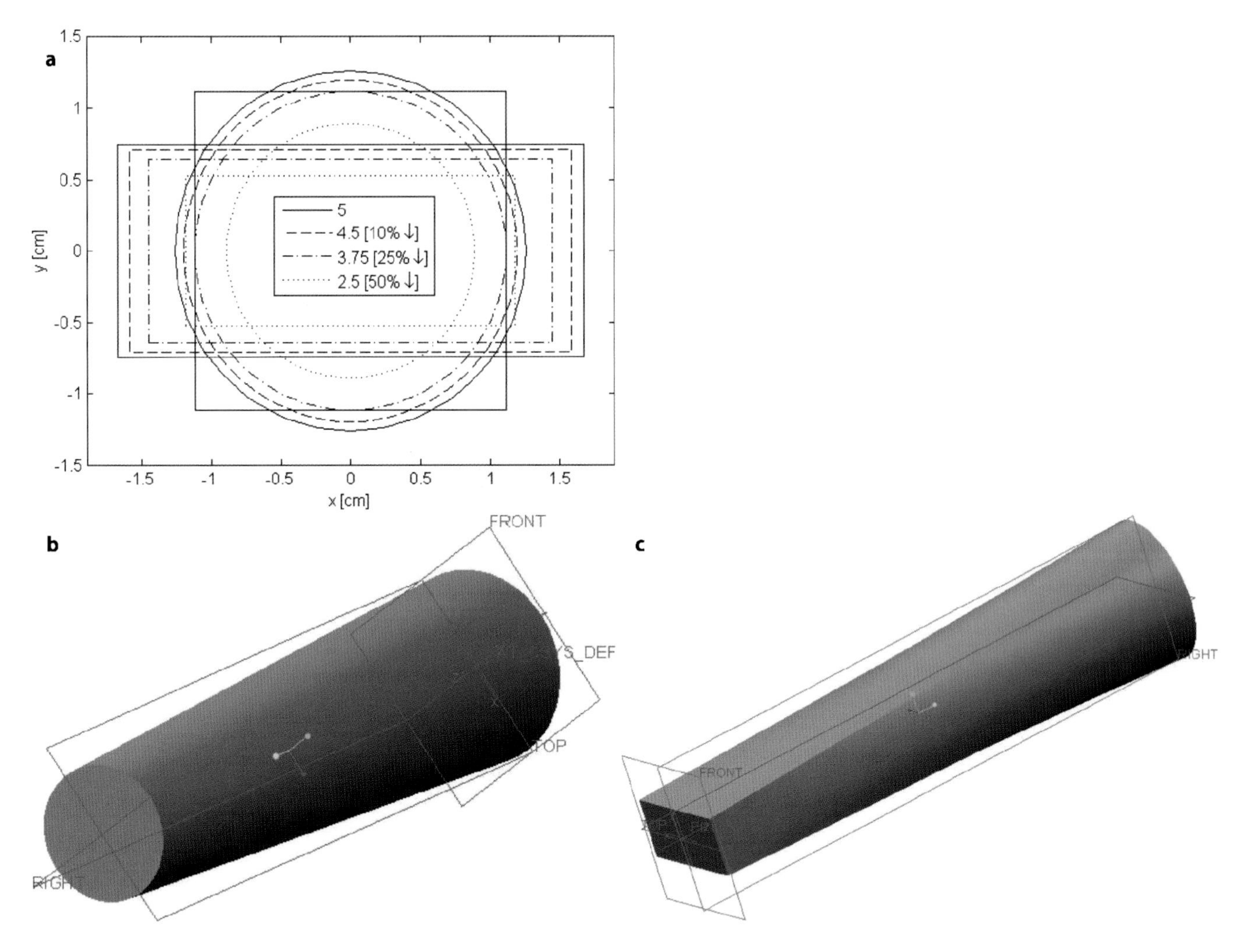

■ 그림 36.6 CFD 시뮬레이션을 위한 단면: **a** 여러 모양, **b** 원에서 50% 원으로, **c** 원에서 50% 직사각형으로; 그림 범례에 주어진 cm^2의 면적

역을 생성하고 이러한 추가 마찰은 일정한 질량 유속을 유지하기 위해 추가 압력을 필요로 한다. 직사각형 모양은 원이나 정사각형보다 약간 더 높은 압력 강하가 필요하다. 직사각형 모양에 대한 같은 면적의 원은 같은 면적의 원과 같은 거의 동일한 압력을 필요로 하며, 모서리가 모델의 중간까지 완전히 형성되지 않기 때문에 모서리 효과가 누적되고 증가된 하류 거리에 따라 기하급수적으로 증가한다는 점에 주목하는 것이 흥미롭다(그림 36.6c). 그러나 면적을 10% 줄이면 원 모양은 압력 강하가 가장 크게 증가하는 반면(350 mL/s에서 90%와 450 mL/s에서 96%), 직사각형에서 직사각형으로의 기본 상수에 대한 증가는 가장 낮다. 면적 모델(350 mL/s에서 32%와 450 mL/s에서 35%)과 직사각형에서 원형이 가까운 두 번째(350 mL/s에서 38%와 450 mL/s에서 40%)로 나타난다. 출구 면적을 25%로 추가로 감소하면 350 mL/s와 450 mL/s에 대해 각각 124%와 133%에서 동일한 압력 강하 증가가 있는 반면 직사각형에서 직사각형 압력 강하는 104%와 112%만 증가한다. 모델 출구에서 면적이 50%로 최종 감소하면 원에서 원으로의 경우 461%와 498%, 원에서 직사각형으로의 464%와 500%에 비해, 직사각형에서 직사각형이 389%와 421%의 압력 강하 증가에서 최상의 성능을 발휘한다는 것을 보여준다. 이것은 수축 영역에 따라 증가하는 상대 압력 강하는 직사각형 모양에 대해 더 적기 때문에 인두 영역이 원형 대신 더 직사각형으로 진화한 이유 중 하나를 보여줄 수 있다.

모든 결과는 출구 면적이 감소함에 따라 유동 저항이 증가하고 압력 강하는 비선형 방식으로 증가함을 보여준다. 이것은 단원 36.1.1에서 설명한 질량 보존과 Bernoulli 방정식으로 간단히 계산한 비점성 압력 강하(위쪽을 향한 삼각형)와 함께 표 36.1에 제시된 모델에 대한 기하학 및 면적 감소의 함수로서 압력 강하 값을 구성한 그림 36.8a에 보다 명확하게 제시된다. 이 그림은 비점성 이론이 기본 유체 역학에 대한 추세에 따른 통찰력을 제공하지만, 점성 흐름의 실제 움직임을 설명할 수 없

■ 표 36.1 350 및 450 mL/s에서 모든 13개 모델의 모양, 출구 치수, 압력 강하, 백분율 변화

모양	출구[a] [cm]	350 mL/s		450 mL/s	
		Δp [Pa]	% constant	Δp [Pa]	% constant
원에서 원	2.523 D	0.262	–	0.387	–
정사각형에서 정사각형	2.236 W × 2.236 H	0.302	–	0.442	–
직사각형에서 직사각형	3.353 W × 1.491 H	0.333	–	0.487	–
원에서 직사각형	3.353 W × 1.491 H	0.267	–	0.394	–
원에서 원 (10% ↓)	2.257 D	0.497	90	0.760	96
원에서 원 (25% ↓)	2.185 D	0.586	124	0.901	133
원에서 원 (50% ↓)	1.784 D	1.470	461	2.314	498
직사각형에서 직사각형 (10% ↓)	3.182 W × 1.414 H	0.440	32	0.656	35
직사각형에서 직사각형 (25% ↓)	2.905 W × 1.291 H	0.679	104	1.034	112
직사각형에서 직사각형 (50% ↓)	2.372 W × 1.054 H	1.628	389	2.539	421
원에서 직사각형 (10% ↓)	3.182 W × 1.414 H	0.368	38	0.552	40
원에서 직사각형 (25% ↓)	2.905 W × 1.291 H	0.598	124	0.917	133
원에서 직사각형 (50% ↓)	2.372 W × 1.054 H	1.505	464	2.363	500

[a] D 직경, W 너비, H 높이

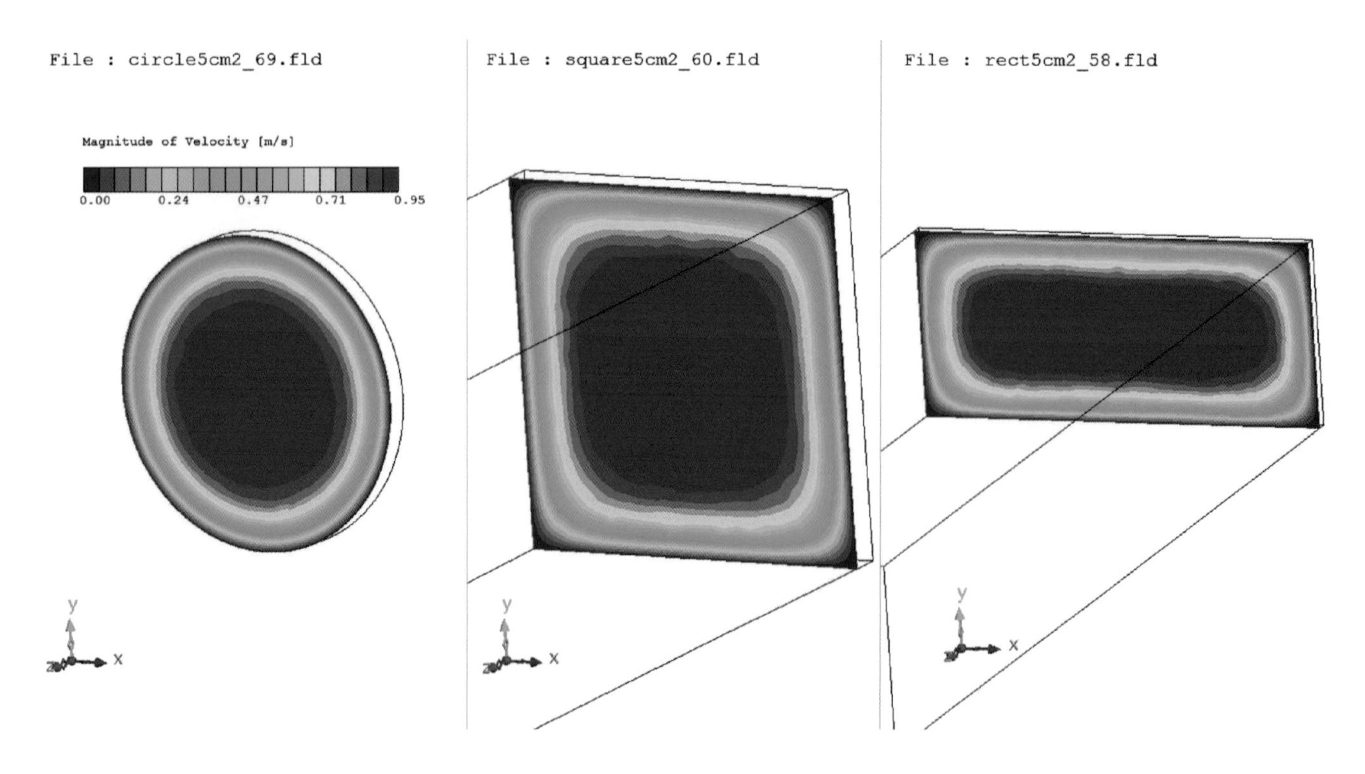

■ 그림 36.7 세 개의 일정한 단면의 출구 평면에서 속도 크기의 등고선

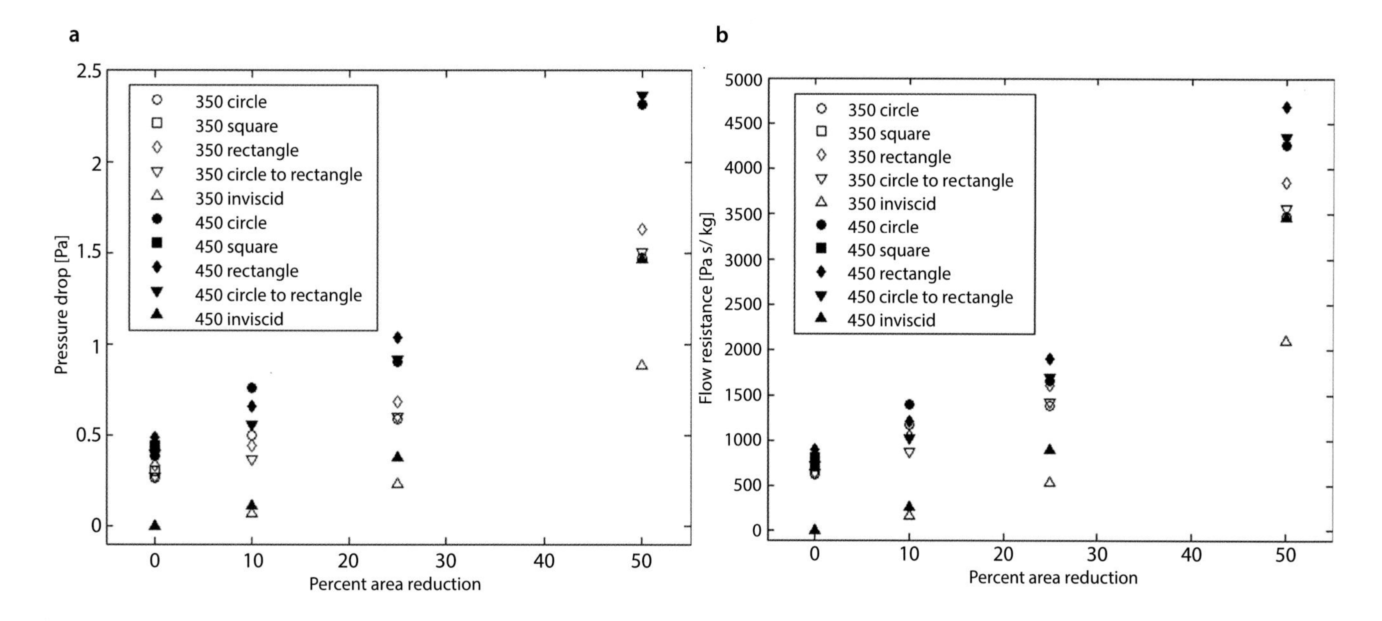

그림 36.8 **a 압력 감소 및 b 흐름 저항에 대한 면적 감소의 효과**

음을 보여준다; 점성 결과와 비점성 이론 사이의 차이는 단면적 감소로 인한 유체 역학 변화가 증가함에 따라 증가한다. 그림 36.8b는 단원 36.1.1의 방정식 36.6을 사용하여 각각의 흐름 저항을 kg 당 Pascal-seconds로 표시한 것이다. 일부 연구자들은 이 방법이 다양한 압력 강하와 질량 흐름 속도를 비교할 때 사용할 수 있는 보다 대표적인 측정이라고 주장하지만, 현재 그림은 2가지 질량 유량만 비교한다. 아마도 더 넓은 범위의 질량 유량과 환자별 해부학적 구조에 대한 보다 현실적인 압력 강하가 압력 강하 단독보다 유동 저항을 표시하는 것이 더 통찰력이 있을 것이다.

36.2 CFD process

여기에서 가장 인기있고 비용 효율적인 선택지를 강조하여 4가지 기본 유형의 CFD solution 전략에 대한 개요를 제공한다. 최신 CFD 소프트웨어 패키지를 사용하는 고품질 CFD 시뮬레이션을 완료하기 위한 팁과 전략도 포함되어 있다.

36.2.1 CFD solution 방법의 유형

질량, 운동량, 에너지 보존 방정식을 풀기 위한 4가지 기본 전략이 있으며, 여기에는 RANS (Reynolds-averaged Navier-Stokes) 기법, LES (Large Eddy Simulation) 기법, DES (Detached Eddy Simulation) 기법, DNS (Direct Numerical Simulation) 기법이 포함된다. RANS 기술은 다른 3가지 방법에 비해 계산 리소스(메모리와 프로세서 속도)에 대한 필요성이 낮기 때문에, 계산 유체 역학에서 가장 널리 사용되며 CFD에 대한 일반적인 언급은 이 접근 방식을 나타낸다. Navier-Stroke 방정식은 난류의 직접적인 운동을 실제로 시뮬레이션하지 않고 난류의 효과를 부과하려는 시도에서 순간 속성을 시간 평균과 평균에 대한 함수로 분해하여 수정된다. 예를 들어, x-방향 속도는 $u = \bar{u} + u'$ 로 분해되고, 여기서 overbar는 시간 평균을 나타내고 소수는 변동하는 구성요소를 나타낸다. 그런 다음 세트의 모든 방정식이 시간 평균화되기 전에 시간 평균과 변동하는 양이 질량, 운동량, 에너지 방정식으로 대체되어 평균 속도장의 진화를 설명하는 세트가 생성된다. 정상 및 비압축 RANS 방정식의 2차원 x-운동량 방정식은 아래 식 36.12에 나와 있으며, 여기는 상수 밀도로 이미 나누어져 있다:

$$\bar{u}\frac{\partial \bar{u}}{\partial x} + \bar{v}\frac{\partial \bar{v}}{\partial y} + \frac{\partial\left(\overline{u'v'}\right)}{\partial x} = -\frac{1}{\rho}\frac{\partial \bar{p}}{\partial x} + \frac{\mu}{\rho}\left(\frac{\partial^2 \bar{u}}{\partial x^2} + \frac{\partial^2 \bar{u}}{\partial y^2}\right) \tag{36.12}$$

왼쪽의 세번째 항은 Reynolds 응력 항이라고 하며 운동량 전달에 대한 난류 요동의 영향을 나타낸다. 이 항은 국소 흐름 속성을 기반으로 크기를 계산하기 위해 난류 모델이 필요하다: 이것이 단원 36.1.4에 제시된 시뮬레이션 결과에 대해 RNG 저-Re 난류 모델이 수행한 것이다. 모든 운동량과 에너지 방정식에 대해 유사한 항이 존재하지만 질량 보존은 비교적 변하지 않고 유지된다(평균 질량 흐름만 계산).

LES 기법은 변동하는 양을 직접 계산하므로 보다 정확한 시간 동작을 포함하도록 개발되었다. 이 방법은 흐름에서 가장 많은 에너지를 포함하는 운동의 가장 큰 규모를 계산하는 세트로 필터링하여 시간 대신 공간의 보존 방정식에 대해 작동한다. 이 방법은 영역을 구분하는데 사용되는 가장 작은 격자 크기까지 모든 변동하는 난류 운동을 계산하려고 시도하기 때문에 큰 계산 비용이 필요하고, 서브그리드 스케일 모델은 본질적으로 LES 시뮬레이션을 위한 또 다른 유형의 난류 모델이다. LES는 일반적으로 RANS나 비정상 RANS (URANS)보다 정확하지만 그리드 요구 사항이 너무 커서 이 방법은 일반적으로 부적절한 계산 리소스로 인해 비용이 많이 든다. DES로 알려진 하이브리드 기술은 RANS와 LES의 장점을 병합하려고 시도하며, 여기서 solver는 각 그리드 위치에서 흐름 계산에 따라 RANS와 LES 방법 사이를 전환한다. 여기서, 난류 길이 척도는 국소적 흐름 특성으로부터 계산되며, 격자 간격보다 작으면 RANS 기법을 사용하여 난류를 모델링하고 난류 길이 스케일이 그리드 간격보다 클 경우 LES를 적용하여 변동의 움직임을 직접 계산한다. 이 방법은 신중하고 정확하게 적용된다면 RANS보다 더 정확하고 LES보다 적은(RANS보다는 많은) 그리드 포인트와 계산 능력을 필요로 한다. DNS 전략은 유체 영역 전체에 걸쳐 수정되지 않은 불안정한 Navier–Stokes 방정식을 시뮬레이션하고 그리드 크기와 계산 시간 단계가 점성이 가장 작은 점성 운동을 열로 변환하기 전에 흐름 필드(Kolmogorov 스케일)에서 가장 작은 난류 변동을 해결할 수 있을 만큼 충분히 작아야 하므로 LES보다 훨씬 더 많은 계산 능력이 필요하다. White는 높이 10 cm × 너비 1.2 m × 길이 2.4 m의 영역이 있는 지방판 위의 3.3 m/s 자유류 흐름의 DNS 시뮬레이션에 5조 그리드 포인트가 필요하다고 설명한다.[1]; 비교를 위해 일반적인 인두 RANS 시뮬레이션 백만 그리드 포인트 미만이 필요하다.

36.2.2 RANS 및 난류 모델링

위에서 언급했듯이 RANS 기법은 CFD 시뮬레이션을 수행할 때 가장 자주 사용되는 전략이다. 저속 아음속에서 고속 극초음속 유류를 포함한 광범위한 산업 분야에서 유체 흐름 분석에 사용되는 표준 시술이므로 서로 다른 유속과 상태에서 발생하는 난류의 영향을 부과하는 다양한 RANS 난류 모델이 개발되었다. RANS 기술의 정확도는 (1) 적절한 CFD 준비 모델 생성, (2) 문제에 대한 올바른 그리드 생성, (3) 올바른 경계 조건 선택, (4) 올바른 난류 모델 선택에 따라 달라진다. 첫 번째 표준 난류 모델은 난류 운동 에너지(k)를 계산하는 방정식과 난류 소산(ε)을 결정하는 방정식을 포함하는 k – ε 모델이다. 이 두 값은 맴돌이 점도 μt를 결정하는 데 사용되며, 이 값은 2차원 흐름에 대해 다음 방정식을 사용하여 RANS 방정식으로 대체된다:

$$\mu_t = \rho \frac{k^2}{\varepsilon} \tag{36.13}$$

$$-\rho\left(\overline{u'v'}\right) = \mu_t\left(\frac{\partial \bar{u}}{\partial y} + \frac{\partial \bar{v}}{\partial x}\right) \tag{36.14}$$

최신 CFD 패키지에는 다양한 상황에 사용되는 다양한 난류 모델이 포함되어 있지만, 대부분의 인두와 비강 기도의 경우 낮은 Reynolds 수 버전을 사용해야 한다(예: RNG 저–Re 난류 모델 또는 유사 모델).

36.2.3 그리드 미세화의 중요성

CFD solver는 영역을 요소라고 하는 작은 부분으로 나누어 흐름 전반에 걸쳐 유체 속성을 계산한다. 그런 다음 지배 방정식은 요소 중심 간의 속성 변경을 관련시키기 위해 계산되거나 요소 정점의 접합으로 정의된 각 그리드 점 사이의 속성 변경을 관련시키기 위해 계산된다. 도메인 전체에 걸쳐 흐름 속성이 기울기를 적절하게 해결하기에 충분한 요소가 있어야 하기 때문에, 구성 요소의 분포는 솔루션의 정확성을 위해 매우 중요하다; 기울기가 더 가파른 영역은 기울기가 최소인 영역보다 더 높은 해상도가 필요하다. 따라서, 그리드가 주어진 문제에 대해 충분하다는 것을 증명하기 위해 요소 수가 증가하는 여러 시뮬레이션이 필요한 경우 주어진 경계 조건 및 그리드 위상 배치 세트에 대해 그리드 미세 조정 연구를 수행해야 한다. 그림 36.9a는 SC/Tetra CFD 소프트웨어 패키지의 전처리기를 사용하여 생성된 octree 분포가 있는 2D 원을 보여준다. Octree는 사용자가 소프트웨어를 사용하여 다양한 크기의 정사각형(또는 3D 큐브)의 위치를 결정하는 그리드 점의 분포를 보여주고 octree는 시뮬레이션에 사용되는 최종 메쉬의 개발을 안내한다. 상업적으로 이용 가능한 많은 소프트웨어 패키지에는 전처리기 패키지의 일부로 그리드 생성기가 포함되어 있지만 다른 소프트웨어 패키지는 다른 CFD solver를 위한 고품질 그리드를 생성하기 위한 용도로만 존재한다. 요소의 3D 및 수직 배열을 구조화된 격자라고 하며 지배 방정식은 각 요소 중심 또는 꼭짓점에서 해결되어 도메인 전체의 속성을 연관시킨다; 따라서 요소 수를 늘리면 그에 따라 총 시뮬레이션 계산 시간이 늘어난다. 구조화된 격자 분포는 수학적으로 직사각형 모양에 대해 구축하기 쉽지만, 많은 실제 기하학에는 구조화된 격자 구축 프로세스를 복잡하게 할 수 있는 다양한 수준의 표면 곡률이 포함된다. 이러한 이유로 대부분의 상업용 CFD 패키지에는 원형 단면에 대해 그림 36.9b에 표시된 것처럼 8면체에 의해 안내되는 크기 사양에 따라 영역을 사면체나 다면체 요소로 채우는 구조화되지 않은 그리드 구출 알고리즘이 포함된다.

최신 패키지는 경계층 영역의 높은 속성 기울기가 존재하는 구조화된 격자를 적용하기 위해 표면 근처에 프리즘 층을 포함할 수 있고, 그림 36.9b는 3개의 프리즘 층이 벽 근처에 삽입된 경우이다. 프리즘 층의 수는 그리드 보강 연구 중에 결정되는데, 경험에 의하면 외부 프리즘 층은 해당 영역의 구조화되지 않은 요소 크기의 1/2보다 작아서는 안 된다(8분원 분포로 특정됨). 프리즘 층은 일반적으로 표면 근처에서 가장 작은 크기에서 표면에서 멀리 큰 크기로 늘어난다; SC/Tetra는 프리즘 구현을 정의하기 위해 첫 번째 프리즘 층 크기, 성장률, 요소 수를 필요로 한다. 다음 방정식을 사용하여 이 3가지 사양을 사용하여 외부 요소 크기를 결정할 수 있다:

$$\text{외부 요소 크기} = (\text{첫 번째 프리즘 크기}) \times (\text{성장률})^{(\#\text{층}-1)} \quad (36.15)$$

요소 위치는 모든 연속적인 층 높이를 함께 추가하여 8분원 분포를 기준으로 결정할 수 있다. 이러한 크기를 고려하면 수치적 정확성을 보장하기 위해 적절한 8분원 및 프리즘 사양을 준비하는데 도움이 될 수 있다.

그림 36.10은 그리드에서 방정식을 푸는 방법을 설명하는 데 도움이 되는 스텐실을 보여주고, 여기서 각 그리드 점에는 i 및 j 위치 인덱스가 할당된다. 단원 36.1.2에서 설명한 것처럼, 편도함수 $\partial u/\partial x$는 u가 x에 따라 어떻게 변하는지 설명한다. 동일한 j 수준에 있는 2개의 다른 i 위치에서 u 값의 차이를 취하여 i, j 위치에 대한 그리드에서 이를 수치적으로 계산할 수 있다:

$$\left(\frac{\partial u}{\partial x}\right)_{i,j} \approx \frac{u_{i+1,j} - u_{i-1,j}}{2\Delta x} \quad (36.16)$$

이와 마찬가지로, 다음을 사용하여 편도 함수 $\partial v/\partial y$를 계산할 수 있다:

$$\left(\frac{\partial v}{\partial y}\right)_{i,j} \approx \frac{v_{i,j+1} - v_{i,j-1}}{2\Delta y} \quad (36.17)$$

비압축성 정상 유동에 대한 2D 미분 질량 보존은 식 36.3은 여전히 한 방향으로 나가는 유체의 양이 다른 방향으로 들어가는 유체의 양과 같다고 말하고, 아래와 같이 식 36.16과 식 36.17을 더한다:

$$\frac{\partial u}{\partial x} + \frac{\partial v}{\partial y} = 0 \quad \rightarrow \quad \frac{u_{i+1,j} - u_{i-1,j}}{2\Delta x} + \frac{v_{i,j+1} - v_{i,j-1}}{2\Delta y} = 0 \quad (36.18)$$

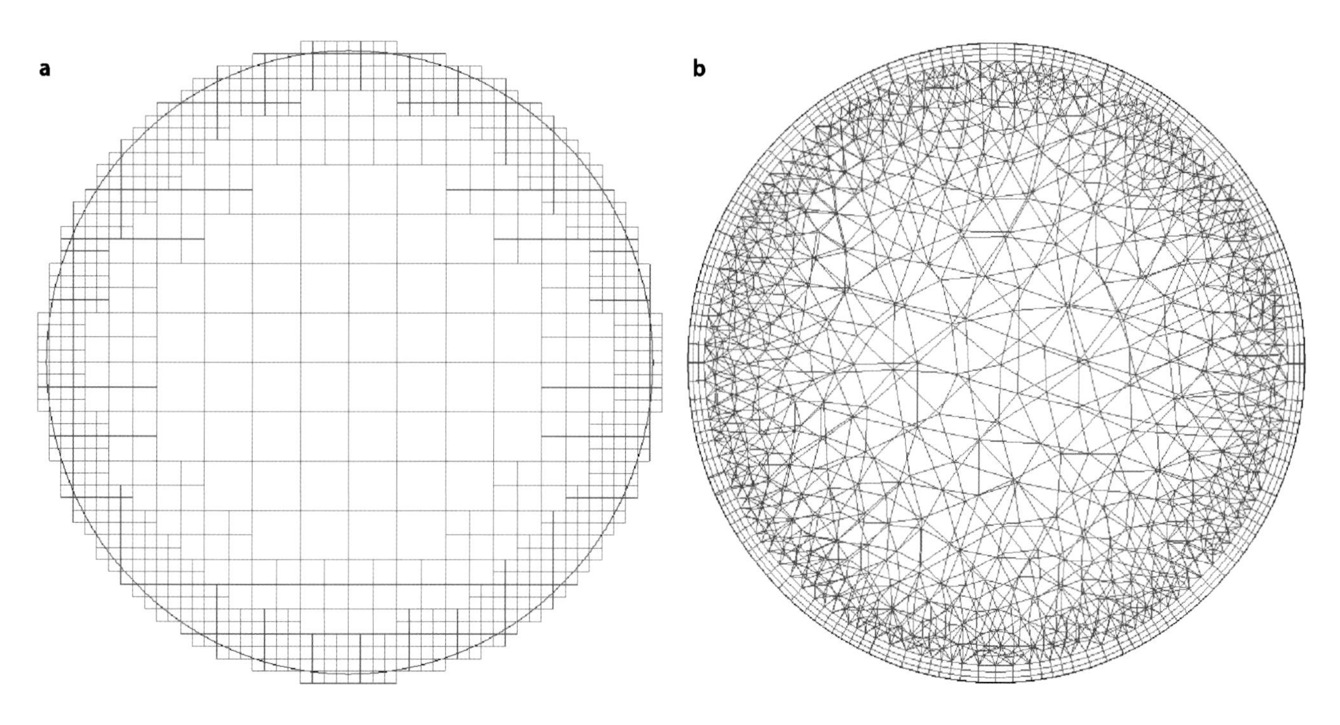

■ 그림 36.9 원형 단면: **a** octree **b** 프리즘 층이 구조화되지 않은 메쉬

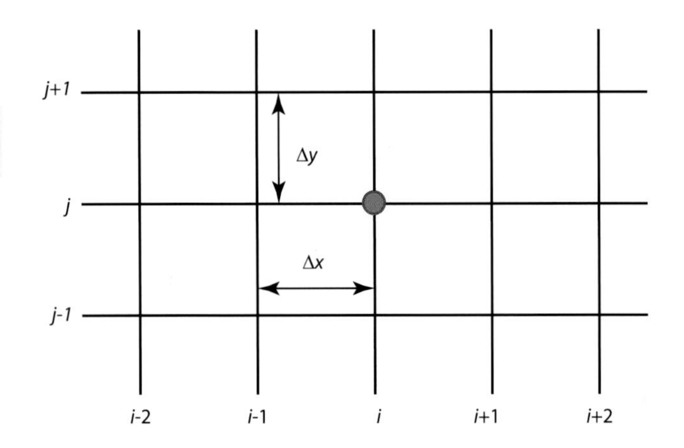

그림 36.10 **도함수 계산을 위한 전산 스텐실**

위의 방정식을 i, j 위치에 적용하면 정보가 주변 4개의 그리드 점에서 알려진 한 계산이 가능하며, 각 그리드 점의 모든 곳에서 도메인이 초기 값으로 채워져야 한다; 자유류 값은 일반적으로 달리 지정되지 않는 한 초기 값으로 가정된다. 사용된 주변 정보에 따라 파생 용어의 대체 공식도 있다; 예를 들어, 다음과 같이 ∂u/∂x 항을 계산할 수도 있다.

$$\left(\frac{\partial u}{\partial x}\right)_{i,j} \approx \frac{u_{i+1,j} - u_{i,j}}{\Delta x} \tag{36.19}$$

위는 현재 그리드 점보다 앞서 정보를 사용하기 때문에 전향 차분이라고 불리는 반면, 식 36.16은 물리적 공간 전반에 걸쳐 속성을 연관시키기 위해 현재 그리드 점의 양쪽에 대한 정보를 사용하기 때문에 중심 차분이다. 어떤 공식을 사용할 지는 사용 가능한 정보에 따라 다르다. 표 36.2는 u가 x 차원의 변수인 1차 도함수와 2차 도함수에 대한 공통 차이 방식을 보여준다. 다른 변수와 방향에도 동일한 공식이 적용된다. 미분 질량 보존은 일반적인 CFD 연구에 대한 RANS 방정식으로 해결되고, 여기에는 열 전달이나 유체 압축성이 문제에 중요한 경우 에너지 방정식도 포함된다(2가지 모두 일반적인 인두와 비강 기도 시뮬레이션에는 필요하지 않다). 경계 조건이라고 하는 영역 경계에 대한 입력 정보의 영향은 위에서 볼 수 있는 지배 방정식의 편도 함수 항에서 인접한 그리드 점을 가로질러 정보를 연관시킴으로써 결국 영역 전체에 전파된다. 방정식으로 계산된 속성 값의 변경 사항이 도메인의 모든 것에서 작은 허용 오차 미만이면 solver는 특정 경계 조건 세트, 모델링 선택, 그리드 구현에 대한 솔루션으로 수렴된다. 이 3가지 중 하나가 변경되면 solver가 다른 솔루션으로 수렴될 수 있다.

앞서 언급한 바와 같이, 결과를 믿기 전에 시뮬레이션에 적절한 그리드가 사용되었는지 확인하기 위해 그리드 상세화 연구를 수행해야 한다. 그리드 세분화 연구의 아이디어는 그리드의 적절성을 판단하기 위해 메트릭을 사용하면서 서로 다른 그리드에 대해 연속적인 시뮬레이션을 수행하는 것이다. 인두와 비강 시뮬레이션의 경우 도메인 전체의 총 압력 강하는 시뮬레이션의 가장 중요한 결과이기 때문에 좋은 메트릭이다. 코스 그리드 시뮬레이션을 먼저 시도해야 하며, 연속 시뮬레이션의 그리드는 이전 시뮬레이션 결과의 속성 기울기 영역에서 참조해야 한다. 메트릭이 수렴되면, 즉 압력 강하가 일정한 값으로 접근하면 그리드는 일반적으로 수렴된 것으로 간주된다. 그리드 수렴 아이디어의 수학적 배경은 아래와 같이 도함수의 공식 미적분 정의에 기초한다:

$$\frac{du}{dx} = \lim_{(x_2-x_1)\to 0} \frac{u_2 - u_1}{x_2 - x_1} \tag{36.20}$$

이것은 그리드 점 1과 2의 정보를 사용하여 수행된 실제 도함수 계산이 그리드 점 사이의 간격이 0으로 제한됨에 따라 실제 도함수에 가까워진다는 것을 의미한다(즉, 점점 작아짐). 이것이 그리드 세분화 연구의 핵심이다 – 흐름 특성이 그래디언트가 있는 영역에서 충분하게 세분화된 그리드를 확보, 사용된 그리드의 계산된 그래디언트는 추가 세분화로 변경되지 않고 요소 사이의 그리드 간격은 더 세분화된 격자 간격을 의미. 그리드 생성의 목표는 그리드 수가 증가하면 시뮬레이션 시간이 증가하기 때문에 시뮬레이션 중에 동일한 그래디언트 해상도

표 36.2 1차 및 2차 편도 함수에 대한 공통 차이 방식

도함수	후방	중앙	전방
$\left(\frac{\partial u}{\partial x}\right)_{i,j}$	$\frac{-u_{i-1,j}+u_{i,j}}{\Delta x}$	$\frac{-u_{i-1,j}+u_{i+1,j}}{2\Delta x}$	$\frac{-u_{i,j}+u_{i+1,j}}{\Delta x}$
$\left(\frac{\partial^2 u}{\partial x^2}\right)_{i,j}$	$\frac{u_{i-2,j}-2u_{i-1,j}+u_{i,j}}{\Delta x^2}$	$\frac{u_{i-1,j}-2u_{i,j}+u_{i+1,j}}{\Delta x^2}$	$\frac{u_{i,j}-2u_{i+1,j}+u_{i+2,j}}{\Delta x^2}$

를 생성할 수 있는 최소 요소 수를 찾는 것이다. 그러나 너무 많은 요소를 사용하는 경우 시뮬레이션 요소 수가 증가하면 더 많은 방정식이 풀려지고 각 계산에는 컴퓨터 프로세서의 정밀도와 관련된 소수의 특정 수만 포함될 수 있기 때문에 컴퓨터 절단 오류로 인해 정확도가 달라질 수 있다. 따라서 그리드 점의 수와 시뮬레이션 주기에 대한 가산 계산 잘림 오류는 너무 많은 요소가 사용되는 경우 더 작은 그리드 간격으로 얻은 정확도를 극복할 수 있다. 이것은 앞서 설명한 대로 메트릭을 확인하여 판단되는 솔루션 발산으로 표시될 수 있다.

전환 및 난류를 시뮬레이션할 때 마지막 그리드 메트릭을 이해하는 것이 중요하다. 천이 유동과 난류는 엄격한 층류에서는 발생하지 않는 벽 근처 영역에서 난류 응력(변동)을 나타내므로 천이 및 난류 모델은 벽 근처 거동을 적절하게 해결하기 위해 표면에 더 가까운 경계층에 더 많은 그리드 요소가 필요하다. 표면 법선 그리드 요소 분포를 정량화하는 데 사용되는 메트릭은 아래에 정의된 무차원 벽 좌표 y-이다:

$$y^+ = \frac{y\sqrt{\frac{\tau_w}{\rho}}}{\nu} \qquad (36.21)$$

여기서 τ_w는 벽에서의 전단 응력이고 v는 유체 밀도로 나눈 분자 점도 계수(μ)와 동일한 동점도 계수이다. 벽에 인접한 첫 번째 그리드 배치 $y1^+$는 특히 중요하며 사용된 난류 모델에 따라 특정 범위에 위치해야 한다. 예를 들어, 많은 RANS 난류 모델은 최고의 정확도를 위해 $y1^+ < 1$가 필요하다. 이 그리드 메트릭은 그리드 세분화 연구의 일부로 평가되어야 한다. 상용 CFD 패키지에는 일반적으로 소프트웨어에 포함된 전환 및 난류 모델에 대한 적절한 $y1^+$ 값 또는 범위에 대한 지침이 소프트웨어 설명서에 포함되어 있다.

36.2.4 모델 구축

CFD 준비 모델은 만드는 것은 적절한 CFD 시뮬레이션을 수행하는 것만큼 어려울 수 있다. 일반적으로, 모델은 중요한 기하학적 또는 해부학적 특징을 유지하는데 필요한 만큼의 세부사항을 포함해야 하지만, 기하학적 및 흐름 기울기를 해결하기 위해 과도한 그리드 요소를 요구할 정도로 너무 상세하지 않아야 한다. CAD (computer aided design) 패키지에서 간단한 모델을 생성하고 stereolithography (*.stl), step (*.stp), parasolid (*.x_t) 파일 유형을 포함한 최신 CFD 전처리기로 직접 읽을 수 있는 파일 형식으로 내보낼 수 있다. 환자별 모델의 경우 일반적으로 CT나 MRI로 얻은 DICOM 의료 영상 파일 형식을 위에서 언급한 CFD 전처리기에서 허용되는 유형 중 하나로 변환하려면 추가 소프트웨어가 필요하다. 일부 추가 소프트웨어에는 CFD 분석을 위해 내보내기 전에 DICOM 정보를 수정할 수 있는 동반 CAD 프로그램이 포함될 수도 있다.

36.2.5 후처리

최신 CFD 패키지에는 일반적으로 CFD solver에서 수렴된 솔루션 결과를 검사할 수 있는 자체 후처리 소프트웨어도 포함되어 있다; 하지만, 전처리 단계에서 그리드 생성과 마찬가지로 다양한 계산 프로그램의 결과 파일을 해석하고 표시하도록 설계된 독립 실행형 소프트웨어 패키지도 있다. 위에서 언급했듯이 도메인 전체의 평균 압력 강하는 기도를 통해 공기의 질량 흐름을 이동하는 데 필요한 흡입이나 호기력과 직접 관련되기 때문에 인두와 비강 연구에 매우 중요하다. 관심 있는 다른 분량에는 속도 크기, 표면 압력, 전단 응력뿐만 아니라 난류 운동 에너지나 맹돌이 점도와 같은 다양한 난류 양이 포함될 수 있다. 이러한 양은 일반적으로 사용자가 식별한 횡단면을 가로질러 표면에 표시하거나 Microsoft Excel이나 Mathworks' Matlab과 같은 프로그램을 사용하여 추가 구성을 위해 선 구성을 추출할 수 있다.

36.3 예제 응용 프로그램

여기에서는 저자와 연구팀이 수행한 시뮬레이션에서 인두와 비강 기도에 대한 몇 가지 표본 CFD 결과를 제시한다. CFD 시뮬레이션 과정에서 학습할 수 있는 유체 역학 및 해부학적 이해의 유형을 보여주기 위한 것이다.

36.3.1 인두 기도

그림 36.11은 공기 흐름이 위에서 아래로 향하는 정압, 속도, 난류 운동 에너지, 맹돌이 점도를 포함하는 전형적인 인두 기도의 정중 시상변을 가로지르는 등고선 구성을 나타낸다. 등고선 수준은 각 변수마다 다르며 높은 값을 빨간색으로, 낮은 값을 파란색으로 나타내는 도메인 전반에 걸쳐 속성의 변화를 강조하기 위해 선택되었다. 압력 윤곽은 입구에서 더 높은 압력과 출구로 갈수록 더 낮은 압력에서 전형적인 유체 흐름 움직임을 보여준다. 입구와 출구 사이의 평균 압력 차이는 도메인 전체의 압력 강하와 같다. 압력과 속도 등고선을 비교하면 단원 36.1.2과 3에서 논의한 것과 동일한 논리로 인해 속도가 증가

36

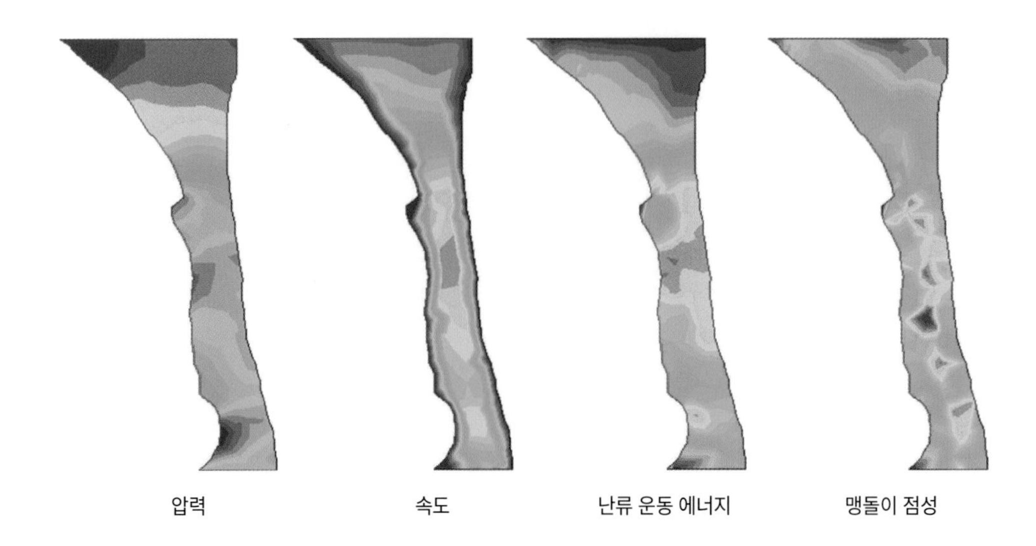

■ 그림 36.11 **인두 부위의 전형적인 CFD 결과; 빨간색은 높은 값을, 파란색은 낮은 값을 나타낸다.**

하는 곳에서 압력이 감소하는 방법과 그 반대의 경우를 알 수 있다. 속도 등고선은 또한 속도가 벽 근처에서 더 낮은 값을 갖기 때문에 표면 근처의 점성 경계층의 효과를 보여준다. 기도 수축으로 인한 더 높은 속도가 기도를 더욱 끌어당기는 경향이 있는 더 낮은 정압을 동반하여 해부학적 수축, 속도 증가, 압력 감소 사이의 관계를 악화시키기 때문에, 이러한 등고선에서 호흡 중기도 허탈 현상도 이해할 수 있다. 이 시뮬레이션에 대한 Reynolds 수는 흐름을 완전히 난류로 간주하기에는 너무 낮았지만, 등고선 구성은 해부학적 변화와 속도 증가로 인해 영역 전체에서 속도 변동이 여전히 생성됨을 보여준다. 맴돌이 점도가 증가하는 영역도 확인할 수 있으며 이 두 현상은 체적 흐름 Reynolds 수가 층류 영역을 나타내더라도 내부 흐름에 난류 모델링이 필요한 이유를 보여준다. 일반적으로 해부학적 변화 및 속도 증가와 같이 속도 변동을 증가시킬 수 있는 모든 기전은 난류 모델링이 그 효과를 설명해야 하는 난류 변동을 유발할 수 있다. 해부학 자체의 치수는 그림과 같이 CFD 프로세스에서 검사할 수도 있다.

Huynh 등[2]은 CT 데이터에서 환자별 모델을 구성한 MMA 수술을 받은 환자 4명의 치료 전후 인두 해부학에 대한 CFD 분석을 수행했다; 5명의 환자의 CT를 획득했지만, 4세트의 CFD 준비 모델만 생성하고 연구할 수 있었다. 결과는 4명의 환자 중 3명이 수술 후 흡입에 필요한 압력 강하가 90% 이상 감소한 것으로 나타났다. 더 중요한 것은 수술 후 해부학적으로 요구되는 압력 강하의 증가를 보인 1명의 환자가 MMA에도 불구하고 국소 둘레를 단면적보다 빠르게 증가시켜 식 36.11의 수압 직경을 낮추는 해부학적 변화로 인해 국소 수압 직경의 감소를 나타냈다는 것을 보여주었다. 골격성 랜드마크를 참조하는 선형 표시기만 사용하는 것이 호흡 용이성의 개선을 보장하지 않기 때문에 외과 의사가 수술 변경을 계획할 때 수축된 해부학적 위치에 대한 수압 직경의 증가를 보장하기 위해 외과의가 가이드 역할을 해야 할 것이다. Kim 등도 CFD 분석을 사용하여 달성한 학습이 통계적 관련성을 유지한다는 것을 보여주었다.[3] 구글 학자 검색이나 일반적인 도서관 문헌 검토 검색을 통해 쉽게 찾을 수 있는 공개 문헌에서 CFD를 사용하여 인두 기도를 분석하는 양질의 예가 더 많이 있으며, 위의 정보는 계산 도구를 주의 깊게 적용하여 배울 수 있는 정보에 대한 아이디어만 제공하기 위해 선택되었다.

그림 36.12는 MMA 수술을 받은 환자에 대한 시뮬레이션에 벽 순응도의 효과를 포함하기 위해 유체 solver를 구조적 유한요소 분석(FEA) 소프트웨어에 연결하는 유체-구조물 상호작용(FSI) 시뮬레이션의 결과를 보여주고, CFD에서 계산된 표면 응력은 구조 solver로 전달되어 표면 변위를 계산한 다음 유체 거동을 조정하는 경계를 재정의하기 위해 CFD solver로 전달된다; 이 프로세스는 지정된 시뮬레이션 시간이 만료될 때까지 반복된다. 이러한 유형의 시뮬레이션에는 알 수 없는 재료 특성과 벽 두께로 인한 불확실성이 크지만 정상적인 호흡 주기 동안 발생하는 기도 내부의 유체 역학 변화로 인한 기도 변형과 허탈의 역학에 대한 귀중한 통찰력을 얻을 수 있다. CT 데이터로 구성된 전처리 모델의 왼쪽 두 이미지는 사인 곡선 흡입 경계 조건에 대한 최대 벽 변위 시점이 벽 변위와 속도 벡터를 포함하여, 속도 크기 증가가 수면 무호흡과 같은 호흡 문제를 더욱 악화시키는 내부 벽 변위와 어떻게 연결되는지 보여준다. 오른쪽의 두 이미지는 최대 변위 조건에서 수술 후 모델에 대한 벽 변위 및 속도 벡터로, 외과적 수단을 통해 수압 직경을 증가시키기 위해 제한된 기도를 개방하는 방법이 속도 크기를 감소시키는 방법과 (단원 36.1.1, 2에 설명된 이론에 따라) 관

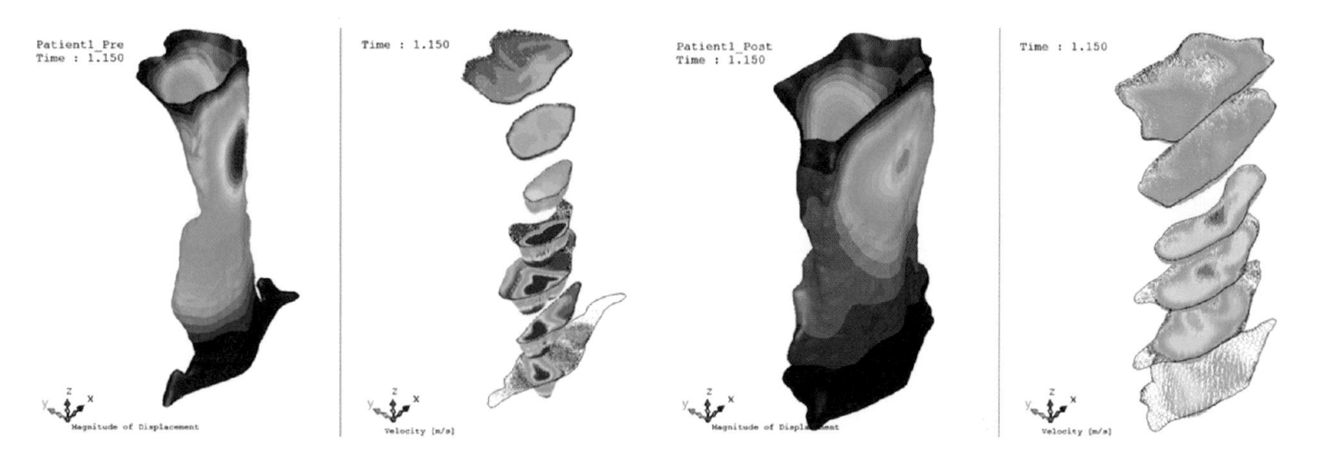

그림 36.12 MMA 치료 전후의 인두 부위의 유체-구조물 상호 작용 시뮬레이션; 영상의 스케일이 일정하지 않다.

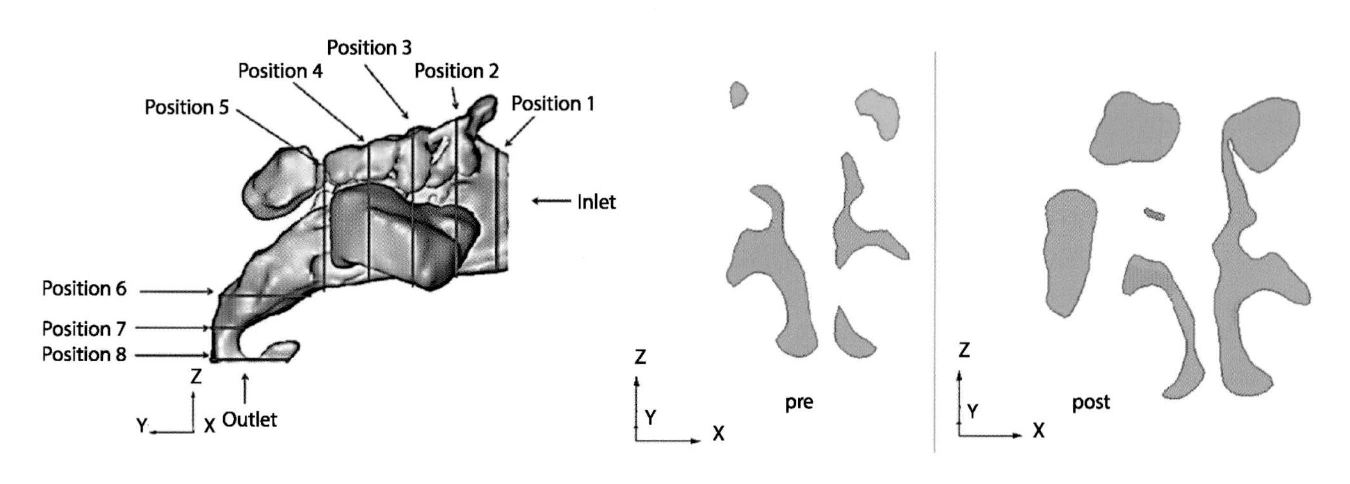

그림 36.13 비강 기도 CFD 시뮬레이션

련 벽 변위를 감소시키는 방법을 보여준다. FSI 시뮬레이션은 벽 순응도의 영향을 포함할 수 있지만, 구조적 특성(탄성 계수, Poisson 비율 등)과 환자 대 환자 변화로 인한 이러한 행동의 다양성은 FSI 방법의 보편적 수용과 추가 적용을 복잡하게 한다. 게다가, 인두 기도에 대한 정확한 벽 두께를 결정하려면 고해상도 영상이 필요하다. 보다 정확한 FSI 시뮬레이션을 위해서는 인두가 구조적으로 지지되는 방식을 이해하는 것도 개선되어야 한다. 다시 말하지만, 독자에게 계산 도구를 사용하여 학습할 수 있는 정보 유형에 대한 아이디어를 제공하기 위해 결과가 여기 제공된다.

36.3.2 비강 기도

그림 36.13은 RME(급속 상악 확장) 치료를 받고 있는 환자의 비강 해부학에 대한 CFD 시뮬레이션 결과를 보여주고, 왼쪽 영상은 CT 데이터를 사용하여 개발된 계산 모델을 포함하고, 중간과 오른쪽 영상은 위치 3의 정압 분포를 포함한다. 그림에서 중간 이미지와 왼쪽 이미지 사이의 해부학적 변화를 볼 수 있는데, 이는 치료 전 해부학적 구조와 치료 후 해부학적 구조 사이의 위치 3에서 흐름 경로가 크게 다르다는 것을 나타낸다. 이 변화의 양은 RME 치료로 인한 것이며, CT 결과에 영향을 미칠 수 있는 비강 순환 과정과 관련된 충혈 및 충혈이 교대로 나타나는 것과 같이 영상 과정에 영향을 미치는 다른 특징으로 인한 것인지 이해하기 어렵다. RME 장치로 인해 각각 6.4 mm, 7.1 mm 너비 확장을 경험한 2명 환자에 대한 치료 전후 CFD를 조사한 결과, 환자 1은 250과 500 mL/s의 흡입 유량에서 압력 강하가 53% 이상 개선되었고, 환자 2는 동일한 유속에서 85%이상 개선되었음을 보여주었다.

36.4 요약 및 전망

이번 단원에서는 단면적, 질량 유량, 호흡력의 함수로서 인두와 비강 기도 유체 역학을 이해하기 위한 유체 흐름 및 컴퓨터 예측의 기본 개념을 설명했다. 단순 형상에 대한 CFD 시뮬레이션은 직사각형 형상이 수축 영역에 따라 더 작은 압력 강하 증가를 나타내는 것으로 나타났다. 시뮬레이션 결과가 주어진 모델 및 경계 조건 세트에 적합한 그리드에서 계산되도록 하기 위해 그리드 보강 연구의 중요성도 설명되었다. 기도 수축을 나타내는 해부학적 구조의 경우, CFD 결과는 수압 직경의 증가가 필요한 호흡력을 감소시키는 데 필요하고 기도 전체에 걸친 수압 직경의 증가는 골격성 랜드마크에 대한 전통적인 선형 전진 대신 호흡 문제를 완화하기 위한 MMA 수술의 성공을 더 잘 예측할 수 있다.

현대의 컴퓨터 도구는 인체 해부학에 대한 보다 상세한 연구와 환자별 해부학적 모델에 대한 유체 흐름 분석을 가능하게 했으며, 더 많은 그룹이 이러한 도구를 계속 사용함에 따라 외과적 치료에 대한 유체 역학 근거와 의미는 치아안면 의학 사회에서 더 일반적으로 이해할 수 있다. 컴퓨터 도구의 향후 사용 증가는 또한 현재 전략이 일반적으로 수반하는 것보다 더 예측 가능한 사전 치료 정보로 이어질 수 있으며, CT와 관련 CFD 시뮬레이션이 환자의 해부학에서 문제 영역을 식별할 수 있는 시간을 상상하는 것은 어렵지 않다. 그런 다음 CFD로 추가 분석하기 전에 CAD 도구를 사용하여 주요 영역에서 모델 데이터를 모핑하거나 변형하여 어떤 유형의 외과적 수정이 유체 역학 동작을 유발하는지 이해한다. 이 프로세스는 현재 기존 소프트웨어 도구를 사용하여 수행할 수 있으며 필요와 자금이 있는 경우 수술법을 알릴 수 있다. 인두와 비강 기도 벽의 기계적 특성과 반응에 대한 지식 향상은 유체-구조물 상호작용 시뮬레이션을 보다 의미있게 만드는 데도 필요하고, 환자별 조직의 기계적 반응은 충분히 이해되지 않기 때문에 현재 대부분은 실제 조직 반응 대신 추세에 따른 정보를 예측하는 데 유용한 것으로 해석되어야 한다. 몇몇 연구자들은 생체 조직 물질의 기계적 특성을 결정하기 위해 수정된 초음파와 MRI를 사용하는 방법을 이미 개발하고 있으며[4,5], 이러한 방법은 잠재적으로 각 환자에 특정한 기계적 특성과 유체 및 구조적 상호 작용을 설명하는 보다 정확한 환자 별 시뮬레이션에 정보를 제공할 수 있다. 이 2가지 제안이 앞으로의 발전을 나타내지만, 이번 단원에서 강조된 몇 가지 우려 사항이 충분히 해결되는 한 기존 계산 도구는 정확하고 다양한 기술 수준에서 사용하기에 충분히 용이하다.

참고문헌

1. White F. Viscous fluid flow. 3rd ed: McGraw–Hill, New York, NY, USA; 2006.
2. Huynh J, Kim KB, McQuilling M. Pharyngeal airflow analysis in obstructive sleep apnea patients pre– and post–maxillomandibu–lar advancement surgery. J Fluids Eng. 2009;131(9):091101–1–091101–10. https://doi.org/10.1115/1.3192137.
3. Kim KB, McShane P, McQuilling M, Oliver D, Schauseil M. Computational airflow analysis pre– &'''maxillomandibular advancement surgery. J World Fed Orthod. 2016;5:2–8. https://doi.org/10.1016/j.ejwf.2015.12.002.
4. Monsour JM, et al. Towards the feasibility of using ultrasound to determine mechanical properties of tissues in a bioreactor. Ann Biomed Eng. 2014;42(10):2190–202. https://doi.org/10.1007/s10439–014–1079–4.
5. Zhao H, et al. Noninvasive assessment of liver fibrosis using ultrasound–based shear wave measurement and comparison to magnetic resonance elastography. J Ultrasound Med. 2014;33(9):1597–604. https://doi.org/10.7863/ultra.33.9.1597.

Supplementary Information

Index

INDEX

ㅇ

ㅈ

ㅊ

ㅋ

ㅌ

ㅍ

ㅎ

A

B

C

D

E

F

G

H

I

J

L

M

N

O

P

Q

R

S

T

U

V

W

Z